DEUX MONDES

A Communicative Approach

FOURTH EDITION

Tracy D. Terrell
Late, University of California, San Diego

Mary B. Rogers
Friends University

Betsy J. Kerr
University of Minnesota, Minneapolis

Guy Spielmann
Georgetown University

Consultant: Françoise Santore
University of California, San Diego

Boston   Burr Ridge, IL   Dubuque, IA   Madison, WI   New York   San Francisco   St. Louis
Bangkok   Bogotá   Caracas   Kuala Lumpur   Lisbon   London   Madrid   Mexico City
Milan   Montreal   New Delhi   Santiago   Seoul   Singapore   Sydney   Taipei   Toronto

McGraw-Hill Higher Education ✌

A Division of The **McGraw-Hill** Companies

This is an book.

Deux mondes: A Communicate Approach

Published by McGraw-Hill, a business unit of The McGraw-Hill Companies, Inc., 1221 Avenue of the Americas, New York, NY 10020. Copyright © 2002, 1997, 1993, 1988 by The McGraw-Hill Companies, Inc. All rights reserved. No part of this publication may be reproduced or distributed in any form or by any means, or stored in a database or retrieval system, without the prior written consent of The McGraw-Hill Companies, Inc., including, but not limited to, in any network or other electronic storage or transmission, or broadcast for distance learning.

This book is printed on acid-free paper.

Student Edition   1 2 3 4 5 6 7 8 9 0 VNH/VNH 0 9 8 7 6 5 4 3 2 1
Instructor's Edition 1 2 3 4 5 6 7 8 9 0 VNH/VNH 0 9 8 7 6 5 4 3 2 1

ISBN 0-07-232070-2 (Student Edition)
ISBN 0-07-242164-9 (Instructor's Edition)

Vice president and editor-in-chief: *Thalia Dorwick*
Sponsoring editor: *Leslie Hines*
Freelance development editor: *Eileen LeVan*
Marketing manager: *Nick Agnew*
Project manager: *Jill R. Peter*
Media technology producers: *Matthew Mulvey/Yvette Raven*
Production supervisor: *Pam Augspurger*
Coordinator of freelance design: *David W. Hash*
Interior designer: *Tsela Barr*
Cover art: Sonia Delaunay, *"Composition 348,"* 1947, gouache over pencil on paper, 20 × 18 in.,
    © *L&M Services B.V. Amsterdam 200611*
Photo image: © *Christie's Images New York, 2000*
Photo research coordinator: *John C. Leland*
Photo research: *PhotoSearch, Inc.*
Supplement producers: *Louis Swaim/Tracey Knapp*
Compositor: *York Graphic Services, Inc.*
Typeface: *10/12 Legacy Serif Book*
Printer: *Von Hoffmann Press, Inc.*

The credits section for this book begins after the index and is considered an extension of the copyright page.

Library of Congress Cataloging-in-Publication Data

Deux mondes : a communicative approach / Tracy D. Terrell . . . [et al.].—4th ed.
    p.   cm.
    Includes index.
    ISBN 0-07-232070-2
    1. French language—Textbooks for foreign speakers—English. I. Title: 2 mondes.
II. Terrell, Tracy D.

PC2129.E5 D48   2001
448.2'421—dc21   00-066848
                                                                 CIP

www.mhhe.com

CONTENTS

PREMIÈRE ÉTAPE
PREMIÈRES RENCONTRES
1

DEUXIÈME ÉTAPE
LE MONDE ÉTUDIANT
21

1 CHAPITRE 1
MA FAMILLE ET MOI

2 CHAPITRE 2
LA VIE QUOTIDIENNE ET LES LOISIRS

3 CHAPITRE 3
EN VILLE

99

4 CHAPITRE 4
LA MAISON ET LE QUARTIER

129

5 CHAPÎTRE 5
DANS le passé

6 CHAPÎTRE 6
L'ENFANCE ET LA JEUNESSE

CHAPITRE 7
À TABLE!

CHAPITRE 8
PARLONS DE LA TERRE!

11 CHAPITRE 11
LES MOYENS DE COMMUNICATION
341

12 CHAPITRE 12
LA SANTÉ ET LES URGENCES
367

To the Instructor

Welcome to the Fourth Edition of *Deux mondes*! We are excited about our new edition, which we believe is our best ever. In this edition we have brought in fresh, new themes of current interest, updated existing themes, and integrated practical new ideas from the field of second-language teaching.

Keeping Pace with the Profession: From Proficiency to the National Standards

Built on the foundation of three highly successful editions, the Fourth Edition of *Deux mondes* offers a truly communicative approach that supports functional proficiency in all language skills. We believe that competent speakers must have an appropriate background knowledge of the communicative and cultural contexts in which language occurs. *Deux mondes* considers cultural competence to be an integral part of language learning and integrates it as part of developing communicative competence by providing natural contexts, and by offering many perspectives on Francophone culture through readings and authentic materials.

Moreover, *Deux mondes* supports the National Standards, as outlined in *Standards for Foreign Language Learning: Preparing for the 21st Century* (1996; National Standards in Foreign Language Education Project, a collaboration of the ACTFL, AATG, AATF, and AATSP). As presented in the Standards, the five "Cs" of Communication, Cultures, Connections, Comparisons, and Communities describe what students should know and be able to do as a result of their language study. *Deux mondes* provides a solid foundation for their implementation.

Communication: Deux mondes emphasizes communication in meaningful and personalized contexts in the target language. Throughout the program, students listen to and read comprehensible French and have ample opportunities to use French in guided and free conversation, interviews, information gap activities, role-plays, writing, and other kinds of activities that are theme-based, not grammar-driven.

Cultures: The *Info* and *Les francophones sur le vif* sections present various perspectives on the cultures of the French-speaking world. *Dans le monde francophone* offers communicative activities based on authentic materials. Throughout the book, students listen to,

read, and respond to texts written for or based upon interviews with native speakers.

Connections: Chapter themes and activities encourage and enable students to link their study of French with their personal lives and other subjects they are studying.

Comparisons: Recurring features such as *La langue en mouvement, Info, Les francophones sur le vif,* and *Espace vidéo,* and the activities in *Dans le monde francophone,* lead students to make comparisons between their world and that of French-speaking people.

Communities: The open-ended *Cliquez là!* and the *Deux mondes* website activities encourage students to use the Internet to make direct contact with the French-speaking world at home and abroad. The *Activités* in the student text and in the Instructor's Resource Kit (IRK) encourage students to work with classmates in situations requiring interpersonal and group dynamics.

Changes That Make a Difference

Throughout the review process, we received valuable input from instructors and students alike. As a result, we have made a number of changes in the Fourth Edition without altering the basic concept and approach of *Deux mondes.*

- *Activités et lectures* pages have been revised to present a clear system that facilitates easier lesson planning. Each activity is labeled by type, placing it into one of fourteen categories (for example, *Enquête, Discussion, Casse-tête, Récit*). Suggestions for teaching and sample lesson plans for each category can be found in the Instructor's Manual.
- Many *Activités* and the readings have been updated to reflect changes in the cultures of the French-speaking world.
- Chapter 8, *Parlons de la Terre!,* has been extensively revised to reflect the strong interest in environmental issues among Francophone people in Europe and, indeed, people throughout the world.
- Chapter 11, *Les moyens de communication,* has undergone a thorough revision to accommodate the technological advancements of the electronic age in the French-speaking world and elsewhere.

- The readings have been extensively revised and include two new features: (1) *Les francophones sur le vif* offers short narratives drawn from responses to our questions by native speakers, who relate their personal views and experiences, thus adding a fresh voice to the chapter theme. (2) *La langue en mouvement* highlights a particular aspect of the French language tied to current Francophone cultures, or the historical and ongoing links between the French and English languages.
- A new feature, *Exprime-toi!,* offers optional idiomatic vocabulary items for students to use in partner or group discussion activities.
- More visually based activities (some with new realia) have been added to each chapter.
- New web-based features now are integrated into each chapter. (1) *Cliquez là!* is a unique feature that enhances many oral activities and readings in each chapter, encouraging students to use the Francophone web on their own. They can learn more about the Francophone world, pursue their own interests, or experiment with performing tasks such as finding a hotel room or making a purchase. *Cliquez là!* activities can be assigned as homework or used for personal browsing. (2) The new *Deux mondes* website (www.mhhe.com/deux mondes) offers a wealth of task-based activities that require the use of selected current websites. They provide students with guided opportunities to practice their language skills as they experience authentic cultural contexts.
- A new video section, *Espace vidéo,* has been added to each chapter to highlight new, functional language video clips tied to each chapter theme.
- The fundamental scope of the grammar syllabus has been retained. However, some topics have been rearranged in accordance with communicative needs, and we have increased the amount of grammar practice in some cases.

A Guided Tour of Deux mondes, Fourth Edition

Deux mondes includes both oral and written activities that can be used as a starting point for communication. The student text consists of two preliminary *Étapes* and fourteen regular chapters. Each chapter explores a specific theme, introducing related language functions, vocabulary, and cultural information essential to communication at the beginning level. Functional language is supported by the *Grammaire* explanations and self-correcting exercises. Every regular chapter is divided into the following three parts:

- Activités et lectures
- Vocabulaire
- Grammaire et exercices

Our guided tour presents an overview of the chapter structure and features of *Deux mondes*.

Activités et lectures

The *Activités* are designed for oral communication and listening comprehension in the classroom. They are done with partners, in small groups, or by the whole class. The readings provide cultural information and add context for learning authentic language. A small number are adapted from accessible literary texts. Each *Lecture* is followed by comprehension questions, *Avez-vous compris?* and extension activities for partners or groups.

Vocabulaire

Chapter vocabulary is mostly summarized by its lexical or thematic groups as related to the chapter theme. The *Vocabulaire* presents words intended primarily for recognition. They are meant for student review and reference; students are not expected to learn all of the words for active use.

Grammaire et exercices

The *Grammaire* section can be used for at-home study, or if instructors so desire, it can be used in class. Its numbered sections provide explanations in English and are referenced in the *Activités et lectures* sections. Answer keys are provided in Appendix D to allow students to correct their own work.

Other exciting features include:

Allons plus loin! Pensez à des activités que vous aimiez faire et qui n'existaient pas quand vos grands-parents étaient enfants. Pourquoi est-ce que ces activités n'existaient pas?

Allons plus loin!

These activities encourage students to offer their own views on the topics raised in the *Activités* and *Lectures* and to approach the topic from other perspectives.

À vous la parole!

These activities are optional extensions of certain *Activités;* they encourage students to practice speaking French by doing engaging projects such as role-plays and interviews.

À vous la parole! **Situation:** Vous dînez avec des amis au restaurant «Chez Michel», un très bon restaurant parisien. Avec votre partenaire, jouez les rôles du client (de la cliente) et du serveur (de la serveuse).

LE SERVEUR: Vous désirez, (mademoiselle)?
VOUS: Comme hors-d'œuvre, je voudrais...
LE SERVEUR: Et comme salade... ?
VOUS: ...
LE SERVEUR: ...
LE SERVEUR: Et avec ça, c'est tout?
VOUS: ...

Info: Société

Gastronomie québécoise

Info: Société. The hearty culinary specialties of Québec are not well known, and—with the exception of *poutine*, a fast-food staple—are not always served in restaurants, which tend to favor French- or American-style cooking. However, there is a growing movement to create a refined, creative *Québécois* cuisine based on native ingredients. Show a flag of Canada to illustrate *érable*, and point out that Québec is the world's largest producer of maple products.

Il y a beaucoup d'excellents restaurants de style français au Québec, mais on peut aussi y goûter une cuisine populaire et originale, à base d'ingrédients locaux.[1] Par exemple, la «tourtière» est une sorte de tarte à la viande et aux légumes; chaque famille a sa recette particulière. De nombreuses spécialités sont préparées avec le «sucre» (c'est le nom du sirop d'érable[2] au Québec), et notamment la fameuse «tarte au sucre». Le plat national populaire le plus insolite[3] est sans doute la «poutine», une assiette de frites avec des morceaux de viande de bœuf fumée et une sauce au fromage. Ce n'est pas très léger, mais c'est absolument délicieux!

[1] pluriel de **local**
[2] un arbre: le symbole du Canada est une feuille d'érable
[3] original et un peu étrange

Dans la vieille ville de Québec

Info: Société, Histoire, Arts et lettres, Vie quotidienne

These illustrated boxes offer up-to-date information about everyday life and topics on broader social issues throughout the Francophone world.

La langue en mouvement

Starting in Chapter 3, these brief sections give insight into how the French language is changing, as well as into how it has developed historically. The sections include the origins of words and expressions, variations in language within the Francophone world, and other linguistic phenomena.

La langue en mouvement

Emprunts gastronomiques

Au cours des siècles, beaucoup de mots sont passés du français en anglais et vice versa. Par exemple, il est facile de reconnaître les origines françaises de mots comme «menu», «cuisine», «gastronomy» et «gourmet». Il est intéressant de remarquer que «cuisine» et «kitchen» viennent du même mot latin, mais que «kitchen» est arrivé par la route des langues germaniques. Reconnaissez-vous les mots français qui sont à l'origine des mots «puree», «saute» et «blanch»?

Ça fait penser

Quelques proverbes «alimentaires»

- On reconnaît l'arbre à ses fruits.
- Il vaut mieux aller au boulanger qu'au médecin.
- On ne fait pas d'omelette sans casser des œufs.
- Il faut garder une poire pour la soif.

Ça fait penser

Starting in Chapter 7, these margin boxes offer interesting facts that supplement a few *Activités* or readings in each chapter. They always open the door to further discussion of a particular topic.

Les francophones sur le vif

In this new feature, native speakers from France and the Francophone world give their personal views about a variety of issues and everyday events.

LES FRANCOPHONES SUR LE VIF

Farida Abdel, 25 ans, réceptionniste à Lyon

Où préférez-vous faire vos provisions?

Pour les fruits et les légumes, et aussi les fromages, je préfère aller au petit marché en plein air[1] qui se tient sur la place de mon quartier le mardi et le jeudi matin. Les produits sont très frais, de bonne qualité, mais pas trop chers, et l'ambiance est sympathique parce que les marchands adorent discuter avec leurs clients. Pour les autres achats, je vais dans un hypermarché en banlieue. Bien que je n'aime pas beaucoup ça—c'est si impersonnel!—, il faut admettre que c'est pratique: on y trouve de tout, pas seulement de la nourriture: des vêtements, de l'électro-ménager,[2] du vin et des alcools, des livres ou des accessoires auto. J'aime bien fréquenter[3] les petits magasins de quartier, mais je n'ai pas toujours le temps, et je ne veux pas dépenser trop pour des achats ordinaires.

[1]en... à l'extérieur
[2]l'électro-ménager: appareils électriques pour la maison (grille-pain, four à micro-ondes, etc.)
[3]aller régulièrement dans

Cliquez là!

Cherchez une recette de cuisine en tapant le nom de votre aliment préféré (exemples: le chocolat, l'agneau, les recettes végétariennes).

Cliquez là!

This new web feature is integrated throughout the text as an optional activity. It is intended to help students to feel successful as they explore the web on their own while using French-language websites. *Cliquez là!* offers basic guidance for using the web to delve deeper into issues or topics raised in the text activities.

Espace vidéo

This activity introduces a functional language topic tied to the video clips in each chapter. Clips from the video—new to this edition—can be used as models for role-plays and skits in class.

Vidéothèque

Espace vidéo

Commander au restaurant. Dans ce segment vidéo, Aimée, Claire et Jacques prennent un verre au café. Aimée est en train de dessiner son copain Jacques. Qu'est-ce que le serveur demande à Aimée? Qui commande un citron pressé? Qui prend un café crème? Qu'est-ce que le serveur recommande? Est-ce qu'Aimée suit ses suggestions?

PROGRAM COMPONENTS

The instructional package of *Deux mondes,* Fourth Edition, includes the following materials, designed to complement your instruction and to enhance your students' learning experience. Please contact your local McGraw-Hill sales representative for information on availability and costs of these materials.

Available to adopters and to students:

- **Student Edition.** Full-color textbook with activities, grammar explanations and exercises, and helpful appendices.
- **Listening Comprehension Program.** Available on either audio CD or audiocassette, this program, with selections of readings from the *Info* boxes, *Les francophones sur le vif,* and *Lectures* sections, is offered free with each copy of the Student Edition.
- *Cahier d'exercices.* This combined workbook/laboratory manual contains both acquisition activities and learning exercises for use outside the classroom. New to this edition are a clearer organization and a new listening activity based on a *feuilleton.* In this edition we have included pre- and post-listening activities to accompany our new recorded "radio" serial program, called *Rencontres.*
- **Audio Program.** Available on audio CD or audiocassettes, this program contains pronunciation practice and listening comprehension texts, recorded dialogues, narratives, and a new *Rencontres* serial program starting in Chapter 1. The audio program corresponds to written *Cahier* activities. In addition, this program offers a complete introduction to basic phonetics and pronunciation, with accompanying practice exercises and *dictées.*
- Extensively revised! **Student CD-ROM.** A CD-ROM containing the vocabulary displays with pronunciation items, grammar and vocabulary practice, new video clips, a talking dictionary, and more!
- **New!** *Deux mondes* **website.** A web-based learning center with online activities and learning resources for students.
- **New!** *Sans-faute.* An interactive writing environment that offers students a high-performance search engine (on a dual-platform CD-ROM), a simple word processor, a comprehensive French-English dictionary (*Ultra Lingua;* see below), and convenient grammatical resources to create accurate, meaningful French compositions in beginning or intermediate French courses. *Sans-faute* can be purchased as a stand-alone product or packaged with the Student Edition of *Deux mondes.*
- **New!** *Ultra Lingua.* A thorough, yet compact French-English dictionary available on a dual-platform CD-ROM. *Ultra Lingua* contains nearly 250,000 indexed terms, complete with hints for usage, thousands of sample phrases, technical terms, slang words and phrases, and proverbs. It also contains complete online references for French and English grammar, sample letters for correspondence in French and English, and a reference for the expression of numbers, dates, etc. Designed to serve the needs of writers at varying levels of proficiency, *Ultra Lingua* provides a quick and complete reference for beginners and advanced writers alike.

- **McGraw-Hill Electronic Language Tutor.** Available in dual platforms, this software program contains vocabulary practice and single-response exercises from the blue pages of the text.
- *A Practical Guide to Language Learning: A Fifteen-week Program of Strategies for Success,* by H. Douglas Brown (San Francisco State University). A brief introduction to language learning written for beginning students.

Available to adopters only:

- **Annotated Instructor's Edition.** The main text containing marginal notes with suggestions for using and expanding every *Activité* in the text, it also offers additional cultural information, teaching hints for using all readings, photos, and realia, and tips on teaching selected grammar points in the Natural Approach classroom.
- **Instructor's Manual.** This guide offers more detailed teaching suggestions and theoretical background on the Natural Approach, including a fully illustrated guided tour of the *Première étape* and *Chapitre 1* that includes detailed comments on the function and organization of the materials. The Instructor's Manual now includes the Videoscripts to accompany the new functional language video program. (See *Espace vidéo* in the student text.)
- **New! Instructor's Resource Kit.** This kit provides supplementary activities, photocopy masters, games, and other resources that correspond to the themes in the student text.
- **Test Bank and Audio Testing Program.** This volume offers a variety of test components emphasizing listening, speaking, reading, writing, vocabulary, and grammar, allowing instructors to create tests according to the needs of their class. Listening comprehension passages are recorded on the accompanying audio CD or audiocassette.
- **Electronic Test Bank.** Available in a dual-platform format, this program contains the tests found in the printed Test Bank, but provides the flexibility of electronically modifying or adapting the tests to suit the needs of your students.
- **Audioscript.** A transcript containing all the material recorded in the Audio Program.
- **New!** Functional language **video program.** Filmed on location in France with additional footage from Francophone countries, this video contains functional language situations in video clips tied to the themes for each chapter in the text. The video program from the previous edition is also available to adopters and remains keyed to *Cahier* chapters.
- **Overhead Transparencies.** A set of 50 acetates for presentation of vocabulary, review and class activities.
- **Training/Orientation Manual.** For use with teaching assistants, this volume (by James F. Lee of Indiana University, Bloomington) offers practical advice for beginning language instructors and their coordinators.

The Natural Approach

Deux mondes is based on Tracy D. Terrell's Natural Approach, which drew on aspects of Stephen D. Krashen's "Monitor Model" and its five hypotheses on instructed second-language acquisition. These five hypotheses are discussed in detail in the Instructor's Manual to accompany *Deux mondes*. The following are among the most important aspects of the Natural Approach as applied in this program:

1. **Meaningful and comprehensible input is essential to language acquisition.** *Deux mondes* is designed to help the instructor provide this input and create a classroom atmosphere that is positive, stimulating, and nonthreatening.

2. **Comprehension precedes production.** Students must have repeated opportunities to hear and read new vocabulary and structures in meaningful contexts before they can produce them on their own. *Deux mondes* provides pre-text oral activities (*Mise en train*) for every chapter and numerous opportunities to enhance teacher input through art, realia, and illustrated presentations and readings within each chapter.

3. **Speech production emerges gradually.** *Deux mondes* is based on the principle that students move progressively from comprehending French to being able to express ideas on their own. The two introductory *Étapes* are devoted primarily to comprehension activities. Thereafter, each thematic presentation is designed so that students move gradually from comprehending input, to manipulating statements from the *Activités,* and finally, to expressing themselves on their own.

4. **Students acquire language only in a low-anxiety environment.** A low-anxiety atmosphere is easily created when the instructor provides students with interesting, culturally authentic, comprehensible input, along with communicative activities, and does not place an excessive emphasis on form. *Deux mondes* helps create a positive atmosphere by encouraging student involvement in activities relating to their own lives and to the French-speaking world.

5. **Some errors in grammar are to be expected in student speech, as a natural part of the acquisition process.** Students are unlikely to use particular linguistic elements accurately even by the end of the chapter in which they are introduced. Lasting acquisition depends primarily on reinforcement and opportunities to practice and experiment in an encouraging environment. During oral activities, we recommend that instructors respond naturally to students' communication, help students to clarify their meaning when it is unclear, and engage learners in negotiation of meaning. Direct correction of grammatical errors is best confined to written work or other contexts where the focus is on attaining accurate form.

6. **Group work fosters communication and creates community.** It engenders an atmosphere of familiarity and trust that, in turn, is conducive to self-expression and risk-taking, two essential elements in language learning. Group work gives students more opportunity to interact in French during class time. Most of the oral activities in *Deux mondes* are meant to be conducted by a group of two or more students. They are open-ended, since true communication is divergent and relies on negotiation of meaning. Students generally retain a measure of personal choice when engaging in any activity.

7. **Grammar study is a useful part of classroom language acquisition, but not the primary goal of the course.** Improvement in speech takes place primarily as the result of an increased ability to comprehend input. However, the study of grammar improves comprehension by focusing attention

on specific linguistic markers, and it provides forms and rules useful for self-monitoring. *Deux mondes* offers a complete grammar syllabus, arranged to coordinate functionally with the *Activités et lectures*. Many grammar points are spiralled, that is, reentered and developed after the initial presentation. It is our belief that most grammar lessons do not need to be explicitly presented in class, but that grammar should be clarified as necessary to facilitate comprehension and communication. However, the grammar treatment of *Deux mondes* is entirely flexible, so that you, the instructor, can choose the best way to deal with grammar in your own classroom.

8. **Acquisition involves an integration.** The traditional division of "four skills," though convenient, does not accurately reflect the reality of communication, since speaking, listening, reading, and writing are *all* communication activities and often work together in a complementary fashion. The Natural Approach and *Deux mondes* seek primarily to create an atmosphere where students will *want* to communicate by offering them the opportunity to do so in relation to stimulating subject matter. By focusing on meaning rather than on form, the Natural Approach strives to minimize obstacles to self-expression and to accommodate the complex nature of communication.

Acknowledgments

The authors would like to express their gratitude to the following members of the language-teaching profession whose valuable suggestions contributed to the preparation of this revised edition. The appearance of these names does not necessarily constitute an endorsement of *Deux mondes* or its methodology:

Susanne Akins
San Antonio College

Lois K. Beck
Messiah College

James E. Blackburn
Coastal Carolina University

Lois B. Cooper
Massachusetts College of Liberal Arts

Kathleen H. Doig
Georgia State University

Béatrice Dupuy
Louisiana State University

Shirley Flittie
Minneapolis Community and
Technical College

Charlotte E. Gifford
Greenfield Community College

Linda Goodyear-Stevenson
Rogue Community College

Floreen Barger Henry
Tarrant County Jr. College

Carol Hofmann
University of Southern California

Josée T. Jackman
Southern Seattle Community College

Ettien Koffi
Bethel College

Philip Lee
Macalester College

Jean-François Llorens
High Point University

Susan E. Lloyd
Cuesta Community College

Amy Lorenz-Ianke
Loras College

Claire Marrone
Sacred Heart University

Patricia Mougel
University of Minnesota, Minneapolis

Anna Norris
University of Virginia

Irene Huk Panener
Manatee Community College

Georges Perla
Georgia State University

Céline Philibert
SUNY College at Potsdam

Paul L. Ryan
Quinsigamond Community College

Atiyeh Showrai
University of Southern California

Nina Tanti
Santa Clara University

Roberta Tucker
University of South Florida

May G. Waggoner
University of Southwestern Louisiana

Many people contributed their time and talents to the preparation of this edition. In particular, we want to thank our development editors, Eileen LeVan and Rachèle Lamontagne, for their valuable suggestions and unstinting efforts to make *Deux mondes* a better book. We are especially grateful to Eileen for her hard work and insightful comments as we prepared the Fourth Edition. She played a major role in the extensive revision of the Second Edition and helped to make *Deux mondes* what it is today.

We have benefitted greatly from the tremendous dedication and professionalism of the editing, production, and design team at McGraw-Hill: Jill Peter, Nora Agbayani, John Leland, Pam Augspurger, Louis Swaim, Rich DeVitto, and David Hash. We also wish to acknowledge Julie Melvin for her work on the notes to the Instructor's Edition and *Lexique,* Veronica Oliva, our permissions editor, Nicole Dicop-Hineline for her native reading of the manuscript, and Melissa Gruzs for careful proofreading. Many thanks are owed to our editor, Leslie Hines, who followed the book through its writing and production phases and provided us with much needed encouragement and assistance, as well as our publisher, Thalia Dorwick, for her continuing support of and enthusiasm for *Deux mondes.*

Once again, the authors want to express our appreciation for the contributions of Françoise Santore and to offer her our sincere thanks for her comments on the manuscript. We very much value her encouragement and her loyalty to the Natural Approach.

We would also like to acknowledge our debt to Tracy Terrell. Tracy loved French and *Deux mondes.* He was very much involved in its creation and very eager to make the Natural Approach interesting and accessible for French instructors. We believe that he would be pleased with the book's evolution and proud of our Fourth Edition.

Finally, we want to tell our families how grateful we are for their encouragement and even their sacrifices to our work. To Ben, Semie and Lewis Rogers, Weldon and Alex Padgett, Robbie Steele, and Mary Radnofsky, we say "Thank you: your confidence and support have been much appreciated throughout this project."

To the Student

The course you are about to begin is based on a method called the Natural Approach, which is designed to help you learn to speak, read, write, and understand French. You will be learning not only about the French language, but also about French-speaking people and cultures all over the world: in Europe, North and West Africa, Quebec, the Caribbean, and elsewhere.

As you work with *Deux mondes,* keep in mind that you will be learning French in two very different but complementary ways. The first is experiential and mostly unconscious. It is the "feel" for the language that comes from hearing, reading, and speaking French in meaningful, everyday contexts. The second is a more deliberate and formal kind of learning, which comes from studying the rules of the French language, especially those of grammar and from doing written activities.

Both types of learning are necessary to become proficient in French. You need to hear and read authentic French in order to understand native speakers. You also need to think and express your ideas in French as much as possible. Exploring how the French language works by studying grammar can allow you to progress more rapidly. However, keep in mind that all learners inevitably make mistakes when they try to speak and write a new language. Your instructors and classmates will not expect you to speak "perfectly," and native speakers will appreciate your attempts to speak their language even if you do make some mistakes. Initially, then, you should concentrate on *what* you are saying rather than on *how* you are saying it. The experience of learning French should be enriching, stimulating, and even fun.

Make an effort to avoid translating the French you hear in class into your native language. You will acquire lasting proficiency by learning to understand French "from the inside," on its own terms. If you listen and watch carefully, you will discover that it is almost always possible to understand what is being conveyed without resorting to English.

In this course, most class time will be devoted to oral activities. Your instructor may request that you study grammar and vocabulary primarily on your own, at home. The grammar sections of *Deux mondes* (the blue pages) are designed to be self-explanatory. As you complete the exercises, you can confirm your understanding by using the Answer Key in Appendix D.

The *Cahier d'exercices* (workbook/laboratory manual), the audio program and the video program give you more opportunities to listen to French outside of class and to write about topics that you have discussed in class. The workbook also contains explanations and exercises on the pronunciation and spelling of French, as well as additional readings that will help you improve your skills and learn more about France and the Francophone world.

Tips for Effective Learning

Activités

The oral activities form the core of the *Deux mondes* program and your learning experience. They are designed to be done in class with your instructor and fellow students and always offer topics that relate to the chapter's theme. These activities will help you to comprehend and think in French, and to express your opinions in French from the beginning of the course. To enable you to make the most of your class time each day, we make the following suggestions:

- Remember to **relax** and to **"go with the flow."** You will enjoy an activity and gain the most from it when you focus on communicating, rather than on using specific words or forms.
- Working through an activity in class mechanically is both uninspiring and of little value; try to **give it a personal twist** and encourage your speaking partners to do the same.
- Don't worry when you do not understand every word your instructor says. Just focus on **getting the main idea,** and be on the alert for **visual and aural clues** (gestures, intonation, illustrations).
- Always **listen to your instructor's feedback,** and use it as a model. You will learn best by hearing and reading correct forms on a regular basis.
- **Copy new vocabulary** you encounter during class time into a vocabulary notebook. Review it often as you think in French at home.
- Before coming to class, **review the previous day's oral activities** and the corresponding sections of **vocabulary** in the chapter *Vocabulaire.*
- Many students find it beneficial to **look over activities before class** to get **a quick "preview" of new words** to be used when they participate in the day's activities.
- Finally, **speak French** and avoid English at all costs. If you don't know a certain expression, **make an effort to paraphrase** or find another way of explaining yourself. It is always better for you to express yourself in a roundabout fashion than to resort to using English.

Lectures

As you approach the readings in *Deux mondes,* remember that written language is more than just a transcription of speech. Most of the time, writing follows formal rules that are considerably more constraining than those governing speech. Most *Activités* in *Deux mondes* use fairly short sentences, whereas the *Lectures* and *Info* boxes give you the opportunity to work with more complex—though still comprehensible—French.

Keep in mind that reading means grasping the logic and meaning of the entire text, rather than figuring out individual words and sentences. Reading is a process of discovery: a text composed only of words and ideas with which you are already familiar, put together in an entirely predictable way, would not offer much interest.

You already have strategies for reading a text in English that you can apply immediately when you read French. In fact, you will find that you are able to read a level of French that is significantly more complex than the French you use when speaking and writing. Here are some suggestions that will help you with the readings in *Deux mondes.*

- **Look first for what you can understand,** then make educated guesses about unfamiliar content.
- **Use the title and illustrations** to deduce what a given reading is about.
- **Skim the text** to identify the main ideas. Read quickly through the introductory paragraph, the first sentences in the other paragraphs, and the concluding paragraph to get a general outline of the main ideas.

- **Look for cognates** (words that are similar in two languages). About a third of English words are drawn from French.
- In class, listen to the questions your instructor asks and **scan for particular information.** You often do not need to know every word to find the information you need.
- When you encounter words or phrases that you do not understand, make an effort to **infer meaning from the context,** using your own common sense. Quite often, it is possible to ignore unfamiliar words altogether and still arrive at a very accurate understanding, because language involves a great deal of redundancy.
- Unlike listening, which gives you only one or two chances to hear what the other person is saying, reading allows you to **go over a text many times.** Plan on reading the texts in *Deux mondes* several times. You will find that your understanding increases with each new reading.
- **Think in French.** If you look at a French text and think in English, you are not reading but translating. This is an extremely inefficient way of approaching a text, and it will *not* help you to become a proficient reader in French.

Vocabulaire

Each chapter contains a vocabulary list organized by topic or function. This list is primarily for reference and review. You should *recognize* the meaning of these words when you hear or read them in context; however, it is unlikely that you will be able to *produce* all of these words yourself until you have seen and heard them many times. Work with the *Vocabulaire* lists as your instructor suggests, and remember that the best way to learn French words is to **hear and read them as often as possible in a meaningful context.**

Grammaire et exercices

The final section of each chapter (the blue pages) is a reference manual, allowing you to study the rules of French grammar and to verify your understanding by doing the exercises.

- The beginning of each *Activités et lectures* section in the white pages has a reference keyed to the appropriate section in the grammar. As you begin each new topical section, **read the grammar section or sections indicated by** *Attention!*
- Be sure to **make use of the marginal notes** in the blue pages, which give you useful summaries, hints, and suggestions for reviewing.
- You will benefit the most from the blue pages by **completing the exercises in writing,** then confirming your answers using the Answer Key in the back of the text.

Getting to Know the Characters

You will get to know a number of characters in the *Deux mondes* text and *Cahier* and in other components of the program. They include people in North America and in France.

First you'll meet a group of young people from the University of Louisiana at New Orleans. They are fellow students in Professor Anne Martin's 8:00 A.M. beginning French class: Albert Boucher, Barbara Denny, Daniel Moninger, Denise

Allman, Jacqueline Roberts, and Louis Thibaudet. Louis is very proud of his Acadian ancestry. (The Acadians were French-speaking colonists who came to Louisiana from Acadie, now Nova Scotia.) Professor Martin was born in Montreal and is completely bilingual in French and English.

Albert   Barbara   Daniel   Denise   Jacqueline   Louis   Madame Martin

You will also meet Raoul Durand, a doctoral student in mechanical engineering. Raoul, too, comes from Montreal. As a Québécois, he was pleased to meet Madame Martin and has visited her class and gotten to know her students.

Raoul

The Lasalle-Colin family has three branches. The grandparents, Francis and Marie Lasalle, have always lived in Lyon, where they are now retired.

Francis Lasalle   Marie Lasalle

Victor Colin   Claudine   Bernard   Christine

Clarisse/Marise   Charles Emmanuel Joël   Camille   Marie-Christine Nathalie

Bernard Lasalle is the son of Francis and Marie. He and his wife, Christine, live near Bernard's parents in Lyon. Bernard is an engineer and Christine works in a hospital as a nurse. They have three daughters, Nathalie (6), Marie-Christine (8), and Camille (11).

Claudine Colin is the daughter of Francis and Marie Lasalle. She and her husband, Victor Colin, live in Clermont-Ferrand with their five children. Marise and Clarisse (19) are twins. Marise is studying French literature at the Université Blaise-Pascal in Clermont-Ferrand and Clarisse is taking courses in hotel management at the École Victor Hugo. Charles (17) and Emmanuel (15) are both *lycée* (high school) students and their brother Joël (8) is in primary school.

Édouard and Florence Vincent are old friends of Francis and Marie Lasalle and live nearby in Lyon. They are an interesting couple, though somewhat old-fashioned in some of their views.

Another character you will meet is Julien Leroux, a native of Brussels who has lived in Paris for several years and who works in news broadcasting at *Télévision Française 1*. He has been friends with Bernard Lasalle since they were at the university together several years ago.

Also in Paris are Sarah Thomas, an American exchange student, Agnès Rouet, and Jean-Yves Lescart, friends at the Université de Paris.

Adrienne Petit lives in Marseille. She works as a secretary in an import-export firm and loves to travel. She is an active person and has a lively social life.

Getting Started with the Étapes

Listening skills

Your instructor will probably choose to address the class entirely in French from day one. Don't panic! It is possible to understand what someone is saying without knowing every word in advance. Here are some general techniques that will help you as you are doing the two preliminary chapters, or *Étapes*.

- **Make educated guesses.** Always pay attention to context. If someone you don't know says, *Bonjour, je m'appelle Robert,* you can infer from the context and from the key word "Robert" that he is introducing himself. If it is eight in the evening and someone greets you with *Bonsoir,* you can figure out that this probably means "Good evening" and not "Good morning" or "Good afternoon."
- **Pay attention to gestures and "body language."** If your instructor is pointing to the board, you can deduce that *Regardez le tableau* means "Look at the board" even if you are not already familiar with the words.
- **Pay attention to intonation and key words.** If your instructor is holding up a photo of a man and says in French, "Does this man have brown hair?", you will know from his or her tone of voice that a question is being asked. If you already know the words "brown" and "hair," and you look carefully at the photo, you can figure out what the question means even if you have never heard the other words.
- In terms of your ability to understand, it is most important for you to **know key vocabulary words.** You do not need to know specific grammatical forms in order to grasp the gist of what is being conveyed.

Vocabulary

Because your ability to understand depends on your recognizing key words in context, the two *Étapes* will help you become familiar with many new words in French. You need not be concerned about pronouncing these perfectly from the start; your pronunciation will become more accurate as you *hear* more and more spoken French. Here are some tips to help you learn vocabulary.

- **Keep a vocabulary notebook.** Your instructor will write key vocabulary words on the board; jot them down for future reference and study.
- **Go over vocabulary frequently,** and make an effort to **visualize** the person (for words such as "child" or "woman"), thing ("chair" or "pencil"), characteristics ("young" or "long"), activity ("stand up"), or situation ("is wearing") conveyed by each word.
- **Follow your instructor's suggestions** for working with these words. Concentrate on recognizing their meaning when you hear and see them, and when your instructor uses them in class.

Classroom activities

Here are the main types of activities you will be doing in the *Étapes*. Some may be new to you; all will help get you off to a running start in French.

- **TPR.** "Total Physical Response" is a technique developed by Professor James Asher at San José State University. In TPR activities, the instructor gives a command, which you then act out. Though TPR may seem somewhat "childish" at first, by relaxing and allowing your mind and your body to work together, you will be able to absorb a large amount of French very quickly. In TPR, "cheating" is allowed! If you're not sure what a command means, figure it out by "sneaking" a look at your classmates.

- **Description of classmates.** You will be asked to get to know your classmates: to learn their names and to identify the person your instructor is describing. This is a fun and effective way for you to learn the names of colors, articles of clothing, and descriptive words such as "long," "pretty," "new," and so on.
- **Description of pictures.** Your instructor will bring a number of pictures to class and describe the people in them. Your goal will be to identify the picture being described.
- **Using basic greetings and expressions of courtesy.** You will have the opportunity to learn how to say "Hello," "Good-bye," "How are you?", etc. in short dialogues with classmates. You do not need to memorize the dialogues; just have fun with them. Remember that your pronunciation will improve as your *listening skills* improve.

And now... *Au boulot* (Let's get to work)! Enjoy learning French and working with *Deux mondes*.

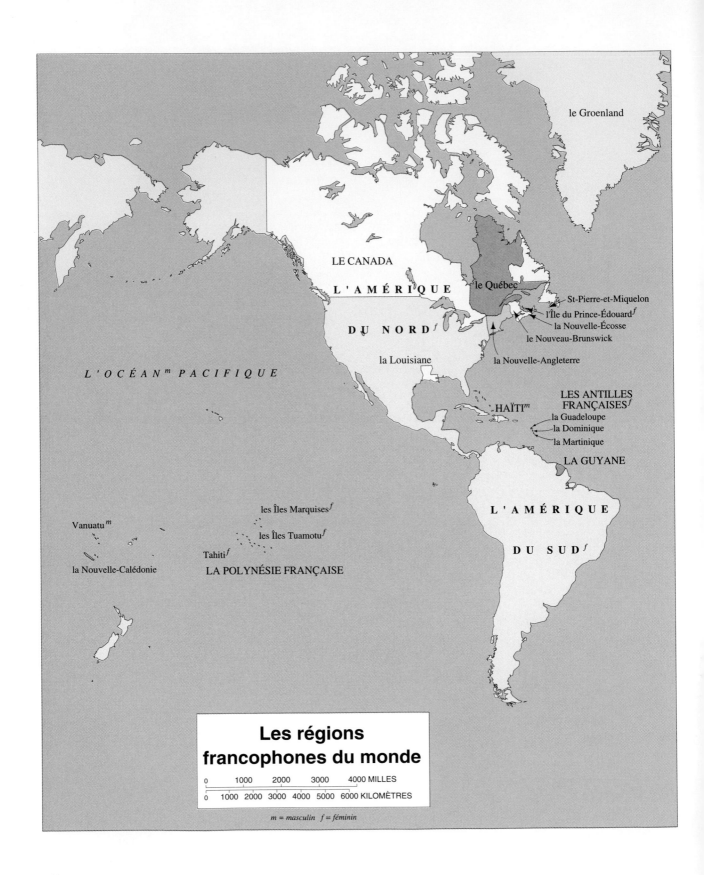

le Groenland

LE CANADA

L'AMÉRIQUE

le Québec

St-Pierre-et-Miquelon

l'Île du Prince-Édouard*f*

la Nouvelle-Écosse

le Nouveau-Brunswick

DU NORD*f*

la Louisiane

la Nouvelle-Angleterre

L'OCÉAN*m* PACIFIQUE

LES ANTILLES
FRANÇAISES*f*

HAÏTI*m*

la Guadeloupe

la Dominique

la Martinique

LA GUYANE

L'AMÉRIQUE

les Îles Marquises*f*

Vanuatu*m*

les Îles Tuamotu*f*

DU SUD*f*

Tahiti*f*

la Nouvelle-Calédonie

LA POLYNÉSIE FRANÇAISE

Les régions
francophones du monde

| 0 | 1000 | 2000 | 3000 | 4000 MILLES |

| 0 | 1000 | 2000 | 3000 | 4000 | 5000 | 6000 KILOMÈTRES |

m = masculin   f = féminin

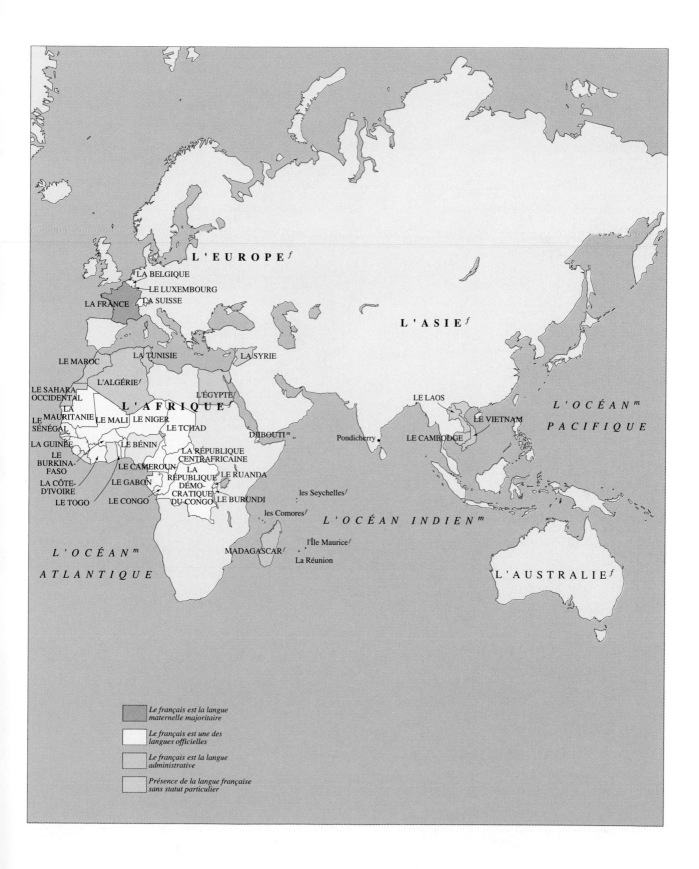

L'EUROPE *f*

LA BELGIQUE
LE LUXEMBOURG
LA SUISSE
LA FRANCE

L'ASIE *f*

LE MAROC
LA TUNISIE
LA SYRIE
L'ALGÉRIE *f*
L'ÉGYPTE
LE SAHARA OCCIDENTAL
LA MAURITANIE
LE SÉNÉGAL
LE MALI
LE NIGER
LE TCHAD
DJIBOUTI *m*
LA GUINÉE
LE BÉNIN
LE BURKINA-FASO
LA RÉPUBLIQUE CENTRAFRICAINE
LA CÔTE-D'IVOIRE
LE CAMEROUN
LA RÉPUBLIQUE DÉMO-CRATIQUE DU CONGO
LE RUANDA
LE TOGO
LE GABON
LE CONGO
LE BURUNDI

L'AFRIQUE *f*

LE LAOS
LE VIETNAM
LE CAMBODGE
Pondicherry

L'OCÉAN *m* PACIFIQUE

les Seychelles *f*

les Comores *f*

L'OCÉAN INDIEN *m*

l'Île Maurice *f*
La Réunion

MADAGASCAR *f*

L'OCÉAN *m* ATLANTIQUE

L'AUSTRALIE *f*

Le français est la langue maternelle majoritaire

Le français est une des langues officielles

Le français est la langue administrative

Présence de la langue française sans statut particulier

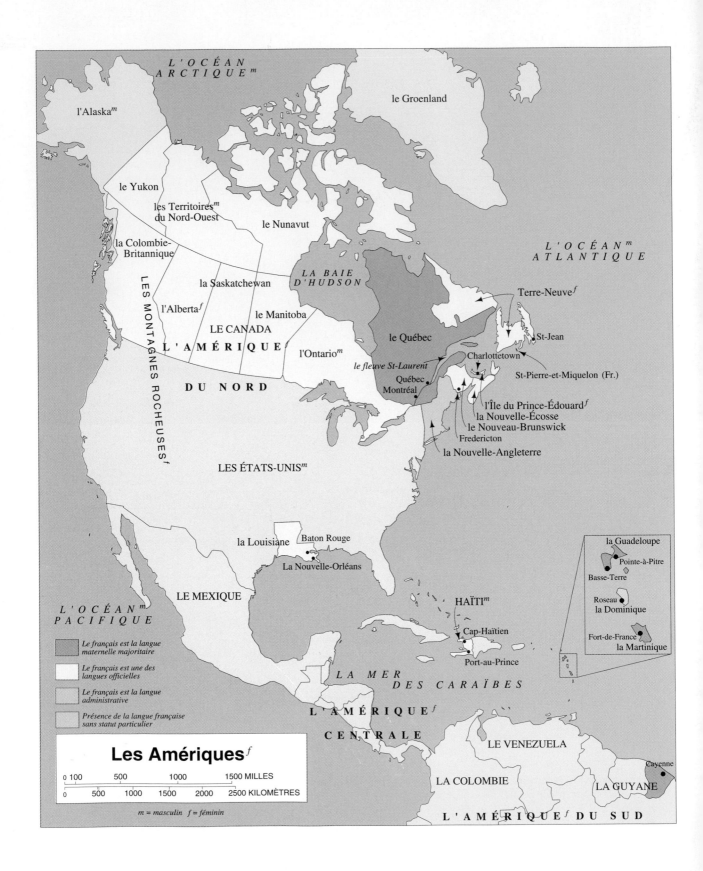

L'OCÉAN ARCTIQUE^m

le Groenland

l'Alaska^m

le Yukon

les Territoires^m du Nord-Ouest

le Nunavut

la Colombie-Britannique

LA BAIE D'HUDSON

L'OCÉAN^m ATLANTIQUE

la Saskatchewan

Terre-Neuve^f

l'Alberta^f

le Manitoba

LE CANADA

le Québec

St-Jean

L'AMÉRIQUE

l'Ontario^m

Charlottetown

DU NORD

le fleuve St-Laurent

St-Pierre-et-Miquelon (Fr.)

Québec
Montréal

l'Île du Prince-Édouard^f
la Nouvelle-Écosse
le Nouveau-Brunswick
Fredericton
la Nouvelle-Angleterre

LES MONTAGNES ROCHEUSES^f

LES ÉTATS-UNIS^m

la Louisiane   Baton Rouge

La Nouvelle-Orléans

L'OCÉAN^m
PACIFIQUE

LE MEXIQUE

HAÏTI^m

la Guadeloupe
Pointe-à-Pitre
Basse-Terre

Cap-Haïtien

Roseau
la Dominique

Le français est la langue
maternelle majoritaire

Port-au-Prince

Fort-de-France
la Martinique

Le français est une des
langues officielles

LA MER DES CARAÏBES

Le français est la langue
administrative

L'AMÉRIQUE^f

Présence de la langue française
sans statut particulier

CENTRALE

LE VENEZUELA

Les Amériques^f

Cayenne

0 100   500   1000   1500 MILLES

0   500   1000   1500   2000   2500 KILOMÈTRES

LA COLOMBIE

LA GUYANE

m = masculin   f = féminin

L'AMÉRIQUE^f DU SUD

xxxii

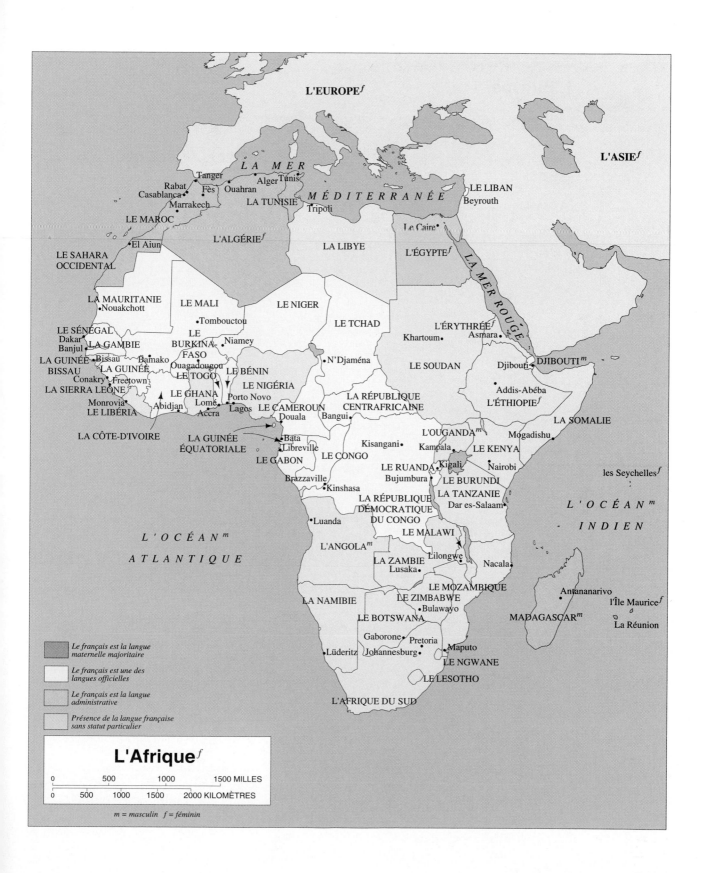

L'EUROPE*f*

L'ASIE*f*

LA MER
MÉDITERRANÉE

Tanger
Rabat • Alger Tunis
Casablanca • Fès • Ouahran
Marrakech
LA TUNISIE
LE MAROC

LE LIBAN
Beyrouth

Tripoli

Le Caire

El Aiun
L'ALGÉRIE*f*
LA LIBYE
L'ÉGYPTE*f*

LE SAHARA
OCCIDENTAL

LA MER ROUGE

LA MAURITANIE
Nouakchott
LE MALI
LE NIGER
LE TCHAD
L'ÉRYTHRÉE*f*
Khartoum • Asmara

Tombouctou
LE SÉNÉGAL
Dakar
Banjul
LA GAMBIE
LE
BURKINA-
FASO
Niamey
N'Djaména
LE SOUDAN
Djibouti • DJIBOUTI*m*
LA GUINÉE • Bissau
BISSAU
Conakry • Freetown
Bamako
Ouagadougou
LA GUINÉE
LE TOGO
LE BÉNIN
LE NIGÉRIA
Addis-Abéba
L'ÉTHIOPIE*f*
LA SIERRA LEONE
LE GHANA
Lomé
Porto Novo
LE CAMEROUN
LA RÉPUBLIQUE
CENTRAFRICAINE
LA SOMALIE
Monrovia • Abidjan
LE LIBÉRIA
Accra
Lagos
Douala
Bangui
LA CÔTE-D'IVOIRE
LA GUINÉE
ÉQUATORIALE
Bata
Libreville
LE GABON
Kisangani
L'OUGANDA*m*
Kampala
Mogadishu
LE KENYA
les Seychelles*f*
LE CONGO
LE RUANDA • Kigali
Nairobi
Brazzaville
Bujumbura
LE BURUNDI
Kinshasa
LA RÉPUBLIQUE
DÉMOCRATIQUE
DU CONGO
LA TANZANIE
Dar es-Salaam
L'OCÉAN*m*
INDIEN
L'OCÉAN*m*
ATLANTIQUE
Luanda
LE MALAWI
L'ANGOLA*m*
Lilongwe
Nacala
LA ZAMBIE
Lusaka
Antananarivo
l'Île Maurice*f*
LE MOZAMBIQUE
MADAGASCAR*m*
LA NAMIBIE
LE ZIMBABWE
La Réunion
Bulawayo
LE BOTSWANA
Gaborone • Pretoria
Maputo
Lüderitz • Johannesburg
LE NGWANE
LE LESOTHO
L'AFRIQUE DU SUD

Le français est la langue
maternelle majoritaire

Le français est une des
langues officielles

Le français est la langue
administrative

Présence de la langue française
sans statut particulier

L'Afrique*f*

| 0 | 500 | 1000 | 1500 MILLES |

| 0 | 500 | 1000 | 1500 | 2000 KILOMÈTRES |

m = masculin   f = féminin

xxxiii

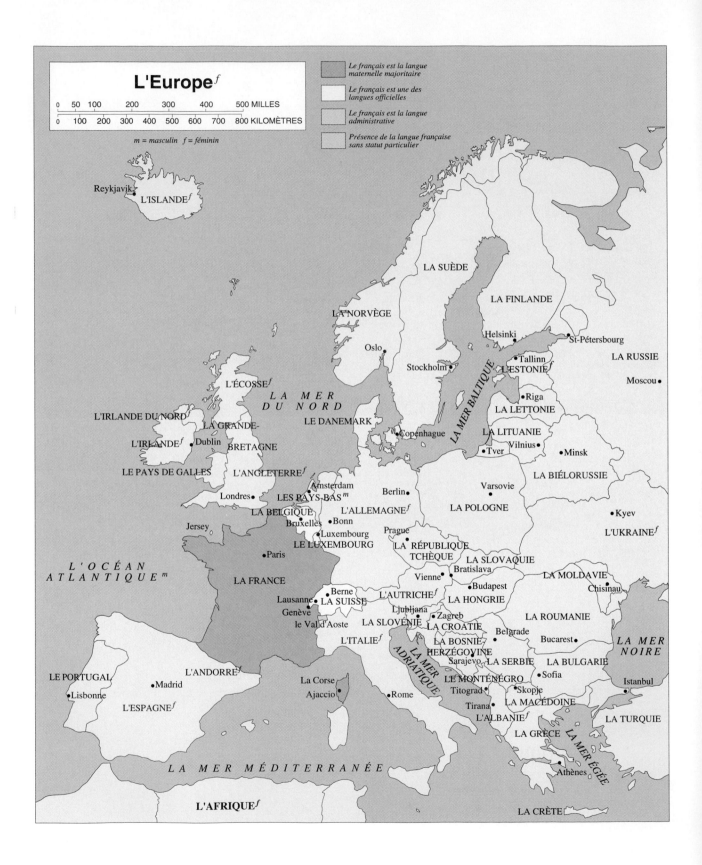

L'Europe *f*

| 0 | 50 | 100 | 200 | 300 | 400 | 500 MILLES |

| 0 | 100 | 200 | 300 | 400 | 500 | 600 | 700 | 800 KILOMÈTRES |

m = masculin   f = féminin

Le français est la langue
maternelle majoritaire

Le français est une des
langues officielles

Le français est la langue
administrative

Présence de la langue française
sans statut particulier

Reykjavik
L'ISLANDE *f*

LA SUÈDE

LA FINLANDE

LA NORVÈGE

Helsinki

Oslo

St-Pétersbourg

LA RUSSIE

Stockholm

Tallinn
L'ESTONIE *f*

LA MER BALTIQUE

Moscou

Riga
LA LETTONIE

L'ÉCOSSE *f*

LA MER
DU NORD

LA LITUANIE
Vilnius

Minsk

L'IRLANDE DU NORD *f*

LA GRANDE-

LE DANEMARK

Tver

L'IRLANDE *f* Dublin

BRETAGNE

Copenhague

LA BIÉLORUSSIE

LE PAYS DE GALLES

L'ANGLETERRE *f*

Amsterdam

Berlin

Varsovie

Kyev

Londres

LES PAYS-BAS *m*

LA POLOGNE

L'UKRAINE *f*

LA BELGIQUE

L'ALLEMAGNE *f*

Jersey

Bruxelles Bonn

Prague

Luxembourg

LE LUXEMBOURG

LA RÉPUBLIQUE
TCHÈQUE

Paris

LA SLOVAQUIE
Bratislava

LA MOLDAVIE

L'OCÉAN
ATLANTIQUE *m*

LA FRANCE

Vienne

Budapest

Chisinau

Lausanne Berne

L'AUTRICHE *f*

LA HONGRIE

Genève LA SUISSE

Ljubljana

LA ROUMANIE

le Val d'Aoste

LA SLOVÉNIE

Zagreb

LA MER
NOIRE

L'ITALIE *f*

LA CROATIE

Belgrade

Bucarest

LA BOSNIE-

L'ANDORRE *f*

HERZÉGOVINE

LA SERBIE

LA BULGARIE

LE PORTUGAL

La Corse

Sarajevo

LE MONTÉNÉGRO

Istanbul

Madrid

Ajaccio

Rome

Titograd

Sofia

Skopje

LA TURQUIE

Lisbonne

LA MACÉDOINE

L'ESPAGNE *f*

Tirana

L'ALBANIE

LA GRÈCE

LA MER ÉGÉE

LA MER MÉDITERRANÉE

Athènes

L'AFRIQUE *f*

LA CRÈTE

LA MER ADRIATIQUE

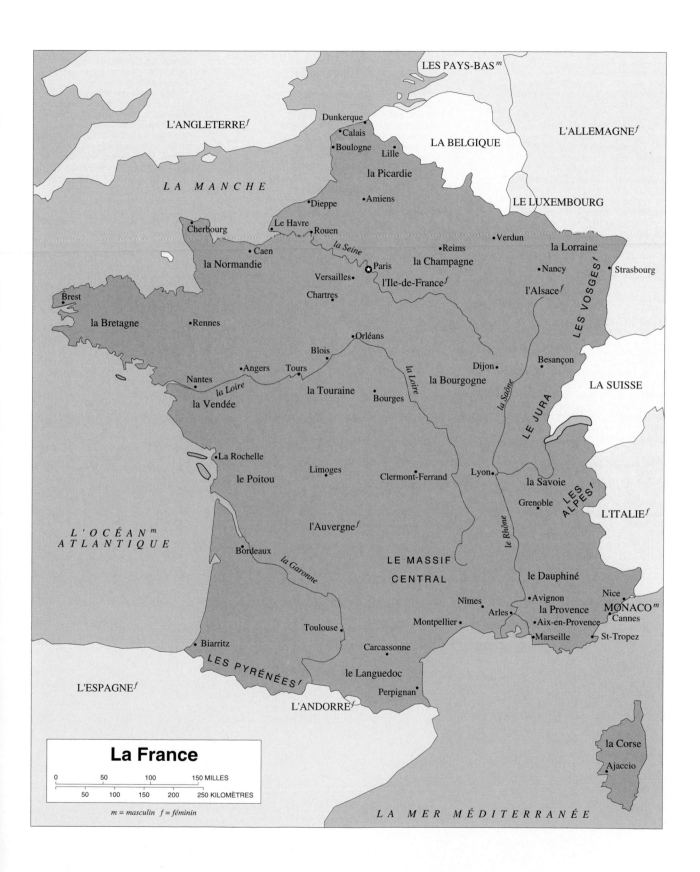

La France

LES PAYS-BAS *m*

L'ANGLETERRE*f*

LA BELGIQUE

L'ALLEMAGNE*f*

Dunkerque
•Calais
•Boulogne
Lille

LE LUXEMBOURG

LA   MANCHE

la Picardie

•Amiens

•Dieppe

•Verdun

LA LORRAINE

Cherbourg•
Le Havre
•Caen
la Normandie

Rouen

la Seine

•Reims

la Champagne

•Nancy

Strasbourg

Versailles•
•Paris
l'Ile-de-France*f*

l'Alsace*f*

LES VOSGES*f*

Brest•

Chartres•

la Bretagne

•Rennes

•Orléans

Blois•

Dijon
•
la Bourgogne

Besançon
•

LA SUISSE

Angers•
•Nantes
la Vendée

Tours•
la Loire

la Touraine

•Bourges

la Loire

la Saône

LE JURA

•La Rochelle

Limoges
•

le Poitou

Clermont-Ferrand
•

Lyon•

la Savoie

LES ALPES*f*

L'OCÉAN*m*
ATLANTIQUE

l'Auvergne*f*

Grenoble•

L'ITALIE*f*

Bordeaux•

la Garonne

LE MASSIF

CENTRAL

le Dauphiné

le Rhône

Nîmes•

Avignon
•
la Provence

Nice
•
MONACO*m*
Cannes

Toulouse•

Arles•

Aix-en-Provence
•
Marseille•

St-Tropez•

•Biarritz

LES PYRÉNÉES*f*

Carcassonne•

Montpellier•

le Languedoc

L'ESPAGNE*f*

L'ANDORRE*f*

Perpignan•

la Corse

Ajaccio•

0	50	100	150 MILLES
50	100	150	200	250 KILOMÈTRES

m = masculin   f = féminin

LA   MER   MÉDITERRANÉE

USING THE MARGINAL NOTES

The *Mise en train* at the beginning of each chapter is intended to help you teach students to understand new topical vocabulary and structures in the chapter *before* they see them in print. Marginal notes are included for all vocabulary displays, activities, readings, photos, and realia. They include tips for teaching and, for the *Activités,* indicate unfamiliar key words used in the activity. AS *(Activité supplémentaire)* and IRK (Instructor's Resource Kit) references indicate additional materials and suggestions for supplementary work.

We suggest that you do not assign grammar exercises for a section until you have done at least the *Mise en train* activities, the vocabulary display, and some of the oral activities *(Activités)* with students.

GOALS FOR THE *PREMIÈRE ÉTAPE*

Instructor Goals: (1) Show students they can understand most of the French you speak in class. (2) Teach students to listen for key words and phrases rather than every word you say. Student Goals: (1) Learn the names of classmates. (2) Be able to identify people in class from descriptions of how they look and what they are wearing. (3) Recognize numbers from 1 to 39. (4) Learn to say your name and ask for someone else's.

MISE EN TRAIN

You may opt to include words not listed in the book as you do input activities using pictures and TPR. Focus on keeping your input comprehensible and on stressing key words and structures.

1. Classroom commands. TPR: (See IM, Total Physical Response and the Instructor's Resource Kit (IRK) for TPR sequences.) Introduce the following actions in the first class session: *levez-vous, asseyez-vous, marchez* (in place), *sautez, courez, regardez la porte (le tableau, le professeur), tournez (à droite, à gauche),* and so on. Later, add commands like *ouvrez les livres, fermez les livres, prenez un stylo (une feuille de papier), écrivez votre nom* (say a name or two and demonstrate), *parlez* (students make talk noises), *écoutez* (hand behind ear), *lisez* (as if they were reading a book). Finally, introduce the command *dites* with short greetings: *dites «bonjour», dites «comment allez-vous?»* Greet one or two students near you: *Bonjour, comment allez-vous?,* shaking hands with the students as you say the greeting. Then use the command *dites «bonjour, comment allez-vous?»* to have all students shake hands and greet those sitting near them.

2. Names and description of students. (See IM, Input with Names as Responses.)

The purpose of this activity is to learn the names of students and to provide comprehensible input. Phrase all questions and comments so that students are required to produce only the name of another student. Introduce the following words for people: *le professeur, un étudiant, une étudiante; un homme, une femme;* for physical characteristics: *les cheveux (l'étudiant aux cheveux longs, courts, bruns, blonds, noirs, roux), les yeux (l'étudiant aux yeux bleus, verts, marron, noirs), la barbe, la moustache;*

for clothing: *la chemise, le pantalon, la jupe, les chaussures, le pull-over;* and for other colors: *rouge, blanc(he), orange, rose, gris(e), jaune.*

The words you introduce will depend on your particular students. Other words and expressions you will probably use: *Qui est-ce? C'est... Comment s'appelle l'étudiant(e) qui porte... Il/Elle s'appelle... qui a... ? oui/non, n'est-ce pas?* You will use *ce/cet/cette* and *ces* frequently in *Mise en train* of the *Première étape.*

3. Names and descriptions of photos. (See IM, Picture File Input.) This activity uses pictures to continue the learning of the names of students in the class. Include at least these nouns: *homme, femme, enfant, garçon, jeune fille* and these adjectives: *jeune, vieux/vieille, mince, fort(e)* (heavy, plump), *grand(e), petit(e), moyen(ne), beau/belle.* Other new words and expressions: *Qui a la photo de... ?, aussi,* and *mais.*

4. Numbers. Introduce numbers by counting things in class for which students recognize the words: the number of men, women, total students, women with skirts, men with beards, women with blond hair, etc. Normally this will require numbers below 30. Use *il y a* in sentences such as *Il y a sept personnes aux cheveux bruns dans la classe, n'est-ce pas?* Teach *oui/non* as you ask students to react to statements with numbers: *Y a-t-il quinze hommes dans la classe? (non) Dix-huit? (oui).* You may wish to write the numbers on the board or prepare a large number chart (or cards) and place it in a location visible to all during the activity.

Premières rencontres

Des étudiantes à l'université de Paris

Objectifs

IN THE **PREMIÈRE ÉTAPE,** *you will learn to understand a good deal of spoken French and get to know your classmates. The listening skills you develop will enhance your ability to understand and speak French.*

activités

La communication en classe
Qui est-ce? Les camarades de classe
Comment sont-ils? La description des personnes
Les vêtements et les couleurs
Les nombres
Rencontres

grammaire

A.1 Giving instructions: Commands with **vous**

A.2 Identifying people: **C'est... , je m'appelle...**

A.3 Gender and articles

A.4 Describing people: **Être, subject pronouns, and ne... pas**

A.5 Plural nouns and articles

A.6 Addressing others: **Tu** and **vous**

Activités

L A COMMUNICATION EN CLASSE

La communication en classe. (See IM, Vocabulary Displays.) Madame Martin's French class appears in all components of **Deux mondes**. Review all commands with TPR from *Mise en train* (See IRK for TPR, *Première étape*) before students look at the display. Next, add the following types of commands: *Les femmes, levez-vous. Les hommes, levez-vous et marchez. Les étudiants aux yeux bleus, écrivez votre nom. Les femmes aux cheveux bruns, prenez le livre de français; ouvrez le livre.* (This recombines vocabulary from *Mise en train* activities.) Add also new actions of your choice, such as *dansez, sautez.* Finally, use the commands *Ouvrez le livre de français; Regardez la page 2.* As students look at the page, explain: *Voici Mme Martin. Elle est professeur de français. Et ça, c'est sa classe de français à l'université de Louisiane à La Nouvelle-Orléans. Voici cinq étudiants de français. Est-ce qu'il y a une femme ou deux femmes dans le dessin?* (deux) *Et combien d'hommes?* Weave in the names so students hear, then say them: *Aujourd'hui, Mme Martin donne des ordres. À quelle étudiante est-ce qu'elle dit «Écoutez»? Elle dit «Écoutez» à Barbara ou à Jacqueline?* (Jacqueline) *Oui, elle dit «Écoutez» à Jacqueline.* New vocabulary: *Asseyez-vous, Écoutez, Écrivez, Levez-vous, Lisez.*

Attention! Étudier Grammaire A.1

Grammaire reference: After you have discussed the display and done *Activité 1*, point out the words *Attention!* and *Étudier Grammaire A.1*. Have students turn to the grammar section (*Regardez la page 11*).

Then explain in French or English that they will be expected to read the grammar explanations and do the exercises for each section in the book when you assign them. Show students the Answer Key at the end of the book.

Activité 1 Associations: Les ordres

Act. 1. (whole class)(See Associations, IM.) Give the commands and have students point to the appropriate sketches. You may wish to give a series of commands to the class either before or after the activity. Include other commands such as *Marchez!, Chantez «Frère Jacques»!, Dansez!, Sautez!, Courez!, Tournez à droite!, Regardez le tableau!* New vocabulary: *écrivez votre nom, fermez le livre, levez la main, prenez un stylo, ouvrez le livre, regardez le tableau, tournez la page.*

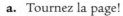

a. Tournez la page!
b. Ouvrez le livre!
c. Fermez le livre!

d. Regardez le tableau!
e. Écrivez votre nom!

f. Levez la main!
g. Prenez un stylo!

2

Qui est-ce? Les camarades de classe

Attention! Étudier Grammaire A.2

Qui est-ce? Les camarades de classe. Review students' names, using techniques in items 2 and 3 of *Mise en train* for the *Première étape.* Use photos of famous people from your PF and ask, *Qui est-ce?* and *Comment s'appelle-t-il/elle?* Introduce yourself to students and ask their names: *Je m'appelle... Et vous, comment vous appelez-vous?* Finally, have students look at the drawings in the text as you ask *Comment s'appelle la jeune fille qui parle avec... ?* Students should be required to give names only. New vocabulary: *comment vous appelez-vous? (t'appelles-tu?), je m'appelle, il/elle s'appelle, est-ce que c'est?, qui est-ce?/c'est.*

Act. 2. (whole class) Ask *Comment s'appelle l'ami(e) de... ?* Students answer with a name only or with the brief sentence *il/(elle) s'appelle...* New vocabulary: *ami/amie.*

Activité 2 Dialogues: Les amis

—Comment s'appelle l'ami de _____?
—Il s'appelle _____.

—Comment s'appelle l'amie de _____?
—Elle s'appelle _____.

—Qui est-ce?
—C'est _____.

—Qui est-ce?
—C'est _____.

COMMENT SONT-ILS? LA DESCRIPTION DES PERSONNES

Comment sont-ils? La description des personnes. With your PF, discuss descriptive words from the display and others you elect to add from your *Mise en train* activities. Use many *oui/non* and choice questions. First, describe yourself and several students: *Moi, je suis (brune) et je suis (grande).* Gesture as you say the adjectives. *Et Alicia* (point) *est brune aussi. Est-ce qu'elle est grande? (non) Non, Alicia n'est pas grande comme moi. Elle est petite. Mais elle est brune, n'est-ce pas? (oui) Et Karen, est-ce que Karen est brune? (non) Non, Karen n'est pas brune. Elle est blonde. Et Alicia, elle est blonde ou brune?* Next, show photos to review what you have already done and to introduce subjective adjectives *(belle, vieux, etc.).* Opting to include words like *laid(e)* helps show contrast between pictures. If you do so, write them on the board (as you talk) for students to copy into their vocabulary notebooks. (See IM, Vocabulary Notebook) Follow-up: Quickly review the pictures you have used and distribute them to students. Describe each picture and ask the class which student is holding it. Alternatively, put the pictures in the chalk tray, describe each one and have the class point to it. Follow-up: point out gender agreement: *Marie est vieille.* (Write *vieille* on board.) *Édouard est vieux? (Vieux* on board.) *Pourquoi vieille? Marie est une femme. Vieille est pour une femme. C'est féminin. Et pourquoi vieux?...* New vocabulary: *barbe, beau/belle, brun(e), fort(e), grand(e), jeune, mince, moustache, petit(e), vieux/vieille.*

AS 1. (whole class) (For *Activités supplémentaires* (AS), see IM, *Activités et exercices supplémentaires.*) Place photos of well-known people in the chalk tray, easily visible to all students. Describe each person, mentioning his or her name. Then give descriptions and let students say who you are describing.

Act. 3. (whole class) (see IM, Discussions) Review the display quickly, focusing on *être* + adjectives. *Quel homme est vieux? Quelle femme est vieille? Il y a trois personnes qui sont brunes? Qui sont ces trois personnes? Oui...* Next, have students look at the activity and ask the class who fits the descriptions as you read

Attention! Étudier Grammaire A.3 et A.4

Activité 3 Discussion: Comment sont les camarades de classe?

1. Dans la classe de français, qui est _____?
   a. grand et blond (grande et blonde)
   b. jeune et brun (jeune et brune)

2. Dans la classe de français, qui n'est pas _____?
   a. petit et brun (petite et brune)
   b. vieux (vieille)

Activité 4 Discussion: Images stéréotypées

Voici des personnages célèbres. Comment sont-ils?

MODÈLE: Catherine Deneuve est belle. Elle n'est pas jeune.

1. Mathusalem
2. Gérard Depardieu
3. Cléopâtre
4. Juliette Binoche
5. Céline Dion
6. Yves Saint Laurent

a. laid/laide ≠ beau/belle
b. vieux/vieille ≠ jeune
c. fort/forte ≠ mince
d. grand/grande ≠ petit/petite
e. -?-

LES VÊTEMENTS ET LES COULEURS

Attention! Étudier Grammaire A.5

une chemise blanche — un chapeau noir — une cravate verte — une veste grise — un costume gris — des chaussures noires — Victor Colin

un blouson vert — un pantalon bleu — des tennis blancs — Joël Colin

un chemisier jaune — un pull-over orange — une jupe marron — des bottes marron — Clarisse Colin

une robe rose — un manteau violet — une rose rouge — Claudine Colin

Activité 5 Associations: Les couleurs

De quelle couleur est... ?

1. un pingouin
2. un éléphant
3. un tigre
4. une plante
5. une tragédie
6. un jean
7. une banane
8. une tomate
9. une carotte
10. le chocolat

a. vert/verte
b. noir/noire
c. gris/grise
d. brun/brune
e. orange
f. blanc/blanche
g. rouge
h. jaune
i. bleu/bleue

Gingerbread Gallery

Galerie d'art haïtien

Activité 6 Dans le monde francophone: Couleurs et vêtements

Dites *oui* ou *non*. Sur ce tableau, il y a...

1. un homme qui porte un pantalon bleu.
2. une femme qui porte une jupe rouge.
3. un homme qui porte un chapeau noir.
4. une femme qui porte une robe verte.
5. un homme qui porte une chemise orange.
6. un homme qui porte une veste grise.

Activité 7 Discussion: Mes camarades de classe

Regardez vos camarades de classe. Donnez le nom de l'étudiant(e), d'un vêtement et de la couleur du vêtement.

LE NOM	LE VÊTEMENT	LA COULEUR
1. Caroline	chemisier	jaune
2. _____	_____	_____
3. _____	_____	_____
4. _____	_____	_____

LES NOMBRES (0–34)

0	zéro	**10**	dix	**20**	vingt
1	un	**11**	onze	**21**	vingt et un
2	deux	**12**	douze	**22**	vingt-deux
3	trois	**13**	treize	**23**	vingt-trois
4	quatre	**14**	quatorze	**24**	vingt-quatre...
5	cinq	**15**	quinze	**30**	trente
6	six	**16**	seize	**31**	trente et un
7	sept	**17**	dix-sept	**32**	trente-deux
8	huit	**18**	dix-huit	**33**	trente-trois
9	neuf	**19**	dix-neuf	**34**	trente-quatre...

***A**ctivité 8* **Discussion: Il y en a combien?**

Comptez le nombre de vos camarades qui...

Act. 8. (whole class) Ask students to count with you. Unless they ask, there is no need to mention the two verb forms. New vocabulary: *casquette, maths, short, stylo.*

PORTENT...

un pantalon. _____
une jupe. _____
des chaussures noires. _____
un short. _____
une chemise. _____
?

ONT...

une barbe. _____
un chapeau/une casquette. _____
une moustache. _____
un livre de maths. _____
un stylo. _____
?

RENCONTRES

Attention! Étudier Grammaire A.6

Rencontres. The vocabulary here is quickly acquired with little explanation. Students will be used to hearing and using much of it in class exchanges. Act out the dialogues as the class reads along with you silently. Explain new words and expressions with pantomime and TPR. Use the drawings to illustrate use of polite and informal pronouns, making sure students understand the ages and relationships of speakers. Refer students to *Grammaire A.6* for further explanation. New vocabulary: *à bientôt, au revoir, bonjour, bonsoir, ça va?, comment allez-vous?/vas-tu? merci, pas mal, salut, toi, très bien, tu vas bien?*

a.

b.   c.

d.

e.

f.

g.

Act. 9. (whole class; partners) (See IM, Dialogues) These dialogues consist of routines and patterns that are acquired as "chunks" (fixed phrases). Read conversations 1–4 aloud with natural intonation. Alternatively, treat each dialogue separately as follows: (1) explain the context; (2) read the script aloud; (3) repeat so students can say the lines after you; (4) play the first role yourself while the class takes the second; (5) reverse roles and repeat step 4. You may wish to have students practice together in pairs. We strongly recommend that you not ask individuals to read aloud in front of the class since students are inexperienced in French pronunciation and many students are very sensitive about being "on the spot." Students acquire language best when they are at ease and attentive to the input they are receiving.

Conversation 5: This open dialogue lets students converse about themselves truthfully. To begin, use the *Levez-vous/Parlez* commands to have everyone stand, find a partner, and do the dialogue. Indicate they should then talk with at least three more people. New vocabulary: (dialogues only) *camarade, comme ci, comme ça, mademoiselle, maman, moi, monsieur, je suis fatigué(e), je te présente, enchanté(e), très, un peu, Elle va bien.*

Activité 9 Dialogue: Les salutations

1. Victor Colin parle au directeur du bureau.
   —Bonjour, monsieur. Comment allez-vous?
   —Très bien, merci. Et vous?
   —Bien, merci.

2. Après le match de foot, Charles Colin parle avec sa cousine Camille.
   —Salut, Camille. Ça va?
   —Je suis très fatiguée! Et toi?
   —Moi, ça va.

3. Louis présente Barbara à Raoul Durand, un étudiant canadien.
   —Raoul, je te présente une camarade de classe, Barbara.
   —Enchanté, mademoiselle.
   —Enchantée.

4. Claudine Colin parle au téléphone avec son père, Francis Lasalle.
   —Bonsoir, papa. Tu vas bien?
   —Comme ci, comme ça. Un peu fatigué.
   —Et maman? Elle va bien?
   —Elle va très bien.

5. Vous parlez avec un/une camarade de classe.
   É1*: Bonjour. Je m'appelle _____.
   É2: Enchanté(e). Je _____ _____.
   É1: Salut, _____. Ça va bien?
   É2: _____, et toi?
   É1: _____, merci.

---

*É1 et É2 = Étudiant(e) 1 et Étudiant(e) 2

Vocabulaire

See the *Lexiques* for a key to the abbreviations used in *Vocabulaire* lists.

Dans la classe de français

In French class

un/une camarade de classe	a classmate
un crayon	a pencil
un étudiant/une étudiante	a student
un livre	a book
un stylo	a (ballpoint) pen
un tableau	a blackboard

Mots apparentés: **une activité, une conversation, la grammaire, une page, un professeur, une table, le vocabulaire**

Asseyez-vous.	Sit down.
Attention!	Pay attention!
Écoutez.	Listen.
Écrivez votre nom.	Write your name.
Fermez le livre.	Close the book.
Levez la main.	Raise your hand.
Levez-vous.	Stand up. (Get up.)
Lisez.	Read.
Ouvrez le livre.	Open the book.
Prenez un stylo.	Get a pen.
Regardez le tableau.	Look at the board.
Tournez la page.	Turn the page.

Les personnes

People

un ami/une amie	a friend
une femme	a woman
un homme	a man

La description des personnes

Describing people

Qui est... ?	Who is . . . ?
Qui n'est pas... ?	Who isn't . . . ?
beau/belle	handsome/beautiful
blond/blonde	blond
brun/brune	dark-haired
fort/forte	heavy, plump
grand/grande	tall
jeune	young
laid/laide	ugly
mince	thin
moyen/moyenne	average
petit/petite	small, little, short
vieux/vieille	old, elderly
Qui a... ?	Who has . . . ?
Qui n'a pas... ?	Who doesn't have . . . ?
une barbe	a beard
les cheveux courts/ longs	short/long hair
une moustache	a moustache
les yeux bleus	blue eyes

Les couleurs

Colors

blanc/blanche	white
bleu/bleue	blue
gris/grise	gray
jaune	yellow
marron *(inv.)*	brown
noir/noire	black
rose	pink
rouge	red
vert/verte	green

Mots apparentés: **orange** *(inv.)*, **violet/violette**

Les vêtements

Clothing

Qui dans la classe porte... ?	Who in class is wearing . . . ?
Il/Elle porte...	He's/She's wearing . . .
Ils/Elles portent...	They're wearing . . .
un blouson	a jacket, windbreaker
des bottes *(f.)*	boots
un chapeau	a hat
des chaussures *(f.)*	shoes
une chemise	a man's shirt
un chemisier	a woman's blouse
un costume	a man's suit
une cravate	a necktie
une jupe	a skirt
un manteau	a coat
un pantalon	a pair of pants

une robe	a dress
une veste	a sportcoat, suitcoat
un vêtement	a piece of clothing

Mots apparentés: **un jean, un pull-over, des tennis** (*m.*)

MOTS ET EXPRESSIONS UTILES

Useful words and expressions

l'ami/l'amie de Daniel	Daniel's friend
aussi	too, also
bien	well
dans	in
mais	but
moi aussi	me too
ne... pas	not
non	no
oui	yes
s'il vous plaît (s'il te plaît)	please
tout le monde	everybody
tu	you (*fam.*)
vous	you (*form. or pl.*)

LES ORDRES

Commands

Chantez.	Sing.
Courez.	Run.
Dites *bonjour.*	Say *hello.* (Say *good morning.*)
Marchez.	Walk.
Sautez.	Jump.
Tournez à droite (à gauche).	Turn right (left).

SALUTATIONS ET FORMULES DE POLITESSE

Greetings and polite expressions

À bientôt.	See you soon.
aujourd'hui	today
Au revoir.	Good-bye.
Bonjour.	Hello; Good morning/afternoon/day.
Bonsoir.	Good evening; Good-bye (*in the evening*).
Ça va?	How's it going?
Moi, ça va. Et toi?	Fine. How about you?

Comment allez-vous?	How are you? (*form.*)
Très bien, merci. Et vous?	Fine, thanks, and you?
Pas mal, merci.	Not bad, thanks.
Je suis un peu fatigué/fatiguée.	I'm a little tired.
Comment vas-tu?	How are you? (*fam.*)
Bien, et toi?	Fine, and you? (*fam.*)
Je vous (te) présente...	I want you to meet . . .
Enchanté/Enchantée.	Delighted.
madame	madam, ma'am; Mrs.
mademoiselle	miss
monsieur	sir; Mr.
Salut!	Hi!; Good-bye. (*fam.*)

QUESTIONS

Questions

Combien de... ?	How many . . . ?
Comment est-il/elle?	What's he/she/it like?
Comment s'appelle... ?	What is . . . 's name?
Il/Elle s'appelle...	His/Her name is . . .
Comment sont-ils?	What are they like?
Comment va... ?	How is . . . ?
Il/Elle va bien/mal.	He's/She's fine/not well.
Comment vous appelez-vous?	What's your name? (*form. or pl.*)
Comment t'appelles-tu?	What's your name? (*fam.*)
Je m'appelle...	My name is . . .
De quelle couleur est... ?	What color is . . . ?
Est-ce que c'est un/une... ?	Is this a . . . ?
Oui, c'est un/une...	Yes, it's a . . .
Non, ce n'est pas un/une...	No, it's not a . . .
n'est-ce pas?	isn't it?, right?
Où est... ?	Where's . . . ?
Qui est-ce?	Who's that? (Who is it?)
C'est...	It's . . .
Y a-t-il... ?/Il y a...	Is/Are there . . . ?/There is/are . . .

MOTS APPARENTÉS

Cognate words

une banane, une carotte, le chocolat, un éléphant, un général, une image, un pingouin, une plante, un tigre, une tomate, une tragédie

Grammaire et exercices

Introduction

The **Grammaire et exercices** section of each chapter presents grammar points used in the preceding **Activités** section.

The **Attention!** notes that begin each new topic in the **Activités** section tell you which grammar point(s) you should study at that time. Study the grammar point(s) carefully, reading the examples out loud. Then do the exercises, both orally and in writing, and check your answers in the Appendix. Your instructor may choose not to discuss grammar in class because it is explained in nontechnical language in the book and because answers to the exercises are provided.

Keep in mind that successful completion of a grammar exercise indicates that you have understood the explanation. However, you are not immediately expected to use that grammar without error. As you listen to your instructor, your fellow students, and the audio program, and as you talk with others, you will gradually begin to assimilate that grammar point into your own speech and writing.

If you have trouble with an exercise or with a particular point, ask your instructor for assistance. In difficult cases, your instructor may want to go over the material in class to be sure that everyone understands. However, class time is best used for real experience in communicating in French.

Note: The grammar explanations of the *Première étape* are meant to help students understand your input and bind meaning to structures. We suggest that you wait until you have done several of the oral activities before assigning the accompanying grammar sections. The grammar exercises are intended to check students' understanding of the grammatical concepts involved. Students should not be expected to produce these forms freely in class, where the emphasis should be on understanding input and developing listening strategies.

A.1. Because they occur in TPR, we have chosen the command forms to illustrate the fact that final consonants are not usually pronounced in French. This basic principle of sound–spelling correspondence (or lack thereof) is one you will need to remind students of frequently throughout the course. The *Cahier d'exercices* contains a systematic presentation of French pronunciation and orthography.

A.1 Giving instructions: Commands with vous

A. Commands are verb forms used without a subject pronoun to tell or ask someone to do something.

>   Raise your hand.   Open your book, please.

B. The commands in the **Première étape** are all verb forms that end in **-ez.** This ending is associated with the pronoun **vous** and can refer to a single person or to a group of people.

>   Louis, **ouvrez** la fenêtre, s'il vous   *Louis, open the window, please.*
>   plaît.
>   Barbara et Denise, **regardez** le   *Barbara and Denise, look at the*
>   tableau.   *board.*

C. Notice that some commands have the word **vous** attached to the verb, whereas others do not.

>   **Asseyez-vous,** s'il vous plaît!   *Sit down, please!*

Definition: A verb conveys an action or a state: *sit, raise, be.*

Definitions: A subject performs the action or exists in the state conveyed by the verb. A noun represents a person or thing. A subject pronoun substitutes for a subject noun. *Joël sits. He sits.*

✳ *You will learn more about the pronoun* **vous** *in* **Grammaire A.6.**

*You will learn more about verb endings in **Grammaire A.4** and following chapters.*

Verbs of this sort are called reflexive verbs and are presented in **Chapitre 2.** At this point, you need only understand the meaning of these commands.

Pronunciation Hint:

Most final consonants are not pronounced in French. For example: **ouvre~~z~~, français~~s~~, asseye~~z~~, vou~~s~~, e~~t~~, écoute~~z~~.** In these hints, a slash through a letter indicates when a letter is not pronounced.

xercice 1 Écoutez!

Are these commands given in a logical order? Answer **oui** or **non.**

1. Ouvrez le livre! → Lisez!
2. Asseyez-vous! → Courez!
3. Écrivez! → Prenez un stylo!
4. Tournez la page! → Regardez!
5. Levez-vous! → Marchez!
6. Regardez le tableau! → Écoutez!
7. Levez-vous! → Asseyez-vous!
8. Fermez le livre! → Regardez la page!

A.2 Identifying people: C'est... , je m'appelle...

A. To ask who someone is, use the interrogative (question) expression **Qui est-ce?** The usual reply is **C'est** and the name of a person, or simply the name of a person.

—**Qui est-ce?**	*Who's that?*
—**C'est** Denise.	*It's Denise.*

B. If you are not sure of someone's identity, you can use the expression **Est-ce que c'est... ?** with the name of a person. The reply is **oui** or **non.**

—**Est-ce que c'est** Jacqueline?	*Is that Jacqueline?*
—**Non,** c'est Barbara.	*No, it's Barbara.*

C. When you ask someone's name or give your own, use these patterns:

—Comment t'appelles-tu?	*What's your name?*
—Je m'appelle Barbara.	*My name is Barbara.*
—Comment vous appelez-vous?	*What's your name?*
—Je m'appelle Raoul Durand.	*My name is Raoul Durand.*
—Comment s'appelle-t-il?	*What's his name?*
—Il s'appelle Daniel.	*His name is Daniel.*
—Comment s'appelle-t-elle?	*What's her name?*
—Elle s'appelle Denise.	*Her name is Denise.*

Pronunciation Hint:

Qui e$t-c¢? C'e$t... Commen¢ vous ᶻ appele¢-vou$? Je m'appell¢...

In this text the symbol (‿) indicates liaison (pronunciation and linking of a final consonant to a following vowel).

Exercice 2 Identités

Match the answers with the questions.

QUESTIONS	ANSWERS
1. Qui est-ce?	**a.** Non, c'est Jacqueline.
2. Est-ce que c'est Denise?	**b.** Je m'appelle Daniel Moninger.
3. Comment vous appelez-vous?	**c.** C'est Louis.
4. Comment s'appelle le professeur?	**d.** Elle s'appelle Mme Martin.

Ex. 2. If you do the exercise in class, read the question aloud. Students need answer only with *a, b, c,* or *d,* although they may wish to say the entire answer. At this point, don't correct individual pronunciation; simply repeat the phrase correctly and go on.

A.3. The purpose of this section is to alert students to grammatical gender and to the fact that adjectives and articles change form without changing meaning. In class, use your PF or descriptions of class members. *Cet homme est grand, n'est-ce pas? Oui, il est grand. Et cette femme, elle est grande? Oui, elle est grande. L'homme est grand et la femme est grande.* You may wish to show the correspondence with written forms by making two columns on the board labeled *masculin* and *féminin.* Then list words in the appropriate column as they occur in your input.
   Students often have trouble hearing the difference between *un* and *une.* You could do a quick listening comprehension check. Write *masculin* and *féminin* on the board, then call out nouns *(un éléphant, une plante, etc.)* and have students call out the appropriate gender.

A.3 Gender and articles

A. All French nouns are classified as either masculine or feminine. However, the terms "masculine" and "feminine" are grammatical classifications only: French speakers do not perceive things such as shirts or windows as being inherently "male" or "female." On the other hand, nouns that refer to males are usually of the masculine gender, and nouns that refer to females are usually feminine. For example, **ami** refers to a male friend, whereas **amie** is used for a female friend.

Raoul est **l'ami** de Daniel et Barbara est son **amie** aussi.	*Raoul is Daniel's friend, and Barbara is also his friend.*

B. French adjectives change their endings to agree with the gender of the noun they modify. In many cases, this simply means adding **-e** to the adjective to agree with a feminine noun; in other cases, the adjective has two different forms.

Joël est **petit** et Marise est **petite** aussi.	*Joël is short and Marise is also short.*
Francis Lasalle est **vieux** et Marie Lasalle est **vieille** aussi.	*Francis Lasalle is old, and Marie Lasalle is also old.*

C. Articles in French also change form according to the gender of the nouns they accompany. Here are the definite and indefinite articles for singular nouns.

Definition: An adjective describes (modifies) a noun or pronoun: *Claudine is **tall,** but he is **short.***

✳ *You will learn more about adjective agreement in **Grammaire A.5, B.6,** and **B.7.***

Definition: An article is a word like *a* or *the* that introduces a noun.

	DEFINITE (*the*)	INDEFINITE (*a, an*)
Masculine	**le** livre	**un** livre
Feminine	**la** page	**une** page

D. The definite articles **le** and **la** become **l'** before a word that starts with a vowel (a, e, i, o, u) or a mute **h;** this includes most (but not all) words that begin with the letter **h.** You will learn more about mute **h** in the **Cahier d'exercices (Prononciation et orthographe).**

l'étudiant(e)	*the student*
l'homme	*the man*
l'autre classe	*the other class*

Ex. 3. Make sure students understand the meaning of the adjectives before doing the exercise.

Exercice 3 Descriptions

Complete these sentences with the correct adjective.

1. Louis est _____ et Jacqueline est _____ aussi. (petit/petite)
2. Barbara est _____ et Albert est _____ aussi. (grand/grande)
3. Mme Martin n'est pas _____. Elle est jeune. (vieux/vieille)
4. Mon acteur favori est très _____. (beau/belle)
5. Albert est _____. (noir/noire)
6. Daniel n'est pas grand. Il est _____. (moyen/moyenne)

Ex. 4. Although this gives practice in using both masculine and feminine articles, the focus is on comprehending the difference in meaning between definite and indefinite articles only. We do not expect students to make the correct selection of masculine or feminine articles in their speech until they have had considerable experience hearing French.

Exercice 4 Les photos de Mme Martin

Today, Madame Martin's class is identifying people and things. Complete the sentences with **un, le,** or **l'.**

1. Regardez la photo. C'est _____ tigre. _____ tigre est beau, non?
2. Et voilà la photo d' _____ autre tigre. _____ autre tigre est très grand!
3. Regardez bien! Est-ce _____ livre ou _____ stylo? Oui, c'est _____ livre. C'est _____ livre de Daniel.

Complete the following sentences with **une, la,** or **l'.**

4. Est-ce _____ moustache ou _____ barbe? Bravo, c'est _____ barbe!
5. Est-ce que c'est _____ table? Oui, c'est _____ table de Mme Martin.
6. C'est _____ cathédrale. C'est _____ cathédrale Notre-Dame de Paris. Elle est très belle et très vieille, n'est-ce pas?

A.4. This section formally introduces subject pronouns together with the verb *être.* Your input should include examples of *il(s)/elle(s)* referring to things as well as to people. To limit the number of new concepts, we delay a full explanation of the *tu/vous* distinction until A.6.

A.4 Describing people: ÊTRE, SUBJECT PRONOUNS, AND NE... PAS

A. To describe yourself and others, use the verb **être.**

être (*to be*)		
je	**suis**	*I am*
tu	**es**	*you are* (familiar, singular only)
il/elle/on	**est**	*he/she/it/one is*
nous	**sommes**	*we are*
vous	**êtes**	*you are* (formal or plural)
ils/elles	**sont**	*they are*

Marie Lasalle **est** petite.   *Marie Lasalle is short.*
Moi, je **suis** grand et brun.   *I'm tall and brown-haired.*

> ➤ The terms below are sometimes used for forms of verbs and pronouns:
>
> * 1st person singular (**je**)
> * 2nd person singular (**tu**)
> * 3rd person singular (**il/elle/on**)
> * 1st person plural (**nous**)
> * 2nd person plural (**vous**)
> * 3rd person plural (**ils/elles**)

✷ *You will learn more about the pronoun* **on** *in* **Grammaire 2.4.**

Pronunciation Hint:

Final consonants are not pronounced: **je suis, tu es, il est, nous sommes, vous ᶻêtes, ils sont.** The letter **e** with no accent, at the end of a word, is also silent: **nous sommes, vous êtes.** In these hints, the symbol ~ indicates a nasalized vowel.

B. Use **ne... pas** to make a sentence negative. **Ne** precedes the verb and **pas** follows it. **Ne** becomes **n'** if the verb begins with a vowel.

—Est-ce que tu es étudiant?   *Are you a student?*
—Non, je **ne** suis **pas** étudiant.   *No, I'm not (a student).*

—Est-ce que votre ami est français?   *Is your friend French?*
—Non, il **n'**est **pas** français.   *No, he's not French.*

Students should be able to acquire *ne... pas* easily from your input. Use your PF to make a series of negative statements: *Cette femme n'est pas grande. Elle est petite. Elle n'est pas blonde.*

Pronunciation Hint:

Il n'est pas français, je ne suis pas ᶻ étudiant.

C. There are two French words for expressing the English word *it* and two French words for *they*. This is because French classifies nouns as either masculine or feminine, as you have already seen.

—Comment est la classe de français?   *What's the French class like?*
—**Elle** est grande.   *It's big.*
—Et le jean de Daniel?   *And Daniel's jeans?*
—**Il** est bleu.   *They're (It's) blue.*
—Comment sont les chaussures de Jacqueline?   *What are Jacqueline's shoes like?*
—**Elles** sont blanches.   *They're white.*

To refer to a mixed-gender group, use the pronoun **ils.**

—Comment sont Barbara et Albert?   *What do Barbara and Albert look like?*
—**Ils** sont grands.   *They're tall.*

> ➤ **il est** = *he is, it is*
> **elle est** = *she is, it is*

> ➤ **ils sont** = *they are*
> **elles sont** = *they are*

✷ *You will learn more about* **tu** *and* **vous** *in* **Grammaire A.6.**

D. French has two words to express the English word *you*. **Tu** always refers to only one person, but **vous** can be both singular and plural. The choice of **tu** or **vous** for the singular depends upon your relationship with the person to whom you are speaking.

Ex. 5–7. Assign as homework, and have students check their answers in the key.

xercice 5 La classe de français

Daniel is telling you about his French teacher and classmates. Complete his sentences with **je, tu, il, elle, nous, vous, ils,** or **elles.**

1. _____ m'appelle Daniel et _____ suis américain.
2. Et Louis? _____ est américain aussi.
3. Le professeur s'appelle Mme Martin. _____ est canadienne. Beaucoup de* Canadiens parlent** anglais et français. _____ sont bilingues.
4. Denise et moi, _____ sommes dans le même† cours de maths.
5. Barbara et Jacqueline? _____ sont absentes aujourd'hui.
6. Et toi? _____ es aussi étudiant(e)?

xercice 6 La famille Colin

Marise Colin is describing her family in a letter to Barbara, her new American correspondent. Choose the correct form of the verb **être: suis, es, est, sommes, êtes,** or **sont** to complete each sentence.

1. Moi, je _____ petite et brune.
2. Clarisse _____ petite et brune.
3. Clarisse et moi, nous _____ étudiantes à l'université.
4. Charles et Emmanuel _____ grands.
5. Et toi? Est-ce que tu _____ grande ou petite, brune ou blonde?
6. Combien _____ -vous dans la famille?

xercice 7 Discussions dans la classe de français

Complete the following statements made by students in Mme Martin's French class while they were practicing descriptions. Use **ne... pas** and the verb **être.**

MODÈLE: Les roses sont rouges. Elles _____ orange! →
Les roses sont rouges. Elles *ne sont pas* orange!

---

*Beaucoup de = *Many*
**parlent = *speak*
†même = *same*

1. Les amis de Daniel sont jeunes. Ils _____ vieux!
2. Non, Jacqueline! Tu _____ grande. Tu es petite.
3. Ah non, Madame Martin! Vous _____ vieille! Vous êtes jeune!
4. Mme Martin: Non, je _____ américaine. Je suis canadienne.
5. Non, nous _____ une classe d'italien! Nous sommes une classe de français.
6. Albert est très grand! Il _____ petit.

A.5 Plural nouns and articles

A. French and English nouns may be singular **(chemise)** or plural **(chemises).** Most plural nouns in French end in **-s**. Articles that accompany French plural nouns must also be plural. Here are the plural articles.

SINGULAR		PLURAL	
un costume vert	*a green suit*	**des** costumes verts	*green suits*
une robe rouge	*a red dress*	**des** robes rouges	*red dresses*
la jupe blanche	*the white skirt*	**les** jupes blanches	*the white skirts*
le chapeau noir	*the black hat*	**les** chapeaux noirs	*the black hats*
l'autre chemise	*the other shirt*	**les** autres chemises	*the other shirts*

➤ singular noun + singular adjective

➤ plural noun + plural adjective

✳ *You will learn about irregular plurals like* **chapeaux** *in* **Grammaire B.7.**

B. Notice in the preceding examples that adjectives are also plural when the nouns they modify are plural.

Pronunciation Hint:

Note that final **-s** on plural nouns is not pronounced. The **-s** of **des** and **les** is pronounced only if followed by a vowel or mute **h: des robes, les bottes,** but **des͜ étudiants, les͜ amis, des͜ hommes.**

Exercice 8 Comment est votre université?

Fill in the blanks with **le, la, l',** or **les** and complete each sentence in a way that describes your university and your French class.

MODÈLE: _____ campus est grand/petit. → Le campus est grand.
(Le campus est petit.)

1. _____ université est grande/petite.
2. _____ professeurs sont compétents/incompétents.
3. _____ étudiants sont jeunes/vieux.
4. _____ classe de français est grande/petite.
5. _____ professeur de français s'appelle...

A.5. Perception of the singular/plural distinction in French is often difficult for English speakers, because the signal for plurality is usually found in the article instead of in the noun: *le* and *la* contrast with *les; un* and *une* contrast with *des.* Thus, students must become accustomed to interpreting plurality from the vowel [e] of *les* and *des* (in the absence of a plural liaison). They gain this skill mostly through oral communication activities. The purpose of this section is to help students see and hear the connection between the oral and written plural forms.

Exercice 9 Test de mémoire

Louis has been blindfolded and must try to remember what his classmates are wearing. Fill in the blanks with **un, une,** or **des.**

1. —Est-ce que Barbara porte _____ jupe noire?
   —Non, elle porte _____ robe jaune.
2. —Est-ce qu'Albert porte _____ chemise blanche et _____ pantalon noir?
   —Non, il porte _____ pull-over bleu et _____ pantalon gris.
3. —Est-ce que Denise porte _____ bottes noires?
   —Oui, elle porte _____ bottes noires.
4. —Est-ce que Daniel porte _____ blouson vert et _____ chaussures noires?
   —Non, il porte _____ blouson violet et _____ chaussures blanches.
5. —Est-ce que Mme Martin porte _____ robe rose et _____ manteau violet?
   —Oui, elle porte _____ robe rose et _____ manteau violet.

A.6 Addressing others: TU AND VOUS

A.6. Students who have never encountered the concept of formal and informal modes of address in other languages may need further elaboration (in English) of this brief explanation. As indicated in the IM (classroom management, modes of address), we recommend having students use *tu* when addressing their classmates and *vous* when addressing you. This is what would usually be appropriate in a French setting.

A. In French, there are two pronouns that correspond to English *you:* **tu** and **vous.** In general, **tu** is used among peers, that is, with friends and other students and, in most cases, with family members. **Vous** is used with those older than you and with people you don't know well or with whom you wish to keep a certain distance. In general, **vous** is used in public with clerks, taxi drivers, waiters, and so on.

—Albert, **tu** vas bien?   *Albert, are you doing well?*
—Oui, très bien, merci.   *Yes, great, thanks.*

—Bonjour, madame. Comment   *Good morning (ma'am). How are*
   allez-**vous**?   *you?*
—Très bien. Et vous?   *Fine. And you?*

Note that in French, the usual and polite practice is to follow **Bonjour** with one of the terms of address: **madame, monsieur,** or **mademoiselle.**

B. **Vous** is used for speaking to more than one person in both formal and informal contexts.

Joël et Emmanuel, êtes-**vous**   *Joël and Emmanuel, are you tired?*
   fatigués?

C. The use of **tu** and **vous** varies somewhat from country to country and even within a country. It is best to use **vous** with people you do not know personally or who are older than you. With other students or friends your own age, it is customary to use **tu.**

Exercice 10 Tu ou vous?

Ex. 10. If you do this exercise in class, read the statements aloud to model pronunciation, asking students to say only *tu* or *vous*.

Choose the correct form, **tu** or **vous.**

Un étudiant français parle...

1. à un ami.
   a. Tu es fatigué aujourd'hui?
   b. Vous êtes fatigué aujourd'hui?
2. à un autre étudiant.
   a. Est-ce que tu portes un manteau aujourd'hui?
   b. Est-ce que vous portez un manteau aujourd'hui?
3. au professeur.
   a. Comment vas-tu aujourd'hui?
   b. Comment allez-vous aujourd'hui?
4. à un petit garçon de 9 ans.
   a. Tu portes un beau chapeau de cow-boy.
   b. Vous portez un beau chapeau de cow-boy.
5. à une dame de 50 ans.
   a. Comment t'appelles-tu?
   b. Comment vous appelez-vous?

GOALS FOR THE *DEUXIÈME ÉTAPE*
<u>Goals:</u> (1) continue building ability to listen for key words and phrases; (2) increase comprehension vocabulary; (3) increase awareness that words are not static, but function in many contexts; (4) begin to produce simple speech.

Activities for the *Deuxième étape* are designed to help students make the transition from Comprehension (Stage 1) to Early Speech (Stage 2). (See IM, Input Techniques in Stage 2) The *Mise en train* and white-page activities allow you to continue to emphasize the ability to comprehend French, but also encourage students to respond (as a class) using single words and short phrases like *Ça va.* At times, students will work with classmates in pairs or small groups. Avoid calling on individuals to speak alone during class; you will find that students begin to speak spontaneously during discussion as they gain confidence and become interested in the topics.

MISE EN TRAIN
1. Classroom commands. (See IRK for TPR) Use TPR to review classroom commands from *Mise en train, Première étape,* and to add new commands that include more verbs, words for body parts *(la tête, les pieds...)* and classroom objects *(cahier, crayon, horloge...).* Sample sequence: *Levez-vous, marchez, courez, arrêtez-vous, touchez-vous la tête, levez la main, baissez la main, asseyez-vous, ouvrez la bouche, fermez la bouche, ouvrez les yeux, fermez les yeux, touchez votre livre de français, ouvrez votre livre de français, fermez votre livre de*

français, tournez à droite, tournez à gauche, touchez vos pieds, levez le pied droit/gauche, sortez une feuille de papier, mettez (la feuille) sur votre chaise, écrivez votre nom. Demonstrate new commands as they occur and include them frequently thereafter. Repeat a sequence, adding new commands; repeat and add more, etc. At times, identify groups of participants and create longer commands: *Les étudiants aux cheveux bruns, levez-vous et touchez-vous les oreilles. Les femmes qui portent une jupe, levez la main. Classe, comptez-les. (une, deux...) Les femmes qui portent un pantalon, levez-vous. Tapez-vous la tête avec un crayon.*

2. Transition to early speech. (See IM Input Techniques in Stage 2). Review description, items in class, clothing, and colors. Make sure all questions can be answered with *oui/non* or single words. *Est-ce qu'Estelle est blonde ou brune? Est-ce que Tom porte un pantalon gris? (oui) La jupe de Cindy est-elle verte ou grise? (verte)*

3. Classroom objects. Introduce/review classroom items and numbers: *Voici un livre, voici un stylo et voilà une feuillo dc papier.* Distribute items to students and ask: *Qui a _____ ?* Ask students with a particular item to take it to a classmate: *Maintenant, donnez le crayon à Robin.* Then ask *Et maintenant, qui a _____ ?* Vary by omitting students' names: *Bob, donnez le livre à la personne qui porte le pull rose.* Ask students to count items: *Qui a un stylo bleu? Les étudiants qui ont un stylo bleu, levez la main et montrez le stylo à la classe. Bien. Maintenant, comptons les stylos bleus. Un, deux...*

4. Names of months/student birthdays. Briefly review numbers by counting objects and people in class. Then write today's date on the board. *Aujourd'hui, c'est (mardi), le 10 septembre. Et septembre, qu'est-ce que c'est? C'est un mois. Il y a 12 mois: septembre, octobre, etc.* Then announce: *Moi, je suis né(e) en (octobre). Mon anniversaire (anniversaire on board), c'est le 12 octobre.* (on board: *12 octobre) Quelle autre personne est née au mois d'octobre? Thomas? Votre anniversaire est en octobre? (oui) Bravo! Est-ce que c'est aussi le 12? (non) C'est quelle date, alors? (8)* List all October birthdays on the board (no names), reviewing often. *Bon, l'anniversaire de Kevin est le 30 octobre. Et le 8 octobre, c'est l'anniversaire de qui? Et qui est né le 12?* Continue for the other months. From time to time, point to dates randomly and review: *Alors, le 11 janvier, c'est l'anniversaire de qui? Et le 3 avril?*

5. The French alphabet. Say the alphabet for the class. Then write a short cluster of letters on the board as you say them. *(ABCDEFG)* Ask questions like *C'est la lettre B ou la lettre D?* Finish by having students say the cluster with you. Help students hear sound associations like *B, C, D, G,* and *I, J.* For several days, review the alphabet. Give short dictations, having the class read back the letters as you write them on the board. Introduce accents and diacritics *(le téléphone, très bien, une fenêtre, une leçon)* Gradually introduce syllables like *au (une auto), eau (le tableau), ou (vous).*

Le monde étudiant

Le jardin du Luxembourg, près de la Sorbonne, à Paris

Objectifs

IN THE **DEUXIÈME ÉTAPE,** *you will continue to develop your listening and speaking skills in French. You will learn more vocabulary to talk about your classes and friends, the calendar, and the clock. You will also learn more about your classmates.*

activités

Qu'est-ce qu'il y a dans la salle de classe?
La date et l'alphabet
Les nombres de 40 à 100 et l'heure
Les cours
La description des autres

grammaire

B.1 Expressing existence: **Il y a**
B.2 Asking questions
B.3 Spelling in French: The French alphabet
B.4 Telling time: **Quelle heure est-il?**
B.5 Expressing possession: The verb **avoir**
B.6 Describing with adjectives: More on gender
B.7 Irregular plurals

Activités

QU'EST-CE QU'IL Y A DANS LA SALLE DE CLASSE?

AS 1. Use classroom objects with commands such as *Montrez-moi une chaise, une porte, un livre bleu. Touchez la porte, votre chaise, la chaise devant/derrière vous. Prenez un stylo. Mettez le stylo sur votre livre de français, sur la chaise de l'étudiant(e) à gauche/à droite.* Remember to give commands in a sequence: *Prenez le livre de la personne à gauche; posez-le sur la chaise à droite; montrez-moi un crayon jaune, etc.*

Qu'est-ce qu'il y a dans la salle de classe? Ask questions like the following: (point to a chair) *Ça, c'est une table, n'est-ce pas? (non) Non, ce n'est pas une table. C'est une chaise.* Review (and/or introduce) common adjectives to describe items in the classroom: *beau/belle, joli(e), grand(e), petit(e), vieux/vieille, neuf/neuve, large, court(e), haut(e), bas(se), laid(e).* Use *either/or* and *oui/non* questions: *Le livre, il est grand ou petit? Et les murs, ils sont jaunes, n'est-ce pas?* Include numbers by counting objects in class: *Il y a combien de chaises? de fenêtres?* etc. New vocabulary: *brosse, bureau, cahier, chaise, craie, crayon, étudiant(e), fenêtre, horloge, lumière, mur, plafond, plancher, porte, professeur, pupitre, stylo, tableau.*

Attention! Étudier Grammaire B.1 et B.2

Activité 1 Discussion: Les objets

Qu'est-ce qu'il y a sur la table?

MODÈLE: Il y a une montre.
          Il n'y a pas de vase.

1. un cahier
2. une lampe
3. un livre
4. une plante
5. un chapeau
6. une montre
7. une brosse
8. une cravate
9. un stylo
10. un crayon

Activité 2 Discussion: Qu'est-ce qu'il y a dans la classe?

Dites *oui* ou *non*. Dans la classe de français, il y a...

1. des pupitres?
2. des chaises confortables?
3. une grande table?
4. une horloge digitale?
5. un grand bureau?
6. des tableaux bleus?
7. une petite fenêtre?
8. des crayons rouges?
9. une porte ouverte?
10. -?-

Activité 3 Échanges: Qu'est-ce que c'est?

MODÈLE: une fenêtre ou une porte? →
          —Est-ce que c'est une fenêtre
           ou une porte?
          —C'est une porte.

Est-ce que c'est... ?

1. un stylo ou un crayon
2. une chaise ou un pupitre
3. un pupitre ou un bureau
4. un livre ou un cahier
5. une horloge digitale ou une montre
6. une table ou un tableau

une porte

Act. 1. (whole class) This activity demonstrates how to describe using both negative and affirmative statements. Ask about other objects that are not on the table: *Est-ce qu'il y a un pull-over? un chapeau? une chaise?* Call attention to articles as markers of gender distinction. Point out that *de* is used when the response is negative. New vocabulary: *il y a... lampe, montre, il n'y a pas de...*

AS 2. Talk about objects in your classroom to help students learn to identify people/things through the use of negative, as well as affirmative, statements. Input example: (pencil eraser) *Ça, c'est une gomme, n'est-ce pas? Oui.* Point to the clock: *Est-ce que c'est un mur ou une horloge? (horloge) C'est une horloge. Ce n'est pas un mur. Voici un mur.*

Act. 2. (whole class) Expand using other items or people in class: *Il y a des crayons rouges? un professeur qui porte des lunettes? une étudiante qui porte une jupe marron?* Students will get used to hearing both pre- and post-nominal adjectives in your input. If they should ask as they look at the activity, answer briefly: *Pourquoi une grande table? Parce que l'adjectif* grande *est une exception.* (Adjective placement is in *Grammaire 4.1.*) New vocabulary: *confortable, digital(e), ouvert(e).*

Act. 3. (whole class) Students hear objects identified with *c'est un/une* and *ce n'est pas un/une.* First, ask about the classroom. Then ask about the pictures in the activity. As students answer, they will need to produce articles. However, we recommend that you do not overemphasize gender agreement at this point. If students make a gender error, expand the answer correctly and continue. (See IM, Expansion Techniques.)

L

LA DATE ET L'ALPHABET

La date et l'alphabet. Review numbers by counting objects in class. Review names of months and student birthdates associated with them (from *Mise en train, Act. 4*) and ask about the birthdays in the display. *(Qui est né le 6 février?)*

Introduce names of weekdays using the *septembre* calendar page. Pronounce their names and ask about several random dates: *Regardez le 17 septembre. C'est un mercredi ou c'est un vendredi? Et le vingt, c'est un samedi, un dimanche ou un lundi?* Use the art again: *Est-ce que l'anniversaire de Victor est un vendredi ou un samedi cette année?* Teach also simple definitions for *semaine, jour,* and *mois: Lundi,*

Attention! Étudier Grammaire B.3

☆ ⌐ S E P T E M B R E ⚡

lundi	mardi	mercredi	jeudi	vendredi	samedi	dimanche
		1	2	3	4	5
6	7	8	9	10	11	12
13	14	15	16	17	18	19
20	21	22	23	24	25	26
27	28	29	30			

Activité 4 Interro: Les anniversaires

Regardez le dessin qui précède et posez des questions.

MODÈLE: É1: Quelle est la date de l'anniversaire de Joël?
É2: C'est le premier mai.
É1: Et cette année, c'est quel jour?
É2: C'est un mardi.

Act. 4. (partners) Ask review questions about the art before having partners do the activity. *Qui est né le 8 juillet? Est-ce que l'anniversaire de Joël est le premier mai ou le premier juin?* New words: *anniversaire, cette année, date, le premier, quel/quelle.*

Activité 5 Associations: Le calendrier

Qu'est-ce que vous associez avec les mois suivants?

1. septembre
2. juillet
3. décembre
4. mai/juin
5. février
6. avril
7. novembre
8. janvier

a. les résolutions du nouvel an
b. les examens finals
c. un manteau et des bottes
d. les vacances
e. les élections américaines
f. des sandales et un short

g. les tulipes
h. l'amour
i. les cours
j. Noël

Act. 5. (whole class) Do the activity quickly with the class. You might wish to use pictures or real items to make associations with these and other months: a valentine / *février;* an Easter bunny / *avril,* etc. New cognates to recognize: *amour, élection, examen, final, Noël, résolution, sandales, short, tulipes, vacances.*

Act. 6. (whole class; partners) Explain: *Sarah est une étudiante américaine. Mais cette année, elle est étudiante en France. Est-ce qu'elle est étudiante à l'Université de Paris VIII ou de Paris VII?* Read the dialogue aloud for the class. Spell your own name and ask for volunteers to spell theirs. You may choose to have students read the dialogue in pairs, substituting their own names for Sarah's. New words: *bureau d'inscription, mademoiselle, merci, s'il vous plaît, votre.*

AS 3. Read short groups of letters for students to jot down. Have the class read the list to you so you can write it on the board from their dictation. They can then check their papers. (A-F-N-P-C-R-I-J, etc.).

AS 4. Dictate strings of simple syllables built around one vowel (mi-ti-si-ri-di-li-ni, ma-ta-fa...) Afterward, students read the syllables back as you write them on the board, so that they can check their papers. Add simple words that are easy to sound out *(la table, le livre, une dame).*

Activité 6 Dialogue: Sarah Thomas arrive à Paris VII

Au bureau d'inscription à l'université.

L'EMPLOYÉE: Votre nom, s'il vous plaît.
SARAH: Sarah Thomas.
L'EMPLOYÉE: Sarah, c'est s-a-r-a?
SARAH: Ah non, c'est Sarah avec un h. S-a-r-a-h.
L'EMPLOYÉE: Merci, mademoiselle.

AS 5. Introduce *é.* Show and pronounce *é* (e accent aigu). Say, then spell words as students write them. Suggestions: *la télévision, le téléphone, le café, le cinéma, l'électricité.* Write the words on the board as they read back what they have written. Have students say the words with you, then erase the accents and have them say *«les mots bizarres»* with you.

AS 6. As students become more advanced, include other accents. Introduce harder syllables like *-au, -eau, -oi, -ou,* and nasal vowel sounds using the techniques described in *AS 5.* This activity works best when cognate or familiar words are used.

L**es nombres de 40 à 100 et l'heure**

Les nombres de 40 à 100 et l'heure. Use a clock with movable hands (or a set of clock faces drawn on construction paper) to teach how to tell time. Begin with *Il est une heure, il est deux heures,* etc. Then add minutes after the hour, leaving out *quart* and *demie* until students can understand the pattern. Move the minute hand to 31 minutes after the hour and illustrate the new pattern: *Il est deux heures moins vingt-neuf, il est deux heures moins vingt-huit.* Include *quart* in the input: *Il est deux heures moins le quart.* Use this activity daily over a period of several days. If you have a wall clock in your room, pause often during class to ask *Quelle heure est-il?* If not, consult your watch, announce the time, and have students look at their watches to see if their watches agree with yours. New vocabulary: numbers 40–100, *après-midi, demi(e), heure, matin, midi, minuit, moins.*

Attention! Étudier Grammaire B.4

40 quarante	**65** soixante-cinq...	**81** quatre-vingt-un...
41 quarante et un...	**70** soixante-dix	**90** quatre-vingt-dix...
50 cinquante	**71** soixante et onze...	**91** quatre-vingt-onze...
51 cinquante et un...	**77** soixante-dix-sept...	**93** quatre-vingt-treize...
60 soixante	**80** quatre-vingts	**100** cent
61 soixante et un...		

Quelle heure est-il?

Le matin

Il est neuf heures.

Il est neuf heures et demie.

Il est dix heures vingt-cinq.

AS 7. TPR + *dictées. Sortez une feuille de papier. Prenez un stylo ou un crayon. Écrivez en chiffres* (demonstrate the term *chiffre* on the board): *deux, cinq, neuf.* Students jot down the figures you say, then the class reads the list back to you. Write the figures on the board while students correct their papers. This technique works best with short sets of 5–7 numbers, each set becoming a little more complex. As students gain confidence, dictate arithmetic problems. They read you back both the problem and the answer. Be sure to request volunteer group responses rather than calling on individuals. Use this activity later for addresses and telephone numbers.

L'après-midi

Il est midi.

Il est midi et demi.

Il est une heure.

Il est une heure et quart.

Le soir

Il est huit heures
moins le quart.

Il est onze heures
moins vingt.

Il est minuit.

Il est minuit et demi.

Act. 7. (whole class; partners) After you model the dialogue for the class, have students move around asking several classmates the time. Before they do so, remind them to use *monsieur* and *mademoiselle* as appropriate. New vocabulary: *au revoir, de rien, merci bien, s'il vous plaît.*

Activité 7 Dialogue: Après le cours

Quelle heure est-il?

MME MARTIN: Quelle heure est-il, s'il vous plaît?
    ALBERT: Il est huit heures moins le quart.
MME MARTIN: Merci bien.
    ALBERT: De rien, madame. Au revoir.
MME MARTIN: Au revoir. À demain.

Act. 8. (partners) Say specific times at random, instead of in order, and have students point to the appropriate watch on their page and give you its number. Then pair students and let them practice asking *Quelle heure est-il?* and answering *Il est...*

Activité 8 Interro: Quelle heure est-il?

MODÈLE: É1: Quelle heure est-il?
        É2: Il est _____.

1.

2.

3.

4.

5.

6.

7.

8.

Activité 9 Discussion: Petite épreuve

Act. 9. (whole class) Ask the whole class these questions or put students in pairs to ask and answer. New vocabulary: *alphabet, année, combien de, douzaine, lettre, minute, seconde, semaine.*

Il y a...

1. combien de minutes dans une heure?
2. combien de secondes dans une minute?
3. combien d'heures dans un jour?
4. combien de mois dans une année?

5. combien de lettres dans l'alphabet?
6. combien de crayons dans une douzaine?
7. combien de roses dans une demi-douzaine?
8. combien de jours dans une semaine?

Les cours. As students look at the display, ask who has courses in the different areas mentioned. Then do an association activity with the classes students are currently taking. (See IM, Association Activities.) Write new words on the board for students to copy in their vocabulary notebooks. (See IM, Vocabulary Notebook.) *Il y a une personne dans cette classe qui a huit cours! Imaginez ça! Qui est-ce? (Kari) Oui, c'est Kari. C'est beaucoup, n'est-ce pas? Et qui a un cours d'élocution? (Mark) Oui... Il est difficile ou facile, son cours d'élocution? Est-ce qu'il y a une autre personne qui a aussi un cours d'élocution?* New vocabulary: *cours, biologie, chimie, commerce, économie, génie civil, géographie, gymnastique, histoire, informatique, littérature, mathématiques, musique, peinture, physique, psychologie, théâtre.*

LES COURS

Quels cours avez-vous ce semestre?

**Attention! Étudier
Grammaire B.5**

le dessin — la littérature — la gymnastique — la chimie

la géographie — l'économie — le commerce

la physique — l'histoire — la biologie

la sociologie — les mathématiques

le théâtre — l'informatique

la musique — la psychologie — le génie civil

Act. 10. (whole class) Students skim the chart as you read and answer only *C'est vrai* or *C'est faux* to the items. Before reading the statements aloud, ask questions about the information in the chart. *Qui a un cours de gestion? C'est Louis ou Albert qui a un cours de dessin? Quel jour est le cours de dessin? À quelle heure?* New vocabulary: *africain, art, comptabilité, géologie, gestion, oriental, philosophie, siècle.*

Activité 10 Discussion: La semaine de cours

Certains étudiants de Mme Martin ont cours le même jour et à la même heure. Regardez le tableau et dites si les phrases sont vraies ou fausses.

QUAND	LOUIS	JACQUELINE	ALBERT
8 h, lundi	gestion	philosophie orientale	géologie
9 h 30, mardi	comptabilité	informatique	art du XIXe siècle
13 h, vendredi	économie	chimie	dessin

1. Jacqueline a un cours d'informatique et un cours de philo.
2. Albert a un cours d'histoire africaine à 8 heures.
3. Louis n'a pas de cours de gestion.
4. Le cours de chimie de Jacqueline est à 13 h.
5. Albert et Louis ont un cours d'économie.
6. Le cours de géologie d'Albert est à 9 h 30.
7. Jacqueline a un cours de dessin.
8. Louis a un cours de comptabilité le vendredi.

Act. 11. (whole class) (See IM, *Enquêtes.*) This activity heightens cognate awareness. Ask students to look at the statements in **Act. 11** and give their opinions as you read them. Then have them do the activity in pairs. As a follow-up, ask students to give the opposites for various adjectives. New vocabulary: *abstrait(e), compliqué(e), difficile, ennuyeux/ennuyeuse, facile, important(e), intéressant(e), inutile, marketing, passionnant(e), pratique, superflu(e), utile.*

Activité 11 Enquête: Points de vue

Quelle est votre opinion sur les cours suivants? Est-ce que...

1. le français est difficile ou facile?
2. la chimie est pratique ou abstraite?
3. l'histoire est utile ou inutile?
4. la sociologie est importante ou superflue?
5. les maths sont compliquées ou faciles?
6. la littérature est passionnante ou ennuyeuse?
7. le marketing est intéressant ou ennuyeux?
8. la gymnastique est superflue ou importante?
9. le commerce est abstrait ou pratique?
10. la géographie est utile ou inutile?

AS 8. Provide students with a blank schedule that includes the days of the week in French with empty space to fill in the name of a student, the classes, and the times of his/her classes. Have students work in pairs asking questions, so that Student A fills out Student B's *emploi du temps* and vice versa. (See IRK for a master schedule form to photocopy.)

Act. 12. (partners) (See IM, *Dialogues.*) These open dialogues enable students to express themselves realistically at this early stage. Model at least once with volunteers before assigning to partners. Have students reverse the roles, so that each person asks her/his partner the questions and then answers the questions the partner asks. Follow with questions: *Qui a un cours de psychologie? Comment est ce cours? À quelle heure est-il? Et vous, Monique, vous avez combien de cours?* Reenter use of the adjectives from Activity 11 during this discussion. New vocabulary: *emploi du temps, préféré(e), semestre, toi, tous les jours.*

Activité 12 Dialogue: Mon emploi du temps

1. É1: Tu as quels cours ce semestre?
   É2: J'ai un cours de _____, un cours de _____... Et toi?
   É1: Moi, j'ai _____.
   É2: Est-ce que tu as cours tous les jours?
   É1: Oui, j'ai cours tous les jours.
   (Non, je n'ai pas cours le _____.)

2. É2: Quel est ton cours préféré? Il est à quelle heure?

É1: C'est mon cours de _____. Il est à _____. Et toi?

É2: _____. _____.

É1: Tu as un cours difficile?

É2: Mon cours de _____ est très difficile. Et toi?

(Je n'ai pas de cours difficile ce semestre.)

É1: _____.

LA DESCRIPTION DES AUTRES

Attention! Étudier Grammaire B.6 et B.7

La description des autres. Use TPR to review old vocabulary and to introduce more parts of the body. Be sure to use each new word several times: *Mettez votre main sur votre épaule. Maintenant, mettez votre main droite sur votre nez.* Include verbs like *toucher, frotter, gratter. Touchez vos pieds, frappez vos genoux, mettez vos deux mains sur vos épaules, tirez vos oreilles, fermez/ouvrez vos yeux.*

Use your PF to show photos of people of various ages, sizes, and types, reviewing earlier vocabulary and introducing new terms. Include adjectives: *sympathique, sérieux/ sérieuse, raisonnable, etc.* New vocabulary: *bouche, bras, cheveux courts (châtains, frisés), corps, de taille moyenne, dos, épaule, estomac, jambe, lunettes, nez, œil (les yeux), oreille, pied, tête.*

brun
de taille moyenne
les cheveux courts
les yeux
marron
des lunettes

blonde
belle
les yeux bleus

les cheveux
noirs
les yeux verts

grand
mince
une barbe

petit
beau
une moustache
les cheveux
châtains et frisés

Denise   Jacqueline   Daniel   Albert   Louis

le visage

l'œil
(les yeux)
l'oreille
le nez
la bouche

le ventre

les cheveux
la tête
les épaules
le dos
le bras
la main
la jambe
le pied

le corps

Act. 13. (whole class) Use the captions to introduce the names of the cartoon characters. If possible, bring a copy of an *Astérix* book to class. Describe the characters, asking choice questions based on the names in the text. *Cet homme est grand et gros. Il a un nez rond, énorme. Il porte un pantalon (rayé) bleu et blanc, mais il ne porte pas de chemise. Comment s'appelle cette personne? C'est Astérix ou Obélix?* New vocabulary: *aventure, druide, héros, inséparable, personnage, potion magique, préparer.*

Activité 13 Associations: Qui est-ce?

Regardez les personnages suivants. Écoutez leur description et donnez leur nom. Ce sont des dessins d'Uderzo. La bande dessinée s'appelle *Astérix*.

Obélix est l'inséparable ami d'Astérix.

Idéfix est l'inséparable ami d'Obélix.

Astérix est le héros de ces aventures.

Assurancetourix, c'est le poète.

Le druide Panoramix prépare la potion magique.

Cliquez là! These Web activities are deliberately brief and are intended to encourage students to explore French and Francophone sites on their own. You may choose to assign the activity, use it for special reports, or encourage students to browse for fun. In class, promote the use of French/Francophone search engines such as *Voilà, Écila, Nomade,* and *Francité.* You will find supplementary activities and vocabulary to help you get students started in the IRK for *Deuxième étape.* For more structured Web activities, look for *Deux mondes* at the McGraw-Hill Website: *www.mhhe.com/deuxmondes*

Activité 14 Discussion: Les camarades de classe

Décrivez vos camarades de classe. Comment sont-ils?

Act. 14. (whole class) Students answer your questions about their classmates. Follow with more extended descriptions o people present in class: *Cette personne est très sociable et amusante. Elle porte des lunettes. Elle porte une jupe bleue e des sandales blanches aujourd'hui. Elle a deux cours d'informatique ce semestre. Qui est-ce?* New vocabulary: *mi-long/ longue, qui, roux, verres de contact.*

1. Qui a les cheveux blonds, roux, châtains?
2. Qui a les cheveux longs, courts, mi-longs?
3. Qui a une barbe, une moustache?
4. Qui a les yeux bleus, marron, verts, gris, noirs?
5. Qui porte des lunettes, des verres de contact?

Act. 15. (whole class) (See IM, Associations.) Ask students to pick adjectives from lettered column to describe people in numbered column. They may choose more than one adjective, and you may wish to add others. To provide more intensive input with gender agreement, ask more questions. *Comment est/sont une étudiante en histoire, une femme professeur de gymnastique, les étudiants en chimie?* New vocabulary: *art dramatique, dynamique, enthousiaste, idéaliste, intelligent(e), journalisme, raisonnable, sérieux/sérieuse, sociable.*

Activité 15 Enquête: Stéréotypes

Comment sont les étudiants suivants?

MODÈLE: les étudiants en beaux-arts →
Les étudiants en beaux-arts sont dynamiques.

1. les étudiants en maths
2. les étudiants en philosophie
3. les étudiants en art dramatique
4. les étudiants en physique
5. les étudiants en français
6. les étudiants en journalisme
7. les étudiants en informatique

a. dynamiques
b. enthousiastes
c. idéalistes
d. sociables
e. sympathiques
f. sérieux
g. intelligents
h. raisonnables

AS 9. Describe photographs from your PF using cognate adjectives. Ask choice questions such as *Bette Midler est dynamique ou timide? sérieuse ou amusante? optimiste ou pessimiste?*

AS 10. Place photographs of famous people in the chalk trays around the room and describe them while students guess who you are talking about. Include physical descriptions, personality, and cognate words for professions such as *acteur/actrice, général, président,* etc.

AS 11. *Personnes connues.* Hand several students slips of paper containing names of famous people. Instruct them to keep their name secret. The class questions each "celebrity" to try to guess his or her identity. Only questions that can be answered with *oui/non* are allowed. *Tu es un homme? Tu as les cheveux blonds? Tu es grand(e)? Tu es très intelligent(e)?* (Be sure those with papers know about the person they represent.)

Activité 16 Dialogue: Une actrice ou un acteur

É1: Comment s'appelle ton actrice préférée (acteur préféré)?
É2: Elle/Il s'appelle _____.
É1: Comment est-elle/il?
É2: Elle/Il a les cheveux _____ et les yeux _____. Elle/Il est _____.

Act. 16. (partners) In the interview, each student should play both roles so that both partners get to ask and then to answer questions. New words: *acteur, actrice.*

Vocabulaire

La salle de classe

The classroom

Qu'est-ce qu'il y a dans... ?	What's in . . . ?
Il y a un/une...	There's a/an . . .
Il n'y a pas de...	There isn't a/an/ any . . .
Qu'est-ce que c'est?	What's that/this?
C'est un/une...	It's a/an . . .
Ce n'est pas un/une...	It's not a/an . . .

Est-ce que c'est un/une... ?	Is this a/an . . . ?
une brosse	a blackboard eraser
un bureau	a (teacher's) desk
un cahier	a notebook
une chaise	a chair
une fenêtre	a window
un morceau de craie	a piece of chalk
une dictée	a dictation
un dictionnaire	a dictionary
un étudiant/une étudiante	a student

une horloge	a clock
une lampe	a light fixture, lamp
une lumière	a light
un mur	a wall
le plafond	the ceiling
le plancher	the floor
une porte	a door
un pupitre	a classroom desk

Les cours

Courses/Classes

l'art (*m.*) dramatique	theater, drama
la chimie	chemistry
le commerce	business
la comptabilité	accounting
le dessin	graphic arts
le français	French
le génie civil	civil engineering
la gestion	management
l'informatique (*f.*)	computer science
la publicité	advertising

Mots apparentés: la biologie, l'économie (*f.*), la géographie, la gymnastique, l'histoire (*f.*), le journalisme, la littérature, les mathématiques (*f.*), la musique, la philosophie, la psychologie, les sciences (*f.*), la sociologie

Est-ce que tu as un cours de... ?	Do you have a . . . class/course?
Oui, j'ai un cours de...	Yes, I have a . . . class/course.
Non, je n'ai pas de cours de...	No, I don't have a . . . class/course.
Comment est ton cours de... ?	What's your . . . course like?
Il est/Il n'est pas...	It's/It's not . . .
ennuyeux	boring
facile	easy
passionnant	exciting

Mots apparentés: abstrait/abstraite, compliqué/compliquée, difficile, important/importante, intéressant/intéressante, inutile, pratique, le semestre, superflu/superflue, utile

Le calendrier

The calendar

lundi, mardi, mercredi, jeudi, vendredi, samedi, dimanche	Monday, Tuesday, Wednesday, Thursday, Friday, Saturday, Sunday
aujourd'hui	today
demain	tomorrow

Les mois de l'année

janvier, février, mars, avril, mai, juin, juillet, août, septembre, octobre, novembre, décembre	January, February, March, April, May, June, July, August, September, October, November, December

L'heure

Telling time

À quelle heure... ?	At what time . . . ?
Quelle heure est-il?	What time is it?
Il est... heure(s).	It's . . . o'clock.
...et demi(e).	. . . thirty. (half past)
...et quart.	. . . fifteen. (a quarter past)
...moins le quart.	. . . a quarter to. (fifteen to/before/until)
...du matin.	A.M., in the morning.
...de l'après-midi.	P.M., in the afternoon.
...du soir.	P.M., in the evening.
Il est midi/minuit.	It's noon/midnight.
À quelle heure commence... ?	What time does . . . begin?
Il/Elle commence à...	It begins at . . .
une minute	a minute
une seconde	a second

Les parties du corps

Parts of the body

la bouche	mouth
le bras	arm
les cheveux (*m.*)	hair

le corps	body
le dos	back
les épaules (*f.*)	shoulders
la jambe	leg
la main	hand
le nez	nose
l'œil (*m.; pl.* **les yeux**)	eye
l'oreille (*f.*)	ear
le pied	foot
la tête	head
le visage	face

La description des personnes

Describing people

Il/Elle porte...	He/She wears, is wearing . . .
des lunettes	glasses
Il/Elle a les cheveux...	He/She has . . . hair.
blonds	blond
bruns	brown
châtains	dark brown
mi-longs	medium-length
roux	red
Il/Elle est...	He/She is . . .
nerveux/nerveuse	nervous
raisonnable	sensible
sympathique	nice

Mots apparentés: **amusant/amusante, dynamique, enthousiaste, idéaliste, intelligent/intelligente, optimiste, pessimiste, sérieux/sérieuse, sociable, timide**

La description

Describing

dernier/dernière	last
fermé/fermée	closed
ouvert/ouverte	open
préféré/préférée	favorite
premier/première	first

Mots apparentés: **confortable, correct/correcte, digital/digitale, moderne, nécessaire, oriental/orientale, profond/profonde, superficiel/superficielle**

Substantifs

Nouns

une montre	a watch
un nom	a name
un nombre	a number
un personnage	a character (*in a novel, play, etc.*)
une semaine	a week
un siècle	a century

Mots apparentés: **un acteur/une actrice, une description, un dialogue, une lettre de l'alphabet, un objet, une opinion, le théâtre**

Mots et expressions utiles

Useful words and expressions

À demain.	See you tomorrow.
dans	in
Merci.	Thank you.
Moi, je...	I (*emphatic*)
Non, pas du tout!	No, not at all!
Oui, bien sûr!	Yes, of course!
S'il vous plaît.	Please. (*polite, pl.*)
S'il te plaît.	Please. (*fam.*)
sur	on
tous les jours	every day
tous les deux (trois)	both, all three
un peu	a little

Questions

Asking questions

Quelle est la date?	What's the date?
Quelle est votre opinion sur... ?	What's your opinion of . . . ?
Quel cours?	Which (What) course?
Quels jours?	Which (What) days?
Où est-il/elle?	Where is it? (he? she?)
Il/Elle est...	It's . . . He's . . . She's . . .
Combien?	How much?
Tu es... ?	Are you . . . ?
Et toi?	How about you (yourself)?

Grammaire et exercices

B.1 Expressing existence: Il y A

B.1. Because the pronoun *en* occurs so frequently with *il y a*, it is mentioned here as a lexical item only. This will allow you to use *il y en a...* naturally in your teacher-talk. In your input, talk about what is (and is not) in the classroom. *Il y a des chaises, etc. Il n'y a pas d'éléphant. Il n'y a pas de pingouins. Est-ce qu'il y a des animaux? Non,...*

A. Use the expression **il y a** (*there is/there are*) to talk about the presence or existence of people or things. Use **Est-ce qu'il y a... ?** or **Y a-t-il... ?** to ask a question.

—**Est-ce qu'il y a** une horloge dans la salle de classe?	*Is there a clock in the classroom?*
—Oui, **il y a** une horloge.	*Yes, there's a clock.*
—**Y a-t-il** des tableaux noirs?	*Are there any blackboards?*
—Oui, et **il y a** des grandes fenêtres.	*Yes, and there are large windows.*

B. If the answer is negative, use **il n'y a pas de.**

—Est-ce qu'il y a des fenêtres ouvertes?	*Are there any windows open?*
—Non, **il n'y a pas de** fenêtres ouvertes.	*No, there aren't any windows open.*

★ *You will learn more about the pronoun* **en** *in* **Grammaire 7.3**.

C. You may substitute the expression **il y en a** or its negation, **il n'y en a pas,** in answers where you wish to omit a plural noun.

—Est-ce qu'il y a des étudiants canadiens dans la classe?	*Are there any Canadian students in the class?*
—Oui, il y **en** a.	*Yes, there are (some).*
—Il y a aussi des étudiants suisses?	*Are there some Swiss students, too?*
—Non, il n'y **en** a pas.	*No, there aren't any.*

Exercice 1 La salle de classe

Complete the paragraph with **un, une, des,** or **de.**

Dans la salle de classe, il y a _____¹ étudiants intelligents et _____² professeur brillant. Il y a aussi _____³ chaises, _____⁴ grand bureau et _____⁵ tableaux noirs. Il n'y a pas _____⁶ télévision et il n'y a pas _____⁷ chaises confortables.

Exercice 2 Qu'est-ce qu'il y a dans votre chambre?

Ex. 2. You may wish to use this exercise for in-class pair work. Have students make up additional questions with other objects. You can also have the class ask you questions about your bedroom or study. Another possibility is to ask similar questions using your PF *(Dans votre chambre, est-ce qu'il y a des vêtements par terre? un chat sur le lit? etc.).*

Say whether you have these objects in your bedroom.

MODÈLE: Est-ce qu'il y a une télévision? →
Oui, il y a une télévision. (Non, il n'y a pas de télévision.)

Est-ce qu'il y a...

1. une bicyclette?	**4.** une plante?	**7.** un téléphone?
2. une grande fenêtre?	**5.** un bureau?	**8.** un tableau noir?
3. une horloge?	**6.** une lampe?	

B.2 Asking questions

A. There are three simple ways to ask questions in French.

In everyday conversation, the most common way is to use a rising intonation.

—Salut Daniel! Ça va?   *Hi, Daniel! Everything all right?*
—Oui, ça va très bien, merci.   *Yes, everything's going fine, thanks.*

➤ Intonation is the musical pitch of the voice.

Another common question form is the expression **est-ce que** (**est-ce qu'** before a vowel or mute **h**) plus a statement.

—**Est-ce que** tu es dans la classe de Mme Martin?   *Are you in Madame Martin's class?*
—Oui, je suis dans sa classe.   *Yes, I'm in her class.*
—**Est-ce qu'**il y a des Français dans la classe?   *Are there any French people in the class?*
—Non, il n'y a pas de Français dans la classe.   *No, there aren't any French people in the class.*

B.2. This section is a summary of the interrogative patterns students have already heard in your teacher-talk. For student speech, we recommend the use of intonation and *est-ce que* as the primary interrogative strategies. The latter are structurally simpler and also much more frequent in native-speaker conversation. For this reason, we expect students only to be able to recognize inversion questions, and their formation is not treated in detail here. The use of interrogative words such as *où, quand, qui,* etc., is introduced in *Grammaire 3.2* and reentered in later chapters.

You can also add **n'est-ce pas?** to a sentence when you want someone to confirm the information in the statement.

—Barbara et Denise sont amies, **n'est-ce pas?**   *Barbara and Denise are friends, aren't they?*
—Oui, elles sont amies.   *Yes, they're friends.*

B. Both English and French use inversion to form questions, where the verb comes before the subject. (*Is he at home?*) In French, inversion questions are more commonly used in writing than in speaking. However, some common short questions are often expressed with inversion.

Est-ce un crayon?   *Is that a pencil?*
Comment allez-vous?   *How are you?*
Où est la craie?   *Where is the chalk?*
Comment s'appelle ton ami?   *What's your friend's name?*
Êtes-vous américain(e)?   *Are you American?*

Notice that when the subject is a pronoun, it is joined to its verb by a hyphen. Also, when the inversion of the subject and verb causes two vowels to come together, the letter **-t-** is added between them.

Y a-**t**-il un autre stylo?   *Is there another pen?*

Except for common short questions such as in the preceding examples, you do not need to use inversion questions at this time because you can always use **est-ce que** instead. You should, however, be able to understand inversion questions when you read or hear them.

C. The question **Qui est-ce?** is used to ask about people; the question **Qu'est-ce que c'est?** is used to ask about things.

—**Qui est-ce?**   *Who's that?*
—C'est Jacqueline.   *It's Jacqueline.*
—**Qu'est-ce que c'est?**   *What's that (this)?*
—C'est un stylo.   *It's a pen.*

✳ *You will learn more about* **c'est** *and* **ce sont** *in* **Grammaire 9.3.**

D. Ce (C') is a subject pronoun used to identify people and things. It refers to nouns, either masculine or feminine, singular or plural.

C'est le tableau.   *This is/That's the blackboard.*
Ce sont des crayons.   *These/Those are pencils.*

Ex. 3. Model pronunciation of the two questions, calling for choral repetition before doing or correcting the exercise in class.

Exercice 3 Personne ou chose?

What's the correct question? Use **Qui est-ce?** or **Qu'est-ce que c'est?**

MODÈLES: _____? C'est Daniel. → Qui est-ce?
            _____? C'est une lampe. → Qu'est-ce que c'est?

1. _____? C'est le professeur.   4. _____? C'est Mme Martin.
2. _____? C'est un examen.   5. _____? C'est une horloge.
3. _____? Ce sont des amis.   6. _____? Ce sont des stylos.

Ex. 4. In class, read statements aloud. Students can answer with letters if they wish. Give them time to prepare silently if necessary.

Exercice 4 Qui est-ce?

Madame Martin is talking with a colleague in the university cafeteria. Find the logical answer to her colleague's questions.

1. Est-ce que c'est Barbara?
2. Elle est jolie, n'est-ce pas?
3. Est-ce aussi une bonne étudiante?
4. Et l'autre étudiant, comment s'appelle-t-il?
5. Est-ce qu'il est en cours de français?

a. Oui, elle est intelligente et très dynamique.
b. Il s'appelle Raoul Durand.
c. Non, c'est Jacqueline.
d. Non, il n'est pas en cours de français. Il est québécois.
e. Oui, elle est très jolie.

B.3 Spelling in French: THE FRENCH ALPHABET

✳ *See* **La prononciation et l'orthographe,** *Chapitre 1 in the* **Cahier d'exercices,** *for more information on the alphabet, and to hear the letters pronounced on the laboratory tape.*

B.3. You will probably want to present and practice the alphabet in class, because it is useful for students to be able to both understand and produce the spoken forms of the letters. See *Mise en train,* Act. 5, p. 20, and AS 3–6, p. 25, for suggestions on how to teach the alphabet. This can also highlight certain phonetic differences between French and English. Do a spelling dictation of well-known acronyms, both French and American (USA, TGV, SNCF, CIA, CGT, TGIF, UE), or of students' names.

A. French uses the same 26-letter alphabet as English. Here, the French pronunciation of the letters is given in French spelling.

a	a	Arthur	**n**	enne	Nicolas
b	bé	Berthe	**o**	o	Olivier
c	cé	Cécile	**p**	pé	Pierre
d	dé	David	**q**	ku	Quintal
e	e	Eugène	**r**	erre	Raoul
f	effe	Françoise	**s**	esse	Suzanne
g	gé	Gérard	**t**	té	Thérèse
h	ache	Henri	**u**	u	Ursule
i	i	Isabelle	**v**	vé	Victor
j	ji	Joseph	**w**	double vé	William
k	ka	Karim	**x**	iks	Xavier
l	elle	Louis	**y**	i grec	Yassia
m	emme	Martine	**z**	zède	Zoé

B. French uses several accents or diacritical marks.

accent aigu (´)	fatigué, économie
accent grave (`)	très, à
accent circonflexe (^)	âge, être, île
tréma (¨)	Noël
cédille (,/ç)	français

When spelling aloud, the accent is named *after* the letter: **café = c – a – f – e accent aigu.**

C. Also note:

B – bé majuscule, b – bé minuscule
. = point
' = apostrophe
, = virgule
la voyelle (a, e, i, o, u, y)
la consonne

B.4 Telling time: QuELLE HEURE EST-il?

A. To ask what time it is, use **Quelle heure est-il?** The answer is **Il est... heure(s).**

—Quelle heure est-il?	*What time is it?*
—Il est dix heures. (Il est une heure.)	*It's ten o'clock. (It's one o'clock.)*

B. For *twelve o'clock, noon,* use **midi;** for *twelve o'clock, midnight,* use **minuit.**

—Quelle heure est-il, s'il vous plaît?	*What's the time, please?*
—Il est **midi.** (Il est **minuit.**)	*It's twelve (noon). (It's midnight.)*

C. Fractions of the hour are expressed in the following ways:

• Minutes after the hour (up to 30) are simply indicated following the hour.

Il est dix heures vingt.	*It's 10:20.*

• The half hour is expressed by **et demi(e).**

Il est neuf heures et demie.	*It's 9:30.*
Il est midi et demi.	*It's 12:30.*

• Minutes before the hour are expressed with **moins.**

Il est cinq heures moins dix.	*It's 4:50.*

• The quarter hour is expressed with **quart.**

Il est deux heures et quart.	*It's 2:15.*
Il est onze heures moins le quart.	*It's 10:45.*

B.4. Call students' attention to the format for abbreviating time (e.g., 3 h 10).

See the marginal note for *Les nombres et l'heure* for techniques for reviewing numbers and time (p. 25).

Note that many of today's students have difficulty reading clock faces with hands because they have known only digital clocks. These students will find it easier to work with numerical times, e.g., 7 h 45, than with clock faces.

➤ **Demi** (not **demie**) is used with **midi** and **minuit.**

D. For A.M. and P.M., use **du matin, de l'après-midi,** and **du soir.**

Il est une heure du matin.   *It's 1:00 A.M. (one in the morning).*
Il est trois heures de l'après-midi.   *It's 3:00 P.M. (three in the afternoon).*
Il est neuf heures du soir.   *It's 9:00 P.M. (nine in the evening).*

E. In official announcements, such as TV, radio, train, or plane schedules, and curtain times at the theater, the 24-hour system is used. The numbers one through twelve are used for the morning hours, thirteen through twenty-four for the afternoon and the evening.

Il est **sept heures (du matin).**   = Il est **7 h.**
Il est **midi.**   = Il est **12 h.**
Il est **trois heures et demie**   = Il est **15 h 30.**
   (de l'après-midi).
Il est **onze heures moins le**   = Il est **22 h 45.**
   quart (du soir).
Il est **minuit.**   = Il est **24 h.**

Exercice 5 Quelle heure est-il?

MODÈLE: 2 h 20 → Il est deux heures vingt.

1. 4 h 20
2. 6 h 15
3. 8 h 13
4. 1 h 10
5. 7 h 07

6. 5 h 30
7. 9 h 53
8. 3 h 40
9. 12 h
10. 10 h 45

Exercice 6 L'heure officielle

Ex. 6. You may need to review or present *du matin, de l'après-midi,* and *du soir.*

First read the time given, then convert it to the usual 12-hour system, indicating the time of day with the appropriate expression **(du matin, de l'après-midi, du soir, midi, minuit).**

MODÈLES: 14 h → Il est quatorze heures.
        Il est deux heures de l'après-midi.

        12 h 30 → Il est douze heures trente.
        Il est midi et demi.

1. 15 h
2. 7 h 15
3. 13 h 30
4. 20 h
5. 22 h 30

6. 10 h 45
7. 18 h 20
8. 19 h
9. 16 h 45
10. 11 h 50

B.5 Expressing possession: The verb AVOIR

A. Use the verb **avoir** to say what someone has.

B.5. Emphasize correct liaison between the subject pronouns and the present-tense forms of *avoir*. We note the use of *de* in negative sentences because these are so common in teacher-talk for these topics. However, the failure to use *de* is not a serious error from a semantic point of view, and for most students it is only later that this use of *de* will be acquired. In your input, use *il/elle a* or *n'a pas de* many times. Use objects students have with them in class: *Brian, avez-vous un stylo rouge? (oui) Brian a un stylo rouge. Il n'a pas de stylo vert. Est-ce qu'il a des lunettes? (non) une moustache?*

avoir (to have)			
j' **ai**	*I have*	nous **avons**	*we have*
tu **as**	*you have* (fam.)	vous **avez**	*you have* (formal or plural)
il/elle/on **a**	*he/she/it/one has*	ils/elles **ont**	*they have*

Hélène **a** des stylos et des crayons.	*Hélène has some pens and pencils.*
—Louis, **as**-tu un cours de français?	*Louis, do you have a French class?*
—Oui, et j'**ai** aussi un cours d'anglais.	*Yes, and I also have an English class.*

Note that **je** contracts to **j'** before a word that begins with a vowel or a mute **h.**

➤ **je suis, je m'appelle,** but **j'ai**

Pronunciation Hint:

A consonant at the end of the verb form is silent, but at the end of the subject pronoun, it is pronounced because of liaison: **tu as̸, õn͜ a, nous ͢ avõn̸s̸, vous ͢ avez̸, ils ͢ õn̸t̸, elles ͢ õn̸t̸.**

B. When a sentence with **avoir** is negative, the preposition **de** replaces **un, une,** or **des.**

—Tu as une bicyclette?	*Do you have a bicycle?*
—Non, je n'ai pas **de** bicyclette.	*No, I don't have a bicycle.*

➤ Reminder: To make a sentence negative, put **ne** (or **n'**) and **pas** around the verb.

C. Note the insertion of **-t-** in inversion questions with **a.** It is inserted when the inverted pronoun begins with a vowel.

Y a-**t**-il un autre morceau de craie?	*Is there another piece of chalk?*

Exercice 7 Dans mon université

Ex. 7–8. Assign as homework and have students check their answers in the key.

Complete Barbara's letter to her French correspondent, Marise Colin, by using the correct forms of the verb **avoir.**

Dans mon université, nous _____[1] cours cinq jours par semaine, mais nous _____[2] le week-end de libre. Moi, ce semestre, je n'_____[3] pas de cours le lundi, mais ma camarade de chambre _____[4] trois cours et un labo de biologie. Tous les étudiants _____[5] beaucoup d'examens chaque semestre. Tes amis et toi, dans votre université, est-ce que vous _____[6] cours le samedi? Combien de cours _____[7]-vous pendant une journée typique? Et toi, personnellement, tu _____[8] des cours difficiles ce semestre? Est-ce que tu _____[9] des professeurs intéressants?

Exercice 8 Un étudiant désorganisé

Complete these sentences describing a rather disorganized student by using **un, une, des, d'**, or **de**.

1. J'ai _____ stylos (*m.*), mais je n'ai pas _____ papier.
2. J'ai _____ examen (*m.*) demain, mais je n'ai pas _____ livre.
3. J'ai _____ vidéocassette (*f.*), mais je n'ai pas _____ magnétoscope.*
4. J'ai _____ ordinateur (*m.*),** mais je n'ai pas _____ disquettes.
5. J'ai _____ tableau noir (*m.*), mais je n'ai pas _____ craie.
6. J'ai _____ cours (*m.*) à 8 h, mais je n'ai pas _____ énergie.

Exercice 9 Qu'est-ce que tu as?

Ex. 9. If used for in-class pair work, have students add other items. Also, have them ask you about what you have, using *Est-ce que vous avez... ?*

ES 1. Use PF cues for warm-up or follow-up questions, *Est-ce que tu as un gros chien noir? un dictionnaire?*

Say whether you have the following things by using **Oui, j'ai un/une...** or **Non, je n'ai pas de (d')...**

MODÈLE: Est-ce que tu as une voiture de sport? →
          Oui, j'ai une voiture de sport. (Non, je n'ai pas de voiture de sport.)

Est-ce que tu as...

1. un dictionnaire français?
2. un appartement?
3. une télévision dans ta chambre?
4. un ordinateur?
5. un cours de maths?
6. une guitare?

B.6 Describing with adjectives: MORE ON GENDER

B.6. This section presents the most useful of the generalizations concerning gender and the form of nouns. Expect students to apply these rules in writing activities, although they will not be able to use gender markers in a consistently correct way in speech for some time. Encourage students to always learn nouns with indefinite articles. Whenever you write nouns on the board, be sure to include articles.

➤ By learning these few general rules, you will almost always know the gender of other words with the same endings.

We briefly introduce the irregular forms of *beau, vieux,* and *nouveau,* but we expect only that students recognize their meaning. As for the more regular adjective forms, students are not expected to be able to use these correctly in speech, but only in controlled writing tasks where the focus is on form rather than meaning. Some students may notice the variation in placement of adjectives (before or after the noun). Tell them simply that most adjectives follow the noun; a few short, common ones precede it. Adjective position is presented in *Grammaire 4.1.*

A. As you know, French nouns that refer to a male are usually masculine and those that refer to a female are usually feminine. Some nouns are invariable (they don't change form) and are used for both sexes: **un professeur, une personne.** Nouns referring to things can be either masculine or feminine. The endings in the following table generally indicate masculine or feminine nouns.

USUALLY MASCULINE		USUALLY FEMININE	
-eau	un bureau	-ette	une trompette
-eur	un serveur	-ie	la biologie
-ier	un cahier	-tion	une composition
-ment	un appartement	-ure	la littérature
		-é	la beauté

***magnétoscope** (*m.*) = VCR
****ordinateur** = computer

We recommend that you learn new nouns in combination with the appropriate indefinite article **un** or **une** since **le** and **la** become **l'** before a vowel or mute **h.**

B. Adjectives must agree in gender with the nouns they describe. They fall into several categories:

- Adjectives that end in **-e** (with no accent) agree with both masculine and feminine nouns.

  un homme minc**e**   une femme minc**e**
  un pantalon roug**e** et jaun**e**   une chemise roug**e** et jaun**e**

- Adjectives that do not end in **-e** in the masculine form usually add an **-e** to agree with a feminine noun.

  un chapeau noir   une jupe noir**e**
  un étudiant intelligent   une étudiante intelligent**e**

ES 2. For extra practice of these types, have students form sentences such as *Les hommes/femmes (ne) sont (pas) (curieux, ambitieux, studieux, affectueux, dangereux, consciencieux; décisif, naïf, créatif, agressif, émotif).*

➤ A few adjectives that do not end in **-e** also do not change: **un pull-over marron, une jupe marron; un sac chic, une robe chic.**

Pronunciation Hint:

If the masculine form ends in a pronounced consonant or **-é,** the masculine and feminine forms are pronounced the same: **noir, noir~~e~~; fatigué, fatigué~~e~~.** If the masculine form ends in a silent consonant, this consonant is pronounced in the feminine form: **peti~~t~~, petit~~e~~; grã~~nd~~, grã~~nd~~e.**

- Some adjective types follow slightly irregular patterns. Adjectives ending in **-eux** change to **-euse,** and those ending in **-if** change to **-ive** in the feminine.

  un homme **sérieux**   une femme **sérieuse**
  un garçon **sportif**   une fille **sportive**

- Some adjectives have very different masculine and feminine forms. Here are the most common of this type.

  un **bon** livre   une **bonne** classe   *(good)*
  un sac **blanc**   une robe **blanche**   *(white)*
  un **vieux** monsieur   une **vieille** dame   *(old, elderly)*
  un **beau** garçon   une **belle** fille   *(handsome, beautiful)*
  un **nouveau** chapeau une **nouvelle** chemise *(new)*

Vieux, beau, and **nouveau** have a third form that is used before a masculine noun beginning with a vowel or mute **h: un** *vieil* **homme, un** *nouvel* **appartement, un** *bel* **enfant.** (These forms are pronounced like the feminine forms.)

✷ *You will learn more about these forms in* **Grammaire 4.1.**

C. You may have noticed that some adjectives come before the noun and others after it. In general, French adjectives come after nouns, but there are several exceptions. This will be discussed further in **Chapitre 4.**

Exercice 10 Masculin ou féminin?

Ex. 10. If used in class, model pronunciation of the noun, then have students respond with *un* or *une* only.

Give the correct indefinite article (**un** or **une**) for each noun.

1. _____ télévision
2. _____ acteur
3. _____ majorité
4. _____ chapeau
5. _____ clarinette
6. _____ département
7. _____ clinique
8. _____ pharmacie
9. _____ fracture
10. _____ quartier

$\mathcal{E}$xercice 11 Les camarades de classe

Which adjectives can be used to describe the following people?

> MODÈLE: Barbara: enthousiaste, blond, optimiste, petit →
> Barbara est enthousiaste et optimiste.

1. Daniel: nerveuse, sympathique, intelligent, vieille
2. Barbara: sportive, beau, généreuse, grand
3. Louis: beau, raisonnable, sérieuse, sportive
4. Albert: grand, petite, mince, brune
5. Denise: blonde, petit, intelligent, belle
6. Jacqueline: brun, petite, intelligente, studieux

$\mathcal{E}$xercice 12 Quelle est votre opinion?

Ex. 12. When pronouncing written forms, point out these two rules: (1) a final consonant at the end of a word is usually not pronounced; (2) a consonant followed by unaccented **e** is always pronounced. You will need to reiterate these rules many times throughout the course.

Make a sentence for each noun, using the correct form of the adjective.

> MODÈLE: intéressant/intéressante: le livre de français, la vie →
> Le livre de français est (n'est pas) intéressant.
> La vie est (n'est pas) intéressante.

1. beau/belle: Emmanuelle Béart, un tigre, une vieille Ford, une peinture de Matisse
2. bon/bonne: le chocolat, la programmation à la radio publique, la télévision, le fast-food
3. dangereux/dangereuse: une motocyclette, une bombe, le tennis, la politique
4. amusant/amusante: un livre de science-fiction, la politique, un examen de physique, un film avec Gérard Depardieu
5. vieux/vieille: l'astronomie, le Louvre, le président américain, l'université où je suis

B.7 Irregular plurals

B.7. We present here the most common irregular plurals. Also included is a brief summary of number and gender agreement of adjectives, showing the four different written forms an adjective may have. You may wish to highlight the fact that even when there are four different written forms, these commonly correspond to only one (e.g., *noir*) or two (e.g., *petit*) spoken forms.

A. As you know, the plural of the written form of most nouns and adjectives is formed by adding **-s:**

> un examen facile → des examen**s** facile**s**
> le professeur américain → les professeur**s** américain**s**

B. There are several exceptions, however. Nouns and adjectives ending in **-s, -x,** or **-z** do not change in the plural. Some others have irregular plural endings. Here are some examples:

ENDINGS	SINGULAR	PLURAL
-s, -x, -z (no change)	un mauvai**s** cours un enfant curieu**x** un ne**z** rouge	les mauvai**s** cours les enfant**s** curieux des ne**z** roug**es**
-eau, -eu (add **-x**)	un b**eau** chap**eau** un j**eu** amusant	les b**eaux** chap**eaux** des j**eux** amusants
-al, -ail (→ **-aux**)	un journ**al** radic**al** un trav**ail** municip**al**	des journ**aux** radic**aux** des trav**aux** municip**aux**

Pronunciation Hint:

Remember that this final **-s** or **-x** is usually not pronounced: **les bons
restaurants, des ^zétudiants américains.**

C. Remember that adjectives must agree in both gender and number with the
nouns they modify. For this reason, an adjective may have as many as four
different forms.

MASCULINE SING.	MASCULINE PLURAL	FEMININE SING.	FEMININE PLURAL
un pantalon noir un petit chapeau	des pantalon**s** noir**s** des petit**s** chapeau**x**	une robe noir**e** une petit**e** moustache	des robe**s** noir**es** des petit**es** moustache**s**

Exercice 13 Descriptions

Choose the appropriate adjective and the correct form.

1. Comment sont les étudiants de votre université?
   sérieux/sérieuses   intelligents/intelligentes
   nerveux/nerveuses   amusants/amusantes
2. Comment est le professeur idéal?
   patient/patiente   raisonnable
   intéressant/intéressante   amusant/amusante
3. Comment est un examen difficile?
   long/longue   amusant/amusante
   compliqué/compliquée   intéressant/intéressante
4. Comment sont les hommes qui portent la barbe?
   beaux/belles   sportifs/sportives
   amusants/amusantes   individualistes
5. Comment est la langue française?
   beau/belle   facile
   compliqué/compliquée   mystérieux/mystérieuse

GOALS FOR *CHAPITRE 1*
Students will begin to understand the function of
verb endings and pronoun agreement, using regular
-er verbs. They will begin to explain and define at a
very elementary level. Functional goals for *Chapitre
1:* (1) Comprehend and use a large vocabulary of
infinitives with *aimer (mieux), adorer,* and *détester;*
(2) Describe oneself and family members, including
physical appearance, personalities, and activities;
(3) Give and ask for name, address, phone number
and place of origin.

MISE EN TRAIN
1. TPR: Include new verbs from this chapter. (See
IRK for TPR activity.)

2. Input with infinitives: Introduce a number of infinitives + forms of *aimer (adorer, détester, préférer)*
over several days. Since the activity is open-ended,
students will suggest activities they want to talk
about. Write these and the infinitives you introduce
on the board when they first occur, to be copied in
the Vocabulary Notebook. (See IM.) Use PF and

mime to introduce 15–30 infinitives the first day and
more thereafter. As you describe people and actions,
include past vocabulary: *Quel bel homme! Regardez
cette moustache! Et qu'est-ce qu'il aime faire, cet
homme? Il aime cuisiner! Et maintenant, regardez
mon autre photo. Est-ce un homme ou une femme?
(femme) Oui, et c'est une femme qui aime cuisiner.
Deux personnes qui aiment cuisiner! Et vous, vous
aimez cuisiner?* Students will comprehend new verb
forms and infinitives without grammatical explanation
but should not be asked to produce them now.

3. Association activity with infinitives. (See IM.)
Do this activity daily with information learned during
PF presentations. Gradually associate at least two
activities with each student in class and review them
often: *Comment s'appelle la personne qui déteste
cuisiner? (Tanya) Oui, c'est vrai. Tanya déteste
cuisiner. Qu'est-ce qu'elle préfère faire? (manger au
restaurant) Bravo! Elle aime... Où est-ce qu'elle aime
manger? Au MacDo? (non) Dans quel restaurant... ?*

4. Family and age. First, use PF to show a few families. Avoid complex relationships until students have

acquired basic terms. Next, present your own fa[...]
to the class, using actual photos or a rough fam[...]
tree you draw on the board to indicate relationsh[...]
Tell something about each person (age, physica[...]
traits, tastes): *Ma mère aime beaucoup le rouge[...]
adore porter des vêtements rouges. Elle est très[...]
namique, ma mère. Mais ma sœur est très différente! Elle déteste le rouge. Elle n'aime pas p[...]
des vêtements rouges. Elle préfère le bleu. Elle[...]
pas dynamique comme ma mère. Elle est un pe[...]
timide.* Do frequent checks: *Est-ce que ma mère[...]
timide?*

5. Numbers beyond 100. Have students count[...]
10s to 100. Continue *cent dix, cent vingt... ,* enc[...]
aging the class to join you. They will quickly pic[...]
the pattern. Continue to 1000, writing 200, 300,[...]
to be sure all understand. Repeat, counting by 5[...]
and by 2s. Use this and AS activities to help stu[...]
dents acquire numbers.

6. Regular -er verb forms: As students come t[...]
derstand many verbs in the infinitive form, begir[...]
(continued on

CHAPITRE 1

Ma famille et moi

Vacances en famille sur la côte atlantique

Objectifs

IN **CHAPITRE 1**, *you will discuss your family and favorite activities. You will learn how to give your address and phone number, and more ways to describe people.*

activités

La famille
Goûts personnels
Origines et renseignements personnels
La vie de famille

lectures

Info: Société   Portrait de famille
Info: Société   Qui sont les Français?
Les francophones sur le vif   Marie-Claire
   Schmitt
Lecture   Familles d'aujourd'hui

grammaire

1.1 Expressing relationships: Possessive
      adjectives
1.2 Expressing likes and dislikes: **Aimer +**
      infinitive
1.3 Talking about dates and personal data:
      Numbers beyond 100
1.4 Stating origin: The verb **venir**
1.5 Talking about actions: Present of **-er**
      verbs
1.6 Expressing relationship and
      possession: Contractions of **de**

Activités et lectures

La famille de Claudine Colin. (1) Introduce nuclear family terms with a few PF photos: *père, mère, fils, fille, sœur, frère;* blended family: *beau-frère/père, belle-sœur/mère.* (See *Mise en train, Act. 4.*) Include age and descriptions of people: *Oui, cet homme, c'est le père. Les enfants ressemblent au père, n'est-ce pas? Ils ont les cheveux roux comme leur père.* Speculate about age: *Quel âge a probablement le père? Et le petit garçon, il a deux ans? trois ans?* (2) As students look at the display, describe Claudine's family. Include personal questions in your input that keep students interested and involved. *Claudine a cinq enfants! Quelle grande famille! Moi, j'ai une sœur. Nous sommes une petite famille. Est-ce qu'il y a quelqu'un dans la classe qui a une grande famille? Ah, Laetitia! Il y a combien d'enfants dans votre famille?* Find out who comes from the biggest family, who is *«l'enfant unique».* (3) Ask questions about the display that require only names as an answer or give students a choice of replies. *Quelle personne a 69 ans? (Marie) Est-ce que Clarisse est la fille ou la petite-fille de Claudine?* New vocabulary: *âge, famille, fille, fils, grand-mère/père, jumeau/jumelle, mère, père, sœur/frère, petite-fille/petit-fils.*

Attention! Étudier Grammaire 1.1

AS 1. Elicit names, ages, descriptions of famous family members. Examples: Madonna/Lourdes, the Kennedys, Kirk/Michael Douglas, Jennifer/Meg Tilly.

AS 2. Describe a family as students fill in the family tree by writing names and drawing lines to show relationships. Describe each person a little as they write. (See IRK, Ch. 1, for form.)

La famille de Claudine Colin

Francis Lasalle (70)   Marie Lasalle (69)

les grands-parents
le grand-père
la grand-mère

Claudine Colin (45)   Victor Colin (47)

les parents
la mère
le père

les enfants
les filles / les fils

les petites-filles
les petits-fils

Marise Colin (19)   Clarisse Colin (19)   Charles Colin (17)   Emmanuel Colin (14)   Joël Colin (8)

les sœurs (jumelles)   les frères

Quel âge as-tu?
J'ai six ans.

*A*ctivité *1* Interro: La famille de Claudine Colin

MODÈLE: É1: Comment s'appelle la mère de Claudine?
          É2: Elle s'appelle Marie Lasalle.
          É2: Quel âge a Charles?
          É1: Charles a dix-sept ans.
          É1: Qui est Joël?
          É2: C'est le fils de Victor et Claudine et...
          É2: -?-

*A*ctivité *2* Dialogue: Ma famille

É1: Combien de personnes y a-t-il dans ta famille?
É2: Il y a _____ personnes dans ma famille.
É1: Comment s'appellent les membres de ta famille?
É2: Mes _____ s'appellent _____ et _____, mon/ma _____ s'appelle _____ et mon/ma _____ s'appelle _____.
É1: Quel âge ont-ils?
É2: Mon/ma _____ a _____, mes _____ ont _____ et _____.
É1: Comment est ta famille?
É2: Nous sommes _____ et _____. Nous ne sommes pas _____.
É1: Est-ce que ta famille a une maison ou un appartement?
É2: Nous avons _____. Il/Elle est _____.

Vocabulaire utile:

mon beau-père (beau-frère)   mon demi-frère
ma belle-mère (belle-sœur)   ma demi-sœur

*A*ctivité *3* Échanges: Ma famille et mes amis

Quelles sont les qualités importantes des membres de la famille?

MODÈLE: le petit frère
        É1: Pour toi, comment est le petit frère idéal?
        É2: Pour moi, le petit frère idéal est affectueux et amusant. En général, il est calme et pas trop difficile. (Je ne sais pas. Je n'ai pas de petit frère.)

Vocabulaire utile:

égoïste	strict(e)	sportif/sportive
raisonnable	patient(e)	réservé(e)
poli(e)	sérieux/sérieuse	décisif/décisive
intéressant(e)	flexible	compréhensif/compréhensive
sympathique	généreux/généreuse	réaliste

1. la sœur
2. le frère aîné
3. la mère
4. l'ami(e)
5. le fiancé/la fiancée
6. le professeur
7. le père
8. -?-

Act. 1. (partners) Do review questions on the display before assigning the activity: *Comment s'appelle le grand-père? Qui est Charles? Quel âge a Victor? Victor et Claudine ont combien d'enfants?* Pair off students and have them ask each other 8–10 questions each.

AS 3. For homework, have students draw their own family trees including names and ages. In the next class hour, pairs compare their families. Afterward, ask the result of the comparisons.

Act. 2. This open dialogue allows students to make personal replies. To model, have volunteers ask you the questions: *Demandez-moi combien de personnes il y a dans ma famille,* and give truthful answers. Students should do the dialogue twice, with each partner playing both roles. Before they begin, remind them that one says *mon père/frère* and *ma mère/sœur.* Follow with questions like *Vous avez parlé avec Thomas, Margaret? Est-ce qu'il a une grande famille? Il a combien de frères? Comment s'appelle son/sa... ?*

AS 4. Ask students to bring snapshots of family members to class. In groups, they show the pictures and describe each person.

Act. 3. (partners) (See IM, *Entretiens.*) Be sure students understand the adjectives before they begin. Point out the gender distinctions and illustrate in input: *Elle est sportive, la mère idéale? Et le père idéal, il est sportif?* During the activity, circulate among groups to answer questions or provide pronunciation help as needed. Follow with a brief discussion of students' conclusions. New vocabulary: *affectueux/affectueuse, aîné(e), ambitieux/ambitieuse, amusant(e), calme, compréhensif/compréhensive, décisif/décisive, égoïste, énergique, fiancé(e), flexible, généreux/généreuse, idéal(e), patient(e), poli(e), qualité, réaliste, réservé(e), sportif/sportive, strict(e), toi, trop.*

Info: Société

Portrait de famille

Grands-parents et leurs petits-enfants dans un jardin public

Les statistiques indiquent que la famille française a entre un et deux enfants. C'est une situation normale en Europe du nord. De plus, un tiers (1/3) des Français reste célibataire.[1] À Paris et dans les grandes villes, la proportion est beaucoup plus grande. Un couple sur dix vit en «union libre»,[2] mais la proportion double chez les 18–25 ans.

La famille reste une valeur solide. Neuf Français sur dix dînent en famille, et quatre sur cinq déjeunent à la maison tous les jours. Les aspects positifs de la famille selon les Français? Les fêtes,[3] les enfants, la joie d'être ensemble[4] et la solidarité.

[1] ≠ marié
[2] **vit...** habite ensemble, mais n'est pas marié
[3] célébrations
[4] en groupe

Info. You may use this *Info* as the basis for an activity to practice numbers and fractions, or to perform simple calculations: in 1993, for a population of about 55 million, there were 254,000 weddings and about 105,000 divorces. Sample questions: *Quel pourcentage de couples vit en union libre? Quelle est la proportion de couples non-mariés chez les 18–25 ans? Combien de Français restent célibataires?*

GOÛTS PERSONNELS

Goûts personnels. Review/introduce infinitives (See *Mise en train, Act. 1*) using association techniques and your PF. Have students look at the display as you describe what the characters are doing. Include *aimer, adorer, détester* in your input. *Voilà Clarisse et Marise. Elles aiment jouer au tennis. Moi, je n'aime pas jouer au tennis. Je ne suis pas très sportif. Et vous, vous aimez jouer au tennis? Qui dans la classe aime... Claudine aime faire des courses. Ah ça, c'est autre chose! Moi, j'adore faire des courses.* Ask questions that require simple answers: *Qui aime lire un bon livre? (Charles) Est-ce qu'Albert aime étudier le vendredi soir? (non) Est-ce que Claudine aime faire des courses ou jouer au tennis?* Mix in questions to students: *Larry, vous aimez aussi jouer au tennis? Avec qui aimez-vous jouer? (amis) Ah, vous aimez jouer avec des amis. Combien de fois par semaine?* New vocabulary: *à,* forms of *aimer/adorer, après-midi, bon, conduire une voiture, faire des courses, étudier, jouer au tennis/football, lire, matin, nager à la piscine, soir, travailler dans le jardin.*

Attention! Étudier Grammaire 1.2

Moi, j'aime beaucoup jouer au tennis! Et toi?

Je n'aime pas étudier le vendredi soir.

AS 5. Have students guess if these statements are true for you: *Mes activités préférées: Le week-end, j'aime... regarder la télé, aller au cinéma, parler au téléphone, lire, travailler dans le jardin, jouer au volley-ball, aller dans un restaurant japonais, faire du jogging.*

Claudine Colin aime faire des courses.

Joël et ses amis aiment jouer au football.

J'adore conduire ma voiture de sport.

Charles aime lire un bon livre.

Emmanuel aime nager à la piscine municipale.

Marie Lasalle aime travailler dans le jardin.

Act. 4. (whole class; partners; small groups) Do the activity aloud yourself to demonstrate and to make sure everyone understands the vocabulary. Give students a few minutes to prepare their answers. Then have them work in small groups comparing their answers. Before they begin to talk together, provide examples of questions they might ask to find out more information about each other: *Tes parents sont grands? Ta mère est sportive? Comment s'appelle ton (votre) chat?* New vocabulary: *adorer, ambitieux/ambitieuse, appartement, bicyclette, chambre, chat, chez, chien, cinéma, conversation, distraction, maison, moderne, motocyclette, nature, par personne, poisson rouge, voiture.*

Act. 5. (whole class; partners) (See IM, Discussions.) (1) Introduce/review the choices with your PF; (2) Read each item, one choice at a time. Say if it is true for you; then ask students to respond: *Pendant les vacances, j'aime voyager. Ah oui! Pour moi, c'est vrai. J'adore voyager. Et vous, est-ce que vous aimez voyager pendant les vacances? Levez la main si...* (3) Form pairs or small groups, then point out *Exprime-toi!* and be sure students understand the words. Use the *modèle* to show that each student is to read the same statement and then say if it is true for him/her. The partner will have to react. Model an item or two with a volunteer. (4) Circulate while students talk together and provide words if needed. (5) After students complete the activity, ask about several random choices: *Combien de personnes aiment dormir tard pendant les vacances? Levez la main... Numéro 4: «Mes amis et moi, nous aimons rester à la maison le vendredi soir.» Qui répond oui? Levez la main si...* New vocabulary: *aller à la plage/montagne, danser, dîner au restaurant, dormir tard, écouter la radio, jouer aux cartes, pendant, regarder la télé, rester à la maison, voyager.* Exclamations: *moi aussi, moi non plus, moi non/moi si, C'est vrai?, Pas possible!, Tiens! C'est intéressant.*

Exprime-toi!

Moi aussi!	C'est vrai?
Moi, non!	Pas possible!
Moi non plus!	Tiens! C'est intéressant!
Moi, si!	

AS 6. Ask individual students if they like to do various activities. Use pictures of people and ask *Aimez-vous (jouer au bridge)?* Students reply *Oui, j'aime...* or *Non, je n'aime pas...*

Act. 6. (whole class; partners) (See IM, Interro; See preface "To the Student" for characters.)

Activité 4 Discussion: Portrait familial

Choisissez une réponse pour chaque liste ou donnez une réponse personnelle.

1. Dans ma famille, nous sommes...
   - petits, de taille moyenne, grands.
   - blonds, bruns, roux.
   - ambitieux, sportifs, très organisés.

2. Nous avons...
   - une maison moderne, un appartement.
   - un chat, un chien, un poisson rouge.
   - une voiture par personne, une voiture pour la famille.

3. Moi, j'ai...
   - un frère (un demi-frère), une sœur (une demi-sœur).
   - un appartement, une chambre chez mes parents.
   - une bicyclette, une motocyclette, une voiture.

4. Nous adorons...
   - les conversations avec nos amis, les promenades.
   - le cinéma, le théâtre.
   - le sport, la nature.

Act. 6 Préparation: (1) Ask questions as students skim the chart: *Qu'est-ce que Charles aime faire le samedi? Est-ce qu'Agnès est secrétaire ou étudiante? Quel âge a-t-elle? Qui aime lire le journal le dimanche? Est-ce que Charles aime faire des courses?* (2) Mix in personal questions: *Oui, Adrienne... Et vous, vous aimez cuisiner? Ah Laura! Est-ce que votre cuisine est bonne? Quelle est votre spécialité?* (4) Include frequent comprehension checks: *Charles aime lire le journal ou lire un livre? Et qui dans la classe aime lire le New York Times le dimanche?*

Partner Activity: Do the *Modèle* with a volunteer. You may prefer to write more questions on the board: *Quand est-ce que... ? Quel âge a... ? Quelle est la profession de... ?* New vocabulary: *aller au cinéma, belge, copain, cuisiner, inviter, journaliste, lycéen/lycéenne, mexicain(e), québécois(e), secrétaire.*

Activité 5 Discussion: Les activités favorites

Dites *oui* ou *non*.

1. Pendant les vacances, j'aime...
   - **a.** voyager.
   - **b.** dormir tard.
   - **c.** aller à la plage.
   - **d.** lire un bon livre.

2. Je n'aime pas...
   - **a.** nager à la piscine.
   - **b.** faire du ski à la montagne.
   - **c.** jouer aux cartes.
   - **d.** faire les courses.

3. Le week-end, mes parents (mes amis) aiment...
   - **a.** regarder la télé.
   - **b.** dîner au restaurant.
   - **c.** sortir avec leurs amis.
   - **d.** jouer aux cartes.

4. Le vendredi, mes amis et moi, nous aimons...
   - **a.** rester à la maison.
   - **b.** faire la fête.
   - **c.** danser dans une discothèque.
   - **d.** écouter la radio.

MODÈLE: É1: Pendant les vacances, j'aime voyager.
 É2: Moi, aussi! J'aime beaucoup voyager. (Moi, non! Je n'aime pas voyager.)

Activité 6 Interro: Le week-end

MODÈLE: É2: Qu'est-ce que Julien Leroux aime faire le samedi?
 É1: Il aime aller au cinéma.
 É1: Et toi, tu aimes aussi aller au cinéma?
 É2: Oui, j'adore aller au cinéma.

Act. 7. (partners) (See IM, *Échanges*.) Students practice several verbal expressions with infinitives. Be sure they understand the *Exprime-toi!* and other choices of verb before assigning as a partner interview. Afterward, ask for a show of hands to see who likes/hates/doesn't know how to do the various activities. New vocabulary: *danser, détester, faire du camping, j'ai horreur de, je ne sais pas, jouer au billard, préférer, quelqu'un, regarder un film d'aventures.*

NOM	LE SAMEDI	LE DIMANCHE
Julien Leroux, 32 ans journaliste belge	aller au cinéma	lire le journal
Adrienne Petit, 28 ans secrétaire	cuisiner	nager dans la mer
Raoul Durand, 21 ans étudiant québécois	faire la fête	étudier
Charles Colin, 17 ans lycéen français	sortir avec ses copains	dormir tard
Agnès Rouet, 25 ans étudiante à Paris	faire les courses	inviter des amis

Exprime-toi!

Je déteste...
J'adore...
J'ai horreur de...
Je préfère...
Je ne sais pas...

AS 7. Autograph activity. Students copy 10–12 activities you list on the board and find someone who does each activity (a different person for each). *Tu aimes skier? (oui) Signe ici, s'il te plaît.* (See IRK for suggestions.)

Activité 7 Échanges: Qu'est-ce que tu aimes faire?

MODÈLE: É1: Est-ce que tu aimes étudier avec quelqu'un d'autre?
É2: Non, je n'aime pas étudier avec quelqu'un d'autre. J'aime mieux étudier seul(e). Et toi?

1. jouer au billard
2. regarder des films d'aventures
3. faire la fête
4. cuisiner
5. faire du camping
6. dormir tard
7. danser
8. voyager

Realia. Ask *Est-ce que vous aimez la lecture? Qu'est-ce que vous aimez lire? De la science-fiction? Des biographies? Un roman comme... ? Des magazines? Le journal... ?*

Activité 8 Dans le monde francophone: Les leçons de ski

Regardez la publicité et dites si c'est *vrai* ou *faux*.
À l'école de ski français...

1. il y a des leçons particulières pour groupes de 3 à 5 personnes.
2. il y a des leçons de danse.
3. il n'y a pas de leçons pour enfants.
4. il y a des leçons de monoski.

Et encore...

1. Est-ce que vous aimez faire du ski? Comment s'appelle votre station de ski préférée?
2. Quel est votre sport favori? Quel sport est-ce que vous n'aimez pas faire?

Ecole de Ski Français
La Joue-du-Loup
Tél. saison 92.58.82.70 - Hors saison 92.58.84.63
Ski alpin - Fond - Monoski - Randonnées - Organisation courses

	Tarifs
Leçons particulières (l'heure) :	
1-2 personnes	120,00
3-5 personnes	140,00
Stages enfants et adultes *du lundi au samedi inclus :*	
6 x 1 heure 30	250,00
6 x 3 heures	425,00
Stages des neiges : de 3 à 5 ans	
Demi-journée (3 heures)	94,00
Journée (6 heures)	172,00
Du lundi au samedi inclus :	
6 x 1/2 journée	330,00
6 journées	540,00

Tarifs E.F.S. | *Document non contractuel*

Act. 8. (whole class) (See IM, Dans le monde francophone.) Authentic materials contain words that are not in the *Vocabulaire* and are beyond students' knowledge. These activities help students apply reading skills so they can follow the general meaning without needing to comprehend every word. Explain terms as needed, but students should not be expected to learn the vocabulary. Have them scan for answers to factual questions: *Quel est le numéro de téléphone pendant la saison de ski? Y a-t-il la possibilité d'avoir des leçons particulières? Pour combien de personnes?* Include personal questions: *Qui dans la classe fait du monoski?* Optional: Include choice questions about prices in your discussion. Numbers over 100 are in the following *Leçon*.

Origines et renseignements personnels. (1) Do an Association activity. Say where you are from and invite students to do the same. *Moi, je viens de (Chicago).* (Write *Je viens de...* on the board.) *(Chicago) est ma ville d'origine. D'où venez-vous? Jacob, vous aussi, vous venez de Chicago? Non? De quelle ville venez-vous?* (Boston) Include all students, reviewing very frequently: *D'où vient Laurie? De Dallas ou de Houston? Quelle personne vient de Paris, Texas? Et Paris, c'est grand ou petit? (petit) Sédar vient de Dakar. Est-ce que Dakar est au Japon ou au Sénégal?* (2) Have students look at the art and ask questions like: *Est-ce que Julien Leroux vient de Bruxelles ou de Paris? (Bruxelles) Qui habite dans la rue de la Convention?* New vocabulary: Numbers from 100, *d'où vient... ?, habiter, je suis né(e)/ viens de... , maintenant, nom/ prénom, numéro de téléphone, rue.*

Origines et renseignements personnels

AS 8. Ask for dates of well-known or family events: *l'anniversaire de mariage de vos parents, la date et l'année de la naissance de (votre grand-père), l'anniversaire de Martin Luther King, Jr., etc.*

AS 9. Ask students to write their name and phone number on a slip of paper and hand it to you. Use these to "phone" a few students each day. Students answer the phone as they hear their number (*âllo*).

Attention! Étudier Grammaire 1.3 et 1.4

101	cent un	10.000	dix mille
102	cent deux	100.000	cent mille
200	deux cents	150.000	cent cinquante mille
201	deux cent un	1.000.000	un million
300	trois cents	2.000.000	deux millions
1.000	mille	1.000.000.000	un milliard
		2.000.000.000	deux milliards

Act. 9. (whole class; partners) Step 1: Review higher numbers. (See *Mise en train, Act. 5*) Step 2: As students skim the address book page, ask questions requiring *oui/non* or names so students hear the pronunciation of the unfamiliar words. *Qui habite à Marseille? Quelle personne habite Boulevard Maisonneuve à Montréal? Est-ce que Montréal est en France? Alors, dans quel pays? Qui a ce numéro de téléphone: le 04.78.42.03.09?* Step 3: Ask choice questions so students will say the words: *Est-ce que Paul Durand habite à Marseille ou à Montréal? Treize mille un, c'est le code postal de Bruxelles ou de Marseille?* Step 4: Model the activity with a volunteer and assign to partners. New vocabulary: *avenue, boulevard, quai.*

AS 10. Higher numbers. Dictate lists of 6–8 numbers to your students, who write figures, not the words. Have the class read them back to you as you write them on the board. Then point to the numbers in random order and use choice questions: *C'est neuf cent quatre-vingt-trois ou neuf cent quatre-vingt-treize?* Use this technique also for arithmetic problems.

Activité 9 Interro: Carnet d'adresses

É1: Quel est le numéro de téléphone d'Agnès?

É2: C'est le 01.48.74.94.23.

É1: Où habite Adrienne?

É2: À Marseille.

É1: Quelle est l'adresse de Bernard?

É2: 88, quai Moulin.

AS 11. Loto with numbers. (See IRK for grid.)

NOMS et ADRESSES

Raoul Durand (tél.(514)281-5024)
246 Boulevard Maisonneuve-West
Montréal, Québec, Canada H3A-312

Bernard Lasalle (tél.04.78.42.03.09)
88 quai Moulin
69000 Lyon, France

Agnès Rouet (01.48.74.94.23)
86 rue de la Convention
75006 Paris, France

André Leroux (32.6.44.67.64)
432 avenue des Cerisiers
1200 Bruxelles, Belgique

Adrienne Petit (04.91.78.94.61)
22 rue de Provence
13001 Marseille, France

Activité 10 Dialogue: Renseignements personnels

É1: De quelle ville viens-tu?
É2: Je viens de _____. Et toi?
É1: Moi, je viens de _____.
É2: Quelle est ton adresse?
É1: J'habite à _____ rue/avenue _____. Et toi?
É2: _____.
É1: Quel est ton numéro de téléphone?
É2: C'est le _____.
É1: Quand et où est-ce que tu es né(e)?
É2: Je suis né(e) le _____, 19 _____, à _____.

Act. 10. (partners) Model the activity with a volunteer, then have students work in pairs. Afterward, ask questions about the information they learned from their partners. New vocabulary: *personnel(le)*, *renseignement*.

Act. 11. (whole class; partners) Have students look at the world map at the beginning of the book. Point to the countries as you call them out. Then have students turn to the activity. Ask where various nationalities are from: *Est-ce que les Chinois habitent au Japon ou en Chine? Et les Japonais?* Talk about the languages: *Dans quels pays est-ce qu'on parle français? Où est-ce qu'on parle anglais?* Pronounce the names before assigning the activity to partners. *De quel pays vient Yuko Wanatabe? (Japon)* Students should have to use only names of languages and nationalities. (Names of countries + prepositions are in *Chapitre 8*.) New vocabulary: names of countries, languages, and nationalities; *langue*, *pays*.

Activité 11 Interro: Les origines et les nationalités

AS 12. Ask students about their ancestry and other languages they speak. Write any new countries and languages on the board to become part of their Vocabulary Notebook.

PAYS	NATIONALITÉ	LANGUE(S) MAJORITAIRE(S)
l'Algérie	algérien, algérienne	l'arabe, le français
l'Allemagne	allemand, allemande	l'allemand
la Belgique	belge	le français, le flamand
le Canada	canadien, canadienne	le français, l'anglais
la Chine	chinois, chinoise	le chinois
l'Espagne	espagnol, espagnole	l'espagnol, le catalan
les États-Unis	américain, américaine	l'anglais, l'espagnol
la France	français, française	le français
le Japon	japonais, japonaise	le japonais
le Sénégal	sénégalais, sénégalaise	le français, le wolof

La France

L'Allemagne

MODÈLE: É1: De quelle nationalité est Yasmina Diouf?
  É2: Elle est sénégalaise.
  É1: Quelle langue est-ce qu'elle parle?
  É2: Elle parle wolof et français.

1. Mario Desjardins, Chicoutimi, Québec (Canada)
2. Willy Maertens, Anvers (Belgique)
3. Francis Lasalle, Lyon (France)
4. Abdelkader El Akari, Blida (Algérie)
5. Yasmina Diouf, Dakar (Sénégal)
6. Wang Yu, Shangai (Chine)
7. Ulrike Schneider, Francfort (Allemagne)
8. Sarah Thomas, Eau Claire, Wisconsin (États-Unis)
9. Yuko Wanatabe, Osaka (Japon)
10. Marianna Vasco, Bilbao (Espagne)

Les États-Unis

La Chine

Le Japon

Le Canada

Le Sénégal

La Belgique

Info Société. Use the figures of the *Astérix* characters in *DE* and/or other visuals to help frame the Gauls; point out that they were contemporaries of Julius Caesar (himself an important character in the comic strip), who waged war against them in 58–51 BCE. (The earliest known Gallic civilization dates back to 900 BCE.) Have students identify Brittany, Alsace, and the Mediterranean coast, as well as relations of ethnic proximity: Alsatians with Germans, Bretons with the Welsh and the Irish, *Méridionaux* with Italy. You may add regions like the Languedoc in proximity to Catalonia, French Flanders and its Belgian counterpart or the Basque region, which straddles France and Spain.

54 | **CHAPITRE 1** Ma famille et moi

Info: Société

On the world map, ask students to identify the DOM-TOM, and explain the difference between them and independent French-speaking countries. If possible, illustrate ethnic diversity by showing pictures of the inhabitants of the various DOM-TOM, perhaps as a game quiz. Have students locate the

Qui sont les Français?

Jason Wang est un étudiant américain d'origine asiatique. Il passe une année en France, à l'université Louis Lumière de Lyon. Il pose des questions à son professeur d'histoire, M. Gondrand, sur la question de l'identité des Français.

Maghreb (an Arabic term meaning "Kingdom of the West"). The Berbers, or more correctly the *Kabyles*, are a separate eth-

Les jeunes de la banlieue parisienne

nic group from the Arabs, with their own language (*Tamazight*). They have inhabited the Maghreb since prehistoric times, long before the Arabic westward expansion in the 8th and 9th centuries.

Jason: On dit que le «Français typique» est un descendant des Gaulois.[1] C'est vrai?

M. Gondrand: Pas exactement... En réalité, la population de la France est très diverse: les Bretons sont celtiques, les Alsaciens, germaniques, les gens du Midi,[2] méditerranéens comme les Italiens et les Grecs. Et, naturellement, les Français des DOM-TOM[3] représentent une grande variété de races et de cultures.

Jason: Et les immigrés?

M. Gondrand: Sur une population totale de 59 millions, il y a, en France, à peu près[4] 4 millions d'immigrés, en majorité du Maghreb: l'Algérie, le Maroc et la Tunisie, anciennes[5] colonies françaises.

Jason: Et tous ces gens-là sont des «Français typiques»!

Info: Société: The earphone icon indicates that this reading is recorded on the *Deux mondes Book on Tape.*

[1]groupe de 90 peuples celtiques installés sur le territoire actuel de la France
[2]sud de la France
[3]<u>D</u>épartments et <u>T</u>erritoires d'<u>O</u>utre-<u>M</u>er: territoires administrativement français, mais situés à l'extérieur de l'Europe
[4]à... approximativement
[5]du passé

La vie de famille. (1) Introduce present-tense forms of *-er* verbs with PF photos. (See *Mise en train, Act. 6*) Use PF photos also to review terms for family members. Using the display art, point out that students have already met Claudine Colin and her parents, Marie and Francis Lasalle. Explain that the Lasalles have two children and introduce Bernard Lasalle, Claudine's brother. Review old and bring in new family relationships: *Claudine est mariée, n'est-ce pas? Comment s'appelle son mari? (Victor) Est-ce que Bernard Lasalle est marié aussi? Comment s'appelle sa femme? (Christine) Marie Lasalle est la belle-mère de Victor et de Christine. Comment s'appelle leur beau-père?* Keep the class involved: *Combien de personnes (dans la classe) ont un beau-frère? Vous avez beaucoup de cousins, Jason? Combien? Cinq? Six?* Include *-er* verb forms naturally: *Claudine est professeur, mais Victor n'est pas professeur. Victor travaille dans un bureau. Est-ce que votre père travaille dans un bureau? Quelle personne dans cette classe travaille dans un bureau? Et Christine, elle travaille aussi dans un bureau?* New vocabulary: *au bord de la mer, beau-père/frère, belle-mère/sœur, bureau, commencer, cousin(e), hôpital, infirmier/infirmière, mari/femme, neveu, nièce, oncle, passer, pétanque, tante, toute la famille, travailler.*

LA VIE DE FAMILLE

Attention! Étudier Grammaire 1.5 et 1.6

La famille de Bernard Lasalle

Voilà Bernard Lasalle avec sa femme, Christine. Elle est infirmière dans un hôpital à Lyon.

Les enfants de Bernard et Christine s'appellent Camille (11 ans), Marie-Christine (8 ans) et Nathalie (6 ans).

Voilà la sœur de Bernard, Claudine Colin, avec sa famille. Son mari, Victor, travaille dans un bureau.

Toute la famille passe le mois d'août ensemble dans une maison au bord de la mer.

Christine parle beaucoup avec sa belle-sœur, Claudine, et sa belle-mère, Marie Lasalle.

Les petites Lasalle adorent faire une promenade avec leur oncle Victor et leur tante Claudine.

Quelquefois, Victor Colin joue à la pétanque avec son beau-frère, son beau-père et ses neveux.

Act. 12. (whole class; partners) (See IM, *Définitions.*) The ability to define is essential for explaining or using circumlocution. Practice it as often as possible. Review terms with the Colin-Lasalle families first, then read the definitions and have students identify the correct term for the relationship. Encourage students to offer other definitions at the end of the activity. New vocabulary: *époux/épouse.*

AS 3. *Au mariage.* Pretend there's a big wedding reception. All rise and mingle. Each student assumes an identity and introduces himself/herself to at least five people, who name the relationship and, in turn, introduce themselves. Example: —*Je suis le fils de la sœur et du beau-frère.* —*Ah, vous êtes le neveu!* Optional: Show students how to introduce someone to a friend. —*Claire, je voudrais te présenter le fils de la sœur et du beau-frère!* —*Enchantée, monsieur. Moi, je suis...*

Activité 12 Définitions: La famille

Donnez la bonne définition.

> MODÈLE: É1: Cette personne est la mère de la mère ou du père.
> É2: C'est la grand-mère.

1. la mère du mari ou de la femme
2. le père du père ou de la mère
3. le fils du frère ou de la sœur
4. l'époux de la femme
5. le mari de la sœur
6. la femme du frère
7. le fils de l'oncle ou de la tante
8. l'épouse du mari
9. la sœur de la mère ou du père
10. -?-

a. le mari
b. la femme
c. le beau-frère
d. la belle-sœur
e. le neveu
f. le grand-père
g. le cousin
h. la belle-mère
i. la tante
j. -?-

Les francophones sur le vif. In spite of the importance of family in French society, a situation such as Mme Schmitt's has become quite frequent. Discuss "nontraditional" family structures and related vocabulary not seen earlier. You may add *belle-mère, beau-père, beau-fils, belle-fille,* pointing out that French does not distinguish between stepparents and in-laws: *fils adoptif/fille adoptive.*
The earphone icon indicates that this reading is recorded on the *Deux mondes Book on Tape.*

LES FRANCOPHONES SUR LE VIF

Marie-Claire Schmitt, 37 ans, institutrice[1] à Obernai (Bas Rhin)

Quelle est votre définition de la famille?

« C'est un mode de vie, pas une institution. Je suis divorcée, avec une petite fille, et remariée avec un homme qui a un fils. Nous avons aussi adopté un troisième enfant. Nous formons donc une «famille recomposée», avec ses joies et ses problèmes. Les enfants passent une partie de leur temps avec leur père et mère biologiques, mais je pense que nous avons une vie de famille normale et équilibrée. Nous avons décidé de vivre ensemble,[2] et nos relations sont renforcées par ce choix.[3] »

[1] enseignante dans une école primaire
[2] **vivre**... former une famille
[3] décision

*A*ctivité 13 Enquête: Les activités de ma famille

Dans votre famille, qui fait les activités suivantes?

MODÈLE: _____ aime/aiment faire des achats sur Internet. →
Ma mère aime faire ses achats sur Internet. Elle déteste aller au centre commercial.

1. _____ travaille/travaillent dans un bureau.
2. _____ achète/achètent beaucoup de vêtements neufs.
3. _____ aime/aiment conduire vite.
4. _____ écoute/écoutent de la musique classique.
5. _____ reste/restent à la maison le samedi soir.
6. _____ rentre/rentrent tard très souvent.
7. _____ chante/chantent sous la douche.
8. _____ parle/parlent beaucoup au téléphone dans la voiture.

À vous la parole! Posez les mêmes questions à un(e) partenaire.

MODÈLE: É1: Est-ce que tu travailles dans un bureau?
É2: Non, mais je travaille dans un restaurant. Et toi?

*A*ctivité 14 Enquête: La famille et les amis

Dites *oui* ou *non*. Si vous dites non, corrigez la phrase.

Suggestions:
mon copain/ma copine
mon/ma camarade de chambre
mon petit ami/ma petite amie

Je ne... avec personne
seul(e)

1. Je parle avec ma cousine quand j'ai des problèmes.
2. Je téléphone souvent à mes grands-parents.
3. Je passe le samedi soir avec mes copains.
4. Je regarde la télé avec mes camarades de chambre.
5. Je rigole avec mes frères.
6. J'étudie avec mes camarades de classe.
7. J'achète des vêtements avec ma mère.
8. J'écoute toujours les conseils de mon père.

Allons plus loin! Maintenant, comparez vos réponses avec les réponses de votre partenaire et expliquez quand vous dites non.

MODÈLE: Quand j'ai des problèmes, je parle avec ma tante. Elle est très discrète et elle écoute attentivement.

Act. 13. (whole class; individual; partners) (1) Briefly, use opposites to review family terms and to remind students of adjective gender. Write the words in two groups (on board) as you talk (*ma sœur, ma mère, etc.* and *mon frère, etc.*) *Quel est le contraire de «ma tante»? Oui, c'est «mon oncle»...* Afterward, quickly review some plurals (*mes cousins, mes nièces*). (2) Do the items aloud yourself, to show that everyone needs to complete the statements and to be sure students understand the vocabulary. Point out that they will need to select the plural verb form if more than one person fits the description. (3) Do a follow-up survey to see what the answers are. Expand answers. (See IM, Expansion Techniques.). (4) Pair up students to ask each other the questions. New vocabulary: *acheter, classique, neuf/neuve, rentrer tard, souvent.*

Cliquez là! Assign if students have Web access. Otherwise, encourage those who choose to use the reference to bring items in to share with the class. (To review *moteurs de recherche* and terminology, see IRK, Instructor Resources, Using the Web.)

Deux mondes Website For more structured activities, go to the McGraw-Hill Website at www.mhhe.com/deuxmondes

Act. 14. (whole class; partners) (1) Explain that students are to reply truthfully and should correct the statements as needed: *Je parle avec ma cousine... Non, pour moi c'est faux. Je n'ai pas de cousine! Je parle avec ma sœur quand [j'ai] des problèmes.* Then read the statements aloud as students jot down answers. (2) Pair up students to do *Allons plus loin!* Afterward, use a few items to do a survey about the answers. New vocabulary: *camarade de chambre, conseil, copain/copine, rigoler, téléphoner.*

Cliquez là!

Utilisez un moteur de recherche français et les mots-clés «site de la famille» pour visiter le site d'une famille française. Notez les noms des membres, leur âge, leurs intérêts et, s'il y a des photos, faites-en la description. Ensuite, présentez «votre» famille à la classe.

Activité 15 Entretien: Ma famille

Répondez aux questions. Ensuite, posez les questions à votre partenaire.

1. Est-ce que tu viens d'une famille nombreuse? Combien de personnes (approximativement) y a-t-il dans ta famille?
2. Est-ce que tes grands-parents sont vivants ou morts? Où habitent-ils? Quel âge ont-ils?
3. Qui est la personne que tu préfères dans ta famille? Comment est cette personne? Pourquoi est-ce que tu préfères cette personne?
4. Est-ce que tu discutes de tes problèmes importants avec tes parents? Pourquoi? Sinon, avec qui préfères-tu en parler?
5. À qui est-ce que tu ressembles physiquement? Et du point de vue personnalité?

Activité 16 Dans le monde francophone: L'agence matrimoniale «Espoir familial»

1. Est-ce que la personne de 31 ans est un homme ou une femme?
2. Est-ce que la personne qui aime faire de la planche à voile est veuve ou célibataire?
3. Quel âge a le «grand-père» dynamique?
4. Qui joue au tennis?
5. Qui vient d'un milieu médical?

À vous la parole! Vous désirez rencontrer une personne intéressante. Préparez une petite annonce pour l'agence matrimoniale «Espoir familial». Pour commencer, quel âge avez-vous? Et comment êtes-vous? Qu'est-ce que vous aimez faire?

AGENCE MATRIMONIALE «ESPOIR FAMILIAL»
20, rue Paul Gourdon

RENCONTRES

31 ans, célibataire, tendre, raisonnable, jolie et intelligente en plus! Milieu médical, elle désire faire des projets d'avenir avec jeune homme affectueux et protecteur.

58 ans, veuve, douce, un peu timide, elle aime la campagne, cuisiner; désire rencontrer compagnon simple mais gentil et affectueux.

36 ans, célibataire, dynamique, charmant, brun (1,78m), sportif (squash, tennis, randonnée, planche à voile...); désire fonder un foyer, avoir des enfants.

Grand-père, veuf, 75 ans, aisé, dynamique, aimant nature, voyages et sorties; désire rencontrer une dame 65/70 ans, mêmes intérêts.

LECTURE

Families d'aujourd'hui

On dit que la famille est en crise, mais elle reste[1] importante pour les Français. Cependant, sa définition change selon la classe sociale, la région, les origines.

Jean-Claude Dutourd, 26 ans, chômeur,[2] habite avec ses parents. Évidemment,[3] c'est difficile, mais il n'a pas de travail, alors c'est une solution acceptable pour le moment. Ses parents sont patients: ils comprennent que ce n'est

[1]*remains* [2]*personne qui n'a pas de travail* [3]<*évident*

Lecture. This first reading introduces three characters of different socioeconomic status and in various family situations. Their perspectives as well as their discourse reflect their cultural background, and their experiences are representative of various realities of family life in France. Point out that Jean-Claude's plight has become common among the 18-to-25 year-old age group, with an unemployment rate of about 25%. Because of the difficulty of finding a job, almost three-quarters of people in this age group continue living at home.

The earphone icon indicates that the reading is recorded on the *Deux mondes Book on Tape*.

Un repas en famille, c'est parfois un pique-nique en pleine nature!

pas sa faute. Naturellement, il y a parfois des frictions, mais, pour Jean-Claude maintenant, la famille est un refuge.

Pour Élise Martinelli, 55 ans, cadre[4] dans une grande entreprise, la famille est une valeur centrale. Elle a quatre enfants et sept petits-enfants; ils viennent la voir très souvent,[5] en général le dimanche. Ils discutent, ils chantent, ils jouent ensemble. Elle adore aller au zoo ou au parc avec ses petits-enfants. Son travail la passionne et elle est très occupée, mais la famille reste essentielle à son équilibre.

Amidou Traore, 17 ans, lycéen,[6] est originaire de Côte-d'Ivoire. Pour lui, la famille, ce n'est pas juste un père, une mère et des frères; c'est aussi des cousins, des oncles, des tantes... Chez lui, on a des relations très fortes, on forme un groupe uni. Dans sa cité,[7] il y a beaucoup d'Africains, alors c'est presque[8] comme un village. Si une personne a des problèmes, les autres sont solidaires.[9]

---

[4]Un cadre a un poste de responsabilité dans une entreprise.   [5]fréquemment   [6]étudiant dans un lycée, une école secondaire   [7]une unité d'habitation dans une ville   [8]approximativement (≠ exactement)   [9]qui assistent les autres

Avez-vous compris?   Déterminez qui parle.

MODÈLE: «Je n'ai pas de travail.»
C'est Jean-Claude Dutourd: il est chômeur.

1. «J'ai beaucoup d'intérêt pour mon travail.»
2. «Je ne suis pas d'origine française.»
3. «J'apprécie la patience de mes parents.»
4. «J'habite en banlieue.»
5. «J'ai une famille nombreuse.»
6. «Je considère la famille comme une ressource nécessaire.»

À vous d'écrire

Vous écrivez une lettre à l'agence Accueil France Famille parce que vous désirez passer deux mois dans une famille française. Dans votre lettre, décrivez comment vous êtes, les choses que vous aimez faire et le type de famille que vous préférez trouver.

MODÈLE:

Accueil France Famille
5, rue François Coppée
75015 Paris

Madame, Monsieur,

Je désire passer deux mois dans une famille française. Je m'appelle… , j'ai… ans, et je suis étudiant(e) en… à l'université de… Je suis une personne plutôt… J'aime beaucoup… Si possible, je préfère loger dans une famille…
En attendant votre réponse, je vous prie d'agréer l'expression de mes sentiments distingués.

(signature)

Vidéothèque

Espace vidéo

www.mhhe.com/deuxmondes

À explorer: www.mhhe.com/deuxmondes/ pour obtenir plus d'informations sur les thèmes du chapitre.

Décrire quelqu'un. Dans le premier épisode, vous allez rencontrer les trois personnages principaux de cette vidéo. Ce sont des étudiants. Écoutez leur conversation. Comment s'appellent-ils? Qui est Marc? Est-il individualiste? Qui est M. Dépétri? Qu'est-ce qu'il porte aujourd'hui? Qui est Anne? Comment est-elle? Quelle personne aime méditer en plein air? Qui étudie la philosophie? Qui est B.C.B.G.? (bon chic bon genre = traditionaliste)

Vocabulaire

La famille

The family

le beau-frère	brother-in-law
le beau-père	father-in-law; stepfather
la belle-mère	mother-in-law; stepmother
la belle-sœur	sister-in-law
le cousin/la cousine	cousin
le demi-frère	half-brother
la demi-sœur	half-sister
l'enfant (*m., f.*)	child
l'époux, l'épouse	spouse
la femme	wife
la fille	daughter
le fils	son
le frère	brother
la grand-mère	grandmother
le grand-père	grandfather
les grands-parents	grandparents
le mari	husband
la mère	mother
le neveu	nephew
la nièce	niece
l'oncle (*m.*)	uncle
le père	father
la petite-fille	granddaughter
le petit-fils	grandson
les petits-enfants	grandchildren
la sœur	sister
la tante	aunt

Mots descriptifs

Descriptive words

bon/bonne	good
célibataire	single, unmarried
compréhensif/ compréhensive	understanding
de taille moyenne	of medium height
mort(e)	deceased, dead
nombreux/nombreuse	numerous
poli(e)	polite
roux/rousse	red-haired
seul(e)	alone
tout(e)	all
trop	too
vite	quickly
vivant(e)	living, alive

Mots apparentés: **affectueux/affectueuse, ambitieux/ ambitieuse, attentivement, calme, décisif/décisive, discret/discrète, égoïste, favori/favorite, flexible, généreux/généreuse, moderne, organisé(e), patient(e), physiquement, réaliste, réservé(e), sportif/sportive, strict(e)**

Activités favorites et distractions

Favorite activities and entertainment

Qu'est-ce que tu aimes faire?	What do you like to do?
J'adore...	I love . . .
J'ai horreur de...	I hate . . .
J'aime...	I like . . .
J'aime mieux...	I prefer . . .
aller au cinéma (au théâtre, à la plage, à la montagne)	to go to the movies (to the theater, the beach, the mountains)
chanter sous la douche	to sing in the shower
conduire une voiture	to drive a car
cuisiner	to cook
danser	to dance
dîner au restaurant	to eat at a restaurant
dormir tard	to sleep late
écouter la radio	to listen to the radio
faire des courses	to go shopping
du camping	to go camping
la fête	to party
une promenade	to take a walk
du ski	to go skiing
inviter des amis	invite friends over
jouer aux cartes (au billard, au football, au tennis)	to play cards (pool, soccer, tennis)
lire (le journal)	to read (the newspaper)
nager à la piscine	to swim in the pool
parler au téléphone	to talk on the phone
passer la soirée ensemble	to spend the evening together
regarder la télévision	to watch television
rester à la maison	to stay home
rigoler	to laugh, have fun
sortir avec des ami(e)s	to go out with friends
travailler dans le jardin	to work in the yard
voyager	to travel

LES ENDROITS

Places

au bord de la mer	at the seashore
un bureau	an office
une maison	a house
à la montagne	in the mountains
une piscine	a swimming pool

Mots apparentés: **un centre commercial, une discothèque, un hôpital**

QUAND

Saying when

maintenant	now
quelquefois	sometimes
souvent	often

SUBSTANTIFS

Nouns

un/une camarade de chambre	a roommate
un chat/une chatte	a cat
un chien/une chienne	a dog
un copain/une copine	a close friend, pal
un infirmier/une infirmière	a nurse
une leçon particulière	a private lesson
un numéro de téléphone	a phone number
un petit ami/une petite amie	a boyfriend, girlfriend
un poisson rouge	a goldfish
un renseignement	a piece of information
une réponse	an answer
une ville	a city

Mots apparentés: **une adresse, une aventure, un film, un match, la musique, la nationalité, un sport, les vacances** (*f.*)

VERBES

Verbs

acheter	to buy
déjeuner	to eat lunch
discuter (de)	to discuss
étudier	to study
faire des achats	to make purchases
habiter	to live (inhabit)
passer (un mois)	to spend (a month)

rentrer	to return home
ressembler (à)	to resemble, to look like
travailler	to work
venir	to come

Mots apparentés: **adorer, détester, préférer, téléphoner**

MOTS ET EXPRESSIONS UTILES

Useful words and expressions

à	to, at
après	after
avec	with
beaucoup	a lot, many
C'est vrai?	Is that right (correct)?
chez moi (mes parents)	at my home (my parents' house)
D'où viens-tu? (**... venez-vous?**)	Where are you from?
Je suis né(e)...	I was born . . .
Moi aussi!	Me too!
Moi non!	Not me!
Moi non plus!	Me neither!
Moi si!	Yes (*I* do)!
mon/ma meilleur(e) ami(e)	my best friend
où	where
Pas possible!	Not possible!
pour	for
pourquoi	why
Quel âge avez-vous? (**... as-tu?**)	How old are you?
J'ai... ans.	I'm . . . (years old).
Tiens!	Well!
voilà	there is/are

LES PAYS ET LES NATIONALITÉS

Countries and nationalities

l'Allemagne (*f.*)	**allemand(e)**	Germany/German
la Belgique	**belge**	Belgium/Belgian
la Chine	**chinois(e)**	China/Chinese
l'Espagne (*f.*)	**espagnol(e)**	Spain/Spanish
les États-Unis (*m.*)	**américain(e)**	the United States/ American
la France	**français(e)**	France/French
le Québec	**québécois(e)**	Quebec/Quebecker

Mots apparentés: **l'Algérie** (*f.*), **algérien/algérienne; le Canada, canadien/canadienne; le Japon, japonais/japonaise; le Sénégal, sénégalais/sénégalaise**

Grammaire et exercices

1.1 Expressing relationships: Possessive adjectives

A. Here are the forms of the possessive adjectives in French.

ENGLISH	BEFORE SINGULAR NOUNS	BEFORE PLURAL NOUNS
my	**mon, ma**	**mes**
your (**tu**)	**ton, ta**	**tes**
his, her, its	**son, sa**	**ses**
our	**notre**	**nos**
your (**vous**)	**votre**	**vos**
their	**leur**	**leurs**

Voici une photo de **mon** frère avec **sa** femme et **leurs** enfants.

Here's a photo of my brother with his wife and their children.

Pronunciation Hint:

Final **-s** and **-n** are pronounced when the following word begins with a vowel: **mes** ᶻ **enfants** but **mes filles**, **mon_ami** but **mon fils**.

B. French possessive adjectives agree in gender and number with the nouns they modify. Exception: the possessive form ending in **-n** (**mon, ton, son**) is always used before a singular noun or adjective starting with a vowel or mute **h**, even if the noun is feminine.

mon cousin Charles   **ma** cousine Clarisse   **mon** autre cousine Marise

C. Keep in mind that the number and gender of the possessive adjective are determined *by what is possessed*, not by the possessor. This is why **son, sa,** and **ses** can all correspond to *his, her,* or *its,* depending on the context.

Voilà Victor Lasalle avec **sa** femme Claudine et **son** fils Charles.
Mᵐᵉ Martin regarde **son** livre.

There's Victor Lasalle with his wife Claudine and his son Charles. Madame Martin is looking at her book.

Exercice 1 En famille

Denise et Jacqueline parlent de leur famille. Remplacez les tirets par un des adjectifs possessifs: **mon, ma, mes; ton, ta, tes; son, sa, ses.**

1. —Jacqueline, comment est _____ famille? Est-ce que _____ frères et sœurs sont jeunes?
   —Non, pas trop. _____ frère a 19 ans et _____ sœurs ont 12 et 14 ans.

Definition: Possessive adjectives modify nouns by indicating ownership or relationship: *my book, your sister.*

1.1 Students should be able to recognize possessive adjective forms but will not be able to use them accurately for some time, especially in speech. In particular, they will need help in understanding two concepts: (1) that *his/her* is not differentiated (*son/sa/ses*) and (2) that gender and plurality refer to the noun modified and *not* to the possessor. Use PF or input with objects for explanations. For concept 1, select a male and a female student: *De quelle couleur est la chemise de Tom? Sa chemise est blanche. Et la chemise de Carol? Sa chemise est jaune.* Write the students' names on the board as column headers. Underneath *Tom,* write *sa chemise;* beneath *Carol,* write *sa chemise,* to illustrate that *sa* means both *his* and *her.* Then point out that *son/sa/ses* can mean both *his* and *her.* For concept 2, do input with photos: (*une femme et sa famille*) *son mari est grand et brun; sa fille est... son fils est... ses enfants sont...* On the board, create a column titled: *une femme.* Underneath, write *sa fille, son fils, ses enfants, son mari.* Talk about the couple (*leur famille, leurs enfants*) and create a second column under *une femme et son mari.* Point out that *son/sa/ses = une personne; leur/leurs = deux personnes (ou plus de deux).*

★ Review **Grammaire A.3** and **A.5.**

➤ "Number" refers to whether a word is singular or plural.

Ex. 1–2. To facilitate students' selection of the appropriate form, each exercise is limited to a certain subset of the possessive adjectives. Have them correct their exercises using the keyin the back of the book.

63

ES 1. Gossip. In groups of three, students practice transformation of possessive adjectives. Student 1 makes a personal statement that includes *mon/ma/mes*. Student 2 tells Student 3, using *son/sa/ses*, and Student 3 gets comprehension check from Student 1, using *ton/ta/tes*. (1. *Mes grands-parents ont 80 ans.* 2. *Ses grands-parents ont 80 ans.* 3. *Tes grands-parents ont 80 ans?*)

2. —Est-ce que _____ grands-parents habitent dans la même ville que toi?

—_____ grand-mère habite chez nous, mais _____ grand-père est mort.

3. —Est-ce que _____ mère est une personne active?

—Oui. Avec _____ job (*m.*) et _____ enfants, elle est très occupée.

4. —_____ frère habite encore chez toi?

—Non, il a _____ propre* appartement (*m.*).

Exercice 2 Votre classe de français

Répondez aux questions avec **notre** ou **nos.**

> MODÈLE: Combien d'étudiants y a-t-il dans votre classe? →
> Il y a vingt étudiants dans notre classe.

1. Combien d'hommes y a-t-il dans votre classe?
2. Est-ce que vos camarades de classe sont timides ou extravertis?
3. Comment s'appelle votre professeur?
4. À quelle heure est votre cours?
5. Est-ce que vos devoirs sont difficiles ou faciles?

Exercice 3 Une nouvelle amie

Ex. 3. This exercise requires changing from first person to third person possessives (singular and plural).

Vous avez une nouvelle correspondante, Evelyne Casteret. Dans un message électronique, elle décrit sa famille. Qu'est-ce qu'elle dit? Changez les adjectifs possessifs.

> MODÈLE: *Ma* grand-mère s'appelle Marie. →
> *Sa* grand-mère s'appelle Marie.

1. *Mes* parents sont jeunes et énergiques.
2. *Ma* sœur Madeleine est très amusante.
3. *Mon* père travaille avec *mon* oncle.
4. *Notre* maison est très vieille et très grande.
5. En général, *mes* amis sont très sympathiques. *Mon* amie Sabrine est très intelligente aussi.

1.2 Expressing likes and dislikes: AIMER + infinitive

1.2. This section has two goals: (1) to introduce students to the forms of *aimer* as an advance organizer for 1.5 (regular *-er* verbs), and (2) to present the concept of infinitives following conjugated forms. In the oral activities, students have already learned *j'aime* as a vocabulary item and the meaning of many infinitives. This will facilitate learning the conju-

A. The verb **aimer** is used to say that you like or love something or someone.

J'**aime** mon cours de français.
Nous **aimons** beaucoup le professeur.

I like my French class.
We really like the teacher.

*****propre** = *own*

Est-ce que tu **aimes** ton cours
d'informatique?

*Do you like your computer science
class?*

B. Like **être** and **avoir**, **aimer** has different forms depending on the subject
(noun or pronoun) used with the verb. The word **aimer** itself is the infinitive
form. Most French infinitives end in **-er**, like **aimer;** they are called regular **-er**
verbs. Their present-tense forms are created by dropping **-er** and adding the
endings shown in the following chart.

Definition: The infinitive
form corresponds to the
English "to" form: *to do, to
sing,* etc. In French
dictionaries, verbs are listed
in the infinitive form.

aimer (*to like; to love*)	
j'aim**e**	nous aim**ons**
tu aim**es**	vous aim**ez**
il/elle/on aim**e**	ils/elles aim**ent**

Notice that all the forms in the yellow L-shaped area are pronounced the same.

Pronunciation Hint:

aimeɾ: j'aimɇ, tu aimɇs, il aimɇ, nous ͜ aimõ̷n̷s̷, vous ͜ aimeɀ, ils/elles ͜ aimɇn̷t̷

C. Use **aimer** + infinitive to say what someone likes to do. Use **aimer** with **ne...
pas** to indicate what someone doesn't like to do.

J'**aime dîner** au restaurant.
Joël **n'aime pas danser.**
Mes amis **aiment jouer** au football.

I like to eat dinner in a restaurant.
Joël doesn't like to dance.
My friends like to play soccer.

D. Other groups of regular French verbs have infinitives that end in **-ir** (**finir,** *to
finish*) and **-re** (**répondre,** *to answer*). Still others have irregular infinitives, like
être and **avoir.** You will learn more about these verbs in later chapters.

E. **Détester** and **adorer** are conjugated like **aimer** and are also used to express
feelings.

Je **déteste** étudier le samedi soir.
J'**adore** dormir tard le dimanche
matin.

I hate to study on Saturday nights.
*I love to sleep late on Sunday
mornings.*

✳ *You will learn more about*
-er *verbs in* **Grammaire 1.5.**

gation pattern and the *aimer* + infinitive usage. Before assigning for home
study, do a PF input review of forms of
aimer with infinitives. As you talk,
write the forms on the board to develop the conjugation pattern (*j'aime,
il/elle aime, tu aimes, nous aimons,*
etc.). Afterward, point out the verb
ending that goes with each pronoun.

ES 2. Practice plural forms of *aimer*
with choice questions about which activities the following people like or
don't like to do: *les personnes
sérieuses et introverties, et les personnes sociables et extraverties (sortir en groupe, rester à la maison,
choquer les autres, parler en classe,
faire la fête, écrire des poèmes).*

Exercice 4 Le dimanche d'Albert

Ex. 4. Students supply the appropriate form of *aimer,* in *aimer* + infinitive
contexts.

Remplacez les tirets par une forme du verbe **aimer.**

1. Ma sœur _____ dormir jusqu'à midi.
2. Mes parents _____ aller à l'église.*
3. Daniel et moi, nous _____ jouer au tennis.
4. Moi, j'_____ lire le journal.
5. Tes amis et toi, qu'est-ce que vous _____ faire?
6. Et toi, tu _____ faire les mêmes choses?

**église = *church*

Ex. 5. You may wish to use this exercise as an oral communication activity.

Exercice 5 Passe-temps préférés

Répondez, et puis indiquez un autre passe-temps préféré.

MODÈLE: Est-ce que vos amis aiment cuisiner? →
Mes amis aiment cuisiner, mais ils aiment aussi dîner au restaurant.
(Mes amis n'aiment pas cuisiner, mais ils aiment dîner au restaurant.)

1. Est-ce que vos amis aiment surfer sur Internet?
2. Est-ce que votre mère aime jouer du piano?
3. Est-ce que votre père aime écouter du rock?
4. Est-ce que votre petit ami/petite amie aime faire une promenade?
5. Est-ce que votre professeur de français aime aller au cinéma?
6. Est-ce que vous aimez jouer au tennis le week-end?

Suggestions:

aller au cinéma	jouer aux cartes
danser	lire des livres/le journal
dormir tard	regarder la télé
écouter de la musique classique	surfer sur Internet

1.3 To practice years, estimate the range of birth years for the class and write those years on the board. Ask who was born in each year. *Est-ce qu'il y a quelqu'un qui est né en 1978? Qui est né en 1981?* Then distribute a list of names + birth and death years and ask input questions. Example: Claude Debussy, 1862–1918 and Beethoven, 1770–1827. *Qui est né en 1770? Qui est mort en 1918? Est-ce que Beethoven est né en 1862 ou en 1770?*

1.3 Talking about dates and personal data: NUMBERS beyond 100

➤ The day always comes before the month:
25.12.01 = le 25 décembre 2001.

➤ Use **le premier** to say the first of the month.

➤ avoir

j'ai	nous avons
tu as	vous avez
il a	ils ont

A. To talk about the date, use one of these expressions.

Quelle est la date aujourd'hui?	*What's today's date?*
Aujourd'hui **c'est le** vingt (le huit, etc.) avril.	*Today is April 20 (8, etc.).*
Aujourd'hui **nous sommes le** premier janvier.	*Today is January 1 (first).*

B. To express age, use **avoir** (*to have*) + number + **ans.**

—Joël, quel âge **as**-tu?	*Joël, how old are you?*
—J'**ai** huit **ans.**	*I'm eight.*
—Et ton frère Emmanuel?	*How about your brother, Emmanuel?*
—Il **a** quinze **ans.**	*He's fifteen.*

C. Here is how to tell your birthday and birthdate.

Mon anniversaire est le vingt et un septembre.	*My birthday is September 21st.*
Je suis né(e) en 1983.	*I was born in 1983.*

D. Years before 2000 can be expressed in two ways in French. For 2000 and after, there is just one way.

> 1998 = dix-neuf cent quatre-vingt-dix-huit
> mille neuf cent quatre-vingt-dix-huit
> 2000 = deux mille
> 2001 = deux mille un

E. Here are the numbers from 101 to two billion.

101 cent un	400 quatre cents	1.000	mille
102 cent deux	500 cinq cents	10.000	dix mille
200 deux cents	600 six cents	100.000	cent mille
201 deux cent un	700 sept cents	1.000.000	un million (de)
202 deux cent deux	800 huit cents	2.000.000	deux millions (de)
300 trois cents	900 neuf cents	1.000.000.000	un milliard (de)
		2.000.000.000	deux milliards (de)

Exercice 6 La famille Colin

Dites l'âge de chaque membre de la famille.

MODÈLE: Joël / 8 →
Quel âge a Joël? Il a huit ans.

1. Francis Lasalle / 70
2. Claudine Colin / 45
3. Victor Colin / 47
4. Marise et Clarisse / 19
5. Charles / 17
6. Emmanuel / 14

Exercice 7 Au téléphone

Lisez à haute voix ces numéros de téléphone français.

MODÈLE: 01.42.68.13.03 →
zéro un, quarante-deux, soixante-huit, treize, zéro trois

1. 02.65.10.80.30
2. 03.87.53.40.16
3. 05.20.55.70.81
4. 01.98.75.21.60
5. 02.77.38.82.97
6. 05.91.18.39.78
7. 04.45.62.86.43
8. 03.83.76.64.90
9. 02.53.67.07.11

Exercice 8 Codes postaux

Lisez les codes postaux de certaines villes françaises à haute voix.

MODÈLE: 29200 Brest → vingt-neuf mille deux cents

1. 44000 Nantes
2. 67000 Strasbourg
3. 69009 Lyon
4. 13002 Marseille
5. 59000 Lille
6. 64200 Biarritz
7. 75015 Paris (15ᵉ)
8. 33000 Bordeaux

Exercice 9 Anniversaires

Posez la question et répondez avec les renseignements donnés entre parenthèses.

MODÈLE: Francis Cabrel (23.11.53) → Quelle est la date de naissance de Francis Cabrel?
C'est le 23 novembre 1953 (le vingt-trois novembre mille neuf cent cinquante-trois).

1. Elvis Presley (8.1.35)
2. Martina Hingis (30.9.80)
3. Frédéric Chopin (1.3.1810)
4. Ringo Starr (7.7.40)
5. Margaret Thatcher (13.10.25)
6. Mickey Mouse (18.11.28)
7. Magic Johnson (14.8.59)
8. Yves Saint-Laurent (1.8.36)
9. Pete Rose (14.4.41)
10. B.B. King (16.9.25)

1.4 The emphasis here is on (1) forms of *venir* and (2) the use of *de* to indicate *from*. Students need extra input with *vient/viennent*. Before assigning, review with *de* + cities/continents and feminine names of countries. Use photos or names students recognize. *D'où vient Mao Tse-Tung? Est-ce qu'il vient de Chine ou de Thaïlande? (Cléopâtre/Égypte ou Belgique; Napoléon et Joséphine/Belgique ou France; Indiana Jones/Espagne ou Amérique; Astérix et Obélix/France ou Algérie; Jules César/Rome ou Paris; Winnie-le-Pooh et Christophe Robin/Angleterre ou Allemagne)* We give the rules for *de* + article as an advance organizer. Students should not be tested on the use of *du/des* at this time. These rules are reintroduced for active use in *Grammaire 8.1*.

1.4 Stating origin: The verb VENIR

A. Here are the forms of **venir.**

➤ Note that most French verbs have the same plural endings: **-ons, -ez, -ent.** With a few exceptions, verbs other than **-er** verbs have the same singular endings: **-s, -s, -t.**

venir *(to come)*	
je **viens**	nous **venons**
tu **viens**	vous **venez**
il/elle/on **vient**	ils/elles **viennent**

ES 5. *De* + names of cities: *Avec quelle ville associez-vous la pizza? Elle vient de Rome ou de Bruxelles? (le rosbif/Paris ou Londres, les croissants/Mexico ou Paris, le wiener-schnitzel/Vienne ou Pékin, les tacos/Mexico ou Copenhague, les hamburgers/Chicago ou Tokyo)*

ES 6. Have students write down the name of a city of origin for a celebrity. (Woody Allen/New York; John Lennon/Liverpool; Kirstie Alley/Wichita; Brad Pitt/Springfield, MO, etc.) Then have them practice *De quelle ville vient... ?*

Use the verb **venir** and the preposition **de** to ask or say where someone is from.

—**D'**où **vient** Mme Martin?   *Where's Madame Martin from?*
—Elle **vient de** Montréal.   *She's from Montreal.*
—Et **d'**où **viens**-tu?   *And where are you from?*
—Moi, je **viens de** Kansas City.   *I'm from Kansas City.*

Pronunciation Hint:

All singular forms of **venir** are pronounced alike: **viẽn$.** The pronunciations of the plural forms are **venõn$, venez̸, vienn̸en̸t.**

B. To ask for a specific country or city of origin, use **De quel pays... ?** or **De quelle ville... ?**

> —**De quel pays** vient Julien Leroux? *What country does Julien Leroux come from?*
>
> —Il vient de Belgique. *He comes from Belgium.*
>
> —**De quelle ville** viennent les Lasalle? *What city do the Lasalles come from?*
>
> —Ils viennent de Lyon. *They come from Lyon.*

ES 7. Practice *viennent* with nationalities + feminine names of countries: *D'où viennent les Belges? Ils viennent de Belgique.* (les Français, les Espagnols, les Chinois, les Algériens, les Allemands, les Anglais)

C. In some cases, **de** is replaced by **du** or **des** when speaking of countries.

- Use **du** when the name of a country is masculine.

> —De quel pays viennent ces étudiants? *What country are these students from?*
>
> —Ils viennent **du** Japon (**du** Brésil, **du** Portugal). *They're from Japan (Brazil, Portugal).*

- Use **des** if the name of a country is plural.

> —D'où venez-vous? *Where are you from?*
>
> —Je viens **des** États-Unis. *I'm from the United States.*

★ *You will learn more about country names in* **Grammaire 8.2.**

Exercice 10 À la maison internationale

Utilisez les formes du verbe **venir**.

1. Voici mon ami Jean-Michel. Il _____ du Canada et il parle français.
2. Voilà Julie et Mark. Ils _____ des États-Unis.
3. Voilà Mohammed. Il _____ d'Algérie, et sa femme Natacha _____ de Russie.
4. Voilà Carmen et José. Ils _____ de Madrid, en Espagne.
5. Et vous, d'où _____ -vous? —Nous _____ de Côte-d'Ivoire. Moi, je m'appelle Madi et mon amie s'appelle Ramatou.
6. Christiane, tu _____ de Suisse, n'est-ce pas? —Oui, je _____ de Genève.

1.5. This section reintroduces the *-er* conjugation as a pattern characterizing the present tense of most French verbs. (*-er* verbs account for over 90% of all French verbs, and newly formed verbs, with very few exceptions, are formed on the *-er* model.) The purpose of this section is to encourage students to develop the ability to generalize this pattern to new verbs, even when they have not actually heard all of the relevant forms in the input. Review singular and plural third-person forms with PF photos, writing examples on the board in two columns as you talk. Point out the *-e/-ent* distinction. Expand with other forms and create other columns. *Moi, je... , Dans ma famille, nous... , etc.* In the end, review the endings in association with the appropriate pronouns.

1.5 Talking about actions: PRESENT OF -ER VERBS

A. Infinitives ending in **-er** are conjugated like **aimer.** (The only exception is **aller,** *to go.*) To conjugate these verbs, drop **-er** from the infinitive and add the endings **-e, -es, -e, -ons, -ez, -ent.**

★ *You will learn more about* **aller** *in* **Grammaire 2.3.**

travailler *(to work)*	
je travaill**e**	nous travaill**ons**
tu travaill**es**	vous travaill**ez**
il/elle/on travaill**e**	ils/elles travaill**ent**

ES 8. Practice transformation from second person *(vous)* to first person *(je):* —*Dans une disco, est-ce que vous dansez ou est-ce que vous étudiez?* —*Je danse. (au cinéma/ regarder un film ou chanter, au restaurant/manger ou écouter la radio; au parc/pique-niquer ou cuisiner; à la piscine/nager ou danser; samedi/aller au cinéma ou rester à la maison)* Repeat, using tu/je, then vous/nous.

habiter *(to live)*	
j' habit**e**	nous habit**ons**
tu habit**es**	vous habit**ez**
il/elle/on habit**e**	ils/elles habit**ent**

Remember that the forms of **-er** verbs in the yellow L-shaped area are pronounced the same, because their endings are silent.

Pronunciation Hint:

In **travailler,** the letters **aill** sound like English "eye." Also note that because the initial **h** in **habiter** is silent, **je** contracts to **j',** and you must make the liaison with all the plural forms: **j'habite, nous ͛habitons, vous ͛habitez, ils ͛habitent, elles ͛habitent.** This applies to all verbs beginning with vowels: **étudier** *(to study):* **j'étudie, nous ͛étudions,** etc.

➤ **j'étudie** = I study, I am studying, *or* I do study

B. Notice that the French present tense is equivalent to three different meanings in English.

Daniel travaille à la bibliothèque ce soir.

Denise travaille à la bibliothèque tous les samedis.

Oui, Denise travaille quelquefois le dimanche après-midi.

Daniel *is working* at the library tonight.

Denise *works* at the library every Saturday.

Yes, Denise *does work* on Sunday afternoons sometimes.

C. Here are some **-er** verbs you can use to talk about activities and actions.

chanter *to sing*	**dîner** *to eat dinner*	**parler** *to talk, speak*
chercher *to look for, go get*	**donner** *to give*	**regarder** *to look at*
	écouter *to listen to*	**rencontrer** *to meet*
cuisiner *to cook*	**inviter** *to invite*	**rentrer** *to return, come back*
danser *to dance*	**jouer** *to play*	
déjeuner *to eat lunch*	**manger** *to eat*	**rester** *to stay*
dessiner *to draw*	**nager** *to swim*	**voyager** *to travel*

D. Some **-er** verbs like **préférer, acheter,** and **appeler** have a spelling change in their present-tense forms before the silent endings **(-e, -es, -ent).** Verbs like **manger** and **commencer** have a spelling change in the **nous** form. See the charts in **Appendices A** and **C.3** for more information about spelling changes in **-er** verbs.

Exercice 11 La vie de Joël

Joël décrit les activités de sa famille et de ses amis. Complétez ses phrases avec la forme appropriée du verbe.

1. Moi, je _____ à la piscine le samedi. (nager)
2. Ma sœur Clarisse _____ beaucoup au téléphone. (parler)
3. Et toi aussi, Marise, tu _____ souvent au téléphone, non? (parler)
4. Nous _____ à huit heures, d'habitude. (dîner)
5. Ma tante Christine _____ dans un hôpital. (travailler)
6. Mes grands-parents _____ dans la même ville que nous. (habiter)
7. Mes amis et moi, nous _____ souvent. (chanter)
8. Mon copain Malik _____ beaucoup avec sa famille. (voyager)
9. Mes copines Sophie et Lourdes _____ au football. (jouer)
10. Et mes parents _____ beaucoup d'amis pendant le week-end. (inviter)

Exercice 12 Ma vie

Complétez par la forme correcte et dites si la phrase correspond à votre situation.

MODÈLE: Tu *travailles* beaucoup. →
Oui, je travaille beaucoup. (Non, je ne travaille pas beaucoup.)

1. C'est l'opinion de mes parents:
   a. «Tu _____ excessivement!» (travailler)
   b. «Tu _____ trop au téléphone.» (parler)
2. Dans ma famille,
   a. nous _____ beaucoup la télé. (regarder)
   b. nous _____ ensemble. (dîner)
3. Mes amis sont intéressants.
   a. Ils _____ toutes sortes de musique. (écouter)
   b. Ils _____ au bridge. (jouer)
4. C'est l'opinion de notre professeur:
   a. «Vous _____ beaucoup!» (étudier)
   b. «Vous _____ vos devoirs tous les jours.» (préparer)
5. Moi,
   a. j'_____ dans une résidence universitaire. (habiter)
   b. je _____ normalement à l'université. (déjeuner)
6. C'est mon opinion:
   a. Mes professeurs _____ trop de devoirs. (donner)
   b. Mon professeur de français _____ vite! (parler)

Ex. 12. This exercise practices all *-er* forms. Students will probably need to use negation with *ne... pas* as well. Have them write statements about their personal situations. *(Oui, je parle excessivement.* or *Non, je ne parle pas excessivement.)* Before assigning, go over the subject transformations they will need to make. In class, you may do as a partner practice by having students compare their personal answers.

1.6. Most English speakers can understand and use the noun + *de* + noun pattern for possession after little exposure. Contractions of *de*, however, are acquired more slowly. Students will need to use mostly *de* + proper name. Review with famous names: *Comment s'appelle la femme de John Kennedy?* To illustrate objects, pick up a student's pencil and ask *Est-ce le stylo de Paul ou le stylo de Tammy?* Write examples on the board with both people and objects.

1.6 Expressing relationships and possession: CONTRACTIONS OF **dE**

A. You have already learned how to express relationships using possessive adjectives like **mon** and **votre.** To express a relationship to someone using that person's name, use **de** + name. This is the equivalent of -'s in English.

—Est-ce que c'est la sœur **de Denise?**
Is that Denise's sister?

—Oui, c'est sa sœur.
Yes, that's her sister.

B. To express a relationship to a person who is not named directly, use **de** + definite article + noun.

★ Review **Grammaire 1.1.**

ES 9. Possession with *de*. Pick out distinctive objects in class and collect them. *(Qu'est-ce que c'est? C'est un sac à dos orange et rose! À qui est-ce? Ah, c'est le sac de Paulette.* Borrow Paulette's bag.) Lay the objects on your desk for everyone to see and ask the class to identify which object belongs to whom. Then return them, using TPR: *Maurice, quel est le stylo de Louis? Rendez-lui son stylo, s'il vous plaît.*

C'est le chat de la sœur de Paul. *It's Paul's sister's cat.*
La femme de l'oncle Victor a 43 ans. *Uncle Victor's wife is 43 years old.*

If **de** is followed by **le** or **les,** the two words combine. **De + le** is replaced by **du,** and **de + les** becomes **des.**

Voici les livres **du** professeur. *Here are the instructor's books.*
C'est la voiture **des** amis de Patrick. *It's Patrick's friends' car.*

★ *Review the use of l' in*
Grammaire A.3.D.

➤ **de + le = du**
  de + les = des

Ex. 13. Use definitions of family members to review *de* + articles *(Le père est le mari de la mère.).* Note that students have already seen *des* as the plural indefinite article. It would be useful to point out that there are two different *des* forms: one is an article, i.e. the plural form for *un/une;* the other is a *de* contraction, corresponding to English *of the.*

Exercice 13 L'album de Raoul

Raoul Durand montre son album de photos à Barbara. Terminez les phrases par **de, du, des,** etc. et les informations entre parenthèses.

MODÈLE: (les enfants) Voici la nouvelle bicyclette _____. →
Voici la nouvelle bicyclette *des enfants.*

1. (Paul) Voici la voiture _____. Elle est rapide.
2. (les petites filles) La femme blonde est notre amie Marie. C'est la mère _____.
3. (la femme blonde) Ça, c'est le mari _____. Il s'appelle Albert.
4. (Mme Haddad) Voilà la belle maison _____. Quel beau jardin!
5. (le cousin de mon père) Voici la fille _____. Elle s'appelle Claire.
6. (Claire) Voici l'ami _____. Il est beau, n'est-ce pas?

Exercice 14 Relations familiales

Répondez à ces questions sur les relations familiales.

MODÈLE: Le grand-père, c'est le mari de qui? →
Le grand-père, c'est le mari de la grand-mère.

1. La grand-mère, c'est la femme de qui?
2. La tante, c'est la femme de qui?
3. Le cousin, c'est le fils de qui?
4. La belle-sœur, c'est la femme de qui?
5. Le grand-père, c'est le père de qui?
6. L'oncle, c'est le père de qui?

GOALS FOR *CHAPITRE 2*
Students continue to use present-tense forms, including common reflexive verbs. They will also learn to use the verb + infinitive construction. Functional Goals: (1) Express wishes and intentions with *aller/vouloir;* (2) Say what you can do, and know how to do, with *pouvoir/savoir;* (3) Describe your daily routine; (4) State weather conditions.

MISE EN TRAIN
1. Sports and leisure activities. Use PF and an association activity to review and introduce more regular *-er* verbs and *aller* and *faire* in the present tense. Include physical appearance, clothing, and other information. *Cette femme aime pratiquer un sport spécial. Quel sport fait-elle? Elle fait de l'escalade. Ça, c'est une falaise et la fille est une championne française. Elle s'appelle Catherine Destivelle. Alors, quel sport fait-elle? Est-ce qu'elle fait du ski ou de l'escalade? Y a-t-il quelqu'un en*

classe qui fait aussi de l'escalade? Suggestions: *chez un(e) ami(e), aller au café (cinéma, gymnase, restaurant), à la discothèque (montagne, piscine, plage, campagne), faire de la voile (de la plongée sous-marine, de l'escalade, du canoë, du ski, du vélo), faire une promenade, inviter des amis, jouer au basket (au frisbee, au volley-ball), piquer-niquer, prendre un café, regarder un film, rencontrer des amis, visiter un musée.*
Description: *tous les jours/soirs, quelquefois, souvent, toujours; bien, mal, un peu.*

2. Weather and seasons. (1) Have students say the months with you, then explain the seasons: *Septembre, octobre, novembre, c'est l'automne. Quel est le premier jour de l'automne? Et après l'automne...* (2) Use pictures illustrating seasonal features to start talking about weather. Point out concrete entities like *le soleil,* and gesture for abstractions like *chaud* or *froid. Regardez ça! Ce sont des ar-*

bres. De quelle couleur sont-ils? Oui, rouges, jaunes. Pourquoi? Parce que c'est l'automne. En automne, les feuilles des arbres changent de couleur. Qu'est-ce que vous aimez faire en automne? Write new words on the board and review input often. *Alors, en été, est-ce qu'il fait chaud ou froid? En quelle saison est-ce qu'il neige?* Talk about the weather daily and use your classroom window if you have one. *Quel temps fait-il ici à (your city) ce matin?*

3. Verbs for daily routine. (1) Use your PF and association activities to introduce verbs with reflexive pronouns. Write new infinitives on the board. *Que fait cet homme? Il se rase. Est-ce qu'il se rase avec un rasoir électrique ou un rasoir mécanique? Les hommes, est-ce que vous vous rasez aussi le matin?* (2) Describe your typical day, writing *je* forms on the board: *Le matin, je me réveille à 6 h 30. Je me lève et je me douche. Je m'habille et je*

(continued on p. 73)

ds mon petit déjeuner (du jus d'orange, un croissant...). Ensuite, je vais à l'université. ... Je me
e vers onze heures. Next, repeat your story, but stop it often to ask about students' routine.
e lève à 6 h 30. À quelle heure vous levez-vous? Review: Qui se lève à cinq heures du matin?
rend du jus de tomate au petit déjeuner?

La vie quotidienne et les loisirs

Joueurs de cartes
dans un petit café
en Bretagne

ture with *aller.*
how photos of
s about to
en. *Voici la*
o d'un homme.
rte un pyjama.
t très fatigué,
Qu'est-ce qu'il
aire? Il va se
cher. Write *aller* +
new infinitive
e board as you
(2) Explain what
plan to do this
kend. *Je vais*
au cinéma ven-
i soir. Samedi, je
.. Ask about stu-
's plans. On the
d, write verb
es like *je vais
ir* or *elle va
au cinéma.* Re-
with questions:
st-ce que (Tim)
ire (dimanche)?
inally, explain:
ont mes projets
le week-end. Je
dormir, il va
er, c'est pour
r du futur (de
nir). To demon-
e the negative
truction, ask:
st-ce que vous
ez pas faire
di? Moi, je ne
pas venir à l'u-
sité...

. Create a chart
ugh drawings
how a day's ac-
s (in a logical
r), in a fictitious
nt's life. First,
e story of the
res. Gradually
ast or compare
own routine with
ictures; ask stu-
whether they
milar things.
je ne me lève
à six heures. Et
est-ce que
vous levez à
eures? Non? À
e heure vous
-vous,
les)?* Suggested
ence: Serge se
lle, se lève, se
se brosse les
eux, prend le
déjeuner, s'ha-
va (en voiture)
iversité, arrive,
te à ses cours,
ne avec ses
, rentre chez lui,
es devoirs, re-
e la télé, s'
abille, se
he, s'endort.
the chart over a
d of several

AS 2. Do a TPR activ-
ity with verbs of daily
routine. *Il est six
heures du matin.
Réveillez-vous! Ouvrez
les yeux. Bâillez!*
(Make a yawning ges-
ture.) *Mon dieu, c'est
pénible, n'est-ce pas?
Levez-vous. C'est lundi
matin...* Do over a pe-
riod of several days,
gradually extending the
list to add activities. Include other daily typi-
cal actions such as
*Allez à la cuisine, ou-
vrez le réfrigérateur,
cherchez des céréales.*
Associating gestures
with actions provides
context. Students
should be responsible
only for comprehen-
sion.

Objectifs

IN **CHAPITRE 2,** *you will talk about the weather, your
routine, and your recreational activities. You will also learn to describe your
abilities and to express plans and wishes.*

activités

Le temps, les saisons et les loisirs
Les activités quotidiennes
Les habitudes et les projets
Aptitudes et rêves

lectures

Info: Société Les sports
Les francophones sur le vif Kévin
Vanderelst
Lecture À chacun ses loisirs

grammaire

2.1 Talking about activities and weather:
The verb **faire**

2.2 Talking about everyday activities:
Reflexive verbs

2.3 Going places and future actions: **The
verb aller,** contractions of **à**

2.4 Making general statements: The
subject pronoun **on**

2.5 Abilities and desires: The verbs
pouvoir, vouloir, and **savoir**

Activités et lectures

Le temps, les saisons et les loisirs. Use your PF to review/introduce vocabulary for seasons, weather, and leisure activities. (See *Mise en train, Acts. 1, 2.*) Have students look at the drawings as you describe them and ask questions. *Est-ce qu'il fait froid ou chaud au printemps? Est-ce qu'il pleut quelquefois? Qui aime la pêche? (Francis) Il pêche dans un lac ou dans une rivière?* Include the use of *faire* (to do) as a general question: *Qu'est-ce que vous faites en hiver quand il fait très froid? Vous restez à la maison?* Point out that *Qu'est-ce que vous faites? / Qu'est-ce que tu fais?* is a question that probably requires a different verb in the reply *(je regarde...* instead of *oui, je fais...).* New vocabulary: *au printemps, en automne, campagne, (été/hiver), faire du ski (de la planche à voile, une promenade), il fait beau (froid/ chaud/frais/du vent), pêcher, printemps, rivière.*

AS 3. TPR with activities. Use full class and selective TPR to introduce the command forms of "favorite" activities: *nagez, dansez, dormez, patinez, skiez, jouez (au golf, au tennis), cuisinez, prenez (le café), écrivez, lisez, écoutez, mangez, parlez (au téléphone), dessinez, prenez une photo, jouez (de la guitare), montez à cheval, marchez,* and so on. Repeat this activity on different days, using different sequences.

AS 4. Ask students to say what kind of weather they associate with different activities. Suggestions: *rester à la maison et boire un chocolat chaud, pêcher, faire du ski (de la voile, du ski nautique, du camping), porter un manteau et des bottes, aller à un match de football (hockey sur glace).*

Attention! Étudier Grammaire 2.1

En hiver, il fait froid. Jean-Yves fait du ski dans les Alpes, à Chamonix.

Au printemps, il fait du vent et il fait frais.

Francis Lasalle pêche dans une rivière.

En été, il fait chaud.

Quand il fait beau, Adrienne fait de la planche à voile.

En automne, Emmanuel et ses amis font des promenades à la campagne.

74

1. (whole class; partners) Review weather briefly with PF and then ask questions before students work in pairs, so they can hear the pronunciation of the city names. Point out where characters in the display live (Paris: Jean-Yves ...art; Clermont-Ferrand: Emmanuel Colin; Lyon: Francis Lasalle; Marseille: Adrienne Petit). *Est-ce qu'il fait beau à ...t? Et à Rennes, est-ce qu'il pleut? Il y a du brouillard à Paris ou à Tours?* You may want to introduce the words ...sud/ouest/est in your input. New vocabulary: *brouillard, carte, nuage, répondre;* Expressions: *Quel temps fait-il? Il fait ...oleil; Il neige; Il pleut; Le ciel est couvert.*

AS 5. Print out a weather report from the Internet and copy it to add a richer texture to Act. 1.

Activité 1 Interro: L'hiver en France

Regardez la carte et répondez.

> MODÈLE: É1: Quel temps fait-il à Lille?
> É2: *Il pleut et il fait frais.*

Activité 2 Discussion: Les quatre saisons

Act. 2. (whole class; partners) (1) Review vocabulary with your PF. (2) Read the sentences aloud, say if they are true for you, and ask who does the various activities. Students answer *oui/non.* (3) Assign for partner discussion. Students should react to their partner's statements. Point out the optional exclamations before they begin. New vocabulary: *à la campagne, allumer un feu, ça, cheminée, climat, match, nautique, pique-niquer, promenade en voiture, si, sous, type.*

Quels sont vos passe-temps préférés? Écoutez votre professeur et dites *oui* ou *non.*

> MODÈLE: É1: Moi, je fais du camping avec ma famille.
> É2: *Pas moi! J'ai horreur de ça.*

1. En été quand il fait très chaud, je...
   a. fais du camping avec des copains.
   b. nage à la piscine.
   c. fais de la planche à voile.
   d. fais du ski nautique.
2. Au printemps, s'il fait beau, mes amis et moi, nous...
   a. pique-niquons à la campagne.
   b. étudions sous les arbres.
   c. jouons souvent au frisbee.
   d. faisons des promenades.
3. En automne, très souvent, je...
   a. regarde des matchs à la télé.
   b. fais du vélo.
   c. fais des promenades en voiture.
   d. joue au basket au gymnase.
4. Quand il neige, en hiver, ma famille et moi, nous...
   a. faisons du ski.
   b. passons des vacances dans un endroit chaud.
   c. allumons un grand feu dans la cheminée.
   d. invitons des amis chez nous.

Exprime-toi!

C'est vrai?
Moi, aussi!
Moi, jamais!
J'aime ça.
Je n'aime pas ça.
C'est barbant!
C'est génial!
C'est super!
C'est nul!

Info: Société: The historic victory of the national squad in the 1998 World Cup symbolized the diversity of the French people, as several of the top players were not of metropolitan French stock. You may wish to point out Algeria and Guadeloupe on the map on the inside cover of the book.

76 | **CHAPITRE 2** La vie quotidienne et les loisirs

Info: Société

Les sports

Post-reading activity: Have students quiz each other on team composition: e.g., *Combien de joueurs y a-t-il dans une équipe de football?* (11) *de volley-ball?* (6) *de basket?* (5) *de rugby?* (13 or 15) *de hockey sur glace?* (6). They can also work in groups to identify and describe (frequency, date, location, etc.) other major

La victoire de l'équipe[1] française de football contre le Brésil dans la Coupe du monde de 1998 a causé un enthousiasme extraordinaire en France, et dans le monde francophone en général. Le capitaine, Zinedine Zidane, est d'origine algérienne, Youri Djorkaeff a des parents russes et arméniens et Lilian Thuram vient de la Guadeloupe.

Le football est de toute évidence le sport préféré en Europe et en Afrique, mais le tennis et le cyclisme ont aussi une grande notoriété. Le tournoi[2] Open de Roland-Garros se joue à Paris en juin. Le fameux Tour de France (juillet) est une compétition extrêmement difficile, parce que les cyclistes font des milliers[3] de kilomètres en trois semaines.

Au Québec, la situation est très différente. Le baseball et le hockey sur glace sont les sports préférés et sont pratiqués par des milliers de gens. Les équipes professionnelles font partie des ligues nord-américaines: les Canadiens de Montréal et les Expos de Montréal (*Major League Baseball*).

[1]groupe de joueurs
[2]compétition sportive
[3]un millier = mille (1.000)

sports competitions: *la coupe Davis de tennis, la coupe Stanley de hockey, la Coupe du monde de football («le Mondial»), le tournoi open de Wimbledon, de Flushing Meadows (U.S. tennis open), les Jeux olympiques,* etc.

Zinedine Zidane, capitaine de l'équipe de France, dans la finale de la Coupe du monde de football contre les Brésiliens

---

Cliquez là!

Cherchez un site Zinédine Zidane (Zizou) ou le site officiel de la Coupe du monde pour obtenir plus de détails. Comment s'appellent les membres de l'équipe française? Quels pays ont participé aux jeux mondiaux de 1998? Et d'où vient «Zizou»? Qui sont les membres de sa famille?

Act. 3. (partners) Be sure students understand the vocabulary before assigning to partners. Explain that *tu aimes mieux* = *tu préfères.* Those who finish early should think up other choice questions to ask their partners. New vocabulary: *à la maison, faire des courses, faire du vélo (du sport).*

Activité 3 Échanges: Mes activités préférées

MODÈLE: É1: Tu aimes mieux danser ou faire une promenade?
É2: Moi, j'aime mieux... Et toi?

1. aller à la plage ou aller à la montagne?
2. jouer aux cartes ou faire du sport?
3. lire un bon livre ou regarder la télé?
4. pêcher ou pique-niquer?
5. faire du vélo ou faire une promenade?
6. dîner au restaurant ou dîner à la maison?
7. danser ou jouer aux cartes?
8. écouter la radio ou aller au cinéma?
9. faire des courses ou sortir avec tes amis?

AS 6. Do a signature search about favorite activities. Besides the activities in the book so far, here are a few others you might add: *jouer au billard, jouer au bridge, écouter de la musique folklorique, regarder les informations à la télé, voyager en hiver, faire de la photo, jouer du violon.* (See IRK, Ch. 2 for copy-ready activity.)

Cliquez là! If equipment permits, do *Cyber-recherches: Cherchez les noms des équipes dans la Coupe du monde 1998: le site et l'année de la prochaine Coupe du monde; le nom et l'âge des membres de l'équipe française 1998, et les autres années où la France a participé.*

Activité 4 Associations: Distractions et obligations

Cherchez les endroits logiques.

MODÈLE: Nous y regardons des films. →
Nous regardons des films au cinéma.

LES ACTIVITÉS

1. On y fait du ski en hiver.
2. Nous y faisons des courses.
3. On y fait des longues promenades.
4. On y pêche très souvent.
5. Nous y pique-niquons parfois.
6. Beaucoup d'étudiants y font la fête.
7. On y allume un feu quand il fait froid.
8. Nous y étudions et regardons la télé.
9. On aime y aller pour regarder des films.
10. Beaucoup de gens y font de la gym.

LES ENDROITS

a. à la maison
b. dans la cheminée
c. au gymnase
d. au cinéma
e. au centre commercial
f. à la campagne
g. dans une rivière
h. à la discothèque
i. sous un arbre
j. à la montagne

Act. 4. (whole class) Be sure students recognize all the places. Read the activities as the group answers. For each place, ask students to think of as many activities to do there as possible. Answers must be in French. New vocabulary: *arbre, gymnase, parfois.*

Les activités quotidiennes. Ask questions about the drawings that require names as answers or provide choices. *Qui se rase le matin? Est-ce que Christine se lève de bonne heure ou très tard?* (Explain: *6 h du matin = de bonne heure, 10 h du matin = tard.*) *Est-ce que Bernard fait une promenade ou s'entraîne?* New vocabulary: *avant de, de bonne heure (tôt), devant, école, fois, miroir, quotidien(ne), rapidement, se brosser, se coucher, s'entraîner, s'habiller, se lever, se raser, tard, toujours.*

LES ACTIVITÉS QUOTIDIENNES

AS 7. TPR sequence. Students mime with you a typical daily routine. Repeat daily, adding new activities. *Vous êtes dans votre lit confortable.* (line drawing or photo) *Dring, drrrinng Ah zut! Six heures du matin! Réveillez-vous, ouvrez les yeux, bâillez, levez-vous, étirez-vous, allez dans la salle de bains, douchez-vous, lavez-vous les cheveux, séchez-vous les cheveux, habillez-vous.* (For TPR, see IRK, Ch. 2.)

AS 8. After students begin to comprehend the reflexives and other new verbs, ask them to help you name as many actions as they can think of that occur during their typical day. Write the verbs on the board (*je m'habille, je vais à...*). When you have 10–20 verbs, begin using the hours as an organizing principle: *À quelle heure est-ce que vous déjeunez? Est-ce que vous... pendant l'après-midi ou le soir? Vers quelle heure?*

Attention! Étudier Grammaire 2.2

Une journée typique chez la famille Lasalle (à Lyon)

Christine se lève tous les jours de bonne heure.

Bernard se rase devant le miroir.

Camille s'habille toujours très rapidement pour aller à l'école.

Bernard s'entraîne au gymnase trois fois par semaine.

Marie-Christine se brosse les dents.

Marie-Christine et Nathalie se couchent tôt les jours de classe.

Act. 5 (whole class) Read the list of verbs and ask if it is logical. Have students say the verbs in the order they prefer. Then expand with questions such as *À quelle heure vous couchez-vous? Vous déshabillez-vous rapidement ou lentement? Combien de fois par semaine est-ce que vous vous lavez les cheveux?* New vocabulary: *d'abord, ensuite, lentement, puis, se dépêcher, se déshabiller, se doucher, se laver le visage, se maquiller, se réveiller, se sécher, toilette, utiliser.*

AS 9. Display on board (or OHP) a list of 15–20 routine daily activities. (*Je me lève. Je me lave les cheveux. Je déjeune à la maison.*) Students list 8 actions they do the most often. Then they are paired to compare lists, to see what they have in common. One student reads the first activity; the other searches his/her list to see if there is a match.

Activité 5 Ordre logique: La toilette et les habitudes

Mettez ces activités dans le bon ordre.

Vocabulaire utile: d'abord, ensuite, puis

MODÈLE: je m'habille / je me douche / je me lève →
D'abord je me lève, ensuite je me douche et puis je m'habille.

1. je m'habille / je me sèche / je me douche
2. je me couche / je me douche / je me déshabille
3. je me rase / je me réveille / je me lave le visage
4. je me douche / je me brosse les cheveux / je me lave les cheveux
5. je me brosse les dents / je me maquille / je me lève
6. je me dépêche / je me lève / je m'habille
7. je dîne / je me couche / j'étudie
8. je me douche / je fais de la gym / je me lave les cheveux

Act. 6. (partners; small groups) Model a few examples first, including *tout le monde* and the negative construction *Personne ne...* Follow up by general class discussion and extend: *Qui se maquille chez vous. Robert? Votre sœur? Est-ce qu'elle passe beaucoup de temps à se maquiller? Combien de temps?* New vocabulary: *affaires, chez toi, laisser, par terre, personne ne..., le/la premier/première, tout le monde, vite.*

AS 10. Autograph activity. (See IRK for activity.)

Activité 6 Échanges: La vie chez moi

MODÈLE: É1: Chez toi, qui se douche le matin?
É2: Tout le monde se douche le matin.

Chez toi, qui...

1. se couche tard? (À quelle heure?)
2. chante sous la douche?
3. s'entraîne au gymnase? (Combien de fois par semaine?)
4. se lave les cheveux tous les jours?
5. fait les courses?
6. se lève le premier/la première? (À quelle heure?)

7. se dépêche tous les matins?

8. s'habille vite et laisse ses affaires par terre?

Suggestions:

mes parents   mon/ma camarade de chambre
mon frère/ma sœur   tout le monde

Activité 7 Enquête: Une semaine typique

Est-ce que les déclarations suivantes s'appliquent à vos habitudes?

Vocabulaire utile: toujours (T), souvent (S), quelquefois (Q), rarement (R), jamais (J)

_____   **1.**   Les jours de classe, je me lève de bonne heure.
_____   **2.**   Je prends un petit déjeuner nourrissant.
_____   **3.**   Je m'habille avant de prendre le petit déjeuner.
_____   **4.**   Le matin, je suis en retard et je me dépêche.
_____   **5.**   Je fais mon lit et je laisse ma chambre en ordre le matin.
_____   **6.**   Je préfère me doucher et me laver les cheveux le soir.
_____   **7.**   Le soir, je prépare mes vêtements pour le lendemain.
_____   **8.**   Avant de m'endormir, j'aime lire un peu.
_____   **9.**   J'aime aller à l'université en voiture.
_____ **10.**   J'ai un emploi et je travaille après les cours.

Act. 7. (individual; whole class; partners) (1) Explain that this is a survey of typical habits. Students listen as you read the items and then write the letter of their answer beside each number. (2) Afterward, ask for a show of hands and count each category for each item, writing the numbers on the board. Make comments from time to time: *Tiens! Quelle classe énergique (paresseuse)! (Rarement) est votre réponse favorite!* (3) Finally, assign to partners for comparison of habits. New vocabulary: *après que, emploi, faire son lit, lendemain, nourrissant(e).*

Activité 8 Entretien: Questions personnelles

1. À quelle heure est-ce que tu te lèves et tu te couches? Tu aimes dormir avec la fenêtre ouverte?

2. Est-ce que tu prends un bain ou est-ce que tu te douches? Tu utilises du savon ou du gel douche?

3. Tu te laves les cheveux tous les jours? Quelle est ta marque de shampooing préférée?

4. Est-ce que tu te rases tous les jours? Avec un rasoir mécanique ou électrique?

5. Est-ce que tu te maquilles/tu te rases tous les jours ou seulement pour les grandes occasions?

6. Combien de fois par jour est-ce que tu te brosses les dents? Tu achètes souvent une nouvelle brosse à dents?

Act. 8. (partners) Bring articles or pictures to illustrate items such as *gel douche* and *savon.* Be sure students understand the vocabulary before assigning as a partner interview. *Allons plus loin!* is optional, intended for practicing *vous* forms. New vocabulary: *brosse à dents, électrique, gel, marque, mécanique, prendre un bain, rasoir, savon, seulement, shampooing.*

Allons plus loin!   Vous voulez probablement en savoir plus sur les habitudes de votre professeur. Alors, posez les mêmes questions à votre professeur.

MODÈLE: À quelle heure vous couchez-vous, monsieur/madame?

Les habitudes et les projets: From earlier *Mise en train* Activities, students should be familiar with forms of *aller* and *aller* + infinitive to express the future. (1) Review *aller* with nouns and infinitives (*futur proche*) using PF photos. As you talk, write examples on the board (*il va, nous allons, je vais jouer...*) *Voici la photo d'un cinéma.* *Qui va souvent au cinéma? Moi, j'y vais quelquefois... Voilà une femme élégante. Es qu'elle porte un pyjama? Non, c'est une robe du soir! Qu'est-ce qu'elle va faire? Est qu'elle va aller au McDo ou à l'opéra?* (2) Have the class open to the display and as questions about the drawings. *Est-ce que les Martin vont au restaurant le vendredi ou le samedi? Qui va au parc après le dîner? Qu'est-ce c Jean-Yves va faire la semaine prochaine?* New vocabulary: *chez, des amis, demain, faire de la voile, favori(te), parc. se promener, roman, la maine prochaine.*

AS 11. Show photos of places and ask who goes there. Inclu past vocabulary. *Cette femme va souvent au restaurant. Elle porte des vêtements élégants, n'est-ce pas? Est-ce que vous allez au restaurant? À quel restaurant? Portez-vous des vête-ments élégants quand vous y allez?*

AS 12. Find pictures that are suggestive of future activities and ask students to name the activities. Example: (man in pajamas reading t Sunday paper) *Oui, c'est probablement dimanche matin. Alors, qu'est-ce qu'il va faire aujourd'hui? (se doucher, s'habiller, faire une prom nade, etc.)*

AS 13. Show photos and ask students if they are going to do the activities during the coming year. *Qui va faire du ski? Qui va voyager?*

LES HABITUDES ET LES PROJETS

Attention! Étudier Grammaire 2.3

Christine va au parc après le dîner. Elle aime se promener.

M. et Mme Martin vont à leur restaurant favori le vendredi soir.

La semaine prochaine, Jean-Yves va faire de la voile.

Ce week-end, Camille va lire un bon roman.

Demain, Bernard et Christine vont dîner chez des amis.

Ce soir, Nathalie va prendre un bain avant d'aller au lit.

Act. 9. (whole class; partners) Students will discuss future plans using *aller* + infinitive. (1) Answer the items yourself, pausing to ask students to answer also. Include comprehension checks and comments. (2) Assign partners, then do the *modèle* with a volunteer reading *Él.* Show how to use *Exprime-toi!* and be sure everyone understands the other vocabulary. Students say whether statements are true or false for them. They may add items as needed to express their own experience. New vocabulary: *chercher un travail, faire la sieste, la fin, inviter, partir, pays, préparer un cours;* Exclamations: *Bonne idée!, C'est rigolo!, Le/la pauvre!, Moi non plus!, Quel dommage!, Quelle coïncidence!, Tiens!, Tu parles!*

Activité 9 Discussion: Les projets

Dites *oui* ou *non*.

1. Ce soir, je vais...
   a. faire des courses.
   b. travailler.
   c. préparer mes cours.
   d. -?-

2. Ce week-end, je vais...
   a. faire la sieste.
   b. inviter des amis chez moi.
   c. aller au centre commercial.
   d. -?-

3. À la fin du semestre, mes amis et moi, nous allons...
  a. partir dans un autre pays.
  b. chercher un travail.
  c. faire la fête.
  d. -?-

4. Le semestre prochain, je ne vais pas...
  a. étudier le week-end.
  b. sortir pendant la semaine.
  c. regarder la télé.
  d. -?-

MODÈLE: É1: Ce soir, je vais travailler et préparer mes cours.
        É2: Quelle coïncidence! Moi aussi!

Exprime-toi!

Quelle chance!
Bonne idée!
Quel dommage!
Ah! le/la pauvre!
Moi non plus!
Quelle coïncidence!
Tu parles!
Tiens! C'est rigolo!

Activité 10 Dialogue: Le Salon de l'auto

Julien Leroux parle avec un ami.

JULIEN: On va au Salon de l'auto ce soir?
L'AMI: Je ne sais pas. Je suis fauché.
JULIEN: Pas de problème, j'ai deux billets de promotion.
L'AMI: Tu as des billets gratuits? Ah, ça, c'est formidable!
JULIEN: Alors, je passe chez toi vers 7 h 30? Ça te va?
L'AMI: Parfait. Ciao! À ce soir!

Act. 10. (whole class; partners) (1) Explain that the *Salon de l'auto* is an annual event in Paris at which the latest models of cars are displayed. (2) Read the dialogue to the class. Explain new terms. Reread, with the class joining in. Have students read both roles, (3) Assign to partners. Partners should reverse roles after the first reading. New vocabulary: *à ce soir, alors, billet de promotion, Ça te va?, Ciao!, fauché(e), gratuit(e), je ne sais pas, parfait(e), passer chez, Salon de l'auto, vers.*

AS 14. Conversation party. Students circulate around the room to practice discussing plans and invitations. Each should talk with at least three people. Example: *É1:—Salut, Joe. Qu'est-ce que tu fais samedi après-midi? É2:—Pas grand-chose. É1:—Est-ce que tu voudrais jouer au tennis avec moi? É2:—D'accord, à quelle heure? É1:—À 15 h, ça te va? É2:—Parfaitement. À samedi, à 15 h. É1:—Ciao. À samedi!* You may also wish to teach how to refuse politely and how to negotiate other arrangements.

Activité 11 Récit: Les projets de Clarisse

Qu'est-ce que Clarisse Colin va faire vendredi prochain?

Act. 11. (whole class; partners) (See IM, Récit.) Step 1: Discuss the frames one by one. Name the items, people, and actions you see in the art. Include personal questions. *Ah! Clarisse se lève. Elle bâille et elle s'étire. À quelle heure se lève-t-elle?* (7 h 30) *Et vous, est-ce que vous vous levez à 7 h 30 le vendredi? À quelle heure...?*

Step 2: Assign partners to practice retelling the narrative. Point out *Vocabulaire utile* words. Students may take turns describing frames (*É1*/frame 1, *É2*/frame 2) or simply discuss each frame together. Basic input statements: (1) *Clarisse se lève à 7 h 15;* (2) *Elle se douche;* (3) *Elle s'habille;* (4) *Elle va à l'université;* (5) *Elle déjeune avec Marise et ses amis;* (6) *Ils vont dans une librairie;* (7) *Clarisse achète un livre;* (8) *Elle dîne avec un ami;* (9) *Ils vont au théâtre;* (10) *Ils vont au café après la pièce;* (11) *Elle se déshabille;* (12) *Elle se couche à une heure du matin.* New vocabulary: *autobus, librairie, payer, théâtre.*

AS 15. *Concours.* See which individual or group can make the most statements about each frame. Write these on the board as students talk. Students must raise their hands to be called on. Usually, the fastest is called on, but try to see that everyone gets to participate if they volunteer.

Vocabulaire utile: prendre l'autobus, à la librairie, au théâtre, payer

Activité 12 Entretien: Les habitudes

1. Où vas-tu d'habitude pour fêter ton anniversaire? Pourquoi est-ce que tu aimes y aller?
2. Où est-ce que tu vas pour acheter des vêtements? Tu préfères y aller seul(e) ou avec quelqu'un d'autre? Pourquoi?
3. Tu vas souvent au cinéma? Avec qui? À quel cinéma? Tu achètes toujours du pop-corn et un coca?
4. Est-ce que tu aimes explorer ta ville? Où vas-tu pour changer ta routine?
5. Où vas-tu le week-end pour te détendre? Qu'est-ce que tu fais, d'habitude? Avec qui?

Attention! Étudier Grammaire 2.4 et 2.5

La réalité

Barbara et Denise savent faire du canoë.

Jacqueline sait faire de l'escalade.

Daniel ne peut pas courir parce qu'il a la jambe cassée.

Les Martin ne peuvent pas dîner dans leur restaurant favori.

Le rêve

Charles veut apprendre à conduire cette année.

Agnès et Sarah veulent partir dans un pays tropical.

Activité 13 Échanges: Qu'est-ce que tu sais faire?

MODÈLE: É1: Est-ce que tu sais faire de la planche à voile?
          É2: Non, pas du tout, mais je sais nager. Et toi?

1. faire du canoë
2. faire de l'escalade
3. cuisiner
4. surfer sur Internet
5. conduire une voiture
6. réparer ton ordinateur
7. jouer au bridge
8. jouer d'un instrument de musique

Suggestions

très bien	plus ou moins	mal
un peu	très peu	pas du tout

«L'escargot alpiniste»

L'escargot à l'escalade
Sac au dos s'est mis en campagne
L'escargot à l'escalade
Va digérer la montagne.

Paul Claudel

Act. 13. (partners) Use your PF to review the action verbs. Be sure everyone understands the *Exprime-toi!* words. As a follow-up, find out how many in class know how to do each activity and where they go to do it. New vocabulary: *jouer, mal, pas du tout, plus ou moins, surfer sur Internet.*

As 20. Use PF photos of celebrities to review *savoir* + infinitives. *(Céline Dion) Qu'est-ce qu'elle sait faire? (chanter, danser, écrire des chansons, jouer de la guitare)* Variation: Professions *(un danseur: sauter, courir...)*

Ask what *sac au dos* refers to. Compare the size of the snail to the enormous size of the mountain. Explain *digérer: Vous mangez et après, vous digérez, n'est-ce pas? Sinon, vous avez une indigestion! Est-ce que l'escargot va digérer son dîner? (non) Non? Alors, qu'est-ce qu'il va digérer? (la montagne) Oui, il va digérer (escalader) la montagne.* Speculate with students about how long it will take the snail to *"digérer" (escalader)* the mountain.

Les francophones sur le vif. Pre-reading activity: (books closed) Make three columns on the board with the headings *vacances tranquilles*, *vacances sportives*, and *vacances culturelles*. Have students brainstorm activities fitting into each group, then state which they most identify with, and why. Then show a calendar with holiday periods. Students should indicate when these people are most likely to engage in their favorite activities.

LES FRANCOPHONES SUR LE VIF

Kévin Vanderelst a 17 ans. Il est élève en seconde au Lycée Dachsbeck, à Bruxelles.

Pour vous, qu'est-ce que ça signifie les vacances?

« Les vacances, c'est pour s'éclater[1]! Il me faut[2] de l'action et des sensations fortes. Je pratique des tas de[3] sports: du VTT,[4] du kayak, de la planche à voile en été, et en hiver, du surf des neiges. Toujours des sports d'extérieur: j'adore la nature et je ne veux pas rester enfermé!»

[1] avoir du plaisir
[2] **Il...** Pour moi, il est nécessaire d'avoir
[3] **des...** beaucoup de
[4] vélo tout-terrain

Cliquez là! Students will find many *Pyrénées* sites. The most useful refer to *activités en montagne*. Assign different research topics to different groups. For interested students, suggest they locate towns in the areas they would like to visit.

Cliquez là!

Visitez un site sur les Pyrénées. Quels types d'activités est-ce qu'on peut pratiquer dans cette région? Est-ce qu'on y trouve une carte de la région ou des informations sur la météo? Est-ce qu'on donne des informations aux visiteurs sur le shopping et les hôtels?

Act. 14. (partners; whole class) Students will need to create explanations by themselves. Do the *modèle* with the class, encouraging a long list of activities, which you quickly jot on the board. Assign to partners after going quickly over the items to be sure everyone understands. Follow up with a contest to see which pair comes up with the longest list of activities. Then decide with the class which are the most interesting and which are boring. New vocabulary: *fauché(e)*.

Activité 14 Échanges: Qu'est-ce qu'on peut faire?

Avec votre partenaire, suggérez des choses qu'on peut faire dans ces situations.

> MODÈLE: La télé est cassée jusqu'à la semaine prochaine. →
> On peut jouer aux cartes, on peut lire, on peut...

1. C'est le week-end et on est fauché.
2. Il fait beau, mais on est très fatigué.
3. Pas de cours aujourd'hui! Il y a trop de neige.
4. On veut pique-niquer, mais il pleut.
5. Aujourd'hui, des amis arrivent en visite et veulent voir la ville.
6. On fait du camping dans des conditions très primitives.
7. On est obligé de rester au lit pendant deux jours.

AS 20. *Concours.* Divide the class into teams. <u>Goal:</u> See which team can list the most activities one can do on weekends where you live. <u>Method:</u> Teams take turns speaking until all run out of ideas. Write these on the board under each team's name to keep score. <u>Extension:</u> List the things one cannot do where you live.

Activité 15 Récit: Les vacances de rêve de Julien

Julien va aller à la Martinique cette année. Qu'est-ce qu'il veut faire pendant sa visite?

> MODÈLE: Julien veut dormir tard tous les matins.

Act. 15. (whole class; partners). (1) Ask students to look at the maps at the front of the book. Locate Martinique; mention climate, what one can do there, that people speak *créole* and French. (2) Narrate Julien's plans yourself first, including names of things, places, and weather. Include comments and questions: *Ici à—, est-ce que nous pouvons (nous promener sur la plage?...).* Assign to partners to practice narrating Julien's plans. Input to include: 1. *Julien a l'intention de dormir tard le matin.* 2. *Il veut se promener sur la plage.* 3. *Il veut nager dans la mer.* 4. *Il voudrait faire la sieste sous un arbre.* 5. *Il veut visiter un aquarium.* 6. *Il va aller au marché.* 7. *Il voudrait faire de la plongée sous-marine.* 8. *Il veut faire de la planche à voile.* 9. *Il veut sortir le soir.* 10. *Il voudrait rencontrer de belles femmes.* 11. *Il veut danser.* 12. *Il veut se coucher tard toutes les nuits.* New vocabulary: *aquarium, Il a l'intention de, Il voudrait, marché, mer.*

Vocabulaire utile: un aquarium, des fruits, un marché, des poissons

Activité 16 **Dans le monde francophone: Les Français en vacances**

Act. 16. (whole class; partners) Vocabulary in Act. 16 is for recognition only. Help students guess intelligently at meaning (using knowledge of cognates/related words, reasoning from the logic of the context, etc.) (1) Dis-

Voici quelques activités préférées des Français, classées en trois catégories.

VACANCES SPORTIVES	VACANCES CULTURELLES	VACANCES DÉTENTES
faire du VTT (vélo tout-terrain)	visiter un musée	bronzer à la plage
apprendre à jouer au golf	visiter un monument historique	faire des mots croisés
faire un stage intensif de tennis	s'initier à la poterie	partir en croisière
faire des randonnées	lire des romans	faire la sieste tous les jours
pratiquer des sports «extrêmes»:	assister à un festival de théâtre	dîner dans des restaurants
le deltaplane, le parachutisme		visiter des caves à vins

Qu'est-ce que vous recommandez à ces vacanciers?

cuss the options to help students understand. Describe one type of vacation before moving to the next. Expand often: *Qui fait du VTT? C'est difficile?...* (2) Read the *modèle* aloud and ask what other activities Jean-Paul might do. (3) Assign the activity to partners or small groups. *Allons plus loin!* is optional. Include it here or later. (4) Review answers from various groups during whole-class follow-up.

MODÈLE: Jean-Paul Dubrac est sédentaire et n'a pas beaucoup d'argent. →
Il peut bronzer à la plage, faire des mots croisés et lire des romans.

1. Karine Halimi est une jeune femme plutôt intellectuelle.
2. M. et Mme Delaunay sont extrêmement actifs et ont la passion de l'aventure.
3. Anne-Marie Bonno n'a pas beaucoup d'argent mais elle est très cultivée.
4. Frédéric Lopez adore le risque.

Allons plus loin!   Vous allez partir en vacances avec votre camarade de classe. Choisissez des activités que vous allez prendre plaisir à faire ensemble. (*Nous pouvons...*)

LECTURE

À chacun ses loisirs

Mme Lescure et M. Durbec sont voisins et amis. Comme beaucoup de Français, ils n'ont pas le culte[1] du travail: pour eux, les loisirs sont sacrés.

Leur conception du temps libre est très différente. Mme Lescure veut toujours être active: elle fait de la gym tous les après-midi et joue au tennis le samedi matin. Quand le temps est clément, elle va faire de longues promenades à bicyclette sur de petites routes de campagne.

«Quelle énergie!» pense M. Durbec. Lui, c'est un intellectuel: son «sport» préféré? Lire un bon classique (Proust, Molière, Rimbaud) ou regarder un documentaire politique ou artistique sur Arte, la chaîne culturelle franco-allemande. Le week-end, il aime aller en ville pour voir une exposition de peinture ou flâner[2] dans les librairies. Son rêve, c'est de visiter tous les monuments de l'Hexagone:[3] châteaux de la Renaissance, églises romanes,[4] cathédrales, ruines romaines.

Ils parlent souvent d'aller passer des vacances ensemble, mais leurs goûts[5] ne sont pas vraiment compatibles. Mme Lescure trouve une solution: ils vont aller ensemble visiter les châteaux de la Loire... à vélo!

Vacances sportives et culturelles: cyclistes dans le Val de Loire (Chambord)

[1]**le**... la passion
[2]se promener tranquillement
[3]**l'**... = la France
[4]dans le style architectural des Xe–XIIe (dixième au douzième) siècles
[5]préférences

Avez-vous compris?

A. Vrai ou faux? Si c'est faux, donnez la solution correcte.

1. Mme Lescure et M. Durbec habitent ensemble.
2. Ils aiment tous les deux le temps libre.
3. Mme Lescure n'aime pas faire du vélo quand il ne fait pas beau.
4. M. Durbec a généralement beaucoup d'énergie.
5. M. Durbec préfère la lecture au sport.
6. Mme Lescure veut aller en vacances avec M. Durbec.

B. Et ça veut dire... ?

1. avoir le culte (du travail)
2. les loisirs
3. une librairie
4. flâner
5. l'Hexagone

a. le contraire de se dépêcher
b. avoir une obsession
c. entreprise où on peut acheter des livres
d. la France
e. le temps libre

À vous la parole!

Mme Lescure et M. Durbec veulent passer un week-end ensemble, mais leurs opinions divergent sur le genre d'activité à faire. Imaginez la suite de leur dialogue.

MME LESCURE: Si vous voulez, on peut aller faire une promenade à la campagne.

M. DURBEC: Quoi? Nous sommes en janvier, il fait trop froid! J'ai une autre idée: nous pouvons aller à Paris en train pour voir l'expo Van Gogh au Grand Palais.

MME LESCURE: Encore une exposition! C'est monotone...

À vous d'écrire. Step 1: Make sure students understand the situation before assigning the activity. Step 2: With the class, fill in the place, weather, and typical student activities. Advise students to take notes and to use this information when preparing their homework. Step 3: Assign the letter to be copied from the model, with the blanks filled with the appropriate information. Before students write, however, they should consult today's class notes and also decide what clothing to mention. They may add to the letter anything else they consider important.

AS 21. Show students how to do a semantic map as a device for outlining their letter. (See IM, Semantic Map.)

À vous d'écrire

Écrivez une lettre à un étudiant français/une étudiante française qui se prépare à passer un an dans votre université. Il/Elle demande des renseignements avant de choisir ses vêtements pour le séjour. Parlez-lui du climat, des saisons et de quelques activités typiques des étudiants.

MODÈLE: *Cher/Chère... ,*

Tu te prépares déjà pour ton année ici à... ? Bon, je vais répondre à tes questions. Ici à... , nous avons un climat... En été, il fait... En général, les étudiants (font du sport)... Ils portent...

Bonne chance avec tes préparatifs. À bientôt et amitiés,

www.mhhe.com/deuxmondes

À explorer: www.mhhe.com/deuxmondes/ pour obtenir plus d'informations sur les thèmes du chapitre.

Vidéothèque

Espace vidéo

Parler de la température. Dans ce segment, vous allez rencontrer Aimée. Elle est étudiante en beaux arts. Est-ce qu'elle aime étudier? Qu'est-ce qu'elle aime faire quand il fait froid et qu'il pleut? Est-ce qu'elle est attentive quand il fait très beau? Qu'est-ce que le professeur propose à Aimée? Est-ce qu'elle accepte? Où va-t-elle retrouver ses amis? Qu'est-ce qu'ils vont étudier ensemble?

Vocabulaire

Le temps et les saisons

Weather expressions and seasons

Quel temps fait-il?	What's the weather like?
Il fait beau.	It's nice.
Il fait chaud.	It's warm.
Il fait du soleil.	It's sunny.
Il fait du vent.	It's windy.
Il fait frais.	It's cool.
Il fait froid.	It's cold.
Il neige.	It's snowing.
Il pleut.	It's raining.
Il y a du brouillard.	It's foggy.
Le ciel est couvert.	It's cloudy.
la boue	mud
le ciel	sky
le climat	climate
la neige	snow
le soleil	sun
en automne (*m.*)	in autumn
en été (*m.*)	in summer
en hiver (*m.*)	in winter
au printemps (*m.*)	in spring

Les endroits

Places

à la maison	at home
la campagne	the country
une école	a school
une librairie	a bookstore
un marché	a market
une rivière	a river
sous un arbre	under a tree

Mots apparentés: **un café, le cinéma, un gymnase, un parc, une université**

Sports et loisirs

Sports and leisure

allumer un feu	to light a fire
apprendre à (nager)	to learn (to swim)
bavarder avec des amis	to chat with friends

chanter	to sing
courir	to run
se détendre	to relax
s'entraîner	to work out, train
faire de l'escalade	to do rock climbing
du canoë	to go canoeing
de la gymnastique	to do exercises
de la planche à voile	to sailboard
la sieste	to take a nap
du ski nautique	to waterski
du sport	to do sports
du vélo	to bicycle
de la voile	to sail
jouer du piano	to play the piano
passer chez quelqu'un	to go by someone's house
pêcher	to fish
prendre l'autobus	to take the city bus
se promener	to take a walk
rencontrer des amis	to meet (run into) friends
surfer sur Internet	to surf the Internet

Mots apparentés: **changer de routine, explorer, pique-niquer**

La routine et les soins corporels

Routine activities and personal care

une brosse à dents	a toothbrush
une marque de shampooing	a brand of shampoo
un miroir	a mirror
un rasoir (mécanique)	a razor
se brosser les dents	to brush one's teeth
se coucher	to go to bed
se dépêcher	to hurry
se déshabiller	to undress
se doucher	to take a shower
s'habiller	to dress
se laver le visage	to wash one's face
se lever	to get up
se maquiller	to put on makeup
prendre un bain	to take a bath
se raser	to shave
se réveiller	to wake up
se sécher	to dry oneself

La description
Describing people, things, actions

cassé(e)	broken
chaque	each
cher/chère	expensive; dear
ensemble	together
fauché(e)	broke, out of money
formidable	great
gratuit(e)	free (*no cost*)
mal	badly
nourrissant(e)	nutritious
parfait(e)	perfect
pas du tout	not at all
quotidien(ne)	daily
très peu	very little
un peu	a little

Mots apparentés: cultivé(e), électrique, primitif/primitive, rapidement, tropical(e), typique

Substantifs
Nouns

un billet	a ticket
une chambre	a bedroom
une cheminée	a fireplace
un emploi	a job
un lit	a bed
un ordinateur	a computer
le petit déjeuner	breakfast
un poisson	a fish
un rêve	a dream
un roman	a novel
un travail	a job

Mots apparentés: un aquarium, un autobus, une aventure, une loterie, une option, la réalité

Verbes
Verbs

allumer un feu	to light a fire
chercher	to search, look for
coûter	to cost
fêter	to celebrate
laisser	to leave behind
pouvoir	to be able (to)
prendre	to take (*eat, drink*)
savoir	to know
voir	to see
vouloir	to want, wish

Mots apparentés: arriver, changer, commencer à, partir, préférer, réparer, signifier, visiter

Quand et avec quelle fréquence
Saying when and how often

avant (de)	before
ce (matin, soir)	this (morning, evening)
de bonne heure	early
demain	tomorrow
d'habitude	usually
en retard	late
ensuite	next
le lendemain	the next day
le (vendredi soir)	on (Friday evenings)
parfois	sometimes
pendant la semaine	during the week
rarement	rarely
la semaine prochaine	next week
tard/tôt	late/early
toujours/jamais	always/never
trois fois (par semaine)	three times (a week)

Mots et expressions utiles
Useful words and expressions

Bonne idée!	Good idea!
Ça te va?	Does that suit you?
–Parfaitement.	–Perfectly.
C'est barbant!	It's really boring!
C'est génial! Super!	Cool! Awesome!
C'est nul!	It's awful!
C'est rigolo!	That's funny! (amusing)
chez toi (des amis)	at your house (some friends' place)
Ciao! À ce soir.	So long! See you tonight.
Le/La pauvre!	Poor guy/woman!
Pas grand-chose.	Not much.
personne... ne	nobody
Quel dommage!	What a shame!
Quelle chance!	What (good) luck!
Tu aimes mieux...	You prefer . . .
Tu parles!	You don't say!

Grammaire et exercices

2.1 Talking about activities and weather: The verb FAIRE

2.1. Use your PF to review forms of *faire* in verbal expressions for leisure activities. As you make remarks and ask personalized questions, work in the various subjects and write examples of all forms on the board. Students need extra help binding *faire* when it means *to do*. Point out this meaning in the context of plans, invitations, and habitual actions. *Qu'est-ce que vous allez faire ce week-end? Qu'est-ce que vous faites après le cours aujourd'hui? Qu'est-ce que vous faites quand vous avez un examen?* Remind them that the answer to such questions is generally a different verb rather than *faire* itself.

A. **Faire** is one of the most frequently used verbs in French. In addition to its basic meanings, it is used in many idiomatic expressions. Here are the present-tense forms.

faire *(to do; to make)*	
je **fais**	nous **faisons**
tu **fais**	vous **faites**
il/elle/on **fait**	ils/elles **font**

Pronunciation Hint:

fai$, fai$, faisõ$, fait$, fõ$

B. Use the verb **faire** to ask what someone is doing or what work people do.

—Qu'est-ce que tu **fais** ce soir?   *What are you doing tonight?*
—J'écoute un nouveau CD.   *I'm listening to a new CD.*

—Que **fait** ton frère?   *What does your brother do?*
—Il travaille dans un restaurant.   *He works in a restaurant.*

★ *Review vocabulary for weather in the* **Vocabulaire, Chapitre 2.**

C. Another important use of **faire** is to talk about the weather.

—Quel temps **fait**-il?   *What's the weather like?*
—Il **fait** mauvais.   *It's bad weather.*

★ *Review idioms with* **faire** *in the* **Vocabulaire, Chapitres 1 and 2.**

D. **Faire** is used in many idiomatic expressions that name specific activities (**faire une promenade, faire du camping**).

Au lac, nous **faisons du bateau.**   *At the lake, we go boating.*
Je **fais de l'anglais** pour être   *I'm studying English in order to be an*
professeur d'anglais.   *English teacher.*

Ex. 1. Use for partner practice after assigning as homework. Remind students that the answers will usually require different verbs.

ES 1. Do input with *faire (to do)* to discuss habitual action: *Qu'est-ce que vous faites le samedi d'habitude? avant d'aller à une fête? avec vos amis? quand il neige? quand vous êtes fatigué(e)? le vendredi soir?*

Exercice 1 Les activités

Complétez les questions par la forme correcte de **faire,** et puis répondez.

1. Est-ce que tes copains aussi _____ du français? Ou est-ce qu'ils _____ de l'espagnol?
2. Qu'est-ce que tu _____ comme études? Tu _____ de la chimie, de l'économie, de la littérature?
3. Que _____ ta mère? Elle travaille dans un bureau?
4. Que _____ ton père? Où est-ce qu'il travaille?

5. Toi et tes copains, qu'est-ce que vous _____ ensemble le week-end? Vous _____ du camping? Vous jouez aux cartes?

6. Toi et ta famille, est-ce que vous _____ des voyages ensemble?

2.2 Talking about everyday activities: REflExivE vErbs

A. Reflexive pronouns are used whenever the object of the verb is the same as the subject.

> *He cut **himself** while shaving.*   *She taught **herself** to play the violin.*

B. Many verbs that require reflexive pronouns in French do not require them in English.

> —Comment **s'appelle** cet étudiant?   *What is that student's name?*
>
> —Il **s'appelle** Daniel.   *His name is Daniel.*
>
> Je **me lève** toujours à sept heures du matin.   *I always get up at seven o'clock in the morning.*

Here are the reflexive pronouns and examples of their use with two reflexive verbs. Note that the **e** of **me, te,** and **se** is dropped before a verb beginning with a vowel or a mute **h**.

	se promener *(to take a walk)*		**s'amuser** *(to have fun)*	
me/m'	je **me**	promène	je **m'**	amuse
te/t'	tu **te**	promènes	tu **t'**	amuses
se/s'	il/elle/on **se**	promène	il/elle/on **s'**	amuse
nous	nous **nous**	promenons	nous **nous**	amusons
vous	vous **vous**	promenez	vous **vous**	amusez
se/s'	ils/elles **se**	promènent	ils/elles **s'**	amusent

> Raoul et moi, **nous nous amusons** avec nos amis français.   *Raoul and I have a good time with our French friends.*

Pronunciation Hint:

nou$ nou$ prom$é$n$õ$$ñ$$, vou$ vou$ prom$é$ne$z$, but nou$ nous^{z}amus$õ$$ñ$$, vou$ vous^{z}amuse$z$

C. Here are some common reflexive verbs:

s'amuser *to have a good time, enjoy oneself*	**se laver** *to wash oneself, bathe*
se baigner *to take a bath; to swim; to bathe*	**se lever** *to get up*
se coucher *to go to bed; to lie down*	**se promener** *to take a walk*
s'habiller *to get dressed*	**se reposer** *to rest*
	se réveiller *to wake up*
	se sécher *to dry oneself*

Definition: The object of a verb is the person or thing affected by the action expressed by the verb. He cut his finger.

2.2. *S'amuser* is included here because it is so frequent. Additional reflexive verbs with more idiomatic meaning are introduced in *Chapitre 6*. The reciprocal use of reflexives is presented in *Grammaire 13.1*. You may wish to point out that many verbs can be used with or without a reflexive pronoun, depending on whether the object of the verb is the same as the subject or different: *Mme Colin **se réveille** à 6 h, et puis elle **réveille les enfants** à 6 h 30. Bernard Lasalle **promène son chien** tous les soirs.*

➤ je *m'*appelle
   tu *t'*appelles
   il/elle *s'*appelle

✸ See **Appendices A** and **C** for spelling changes in **s'appeler, se lever,** and **se promener.**

ES 2. Reflexive verbs. Ask choice questions based on your PF: *Est-ce que cette femme se maquille ou se douche? Est-ce que cet enfant se couche ou se lève?* Intersperse questions with *vous: Et vous, est-ce que vous vous maquillez? Est-ce que vous vous douchez le matin ou le soir? Est-ce que vous vous levez tôt?*

✸ See **Appendices A** and **C** for spelling changes in **sécher** (like **préférer**).

D. In negative sentences, **ne** always precedes the reflexive pronoun.

> M. Vincent **se réveille** de bonne heure, mais il **ne se lève pas** tout de suite.

> *Mr. Vincent wakes up early, but he doesn't get up immediately.*

E. If an infinitive with a reflexive pronoun follows another verb (such as **aimer, préférer**), the reflexive pronoun comes before the infinitive. The reflexive pronoun must agree with the subject.

> —Est-ce que vous aimez **vous** promener en ville?

> *Do you like to take walks in the city?*

> —Non, je préfère **me** promener à la campagne. Adrienne aime rester chez elle et **se** reposer.

> *No, I prefer to take walks in the country. Adrienne likes to stay at home and rest.*

Exercice 2 Les habitudes et les préférences

Ex. 2. Students practice the reflexive pronouns *me* and *te*. After they have done the assignment, you may wish to have partners compare their answers. *Vous* can be practiced by having the class volunteer questions to you.

Posez des questions et répondez en suivant l'exemple.

> MODÈLE: se lever à 8 h →
> —Est-ce que tu te lèves à 8 h?
> —Oui, je me lève à 8 h. (Non, je me lève à 7 h.)

1. se lever tôt
2. se maquiller tous les jours
3. se laver les cheveux tous les jours
4. se brosser les dents trois fois par jour

> MODÈLE: aimer se coucher tôt →
> —Tu aimes te coucher tôt?
> —Oui, j'aime me coucher tôt. (Non, je n'aime pas me coucher tôt.)

5. aimer se coucher tard
6. préférer se doucher le soir
7. aimer se reposer après les cours
8. préférer se lever tard le week-end

Exercice 3 Êtes-vous des étudiants typiques?

Ex. 3. This exercise provides practice with third-person plural and *nous* forms of reflexive verbs.

D'abord, dites si vous êtes d'accord, puis indiquez si c'est vrai pour vous et vos copains.

> MODÈLE: Les étudiants se couchent tard. →
> Oui, en général, les étudiants se couchent tard.
> Mes copains et moi, nous nous couchons tard (nous ne nous couchons pas tard).

1. Les étudiants s'amusent beaucoup le **v**endredi soir.
2. Les étudiants s'habillent toujours en jean.
3. Les étudiants ne se reposent pas assez.*
4. Les étudiants se couchent après minuit.
5. Les étudiants se lèvent tard le week-end.

---

*enough

2.3 Going places and future actions: THE VERB **ALLER**, CONTRACTIONS OF À

A. To talk about going places, use the irregular verb **aller.**

2.3. This section introduces the forms of *aller* and the use of *aller* + infinitive to express future action. We also introduce the contractions of à. Students will have seen and heard them used in expressions such as *jouer au tennis*. *Y* is presented here for recognition, because it should occur naturally in your teacher-talk. Point out the obligatory presence of *y* with *aller* (*J'y vais*), and explain that *je vais* alone cannot express the English "I'm going."

aller *(to go)*	
je **vais**	nous **allons**
tu **vas**	vous **allez**
on **va**	ils/elles **vont**

(handwritten note: y = à + noun referring to place or phrase; aux Halles = au café; contraction w/ à; some definite article; de + les = des; de + le = du; de + la; à + le + à; à + les = aux; going to a place; a + le = au)

—...es ce soir? — *What are you doing tonight?*
—...l. — *We're going to Raoul's.*

—...se tous — *My parents go to church every Sunday.*

...ous alle**z**, ils vont

...to a place, the most frequently used preposition is à ... th some of the definite articles: **à + le = au; à +**

➤ **à + le = au**
➤ **à + les = aux**

—Où va Clarisse après le cours? — *Where is Clarisse going after class?*
—Elle va **au** café avec ses amis. — *She's going to the café with her friends.*

Sarah aime aller **aux** Halles. — *Sarah likes to go to the underground mall in Paris.*

C. The pronoun **y** can replace the preposition **à** + a noun referring to a place, and phrases with **dans** or **chez**. **Y** is always placed just before the verb.

—Est-ce que Fatima va **à la bibliothèque** aujourd'hui? — *Is Fatima going to the library today?*
—Oui, elle **y** va après ses cours. — *Yes, she's going (there) after her classes.*

—Tu vas **chez Denise** ce soir? — *Are you going to Denise's this evening?*
—Oui, j'**y** vais. — *Yes, I'm going (there).*

➤ **Vas-y! Allez-y!** = Go ahead!
➤ **Allons-y!** = Let's go!

ES 3. *Aller* + infinitives. Display (1) a list of places and (2) a list of predicates (transparency/handwritten on the board). Ask students what they are going to do there. —*Cheryl, vous êtes au restaurant. Qu'est-ce que vous allez faire au restaurant? —Je vais dîner.* Encourage students to think of as many logical activities as possible in each place. Places: *à la bibliothèque, au restaurant, au gymnase, au cinéma, à la piscine, à la montagne, à la maison, au parc;* Activities: *faire de l'exercice, nager, lire un livre, jouer au basket, étudier, bronzer, faire du ski, dormir, jouer au tennis, faire une promenade, faire du camping, regarder un film.*

D. Use **aller** followed directly by an infinitive to express future actions. This construction is called the **futur proche.**

—Où est-ce que vous **allez dîner** ce soir? — *Where are you going to have dinner tonight?*
—Je **vais dîner** chez Michèle. — *I'm going to have dinner at Michele's.*

E. Here are some expressions for talking about the future:

demain	*tomorrow*
demain matin/soir	*tomorrow morning/evening*
samedi prochain	*next Saturday*
la semaine/l'année prochaine	*next week/year*
dans un mois	*in a month*

Ex. 4. This exercise practices all forms of *aller.* Assign for home study.

Exercice 4 Dans la classe de Mme Martin

Remplacez les tirets par la forme correcte du verbe **aller.**

1. Moi, je _____ à la bibliothèque pour travailler jusqu'à sept heures ce soir.
2. Ce soir, nous _____ tous chez Daniel écouter de la musique.
3. Mme Martin, vous _____ au nouveau restaurant italien ce soir, n'est-ce pas?
4. Louis et Albert _____ au café maintenant, comme d'habitude.
5. Daniel, tu _____ au cinéma demain avec une nouvelle amie, n'est-ce pas?
6. Et Raoul _____ à Montréal ce week-end. Il a de la chance!

Ex. 5. This exercise practices contractions with à and the use of *aller + y* to express the English "I'm going (there)." For further input, have volunteers ask you the questions with *vous.*

Exercice 5 Où vas-tu?

Faites des questions et répondez avec **y.**

MODÈLE: le restaurant →
—Tu vas au restaurant?
—Oui, j'y vais souvent/quelquefois. (Non, je n'y vais pas.)

1. la piscine
2. le théâtre
3. le bar
4. l'hôpital
5. le gymnase
6. la banque
7. le café
8. l'église

Ex. 6. Students will practice *aller + infinitive* with *je, il/elle,* and *ils.* For review, partners or groups might compare responses.

Exercice 6 Les projets

Répondez en employant le futur proche.

MODÈLE: Ce soir, est-ce que vous allez...
a. faire la cuisine? **b.** dîner au restaurant? →
Ce soir, je vais dîner au restaurant. (Ce soir, je ne vais pas manger. Je n'ai pas faim.)

1. Ce soir, est-ce que vous allez...
   a. faire vos devoirs? **b.** sortir avec des amis?

2. Demain matin, allez-vous...
   a. vous lever à 7 h? **b.** dormir jusqu'à 9 h?
3. Demain soir, est-ce que vous allez...
   a. regarder votre émission favorite **b.** vous coucher de bonne heure?
   à la télé?
4. Ce week-end, est-ce que vos amis vont...
   a. faire du ski nautique? **b.** regarder un film ensemble?
5. Samedi soir, est-ce que votre camarade de chambre (mari, femme) va...
   a. rester à la maison et jouer aux **b.** aller à un concert
   cartes? symphonique?

2.4 Making general statements: THE SUBJECT PRONOUN ON

A. The subject pronoun **on** is similar in meaning to the impersonal English uses of *you, people, they.* Because the form **on** is grammatically singular, it is always used with the same verb form as **il** and **elle.**

2.4. We introduce the subject pronoun *on* in a separate section because of its high frequency in spoken French.

En France, **on fait** les courses *In France, people (they) do their*
   tous les jours. *shopping every day.*
En France, **on ne trouve pas** de *In France, you don't find medicine at*
   médicaments au supermarché. *the supermarket.*

B. In everyday conversation, French speakers often use **on** in place of the subject pronoun **nous.**

—Vous rentrez à quelle heure, *What time are you and Monique*
   Monique et toi? *coming home?*
—**On** rentre tard, après le film. *We'll be home late, after the movie.*

Albert et moi, **on** aime le cinéma. *Albert and I like the movies.*

Pronunciation Hint:

The **-n** of õn̷ is a liaison consonant: õn̷ faiț, but õn‿achèțe.

Exercice 7 Aux États-Unis

Ex. 7. This exercise gives intensive input with the impersonal sense of *on.* Additional questions: *Est-ce qu'on aime aller au théâtre? Est-ce qu'on rentre à la maison à midi pour déjeuner? Est-ce qu'on va souvent au café?*

Un Français curieux vous pose des questions sur les habitudes des Américains. Répondez par **oui** ou **non.**

MODÈLE: Aux États-Unis, est-ce qu'on va à l'école le samedi? →
Non, on ne va pas à l'école le samedi.

1. Aux États-Unis, est-ce qu'on regarde beaucoup la télévision?
2. Est-ce qu'on mange toujours des hamburgers?
3. Est-ce qu'on va au restaurant tous les jours?
4. Est-ce qu'on dîne à huit heures du soir?
5. Est-ce qu'on aime les films français?
6. Est-ce qu'on fait des promenades en famille le dimanche après-midi?
7. Est-ce qu'on aime parler de la politique?
8. Est-ce qu'on étudie beaucoup la géographie?

2.5 Abilities and desires: THE VERBS **pouvoir, vouloir,** and **savoir**

2.5. This section continues the spiraled introduction of the verb + infinitive construction, first with *pouvoir* and *vouloir*, then with *savoir*. Before assigning as homework, do PF input that includes forms of the verbs used with infinitives. Develop the conjugations yourself with examples from the board. Explain that *je voudrais/j'aimerais* are used as a matter of politeness. You may want to refer students to *Le verbe français* sections in the *Cahier d'exercices*.

A. To talk about what you can do or have permission to do, use **pouvoir**. **Vouloir** is used to indicate wishes or desires. These two irregular verbs are very similar in their conjugation patterns. Like **aimer,** they are often followed by an infinitive.

➤ **vouloir** = to want to
Je veux manger.
➤ **pouvoir** = can, be able to
Tu peux sortir ce soir?

pouvoir (*to be able, can*)		vouloir (*to want*)	
je **peux**	nous **pouvons**	je **veux**	nous **voulons**
tu **peux**	vous **pouvez**	tu **veux**	vous **voulez**
il/elle/on **peut**	ils/elles **peuvent**	il/elle/on **veut**	ils/elles **veulent**

➤ **négatif = Je ne veux pas sortir. Je ne peux pas dormir.**

—Tu **veux** aller au cinéma ce soir?

—Je ne **peux** pas. Je suis fauché(e).

Do you want to go to the movies tonight?

I can't. I'm broke.

Pronunciation Hint:
peu̶x̶, peu̶t̶, pouvõn̶s̶, pouve̶z̶, peuve̶n̶t̶; veu̶x̶, veu̶t̶, voulõn̶s̶, voule̶z̶, veule̶n̶t̶

B. **Savoir** is used to talk about knowing facts.

➤ **savoir** = to know (*a fact*)
Je sais la réponse.

ES 4. To practice *savoir* with nouns, assign partners and distribute two different sets of cards, one copy for Partner A and one for Partner B. Card A: *mon âge, mon adresse, mon nom de famille, les formes du verbe* aller, *la date de l'examen*; Card B: *mon numéro de téléphone, la couleur de mes yeux, mon prénom, la date de l'anniversaire de ta mère, l'âge de ton père*. Partners take turns asking questions like *Est-ce que tu sais mon adresse? Est-ce que tu sais l'âge de ton père?*

savoir (*to know*)	
je **sais**	nous **savons**
tu **sais**	vous **savez**
il/elle/on **sait**	ils/elles **savent**

—Tu **sais** la date d'aujourd'hui?

—Non, je ne la **sais** pas.

Do you know the date today?

No, I don't know it.

ES. 5. Hot po[...] Display a list [...] predicates on [...] OHP or board [...] Do as partner [...] small-group p[...] tice. É1 select[...] verb from the [...] and asks a question with *savoir*. É2 replies with *savoir*, but adds a new verb with *vouloir*. É1: —Est-ce que tu sais (nager)? —É2: Oui, je sais nager, mais je ne veux pas nager. Je veux jouer au tennis. Suggestio[...] cuisiner, jouer au tennis, jouer au bridge, faire du ski, danser, jouer d[...] piano.

Pronunciation Hint:
sai̶s̶, sai̶t̶, savõn̶s̶, save̶z̶, save̶n̶t̶

C. When **savoir** is used with an infinitive, it conveys the notion of knowing how to do something.

➤ **savoir** + infinitive = to know how to (*do something*)
Je sais nager. Je ne sais pas danser.

Je ne **sais** pas nager.
Tu **sais** cuisiner, n'est-ce pas?

I don't know how to swim.
You know how to cook, don't you?

➤ **je voudrais, j'aimerais** = I would like (to)
Je voudrais dormir maintenant!

D. The expressions **je voudrais** and **j'aimerais** are used to express polite wishes. Other useful forms: **tu voudrais; il/elle/on voudrait.** (These are forms of the conditional mood. For now, you need only know their meaning.)

—Où est-ce que tu **aimerais** **voyager?**

Where would you like to travel?

—Je **voudrais aller** en France.

I'd like to go to France.

★ *You will learn more about the conditional in* **Grammaire 8.5** *and* **11.1.**

Pronunciation Hint:

voudrais̸, voudrai̸t

Exercice 8 Désirs et possibilités

Ex. 8. Besides providing practice in forms, this exercise highlights the meaning of *pouvoir*. Students can use it as a review activity for groups or partners.

Dites d'abord si la personne *veut* faire l'activité, et puis, dites si elle *peut* la faire.

MODÈLE: moi / sortir tous les soirs →
Oui, je veux sortir tous les soirs. (Non, je ne veux pas...)
Oui, je peux sortir tous les soirs. (Non, je ne peux pas...)

1. moi / aller en Europe l'été prochain
2. mes parents / passer l'hiver en Floride
3. le professeur / se lever tard en semaine
4. nous / comprendre un film en français
5. mon ami(e) _____ / m'aider avec mes devoirs de français

Exercice 9 Qu'est-ce que tu aimerais vraiment faire?

Ex. 9. Students practice the polite form *voudrais* with infinitives. Be sure they understand that *j'aimerais* can also be used instead. For extra practice, have partners ask and answer questions: *Est-ce que tu voudrais faire du ski nautique? Oui, je voudrais... / Non, je ne voudrais pas... Et toi?*

Voudrais-tu faire ces activités?

MODÈLE: faire du ski nautique →
Oui, je voudrais faire du ski nautique. (Non, je ne voudrais pas...)

1. dîner dans un bon restaurant français
2. manger des escargots
3. habiter à Paris
4. faire de la plongée sous-marine
5. visiter une autre planète
6. être président(e) des États-Unis

Exercice 10 Savoir-faire

Ex. 10. This exercise practices *savoir*. If used in class, remind students that *savoir = to know how* when used with infinitives.

Complétez la question par une forme du verbe **savoir,** et répondez à la question.

MODÈLE: Est-ce que votre professeur de français _____ parler russe? →
Est-ce que votre professeur de français *sait* parler russe? Oui, il/elle sait parler russe. (Non, il/elle ne sait pas parler russe.)

1. Est-ce que vous _____ faire du ski nautique?
2. Est-ce que votre père _____ faire la cuisine?
3. Est-ce que votre sœur _____ réparer une voiture?
4. Est-ce que vos amis et vous, vous _____ jouer au bridge?
5. Est-ce que vos parents _____ utiliser un ordinateur?
6. _____ -vous parler grec?

GOALS FOR *CHAPITRE 3*

The semantic focus is the city: using maps, naming places, and talking about transportation, errands and entertainment. Students will begin to comprehend locative description, expressions of necessity and demonstratives. *Functional goals:* (1) Ask about or say where a place is located; (2) Say what you have to do this weekend or at another time; (3) Ask basic questions to get information or make simple transactions.

MISE EN TRAIN

1. Location. Use TPR to introduce prepositions of location (*à côté de, dans, derrière, devant, en face de, entre, sur, sous*). Have students take out a paper, pencil/pen, and their textbook. At first, demonstrate: *Mettez le stylo sur le livre de français.* (Put your own pen on top of your textbook.) *Maintenant, mettez-le sous le livre et mettez la feuille de papier dans le livre.* As students acquire the commands, ask questions: *Est-ce que le stylo est sur le livre ou sous le livre?* After they can recognize the locative words, ask about objects in the classroom and places on campus.

2. Places and location. Use your PF to introduce names of places in a city and activities for those places. *Ce théâtre se trouve à Paris. Il s'appelle le Théâtre de la Huchette. Vous aimez aller au théâtre? Qu'est-ce qu'on fait au théâtre? On y regarde une pièce, n'est-ce pas? Ma pièce préférée, c'est...* As students acquire the terms, ask where the places are located in your city. (See *Vocabulaire* for places.)

3. Necessity + shopping and errands. Introduce names of products and errands with your PF. In your input, include forms of *devoir, il faut,* and names of stores. Write example verb forms on the board as you talk. *Voici des timbres-poste. Où est-ce qu'on doit aller pour acheter des timbres? À la banque ou à la poste?* (See *Vocabulaire, Chapitres 2, 3,* for businesses.)

CHAPITRE 3

En ville

Des visiteurs et des Parisiens convergent sur les Champs-Élysées

Objectifs

IN **CHAPITRE 3,** *you will talk about things to do in the city. You will learn names of places, how to ask for and give directions, and expressions useful for shopping. You will also learn how to say what you have to do.*

activités

- S'orienter en ville
- La ville et les transports
- Les achats
- Les distractions

lectures

- **La langue en mouvement**   Hôtel de ville
- **Info: Société**   Le centre-ville
- **Les francophones sur le vif**   Marc-André Hébert
- **Lecture**   Découvrez le Vieux Montréal

grammaire

- **3.1** Saying where things are: Prepositions of location
- **3.2** Asking questions: Interrogative words
- **3.3** Verbs like **prendre**
- **3.4** Expressing necessity: **Il faut** and the verb **devoir**
- **3.5** Pointing things out: Demonstrative adjectives
- **3.6** Expressing quantities: Partitive articles
- **3.7** The verbs **sortir** and **dormir**
- **3.8** The verb **courir**

Activités et lectures

AS 1. Show slides or photos of a French town. Include familiar places like *la bibliothèque, le musée* and other places like *le château*, parks, playgrounds, schools, ancient buildings, etc. Culture: French streets are often named for notables (*l'avenue Victor Hugo*) and dates/events (*rue du 4 novembre*). Names such as *rue principale* or *cinquième avenue* are virtually nonexistent.

S'orienter en ville. (1) Begin with your PF to introduce/review words for places in the city. (See *Mise en train, Acts. 1, 2*) (2) Move to the drawing. Talk about where places are located on the map, what one can do in each place, and who might go there. Insert frequent comprehension checks/review: *Est-ce que la banque est dans la rue Danton? Et la gare est dans la rue Leclerc ou la rue des Rosiers? Où est-ce qu'on peut prendre un train? Où est-ce qu'on trouve le maire de la ville?* (3) Discuss your own town or campus: *Et ici, à* (your town), *dans quelle rue se trouve l'université? Où est la gare?* New vocabulary: *avenue, banque, bibliothèque, bureau de poste, cinéma, coin de rue, commissariat de police, école primaire, église, gare, hôpital, jardin public, lycée, mairie, musée, place, restaurant, rue, théâtre.*

Attention! Étudier Grammaire 3.1 et 3.2

Act. 1. (whole class) Have students look at the art and indicate their comprehension with *oui* or *non* as you read the statements aloud. You may then wish to pair students to read the statements to each other. New vocabulary: *plan de la ville, sculpture, terrasse.*

AS 2. Do a TPR sequence on giving directions to different places on campus. *Vous allez de cette salle de classe jusqu'à (la bibliothèque). Sortez...* Include the following: *aller tout droit, tourner à droite/à gauche, continuer tout droit.*

AS 3. Have students move about the classroom and ask at least three different classmates how to get to a particular place from your campus. Each student should decide (privately) on a well-known place in advance.

Activité 1 Discussion: Où se trouvent ces endroits?

Regardez le plan de la ville et dites si ces descriptions sont vraies ou fausses.

1. Le bureau de poste est dans la rue Danton.
2. La mairie est à côté d'un lycée.
3. Il y a une église en face du jardin public.
4. Le théâtre est loin de la banque.
5. La bibliothèque est devant la mairie.
6. Il y a une sculpture sous un arbre, sur la terrasse du musée.
7. L'hôpital est derrière le théâtre.
8. L'école primaire est près du jardin public.
9. Il y a une cheminée sur le toit de l'église.
10. Il y a un café entre le lycée et la gare.

100

Activité 2 Interro: Les endroits publics

Situez les bâtiments et endroits publics sur le dessin.

MODÈLE: É1: Où est le bureau de poste?
É2: Le bureau de poste est dans la rue Danton, à côté de l'église.
É1: Est-ce que c'est loin de la mairie?
É2: Non, c'est près de la mairie.

Vocabulaire utile:

en face de/devant ≠ derrière	à côté de
près de ≠ loin de	dans
sur ≠ sous	entre

Act. 2. (partners) Before students do the activity in pairs, remind them that *de* will change, depending on the noun it precedes (*en face de la bibliothèque, du café, de l'école primaire*). Preview with questions: *Est-ce qu'il y a une mairie dans cette ville? (oui) Où se trouve la mairie? Est-ce qu'elle est à côté du commissariat ou en face du commissariat?*

Info: Société. Point out that place names in France are often derived from Latin names dating from the Roman occupation starting in the 1st century B.C.E. The village of *Lutèce* (Lutetia) became Paris because of the Gallic tribe of the Parisii who lived

Le village de Bitche, en Lorraine

Info: Société

Le centre-ville

there, Amiens got its name from the Ambiani; Metz, from the Mediomatrices. Aix-en-Provence (Aquae Sextiae) was named in memory of the consul Sextius, who established it as a spa (Aquae means "waters"). Marseille (Massalia), the oldest city in France, which turned 2600 in 1999, began as a Greek colony.

Les villes d'Europe, et de France en particulier, sont généralement vieilles de plusieurs siècles.[1] Fortifiées à l'origine, beaucoup de ces villes gardent[2] aujourd'hui leur structure concentrique. Au centre-ville, il y a souvent une grande place avec un monument ou une fontaine, et des bâtiments publics, comme l'église, l'hôtel de ville[3] et le bureau de poste. Le centre-ville regroupe aussi des commerces traditionnels: une boulangerie[4]—indispensable!—une pâtisserie, un bureau de tabac et, bien sûr, au minimum un café. C'est un point de rendez-vous pour les habitants, le cœur de l'identité d'une ville ou d'un village. Dans les grandes villes, il y a aussi une gare et un bureau d'information pour les visiteurs et les touristes, appelé le «syndicat d'initiative».

[1]périodes de 100 ans
[2]conservent
[3]**l'hôtel...** bâtiment administratif principal
[4]*bakery*

Pre-reading activity: Ask students to draw a map of their own city, or of a city they know well. Help them label the main features: *rues, avenues, places publiques, centre-ville, etc.*

Post-reading activity: Show pictures of walled cities or villages to help explain the traditional pattern in city construction. Use gestures to clarify the meaning of *cœur.* You may want to specify that the *centre-ville* is often the focal point of communal life, where people live, do their daily shopping (in small stores and in markets or *halles*), eat out, gather to attend Mass, play *pétanque* or, in smaller communities, simply chat and socialize.

La langue en mouvement

Hôtel de ville

«Hôtel de ville» vous semble peut-être une désignation étrange pour une mairie. En fait, dans une de ses significations, le mot *hôtel* désigne un grand édifice destiné à un établissement public. Au Moyen Âge, *hôtel* signifiait simplement *maison*.

La langue en mouvement. Note the correspondence between French -*t*- and English -st-, since the circumflex was often added where an earlier -s- had been dropped out (e.g., *forêt, château, maître*). *Hôtel* is closely related to English "hostel" and "host" (*hôte* = "guest" or "host"), and belongs to the same word family as "hospital" (*hôpital*), "hostage" (*ôtage*), and "hospice" (*hospice*). All can be traced to the Late Latin word *hostis* meaning "guest." With the exception of "hospice," the English words were all borrowed from medieval French, before the dropping out of -s- before a consonant. *Hospice* retains the -s- in French because it was a new word created on the Latin model, and thus did not undergo the same sound changes as original Latin words that had a continuous existence in medieval French.

Act. 3. (partners) Review/introduce vocabulary with photos before assigning to partners. Note that this activity includes input with *à* and its contractions. Follow up with questions: *Qui va à la bibliothèque municipale? Vous y allez souvent? Combien de livres empruntez-vous, normalement?* New vocabulary: *centre commercial, déposer de l'argent, emprunter un livre, envoyer une lettre, journal, mosquée, prier, temple, timbre, train, voir une pièce.*

AS 4. Associate employees with the places in which they work. Examples: *les médecins (à l'hôpital), les professeurs (au lycée), les pharmaciens (à la pharmacie), le prêtre/le pasteur (à l'église), les acteurs (au théâtre).*

Activité 3 Associations: Qu'est-ce qu'on peut y faire?

Qu'est-ce qu'on peut faire dans les endroits suivants?

> MODÈLE: É1: Qu'est-ce qu'on peut faire au musée?
> É2: On peut y regarder des peintures et des sculptures.

1. à la banque
2. à la bibliothèque
3. au bureau de poste
4. au théâtre
5. au restaurant
6. à la gare
7. à la piscine
8. à la mairie (en France)
9. au centre commercial
10. à l'église, au temple ou à la mosquée

acheter des timbres
envoyer des lettres
voir une pièce
chanter et prier
déposer de l'argent
emprunter des livres
faire des achats
lire un journal
manger avec des amis
prendre le train
se marier
-?-

Act. 4. (whole class; partners) Locate the names of the places and streets on the map. Explain briefly about the places as you do so: *Est-ce que le Palais de l'Élysée est situé près de l'avenue des Champs-Élysées? (oui) Est-ce qu'il est près du boulevard St-Michel? Et qu'est-ce que c'est, le Palais de l'Élysée? C'est la résidence du président de la France. Comment s'appelle la résidence du président américain?* Assign to partners. Follow up with questions that require description of new routes. Variation: Begin by distributing maps of Paris and having students find the places with your guidance. New vocabulary: *à droite/gauche, boulevard, cathédrale, hôtel, jusqu'à, palais, plan, tourner, tout droit, traverser, tu prends.*

Activité 4 Échanges: Le plan de Paris

Utilisez le plan de Paris pour compléter les instructions.

MODÈLE: É1: Qu'est-ce que je fais pour aller de la cathédrale Notre-Dame jusqu'à mon hôtel derrière la Sorbonne (D → I)?

É2: Tu traverses la Seine et tu tournes à gauche au quai St-Michel. Puis, tu tournes à droite au boulevard St-Michel et tu tournes à gauche au boulevard St-Germain.

1. de l'Opéra jusqu'au Musée national d'art moderne au Centre Pompidou (N → L)
2. du jardin des Tuileries jusqu'à l'Arc de triomphe (B → R)
3. du musée Rodin jusqu'au jardin du Luxembourg (P → A)
4. du Palais-Royal jusqu'au musée du Louvre (O → E)
5. de la cathédrale de Notre-Dame à la tour Eiffel (D → Q)
6. -?-

Vocabulaire utile:

Tu vas tout droit.
Tu prends (la rue Royale).
Le musée est (sur ta droite).

LA VILLE ET LES TRANSPORTS

Attention! Étudier Grammaire 3.3 et 3.4

Les transports

Adrienne prend l'autobus au coin de la rue. Pour elle, c'est commode.

Sarah et Agnès prennent le métro pour aller à la fac. C'est très rapide.

La sécurité et les précautions

Il ne faut pas prendre le train
aux heures de pointe.

Pour rouler en scooter, il faut
porter un casque.

On doit avoir de la patience dans
un embouteillage.

Parfois, certains citadins
oublient d'obéir aux règles!

Act. 5. (whole class) Do the definitions with the class. Include comments and ask questions like *Est-ce qu'il y a des scooters ici à... ? Quelles sont les heures de pointe ici à... ? Qui doit porter un casque? Le chauffeur d'une voiture?* Optional: Assign to partners afterward. New vocabulary: *arrêt, se couper, intense, motorisé(e), signal lumineux, souterrain(e), transport en commun, véhicule routier à moteur.*

Activité 5 Définitions: Qu'est-ce que c'est?

MODÈLE: É1: Qu'est-ce que c'est qu'un autobus?
É2: C'est un grand véhicule automobile de transport en commun.

1. un scooter
2. une foule
3. le métro
4. une voiture
5. l'heure de pointe
6. un feu de signalisation
7. un arrêt
8. un coin
9. un embouteillage
10. un casque

a. l'endroit à l'intersection de deux rues
b. un véhicule routier à moteur
c. l'endroit où on prend l'autobus
d. un arrêt de la circulation
e. une protection pour la tête
f. un grand nombre de personnes
g. une bicyclette motorisée
h. un train souterrain
i. le moment où la circulation est très intense
j. un signal lumineux

Act 6. (whole class) Do as class discussion in which students answer your questions, or have students work in pairs or small groups. After students have done the activity, find out who does and who does not do the various items mentioned and why. New vocabulary: *C'est fou!, dangereux/dangereuse, se débrouiller, idée, ignorer, regarder dans les deux sens, risqué(e), rouler, seul(e) stationner, tout le temps, traverser, trop, utiliser.*

AS 9. See page 128.

AS 10. In small groups, students make statements about two types of people, *les sans-souci et les trop-soucieux*. Model a few sentences before they begin: *Ils utilisent leur portable en même temps qu'ils traversent la rue; ils refusent de se promener dans le jardin public, même pendant la journée...*

Activité 6 Enquête: Comment se débrouiller en ville

Dites *oui* ou *non* à ces propositions. Ensuite, comparez vos réponses aux réponses de votre partenaire.

MODÈLE: En ville, est-ce une bonne idée de... prendre l'autobus? →
Oui, parce qu'il y a trop de voitures dans les villes.

En ville, est ce une bonne idée de/d'...

_____ lire quand on est dans un embouteillage?
_____ prendre le métro aux heures de pointe?
_____ se promener seul(e) dans un jardin public à minuit?
_____ porter un casque si on roule en scooter?
_____ utiliser les transports en commun?
_____ rouler en voiture tout le temps?
_____ ne pas respecter les feux de signalisation?
_____ regarder dans les deux sens avant de traverser la rue?
_____ stationner dans une zone interdite?
_____ téléphoner pendant qu'on conduit?

Exprime-toi!

Je suis d'accord. C'est (dangereux).
Pourquoi pas? Tout le monde le fait.
Pas du tout! C'est trop (risqué).
C'est fou! On risque d'avoir (un accident).

LES FRANCOPHONES SUR LE VIF

Marc-André Hébert, 34 ans, habite à Paris, dans le 14ᵉ arrondissement (à Montparnasse). Il prend les transports en commun tous les jours.

Que nous conseillez-vous pour circuler facilement à Paris?

«Mon conseil: laissez votre voiture au garage! Déplacez-vous[1] en bus ou en métro, c'est rapide, économique et pratique. Si vous restez une semaine, la carte orange est la solution idéale. Demandez la carte dans une station de métro, au guichet[2] où on vend les tickets, écrivez votre nom et votre adresse et mettez une photo d'identité. Ensuite, achetez un «coupon», un ticket spécial, valable[3] pour trois jours, une semaine ou un mois. Voilà! Vous pouvez circuler librement[4] dans tout Paris. Regardez la carte du réseau:[5] il y a 14 lignes et 286 stations. Le métro n'est jamais loin. Le système vous semble compliqué? Pas de problème, il y a des cartes dans toutes les stations, et vous pouvez toujours demander votre chemin[6] à un autre passager!»

[1]Circulez, allez d'un point à un autre
[2]petite fenêtre où on vend des billets de cinéma, de train, des tickets de métro...
[3]valide

[4]sans restriction
[5]système
[6]**votre...** des directions, un itinéraire

francopho-
sur le vif.
...t out that
...ss transporta-
...in France, es-
...ially in large
...s, is readily
...lable, and
...ally favored by
...k people. Ask
...ents to brain-
...m why the
...subway sys-
...is such a fa-
...ous choice: nu-
...ous stations
...an that one is
...ays within
...king distance;
...oints in Paris
...be reached
...a single fare;
...ively small
...ets and a lack
...arking spaces
...garages
...difficult to
...e around;
...vy traffic
...es it difficult
...ross the city
...ss than two
...rs, whereas
...can be done
...0–40 minutes
...he subway.

Notes for *Les francophones sur le vif* continued on page 128.

Act. 7. (whole class) Gesture to illustrate noncognate words like *bousculer*. As you discuss each item, ask if these situations occur in your town or city, how people in your town behave in similar situations, and what other possibilities students might suggest. New vocabulary: *affronter, attendre, au moment où, bousculer, chauffeur, coincé(e), descendre, horrifié(e), insulter, monter, normal(e), oublier, passer au rouge, penser, proposer, typiquement.*

Cliquez là!

Vous êtes dans un hôtel convenable et pas cher dans la rue Raymond Losserand. Aujourd'hui vous allez visiter le musée du Louvre et demain matin vous voulez aller au Centre Pompidou. Consultez le site du métro parisien pour identifier votre chemin souterrain.

Cliquez là! Have students locate and download maps they could use to find their way. Ask them to compare notes with a partner's. They could also bring in information about events at the Centre Pompidou.

Activité 7 Discussion: Situations et choix

En visite à Paris, on peut se trouver devant les situations suivantes. À votre avis, qu'est-ce qu'il faut faire? Choisissez une des suggestions ou proposez-en une autre.

1. Le feu de signalisation passe au rouge juste au moment où vous désirez traverser la rue.
   a. Il faut courir très vite pour traverser la rue.
   b. On doit s'arrêter et attendre.
2. Votre taxi est coincé dans un embouteillage impossible.
   a. On doit rester calme.
   b. Il faut descendre du taxi et prendre le métro.
3. Vous êtes horrifié(e)! Votre chauffeur de taxi conduit comme un fou.
   a. Il faut penser: «Bon! Voilà une expérience typiquement parisienne!»
   b. Il faut descendre du taxi.
4. Vous bousculez une autre personne au moment où vous montez dans un autobus.
   a. On doit dire pardon à l'autre personne.
   b. Il faut oublier la situation parce que c'est normal dans une grande ville.
5. Le chauffeur de la voiture à côté de vous vous insulte parce qu'il n'aime pas votre façon de conduire.
   a. Il faut regarder droit devant vous.
   b. Vous devez aussi l'insulter.

"Équipage à navette: télétransportez-moi ailleurs, il n'y a pas de trace de vie intelligente ici."

Act. 8. (partners) Option 1: *É1* interviews *É2*, taking notes; then *É2* interviews *É1*. Option 2: *É1* and *É2* discuss the items one by one, explaining and asking additional questions. Follow-up: Take a short survey to find out favorite towns, etc. Variation: Do as a small-group activity, using Option 2. New vocabulary: *ambiance, se balader, se déplacer faire les vitrines.*

Activité 8 Entretien: Ma ville préférée

1. Quelle est ta ville préférée? Tu y vas souvent? Quand?
2. Pourquoi aimes-tu cette ville? (L'ambiance? Le shopping? Les distractions? La vie culturelle?)
3. Comment t'y déplaces-tu d'habitude? (En bus? En métro? En taxi? À pied?)
4. Tu aimes te balader dans les rues? À quel moment de la journée? Tu fais souvent les vitrines?
5. Qu'est-ce que tu aimes faire quand tu sors le soir? Tu dînes dans un restaurant spécial? Tu vas au théâtre ou au spectacle?

Les achats. (1) Review old places/stores and introduce new ones with your PF and realia (stamps, plastic eggs, etc.). Associate the products with the stores, bringing in past vocabulary like *un cahier, un beau costume, un journal.* (2) As students look at the art, ask questions about the stores and products: *Est-ce qu'on achète un livre dans une papeterie ou à la librairie? Où va-t-on si l'on veut acheter du café et du thé?* Extend to personal questions: *Est-ce qu'il y a des magasins près de chez vous? Lesquels?* Compare stores in France and those in the United States: *Est-ce qu'on peut acheter des livres dans une pharmacie américaine? (oui, souvent) En France, il n'y a pas de livres dans une pharmacie. On achète des livres dans une librairie.* Ask about prices: *C'est combien, normalement, le dentrifice? Combien coûte un timbre pour une lettre?* New vocabulary: *bière, bureau de poste, cigarettes, Combien coûte... ? eau minérale, épicerie, grand magasin, kiosque, laquelle, modèle, papeterie, pharmacie, timbre, vin, vitrine.*

Attention! Étudier Grammaire 3.5 et 3.6

AS 11. Show pictures of many objects and products and ask students to speculate about their prices. See who can guess the closest to the true answer.

Les commerces

Dans une boutique

—Vous désirez, mademoiselle?

—Je voudrais voir cette robe que vous avez en vitrine.

—Laquelle, mademoiselle?

—La bleue, s'il vous plaît.

—Nous avons ces deux modèles.

—Ils sont dans ma taille, madame?

—Oui, madame.

—Bon, j'en prends deux, un vert et un rose.

Act. 9. (partners) Review vocabulary for stores and products, introducing any new words before students do the activity. Students will be using partitive articles but will not have to produce them. During follow-up, ask if one can get items from past chapters in these stores: *une radio, un carnet d'adresses, un football, un anorak, du rouge à lèvres, un rasoir électrique, des bottes, un aquarium, des poissons rouges.* Students should add any new words to their notebooks. New vocabulary: *biscuit, carte postale, jus d'orange, médicament, papier à lettres, roman policier, shampooing.*

Activité 9 Associations: Les magasins et les produits

Dans quel magasin ou établissement est-ce qu'on peut trouver ces articles?

MODÈLE: du shampooing →

É1: Où est-ce qu'on peut trouver du shampooing?

É2: On peut trouver du shampooing dans une pharmacie.

AS 12. Have students name products that you define, and then say where to buy them. *On se brosse les cheveux avec cet objet. (une brosse à cheveux; dans une pharmacie, chez le coiffeur, dans un grand magasin...)* Ideas: *un savon, des biscuits, du papier à lettres, des timbres, des chaussettes.*

1. du jus d'orange et des biscuits
2. un roman policier
3. le journal *Le Monde*
4. un café ou une bière
5. du dentifrice et une brosse à dents
6. des timbres
7. du papier à lettres
8. des médicaments
9. des cartes postales
10. un cahier et des crayons

une épicerie
un bureau de poste
une pharmacie
une papeterie
une librairie
un café-tabac
un grand magasin
un kiosque à journaux

Activité 10 Dans le monde francophone: Cadeaux sur Internet

Sur Internet, vous trouvez des possibilités de cadeaux intéressants. Décidez à qui vous pouvez offrir chaque objet et pourquoi.

1. une amie intellectuelle, un peu forte, qui fait du jogging
2. votre grand-mère, qui habite seule et souffre de rhumatismes
3. votre cousin, qui adore lire
4. votre oncle, qui invite ses amis à des dîners de luxe
5. ?

Les cadeaux

Ideal'cav: Pour la conservation et le vieillissement de vos vins. 3549FF/544,33 €

Télécommande universelle: Pilote tous vos appareils commandables (télévision, chaîne-stéréo, lecteur C-D, magnétoscope...) 595FF/91,25 €

Portier éléctronique: Vous permet d'identifier les personnes qui sonnent à votre porte, même la nuit. 2990FF/458,59 €

Mini-fax: Rend de précieux services chez vous ou dans votre entreprise. 7390FF/ 1133,43 €

Lecteur CD portable:
Lecteur laser
s'emporte partout.
Se branche sur
une chaîne ou un
autoradio.
1290FF/197,85€

Baladeur enregistreur: Très
pratique pour enregistrer
vos pensées ou vos
messages. 275FF/42,17€

Calorie pédomètre:
Pour le jogging ou la marche.
Affiche la distance parcourue,
le nombre de pas, la vitesse
et les calories dépensées.
699FF/107,21€

Pour acquérir une mémoire
exceptionnelle en 21 jours.
Livre et cassette.
145FF/22,24€

Activité 11 Entretien: Pour faire des économies

Vous allez en ville pour faire des achats. Dans chaque magasin, on voudrait vous vendre des produits chers, mais vous avez très peu d'argent et vous inventez des excuses pour acheter les produits les moins chers.

MODÈLE: VENDEUR: Vous désirez, monsieur (madame/mademoiselle)?
                  VOUS: Du papier à lettres, s'il vous plaît.
             VENDEUR: J'ai ce papier à 16 F 50 et j'ai cet autre papier à 50 F. Le
                       papier à 50 F est de très bonne qualité.
                  VOUS: C'est vrai, mais je préfère le papier à 16 F 50. J'adore le
                       papier orange!

1. du shampooing (un shampooing à 12 F 30 ou un gel-shampooing démêlant à 40 F)
2. du parfum (un parfum à 42 F ou un parfum de bonne marque à 180 F)
3. des fleurs (des marguerites en solde à 18 F ou des roses à 80 F 90)
4. une chemise pour un copain (un modèle à 72 F ou un autre en coton égyptien à 239 F)
5. un dictionnaire espagnol (un mini à 75 F ou un grand format à 240 F)
6. un portable (un modèle à 439 F ou un autre avec toutes les options à 890 F)

Exprime-toi!

La bouteille (boîte) est si chic!
L'odeur est (exquise).
Le modèle est trop (compliqué).
Les produits importés sont si (exotiques).

LES dIsTRACTiONS

Les distractions. PF: Show people involved in leisure activities and entertainment. Include forms of *partir* and *sortir* in your input, writing them on the board as they occur to explain afterward. Art: ask which characters are doing the activities, who in class likes to do the same thing, etc. Review places in the city and elsewhere (*campagne...*), introduce the new ones, and associate them with things one can do there. New vocabulary: *collègue, courir, s'endormir, faire les vitrines, partir, sortir.*

AS 14. Do an association activity based on what your students like to do in their spare time: *Qui aime bricoler? Qui collectionne des timbres?*

Attention! Étudier Grammaire 3.7

Le samedi matin, Marise et Clarisse courent dans le parc.

Elles font souvent les vitrines au centre-ville.

Les Colin vont au théâtre quand ils partent en week-end.

Parfois Julien danse toute la nuit et s'endort au petit matin.

Francis sait faire de l'exercice et s'amuser en même temps.

De temps en temps, Sarah part à la montagne avec ses copains.

*A*ctivité 12 Associations: Clichés du monde étudiant

En groupes, organisez les phrases pour créer des profils stéréotypés: (1) la bonne vivante et (2) l'intellectuelle.

- Elle sort tous les soirs.
- Elle part souvent en week-end.
- Le soir, elle reste à la maison.
- Elle déteste faire les magasins.
- Elle préfère les films étrangers.
- Elle étudie souvent en écoutant du rock.

- Elle n'a pas de portable.
- Elle aime faire la fête.
- Elle surfe sur Internet.
- Elle va très souvent au musée.
- Elle dort à la bibliothèque.
- Elle étudie les maths avancées.

Allons plus loin! Créez d'autres clichés. **Idées:** les non-conformistes, les sportifs, les casse-pieds

AS 15. Show slides or photos of places in Paris or elsewhere. Students imagine they are going to visit them this summer and say what activities they are going to do there. Examples: *(au Louvre): Je vais regarder des peintures et des sculptures, je vais voir la Joconde/la pyramide, je vais acheter des souvenirs dans la librairie.*

*A*ctivité 13 Récit: Un week-end à Paris

Bernard et Christine Lasalle vont passer un week-end à Paris. Maintenant, ils font leurs projets. Racontez ce qu'ils vont faire.

Vocabulaire utile: un appareil photo, prendre des photos, chercher un cadeau

Act 12. (whole class; partners; small groups) Students usually enjoy identifying and laughing at stereotypes. (1) Define the terms and explain activity: *un cliché (stéréotype), c'est une exagération, une idée fausse; la bonne vivante n'est pas sérieuse; elle préfère s'amuser; l'intellectuelle est trop sérieuse.* (2) Do 2–3 statements with the class and have students decide which stereotype they fit. Assign the activity to partners or small groups. (3) Follow-up: Write *la bonne vivante* and *l'intellectuelle* on the board and ask students to tell you what to jot down under each heading. Later, ask them to think of additions to the lists. *Allons plus loin!* is optional. Students might enjoy timed competitions to see which group can come up with the longest list. New vocabulary: *avancé(e), la bonne vivante, les casse-pieds, cliché, dormir, faire les magasins, un film étranger, les non-conformistes, profil, stéréotypé(e), les sportifs.*

Act. 13. (partners; whole class) (1) Explain the art: *Christine et Bernard font leurs projets pour le week-end. Ils vont visiter Paris. Est-ce que les petites filles vont à Paris avec leurs parents, ou vont-elles rester chez leurs grands-parents?* Ask questions about the frames: *Dans quel dessin est-ce que Christine et Bernard vont prendre un taxi?* (2) Assign to partners or small groups to practice narrating the events. Remind students to use *aller* with infinitives since these are future plans. Basic input: 1. *Ils vont laisser les enfants chez leurs grands-parents.* 2. *Ils vont prendre le train pour Paris.* 3. *Ils vont sortir de leur hôtel.* 4. *Ils vont prendre un taxi.* 5. *Ils vont se promener le long de la Seine.* 6. *Ils vont déjeuner à la terrasse d'un café.* 7. *Ils vont faire les vitrines.* 8. *Ils vont acheter des cadeaux pour leurs filles.* 9. *Ils vont aller à une exposition de peinture moderne.* 10. *Ils vont dîner dans un restaurant élégant.* 11. *Ils vont voir une pièce de théâtre.* 12. *Ils vont se coucher tard.* New vocabulary: *chercher un cadeau, exposition, hôtel, laisser, le long de, prendre des photos, terrasse.*

Cliquez là!

Visitez le site *Pariscope.* Qu'est-ce qui se passe à Paris cette semaine? Qu'est-ce qu'on peut voir au cinéma? au théâtre? Quoi de neuf sur les sports? Y a-t-il une exposition intéressante? Où voudriez-vous dîner?

Act. 14. (whole class; partners) Have students look at the table and ask: *Pour vous, qu'est-ce qui symbolise le week-end? Voici les réponses de beaucoup de Français à cette question.* Read the replies aloud, explaining as needed, and then assign the activity to partners. Be sure students understand the predicates before they begin the activity. Allow 3–5 minutes and then ask questions: *Alors, que veut dire «le déjeuner en famille»?* Optional: Assign *Allons plus loin!* to partners or small groups.

Activité 14 Dans le monde francophone: Les Français et le week-end

À la question «Pour vous, qu'est-ce qui symbolise le plus le week-end?» les Français répondent:

- le déjeuner en famille
- les moments passés avec les enfants et les petits-enfants
- la promenade à la campagne
- les travaux ménagers, le bricolage et le jardinage
- la grasse matinée
- la sortie du samedi soir
- les câlins à deux
- les courses du samedi
- la messe
- le jogging du matin

Trouvez l'équivalent de ces activités parmi les activités préférées des Français.

1. dormir tard
2. assister à un service religieux
3. aller au cinéma, au théâtre, au restau, etc.
4. faire du shopping
5. travailler à la maison
6. manger tous ensemble
7. faire l'amour
8. être simplement en famille
9. courir
10. marcher dans la nature

Allons plus loin! Qu'est-ce que vous aimez faire le week-end? Est-ce que vous avez les mêmes priorités que les Français?

Lecture. Although it is a dynamic, modern metropolis, Montreal holds impressive remnants of the 17th-century *Régime français.* For a chronological perspective, ask students to brainstorm in groups to make a list of 10 classic monuments in the U.S., with their approximate date of construction, in order to compare them with buildings in Old Montreal: *Vieux Séminaire:* 1684–1687; *Ancien Hôpital général:* 1693–94; *Château Ramezay:* 1705; *Maison Papineau:* 1765; *Maison du Patriote:* 1814; *Hôtel de ville:* 1874–1878. Enrich this reading with a virtual visit of the historical district described here at http://www.vieux.montreal.qc.ca. and the follow-up activity with a tour of the whole city at either http://www.ville.montreal.qc.ca or http://www.tourisme-montreal.org

The buildings mentioned in the text allude to important features in Québec's history: its settlement by the French, the role of the clergy in the administration of the colony, its dependence on the fur trade, and its nationalism.

LECTURE

Découvrez[1] le Vieux Montréal!

Certains lieux inspirent à leurs visiteurs des commentaires enthousiastes: «C'est à voir et revoir!». Témoin[2] de l'évolution d'une métropole et d'un pays—un cas unique en Amérique dans ces proportions—le Vieux Montréal mérite certainement ces éloges.[3] Une visite au cœur de la plus grande ville francophone après Paris évoque un passé riche et vibrant.

Commencez par le magnifique hôtel de ville. Sous son apparence paisible,[4] il garde la mémoire d'heures agitées. Erigé[5] entre 1872 et 1878, il est ravagé par le feu en 1922. Et en 1967, c'est de son balcon que le général de Gaulle, alors

[1]Explorez [3]compliments [5]*Erected*
[2]*Witness* [4]tranquille

président de la France, lance son célèbre «Vive le Québec libre!» L'écho des cris de la foule s'entend encore.

Tout près, le château Ramezay est l'un des premiers édifices classés monuments historiques au Québec. Il tire son nom du gouverneur de Montréal, Claude de Ramezay. Construit en 1705, il est vendu à la Compagnie des Indes, spécialisée dans l'exportation des fourrures.[6] Plus tard, on y installe un quartier général militaire, puis un palais de justice; enfin, il devient musée en 1895.

La place Jacques Cartier au coucher du soleil (Montréal)

Il y a encore la magnifique place Jacques-Cartier, avec ses bâtiments du XVIIIe siècle, la célèbre basilique Notre-Dame, le vieux port, l'impressionnante place d'Armes, ou la pittoresque rue Bonsecours et son marché. Visitez le Vieux Montréal à pied, pour profiter aussi des boutiques, des galeries d'art et naturellement des restaurants et des cafés...

[6]peau d'animaux

Avez-vous compris? Les phrases suivantes s'appliquent à un des sites ou monuments du Vieux Montréal; déterminez lesquels.

1. Les bateaux s'arrêtent à cet endroit.
2. Ce bâtiment est célèbre à cause de la visite d'un président français.
3. On regarde et on achète des tableaux et des sculptures à cet endroit.
4. Le maire a son bureau dans ce bâtiment.
5. On trouve des objets historiques dans cet édifice.
6. Cette place publique est entourée de bâtiments anciens.
7. On va à cet endroit pour faire des achats.

À vous la parole! Imaginez que vous allez visiter Montréal avec vos camarades de classe. Pour établir un itinéraire, donnez des raisons pour visiter (ou ne pas visiter) 4 ou 5 des endroits suivants.

- la promenade du vieux port, le long du fleuve
- le parc d'attractions du vieux port, avec son cinéma géant IMAX
- le Quartier latin, près de l'Université du Québec (UQAM), avec ses librairies et ses cafés
- le parc botanique et la biosphère, à l'est de la ville

- le quartier branché de la rue Saint-Denis, avec ses boutiques «underground» de vêtements ou de disques
- l'oratoire Saint-Joseph, un des plus grands sanctuaires catholiques du monde
- le Musée d'archéologie et d'histoire de Pointe-à-Callières
- le Musée des beaux-arts, dans la rue Sherbrooke

MODÈLE: É1: J'ai envie d'aller au cinéma IMAX voir un film en français.

É2: Moi, je préfère rester dehors. Allons faire une promenade le long du fleuve.

À vous d'écrire!

Écrivez une réclame pour la firme *Alpha Taxis*. Utilisez votre imagination, mais n'oubliez pas de donner certains renseignements: les avantages de prendre le taxi, la compétence des chauffeurs, les tarifs, les heures et, bien sûr, pourquoi les taxis *Alpha* sont supérieurs aux autres taxis.

Suggestions

Vous allez trouver (admirer, arriver, rencontrer)...
Vous n'allez pas payer...
Nos taxis sont propres (des modèles de luxe, bien entretenus...)
Les chauffeurs sont/savent...

ALPHA taxis
01.45.85.85.85 JOUR ET NUIT
DES CHAUFFEURS A VOTRE SERVICE
RESERVATION — ABONNEMENT
PARIS — BANLIEUE
AEROPORT — PROVINCE
Renseignements Administratifs : Tél. : 01.45.85.60.45

WWW
www.mhhe.com/deuxmondes

À explorer: www.mhhe.com/deuxmondes/ pour obtenir plus d'informations sur les thèmes du chapitre.

Vidéothèque

Espace vidéo

Acheter des timbres et poster un colis. Dans ce segment, Jacques va à la poste pour envoyer un colis et une carte postale. Il peut envoyer le colis en service prioritaire (courrier recommandé) ou en service économique. Est-ce que le colis de Jacques a beaucoup de valeur? Il doit peut-être l'assurer. Est-il fragile? Quel service recommande l'employée? Combien est-ce que Jacques doit payer? Où est-ce que Jacques va envoyer le colis? Et la carte postale? Combien coûte le timbre?

Vocabulaire

Les endroits dans une ville

Places in a city

une bibliothèque	a library
un bureau de poste	a post office
le commissariat de police	the police station
une école primaire	a primary school
une église	a church
une épicerie	a grocery store
la faculté (la fac)	the university
une gare	a station (*train, bus*)
un grand magasin	a department store
un jardin public	a park
un kiosque	a newsstand
une librairie	a bookstore
un lycée	a high school
un magasin	a store
la mairie	city hall
une mosquée	a mosque
une papeterie	a stationery store
une place	a public square
une terrasse de café	a sidewalk café

Mots apparentés: **une avenue, une banque, un boulevard, une cathédrale, le centre-ville, un hôpital, un hôtel, un musée, une pharmacie, un temple**

Les courses et les distractions

Errands and entertainment

s'amuser	to have fun
assister à un spectacle	to attend a show
déposer de l'argent	to deposit money
emprunter un livre	to borrow a book
s'endormir	to fall asleep
envoyer une lettre	to send a letter
faire les magasins	to shop
faire les vitrines	to windowshop
manger avec des amis	to eat with friends
profiter de la vie culturelle	to enjoy the cultural life
prendre des photos	to take pictures
sortir	to go out
voir une pièce de théâtre	to see a play

Pour indiquer le chemin

Giving directions

à côté de	beside
coincé(e)	stuck, squeezed (into)
dans	in, inside
derrière	behind
devant	in front of
en face de	opposite
entre	between
loin de	far (from)
près de	near (to)
sous	under
sur	on, upon
aller tout droit	to go straight ahead
le coin de la rue	the street corner
tourner à droite (à gauche)	to turn right (left)
traverser un pont	to cross a bridge

Pour se déplacer en ville

Getting around in a city

un arrêt d'autobus	a bus stop
la circulation intense	heavy traffic
un embouteillage	a traffic jam
le métro	the subway
un quai	a (station) platform
les transports (*m.*) en commun	public transportation
un wagon	a (train) car

Mots apparentés: **un chauffeur de taxi, un moteur, motorisé(e), un véhicule routier**

descendre d'un taxi	to get out of a taxi
monter dans un autobus	to get on a bus
porter un casque	to wear a helmet
prendre un train	to take a train
rouler en voiture	to travel by car
stationner dans une zone interdite	to park in a no-parking zone
utiliser un plan	to use a (city) map

SE PROMENER EN VILLE

Walking in the city

un feu de signalisation	a traffic light
une foule (de gens)	a crowd (of people)
les heures de pointe	rush hour
s'arrêter	to stop (oneself)
avoir de la patience	to be patient
se balader	to stroll
se débrouiller	to manage, get along
se déplacer	to move about
faire face à un problème	to deal with a problem
obéir au signal lumineux	to obey a flashing sign
obéir aux règles	to obey the rules
s'orienter	to get oriented
penser à	to think about
regarder dans les deux sens	to look both ways
risquer	to risk

POUR FAIRE DES ACHATS

Shopping

ce, cette, ces	this, that, these, those
celle/celui-ci, celle/celui-là	this one, that one
J'en prends (deux).	I'll take (two).
laquelle, lequel	which one
plein(e) d'options	with lots of options
acheter	to buy
coûter	to cost
demander	to ask (for)
faire des économies	to save money
vendre	to sell
une boîte	a box
une bouteille	a bottle
un cadeau	a gift
une carte postale	a postcard
un choix	a choice
l'eau (f.) minérale	mineral water
un euro	a euro (European currency unit)
une marque	a brand
un modèle	a style

le prix	the price
un produit étranger	a foreign product
une serviette	a briefcase
un shampooing démêlant	a conditioning shampoo
un timbre (-poste)	a (postage) stamp
un vendeur/une vendeuse	a salesman/woman
le vin	wine

Mots apparentés: **une bière, un biscuit, chic, une cigarette, compliqué(e), le coton, désirer, économique, exotique, un franc, importé(e), le jus d'orange, un médicament, le papier à lettres, le parfum, le portable, la qualité**

LA DESCRIPTION DES PERSONNES

Describing people

bon vivant, bonne vivante	pleasure-loving
un citadin, une citadine	a city dweller
un/une casse-pieds	a bore
fou/folle	crazy, nuts

Mots apparentés: **intellectuel/intellectuelle, non-conformiste, normal(e)**

QUAND

Saying when

à chaque fois	(at) each time
au moment de	at the time of
au petit matin	in the early morning
de temps en temps	from time to time
d'habitude	usually
tout le temps	all the time

MOTS ET EXPRESSIONS UTILES

Useful words and expressions

C'est commode.	It's convenient.
D'accord.	OK, Agreed.
en famille	together as a family
Qu'est-ce que je fais?	What do I do?
Stationnement interdit	No parking
tous ensemble	all/everyone together

Grammaire et exercices

3.1. Before assigning this section, review prepositions of location with TPR. (See *Mise en train, Chapitre 3*.) Review the contracted forms of *de*, putting examples on the board, *à côté du livre, près/loin des stylos*.

3.1 Saying where things are: Prepositions of location

A. Here are the most common prepositions of location in French.

dans	*in, inside*	**entre**	*between*
à côté de	*beside, next to*	**en face de**	*opposite*
sur	*on, on top of*	**sous**	*under*
devant	*in front of*	**derrière**	*behind*
près de	*near (to)*	**loin de**	*far from*
à gauche de	*to the left of*	**à droite de**	*to the right of*

Definition: Prepositions are used before nouns and can express spatial or temporal relationships: ***near*** *the bank;* ***after*** *midnight.*

—Où est le gymnase? — *Where's the gym?*
—**Entre** le restaurant universitaire et le stade. — *Between the student restaurant and the stadium.*

★ Review **Grammaire 1.6.**

B. Notice that some prepositions end with **de.** When they are followed by **le** or **les,** you need to use the appropriate contraction (**du** or **des**).

—Où est la bibliothèque? — *Where's the library?*
—**À côté du** bureau de poste. — *Next to the post office.*
—Est-ce que la faculté des sciences naturelles est **en face des** laboratoires? — *Is the Natural Sciences Department across from the labs?*
—Non, elle est **à côté des** laboratoires. — *No, it's next to the labs.*

➤ **près de + le = près du**

➤ **en face de + les = en face des**

Exercice 1 Dans la salle de classe

Denise décrit sa salle de classe. Choisissez la préposition correcte, et employez des contractions si nécessaire.

Ex. 1. After doing this exercise, have students modify these sentences or create their own to describe the position of objects in a topsy-turvy classroom, where the laws of gravity don't apply.

MODÈLE: Le pupitre de Barbara est (dans/à côté de) la fenêtre. →
Le pupitre de Barbara est à côté de la fenêtre.

1. Le bureau de Mme Martin est (devant/derrière) le tableau noir.
2. Les livres de Mme Martin sont (sous/sur) son bureau.
3. Mme Martin écrit*au tableau noir, puis elle regarde les étudiants. Elle est (devant/sous) la classe.
4. Jacqueline écrit au tableau noir. Elle est (près de/loin de) le tableau.
5. Albert travaille avec Daniel, son voisin. Le pupitre de Daniel est (sur/à côté de) le pupitre d'Albert.
6. Louis regarde par la fenêtre. Il regarde un match de football dans le parc (en face de/loin de) le bâtiment des cours.
7. Barbara est trop (loin de/près de) le tableau noir; elle ne peut pas lire les mots au tableau.
8. La salle 300A se trouve (devant/entre) les salles 300 et 301.

*writes

3.2 Asking questions: INTERROGATIVE WORDS

3.2. This section is a summary of the interrogative patterns students have heard in your teacher-talk and seen in the readings and comprehension exercises. Students acquire most of these words easily. However, the association of *pourquoi?/parce que,* and comprehension of *comment* in requests for descriptions take longer and require extra input. We recommend the use of *est-ce que* as a general interrogative strategy, although a limited set of simple inversion questions is presented. These are intended to be acquired as lexical expressions.

A. Here are the most commonly used interrogative (question) words in French.

combien (de)?	*how many?*	**quand?**	*when?*
comment?	*how?*	**que?**	*what?*
où?	*where?*	**qui?**	*who? whom?*
pourquoi?	*why?*		

—**Qui** est ce jeune homme là-bas?   *Who is that young man over there?*
—Il s'appelle Raoul Durand.   *His name is Raoul Durand.*

—**Où** est le bureau de poste?   *Where is the post office?*
—Il est en face de la mairie.   *It's across from the city hall.*

★ *Review* **Grammaire B.2.**

B. To ask a question, use an interrogative word + **est-ce que.**

—**Quand est-ce que** tu vas à la mairie?   *When are you going to city hall?*
—Dans un petit moment.   *In a little while.*

C. In short, simple questions, reversing the order of the subject and verb can be used instead of **est-ce que.** This is called an inversion question.

Comment va Claudine?   *How is Claudine?*
Où habite ton ami?   *Where does your friend live?*
Que fait Adrienne ce soir?   *What's Adrienne doing tonight?*
Comment est Sylvie?   *What is Sylvie like?*

➤ **Qu'est-ce que... ?**
What... ?

D. **Que** + **est-ce que** contracts into **Qu'est-ce que. Qui** is never contracted.

Qu'est-ce que Julien va faire cet après-midi?   *What's Julien going to do this afternoon?*
Qui est-ce que tu vas retrouver en ville?   *Who are you going to meet in town?*

➤ **Qui (est-ce que)... ?**
Who... ?

E. To ask *which* or *what,* use the appropriate form of **quel (quelle, quels, quelles)** in front of the noun. Use **quel(le) + être** to ask for a name, a date, etc.

Le bureau de poste se trouve dans **quelle rue?**   *What street is the post office on?*
Quelles lignes d'autobus est-ce qu'il faut prendre?   *Which bus lines do we (you) have to take?*
Quelle est la bonne **réponse?**   *What's the right answer?*

Pronunciation Hint:

All forms of **quel** are pronounced the same except when there is a liaison: **quel, quell̸e̸, quel̸s̸, quell̸e̸s̸,** but **quel̸s̸ ͜ étudia̸n̸t̸s̸.**

Exercice 2 Les dernières nouvelles

Ex. 2. Students will write short questions typical in conversational exchanges.

Agnès Rouet téléphone chez elle pour avoir des nouvelles de sa famille. Voici les réponses de sa sœur, Mireille. Quelles sont les questions posées par Agnès?

MODÈLE: Tout le monde va *bien*. → Comment va tout le monde?

Vocabulaire utile: Comment? Que? Où? Qui? Quand?

1. Maman va *bien*.
2. Charles *ne* fait *rien*.
3. Papa est *à Genève*.
4. Jean-Claude *joue en ce moment avec Michel*.
5. Michel? *C'est mon nouveau petit ami*.
6. Il est très *sympa—et beau*!
7. Le nouveau bébé des voisins s'appelle *Marc*.
8. Ce bébé? Il est *petit, avec beaucoup de cheveux noirs*.
9. Sa mère? *Elle va très bien*.
10. Mes vacances commencent *dans quinze jours*.

Exercice 3 Visite à Paris

Des amis de Sarah Thomas viennent visiter Paris. Posez la question qui correspond à chaque réponse.

MODÈLE: Ils restent *huit jours* à Paris. →
            Combien de temps est-ce qu'ils restent à Paris? (Combien de temps
            restent-ils à Paris?)

1. Ils logent *dans un hôtel du Quartier latin*.
2. Ils veulent visiter *tous les monuments*.
3. Ils visitent le musée *du Louvre et* le musée *d'Art moderne*.
4. Ils se déplacent *en autobus*.
5. Ils sont contents *parce qu'il fait beau*.
6. Ils préfèrent les restaurants *grecs et tunisiens*.
7. Ils achètent *des souvenirs* pour leurs amis.
8. Ils quittent Paris *lundi prochain*.

Ex. 3. Students will probably choose to write questions with *est-ce que* because the inverted forms are less familiar.

3.3 Verbs like prendre

A. The irregular verb **prendre** is very useful for talking about transportation.

prendre (*to take*)	
je **prends**	nous **prenons**
tu **prends**	vous **prenez**
il/elle/on **prend**	ils/elles **prennent**

—Comment viens-tu à la faculté?   *How do you come to campus?*
—Je **prends** toujours le bus.   *I always take the bus.*

3.3 We introduce *prendre* before the regular *-re* conjugation (*Grammaire 4.4*) because it is so frequent in conversation and useful for talking about transportation as well as eating and drinking. Use PF and input before assigning: *Ce petit garçon prend son petit déjeuner. Est-ce que vous prenez le petit déjeuner tous les matins? Ces gens prennent l'autobus. Ici à... , est-ce que nous prenons souvent l'autobus, ou est-ce que nous préférons nos voitures?* Write new forms on the board to explain the pattern.

Pronunciation Hint:

All the singular forms are pronounced with a nasal vowel and sound the same: **prĕn̷d̷ş, prĕn̷d̷.** In the plural forms, the stem vowel is nonnasal: **prenŏn̷ş, prenez̷, prenn̷en̷t̷.**

B. Use **prendre** to express *to have (something) to eat or drink.*

—Que **prenez**-vous quand il fait froid?	*What do you drink when it's cold?*
—J'aime **prendre** un chocolat chaud.	*I like to have a hot chocolate.*
Raoul ne **prend** jamais de déjeuner.	*Raoul never has lunch.*

C. **Apprendre** (*to learn*) and **comprendre** (*to understand*) are conjugated like **prendre.**

Nous **apprenons** tous le français, mais Albert **apprend** aussi le japonais.	*We're all learning French, but Albert is also learning Japanese.*
Les étudiants ne **comprennent** pas toujours le professeur.	*The students don't always understand the instructor.*

Ex. 4. Personalize by asking students the question at the end of the text.

Exercice 4 En faveur des transports en commun

Daniel parle du choix de moyens de transport. Utilisez le verbe logique, à la forme correcte.

Verbes à utiliser: prendre, apprendre, comprendre

Moi, je (j') _____[1] toujours l'autobus pour aller à la fac. En général, mes camarades _____[2] leur voiture, au lieu de prendre (*instead of taking*) le bus. Moi, je n'ai pas mon permis de conduire. Je (J') _____[3] seulement à conduire maintenant. Mais ça ne me dérange (*bother*) pas de prendre le bus. Au contraire! Je ne (n') _____[4] pas pourquoi mes amis ne veulent pas _____[5] le bus. Quand on vient à la fac en voiture, il faut payer le parking, si on arrive déjà à trouver une place! Et puis, les gens ne (n') _____[6] pas que l'emploi excessif de l'automobile risque d'avoir des conséquences très graves pour la planète. Nous _____[7] maintenant toutes les conséquences de cette dépendance. Et vous? _____[8]-vous toujours la voiture pour aller à la fac, ou bien, comme moi, pensez-vous à l'environnement?

Ex. 5. Can be used for partner practice. Follow-up: Elicit (and use in your input) more plural forms by asking questions about the two partners, about the student's friends/parents, about the student and his/her friends.

Exercice 5 Questions et réponses

Répondez aux questions et dites si vous faites les mêmes actions, et quand.

MODÈLE: Qui prend l'autobus? →
Barbara prend l'autobus. Moi, je prends l'autobus tous les jours.
(Moi, je ne prends jamais l'autobus.)

Barbara

Julien et son amie

Joël

Denise

Barbara

Nathalie

Raoul et ses camarades

1. Qui prend du vin?
2. Qui voudrait apprendre à faire du ski?
3. Qui prend trop de risques?
4. Qui ne comprend pas la leçon?
5. Qui prend un café?
6. Qui prend un bain?

3.4. This section introduces common auxiliary verb + infinitive constructions that express necessity or obligation. Do input with *devoir* before assigning, using places one must go to purchase certain items: *Pour acheter du déodorant, est-ce qu'on doit aller à la pharmacie ou à librairie?* You may wish to summarize all the auxiliary verb + infinitive constructions to date: *aimer, pouvoir, vouloir, savoir, devoir.* Write all of the *je* forms on the board, then supply infinitives with which students must form a sentence:

3.4 Expressing necessity: Il faut and the verb devoir

(étudier) Je n'aime pas étudier/Je dois étudier, etc. *(jouer du piano, faire la cuisine ce soir, partir en vacances demain, écrire des lettres, lire des romans, parler d'autres langues,* etc.). After a few items, encourage students to use more than one auxiliary in their response: *Je voudrais partir en vacances demain, mais je ne peux pas partir demain.*

A. One way to express necessity is with the impersonal expression **il faut** (*it is necessary*) + infinitive. In this case, the obligation applies to people in general, or the context indicates the particular persons concerned.

Quand on prend le métro, **il faut acheter** un ticket à l'entrée.	*When you take the metro, you must buy a ticket at the entrance.*
Charles, tu vas au cinéma ce soir? **Il ne faut pas rentrer** tard.	*Charles, are you going to the movies tonight? You musn't come home late.*

Definition: In an impersonal expression, the subject pronoun (*it* or *il*) does not refer to a specific person or thing.

B. To express an obligation with respect to a particular person, you can also use the verb **devoir** + infinitive.

➤ **il faut/devoir + ne... pas** = must not

devoir (*to have to*)	
je **dois**	nous **devons**
tu **dois**	vous **devez**
il/elle/on **doit**	ils/elles **doivent**

Nous **devons prendre** le train à 10 h. | *We have to take the train at 10:00.*
Tu **ne dois pas être** en retard. | *You must not be late.*

Pronunciation Hint:

The letters **oi** are pronounced /wa/: **dois** (/dwa/), **doit** (/dwa/), **doivent** (/dwav/).

C. Note that **devoir** can also express probability or supposition.

Charlotte n'est pas au travail; elle **doit** être malade! | *Charlotte isn't at work; she must be sick!*

D. Other impersonal expressions can also be used to express necessity: **il est nécessaire (essentiel, important, obligatoire) de** + infinitive.

Avant de prendre le métro, **il est nécessaire** d'étudier le plan du métro. | *Before taking the metro, it is necessary to study the metro map.*

Il **n'est pas nécessaire** d'appeler le taxi avant 8 h. | *You don't have to call the taxi before 8:00.*

Ex. 6. This works well for partner practice after students have prepared the exercise.

Exercice 6 Problèmes de transport

Quelle est la solution à chacun de ces problèmes? Qu'est-ce qu'on doit faire? Utilisez la forme correcte du verbe **devoir**.

MODÈLE: Je ne peux pas aller au travail à pied. C'est trop loin. →
Tu dois prendre le bus.

Suggestions

aller au travail à pied | se déplacer à bicyclette
appeler un taxi | arriver plus tôt*
prendre le bus | étudier le plan du métro de la ville

1. Je n'ai pas de voiture.
   Alors, tu...
2. Nous devons être à l'aéroport dans une demi-heure et nous avons beaucoup de bagages.
   Vous...
3. Je ne sais pas prendre le métro.
   Bon, vous...
4. À la fac, il n'y a jamais assez de place sur les parkings et les étudiants arrivent souvent en retard.
   On...
5. Mon frère a besoin de faire plus d'exercice.
   Il...

***plus...** *earlier*

3.5 Pointing things out: DEMONSTRATIVE ADJECTIVES

A. Demonstrative adjectives agree in number and gender with the noun modified. Note the special form **cet** for masculine nouns beginning with a vowel or mute **h.**

Definition: Demonstrative adjectives point out a certain object or person: *this bus, that girl.*

	SINGULIER	PLURIEL
MASCULIN	**ce** livre (*this/that*) **cet** ami (*this/that*)	**ces** livres (*these/those*) **ces** amis (*these/those*)
FÉMININ	**cette** table (*this/that*) **cette** amie (*this/that*)	**ces** tables (*these/those*) **ces** amies (*these/those*)

➤ *ce* **garçon** but *cet* **homme**, *cet* **anorak**

3.5. You have already used demonstrative adjectives in your input many times. It will take some time, however, for students to acquire their correct use. The purpose of this section is to point out that French does not regularly distinguish between *this/that*, although it can do so with *-ci* and *-là*, if necessary, for clarity. You may wish to point out the spatial meaning of the emphatic suffixes: *-ci* = here, *-là* = there. Show items and compare them: *Ce stylo-ci est mon stylo préféré. J'adore écrire en bleu. Mais ce stylo-là* (point to it, on desk) *ne marche pas bien, Je déteste écrire avec ce stylo-là.*

—Combien coûtent **ces** biscuits?   *How much do these cookies cost?*
—Un euro dix le paquet.   *One euro ten a package.*

—Tu aimes **cette** carte postale?   *Do you like this postcard?*
—Oui, beaucoup.   *Yes, very much.*

Pronunciation Hint:

cet_ami (*m.*), **cet**t**e**_**ami**e (*f.*), **ces**ᶻ**amis**, **ces** **livres**

B. These forms can mean either *this* or *that*, *these* or *those*; this difference is usually clear from the context. However, to emphasize the distinction, you can add **-ci** after the noun for *this/these* or **-là** for *that/those.*

➤ **ce livre-ci** = this book
➤ **ce livre-là** = that book

—N'oublie pas de prendre le plan de la ville.   *Don't forget to take the city map.*
—**Ce plan-ci** en noir et blanc?   *This map in black and white?*
—Non, **ce plan-là** en couleurs.   *No, that map in color.*

Exercice 7 Sarah fait les vitrines

Remplacez les tirets par **ce, cet, cette** ou **ces.**

1. _____ magasin est très élégant. Oh, _____ chaussures sont belles!
2. _____ livres sont très intéressants mais _____ prix sont ridicules!
3. _____ montre est jolie, n'est-ce pas?
4. _____ vêtements sont trop chers! _____ jolie robe coûte 660 F et _____ anorak bleu coûte 750 F!
5. _____ chemises sont si belles et _____ cravate est très belle aussi!
6. _____ autre chemise verte est très pratique.

Exercice 8 Choix de chaussures

Avec une amie, vous regardez la vitrine d'un magasin de chaussures. Utilisez **-ci** ou **-là** avec l'adjectif démonstratif (selon la distance entre vous et les chaussures).

1. Ces sandales _____ sont bonnes pour la marche.
2. Ces chaussures _____ ne sont sûrement pas confortables, avec ces hauts talons (*high heels*).
3. Ces bottes _____ sont très à la mode, mais chères.
4. Ces chaussures _____ à 160 F sont jolies et pas chères.
5. Moi, je préfère ces tennis _____.

3.6. This is the first formal presentation of the partitive articles, although students have already used them in expressions such as *faire de la gymnastique*. This section also reenters the use of *de* in negative sentences (which students have already seen with *je n'ai pas de* and *il n'y a pas de...*) and after expressions of quantity. The use of all three types of articles (definite, indefinite, and partitive) is reviewed in *Grammaire 7.1*. Correct use of partitive articles is acquired fairly late, but mistakes in usage generally do not interfere with communication.

3.6 Expressing quantities: PARTITIVE ARTICLES

✳ *Review* **Grammaire A.3, A.5,** *and* **1.6.**

A. You are already familiar with the definite articles **(le, la, l', les)** and indefinite articles **(un, une, des)** in French. There is a third type of article, called the partitive article. Its forms are identical to the combination of **de** + the singular definite article: **du, de la, de l'.**

On peut acheter **du** dentifrice au supermarché.	*You can buy toothpaste at the supermarket.*
Nous préparons **de la** soupe.	*We are making soup.*
Je prends **de l'**eau minérale.	*I'm having mineral water.*

Definitions: A mass noun cannot be counted: *sand, sugar.* A count noun can be counted: *tables, lamps, children.*

B. The partitive article indicates an unspecified quantity of a *mass noun*. It is roughly equivalent to *some* in English.

du café	*(some) coffee*
de la confiture	*(some) jelly*
de l'huile	*(some) oil*

C. Note that the partitive article is always required in French, though *some* is often omitted in English.

—Qu'est-ce que tu dois acheter à
la pharmacie?

*What do you have to buy at the
pharmacy?*

—**Du** dentifrice et **de** l'aspirine.

(Some) toothpaste and (some) aspirin.

D. In negative sentences, partitive articles and indefinite articles **(un, une, des)**
become **de** or **d'**.

J'ai des cartes postales, mais je
n'ai **pas de** papier à lettres ou
d'enveloppes.

*I have some postcards, but I don't
have any stationery or any
envelopes.*

E. Expressions of quantity are also followed by **de**.

un peu **de**	*a little*	beaucoup **de**	*a lot, many*
assez **de**	*enough*	trop **de**	*too much, too many*
une tasse **de**	*a cup of*	un verre **de**	*a glass of*
combien **de**	*how much, how many*		

➤ J'ai *des* biscuits. →
J'ai *beaucoup de* biscuits.
Je *n'ai pas de* biscuits.

Combien de coca-cola faut-il
acheter?

How much Coke do we need to buy?

Veux-tu **un peu de lait** avec
ton thé?

*Do you want a little milk with your
tea?*

Exercice 9 Petits achats

Vous faites des courses en ville. Utilisez l'article partitif **(du, de la, de l')**, l'article
indéfini **(un, une, des)** ou **de**.

1. Je vais d'abord à la papeterie pour chercher _____ papier (*m.*) à lettres et
   _____ cartes postales.
2. Ensuite, je vais à la poste pour envoyer mes lettres et acheter _____
   timbres.
3. À l'épicerie, j'achète _____ eau minérale, _____ café (*m.*), _____ sucre (*m.*) et
   _____ confiture (*f.*).
4. Je n'achète pas _____ viande, puisque je suis végétarien(ne).
5. À la pharmacie, je prends _____ dentifrice (*m.*) et _____ aspirine.
6. Il faut aussi acheter _____ pain (*m.*); je passe donc à la boulangerie.

Exercice 10 Qu'est-ce que vous prenez comme boisson?

Répondez en employant l'article partitif approprié **(du, de la, de l')** ou **de (d')**.

MODÈLE: Qu'est-ce que vous prenez d'habitude avec le déjeuner?
—D'habitude je prends...
a. eau **b.** lait (*m.*) **c.** café (*m.*) **d.** coca (*m.*) **e.** -?- →
D'habitude je prends *de l'eau.*

1. Que prenez-vous quand vous ne pouvez pas dormir? —Je prends...
   a. lait (*m.*) **b.** café (*m.*) **c.** vin (*m.*) **d.** eau minérale **e.** -?-
2. Que prenez-vous le matin d'habitude? —Je prends une tasse...
   a. thé (*m.*) **b.** café **c.** chocolat chaud (*m.*) **d.** eau chaude (*f.*) **e.** -?-
3. Qu'est-ce que vous ne prenez jamais? —Je ne prends jamais...
   a. whisky (*m.*) **b.** champagne (*m.*) **c.** coca **d.** café **e.** -?-
4. Qu'est-ce que vous aimez commander quand vous sortez avec des amis?
   —J'aime commander...
   a. bière (*f.*) **b.** vin **c.** coca **d.** jus de fruits (*m.*) **e.** -?-
5. Qu'est-ce que vous aimez prendre en été quand il fait chaud? —J'aime
   prendre un verre...
   a. thé glacé **b.** coca **c.** eau froide **d.** jus de fruits **e.** -?-
6. Qu'est-ce que vous prenez quand vous êtes malade? — Je prends...
   a. eau **b.** jus de fruits **c.** thé **d.** coca **e.** -?-

3.7 THE VERBS **SORTIR** AND **DORMIR**

A. Though verbs like **sortir** and **dormir** are not considered regular verbs, there is a common pattern to their forms.

3.7. We have chosen to introduce -ir verbs of the sortir type before the finir type because of the greater frequency of the former. Before assigning, use photos to review the meaning of the verbs in B. Write them on the board as you talk, and then explain the conjugation. Regular -ir verbs are introduced in Grammaire 4.3. For verbs like sortir, you may want to refer students to the section Le verbe français in the Cahier.

sortir (*to go out*)		**dormir** (*to sleep*)	
je sor**s**	nous sort**ons**	je dor**s**	nous dorm**ons**
tu sor**s**	vous sort**ez**	tu dor**s**	vous dorm**ez**
il/elle/on sor**t**	ils/elles sort**ent**	il/elle/on dor**t**	ils/elles dorm**ent**

Pronunciation Hint:

sors, sort, sortons, sortez, sortent. Note that only the singular forms are pronounced the same. The third-person plural form **(ils/elles)** differs from the singular in that the final consonant of the stem is pronounced.

Note that the singular forms have the **-s, -s, -t** pattern of endings. Note also that the stem derived from the infinitive (**sort-** and **dorm-**) loses its final consonant in the singular forms (**sor-** and **dor-**).

Je **sors** avec ma camarade de chambre ce soir. *I'm going out with my roommate tonight.*

Est-ce que vous **dormez** plus de huit heures? *Do you sleep more than eight hours?*

B. Other verbs like **sortir** and **dormir:**

s'endormir	*to fall asleep*
mentir	*to lie*
partir	*to leave, go away*
sentir	*to smell*
servir	*to serve*

Exercice 11 Qu'est-ce que tu fais?

Posez des questions et donnez les réponses.

MODÈLE: sortir souvent avec des amis →
Tu sors souvent avec des amis?
Oui, je sors souvent avec des amis. (Non, je ne sors pas souvent avec des amis.)

1. partir en vacances en été
2. sortir du cinéma si un film est mauvais
3. dormir bien la nuit
4. servir du vin chez toi
5. mentir quand tu ne veux pas révéler un secret
6. sentir les fruits au supermarché
7. sortir souvent le samedi soir
8. dormir pendant la journée quelquefois

Maintenant, imaginez que vous interviewez le président et sa femme (la présidente et son mari). Posez les questions et donnez leurs réponses probables.

MODÈLE: VOUS: Vous sortez souvent?
EUX: Non, nous ne sortons pas souvent... Nous sommes très occupés.

Exercice 12 Généralisations

Une Française vous pose des questions sur les habitudes des Américains. Répondez d'abord avec une généralisation sur les Américains, puis expliquez vos propres habitudes (ou les habitudes de vos amis, de votre famille, etc.).

MODÈLE: Les jeunes Américains ne sortent jamais en groupe, n'est-ce pas? →
Si, ils sortent souvent en groupe.
Moi, je sors tout le temps avec mes amis.

1. Les habitants des grandes villes américaines ne sortent pas seuls la nuit parce que c'est dangereux, n'est-ce pas?
2. Au printemps, la grande majorité des étudiants américains partent en vacances en Floride, n'est-ce pas?
3. La plupart des Américains partent en Europe en été, n'est-ce pas?
4. Les étudiants américains sortent tous les soirs, n'est-ce pas?
5. C'est vrai que tous les petits Américains s'endorment vers minuit?
6. C'est vrai que les Américains ne servent jamais de vin au dîner?

Ex. 12. After preparing the exercise, students might take turns reading the statements. They should compare to see if they have the same answers.

3.8 THE VERB COURIR

The verb **courir** has a simpler pattern than the other **-ir** verbs you have seen so far. The stem for all forms is **cour-**. The singular endings are those you have seen for most verbs other than **-er** verbs: **-s, -s, -t.**

courir (*to run*)	
je cours	nous courons
tu cours	vous courez
il/elle/on court	ils/elles courent

Ex. 13. Have students use the questions to interview each other, then report to the class. Students may assume a celebrity's identity. Alternative: Provide input while tallying results for the class. Add other questions: *Que portez-vous pour courir? Qu'est-ce que vous aimez boire après la course?*

✶ Notes for *Les francophones sur le vif* continued from page 105.

AS 9. L'itinéraire. *Regardez un plan du réseau du métro. (Voir le site du métro parisien.) Les lignes sont codées par couleur et par numéro (par exemple, la ligne I est représentée en jaune, la ligne 2 en bleu), mais en réalité on utilise la destination (le «terminus») pour parler d'une ligne. Par exemple, imaginez que vous êtes au musée du Louvre (station Palais-Royal) et que vous voulez aller voir la tour Eiffel; les directions sont: «à Palais-Royal, prenez la direction La Défense (ligne 1), changez à Charles de Gaulle-Étoile, direction Nation (ligne 6), et descendez à Bir Hakeim.» Si vous allez en banlieue, il est nécessaire de prendre le RER, désigné par une lettre (A, B, C ou D).*

Groupez-vous par deux. Une personne joue le rôle du touriste, l'autre, le rôle du/de la Parisien(ne). Vous voulez aller d'un point à un autre et vous demandez votre chemin; le/la Parisien(ne) vous l'indique suivant le modèle donné dans le texte.

Vous êtes
à la bibliothèque François-Mitterrand
au Sacré Cœur
   (station Abbesses, ligne 12)
au jardin du Luxembourg
à Notre-Dame de Paris
   (station Cité, ligne 4)
à l'Observatoire
   (station Port-Royal, RER B)

Vous voulez aller
à la Sorbonne
au musée d'Orsay
au cimetière du Père-Lachaise
à la cité des sciences de la Villette
à la maison de Radio-France

Exercice 13 Sondage sur la course

Répondez par des phrases complètes, avec autant de détails que possible.

1. Courez-vous régulièrement?
   a. Si oui, quand courez-vous? Courez-vous en toute saison? À quel moment de la journée? Combien de fois par semaine? Où? Quelle distance courez-vous?
   b. Si non, expliquez pourquoi vous ne courez pas.
2. Est-ce qu'il y a des membres de votre famille qui courent régulièrement? Lesquels? (Répondez aux questions (1)(a) et (b) pour ces personnes.)
3. Vos amis courent-ils? Courez-vous ensemble quelquefois?
4. Selon vous, pour quelles raisons court-on? Pour rester en forme? Pour vivre plus longtemps? Pour réduire son stress? Pour quelles autres raisons?

GOALS FOR *CHAPITRE 4*
Chapitre 4 activities and input are intended to help students acquire more present-tense forms and terms for description, and begin to comprehend (link meaning to) object pronouns in speech. Topics center on where students live: lodgings, household furnishings, equipment and tasks, city and neighborhood activities. *Functional goals:* (1) Describe a lodging you know or need, including contents and decor; (2) Say what housework you do or need to get done; (3) Say how you feel (hungry, etc.); (4) Make simple comparisons typical of those in everyday conversation.

MISE EN TRAIN
1. La maison et les tâches. (1) Use your PF to introduce terms for housing, names of rooms and furnishings. (photo/house) *Voici une maison. Moi, j'habite dans une maison. Et vous, est-ce que vous... ? Qui habite dans un appartement?* (2) Include comparatives in your input: *ma chambre est aussi grande que... , une moquette est meilleure que... , le canapé est moins élégant que...* (3) Associate activities with places in the home: *Dans quelle pièce est-ce que nous dormons? Où est-ce qu'on se brosse les dents?* (4) Add terms for household equipment and housework: *Cet homme aime cuisiner, n'est-ce pas? Voilà sa cuisinière. C'est une cuisinière électrique ou une cuisinière à gaz?* (5) Weave idioms into topical conversation: *Nous avons envie d'acheter un poste (de télévision) avec un écran géant mais... ; Vous avez besoin de faire la lessive tous les jours, Deepa?*

CHAPITRE 4

La maison et le quartier

La cuisine d'un petit appartement français

Objectifs

IN **CHAPITRE 4,** *you will learn to describe your home and neighborhood and to talk about what you do there.*

activités

Les pièces et les meubles
Le logement
Les tâches et les loisirs
La vie de quartier

lectures

Info: Société   Villes, quartiers, villages
Les francophones sur le vif   Élodie
  Montaygnac
Lecture   Culture des banlieues?
La langue en mouvement   Le verlan

grammaire

4.1 Describing: Placement of adjectives
4.2 Making comparisons
4.3 Regular **-ir** verbs
4.4 Regular **-re** verbs, **mettre**
4.5 Direct object pronouns
4.6 Talking about knowing: The verb
   connaître
4.7 Describing states of being: Idioms with
   avoir

Activités *et* *lectures*

LES pièces et les meubles

Les pièces et les meubles. (1) with PF, review names of rooms and furnishings. (See *Mise en train,* 1) Include common household articles and furniture. Use comparatives *plus, moins, aussi... que* whenever logical. *Vous avez un canapé rouge? Est-ce qu'il est plus joli que le canapé sur cette photo? Est-ce que votre lit est moins grand que le lit dans cette chambre?* (2) Ask questions as students look at the art: *Est-ce que le tapis est dans la chambre ou dans la salle de séjour? Où est la cuisinière?* (3) Review past vocabulary using the house context: *Qu'est-ce qu'on fait au lavabo? (On se brosse les dents...) Où est-ce qu'on peut dormir si on est fatigué? (dans la chambre, sur le canapé...)* Culture: In many French homes, the *W.C.* is in a room separate from the bathtub or shower. New vocabulary: *Pièces: chambre à coucher, cuisine, salle à manger, salle de bains, salle de séjour; meubles: baignoire, buffet, canapé, chaise, commode, cuisinière, douche, évier, fauteuil, lampe, lavabo, lave-vaisselle, lit, miroir, placard, réfrigérateur, rideaux, table, tableau, table basse, table de nuit, tapis, les W.C.*

AS 3. List several rooms on the board and have students propose items they would put in each room in their ideal house. Write new items on board. Ask *Pourquoi voudriez-vous... ? Qu'est-ce qu'on fait d'un(e)... ?*

AS 4. Autograph activity. (See IRK for activity.)

Attention! Étudier Grammaire 4.1 et 4.2

la chambre à coucher — la table de nuit — la salle de bains
le miroir — la lampe — le lavabo — la douche
les rideaux — le lit — les W.C. — la baignoire
la commode

la salle à manger — le lave-vaisselle — la cuisine
les chaises — la table — la cuisinière — les placards — l'évier
le buffet — le réfrigérateur

le tableau — la table basse — le canapé
la salle de séjour — le fauteuil — le tapis

Activité 1 Discussion: Qu'est-ce qu'il y a chez vous?

Écoutez le professeur et dites *oui* ou *non*.

1. Chez moi, il y a…
   - **a.** trois chambres.
   - **b.** une terrasse.
   - **c.** un garage pour deux voitures.
   - **d.** une baignoire avec une douche.
   - **e.** -?-
2. Dans la chambre où je dors, il y a…
   - **a.** un grand lit.
   - **b.** une commode.
   - **c.** un lavabo.
   - **d.** un radio-réveil.
   - **e.** -?-
3. Dans la cuisine, il y a…
   - **a.** une cuisinière à gaz.
   - **b.** une table et des chaises.
   - **c.** deux éviers.
   - **d.** un four à micro-ondes.
   - **e.** -?-
4. Dans la salle de séjour, il y a…
   - **a.** un grand canapé.
   - **b.** un tapis persan.
   - **c.** des fauteuils confortables.
   - **d.** de beaux rideaux.
   - **e.** -?-

Maintenant, c'est à vous

Tu as de la chance!
Tiens! C'est original!
Ça, c'est super!

Ça, c'est (pratique)! Tu l'aimes?
Je ne l'aimes pas.

MODÈLE: É1: Je n'ai pas de lavabo dans ma chambre, mais j'ai une salle de bains pour moi.
É2: Tu as de la chance! Moi, je dois partager avec mes sœurs.

Activité 2 Associations: À quoi ça sert?

Dites à quoi servent les meubles et les appareils suivants.

MODÈLE: (une lampe) On se sert d'une lampe pour lire.

Les objets:

une bouilloire électrique
un aspirateur
un réfrigérateur
une baignoire
un fer à repasser
un grille-pain
un lit
un lave-vaisselle
un four à micro-ondes
une commode

Les usages:

nettoyer un tapis
conserver la nourriture
se reposer ou dormir
repasser les vêtements
ranger les vêtements
cuisiner
faire la vaisselle
faire bouillir de l'eau
faire des toasts
prendre un bain

Act. 1. (whole class; partners) Discuss the items, taking counts. Then assign to partners, to practice describing what is in their own or their family's home. Encourage students to ask each other about details. New vocabulary: *confortable, four à micro-ondes, gaz, persan(e), radio-réveil, sauna, terrasse, vaste.*

AS 5. *Objets mystérieux.* In groups, students prepare descriptions of household items for the class to guess. Example: *Cet objet est très grand. On le trouve dans la cuisine. Il fait froid à l'intérieur. Qu'est-ce que c'est? (un réfrigérateur)*

AS 6. TPR. Display a rough line drawing of a room in your home for students to copy (windows, doors, etc. marked). Students copy it and then sketch in the placement of your furnishings. *Mon canapé est entre les deux fenêtres. Mettez une table basse...* (See IRK for a TPR activity with graphic.)

AS 7. Each partner draws a rough outline of a favorite room, as in *AS 6.* They then exchange papers. *É1* describes her/his room while *É2* places furniture, etc. Then *É2* describes while *É1* fills in the outline.

Act. 2. (whole class; partners; small groups) Review/introduce items and uses with PF. Involve the class and provide plenty of input with the new verbs: *Est-ce qu'on nettoie un tapis avec un balai ou avec un aspirateur, normalement?* Then group students to do the activity. Ask each group (or pair) to write statements about the use of 2–3 other household items when they have finished the activity. Example: *On se sert de ce meuble quand on a sommeil. (un lit)* Use these in class today or later.

AS 8. *Vingt questions.* Divide the class into groups and allow each group to decide on a mystery appliance or piece of furniture for you to guess. All questions in the game must be answered by *oui* or *non*. *C'est pour la salle de bains? la cuisine? Est-ce que c'est grand? petit? C'est un appareil électronique? On s'en sert pour griller du pain? On fait du café avec cet objet? Ah! C'est une cafetière?*

AS 9. Show pictures of appliances and furniture. Students jot down their guess at the price of each item. Later, see whose guess was closest. Finally, review the costs of the items quickly, with comparisons like *Lequel est le moins cher, le four à micro-ondes, le mixeur ou le radio-réveil?*

Act. 3. (whole class; partners) First, ask about the prices so students hear names of objects. *C'est la cafetière expresso ou le grille-pain qui coûte 370F?* Then assign for partner practice. Later, ask how students used their budgets. New vocabulary: *aspirateur, balai, bouilloire, cafetière, coussin, un deux-pièces, meublé(e), fer à repasser, four à micro-ondes, grille-pain, partager, répondeur, ventilateur.*

Activité 3 Échanges: Décisions

un four à micro-ondes
265€/1740FF

un grille-pain
85€/560FF

un coussin
39€/258 FF

un ventilateur
45€/298 FF

un balai
17€/110 FF

une bouilloire électrique
62€/410 FF

un fer à repasser
49€   320 FF

une cafetière expresso
57€/370 FF

un répondeur téléphonique
56€/390 FF

un aspirateur
227€ /1490 FF

Vous allez partager un deux-pièces meublé avec votre camarade de classe. Ensemble, vous avez un budget de 3.000 F (460 euros). Vous devez décider ce que vous allez acheter et expliquer pourquoi.

MODÈLE: É1: Je voudrais une cafetière expresso, parce que j'adore le café fort.
É2: Moi, je préfère le thé, achetons une bouilloire. Mais la bouilloire est beaucoup plus chère que la cafetière expresso.
É1: Si nous achetons un four à micro-ondes...

Cliquez là! Even if you do not have Internet access for all students, read the activity aloud so that everyone understands and encourage as many as possible to see what Francophone suppliers have to offer. Ask those who get information to share it with the class.

Cliquez là!

Vous voulez acheter une commode en pin pour votre chambre. Faites des recherches sur Internet en utilisant les mots «meubles en pin».

Act. 4. (partners; whole class) Assign to partners after verifying that students understand the vocabulary. *É1* interviews *É2*, then they reverse roles, or *É1* and *É2* can discuss each item together before moving to the next. Follow-up: Take counts, ask questions of the whole class, or have everyone change partners to report the information they got during the activity. *Robert n'aime pas où il habite. Il y a trop de...* New vocabulary: *conflit, équipé(e), étagère, placard, propre.*

Activité 4 Entretien: Chez toi

1. Est-ce que tu aimes l'endroit où tu habites? Pourquoi?
2. Dans quelle pièce est-ce que tu étudies d'habitude? Où regardes-tu la télé?
3. Comment est ta chambre? Est-ce qu'elle est grande ou de taille moyenne? Y a-t-il un placard, des étagères pour tes livres, des plantes? Ton lit est confortable?
4. Est-ce que ta cuisine est bien équipée? Qu'est-ce qu'il y a comme équipement?
5. As-tu ta propre salle de bains? Si non, avec qui partages-tu? Y a-t-il parfois des conflits? Quand et pourquoi?
6. À ton avis, quelle est la pièce la plus importante d'une maison? Pourquoi?
7. Comment est la maison que tu voudrais avoir plus tard?

LE LOGEMENT

Le logement. (1) Review types of lodgings using your PF. (2) Have students look at the drawings as you explain: *Voici une situation typique! La population s'agrandit. Quelquefois, il faut bâtir plus de maisons et d'appartements. Ici, les architectes... Et pour construire, quelquefois, il faut démolir. Qu'est-ce qu'on va démolir?* Put *-ir* verb forms on board to point out at the end of the input session. Introduce simple discussion about demolishing old structures to make way for new ones. *Est-ce une bonne idée? Est-ce nécessaire? Est-il important de conserver l'ancien aussi? Préférez-vous les immeubles anciens ou les immeubles modernes?* Explain that France, as elsewhere, is seeing small towns and farmland become middle-class suburbs. Ask about the advantages and disadvantages of such growth. New vocabulary: *architecte, ascenseur, balcon, bâtir, démolir, édifice, escalier, étage, futur(e), immeuble, locataire, nouveau/nouvelle, parc résidentiel, rez-de chaussée.*

Attention! Étudier Grammaire 4.3

AS 10. Show photos or slides of many types of dwellings from France and other Francophone countries. Include the very old and the modern such as a *souk/Maroc*, Riquewihr/Alsace, the *quartier colonial/pays africain*, the Latin Quarter/New Orleans, etc. Show also how different cultures have influenced styles of building and decor.

Ces architectes finissent les plans d'un immeuble dans un nouveau parc résidentiel.

On démolit une vieille maison.

Les constructeurs bâtissent de nouveaux édifices.

Les futurs locataires choisissent leurs appartements.

AS 11. Show pictures of different types of houses and ask students to speculate about their prices, which costs more/the most, less, whether they are worth the price, if they would like to have/can now afford houses like that.

Act. 5. (whole class) (1) Describe the houses briefly: *La maison à Gemenos est de style espagnol. Elle a une belle piscine, n'est-ce pas? Est-ce que toutes ces maisons ont des arbres?* (2) Read the description of each, commenting as you do so and asking questions: *La maison à Eoures/Camoins a un studio indépendant! Quel luxe! Voudriez-vous avoir une maison avec un appartement dans son jardin? C'est pour qui, probablement, ce studio?* (3) Read the statements and have the class skim for the answers.

Activité 5 Dans le monde francophone: Demeures de rêve

GEMENOS 439M57
Splendide villa luxe, 180m² + salle de jeux 30m², déco et prest. soignées, très gd séjour, cuis. éq., 5 chbres, 3 bains, sur très beau jardin paysager 1200m², piscine, à voir absolument. **2 700 000**

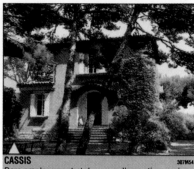

CASSIS 307M54
Rare emplacement et demeure d'exception, maison de maître, charme et caractère, 300m², grande réception, séj. et SàM, 5 chbres, 3 SdB, maison de gardien, terrain plat 3000m². **5 300 000 F**

EOURES/CAMOINS 440M57
Cadre de camp. superbe villa provençale, proche comm., 180m² + 30m² studio indép., gd séj. chem., SàM, cuis. éq., 5 chbres, 3 bains, sur terrain plat, vue dégagée, piscine et nbrses dép. **2 700 000 F**

Regardez ces propriétés à vendre près d'Aubagne, pas loin de Marseille. Dites si les phrases sont vraies ou fausses.

1. La villa à Cassis a trois salles de bains.
2. La maison à Eoures/Camoins a un studio indépendant.
3. La villa à Gemenos a une piscine impressionnante.
4. La maison à Cassis a deux réceptions.
5. Les trois maisons ont une piscine.
6. La villa à Eoures/Camoins a un terrain plat.
7. La villa à Gemenos a un très petit jardin.
8. La maison à Cassis a une maison de gardien.
9. Deux de ces maisons ont une salle à manger.
10. La villa à Gemenos coûte le plus cher.

Cliquez là! Students will find many real estate offers. You might help them narrow their search by first trying the *Petites annonces* in the *Immobilier* section (PA/Immo) of *Le Dauphiné Libéré (le quotidien régional de la région Rhône-Alpes)*. This is a good time to begin to familiarize students with the *régions* and *départements* of France. (*Grenoble est le chef-lieu du département de l'Isère, dans la région Rhône-Alpes.*)

Cliquez là!

Cherchez un appartement pour deux étudiants dans les environs de Grenoble. Ensuite, comparez les résultats de vos recherches à ceux de votre partenaire. Ensemble, choisissez un appartement.

Act. 6. (whole class; partners) Students will use personal assumptions to divide the list into two profiles. There is no single right answer if someone has a good reason for a novel approach. Encourage discussion and ask the class to think of other behaviors that might be typical of each lifestyle. *Allons plus loin!* Students practice asking questions with *vous*. To begin, they may need to recycle items from the activity. Encourage original ideas. New vocabulary: *découvrir, payer le loyer.*

Activité 6 Associations: Qui est-ce?

Les Duclos louent un studio au 10ᵉ étage d'un grand immeuble. Les Martin vivent dans une maison. À quelle famille font allusion les phrases suivantes?

- Ils dînent à la salle à manger.
- Ils finissent vite le ménage.
- Leurs enfants jouent dans le jardin.
- Ils ont seulement une salle de bains.
- Ils prennent l'ascenseur tous les jours.
- Leurs invités dorment dans la chambre d'amis.
- Ils mangent et dorment dans la même pièce.
- Ils adorent la belle vue sur la ville.
- Ils paient le loyer tous les mois.
- Ils allument un feu dans la cheminée en hiver.

AS 12. Skits: Either (1) two roommates who are thinking of moving, or (2) a married couple with different views about where they want to live. Ideas: the advantages and disadvantages of several types of places; opinions on what each wants in the new home (number of rooms, decor, furnishings, etc.). Encourage humor. (See IRK for Role Play Situation Cards.)

Allons plus loin!   Comment est le logement de votre professeur? Posez-lui des questions pour découvrir tous les détails.

MODÈLE: Vous avez une cheminée chez vous, madame/monsieur?

Activité 7 Ordre logique: Pour louer un appartement

Quelles sont les démarches à faire pour louer un appartement? Mettez les étapes en ordre.

Act. 7. (whole class) Ask which students live off campus, where they live, who shares an apartment, and what is important to them or their friends when they rent a place. List ideas on the board: *On aime le logement. Le loyer est modéré. Le gaz et l'électricité ne coûtent pas cher (le propriétaire les paie).* New vocabulary: *avantage ≠ inconvénient, décision, demarche, loyer, prendre rendez-vous, réfléchir, signer un contrat.*

_____ On prend une décision.

_____ On demande le prix du loyer.

_____ On signe un contrat.

_____ On prend rendez-vous pour voir des appartements.

_____ On visite les appartements intéressants.

_____ On cherche des appartements dans le journal.

_____ On réfléchit aux avantages et aux inconvénients de chaque appartement.

___1___ On décide dans quel quartier on voudrait vivre.

_____ On paie le loyer.

_____ -?-

LES FRANCOPHONES SUR le vif

francopho-
sur le vif.
dents should
ize that the
tre-ville of a
opean city is
area where
dential and
mercial areas
closely inter-
ed. Élodie's
re to live near
workplace is
gical (and
mon) lifestyle
ce, especially
younger
ple.

r reviewing
vocabulary,
he following
/false quiz.
ow-up: *Vrai
aux?
die travaille à
périphérie de
ordeaux.
ne peut ab-
olument pas
e payer un lo-
ement au
entre-ville.
travaille
epuis
ngtemps.*

Élodie Montaygnac est française. Elle a 23 ans et elle vient de terminer une maîtrise de Gestion à l'université Montesquieu (Bordeaux IV).

Où habitez-vous, et pourquoi?

En ce moment, je travaille à la FNAC de Bordeaux, et les loyers du centre-ville sont vraiment très chers pour moi, parce que je ne gagne pas beaucoup d'argent. Pour l'instant, je loue une chambre dans un grand appartement sur la cours Victor Hugo avec d'autres personnes de mon âge. Il n'y a qu'une seule[1] cuisine, mais j'ai ma propre salle de bains. Ce n'est pas idéal, parce que n'aime pas beaucoup vivre[2] en communauté! Mais pour le moment, c'est une solution acceptable.

Je préfère rester au centre-ville. Comme ça, je n'ai pas besoin de voiture, et j'ai tout à proximité: les commerces, les théâtres et les cinémas, des cafés et des restaus sympa.[3] Et puis, j'aime habiter dans un vieil immeuble qui a du caractère.

[1]unique   [2]exister, habiter   [3]plaisants, agréables

Notes for *Les francophones sur le vif* continued on page 162.

La banlieue, c'est vraiment trop sinistre: bonjour la déprime![4] Acheter un pavillon[5] avec un jardin dans une banlieue résidentielle, c'est une autre vie. Pour le moment, j'aime trop ma liberté, et le rythme de la ville; bien sûr, je risque de changer d'avis...[6] Dans dix ou vingt ans, si je me marie, si j'ai des enfants, un chien, pourquoi pas? Mais pour l'instant, pas question!

[4]**bonjour... c'est vraiment triste!**   [5]villa, maison indépendante   [6]opinion

Act. 8. (partners) Ask questions and encourage students to guess intelligently at the specifics listed in the ads: *Est-ce que les Ormes ont autant de salles de bains que les Myrtilles?* Include personal questions: *Vous avez autant de chambres chez vous que dans la maison des Ormes, Martha?* Students decide which house is the most practical for the Colin family and give their views, with reasons, during follow-up discussion. *Il n'y a pas assez de...* New vocabulary: *sous-sol, villa.*

Activité 8 Échanges: La nouvelle maison

La famille Colin doit choisir entre ces deux villas. Laquelle est la plus pratique pour eux et pourquoi? Dans cette famille, il y a sept personnes: les parents, Marise et Clarisse (jumelles, 19 ans), Charles (17 ans), Emmanuel (15 ans) et Joël (9 ans).

LES ORMES
5 chambres à coucher
1 salon
1 salle à manger
1 bureau
2 salles de bains

LES MYRTILLES
4 chambres à coucher
1 salon-salle à manger
3 salles de bains
1 bureau
sous-sol

Activité 9 Dans le monde francophone: Les petites annonces

En groupes, choisissez un appartement pour les personnes qui cherchent à louer. Ensuite, expliquez vos choix à la classe.

À vous la parole! Imaginez que vous allez partager un appartement avec des camarades de classe l'année prochaine. Ensemble, écrivez l'annonce que vous allez envoyer au journal. Ensuite, lisez-la à la classe.

Act. 9. (whole class; partners) Ask about the people seeking a lodging: *Comment est la personne qui cherche un deux-pièces? Quel est le numéro de téléphone de... ? D'où vient le couple qui... ?* Go over the *Offres* and explain as needed before assigning the activity. *À vous la parole:* Ask each group to read their ad aloud for the class, or tape the ads on the walls around the room for the class to read. Students could vote on the most interesting ad, the one most difficult to accommodate, the least luxurious request, etc.

TRANSACTIONS IMMOBILIÈRES

Locations vides (demandes)

Cherche grand studio, 40 m2, ou 2 pièces, ascenseur, calme. Tél. 93.62.11.10.

Personne sérieuse cherche 2 pièces avec jardin, Nice/ouest, loyer, maxi 2.500 F. Tél. 04.45.65.20.71.

Couple italien recherche 3-4 pièces pour se loger Nice Est. CERUTI, 63.09.77.20.

Locations vides (offres)

Mini. studio kitchen, WC. Douche 1.700 F. mensuel. Tél. 93.58.72.23 (répondeur)

Exceptionnel, Nice centre: vaste studio, terrasse, Sud, cuisine indépendante, 2.200, NISSIMO PAGANINI 93.08.85.23.

Centre Nice: 2 pièces, balcon, ascenseur, calme, urgent, 3.100 CABINE-TORY. 93.80.19.00.

Nice Est, superbe 3 pièces, duplex, petite résidence, frais réduits, 4.750 charges comprises. SUD CONTACT 93.20.25.10.

Nice Ouest: magnifique, cuisine équipée, terrasse, parking, piscine, 5.000 + charges. MAISON DE L'IMMOBILIER 93.96.34.15.

L ES TÂCHES ET LES LOISIRS

Attention! Étudier Grammaire 4.4 et 4.5

Le week-end chez les Lasalle

Samedi matin, avant le déjeuner

Bernard tond le gazon.

Camille passe l'aspirateur.

Après le déjeuner

Camille fait la vaisselle.

Marie-Christine essuie les assiettes, puis elle les met dans le placard.

Nathalie sort les ordures.

Bernard aime bricoler.

Christine répond à la lettre d'une amie.

Les tâches et les loisirs. (See *Mise en train, Act. 1*)
(1) Show pictures of rooms, people doing housework, and household equipment to introduce terms for household tasks: *Que fait ce monsieur? Il passe l'aspirateur dans son salon. Et vous, vous passez parfois l'aspirateur? Très souvent? De temps en temps?* (2) Display art: Ask where the activity is occurring and who is doing it, etc. (3) Point out object pronouns: *Marie-Christine essuie les assiettes, puis elle les met dans le placard.* (4) From the forms you write on the board, demonstrate conjugations for *tondre/répondre* and *mettre* before assigning *Grammaire 4.4*. New vocabulary: *bricoler, essuyer les assiettes, faire la vaisselle, passer l'aspirateur, placard, sortir les ordures, tondre le gazon.*

AS13. Autograph activity. See IRK.

Act. 10. (partners; whole class) (1) Read the tasks aloud and have students write a person's name for each item. Housemates can count as family; if in a dorm, use life at home. (2) Check that everyone understands new terms. (3) Assign for partners to discuss. New vocabulary: *faire la lessive (le ménage), faire réparer, nettoyer, s'occuper de;* Exclamations: *C'est dégoûtant!; Personne ne fait ça!*

Activité 10 Échanges: Les tâches domestiques

Dans votre famille, qui fait ces activités le plus souvent? Et vous, aimez-vous les faire? Pourquoi?

MODÈLE: nettoyer la salle de bains →
Ma sœur nettoie la salle de bains. Moi, je déteste faire ça.

1. faire le ménage
2. aller au supermarché
3. bricoler
4. tondre le gazon
5. cuisiner
6. faire la lessive
7. s'occuper des animaux
8. faire réparer la voiture
9. -?-

Exprime-toi!

Personne ne fait ça.
C'est dégoûtant!
Je n'aime pas le faire.
Je refuse de faire ça.
J'adore le faire.

Act. 11. (whole class; partners). Students will use direct object pronouns receptively. Do as a whole group, then have them work together in pairs. Afterward, encourage the class to think of other riddles. New vocabulary: *arroser, avant de, machine, moquette, rarement, repas, sale, toutes les semaines.*

Activité 11 Casse-tête: Qu'est-ce que c'est?

Vocabulaire utile: l'aspirateur, le gazon, la lessive, le lit, le ménage, les ordures, la vaisselle

1. On la fait après les repas si on n'a pas de machine.
2. On le tond et quelquefois, on l'arrose.
3. On la fait quand on a trop de vêtements sales.
4. On le passe pour nettoyer les tapis et la moquette.
5. On peut le faire toutes les semaines ou très rarement. Normalement, on le fait avant d'avoir des invités à la maison.
6. On les sort après les repas. Ce n'est pas une tâche très agréable.
7. On le fait chaque matin si on n'est pas trop pressé(e).
8. -?-

Act. 12. (whole class; partners) (1) Develop the story yourself, frame by frame and include the class using questions such as *À quelle heure vous levez-vous? Vous prenez aussi du café le matin? Le faites-vous vous-même?* (2) Assign to partners for practice with narration. Basic input: 1. *Adrienne fait du café dans la cuisine.* 2. *Elle fait son lit.* 3. *Elle descend l'escalier pour aller faire ses courses.* 4. *Elle achète ses provisions.* 5. *Elle entend le téléphone.* 6. *Elle répond au téléphone.* 7. *Elle prépare son déjeuner.* 8. *Elle fait la vaisselle.* 9. *Elle fait la lessive.* 10. *Elle repasse des vêtements.* 11. *Elle arrose ses plantes.* 12. *Elle ouvre la porte.* New vocabulary: *arroser.*

Activité 12 Récit: Un samedi chargé

Racontez la journée d'Adrienne.

Vocabulaire utile: repasser, arroser

Activité 13 Dans le monde francophone: Perceptions

Voici les résultats d'une enquête sur le niveau de participation de l'époux au travail ménager. Lisez le tableau et les conclusions suivants, puis dites si vous êtes d'accord ou pas, et pourquoi.

EST-CE QUE L'ÉPOUX «FAIT QUELQUE CHOSE»?		
tâches	**réponse de l'époux**	**réponse de l'épouse**
Marché/achats	54	48
Vaisselle	48	44
Véhiculer les enfants	49	49
Habiller les enfants	38	31
Cuisine	37	27
Ménage	35	24
(Francoscopie 1999)		

Conclusions. Etes-vous d'accord?

1. Presque 50% des hommes aident à conduire les enfants.
2. Il semble que les hommes aiment mieux faire les achats que cuisiner.
3. Seulement un tiers (1/3) des hommes participent à faire le ménage.
4. On ne précise pas si l'épouse ou l'époux travaille hors de la maison.
5. Les femmes pensent que leurs époux ne font pas beaucoup le ménage.
6. Les femmes sont injustes envers leurs époux.
7. Dans cette enquête, les hommes exagèrent dans tous les domaines.

Act. 13. (whole class) This is part of a survey given to husbands and their wives from all EU countries in 1999. (1) State/explain the tasks first, then ask questions: *Combien d'hommes aident à habiller les enfants, d'après les hommes? Et d'après les femmes? Est-ce que plus d'hommes aident à faire le ménage ou à faire la vaisselle?* (2) Read the conclusions aloud to be sure everyone understands, then assign the discussion to partners. These will require discussion and negotiation. (3) Do a survey to see how many agree with each item or not, and ask for students to explain their reasons. Ask the class to speculate as to why the male/female answers in the table were different.

LA VIE DE QUARTIER

La vie de quartier. Use your PF and the drawings to introduce and review small businesses typical of an urban neighborhood in France: *Jean-Yves lave ses vêtements au lavomatic, n'est-ce pas? Qui dans la classe va aussi au lavomatic? Vous, Andy? Il est près de chez vous, votre lavomatic? (oui) Quel jour préférez-vous y aller?* Include "states," (See *Mise en train, Act.2*): *Et vous, où allez-vous quand vous avez faim? quand vous avez besoin d'acheter des provisions?* New vocabulary: *connaître, copain/copine, lavomatic, marchand de vins, pressé(e), quartier, self-service, voisin.*

AS 14. Do a TPR activity with "states." *Vous avez soif, buvez une limonade. Vous êtes content(e), riez!* (See IRK for TPR.)

Attention! Étudier Grammaire 4.6 et 4.7

Dans le quartier de Jean-Yves Lescart

Jean-Yves va au lavomatic parce qu'il a besoin de faire la lessive.

Il va au café parce qu'il a soif et qu'il a envie de voir ses copains.

Quand il a faim et qu'il est pressé, il mange au self-service.

Il connaît beaucoup de gens dans le quartier.

Tous les voisins le connaissent aussi.

Activité 14 Associations: Les courses et les commerces

Où est-ce qu'on peut faire les courses ou les activités suivantes?

LES COURSES

1. envoyer une lettre
2. faire réparer des chaussures
3. faire la lessive
4. faire nettoyer un vêtement délicat
5. se faire couper les cheveux
6. faire réparer une montre cassée
7. acheter du détergent
8. acheter une carte Michelin d'Italie
9. un film en DVD
10. prendre un pot avec des copains

LES ENDROITS

a. chez le cordonnier
b. au lavomatic
c. chez le coiffeur/la coiffeuse
d. dans une brasserie
e. au pressing
f. au bureau de poste
g. à la bijouterie
h. dans une librairie
i. dans un magasin d'électronique
j. dans une grande surface

Info: Société. Work with a map of Paris to show the difference between the *centre-ville* and the *banlieue,* and demonstrate how the former corresponds to the medieval walled city. A study of the division of Paris into *arrondissements* shows the concentric outward development from the historical heart of the city. Contrast this with the centerless grid typical of American cities. Point out on the map some of the *quartiers* mentioned in the text. Explain that the saints for which the *quartiers* are named were often the patron saints of professional groups in the Middle Ages. Indicate the

Info: Société

Villes, quartiers, villages

Une ville européenne est traditionnellement divisée en «quartiers», souvent avec un nom de saint (Sainte-Marthe, Saint-Marcel) parce qu'autrefois[1] l'église était le centre de la vie collective. Le nom d'un quartier évoque parfois aussi un monument (la Bastille), une activité (les Halles, le Quartier latin), ou peut refléter la topographie d'un endroit (le Marais, Montmartre). À Paris, il y a aussi un quartier chinois (13e arrondisse-

Petits commerces dans le Marais, quartier parisien

ment), un quartier juif (le Sentier) et plusieurs quartiers à dominance maghrébine,[2] comme Barbès. Chaque quartier a une personnalité particulière: il existe encore des fêtes et des traditions culinaires qui changent d'un quartier à l'autre, car nombre de[3] «Parisiens» gardent leurs racines[4] culturelles provinciales.[5]

[1]≠présent
[2]originaire d'Afrique du nord, du Maghreb
[3]**nombre...** beaucoup de
[4]origines
[5]de la province, l'ensemble des régions françaises, à l'exception de Paris (en province ≠ à Paris)

Act. 14. (whole class; partners) Introduce new verbs, products, and stores using PF, writing all new terms on the board. As you do so, elicit where one does the errand, buys the product, or what one can do in the place. *Cet homme se fait couper les cheveux. Est-ce qu'il est chez le coiffeur ou chez le cordonnier? Quels autres services peut-on obtenir chez le coiffeur? (laver les cheveux, raser) Oui, on peut se faire...* Do the activity with the class, or assign to partners. New vocabulary: *bijouterie, brasserie, coiffeur/coiffeuse, cordonnier/cordonnière, délicat(e), détergent, disque DVD, électronique, faire réparer, se faire couper les cheveux, grande surface, prendre un pot, pressing.*

AS 15. Distribute a list of errands (List A) to half the class, and List B to the other half. Students are then paired (A-B, A-B) and each tells the other what he/she has to do this weekend (*je dois...*) and where he/she has to go to do the errand. (See IRK for activity.)

characteristics of some of the best-known *quartiers:*

La Défense: le quartier des affaires; Montmartre: le quartier des artistes au XIXe siècle; Saint-Germain, le Quartier latin: le quartier des intellectuels (point out *la Sor-*

bonne); le Sentier: le quartier de la mode, de l'industrie du vêtement; le quartier juif; la place Vendôme: le quartier des bijoutiers; Pigalle: le quartier «chaud» des boîtes de nuits et de la prostitution; les Halles: le quartier «branché» des restaurants et des cinémas.

Follow up: *Vrai ou faux?*
Le quartier est une subdivision administrative.
Le nom d'un quartier est toujours d'origine religieuse.
Les quartiers se ressemblent tous.
À Paris, plusieurs quartiers ont un caractère ethnique bien défini.

Act. 15. (whole class; partners) Read the statements aloud and ask for a show of hands for each item, commenting on your own situation as you do so. Afterward, assign to partners. Variation: Have the class ask you questions based on the activity later. New vocabulary: *agent de police, commerçant(e), connaître, contacter, des ennuis, facteur, gens, proche, reconnaître.*

Activité 15 Enquête: Connaissez-vous votre quartier?

Dites *oui* ou *non*. Ensuite, comparez vos réponses avec celles de votre partenaire.

1. Je connais mes voisins.
2. Je fais mes achats chez les commerçants du quartier.
3. Beaucoup de mes voisins me connaissent et me saluent.
4. Je sais le nom des agents de police qui travaillent dans le quartier.
5. Je reconnais les gens qui passent devant chez moi.
6. Je me promène dans le quartier de temps en temps.
7. Je peux contacter un de mes voisins si j'ai des ennuis.
8. Je sais où prendre l'autobus dans mon quartier.
9. Je connais certains des enfants du quartier.
10. Je sais où se trouve le bureau de poste le plus proche.

> MODÈLE: É1: Moi, je sais le nom du facteur. Et toi?
> É2: Aucune idée! Je suis en cours quand le facteur arrive chez nous.

Exprime-toi!

Bien sûr!
Aucune idée!
Pas du tout!
Sans blague?

Act. 16. (partners; whole class) Go over the factors to consider, then assign to partners to give each item a ranking. This will involve some differences of opinion and discussion. Move around to provide help as needed. New vocabulary: *à proximité, calme, criminel(le), décor, des distractions, habitant(e), plaît/plaire, prestige, varié(e).*

AS 16. Have students decide which factors in the list in *Act. 16* would probably be important to other types of people (*une famille avec un budget limité, un PDG et sa femme...*).

Activité 16 Échanges: Pour choisir un appartement

Voici des facteurs qui influencent souvent le choix d'un appartement. Si vous décidez de partager un «appart» avec des copains, quelle importance ont les considérations suivantes pour vous?

(1) très important   (2) important   (3) indifférent   (4) sans importance

_____ le calme
_____ un logement qui me plaît
_____ des parcs à proximité
_____ des voisins d'origines variées
_____ des transports en commun à proximité
_____ l'absence d'activité criminelle
_____ des restaurants à proximité

_____ des distractions à proximité
_____ des habitants de mon âge
_____ des commerces à proximité
_____ un prix raisonnable
_____ le prestige du quartier
_____ la proximité de mon travail
_____ le décor du logement

LECTURE

Lecture. Aton-Râ is a composite character based on actual rap singers: his real name (from the Ivory Coast) recalls that of MC Solaar. He has taken on an Egyptian-sounding pseudonym like the members of IAM, and comes from the working-class suburb of Seine-Saint-Denis, like NTM and several other groups. If possible, show images and play music from these artists (see Web site). Students should understand that in France, rap (and related music forms) frequently carries social and political messages, especially against racism, corruption, and the far Right. Consider bringing in ra-EF (Cheb Mami,

Culture des banlieues?

Aton-Râ (de son vrai nom Jean-Claude Kouamé) est chanteur de rap originaire de la Seine-Saint-Denis, en banlieue parisienne. Il est interviewé sur M6 à l'émission de télévision «Planète Jeunes» par l'animateur Cédric LeGoff.

Cédric LeGoff: Tout le monde aujourd'hui parle d'une «culture de banlieue», mais est-ce que tu ne penses pas que c'est une légende, un truc[1] publicitaire pour vendre des disques?

[1](fam.) une stratégie, une idée

Un cité près de Paris: «d'immenses immeubles complètement impersonnels, de véritables cages à lapins»

Aton-Râ: Ah, non! Ce n'est pas une légende, mais ce n'est pas non plus ce que montrent les films ou la télé: les gens des banlieues ne sont pas tous chômeurs[2] et délinquants! En fait, on y trouve aussi des gens honnêtes qui travaillent dur.

Cédric LeGoff: Quelques-uns, mais pas beaucoup...

Aton-Râ: Bien sûr, la banlieue c'est le ghetto des exclus, de tous ceux que la «bonne société» française ne veut pas voir, c'est clair. Regarde comment on a construit les cités: d'immenses immeubles complètement impersonnels. Il n'y a plus de commerces de proximité, pas d'espace pour jouer, pour se promener, pas de centres culturels, pas de cinémas. Pas étonnant que les jeunes se tournent vers le trafic et la délinquance, avec un cadre de vie pareil.[3] Pas de travail, pas d'espaces verts, pas d'espoir.[4] C'est la galère[5] totale!

Cédric LeGoff: Bon, c'est certain que les conditions de vie dans les cités ne sont pas roses; mais est-ce que cela crée[6] une culture propre?

Aton-Râ: Oui, parce que les gens sont unis par une expérience commune de l'exclusion au quotidien, tu vois. Ils partagent le même langage et une musique qui exprime[7] leur révolte... Le rap n'est pas toujours violent, mais il reflète[8] toujours des conditions de vie difficiles, la marginalisation. Il exprime une frustration, et les jeunes des cités s'identifient très profondément à ce discours.

Cédric LeGoff: Oui, mais est-ce que vous, les rappeurs, vous n'êtes pas tentés de renier[9] votre banlieue quand vous devenez riches et célèbres?

Aton-Râ: À mon avis non; si on fait ça, on va aliéner notre public immédiatement. Il est indispensable de ne pas oublier son quartier d'origine, même si on gagne des millions. On est enfant de la banlieue, et on le reste.

---

[2]personnes qui n'ont pas de travail
[3]**cadre...** environnement de ce genre
[4]<espérer: penser que la situation va s'améliorer
[5](fam.) situation difficile

[6]<la création
[7]parle de
[8]<la réflexion
[9]désavouer, refuser

Khaled) and regionalist musical currents (Fabulous trobadors and Zebda from Toulouse; Massilia Sound System from Marseille; I muvrini from Corsica, Tri Yann from Brittany, Wazoo from Auvergne) in order to demonstrate the plurality of French culture even within metropolitan France.

Pre-reading activity: Ask students to brainstorm in order to imagine the living conditions in a *cité HLM* on the outskirts of a French city. Use the illustration as a point of departure and try to elicit the following information: *Quand est-ce que ces immeubles ont été construits? Est-ce que ce sont des immeubles de luxe? Est-ce qu'il y a des magasins, des restaurants, des cinémas dans cette cité? Quelles personnes habitent là? Comment est leur vie?*

Avez-vous compris?

A. Expliquez les mots ou expressions suivants:
  1. des espaces verts
  2. les conditions de vie ne sont pas roses
  3. au quotidien
  4. des commerces de proximité

B. Dans une autre interview, l'animateur suggère les idées suivantes. Dites si à votre avis Aton-Râ va être d'accord ou non avec ces phrases.

  1. «Les jeunes habitants des banlieues sont tous des délinquants.»
  2. «La culture des banlieues n'est pas une invention des médias.»
  3. «Le rap est nécessairement une musique violente.»
  4. «L'environnement des banlieues provoque des frustrations chez leurs habitants.»
  5. «Si on a assez d'argent, il est préférable d'oublier la banlieue.»

À vous la parole! Avec un groupe de deux ou trois camarades, déterminez les avantages et les inconvénients d'habiter (1) en ville, (2) dans une cité de banlieue, (3) dans une banlieue résidentielle et (4) à la campagne.

La langue en mouvement. The name *verlan* is a reversal of *l'envers*, as in *à l'envers* (backward). The rules for reversing the syllables depend on the structure of the word, and there is sometimes more than one possibility. Notice how these transformations focus on the spoken rather than the written form of the word, and how they highlight the preference of French for open syllables, i.e., consonant + vowel, e.g., *mé-tro*. Additional examples: *sub (bus)*, *auche (chaud)*, *keum (mec)*, *féca (café)*, *segro (grosse)*, *beur* and *reubeu (arabe)*, *keuf (flic)*, *teboi (boîte de nuit)*, *guétupor (portugais)*, *rettegaci (cigarette)*.

AS 17. As needed, you may wish to review some basic rules for syllabification in French (*la syllabation*). In particular, remind students that when there is one consonant between two vowels, the consonant goes with the following vowel. (*u-ni-vers*) Also, if there are two consonants between vowels, divide between the two consonants (*res-ter, u-ni-ver-si-té*). This rule does not apply if the second consonant is r, l, or a semi-vowel, in which case the two consonants form a cluster and go with the following vowel (*a-près, ou-bli, na-tion*). Note that "consonant" and "vowel" here refer to the sounds, not the written letters.

À vous d'écrire:
Do an in-class example or have all students do in class. Ask for other information students think important to include, such as *non-fumeur*. Have them write in an abbreviated style, as though their compositions were to be put on a bulletin board. You may wish to use this as the basis for a composition. New vocabulary: *annonce, colocataire, rechercher, renseignement*.

La langue en mouvement

Le verlan

Les jeunes qui habitent les cités parlent un français qui possède beaucoup de mots qui n'existent pas en français standard. Une des particularités de leur vocabulaire, c'est le «verlan». Les mots du verlan sont formés par l'inversion des syllabes d'un mot de français standard. Par exemple, <u>femme</u>, <u>rap</u> et <u>noir</u> deviennent en verlan <u>meuf</u>, <u>peura</u> et <u>renoi</u>, respectivement. Pouvez-vous deviner l'équivalent standard de <u>tromé</u> et <u>saifran</u>?

À vous d'écrire!

Vous allez passer quelques mois à l'université de Toulouse et vous désirez partager un appartement avec des étudiants français. Écrivez une petite annonce qui décrit ce que vous recherchez: le type de logement, le nombre et le type de colocataires (camarades de chambre) que vous cherchez, le loyer maximum que vous pouvez payer et d'autres renseignements qui vous semblent importants. N'oubliez pas de dire comment on peut vous contacter.

MODÈLE: Étudiant(e) américain(e) cherche... pour... mois.

www.mhhe.com/deuxmondes

À explorer: www.mhhe. com/deuxmondes/ pour obtenir plus d'informations sur les thèmes du chapitre.

Vocabulaire

LES PIÈCES ET LES AUTRES PARTIES DE LA MAISON

Rooms and other places in the house

la chambre à coucher	the bedroom
la cheminée	the fireplace
la cuisine	the kitchen
l'escalier (*m.*)	the stairs, staircase
le jardin	the yard, garden
la salle à manger	the dining room
la salle de bains	the bathroom
la salle de séjour	the living room
le sous-sol	the basement
le toit	the roof
un volet	a shutter

Mots apparentés: le salon, la terrasse

LES MEUBLES ET L'ÉQUIPEMENT MÉNAGER

Household furnishings

un appareil	an appliance
une baignoire	a bathtub
un balai	a broom
une bouilloire	a teakettle
un canapé	a sofa
une commode	a dresser
un coussin	a cushion
une cuisinière	a kitchen range, stove
une douche	a shower
un évier	a kitchen sink
un fauteuil	an easy chair
un fer à repasser	an iron
un four à micro-ondes	a microwave oven

un grille-pain	a toaster
un lavabo	a lavatory, sink
un lave-vaisselle	a dishwasher
un lit	a bed
une machine à laver	a washing machine
un placard	a closet, cupboard
un radio-réveil	a clock radio
des rideaux (*m.*)	curtains
un tableau	a picture
une table basse	a coffee table
une table de nuit	a bedside table
un tapis persan	a Persian rug
les w.c.	a toilet

Mots apparentés: un buffet, un détergent, un DVD, une lampe, un miroir, une radio, un réfrigérateur, un sauna, une table, un ventilateur

LE LOGEMENT

Housing-related terms

un ascenseur	an elevator
la cité universitaire	university residence halls
un deux-pièces meublé	a furnished one-bedroom apartment
un immeuble	an apartment building, a highrise
un(e) locataire	a tenant
le rez-de-chaussée	the ground floor
le premier étage	the second floor
le (douzième) étage	the (thirteenth) floor
louer an appartement	to rent an apartment
payer le loyer	to pay the rent

Mots apparentés: un balcon, un court de tennis, un édifice, un parc résidentiel, une résidence, un studio, une villa, une vue

LE QUARTIER

The neighborhood

un agent de police	a police officer
une bijouterie	a jewelry store
une brasserie	a tavern, pub
un(e) commerçant(e)	a shopkeeper
un coiffeur/une coiffeuse	a hairdresser
un cordonnier/une cordonnière	a shoemaker, repairer
un facteur	a mail carrier

une grande surface	a supermarket
un lavomatic	a laundromat
un marchand de vins	a wine seller
un(e) voisin(e)	a neighbor

Mots apparentés: un(e) employé(e), un(e) fleuriste, un garage, un pressing, un self-service

LES TÂCHES MÉNAGÈRES

Household tasks

arroser	to water (*plants*)
bouillir	to boil
bricoler	to putter, tinker
conserver la nourriture	to preserve food
essuyer la vaisselle	to wipe the dishes
faire la lessive	to do laundry
faire la poussière	to dust
faire la vaisselle	to wash dishes
faire le ménage	to do housework
jardiner	to garden
nettoyer	to clean
s'occuper de	to take care of
passer l'aspirateur	to vacuum
ranger	to put in order
repasser	to iron
sortir les ordures	to empty the garbage
tondre le gazon	to mow the lawn

LES CONDITIONS MENTALES ET PHYSIQUES

Physical and mental states

avoir besoin (de)	to need
chaud	to feel warm, hot
envie (de)	to want
faim	to be hungry
froid	to be cold
honte	to be ashamed
peur (de)	to be afraid (of)
raison	to be right
soif	to be thirsty
sommeil	to be sleepy
tort	to be wrong
être content(e)	to be happy
de mauvaise humeur	to be in a bad mood
fâché(e)	to be angry
triste	to be sad

La description

Description

dur(e)	hard, difficult
original(e)	unusual, special
pressé(e)	in a hurry
proche	near, nearby
propre	own (my own . . .); clean
sale	soiled, dirty

Mots apparentés: **calme, confortable, criminel(le), délicat(e), électronique, équipé(e), pratique, rarement, sale, varié(e), vaste**

Verbes

Verbs

apporter	to bring
bâtir	to build
bavarder	to chat
choisir	to choose
connaître	to be acquainted with
entendre	to hear
partager	to share
prendre une décision	to make a decision
réfléchir	to think, reflect
répondre	to answer
se reposer	to rest
vendre	to sell
vivre	to live

Mots apparentés: **aider, comparer, conserver, considérer, démolir, finir, payer, refuser, réparer, signer, téléphoner**

Mots et expressions utiles

Useful words and expressions

à proximité	close by
Aucune idée!	I've no idea!
C'est dégoutant!	That's disgusting!
en plus	also, furthermore
pas du tout	not at all
Sans blague!	No kidding!
toutes les semaines	every week
Tu as de la chance!	You're lucky!

Grammaire et exercices

4.1 Describing: PLACEMENT OF ADJECTIVES

✳ *Most of these adjectives can be arranged in pairs of opposites:* **bon ≠ mauvais.** *Look for the other pairs.*

A. Most French adjectives follow the noun they modify.

> Nos voisins ont une maison **énorme.**   *Our neighbors have a huge house.*

B. A few adjectives, however, generally precede the noun they modify. Here are the most common of these.

4.1. Before assigning, do a brief PF input session with a number of adjectives. *Comment est la maison? Est-ce qu'elle est bleue ou blanche? grande ou petite?* Write examples of both prenominal and postnominal adjectives on the board in columns: *une petite maison, une maison blanche.* After writing several examples in each column, point out the difference. *Pourquoi est-ce que «petite» est devant le nom? Pourquoi est-ce que «blanche» vient après? Quelle est la place d'un adjectif en français? En général, l'adjectif vient après le nom, mais certains adjectifs sont placés devant.* Have students turn to the table and review it briefly. Point out the variant forms. *On dit «un bel appartement» Pourquoi? Le mot «appartement» est masculin, mais il commence par une voyelle. C'est facile à prononcer.* You might use an analogy with English *an* (an apartment, an egg). Forms and position of adjectives are difficult for English speakers and require much listening input and writing practice before they are acquired.

PRE-NOUN ADJECTIVES			
autre	*other*	mauvais(e)	*bad*
beau/belle	*beautiful*	même	*same*
bon(ne)	*good*	nouveau/nouvelle	*new*
grand(e)	*big; tall*	petit(e)	*small, short*
jeune	*young*	vieux/vieille	*old*
joli(e)	*pretty*		

> Il y a un **beau** tapis dans le salon.   *There's a beautiful rug in the living room.*
>
> Mes grands-parents habitent dans une **jolie** maison blanche.   *My grandparents live in a pretty white house.*

C. **Beau, nouveau,** and **vieux** have irregular forms used with masculine nouns beginning with a vowel or a mute **h.**

ES 1. *Mme Dubois est une vieille dame. Toutes ses possessions sont vieilles. Qu'est-ce qu'elle a chez elle? Elle a...* Provide items orally or on the board: *(un chien) Elle a un vieux chien.* Suggestions: *une voiture, une maison, un lit dans sa chambre, un tapis dans son salon, un canapé, un arbre dans son jardin.*

MASCULINE (*s./pl.*)	FEMININE (*s./pl.*)	*before a masculine singular noun beginning with a vowel or mute* **h**
beau/beaux	belle/belles	bel
nouveau/nouveaux	nouvelle/nouvelles	nouvel
vieux/vieux	vieille/vieilles	vieil

> Leur **nouvel** appartement est dans un **bel** immeuble.   *Their new apartment is in a lovely building.*
>
> Édouard Vincent est un **vieil** homme sympathique.   *Édouard Vincent is a nice old man.*

Pronunciation Hint:

The plural endings **-s** and **-x** are always pronounced before a vowel or a mute **h:** **vieux‿amis, belles‿étagères, nouveaux‿hôtels.**

Exercice 1 La nouvelle maison de Julien Leroux

Julien Leroux parle avec un ami. Terminez ses réponses avec le nom suggéré et le même adjectif. Faites attention à l'accord de l'adjectif.

> MODÈLE: Tu as une *grande* chambre, n'est-ce pas? (lit, *m.*) →
> Oui, et j'ai aussi un grand lit.

1. C'est un *vieux* quartier, n'est-ce pas? (maison, *f.*)
   Oui, mais ce n'est pas _____.
2. Tu as un *beau* buffet, n'est-ce pas? (cheminée, *f.*)
   Oui, et j'ai aussi _____.
3. Tu as une *petite* cuisine, n'est-ce pas? (réfrigérateur, *m.*)
   Oui, et c'est pourquoi j'ai _____.
4. Il y a un *bon* four, n'est-ce pas? (cuisinière, *f.*)
   Oui, et il y a aussi _____.
5. Tu as une *grande* baignoire, n'est-ce pas? (sauna, *m.*)
   Oui, et j'ai aussi _____.
6. Tu as une *nouvelle* adresse, n'est-ce pas? (numéro de téléphone, *m.*)
   Oui, bien sûr. Et j'ai aussi _____.

Ex. 1–2. Students practice irregular adjective forms. These exercises could be done in pairs in the classroom after students have prepared them at home.

Exercice 2 Au contraire!

Faites des questions et répondez en utilisant l'adjectif contraire. Attention aux formes des adjectifs.

> MODÈLE: une petite cuisine →
> Tu as une petite cuisine, n'est-ce pas?
> Mais non, j'ai une grande cuisine.

1. une petite chambre
2. un nouvel appartement
3. un vieux jean
4. de nouvelles chaussures
5. une grande étagère
6. un bon dictionnaire de français
7. un jeune professeur de français
8. de nouveaux amis

4.2 MAKING COMPARISONS

A. To make comparisons of qualities with adjectives or adverbs, use the following phrases.

COMPARING QUALITIES	
aussi... que	*as . . . as*
plus... que	*more . . . than*
moins... que	*less . . . than*

4.2. Focus on comparing adjectives and adverbs with *plus/moins/aussi... que* and quantities (*plus de/moins de/autant de*) without stressing the difference between adverbs and adjectives. Point out *meilleur/mieux* but be aware that it will take time for these to be acquired.

ES 2. Divide class into groups of four and give each group 3–5 pictures. Have students ask one another as many questions as they can, using comparatives. *Est-ce que le portable est plus pratique que le téléphone non-portable?*

➤ In comparisons, as always, the adjective agrees with the noun it modifies: **Barbara est plus grande que Louis.**

➤ Comparative expressions are one type of quantity expressions. These usually take **de** before the noun: **beaucoup de livres.** (See Grammaire **3.6E** and **7.1.D.**)

Un réfrigérateur est **aussi utile qu'**un lave-vaisselle.
Une baignoire est **plus pratique qu'**un sauna.
Bernard dort **moins bien que** Christine.

A refrigerator is as useful as a dishwasher.
A bathtub is more practical than a sauna.
Bernard sleeps less soundly than Christine.

B. To compare quantities (of nouns), use these phrases:

COMPARING QUANTITIES	
autant de... que	*as much, as many as*
plus de... que	*more than*
moins de... que	*less, fewer than*

Il y a **plus de chaises** dans la salle à manger **que** dans le salon.

Ton appartement a **autant de pièces que** notre maison.
J'ai **moins d'argent que** toi.

There are more chairs in the dining room than in the living room.
Your apartment has as many rooms as our house.
I have less money than you (do).

Pronunciation Hint:

In general, the **s** in **plus** is not pronounced before a consonant: **J'ai plus de livres que vous.** It is pronounced **z** before a vowel: **Il est plus organisé que moi.** The **s** *is* pronounced (as an **s**) at the end of a phrase or sentence: **Mangez plus!**

C. **Bon** and **mauvais** are adjectives (they modify nouns and pronouns): **un *bon* livre, un *mauvais* exemple. Bien** and **mal** are adverbs (they modify verbs): **elle parle *bien* l'anglais, il chante *mal*.** Here are their comparative forms. Notice that some of their comparative forms are irregular.

✴ *Review the definition of an adjective, p. 13.*

ADJECTIVES			
bon(ne) (*good*)	moins bon(ne)	aussi bon(ne)	**meilleur(e)**
mauvais(e) (*bad*)	moins mauvais(e)	aussi mauvais(e)	plus mauvais(e)/pire

Definition: An adverb modifies a verb, i.e., it tells *how* something is done: Barbara talks *fast,* and I write *slowly.*

ADVERBS			
bien (*well*)	moins bien	aussi bien	**mieux**
mal (*badly, poorly*)	moins mal	aussi mal	plus mal

Cette table est de **meilleure** qualité que l'autre.
Ces rideaux vont **mieux** avec les couleurs de ma chambre.

This table is of better quality than the other one.
These curtains go better with the colors in my room.

Exercice 3 À votre avis

Comparez les objets, selon le modèle.

MODÈLE: une voiture et une bicyclette →
Une voiture est plus confortable qu'une bicyclette, mais une bicyclette est moins chère.

1. un lave-vaisselle et un réfrigérateur
2. un appartement et une maison
3. un aspirateur et un four à micro-ondes
4. un immeuble moderne et un vieil immeuble
5. une chaîne stéréo et une radio
6. un répondeur téléphonique et un magnétoscope*

Suggestions

cher/chère	pratique	utile	charmant(e)
important(e)	agréable	confortable	intéressant(e)
amusant(e)	économique	beau/belle	important(e)
			-?-

Ex 3. Suggest that students first decide on the adjective and comparative statements they wish to use. After doing so, they should verify that they have chosen the correct adjective forms.

Exercice 4 Maisons bien équipées

Comparez l'équipement électronique chez Daniel, Albert et Louis. Employez **plus de, moins de** ou **autant de.**

	RADIO-RÉVEILS	TÉLÉVISIONS	JEUX CD-ROM	CHAÎNES STÉRÉOS
Chez Daniel	2	1	8	2
Chez Albert	3	2	5	4
Chez Louis	4	0	4	4

MODÈLE: Daniel a _____ radio-réveils qu'Albert et Louis. →
Daniel a moins de radio-réveils qu'Albert et Louis.

1. Daniel a _____ jeux CD-ROM que Louis.
2. Albert a _____ chaînes stéréos que Louis.
3. Daniel a _____ chaînes stéréos qu'Albert et Louis.
4. Albert a _____ radio-réveils que de télévisions.
5. Louis a _____ chaînes stéréos que de radio-réveils.
6. Louis a _____ jeux CD-ROM que de télévisions.

Ex. 4. The focus here is on comparing quantities. Partners could ask each other questions with *Est-ce que* to review: *Est-ce que Daniel a plus d'ordinateurs que Louis? Oui, il a plus d'ordinateurs.* Before they do so, heighten awareness of the construction by pointing out that one uses *plus/moins de* when comparing quantities (nouns).

ES 3. Follow up *Ex. 4* with class discussion, finding out how many of these things students have in their homes and why: *Qui a plus (moins) de télévisions que Judy? Pourquoi avez-vous tant (si peu) de réveils?* Point out to students that *plus (moins) de* is used to compare quantities: *Qui a plus (moins) de radio-réveils?*

---

*un magnétoscope = a VCR

Exercice 5 Ambiance universitaire

Ex. 5 and 6. *Ex. 5* focuses on the distinction between the adjectives *bon/mauvais* and the corresponding adverbs *bien/mal*, which is parallel to the distinction between *mieux* and *meilleur*, treated in *Ex. 6*.

Complétez les phrases suivantes avec un adjectif (**bon** ou **mauvais**) ou un adverbe (**bien** ou **mal**), selon votre propre expérience.

1. Le quartier de l'université est un _____ quartier pour trouver un logement.
2. En général, les logements loués aux étudiants sont en _____ condition.
3. Les résidences universitaires offrent une _____ ambiance pour un nouvel étudiant.
4. Dans les restaurants universitaires, on mange très _____.
5. Les étudiants sont souvent en _____ santé, parce qu'ils ne dorment pas assez.
6. Je dors _____ la nuit, si je bois du café le soir.
7. Je travaille _____, allongé sur le canapé.

Exercice 6 Opinions

Êtes-vous d'accord? Sinon, changez la phrase.

MODÈLE: Je me sens mieux quand je bois du café. →
Oui, je me sens mieux quand je bois du café. (Non, je me sens moins bien quand je bois du café.)

1. Les étudiants d'aujourd'hui sont moins bons que les étudiants d'il y a vingt ans (*20 years ago*).
2. Les diplômés d'aujourd'hui sont moins bien préparés pour le monde du travail que leurs parents.
3. Mes notes en maths sont meilleures que mes notes en français.
4. En général, les petites universités sont moins bonnes que les grandes.
5. Je travaille mieux à la bibliothèque que chez moi.
6. Les jeunes professeurs sont meilleurs que les professeurs plus âgés.

4.3 REGULAR -IR VERBS

4.3. Explain that most -*ir* verbs are conjugated like *finir*. Compare with present-tense forms of the irregular -*ir* verbs students have already seen (*sortir, dormir*). Not all verbs included in this section are expected to be acquired for active use. We recommend *finir, choisir, réagir, réfléchir (à), réussir (à)* for active use. We introduce the concept of prepositions + nouns and infinitives. Refer students to the reference table in Appendix B. Suggest that students learn prepositions with new infinitives in their home study. *Offrir*-type verbs are presented for recognition only.

A. The second group of regular verbs in French has infinitives ending in **-ir.** These verbs add **-iss-** between the stem and the endings in the plural forms.

finir (*to finish*)	
je finis	nous fin**iss**ons
tu finis	vous fin**iss**ez
il/elle/on finit	ils/elles fin**iss**ent

Albert **finit** toujours ses devoirs. *Albert always finishes his homework.*

Pronunciation Hint:

finiş, finiʄ, finissɛ́ɲʄ

B. Other verbs conjugated like **finir: bâtir** (*to build*), **choisir** (*to choose*), **démolir** (*to demolish*), **obéir** (à) (*to obey*), **punir** (*to punish*), **réfléchir** (à) (*to think [about]*), **réussir** (à) (*to succeed [at]*).

Raoul? Il **choisit** un vin.	*Raoul? He's choosing a wine.*
Les jeunes ne **réfléchissent** pas toujours avant d'agir.	*Young people don't always think before acting.*

C. Obéir, réfléchir, and **réussir** generally require **à** before their objects.

Elle **réfléchit à** la question.	*She's thinking about the question.*
Je **réussis** toujours **aux** examens.	*I always pass exams.*

D. Finir and **choisir** require **de** only when followed by an infinitive.

Nous **finissons** souvent **de travailler** à 8 h.	*We often finish working at 8:00.*
On peut **choisir de rester** à la maison.	*One can choose to stay at home.*

E. Though their infinitives end in **-ir, offrir** and **ouvrir** are conjugated like **parler.**

offrir (*to offer, give*)	
j'offre	nous offrons
tu offres	vous offrez
il/elle/on offre	ils/elles offrent

Other verbs like **offrir** and **ouvrir: couvrir** (*to cover*), **découvrir** (*to discover*).

Pronunciation Hint:

offrɛ́ş, õn‿offrɛ́, nousᶻoffrõɲş, vousᶻoffreʑ, ilsᶻoffrɛ́ɲʄ

*E*xercice 7 La classe de Mme Martin

Complétez les phrases suivantes et dites si vous faites la même chose.

MODÈLE: Albert _____ ses cours à 14 h. (finir) →
Albert finit ses cours à 14 h. Moi, je finis à midi.

1. Daniel est sérieux. Il _____ avant de parler. (réfléchir)
2. Louis ne _____ pas toujours ses devoirs. (finir)
3. Barbara _____ toujours à sa conscience. (obéir)

Complétez les phrases suivantes et dites si votre classe de français fait comme la classe de Mme Martin.

ES 4. Mention that many *-ir* verbs derive from adjectives (*rouge -> rougir; grand -> grandir*). Have students identify the adjectives as you say these sentences (write the infinitives on the board as you talk): 1. *Les arbres jaunissent en automne et verdissent au printemps.* 2. *Les personnes âgées vieillissent.* 3. *Les enfants grandissent.* 4. *Parfois, nous grossissons à Noël.* 5. *Est-ce que vous pâlissez quand vous avez peur?* 6. *Les financiers importants s'enrichissent.* 7. *Les blonds brunissent/rougissent au soleil.* Choosing plural forms helps call attention to *-iss.*

★ See **Appendix B** for more on verbs and prepositions.

★ Review **Grammaire 1.5.**

Ex. 7. After doing as homework, students might compare their personal answers for extra oral practice.

MODÈLE: Dans les activités TPR, les étudiants _____ aux ordres. (obéir) →
Les étudiants obéissent aux ordres. Dans notre classe, nous
obéissons aux ordres.

4. Les étudiants _____ leurs partenaires pour travailler en groupes. (choisir)
5. En général, les étudiants _____ à leurs examens. (réussir)
6. Ils vont au café quand ils _____ leurs cours. (finir)

4.4 Regular -re verbs, mettre

4.4. This section completes the formal introduction of all the main classes of French verb conjugations. We recommend *entendre, descendre, perdre, répondre (à)*, and *vendre* for active use. Contrast these forms with *comprendre/prendre*. We include *mettre* because, in the present tense, it follows the same conjugation pattern.

A. The third and final group of regular verbs in French has infinitives ending in **-re.** Note that the **-d** at the end of the stem **(attend-)** is pronounced only in the plural forms. Thus, the three singular forms sound the same.

attendre *(to wait [for], expect)*	
j'attend**s**	nous attend**ons**
tu attend**s**	vous attend**ez**
il/elle/on attend	ils/elles attend**ent**

—Qui **attendez**-vous?   *Whom are you waiting for?*
—J'**attends** Salam.   *I'm waiting for Salam.*

Pronunciation Hint:

atténds, attén̸d; atténdõn̸s, atténde̸z, atténdén̸t

B. Other verbs like **attendre: descendre** *(to get out of a vehicle; to go down),* **entendre** *(to hear),* **perdre** *(to lose; to waste),* **rendre** *(to give back),* **répondre (à)** *(to answer),* **tondre** *(to mow),* **vendre** *(to sell).*

J'**entends** un chien.   *I hear a dog.*
Rendez-moi mes livres!   *Give me back my books!*

★ *Review* **Grammaire 3.3.**

C. Notice the difference between the regular **-re** verbs like **attendre** and the irregular **-re** verbs like **prendre**: the singular forms are the same, but the plural forms are different.

REGULAR	IRREGULAR
nous entend**ons**	nous prenons
vous entend**ez**	vous prenez
ils entend**ent**	ils prennent

D. **Mettre** is similar in conjugation to **attendre.** Notice that there is only one **t** in the stem of the singular forms.

mettre (*to put [on]*)	
je mets	nous mettons
tu mets	vous mettez
il/elle/on met	ils/elles mettent

En classe, nous **mettons** nos affaires par terre.	*In class, we put our things on the floor.*
Je **mets** un jean pour aller en cours.	*I put jeans on to go to class.*

Other verbs conjugated like **mettre: permettre** (*to permit*), **promettre** (*to promise*), **remettre** (*to put back, hand in*).

Pronunciation Hint:

The final **t** in the stem is pronounced in the plural forms only: me*ts*, me*t*, mettõ*ns*, mette*z*, mett*ent*.

Exercice 8 Chez toi

MODÈLE: entendre les voisins →
Chez toi, est-ce que tu entends les voisins?
Oui, j'entends les voisins. (Non, je n'entends pas les voisins.)

1. mettre la table pour dîner
2. prendre le petit déjeuner dans la cuisine
3. tondre le gazon en été
4. permettre au chien de dormir sur ton lit
5. apprendre à surfer le Net
6. mettre ta chambre en ordre tous les jours
7. répondre toujours au téléphone
8. perdre souvent tes livres

Maintenant, posez les mêmes questions au professeur.

MODÈLE: Chez vous, est-ce que vous entendez les voisins?

Ex. 8. Assign both *tu* and *vous* questions, and the answers. In class, you might wish to ask the group to answer with *nous* forms as you ask *vous* questions.

Exercice 9 Comparaisons: ici et ailleurs

Complétez les descriptions d'une université nord-américaine typique. Ensuite, dites si c'est vrai pour votre université et pour votre classe de français.

1. Les étudiants _____ leurs livres à la fin du semestre. (vendre)
   a. Dans cette université, on...
   b. Dans notre classe de français, nous...
2. Les étudiants _____ si le professeur arrive en retard. (attendre)
   a. Dans cette université, on...
   b. Dans notre classe de français, nous...
3. Les étudiants ne _____ pas toujours les devoirs. (remettre)
   a. Dans cette université, on...
   b. Dans notre classe de français, nous...

Ex. 9. Students use singular/plural third person and *nous* forms of *-re* verbs. In class, partners might compare their views on the personal statements. When working together, have students use peer correction for forms.

4. Certains étudiants _____ du temps devant la télé. (perdre)
  a. Dans cette université, on…
  b. Mes copains et moi, nous…
5. Les professeurs ne _____ pas aux étudiants de dormir en classe. (permettre)
  a. Dans cette université, on…
  b. Mon professeur de français…
6. Les professeurs ne _____ pas toujours les examens corrigés le lendemain. (rendre)
  a. Dans cette université, on…
  b. Mon professeur de français…

4.5 Direct object pronouns

Definition: A direct object follows the verb without a preposition before it: **Je fais mon lit.**

A. Direct object pronouns are used in place of direct object nouns. The following forms can refer to people or things. Like reflexive pronouns, they are placed before the verb.

le (*him, it*)	replaces masculine singular nouns
la (*her, it*)	replaces feminine singular nouns
l' (*him, her, it*)	replaces masculine or feminine singular nouns before verbs beginning with a vowel or a mute **h**
les (*them*)	replaces masculine and feminine plural nouns

—Aimez-vous ces rideaux?   *Do you like these curtains?*
—Oui, je **les** aime beaucoup.   *Yes, I like them a lot.*

—Tu entends ton père qui t'appelle?   *Do you hear your father calling you?*
—Oui, je **l'**entends.   *Yes, I hear him.*

Pronunciation Hint:

je les ᶻaimé, nous les ᶻaimṍǹ$, etc.

B. Here are the other direct object pronouns. Note that **me** and **te** become **m'** and **t'** before a vowel or a mute **h**.

me (**m'**) (*me*)	**nous** (*us*)
te (**t'**) (*you*, informal sing.)	**vous** (*you*, formal/pl.)

Bernard, tes parents **nous** invitent   *Bernard, your parents are inviting us*
  au concert.   *to the concert.*

—Allô, maman. Tu **m'**entends   *Hello, Mom. Can you hear me OK?*
  bien?
—Oui, je **t'**entends parfaitement.   *Yes, I can hear you perfectly.*

C. In negative sentences, **ne** precedes object pronouns.

J'aime lire le journal, mais je **ne**   *I like to read the paper but I don't*
  l'achète pas souvent.   *buy it often.*

4.5. Emphasize *le/la* corresponding to *him/her* because these seem to be more difficult for students than *le/la* corresponding to *it*. Use pronouns whenever appropriate in your input, because their comprehension is not usually problematic. Acquisition of pronoun use, however, requires long exposure to the language. Write examples from input on the board. (proper nouns) *Est-ce que vous connaissez Emma Thompson? La connaissez-vous? (Je la connais.) Aimez-vous le film Cyrano? L'aimez-vous? (Je l'aime.) Préférez-vous les documentaires? (Je les préfère.)* Include negative statements to illustrate placement. *Ah, Tom, vous ne les préférez pas. Vous aimez les films d'aventures, alors?*

ES 5. Direct object pronouns with possessive adjectives: *Comment trouvez-vous (votre chambre)? votre voiture, vos cours, vos amis, votre travail; votre copain/copine? les vêtements de votre copain/copine; ses idées, son style de vie; les professeurs dans cette université?: leurs devoirs, leur cours, leur façon de calculer les notes, leur attitude en ce qui concerne les absences.*

ES 6. Direct object pronouns with demonstrative adjectives: Bring in a bag of small objects. Describe, then distribute them. *Cette petite boîte est très belle, n'est-ce pas? Elle vient des Indes. L'aimez-vous? La voudriez-vous, Martine? (une bague, un stylo violet…)*

D. If a verb is followed by an infinitive, the direct object pronoun usually precedes the infinitive of which it is the object.

—Est-ce que tu voudrais **m'accompagner** à la banque? — *Would you like to go with me to the bank?*

—Oui, je passe **te chercher** à 3 h. — *Yes, I'll come by to get you at 3:00.*

E. Direct object pronouns are often used with **voici** and **voilà.**

—Bernard? Bernard? Où es-tu? — *Bernard? Bernard? Where are you?*

—**Me voici!** J'arrive tout de suite. — *Here I am! I'm coming right away.*

J'attends mes parents. Ah, **les voilà!** — *I'm waiting for my parents. Oh, there they are!*

F. Some common verbs take direct objects in French whereas the equivalent English verb takes a preposition: **chercher** (*to look for*), **écouter** (*to listen to*), **regarder** (*to look at, watch*), **attendre** (*to wait for*).

—**Regardez**-vous **les informations** à la télé? — *Do you watch the news on TV?*

—Non, je **les écoute** à la radio. — *No, I listen to it on the radio.*

Tu **m'attends** un instant? Je **cherche mes clés.** — *Would you wait for me a moment? I'm looking for my keys.*

ES 7. Distribute pictures and pretend to lose them. Students "find" them and use direct object pronouns with *voici* or *voilà* to tell you. *Où est ma photo de Madonna? La voilà. Où sont mes enfants? Les voici.*

Exercice 10 Un matin difficile

C'est lundi matin, et Bernard Lasalle est distrait, comme tous les matins. Christine doit l'aider à trouver toutes ses affaires.

MODÈLE: BERNARD: Où est ma chemise jaune? →
CHRISTINE: La voilà!

1. Où est ma cravate verte?
2. Où sont mes lunettes?
3. Où est ma ceinture marron?
4. Où est le journal?
5. Où sont mes tickets d'autobus?
6. Où est ma brosse à dents?

Ex. 10–11. These exercises can be done for partner practice. Remind students that nouns with possessive adjectives also change to *le/la/les*.

Exercice 11 Le travail ménager

Un(e) camarade vous demande si vous faites les tâches suivantes chez vous. Répondez selon le modèle.

MODÈLE: Tu tonds le gazon? →
Oui, je le tonds quelquefois (souvent, une fois par semaine). (Non, moi, je ne le tonds jamais, mais ma sœur le tond.)

1. Tu arroses les plantes dans le jardin?
2. Tu fais la cuisine?
3. Tu fais ton lit?
4. Tu repasses tes vêtements?
5. Tu fais le ménage?
6. Tu nettoies la salle de bains?
7. Tu achètes les provisions?
8. Tu passes l'aspirateur?

Ex. 12. This exercise practices object pronoun placement in the verb + infinitive construction. If practiced in class, illustrate affirmative and negative statements before students begin: *Tu vas nettoyer ta chambre cet après-midi? Oui, je vais la nettoyer. / Non, je ne vais pas la nettoyer.*

Exercice 12 Une mère très curieuse

Votre mère vous téléphone un samedi matin et vous pose beaucoup de questions. Répondez en employant un pronom objet direct.

MODÈLE: Tu vas nettoyer ta chambre aujourd'hui? →
Oui, je vais la nettoyer cet après-midi. (Non, je ne vais pas la nettoyer. Ce n'est pas nécessaire.)

1. Tu vas ranger ta chambre ce matin?
2. Tu vas faire la lessive aujourd'hui?
3. Tu vas repasser tes vêtements?
4. Tu vas faire tes devoirs ce soir?
5. Tu aimes les repas du restaurant universitaire?
6. Tu prends tes vitamines tous les jours?
7. Tu vas venir nous voir demain?
8. Quand vas-tu inviter ton nouveau petit ami/ta nouvelle petite amie à la maison?

Ex. 13. The focus is on using personal pronoun objects. For in-class use, have students "chain" in groups of 3–5. (Student 1 asks the first question: Student 2 answers it, then asks Student 3 the next question, etc.) Later, ask for volunteers to ask you the questions for *nous/vous* practice. *Vous nous trouvez beaux, madame (monsieur)? Oui, je vous trouve très beaux.*

Exercice 13 Nathalie pose des questions

Complétez ses questions et donnez les réponses de ses parents, Bernard et Christine.

MODÈLE: Tu _____ aimes beaucoup, papa? →
Tu m'aimes beaucoup, papa?
Oui, je t'aime beaucoup!

1. Tu _____ trouves belle, maman?
2. Tu _____ écoutes quand je parle, papa?
3. Tu _____ trouves intelligente, papa?
4. Tu veux _____ aider à faire mes devoirs, maman?
5. Tu _____ préfères à toutes les autres petites filles du monde, papa?
6. Tu ne _____ trouves pas difficile, maman?
7. Tu vas toujours _____ aimer, maman?

4.6 Talking about knowing: THE VERB CONNAÎTRE

*Review **Grammaire 2.5.***

4.6. Current French usage gives evidence of some change in the uses of *savoir* and *connaître* with noun objects. *Connaître* is now commonly used and considered acceptable in contexts such as the following: *je connais son nom, je connais sa date*

A. You already know how to use **savoir** (*to know*) to say you know a piece of information or how to do something.

Je **sais** qu'il est tard, mais je ne veux pas rentrer.

Ma camarade de chambre ne **sait** pas **faire** la cuisine.

I know it's late, but I don't want to go home.

My roommate doesn't know how to cook.

B. Connaître means *to know* in the sense of being acquainted with someone or something.

de naissance, je connais l'anglais. In other words, one can use either *connaître* or *savoir* when a noun object refers to something other than a person or place. Thus, we recommend that you emphasize the use of *connaître* with people and places.

connaître (*to know, be familiar with*)	
je connais	nous connaissons
tu connais	vous connaissez
il/elle/on connaît	ils/elles connaissent

Je ne **connais** pas encore mes voisins.	*I don't know (haven't met) my neighbors yet.*
Connaissez-vous le restaurant «Chez Alfred» dans la vieille ville?	*Do you know (Are you familiar with) the restaurant "Chez Alfred" in the old part of town?*

Pronunciation Hint:

connai$, connaî$, connais$$

Exercice 14 Une soirée chez Julien

Ex. 14. This practices the forms of *connaître* only.

Julien Leroux parle avec ses invités. Utilisez la forme correcte du verbe **connaître.**

1. Charles et Martine, _____-vous Mme Michaud? —Oui, nous la _____ très bien.
2. Jacques, _____-tu Sylvie? —Bien sûr, je la _____. C'est ma cousine!
3. Est-ce que Bintou _____ Jacques et Odette Dupont? —Oui, elle les _____ bien.
4. Mme Cartier, _____-vous le fiancé de Fatima? —Non, je ne le _____ pas encore.
5. Est-ce que les Michaud _____ les Haddad? —Oui, ils les _____ très bien. Ils sont voisins.

Exercice 15 La classe de Mme Martin

Ex. 15. This requires distinguishing contexts for *savoir* and *connaître.*

Complétez chaque phrase avec la forme correcte de **savoir** ou de **connaître.** Ensuite, formulez une réponse d'après le modèle.

MODÈLE: Mme Martin _____ tous ses voisins. Et toi? →
Mme Martin *connaît* tous ses voisins.
Moi, je ne connais pas tous mes voisins. (Moi aussi, je connais...)

1. Barbara _____ faire du canoë. Et toi?
2. Albert _____ la date de l'anniversaire de sa mère. Et toi?
3. Jacqueline _____ faire de l'escalade. Et toi?
4. Mme Martin _____ bien La Nouvelle-Orléans. Et toi?
5. Louis _____ l'histoire de sa famille. Et toi?
6. Denise _____ bien les poèmes de Jacques Prévert. Et toi?

4.7 Describing states of being: Idioms with AVOIR

✴ *Review* **Grammaire B.5.**

4.7. Review expressing states of being with *avoir* expressions before assigning this section: (person admiring a car) *Quelle belle voiture! Est-ce que cette personne a envie de l'acheter? Et vous, est-ce que vous avez envie d'une voiture élégante comme celle-là?* (child eagerly looking at a hamburger) *Est-ce qu'il a faim ou est-ce qu'il a soif?* Draw examples for the board from your input. Point out that *peur/envie/besoin* take *de* before an object (*envie d'une nouvelle voiture*) or an infinitive (*envie d'acheter une voiture*).

ES 8. List idioms with *avoir* on the board or have students look at **4.7.** Ask the class to volunteer answers: —*Imaginez que je vous rencontre à la piscine. Pourquoi êtes-vous à la piscine?* —*J'ai envie de nager.* Suggestions: *Pourquoi êtes-vous dans un restaurant? au cinéma? à l'église? dans une banque?* —*Pourquoi (portez-vous un gros manteau) aujourd'hui?* —*J'ai froid.* Other suggestions: *vous portez un short, vous avez l'air très fatigué, vous bâillez, vous refusez mon invitation à sortir parce que vous avez un examen.*

A. As in English, most descriptions are expressed in French with an adjective and the verb **être.**

> Karim **est** très **content** de sa nouvelle chaîne stéréo.
>
> *Karim is very happy with his new stereo.*

B. In French, however, many states are expressed with the verb **avoir** followed by a *noun.*

> **J'ai froid.** Le chauffage ne marche pas dans ma chambre.
>
> *I'm cold. The heat isn't working in my room.*

Here are some other useful combinations of **avoir** + noun.

avoir chaud	*to be hot, warm*	**avoir froid**	*to be cold*
avoir faim	*to be hungry*	**avoir soif**	*to be thirsty*
avoir raison	*to be right*	**avoir tort**	*to be wrong*
avoir sommeil	*to be sleepy*	**avoir honte**	*to be ashamed*
avoir de la chance	*to be lucky*		

> En été, quand j'**ai chaud,** je vais à la piscine.
>
> *In summer, when I'm hot, I go to the pool.*
>
> Jean-Paul pense qu'il **a raison.**
>
> *Jean-Paul thinks he's right.*

C. Several idioms with **avoir** require **de** before an object or an infinitive.

avoir besoin de (papier/dormir)	*to need (paper/to sleep)*
avoir envie de (chocolat/sortir)	*to want (chocolate)/to feel like (going out)*
avoir honte de (sa conduite)	*to be ashamed of (one's conduct)*
avoir peur de (l'eau/voler)	*to be afraid of (water/flying)*
avoir raison de (refuser)	*to be right (to refuse)*
avoir tort de (fumer)	*to be wrong (to smoke)*

> Nous **avons besoin d'**une nouvelle voiture.
>
> *We need a new car.*
>
> Raoul, tu **as envie de** faire du jogging demain matin?
>
> *Raoul, do you feel like jogging tomorrow morning?*
>
> Est-ce que tu **as peur du** chien?
>
> *Are you afraid of the dog?*
>
> Il **a tort de** se mettre en colère.
>
> *He's wrong to get angry.*

D. **Avoir l'air** (*to seem*) is followed by an adjective.

> Albert, tu **as l'air fatigué** ce matin.
>
> *Albert, you look tired this morning.*
>
> Ce pauvre chien **a l'air triste.**
>
> *That poor dog looks sad.*

Exercice 16 Un étudiant québécois

Complétez le portrait de Raoul Durand avec **peur, tort, besoin, l'air, envie** ou **honte.**

1. Raoul n'est pas brillant. Il a _____ d'étudier.
2. Quelquefois, il pense au Québec et il a _____ de voir sa famille.
3. Il est toujours très calme. Il n'a jamais _____ nerveux.
4. Il est très ponctuel. Il a _____ s'il arrive en retard.
5. En général, il est courageux, mais il a _____ quelquefois.
6. Il est réaliste. Il admet qu'il **a** _____ quelquefois

Exercice 17 Interruptions

Jean-Yves essaie de travailler chez lui, mais il trouve beaucoup d'autres choses à faire. Utilisez une expression avec **avoir.**

Ex. 17. If you do this exercise in class, follow up with personal questions: *Et vous, est-ce que vous faites de même, quand vous essayez de travailler chez vous? Qu'est-ce que vous faites quand vous avez faim?* etc. Note that **d** is pronounced as **t** when a liaison is made.

1. Quand... , Jean-Yves se fait un sandwich.

2. Quand... , il prend un verre d'eau.

3. Quand... , il fait la sieste.

4. Quand... , il ouvre la fenêtre.

✳ **Notes for *Les francophones sur le vif* continued from page 135.**

*Elle possède actuellement un apparte-
ment.*
*Les loyers sont moins élevés en
banlieue.*
*L'architecture du centre-ville a plus de
style que celle de la banlieue.*
*Il est certain qu'elle ne va jamais habiter
en banlieue.*

AS 13. Have students work in small
groups to determine the pros and cons of
living in five types of dwellings: *(1) un
pavillon dans une banlieue résidentielle,
(2) un appartement dans un vieil immeuble au centre-ville, (3) un appartement
dans une HLM de banlieue, (4) une
chambre dans un appartement avec
d'autres locataires, (5) une chambre en
cité-U.* You may either provide descriptors
to be matched with each type (see below) or ask the students to create them.

*(A) C'est très petit et pas très conforta-
ble, mais pratique pour un(e) étudiant(e)
qui dispose d'un petit budget. De plus, on
peut rencontrer beaucoup de gens de
son âge. C'est un bon moyen d'habiter
au centre-ville pour pas trop cher, mais
on n'est pas très indépendant. Il faut bien
s'entendre avec les autres colocataires.*

*(B) C'est très cher. On est isolé, mais on
est tranquille et l'on dispose de beaucoup d'espace. C'est l'idéal si on aime le
style de vie urbain, mais parfois un peu
cher, et pas toujours confortable. Ça n'a
pas beaucoup de caractère, et le cadre
de vie est parfois mauvais, mais on a
de la place.*

5.

Quand... , il prend une
tasse de thé très chaud.

6.

Quand... de parler
avec quelqu'un, il
appelle un copain.

7.

Quand... de
vêtements propres,
il va au lavomatic.

8.

Il travaille plus dur
quand... d'avoir
une mauvaise note.

GOALS FOR CHAPITRE 5
Students will talk about events that
occurred in the past, mostly within
their own experience. Linguistically,
they begin to comprehend and use
all types of verbs in the *passé composé.* Familiar verbs are emphasized
to encourage the binding of meaning
to the new forms. *Functional goals:*
(1) Understand most common verbs
in their past-tense forms; (2) Relate
a series of events that occurred in
the past.

MISE EN TRAIN
1. Introducing past tense forms.
Although they will be able to recognize the forms of the *passé composé* and even produce some of
them, students will not produce
these forms with accuracy until after
they have experienced several
months of oral and written input with
them. For this reason, the *passé
composé* is reentered in many activities in subsequent chapters. The imperfect (*imparfait*) will be introduced
in *Chapitre 6.*

Step 1: Start with concept of *hier.*
Write today's date: (on board). *Aujourd'hui, c'est (mardi, le 12 novembre).* Then mention the preceding
day: *Hier, c'était lundi, le 11 novem-*

bre. (Board: *hier = lundi, le 11 novembre) Hier, c'est le passé, n'est-
ce pas? C'est fini.* Ask: *Alors,
qu'est-ce que vous avez fait hier?
Moi, hier, j'ai...* Name several activities that you did. *Hier, j'ai préparé
mon cours, j'ai déjeuné au restau-U.*
At first, stick to -*er* verbs so that students can begin to acquire the -*é*
ending as a marker of past tense.

Step 2: Begin to include students:
*Moi, j'ai parlé au téléphone. Et
parmi vous, qui a parlé au téléphone? Ah! Tom a parlé au téléphone.* As you talk, write verb forms
on the board in columns: *j'ai parlé
(cuisiné), Tom a parlé (Ann a cuisiné), vous avez parlé (dansé).*
Later, use these to illustrate how to
form past tense in French.

Step 3: Expand to freer input. Write
the forms, along with the infinitives,
in parentheses. You will naturally use
forms with both *avoir* and *être*, particularly *je suis allé(e),* as well as irregular past participles. Stay focused on meaning at this point. At
the end of input, explain briefly: *La
majorité des verbes sont conjugués
avec* avoir; *(aller) est une exception.*
Point out past participles: *John a
conduit...* Conduit *est le participe
passé. Quel est l'infinitif?*

2. PF activity. Use photos to practice third person singular and plural
past-tense forms and to introduce
more past participles into your input.
(Photo/Couple in prom clothes):
*Qu'est-ce que (ces jeunes gens) ont
fait hier? Ils sont allés à une soirée
élégante. Est-ce qu'ils ont dansé?*
As you finish with a picture, put it in
the chalk tray. Later, have students
point to each photo as you describe
it: *Ces deux personnes ont porté
des vêtements élégants. Ils sont allés à une soirée. Ils ont dansé. Montrez-moi leur photo.*

AS 1. Talk about pictures from your
PF, then pass them out to various
students in class. Ask questions
such as: *Qui a la photo d'un homme
qui a fait la lessive? Qui a la photo
d'une femme qui a planté des
tulipes?*

3. Association activity. (See IM,
Association Activities: *Passé composé* forms, *Chapitre 5.*) Do this activity progressively, over a period of
several days, until everyone is included. Using their answers to your
questions as a guide, associate at
least one verb with each student in
class. (After input about a photo/bal-
let): *Qui dans cette classe a dansé
dans un ballet au mois de décem-*

*bre? (Heather) Oui, Heather a
dansé dans un ballet. Commen[t]
s'appelle le ballet?*

AS 2. Ask students to say as m[any]
things as they can that they di[d]
do yesterday (or last weekend[).]

4. Past narratives. At the begi[n]
of each class period, spend fiv[e]
minutes or so telling students w[hat]
you did since the class last me[t.]
Find out who else did the activi[ty]
you did. Variation: Tell what you [did]
during a trip or a special event.

AS 3. Fiction. Use a chart of s[imple]
line drawings and narrate the [day's]
activities that an imaginary cha[racter]
did yesterday. *Voici les activitié[s de]
(Michel). Il est étudiant. Alors,
Michel est arrivé à l'université [à]
9 h....*

AS 4. *Les actualitiés.* As stude[nts]
grow more advanced, give a b[rief]
daily summary of events that o[c-]
curred and were reported on t[he]
news. Ask the class to add oth[er]
events which you have not me[n-]
tioned.

CHAPITRE 5

Dans le passé

Gustave
Caillebotte
(1848–1894), *Rue
de Paris, temps de
pluie*, 1876–77

Objectifs

IN **CHAPITRE 5**, *you will hear and talk about things that
happened in the past, both your own experiences and those of other people.*

activités

La vie quotidienne
Les expériences
Le week-end et les loisirs
Faits personnels et historiques

lectures

Info: Histoire   Toussaint-Louverture
Les francophones sur le vif   Paul
   Boudrault
Info: Arts et lettres   «Déjeuner du matin»
La langue en mouvement   Mots
   américains d'origine française
Lecture   Les mémoires de Jacques Cartier

grammaire

5.1 Saying what you did: **Passé composé**
     with **avoir**
5.2 Irregular past participles
5.3 Saying what you did: **Passé composé**
     with **être**
5.4 **Passé composé** of reflexive verbs
5.5 Negative expressions

Activités *et* lectures

L A VIE QUOTIDIENNE

Attention! Étudier Grammaire 5.1

Hier soir, chez les Colin

La famille Colin a dîné ensemble.

Charles a rendu son devoir de physique.

Marise a assisté à une conférence à la fac.

Claudine a déjeuné à la cantine de son lycée.

Clarisse a attendu l'autobus pendant une demi-heure.

Joël a fini ses devoirs vers 9 h.

Emmanuel a choisi des nouveaux tennis.

Claudine et Charles ont joué aux échecs.

Activité 1 Enquête: La vie d'étudiant

Dites si vous avez fait les actions suivantes la semaine dernière.

La semaine dernière...

1. j'ai déjeuné au restaurant. (Où? Qu'est-ce que vous avez mangé?)
2. j'ai étudié le français. (Quand?)
3. j'ai passé un examen difficile. (Avez-vous réussi à l'examen?)
4. j'ai perdu les clés de ma voiture. (Où?)
5. j'ai fini un devoir important. (Pour quel cours? Quand avez-vous rendu le devoir?)
6. j'ai travaillé. (Où? Combien d'heures?)
7. j'ai discuté de la politique. (Où? Avec qui?)
8. j'ai attendu un professeur. (Qui? Où?)
9. j'ai assisté à une conférence fascinante. (Laquelle?)
10. j'ai oublié mon manteau. (Où?)

Maintenant, c'est à vous!

Comparez vos réponses à celles de votre partenaire.

MODÈLE: J'ai séché un cours. (Quel cours?) →
    É1: Moi, j'ai séché mon cours de maths mardi dernier. (Moi, je n'ai pas séché de cours la semaine dernière.) Et toi?
    É2: Moi,...

Activité 2 Interro: L'été dernier

Décrivez les activités des quatre personnes suivantes.

MODÈLE: É1: Qu'est-ce que Sarah et Agnès ont fait en juillet?
    É2: Elles sont allées à Bordeaux.
    É1: Qu'est-ce qu'elles ont fait pendant leur visite?
    É2: Elles ont visité des caves à vin dans la région de Bordeaux.

	AU MOIS DE JUIN	AU MOIS DE JUILLET	AU MOIS D'AOÛT
JULIEN	a acheté un appart au 14ème étage d'un nouvel immeuble	a beaucoup voyagé pour monter une émission spéciale	a passé ses vacances à la Réunion
ADRIENNE	a rendu visite à ses parents en Auvergne	a suivi un stage intensif de tennis à Marseille	a assisté au mariage d'une amie d'enfance
SARAH ET AGNÈS	ont fait un voyage organisé en Égypte	ont visité des caves à vin dans la région de Bordeaux	ont dormi tard aussi souvent que possible

Act. 1. (whole class; partners) (1) Be sure students understand the time reference. Read the statements aloud as they write *oui* or *non*. After each one, ask the questions and give them a little time to jot a brief answer. Explain new terms as you encounter them in the items. (2) Assign partners to compare their responses. (3) Follow-up: Ask for a show of hands on each item, with occasional questions. New vocabulary: *clé, dernier/dernière, discuter, fascinant(e), oublier, passer un examen, perdre, la politique, réussir à un examen, sécher un cours.*

AS 6. Autograph activity. (See IRK for activity.)

Act. 2. (whole class; partners) (1) Ask a number of questions on the chart so that students hear your pronunciation and so that you can explain new words. Include questions like *Qui dans la classe a suivi un stage de tennis?* (2) Ask for volunteers to help you do the *modèle*. Ask students to think of other questions and put these on the board (*qui? quand/quand est-ce que? où est-ce que?*). (3) Assign to partners. New vocabulary: *appart, aussi souvent que possible, cave à vin, enfance, immeuble, monter une émission, rendre visite, un stage intensif.*

Act. 3. (partners) Option 1: *É1* interviews *É2*, then *É2* interviews *É1*. Option 2: *É1* and *É2* discuss each item. You may wish to have students change conversational partners to do the different parts of the activity. Follow up by selecting some of the more interesting items to expand, such as who got up the earliest, who forgot what clothes they wore, where various people ate, worked. New vocabulary: *commencer, quitter, quoi.*

AS 7. Guessing game. (groups of 4–5) Before naming groups, have each student write one activity he or she did last week. The other students try to figure out what each person has written by asking questions using the *passé composé.* (*Tu as... ?*)

Activité 3 Entretien: Ma journée d'hier

Hier matin...
1. À quelle heure as-tu quitté la maison?
2. Quels vêtements as-tu portés?
3. As-tu assisté à des cours à la fac? Si oui, à quels cours?

Hier après-midi...
4. Où as-tu déjeuné? Avec qui?
5. Est-ce que tu as étudié? Qu'est-ce que tu as étudié?
6. Tu as travaillé? Où? À quelle heure as-tu commencé à travailler?

Hier soir...
7. Tu as rencontré tes amis? Combien de temps avez-vous passé ensemble?
8. Est-ce que tu as téléphoné à quelqu'un? De quoi avez-vous parlé?
9. À quelle heure as-tu fini la journée? Est-ce que tu as regardé la télé avant de te coucher?

Activité 4 Casse-tête: Le cadeau d'Adrienne Petit

Ce matin, quelqu'un a envoyé des roses à Adrienne pour son anniversaire. Mais... quel mystère! L'ami généreux a oublié de signer la carte! Il y a trois personnes possibles. Qui est-ce?

1. Bernard travaille chez un fleuriste et il a touché sa paie.
2. Hier, Robert a parlé de l'anniversaire d'Adrienne.
3. Jean-François a noté la date de l'anniversaire dans son carnet d'adresses, mais il a perdu le carnet.
4. Robert est allergique aux fleurs. Il ne va jamais chez le fleuriste.
5. Bernard ne sait pas la date de l'anniversaire d'Adrienne.
6. Jean-François n'est pas en France. Il est en Italie cette semaine.

MODÈLE: É1: C'est peut-être Bernard. Il travaille chez un fleuriste.
         É2: D'accord, mais Robert a parlé de son anniversaire hier.

Exprime-toi!

Tu ne penses pas que... ?
Tu as raison.
D'accord, mais...
Un instant, s'il te plaît!
Je ne suis pas d'accord!
Ça ne prouve rien!

Cliquez là!

Visitez un site sur la langue créole pour apprendre davantage sur les créoles et les gens qui les parlent. Dans quels pays est-ce qu'on parle créole?

Act. 4. (partners) (1) Read the introduction aloud and explain as needed. Name the three friends who are the "suspects." (2) Have the class skim the statements as you ask questions about the facts: *Qui ne sait pas la date de l'anniversaire d'Adrienne? Qui a noté la date dans son carnet d'adresses?* (3) Point out vocabulary in *Exprime-toi!,* then assign to partners. (4) Lead a discussion so that the class determines the name of the likeliest suspect. More than one answer is possible, as long as the logic holds. New vocabulary: *allergique, mystère, noter, signer, toucher la paie; Ça ne prouve rien!*

Cliquez là! (This Web reference accompanies the Info box on page 167.) In addition to French-based creoles, there exist creoles related to English, French, and Portuguese. Speakers of all French creoles total approximately 10 million people, of which about half are Haitian. Localities where other French-based creoles developed include French Guyana, Guadeloupe, Martinique, Réunion, and Louisiana, though the latter variety is now virtually extinct. French-based creoles in different and even distant localities show surprising similarities, presumably due to similar formative processes.

Histoire. Using the map at the front of their books, have students locate *Haïti* and its capital, *Port-au-Prince*, and *les Antilles*. Point out that some of the Caribbean [islands] in the vicinity are still French territories (*Départements d'Outre-Mer [DOMs]: Martinique and Guadeloupe*). (*Haïti*'s [succ]essful slave uprising is a unique exception in the history of colonialism.) Point out that *Saint-Domingue* (from the [Spanish] *Santo Domingo*) is in fact the island of Hispaniola, where Columbus first landed in 1492. Briefly review events in [F]rench Revolution, and discuss whether *Haïti*'s rebellion in 1791 was an aftershock of the demise of the *Ancien régime* [1789] to 1791. Although The Convention, in keeping with the newly defined *droits de l'homme*, abolished slavery in 1794, [it was] definitively abandoned only in 1848 and France did not formally recognize *Haïti*'s independence until 1825.

Info: Histoire

Toussaint-Louverture

Au XVIIᵉ (dix-septième) siècle, les Français ont établi une colonie sur l'île d'Hispaniola dans les Antilles: Saint-Domingue. Ils y ont établi des plantations de canne à sucre très profitables, grâce au[1] travail forcé des esclaves.[2] En 1791, les esclaves, commandés par Toussaint Louverture, se sont révoltés[3] avec succès contre les Français. Quand, à Paris, le gouvernement révolutionnaire[4] a décidé d'abolir l'esclavage en 1794, Toussaint-Louverture a arrêté le combat. Pourtant,[5] en 1802, Napoléon Bonaparte a rétabli[6] l'esclavage et a envoyé une armée à Saint-Domingue. Les Français ont capturé Toussaint-Louverture et l'ont emprisonné; il est mort en captivité l'année suivante. Son lieutenant, Dessalines, a continué la lutte[7] et, en 1804, a proclamé l'indépendance du pays, sous le nom d'Haïti. Toussaint-Louverture est considéré comme un symbole universel de libération pour tous les esclaves.

Toussaint-Louverture (1743–1803), héros de l'indépendance haïtienne`

[1]**grâce...** avec le
[2]personnes captives forcées à travailler
[3]rebellés
[4]La France a eu trois révolutions: en 1789, en 1830 et en 1848.
[5]Mais
[6]réinstitué
[7]**la...** le combat

Mettez les épisodes suivants dans l'ordre chronologique.
1. Le nouveau régime républicain a interdit la traite des esclaves.
2. Saint-Domingue est devenue une république indépendante sous le nom d'Haïti.
3. La vie de Toussaint-Louverture s'est terminée en prison.
4. Dessalines a finalement triomphé dans le combat contre les Français.
5. Les esclaves ont organisé une rebellion armée.
6. Bonaparte a monté une expédition militaire contre les esclaves.

LES EXPÉRIENCES

Les expériences. This section contains many irregular past participles. Continue to give students natural input, which will require all types of verbs. Verbs with *être,* however, do not appear in the *activités* until the next section. (1) Talk about each spot in the display separately, expanding to provide extra input: *On a volé la voiture de Julien... Moi aussi, j'ai eu des ennuis. Pendant mes vacances (en Italie), on a volé mon portefeuille! Quel désastre! Et vous, vous avez déjà été victime d'un vol?* Write new forms on the board with subjects. Write also infinitives in parentheses. (2) Review the information in the display: *Qui est retourné à la maison de son enfance? Qu'est-ce que Nathalie a cassé?* New vocabulary: *chien, commissariat, crier, découvrir, offrir, ouvrir, passer à, plongée sous-marine, poupée, voler.*

Attention! Étudier Grammaire 5.2

On a volé la voiture de Julien pendant ses vacances en Corse. Il a dû passer au commissariat.

Pendant son séjour à Tahiti, Louis a appris à faire de la plongée sous-marine.

À 80 ans, Édouard Vincent et son frère ont découvert la maison où ils sont nés.

AS 8. Human cues. Show photos or props to describe someone's weekend. (photo/coffee bag: *Jean a bu du café très fort.*) For each activity, pass the photo/prop to a student. Later, retell the story. When you mention the activity, the person with the associated object holds it up. Variation: Students stand and remain standing. Ask: *Qu'est-ce que Jean a fait samedi?* Seated students look at their standing classmates to recall the verbs.

Nathalie a eu un accident. Elle va bien, mais elle a cassé sa poupée.

Quand Raoul a ouvert sa porte, quelle surprise! Ses amis ont crié «Bon anniversaire!».

Les parents de Joël lui ont offert un chien comme cadeau de Noël cette année.

Act. 5. (whole class; small groups) (1) Introduce the celebrities and ask the class to help you list what "work" each career entails. (*Il faut s'entraîner tous les jours.*) (2) Read each statement aloud and ask students who said it. (More than one person may be correct.) (3) Ask who in class has done several of the activities, and why. (*Je suis gymnaste.*) (4) Have students identify the infinitives for the verb forms. New vocabulary: *absolument, alcool, apprendre une technique, autant que possible, campagne (électorale), candidat, chant, chanteur/chanteuse, se discipliner, énormément, passion, premier ministre, rappeur, regarder des clips, se relaxer, rigoureux/rigoureuse, suivre les actualités.*

Cliquez là! Both Patricia Kaas and MC Solaar enjoy world reputations. If you use vocal music in class for singalong, many Kaas songs work well. Ask students to compare the verbal content of Solaar rap with that of American rappers they know.

Cliquez là!

Découvrez des chanteurs français. Cherchez les sites de Patricia Kaas et MC Solaar. Écoutez un peu leur musique; vous allez trouver les paroles de leurs chansons sur Internet. Quels genres de musique font ces deux chanteurs?

Activité 5 Associations: Comment réussir dans la vie

Nous citons ici les réponses enregistrées par Julien Leroux pendant des interviews qu'il a faites pour TF 1. Pour chaque personnalité, identifiez les décisions et les actions qui ont contribué plus tard à sa réussite.

Édith Cresson, ancien premier ministre français (1991–1992)
MC Solaar, rappeur français
Patricia Kaas, chanteuse française
Zinedine Zidane, footballeur français-algérien

1. J'ai couru tous les jours.
2. J'ai voulu absolument réussir.
3. J'ai appris à me discipliner.
4. J'ai suivi les actualités avec passion.
5. J'ai suivi des cours de chant et de danse.
6. J'ai appris à faire des exercices pour me relaxer.
7. J'ai participé aux campagnes de mes candidats préférés.
8. J'ai regardé des clips pour apprendre des techniques.
9. J'ai assisté à autant de matchs que possible.
10. J'ai bien mangé et je n'ai pas bu d'alcool.
11. J'ai lu énormément sur l'histoire.
12. J'ai fait un entraînement physique rigoureux.

Activité 6 Échanges: La dernière fois

Act. 6. (partners) (1) Introduce time expressions by saying when you last did a few activities and asking questions: *Moi, j'ai vu un film amusant il y a une semaine. Quelle est la dernière fois que vous avez vu... ?* Write the time expressions on the board as they occur. (2) Do the *modèle* with a volunteer as *Él*, and have other volunteers ask you the first few questions. Explain new vocabulary and assign to partners. New vocabulary: *il y a (deux jours), objet, ranger une chambre, russe, la semaine dernière.*

Avec votre camarade de classe, répondez aux questions suivantes en expliquant un peu votre réponse.

MODÈLE: É1: Quelle est la dernière fois que tu as passé un examen difficile?
É2: J'ai passé un examen difficile vendredi dernier, en cours de grammaire russe. Et toi?

Quelle est la dernière fois que...

1. tu as mangé dans ta voiture?
2. tu as voulu manger de la pizza à minuit?
3. tu as lu le journal?
4. tu as perdu un objet important?
5. tu as reçu un cadeau?
6. tu as rendu un devoir important?
7. tu as dormi pendant un cours ennuyeux?
8. tu as rangé ta chambre?
9. tu as conduit beaucoup trop vite?
10. tu as réussi à un examen difficile?

AS 9. *Jeu.* Students sit in circles of 7–10 people. One person says *L'été dernier, j'ai (nagé dans un lac).* The next person repeats the sentence and adds another: *... j'ai nagé dans un lac et j'ai (dormi tard tous les jours),* etc. The group with the longest string of verbs wins.

Vocabulaire utile:

hier (soir)
la semaine dernière
(lundi) dernier
il y a (deux jours)

LES FRANCOPHONES SUR LE VIF

Paul Boudrault, 48 ans, menuisier, Bangor, ME

Vous avez un nom français. Quelles sont vos origines?

Ma famille fait partie d'un groupe qu'on appelle les «Franco-Américains», ou «Francos»; nous sommes plusieurs dizaines de milliers en Nouvelle-Angleterre, mêlés à[1] la population anglophone, depuis le XVIIIe siècle. Nous n'avons jamais cessé[2] de parler français à la maison, mais cela devient de plus en plus difficile de maintenir notre langue et notre patrimoine[3] culturel.

J'ai parfois l'impression que nous sommes invisibles: beaucoup de gens ignorent que[4] nous existons! Peut-être est-ce parce que nous n'avons pas de grande manifestation folklorique comme le Mardi-Gras, ni de musique ou de cuisine particulièrement médiatiques, comme les Acadiens de Louisiane. De plus, notre français est considéré comme «impur» parce que nous y incluons des mots et structures de l'anglais; en fait, c'est une langue originale et créatrice—et tant pis si l'Académie française n'est pas d'accord! Notre défi[5] à nous, les Francos, c'est de redevenir fiers de notre langue et de notre particularisme, et de résister à l'assimilation à la culture anglo-saxonne sans prétendre devenir Français; vous voyez, ce n'est pas simple...

¹**mêlés...** intégrés dans ²arrêté ³héritage ⁴**ignorent...** ne savent pas que ⁵difficulté

Francophones e vif. According U.S. Census au statistics), over 6 mil- ative-born icans claim h ancestry, in on to people ng Acadian/ ancestry t 600,000) ver 1.5 million ng French dian ancestry. t 1,700,000 icans actually French at , of which 150,000 English y or not at all. ican-born na- rench speak- e located y in Louisiana lew England, following per- ges of the population: iana, 6.7%; , 7%; New oshire, 5%; ont, 3.2%; achusetts, Although figures seem st, French re- s the language he most ican speakers English and sh.

La langue en mouvement

Mots américains d'origine française

Les explorateurs et colonisateurs français qui sont venus en Amérique du Nord ont laissé des traces non seulement au Canada, mais aussi aux États-Unis, où les noms de lieu d'origine française sont encore nombreux. Pour en nommer seulement quelques-uns, il y a Detroit, Des Moines, Lake Champlain, Baton Rouge, Joliet et Montpelier. L'influence française est évidente aussi dans l'existence de certains mots de l'anglais américain qui sont venus du français, quelquefois par l'intermédiaire du français canadien, tels que *chute* (apparemment à l'origine de l'expression "to shoot the rapids"), *cache, coulee, levee, depot, lacrosse* et *portage*.

***A**ctivité 7* Dans le monde francophone: Aventures extraordinaires

Ces images nous montrent nos héros gaulois Astérix et Obélix. Identifiez le livre où l'on peut probablement trouver les aventures suivantes.

Astérix légionnaire

La grande traversée

1. Astérix et Obélix ont séjourné dans une tribu de Peaux-Rouges.
2. Pour sauver un jeune Gaulois enlevé de force par les Romains, ils ont combattu parmi les légionnaires de Jules César.
3. En traversant l'Atlantique, ils ont dû affronter des pirates.
4. Ils ont provoqué une bataille entre les troupes de César et celles du traître Scipion.
5. Ils ont participé à la chasse au bison.
6. En retraversant l'océan, ils ont été attaqués par des Vikings féroces.

7. Obélix a beaucoup plu à la fille du chef de la tribu indienne.
8. Après sa victoire, Jules César leur a offert la liberté de Tragicomix.
9. Obélix n'a pas voulu se marier. Ils sont donc rentrés en Gaule.

*A*ctivité 8 Discussion: Vous avez déjà vu ça?

Vous aimez les excentricités? Alors, écoutez, puis dites si ces personnes et ces animaux se sont conduits d'une manière normale ou extraordinaire.

1. un bébé qui a pris un café
2. un chat qui a bu de la crème
3. un chien qui a appris à parler
4. un adolescent qui a voulu tondre le gazon
5. des étudiants qui ont vu la Joconde au musée du Louvre
6. un professeur qui a conduit trop vite et qui a reçu une contravention
7. un enfant qui a mis ses affaires en ordre sans un mot de ses parents
8. une grand-mère qui a fait du ski
9. un poisson rouge qui a mangé un serpent
10. -?-

MODÈLE: un chat qui a chanté à la télé →
C'est extraordinaire! Les chats ne peuvent pas chanter.

Un orchestre acadien à La Nouvelle-Orléans

Act. 8. (whole class; partners) Introduce the activity and read the statements aloud. Pause after each one so the class can decide whether the action was strange or normal. Afterward, ask students to think of more circumstances for the class to discuss *(un chat qui a commandé un hamburger chez McDo; un prof qui a écrit un examen difficile).* New vocabulary: *adolescent, se conduire, contravention, crème, excentricité, la Joconde, serpent.*

LE WEEK-END ET LES LOISIRS

Attention! Étudier Grammaire 5.3 et 5.4

Le samedi d'Agnès

Samedi matin, je me suis réveillée tard.

Je me suis douchée et je me suis lavé les cheveux.

Ensuite, je suis partie faire des courses.

Le week-end et les loisirs. This display contains *passé composé* forms of reflexive and nonreflexive verbs conjugated with *être*. Contrast what Agnès did with what you did this morning: *Agnès s'est levée à 10 h. Moi, je ne me suis pas levé(e) à 10 h! Je me suis levé(e) à 6 h 30.* Include personal questions: *À quelle heure vous êtes-vous réveillé(e) aujourd'hui? Qui s'est lavé les cheveux ce matin?*

AS 10. Do an autograph activity based on what students have done so far today before coming to class. (See IRK for autograph activity).

AS 11. Show interesting or comical photos and ask students to speculate about the causes of the situations (aspirin ad/woman with headache): *Elle s'est couchée très tard; elle a oublié ses clés,* etc.

À 13 h, je suis allée au café pour déjeuner avec des amis.

Samedi soir, je suis sortie avec Jean-Yves et Sarah.

Nous sommes allés voir «Merci pour le chocolat».

Après, Jean-Yves est rentré avec nous.

Jean-Yves est resté deux heures chez nous et on a discuté.

Je me suis couchée vers deux heures et demie du matin.

Act. 9. (whole class; partners) Read each group of items aloud, saying what is true for you and taking a quick survey of what is true for the class. Next, assign the activity to partners. Follow up with questions about some of the items, expanding on replies: *Vous êtes allée à la messe, Mai. À quelle église? À quelle heure? Avec qui?* New vocabulary: *la messe, Tu as de la chance!*

AS 12. Have students ask you questions about what you did last weekend. Accept only questions that can be answered with *oui* or *non*. *Est-ce que vous avez dansé, (madame)?*

Activité 9 Discussion: Le week-end dernier

Dites si vous avez fait ces activités ou non.

1. Samedi matin...
   a. je me suis levé(e) tard.
   b. j'ai pris mon petit déjeuner.
   c. j'ai rangé ma chambre.
   d. j'ai fait ma lessive.
2. Samedi après-midi...
   a. j'ai étudié.
   b. j'ai regardé des matchs à la télé.
   c. je me suis promené(e) dans le parc.
   d. je suis sorti(e) avec des amis.
3. Samedi soir...
   a. j'ai loué des vidéos.
   b. je suis allé(e) au concert.
   c. j'ai invité des amis chez moi.
   d. mon copain et moi, nous avons joué au Monopoly.
4. Dimanche...
   a. je suis allé(e) à la messe.
   b. je me suis entraîné(e) au gymnase.
   c. j'ai lu le journal.
   d. je me suis couché(e) de bonne heure.

Et maintenant, c'est à vous!

Comparez votre week-end avec celui de votre partenaire.

MODÈLE: É1: Je me suis levé(e) très tard samedi matin, vers 11 h 30.

É2: Tu as de la chance! Moi, j'ai dû me lever de bonne heure pour aller au travail.

Act. 10. Name things you did to get ready the last time you went to a party. After students do the activity, ask other questions: *Qui a organisé la fête? Avez-vous rencontré des gens sympathiques? Avez-vous dansé? Êtes-vous sorti(e) après? À quelle heure est-ce que vous vous êtes levé(e) le lendemain?* New vocabulary: *s'amuser, la dernière fois, s'endormir, s'ennuyer.*

Activité 10 Entretien: Une occasion importante

Qu'est-ce que vous avez fait la dernière fois que vous êtes allé(e) à une fête (un mariage, une réception...)? Répondez aux questions suivantes.

MODÈLE: É1: Est-ce que tu t'es douché(e) avant d'y aller?

É2: Oui, je me suis douché(e). (Non, je ne me suis pas douché[e].)

1. Est-ce que tu t'es lavé les cheveux?
2. Est-ce que tu t'es maquillée (rasé)?
3. Comment y es-tu allé(e), en voiture ou à pied?
4. Es-tu arrivé(e) à l'heure ou en retard?
5. Est-ce que tu t'es bien amusé(e) ou est-ce que tu t'es ennuyé(e)?
6. À quelle heure est-ce que tu es parti(e)?
7. Qu'est-ce que tu as fait après la fête (le mariage...)?
8. À quelle heure es-tu rentré(e) chez toi?
9. Est-ce que tu t'es endormi(e) tout de suite?
10. À quelle heure t'es-tu réveillé(e) le lendemain matin?

Act. 11. Begin by comparing Paris and your city. *Est-ce qu'il y a autant de cafés ici à* (your city) *qu'à Paris? Est-ce que Paris est plus intéressant que* (your city)? *Pourquoi?* Have students skim the reviews as you ask short-answer and *oui/non* questions. *Quelle brasserie est située dans l'avenue des Champs-Élysées? À vous la parole!* is optional. New vocabulary: *brasserie, distractions.*

Activité 11 Dans le monde francophone: Les distractions de Paris

Julien Leroux a monté une émission spéciale pour TF 1 sur certaines brasseries de Paris. Lisez les commentaires de Julien et dites de quelle brasserie il parle.

1. Je me suis bien amusé à regarder la clientèle «de l'après-spectacle».
2. Je suis vite parti de cet établissement à cause du bruit excessif!
3. On m'a servi des plats tex-mex délicieux.
4. Les premières bières d'Alsace y sont arrivées il y a plus d'un siècle.
5. J'y suis allé pour essayer un fast-food de luxe et quel plaisir! Des plats frais, mes amis!
6. Les premiers clients y sont entrés en 1864.

À vous la parole!

En groupes, imaginez un restaurant extraordinaire. Préparez une description du restaurant (le décor, la clientèle, l'ambiance, la qualité de la cuisine...) et utilisez votre description pour essayer de persuader la classe d'y aller.

les brasseries

BRASSERIE FLO
7, cour des Petites-Ecuries, 75010. Dans un décor 1925, la clientèle du quartier croise celle de l'après-spectacle. Carte classique et plats copieux (environ 250 F).

CHEZ BOFINGER
3, rue de la Bastille, 75004. Jusqu'à 1h du matin. Créée en 1864, cette brasserie au décor art nouveau (l'un des plus beaux de Paris) a vu arriver les premières bières d'Alsace. Une institution ua-dessus des modes.

les jeunes

VIRGIN CAFÉ
56, avenue des Champs-Elysées, 75008, au-dessus du Mégastore. Jusqu'à 23h. Un fast-food de luxe qui sait proposer des plats frais. Musique et vidéo (environ 70 F).

CACTUS CHARLY
68, rue de Ponthieu, 75008. Jusqu'à 2h. Ranch et pub, cuisine tex-mex, ambiance estudiantine. Très bruyant, malheureusement.

Act. 12. (whole class; partners)
(1) Set the context: *Francis et Marie Lasalle ont invité des amis à dîner. Voici une description de leur journée. D'abord...* (2) Ask about each frame: *À quelle heure sont-ils sortis de la maison? Est-ce qu'ils ont conduit leur voiture?* (3) Assign to partners for narration practice. Basic input: 1. *Ils ont quitté la maison à 8 h 30.* 2. *Ils ont attendu l'autobus au coin de la rue.* 3. *Marie a acheté des provisions à l'épicerie.* 4. *Francis a choisi du vin.* 5. *Francis a travaillé dans le jardin.* 6. *Marie a passé l'aspirateur.* 7. *Marie a mis des fleurs dans un vase.* 8. *Francis a mis la table.* 9. *Marie a cuisiné.* 10. *Ils ont dîné avec leurs amis.* 11. *Francis a servi le vin.* 12. *Après le dîner, ils ont joué aux cartes.*

Activité 12 Récit: L'invitation à dîner

Francis et Marie Lasalle ont invité des amis samedi dernier. Racontez leur journée du matin au soir.

Vocabulaire utile: d'abord, ensuite, puis, finalement

Faits personnels et historiques. This section introduces irregular past participles and negative expressions. As you talk about events in the history of the Lasalle family, mention your own family and ask questions that include your students: *Francis a rencontré Marie au théâtre. Un ami commun a présenté Francis à Marie, n'est-ce pas? Moi, j'ai rencontré (mon mari) pendant un pique-nique. C'est mon amie (Alice) qui nous a présentés. Vous êtes marié, n'est-ce pas, John? Comment s'appelle votre femme? Où l'avez-vous rencontrée?* Use association techniques to provide input based on students' answers. New vocabulary: *devenir, diplôme, épouser, faire fortune/partie de, ingénieur, ne... que, prendre la retraite, recevoir, se rencontrer, tomber amoureux.*

Faits personnels et historiques

Attention! Étudier Grammaire 5.5

Francis Lasalle et sa femme Marie se sont rencontrés au théâtre.

Ils sont tombés amoureux, mais Francis a dû faire son service militaire.

De retour à la vie civile, Francis a épousé Marie à Lyon.

Les Lasalle n'ont eu que deux enfants, un fils et une fille.

Claudine est née en 1958. Elle est devenue professeur de lycée.

Personne n'a fait fortune chez les Lasalle, mais c'est une famille très unie.

Francis n'a jamais fait d'études universitaires mais son fils Bernard est devenu ingénieur.

Aujourd'hui, Francis ne travaille plus. Il a pris sa retraite.

Activité 13 Entretien: Que savez-vous sur votre famille?

MODÈLE: É1: Mon père est né en 1952.
           É2: Ça, c'est rigolo! Mon père aussi est né en 1952!

1. En quelle année est-ce que tes parents se sont mariés?
2. Est-ce que quelqu'un dans ta famille a été militaire?
3. Est-ce qu'un membre de ta famille est devenu célèbre?
4. Combien d'enfants est-ce que tes grands-parents ont eus?
5. Où est-ce que tes parents se sont rencontrés?
6. Qui dans ta famille est né avant 1920? Et après 1990?
7. Est-ce que quelqu'un dans ta famille a pris la retraite?
8. Quel membre de ta famille a fait des études à l'université?
9. D'où sont venus tes ancêtres? Sais-tu pourquoi ils ont émigré?
10. -?-

Exprime-toi!

Pas encore!	Rien!
Personne!	Tu es sûr(e)?
C'est vrai?	Pas possible!
Génial!	Ça, c'est rigolo!

Info: Arts et lettres

«Déjeuner du matin»

Il a mis le café
Dans la tasse
Il a mis le lait
Dans la tasse de café
Il a mis le sucre
Dans le café au lait
Avec la petite cuiller[1]
Il a tourné
Il a bu le café au lait

Et il a reposé la tasse
Sans[2] me parler
Il a allumé
Une cigarette
Il a fait des ronds
Avec la fumée
Il a mis les cendres[3]
Dans le cendrier
Sans me parler
Sans me regarder
Il s'est levé

Il a mis
Son chapeau sur sa tête
Il a mis son manteau de pluie
Parce qu'il pleuvait[4]
Et il est parti
Sous la pluie
Sans une parole
Sans me regarder
Et moi j'ai pris
Ma tête dans ma main
Et j'ai pleuré.[5]

Jacques Prévert, *Paroles*

[1]*spoon* [2]*Without* [3]*ashes* [4]**il...** *it was raining* [5]*cried*

Info: Arts et lettres. (whole class) Introduce items like *tasse* and *cendrier* with photos or objects. Then do a TPR activity: *Prenez votre tasse. Mettez du café dans la tasse. Maintenant, mettez du lait dans le café...* Finally, read the poem aloud for the class. Ask students to identify the narrator's emotions (*content, curieux, triste...*) and to speculate about the relationship between the man (*il*) and the narrator.

Act. 13. (partners; whole class) Talk about your own family history before students do the activity and include student input. *Mon père est né en (1940). Mes parents se sont mariés en (1962). Ils ont eu deux enfants, mon frère et moi. Et vous, en quelle année est-ce que vos parents se sont mariés?* Have students do the activities in pairs. During the follow-up discussion, review names of nationalities, years and dates of births and marriages as you talk about what people in students' families have done. New vocabulary: *ancêtre, émigrer, génial(e), pas encore, rigolo, sûr(e), vrai(e).*

Act. 14. (partners; small groups) Write *J'ai bu du café pour la première fois...* on the board, pause, then complete the sentence. Ask the class to do so, with volunteers answering aloud. Then ask for two volunteers to do the *modèle* and assign to partners or small groups. During the follow-up discussion, encourage students to supply details of other "milestones" in their lives and to ask you when you did things mentioned in the activity. New vocabulary: *odeur, raisonnable, robe du soir, un smoking; Je ne me souviens plus!*

Exprime-toi!

À (Vers) l'âge de (cinq) ans...
Je ne me souviens plus.
Je n'ai pas encore...
Je ne suis (n'ai) jamais...
-?-

Act. 15. (whole class) (1) Identify the subjects of the art spots and provide a little background information: *Ce sont des Acadiens, les Français qui ont colonisé le Canada. Quand le Canada est passé aux Anglais, les Acadiens ont été déportés,* etc. (2) Read the statements aloud; students say the letter or a name. (3) Ask content questions: *Qui a libéré Orléans? En quelle année est-ce que Marie Curie a reçu son prix Nobel de physique?* (4) Ask students to think of other events from history to ask the class, like *Quand est-ce que Christophe Colomb est arrivé en Amérique?* New vocabulary: *couronne, empereur, fait, guillotiner, libérer, peuple, président, prix, titre.*

Activité 14 Enquête: L'histoire de ma vie

Complétez les phrases. Ensuite, comparez vos réponses à celles de votre camarade.

1. Je suis allé(e) à l'école...
2. J'ai conduit une voiture pour la première fois...
3. J'ai reçu ma première montre...
4. J'ai mis une robe du soir (ou un smoking) pour la première fois...
5. Je suis entré(e) à la fac...
6. Je suis tombé(e) amoureux (amoureuse)...
7. Je suis devenu(e) une personne raisonnable...

MODÈLE: É1: J'ai mangé du caviar pour la première fois au mariage de mon cousin, vers l'âge de 15 ans. Et toi?
É2: Moi, je n'ai jamais mangé de caviar. Je n'aime pas l'odeur!

Activité 15 Dans le monde francophone: Quelques faits du passé

Quel dessin correspond à chacun de ces faits historiques?

a.   **b.**   **c.**   **d.**

e.   **f.**   **g**   **h.**

1. _____ Charlemagne a reçu sa couronne à Rome en 800.
2. _____ Jeanne d'Arc a libéré Orléans en 1429.
3. _____ Les Acadiens (Cajuns) sont arrivés en Louisiane en 1755.
4. _____ Le peuple de Paris a pris la Bastille le 14 juillet 1789.
5. _____ Napoléon a pris le titre d'empereur en 1804.
6. _____ Marie Curie a reçu le prix Nobel de physique en 1903 et le prix Nobel de chimie en 1911.
7. _____ Louis XVI et Marie-Antoinette ont été guillotinés en 1793.
8. _____ Le général de Gaulle est devenu président de la Vᵉ République en 1959.

Activité 16 Discussion: À votre avis... ?

Savez-vous séparer le mythe de la réalité? Choisissez la phrase qui exprime votre opinion ou inventez-en une autre.

1. On entend parler de l'île d'Atlantide.
   a. Quelle bêtise! Elle n'a jamais existé.
   b. Elle a existé, mais elle n'existe plus.
   c. On n'a rien trouvé jusqu'à présent.
2. Il y a des gens qui croient aux licornes. Qu'en pensez-vous?
   a. Elles n'existent que dans des zoos.
   b. Elles n'existent plus; c'est une espèce disparue.
   c. Elles n'ont jamais existé.
3. Et puis certains disent que la Terre n'est pas ronde, mais plate.
   a. Personne ne croit plus à cette idée.
   b. Personne n'a jamais cru ça.
   c. Certaines personnes y croient encore aujourd'hui.
4. Est-ce que la vie existe sur d'autres planètes ou dans d'autres systèmes solaires?
   a. La vie n'existe que sur la Terre.
   b. Elle y a existé, mais elle n'y existe plus.
   c. Personne n'en sait rien.

Act. 16. (whole class) This input activity is rich in negative expressions. Read and explain (as needed) all options for a statement and discuss them before moving to the next one. Get the majority opinion about the possible answers. Ask for students' views on items like these: *George Washington n'a jamais menti; Démosthène a appris à être orateur en mettant des cailloux dans la bouche; On n'a plus besoin d'être vacciné contre la poliomyélite.* Ask students to think of other myths and misconceptions. New vocabulary: *bêtise, continent, croire, encore, entendre parler de, espèce disparue, exprimer, licorne, mythe, planète, plat(e), race, réalité, rond(e), séparer, système solaire, vie, zoo.*

Les mémoires de Jacques Cartier

Lecture. Have students look at a map to follow Cartier's journey: *L'île immense* is Newfoundland (*Terre-Neuve*) and *la vaste baie*, the Gulf of Saint-Lawrence (*le golfe du Saint-Laurent*); the rapids at the southern tip of Montréal are now called *Rapides de Lachine.* Note that Cartier was not actually the first European to visit the Saint Lawrence valley: Vikings, as well as Basque and Breton fishermen, had long preceded him. Point out that the settlement of Canada did not truly begin until the 17th century because of the absence of the gold, silver, and precious stones that Europeans were looking for.

Les peuples indigènes du Canada actuel ont eu des contacts avec des Européens (des marins vikings) avant l'an 1000. Pendant la Renaissance, les Italiens Giovanni Cabot (1497) et Giovanni Verrazzano (1524) et le Français Jacques Cartier (1534– 1536) ont été parmi les premiers explorateurs célèbres de ce territoire. C'est Cartier qui est surnommé «découvreur du Canada». Voici ses «Mémoires», comme on peut les imaginer, écrites l'année de sa mort (vers 1557).

Aujourd'hui, peu de gens connaissent encore mon nom, mais j'ai été très célèbre. C'est moi qui, le premier, ai exploré la Nouvelle France. En 1534, notre roi François Ier a financé une expédition pour trouver un passage vers la Chine et des territoires riches en métaux[1] précieux. Avec deux bateaux, nous sommes partis de Saint-Malo, ma ville natale en Bretagne, et nous avons traversé l'Atlantique en vingt jours. À notre arrivée en Amérique, nous avons trouvé une île immense, une très vaste baie et une péninsule. Là, j'ai pris possession du pays au nom du roi. Nous avons aussi rencontré les habitants de cette région, nommés

[1]pluriel de *métal* (*m.*)

«Iroquois»; ils forment une sorte de république parfaitement organisée avec d'autres nations indiennes.

Je suis rentré en France, où tout le monde a été enthousiasmé par ces premières découvertes, surtout le roi: il a immédiatement ordonné un deuxième voyage, en 1535. Nous avons continué vers le sud-ouest, sur un fleuve large et majestueux que j'ai baptisé «Saint-Laurent». Finalement, nous avons atteint[2] une grande île et des rapides impressionnants. Nous avons alors exploré l'île et visité une ville indienne nommée «Hochelaga». Nous sommes montés sur une colline,[3] pour observer les environs. En l'honneur de François Ier, j'ai nommé cette colline le «Mont-Royal».

Je suis retourné en France avec le chef Iroquois Donnacona. Il a raconté des histoires extraordinaires, et le roi a pensé que le «Canada», comme l'Eldorado, était un pays de trésors[4] fabuleux. À mon troisième et dernier voyage, en 1541, j'ai emmené[5] des colons[6] pour établir des postes permanents au Canada. Enfin, j'ai trouvé des diamants et de l'or[7]! Je suis rentré en France pour les montrer au roi. Malheureusement, j'ai fait erreur: ces «trésors» étaient en réalité des pierres et des métaux sans valeur. L'entourage du roi est cruel, et on m'a ridiculisé... Ma consolation, c'est que mon nom va rester associé à la création d'un pays nouveau, beaucoup plus grand que la France!

[2]**avons...** sommes arrivés sur
[3]petite montagne
[4]choses précieuses
[5]pris avec moi
[6]personnes qui colonisent un territoire
[7]métal jaune précieux

Jacques
Cartier
(1491–1557)

Avez-vous compris? Vrai ou faux? Si c'est faux, corrigez la phrase.

1. À l'origine, Cartier est allé au Canada pour établir une colonie.
2. Il a remonté le Saint-Laurent pendant son premier voyage.
3. Son impression initiale des Iroquois a été très favorable.
4. Sa deuxième expédition s'est arrêtée sur le site actuel de Montréal.
5. Jacques Cartier a fondé Montréal.
6. Finalement, il a trouvé de l'or et des diamants.

À vous la parole! Changement de perspective. Vous êtes un Iroquois qui raconte à ses enfants l'arrivée des Français en 1534. Les enfants, très curieux, vous posent beaucoup de questions.

MODÈLE: ENFANTS: Comment est-ce que les Français sont arrivés?
VOUS: Sur de grands canoës en bois, appelés «bateaux»...

Suggestions:

> parler dans une langue incompréhensible
> admirer nos villages fortifiés
> chercher des pierres précieuses
> s'émerveiller de nos coiffures
> poser des questions bizarres sur un endroit appellé «Lachine»
> utiliser des armes cruelles et bruyantes
> (ne pas) comprendre nos coutumes

À *vous d'écrire!*

C'est Noël et vous êtes très occupé(e). Vous voulez rester en contact avec vos amis, mais vous ne pouvez pas écrire une lettre personnelle à tout le monde. Composez une lettre que vous pouvez envoyer à toutes les personnes sur votre liste. Vous voulez raconter les événements les plus importants de l'année.

MODÈLE: *Mes chers amis,*

> *Cette année a été très... pour moi. D'abord...*
> *Je vous embrasse très affectueusement en vous souhaitant une*
> *bonne et prospère année 200 _____.*

À vous d'écrire. Read the context aloud. Then pretend that you need to write a letter to send to all your friends and family. Relate several events from your life this past year and write them briefly on the board. Then have the class help you start to write your letter: *Mes chers amis, Je ne vous ai pas écrit depuis très longtemps parce que... Mais maintenant, j'ai un peu de temps libre et je voudrais... D'abord, au mois de janvier, j'ai... . Votre ami(e) surchargé(e),...* Request at least 8–10 different activities in student letters.

Vidéothèque

Espace vidéo

Raconter des événements. Dans cet épisode, Jacques, Claire et Aimée ont passé un week-end mouvementé! Jacques est parti à la montagne et les filles ont gardé son petit chien. Qu'est-ce que Jacques a fait pendant le week-end? Pourquoi est-ce que Claire lui a parlé d'un ton très sarcastique dès son retour? Qu'est-ce qu'elle a fait pendant le week-end? Qu'est-ce qu'Aimée a fait samedi matin? Et le chien, a-t-il passé un bon week-end, à votre avis?

www.mhhe.com/deuxmondes

À explorer: www.mhhe.com/deuxmondes/ pour obtenir plus d'informations sur les thèmes du chapitre.

Vocabulaire

La vie quotidienne

Daily life

déjeuner à la cantine	to eat lunch in the cafeteria
discuter de la politique	to discuss politics
s'ennuyer	to get bored
essayer (de)	to try
oublier (de)	to forget
passer un examen	to take a test
perdre ses clés	to lose (one's) keys
poser des questions	to ask questions
ouvrir la porte	to open the door
quitter la maison	to leave the house
ranger sa chambre	to clean up one's bedroom
rendre un devoir	to turn in a piece of homework, a report
rendre visite (à)	to pay a visit (to)
réussir à un examen	to pass a test
sécher un cours	to cut a class
toucher sa paie	to get paid
trouver	to find

Mots apparentés: **commencer, découvrir, se discipliner, discuter, exister, offrir, se relaxer, satisfaire, signer**

Les expériences

Special experiences

s'amuser	to have fun
assister à une conférence	to attend a lecture
envoyer des fleurs	to send flowers
faire de la plongée sous-marine	to scuba dive
jouer aux échecs	to play chess
louer une vidéo	to rent a video
prouver	to prove
recevoir une contravention	to get a traffic ticket
regarder des clips	to watch music videos
suivre les actualités	to keep up with the news
visiter une cave à vins	to visit a winery

Faits personnels et historiques

Personal and historical facts

croire aux licornes (*f.*)	to believe in unicorns
entendre parler de	to hear about
épouser	to get married (to)
faire des études	to take a course of study
faire fortune	to make a fortune
prendre sa retraite	to retire
recevoir un diplôme	to get a degree
tomber amoureux (amoureuse) de	to fall in love with

Quand

Saying when

aussi souvent que possible	as often as possible
cette semaine	this week
déjà	already
enfin	finally
hier	yesterday
hier soir	last night
il y a deux jours	two days ago
le week-end dernier	last weekend

La description

Descriptive words

absolument	absolutely
ennuyeux/ennuyeuse	boring
énormément	enormously
inoubliable	unforgettable
rond(e)	round
plat(e)	flat
uni(e)	united

Mots apparentés: **allergique, capturé(e), charmant(e), délicieux/délicieuse, excessif/excessive, frais/fraîche, intensif/intensive, personnel(le), raisonnable, rigoureux/rigoureuse, romain(e), social(e), terminé(e), universitaire**

Substantifs

Nouns

une brasserie	a pub, bar
un carnet d'adresses	an address book
un chien	a dog
une couronne	a crown
un événement	an event
un/une fleuriste	a florist
une journée	a day, duration of a day
un lycée	a high school
un mot	a word
la physique	physics
le plaisir	pleasure
un prix	a prize
un siècle	a century
un smoking	a tuxedo
la Terre	the planet Earth
un titre	a title
la vie privée	private life

Mots apparentés: **l'alcool, une ambiance, un/une ancêtre, un/une candidat(e), un continent, le décor, un diplôme, l'empereur** (*m.*)**, un légionnaire, un mystère, un objet, le peuple, une planète, une spécialité, le système solaire, une technique, un zoo**

Verbes

Verbs

devenir	to become
écrire	to write

Mots apparentés: **arranger, combattre, exister, libérer**

Mots et expressions utiles

Useful words and expressions

à cause de	because of
autant que possible	as much as possible
avoir de la chance	to be lucky
Ça ne prouve rien.	That doesn't prove anything.
C'est rigolo!	That's funny!
d'accord	OK, agreed
de plus en plus	more and more
donc	therefore
Génial!	Great!
Je ne me souviens plus.	I don't remember!
pas encore	not yet
peut-être	perhaps
Quelle bêtise!	How silly!
Quel plaisir!	What a pleasure!
quelque chose d'important	something important

Grammaire et exercices

5.1 Saying what you did: PASSÉ COMPOSÉ WITH AVOIR

> passé composé =
> **avoir** + past participle
> (most verbs)

> negative: **ne** + **avoir** +
> **pas** + past participle

5.1. Present regular verbs in the *passé composé* with your PF and explain how to derive past participles before you assign this section. This section and the corresponding oral activities should be thought of as the point at which the acquisition of the *passé composé* begins. Students will continue to have opportunities to use the *passé composé* throughout the rest of the text. They should *not* be expected to master the use of this tense by the end of this chapter. Within this chapter, the *passé composé* is introduced progressively, beginning with regular verbs conjugated with *avoir*. In class, use the past tense naturally in input, writing verbs with *être* or irregular past participles on the board for vocabulary.

A. The **passé composé** is a compound past tense: It has two parts, an auxiliary (helping) verb and a past participle. Most verbs use **avoir** as the auxiliary verb. Here is the complete conjugation of **travailler** in the **passé composé.**

PASSÉ COMPOSÉ: **travailler** (*to work*)	
j'ai travaillé	nous avons travaillé
tu as travaillé	vous avez travaillé
il/elle/on a travaillé	ils/elles ont travaillé

Mme Martin **a travaillé** à la bibliothèque hier soir.

Barbara et Jacqueline sont très fatiguées; elles **ont travaillé** dur hier soir.

Madame Martin worked at the library last night.

Barbara and Jacqueline are very tired; they worked hard last night.

B. Here are the past participles for the three types of regular verbs. To form the past participle, drop the infinitive ending (**-er, -ir, -re**) and add the past participle ending: **-é, -i, -u.**

PAST PARTICIPLES OF REGULAR VERBS		
-er *verbs* → **-é**	**-ir** *verbs* → **-i**	**-re** *verbs* → **-u**
parl**er** → parl**é**	chois**ir** → chois**i**	attend**re** → attend**u**
étudi**er** → étudi**é**	fin**ir** → fin**i**	perd**re** → perd**u**
habit**er** → habit**é**	réuss**ir** → réuss**i**	répond**re** → répond**u**

Sarah **a téléphoné** à sa famille aux États-Unis.

Agnès **a fini** ses devoirs à minuit.

Jean-Yves **a perdu** ses clés hier.

Sarah called her family in the U.S.

Agnès finished her homework at midnight.

Jean-Yves lost his keys yesterday.

ES 1. Have the class brainstorm to create a terrible day for an imaginary student, using only negative sentences like *Je n'ai pas déjeuné, Je n'ai pas fini mon devoir.* Write these on the board as you hear them. Then review: *Alors, la pauvre (Marisol) n'a pas déjeuné, elle n'a pas fini son devoir.*

C. To make verbs in the **passé composé** negative, put **ne... pas** around the auxiliary verb.

Je **n'**ai **pas** retrouvé mes amis au café.

Cette année, mon équipe de basket-ball préférée **n'**a **pas** gagné une seule fois!

I didn't meet my friends at the café.

This year, my favorite basketball team hasn't won (didn't win) once!

D. The **passé composé** is used to tell about an event completed in the past. It has several possible English equivalents: **j'ai étudié** can mean *I studied, I did study, I have studied.*

J'**ai étudié** l'espagnol au lycée.	*I studied Spanish in high school.*
Tu **as nettoyé** ta chambre samedi?	*Did you clean your room on Saturday?*
Nous **avons** déjà **fini** ce livre.	*We've already finished this book.*

E. Use **pendant** + time expression to say how long someone did something in the past.

Hier soir, j'ai étudié le français **pendant deux heures.**	*Last night, I studied French for two hours.*
Louis a étudié l'espagnol **pendant trois ans** au lycée.	*Louis studied Spanish for three years in high school.*

F. In conversation, past-tense questions are often formed with **est-ce que** or intonation. You can also ask past-tense questions by inverting the helping verb and its subject.

Est-ce que Louis a déjà fini?	*Has Louis already finished?*
Tu n'**as** pas téléphoné ce matin?	*You didn't (Didn't you) call this morning?*
Avez-vous oublié de faire le devoir?	*Did you forget to do the assignment?*

✱ *You will learn more about the **passé composé** throughout this chapter and in **Grammaire 6.8, 8.6,** and **12.2.***

Exercice 1 Qu'avez-vous fait hier?

Posez des questions et donnez les réponses.

> MODÈLE: étudier → Est-ce que tu as étudié hier?
> Oui, j'ai étudié hier. (Non, je n'ai pas étudié hier.)

1. acheter le journal
2. écouter de la musique
3. parler français avec des amis
4. manger un hamburger
5. préparer le dîner
6. promener ton chien
7. téléphoner à un ami/une amie
8. regarder un film
9. travailler à la bibliothèque
10. nettoyer ta chambre

Ex. 1. Uses *-er* verbs only. If you do this exercise in class, you may wish to have students work briefly in pairs to compare their answers. Then ask questions about what both of them did (or did not do).

ES 2. Have students ask you questions from *Ex. 1. Avez-vous étudié hier? Est-ce que vous avez acheté le journal?*

Exercice 2 Événements d'hier

Voici ce qu'Agnès Rouet a fait hier. Avez-vous fait les mêmes activités?

> MODÈLE: Agnès a perdu son livre de grammaire. →
> Moi, je n'ai pas perdu de livre. (Moi aussi, j'ai perdu un livre. J'ai perdu mon livre de maths...)

Ex. 2. Students will use all three regular verb types, plus *dormir* (because its past participle is like regular *-ir* verbs). For partner practice, students make a statement and then ask a question: *Je n'ai pas perdu de livre. Est-ce que tu as perdu un livre?*

Agnès...

1. a rendu visite à une amie.
2. a fini un devoir pour son cours d'anglais.
3. a choisi un nouveau CD-ROM.
4. a répondu à son courrier électronique.
5. a perdu ses clés.
6. a dormi pendant un cours ennuyeux.
7. a attendu le bus pendant une demi-heure.
8. a réussi à un examen.
9. a servi du thé à ses amis.

Exercice 3 Soirée d'adieux

Ex. 3. This exercise includes both singular and plural forms. Partners might ask and answer questions for additional practice: *Qu'est-ce que Daniel et Louis ont acheté? Qui a mangé des crêpes?*

Les étudiants de Mme Martin ont donné une fête pour Pierre, l'assistant de français, qui va rentrer en France. Albert raconte ce que tout le monde a fait. Qu'est-ce qu'il dit?

MODÈLE: la soirée / commencer à 7 h 30 →
La soirée a commencé à 7 h 30.

1. Daniel et Louis / acheter des boissons
2. nous / manger des crêpes
3. Barbara et Jacqueline / apporter des CD français
4. tout le monde / parler français
5. même Mme Martin / danser
6. nous / regarder des photos de cette année
7. Denise / donner un album de photos à Pierre
8. quelques étudiants / pleurer

5.2 Irregular past participles

5.2. Before assigning, do PF input and association activities with a number of these verbs. Write the forms on the board as you go and use later to point out the irregular nature of their participles. Students require long exposure and practice before they can use them accurately in speech. Note that a few verbs presented here are new to students and some have not been presented yet in present-tense forms.

A. Most irregular verbs have past participles that fall into four different groups. Use the following charts as reference lists when you do the exercises in this chapter and in your **Cahier d'exercices.**

PAST PARTICIPLES ENDING IN **-U**			
boire (*to drink*)	**bu**	pleuvoir (*to rain*)	**plu**
connaître (*to know*)	**connu**	pouvoir (*to be able*)	**pu**
courir (*to run*)	**couru**	recevoir (*to receive*)	**reçu**
devoir (*must, to have to*)	**dû**	voir (*to see*)	**vu**
lire (*to read*)	**lu**	vouloir (*to want*)	**voulu**
obtenir (*to obtain*)	**obtenu**		

—Agnès, est-ce que tu **as vu** Sarah hier?   *Agnès, did you see Sarah yesterday?*

—Non, il **a plu** et elle n'**a** pas **pu** sortir.   *No, it rained and she couldn't go out.*

PAST PARTICIPLES ENDING IN **-IT, -IS**			
conduire (*to drive*)	**conduit**	prendre (*to take*)	**pris**
dire (*to say*)	**dit**	apprendre (*to learn*)	**appris**
écrire (*to write*)	**écrit**	comprendre (*to understand*)	**compris**
faire (*to do, make*)	**fait**	mettre (*to put, put on*)	**mis**

—Qu'est-ce que tu **as fait** ce matin?   *What did you do this morning?*

—J'**ai écrit** une lettre à mes amis canadiens.   *I wrote a letter to my Canadian friends.*

Marise et Clarisse **ont mis** une robe pour sortir hier soir.   *Marise and Clarisse put on dresses to go out last night.*

PAST PARTICIPLES ENDING IN **-ERT**	
offrir (*to offer, give*)	**offert**
ouvrir (*to open*)	**ouvert**
découvrir (*to discover*)	**découvert**

Mme Martin **a ouvert** son livre.   *Madame Martin opened her book.*

Sarah **a offert** des fleurs à Mme Rouet.   *Sarah gave some flowers to Madame Rouet.*

Pronunciation Hint:

Liaison is always made between a plural subject pronoun and the helping verb **avoir;** the final consonant of the past participle is never pronounced: **nous˯avõɳ$ faiɟ, vous˯aveɀ diɟ, elles˯õɳɟ cõɱpri$.**

B. The past participles of **avoir** and **être** are irregular. Both of these verbs use **avoir** as their helping verb.

avoir (*to have*)	**eu**
être (*to be*)	**été**

➤ avoir: j'*ai* eu
être: j'*ai* été

J'**ai eu** un problème avec ma voiture hier soir.   *I had a problem with my car last night.*

J'**ai été** très content de vous revoir à cette fête.   *I was very happy to see you again at that party.*

Exercice 4 Qu'est-ce que tu as fait ce matin?

Répondez aux questions d'un(e) camarade.

> MODÈLE:　Est-ce que tu as bu un café ce matin? →
> 　　　　　 Oui, j'ai bu un café. (Non, je n'ai pas bu de café.)

1. Est-ce que tu as fait ton lit?
2. Est-ce que tu as pris le petit déjeuner?
3. Est-ce que tu as lu le journal?
4. Est-ce que tu as bu un coca?
5. Est-ce que tu as reçu un coup de téléphone?
6. Est-ce que tu as dû chercher tes affaires?
7. Est-ce que tu as conduit ta voiture?
8. Est-ce que tu as eu un accident?
9. Est-ce que tu as été en retard pour un cours?
10. Est-ce que tu as mis un manteau pour sortir?

Maintenant, posez les mêmes questions à votre professeur.

> MODÈLE:　Est-ce que vous avez bu un café ce matin?

Exercice 5 Qu'est-ce qu'ils ont fait?

Écrivez les activités logiques des personnes suivantes.

> MODÈLE:　les chauffeurs de taxi →
> 　　　　　 Les chauffeurs de taxi ont conduit leur taxi.

1. les clients dans un bar	a. lire leurs leçons
2. les personnes devant un cinéma	b. découvrir une ville perdue
3. l'explorateur célèbre	c. offrir un cadeau à sa mère
4. les bons étudiants	d. mettre une nouvelle robe
5. le fils affectueux	e. écrire un nouveau livre
6. les acteurs	f. voir un film
7. l'auteur connu	g. prendre un cocktail
8. la femme élégante	h. apprendre leur rôle

Exercice 6 Le samedi de Jean-Yves

Mettez le récit de Jean-Yves Lescart au passé composé.

> MODÈLE:　J'ai de la difficulté à me lever. →
> 　　　　　 Samedi dernier, j'ai eu de la difficulté à me lever.

1. Je reçois un coup de téléphone d'Agnès.
2. Je rencontre Agnès et Sarah dans un petit café près du Forum des Halles.
3. Sarah nous offre un café.
4. Nous avons une grande discussion au sujet du cinéma des années 50.
5. Enfin, nous prenons la décision d'aller au cinéma où on passe un film de Spike Lee.

6. Je leur dis au revoir et je dois courir pour prendre le métro.

7. J'ouvre ma porte et je vois tous mes livres de classe. À la vue de tout ce travail, je suis découragé.

8. Je mets mon pyjama et je fais la sieste.

5.3 Saying what you did: PASSÉ COMPOSÉ with ÊTRE

A. Most French verbs use **avoir** as the auxiliary in the **passé composé.** However, a few use **être** instead. The past participles of these verbs agree with the subject in gender and number.

> ➤ Raoul est allé...
> Agnès est allée...
> Ils sont allés...

PASSÉ COMPOSÉ: **aller** *(to go)*	
je **suis** allé(e)	nous **sommes** allé(e)s
tu **es** allé(e)	vous **êtes** allé(e)(s)
il/on **est** allé	ils **sont** allés
elle **est** allée	elles **sont** allées

Sylvie Legrand **est allée** en Louisiane la semaine dernière.
Son frère et sa belle-sœur **sont allés** en France.

Sylvie Legrand went to Louisiana last week.
Her brother and sister-in-law went to France.

5.3. There are two approaches to teaching the choice between *avoir* and *être* as auxiliaries for the compound tenses. One is to follow a general rule (*être* with verbs of "general" motion [*aller*] vs. "specific" movements [*courir;* etc.]) the other is simply to provide enough input with individual verbs so that students become accustomed to hearing *être* with certain very common verbs. Because students have different learning styles, we recommend using both approaches. Students should understand that if a verb is not listed in this section (and is not reflexive), it is probably conjugated with *avoir.*

Pronunciation Hint:

Because final **-e** and **-s** are silent, the feminine and plural agreement endings on participles are not pronounced, and for most participles, all forms sound the same: **allée** = **allé, restés** = **resté.**

B. Many verbs conjugated with **être** in the **passé composé** denote a change in location.

PAST PARTICIPLE ENDING IN...		
-é		**-u**
aller → **allé(e)**		descendre → **descendu(e)**
arriver → **arrivé(e)**		venir → **venu(e)**
entrer → **entré(e)**		revenir → **revenu(e)**
monter → **monté(e)**		
rentrer → **rentré(e)**		**-i**
retourner → **retourné(e)**		partir → **parti(e)**
tomber → **tombé(e)**		sortir → **sorti(e)**

Les parents de Raoul **sont venus** lui rendre visite le week-end passé. Ils **sont arrivés** vendredi soir.

Raoul's parents came to visit him last weekend. They arrived Friday night.

C. Here are a few verbs conjugated with **être** that do not denote a change in location. Note that they do denote a change in state.

rester	→ **resté(e)**
devenir	→ **devenu(e)**
naître (*to be born*)	→ **né(e)**
mourir (*to die*)	→ **mort(e)**

Je **suis né** en 1977, et ma grand-mère **est morte** l'année suivante.

I was born in 1977, and my grandmother died the following year.

Exercice 7 La dernière fois

Ex. 7. Review the meaning of *ne... jamais* and remind students of past participle agreement before assigning. In class, you might have several students write one answer each on the board and then ask the class to decide if a man or a woman wrote that answer. Verify the accuracy of the guess by having the person raise a hand.

Parlez de la dernière fois que vous avez fait les actions suivantes.

MODÈLE: Quelle est la dernière fois que vous êtes monté(e) à cheval? →
Je suis monté(e) à cheval à l'âge de 7 ans. (Je ne suis jamais monté[e] à cheval.) (Je ne me rappelle pas la dernière fois que je suis...)

Quelle est la dernière fois que...

1. vous êtes sorti(e) sans prendre le petit déjeuner?
2. vous êtes allé(e) faire des courses au supermarché?
3. vous êtes monté(e) dans un ascenseur? (dans quel bâtiment?)
4. vous êtes tombé(e)? (où?)
5. vous êtes parti(e) pour le week-end? (où?)
6. vous êtes arrivé(e) en classe en retard?
7. vous êtes devenu(e) furieux/furieuse contre un agent de police?
8. vous êtes entré(e) dans une discothèque?
9. vous êtes resté(e) au lit jusqu'à midi?
10. vous êtes rentré(e) après minuit?

Exercice 8 Un week-end de ski

Les Colin sont allés faire du ski dans les Alpes. Mettez les verbes au passé composé.

MODÈLE: nous / aller passer le week-end à Megève →
Nous sommes allés passer le week-end à Megève.

1. nous / partir à cinq heures vendredi soir
2. nous / arriver à Megève vers dix heures
3. samedi matin, les enfants / aller sur les pistes (*slopes*) de bonne heure
4. Victor et moi, nous / rester au lit un peu plus longtemps
5. Marise et Clarisse / monter et descendre plusieurs fois
6. elles / ne pas tomber, heureusement
7. samedi soir, nous / revenir au chalet pour dîner
8. dimanche matin, les enfants / retourner sur les pistes à 9 h
9. nous / rentrer à Clermont-Ferrand dimanche soir, fatigués mais très contents de notre week-end

5.4 PASSÉ COMPOSÉ of REFLEXIVE VERBS

5.4. The rule given here for agreement of past participles of reflexive verbs represents a slight simplification. Because such agreement rarely affects pronunciation, details of these rules are better left for more advanced study. The only exceptions to the rule given here are cases where the reflexive pronoun is an

A. The **passé composé** of reflexive verbs is always formed with **être**. The reflexive pronoun precedes the helping verb.

> ➤ Reflexive pronouns *precede* the helping verb: **Je me suis couché(e)**.

—Bernard, tu as l'air fatigué. À quelle heure tu **t'es levé** ce matin?

—Je **me suis couché** après minuit et **je me suis levé** à 7 h.

Bernard, you look tired. What time did you get up this morning?

I went to bed after midnight and I got up at 7:00.

indirect rather than a direct object (e.g., *elle s'est lavé les mains, elles se sont écrit*). If you have students write out *Ex. 9* or *10*, point out that *se brosser les dents* and *se laver les cheveux* are exceptions to the general rule; there is no agreement. You may also wish to point out the different auxiliary in reflexive and nonreflexive uses of the same verb: *Je me suis promené(e). J'ai promené mon chien.*

B. Because their past tense is formed with **être,** participles used in past reflexive constructions usually agree in gender and number with the subject.

Marie **s'est levée** à 8 h.
Nathalie et Camille **se sont levées** à 10 h.

Marie got up at 8:00.
Nathalie and Camille got up at 10:00.

Exercice 9 Préparatifs

Bernard et Christine Lasalle sont allés à une grande soirée le mois dernier. Lisez ce qu'ils ont fait avant d'y aller. Est-ce que vous avez fait les mêmes choses la dernière fois que vous êtes sorti(e)?

MODÈLE: Bernard s'est lavé les cheveux. →
Moi aussi, je me suis lavé les cheveux. (Je ne me suis pas lavé les cheveux.)

1. Christine est allée chez le coiffeur.
2. En fin d'après-midi, Bernard et Christine se sont reposés.
3. Bernard s'est douché.
4. Ils se sont brossé les dents.
5. Christine s'est maquillée et Bernard s'est rasé avec son rasoir électrique.
6. Ils se sont habillés en vitesse.
7. Ils se sont bien amusés et ils sont rentrés après minuit.
8. Ils se sont couchés et ils se sont tout de suite endormis.

Ex. 9. Students see both singular and plural forms, but will need to respond only for themselves.

ES 5. *Ex. 9* and *10* use only verbs conjugated with *être*. For practice that mixes both *avoir* and *être* verbs, have the class interview a volunteer about his or her activities last weekend. The volunteer answers truthfully. (*Tu es allé au cinéma? Non, je ne suis pas allé... Est-ce que tu as beaucoup dormi? Oui, j'ai...*) Variation: Have students ask what you did last weekend. Remind students beforehand that if the verb is not reflexive or one of the verbs presented in *Grammaire 5.3*, they should use *avoir*.

Ex. 10. Do as an input activity before assigning: *Sur quel dessin est-ce qu'Albert et Caroline sont partis de la fête? Au numéro trois, est-ce que Caroline s'est lavé les cheveux ou est-ce qu'elle s'est brossé les dents?*

ES 6. Game. Use the art in *Ex. 10* for a contest to see which team of partners can supply the longest list of new past tense verbs describing other things that probably happened. Examples: *Caroline s'est habillée. Albert a acheté une rose.* Ask the class to keep count on paper. Repeats do not count. Partners may confer during play.

Exercice 10 La fête

Caroline est sortie avec Albert. Écrivez des phrases au passé composé.

MODÈLE: (Numéro sept) Caroline et Albert sont partis à 2 h du matin.

Les activités: arriver à la fête   s'endormir
                    arriver chez elle   partir
                    se baigner   rentrer tard
                    se brosser les dents   se sécher
                    se coucher   sortir ensemble
                    se déshabiller

5.5 NEGATIVE EXPRESSIONS

A. So far you have most often used the expression **ne... pas** to negate sentences. Here are several other negative expressions, grouped with the corresponding affirmative expressions.

AFFIRMATIVE	NEGATIVE
quelque chose (*something*) tout (*everything*)	**ne... rien** (*nothing*) **rien... ne** (*nothing*)
quelqu'un (*somebody*) tout le monde (*everybody*)	**ne... personne** (*nobody*) **personne... ne** (*nobody*)
quelquefois (*sometimes*) toujours (*always*) un jour (*someday*)	**ne... jamais** (*never*)
déjà (*already*) encore (*still*) toujours (*still*)	**ne... pas encore** (*not yet*) **ne... plus** (*no longer*)

Note that these expressions occur in the same position as **ne... pas.** They are placed around the first verb (i.e., the helping verb in **passé composé**).

—Est-ce que ta sœur fume toujours?	*Does your sister still smoke?*
—Non, elle **ne** fume **plus.**	*No, she doesn't smoke anymore.*
Moi, je **n'**ai **jamais** fumé.	*I have never smoked (I never smoked).*
Nous **ne** sommes **pas encore** allés en Tunisie.	*We haven't been to Tunisia yet.*

Exception: **Personne** is placed *after* the past participle in the **passé composé.**

Je **n'**ai rencontré **personne** au café.	*I didn't meet anyone at the cafe.*

B. The words **rien** and **personne** can be used as subjects as well as objects of the verb. In both cases, **ne** is used before the verb.

Nous ne sommes pas prêts. **Rien n'**est terminé.	*We aren't ready. Nothing is finished.*
Personne n'est venu me voir.	*No one came to see me.*
Je **n'**ai **rien** dit à Mme Martin.	*I didn't say anything to Madame Martin.*

C. As with **ne... pas,** the indefinite and partitive articles (**un, une, des; du, de la, de l'**) usually become **de (d')** after any negative expression.

★ *Review* **Grammaire 3.6.**

Je **n'**ai **jamais** mangé **d'**escargots.	*I have never eaten (any) snails.*
Nous **n'**avons **plus d'**amis à Strasbourg.	*We no longer have (any) friends in Strasbourg.*

D. The expression **ne... que** is not negative, but rather is used to express the notion of restriction. It is usually synonymous with **seulement** (*only*).

> EXPRESSING RESTRICTION (ONLY)
> **ne... que = seulement**

Je **n'**ai **que** dix francs.	*I have only ten francs.*
Nous **n'**avons visité **que** la tour Eiffel.	*We visited only the Eiffel Tower.*

E. Unlike English, French allows more than one negative in a sentence.

Personne ne fait **jamais rien!**	*Nobody ever does anything!*

Exercice 11 Deux villes imaginaires

Lisez la description d'une ville où *tout va bien* et écrivez la description d'une ville où *tout va mal.*

MODÈLE: Dans la ville où tout va bien, *tout le monde* est content. →
Dans la ville où tout va mal, *personne n'*est content.

Ex. 11. This exercise requires understanding of both the affirmative and negative expressions, so it is both semantic and grammatical in nature. Remind students that *ne* precedes the negative verb before assigning. In class, after students have done and checked the assignment, you might make both negative and affirmative statements and have students identify the appropriate city: *Dans cette ville, rien n'est simple et calme. (C'est la ville où tout va mal.)*

Dans la ville où tout va bien,...

1. les enfants obéissent *toujours* à leurs parents.
2. *tout* est simple et calme.
3. *tout le monde* est dynamique.
4. on fait *souvent* la fête.
5. on a *déjà* éliminé la pollution de l'air.
6. les habitants aiment *tout le monde*.
7. on a *quelque chose* d'intéressant à faire.
8. la ville est *toujours* prospère.

Ex. 12. Do in class for partner practice after students have prepared the exercise at home. Each partner should ask the questions, then answer them.

*E*xercice 12 Fausses impressions

Un ami français vous pose des questions sur votre vie. Répondez avec **ne... que** et l'expression indiquée.

MODÈLE: Tu as beaucoup de frères et sœurs? (un frère) →
Non, je n'ai qu'un frère.

1. Tu as un appartement? (une chambre)
2. Tu as une voiture? (une bicyclette)
3. Tes parents ont une maison? (un appartement)
4. Il y a un métro dans ta ville? (des autobus)
5. Tes parents ont un mois de vacances? (quinze jours de vacances)
6. Tu as étudié d'autres langues étrangères? (le français)
7. Tu as visité la Californie? (la côte est)

GOALS FOR *CHAPITRE 6*
Input and conversation focus on childhood, teen years, and what students used to do and feel as they were growing up. Linguistically, students begin to comprehend and use the imperfect to express habitual past action and states of being. *Functional goal:* Be able to say some things you used to do on particular occasions, and how you felt.

MISE EN TRAIN
It is unrealistic to expect students to able to use the imperfect *(imparfait)* accurately until they have had much exposure over a number of months. Students learn the forms easily; however, you will find that in conversation, their control of those forms is unpredictable. Provide abundant input and ample opportunity for them to use the *imparfait* in the formulation and expression of thought. Use expansion, not direct correction, when mistakes occur. (Review IM, Expansion Techniques.)
We do not recommend contrastive study of *passé composé* and *imparfait* at this point. You will find a brief review of what students have learned about each of these two aspects of past tense in *Grammaire 6.8,* with further explanation in later chapters, after students have had plenty of exposure to each.

1. Tell students about your childhood and youth. Use your PF or photos (you as child, teenager) and realia (stuffed animal, soccer ball) to make the topic real. Write new verb forms on the board and include students as you do your narrative: *Je lisais énormément de bandes dessinées. J'adorais Calvin et Hobbes. Est-ce que vous lisiez aussi des bandes dessinées? Lesquelles aimiez-vous?* Afterward, point out the verb endings and explain how to form the *imparfait.*

AS 1. Give students a few minutes to talk about comic strip and TV preferences when they were in elementary school.

AS 2. Select PF photos of adults and ask the class what each person probably used to do, as a child. (PF/quiet intellectual) *Il lisait, regardait Sesame Street, jouait avec des Legos, prenait des leçons de piano,* etc.

AS 3. Each day for several days, describe one or two people you knew as a child or teen, saying what they used to do. *Joe était dans ma classe de physique. Il avait une petite voiture rouge. Il conduisait comme...*

2. Association activity. Use photos to introduce favorite activities for children and teens. Gradually associate each activity with a student so that you can review during input or warm-up sessions: *Qui oubliait de faire ses devoirs parce qu'il jouait à (Pokemon)? Qui mangeait du beurre de cacahuètes sur des Oréos?*

AS 4. Autograph activity. Use information learned during *Mise en train, Act. 2,* to build an autograph activity. (*Est-ce que tu jouais à la poupée avec tes amis? Est-ce que tu avais des patins en ligne?* etc.)

3. Feelings, emotions and behavior. Introduce reflexives and verbs for "states" and behavior with your PF, gestures, and realia. (See *Vocabulaire, Les sentiments, les émotions et la conduite* for verbs.) Describe situations and ask how students feel or react. (Hold up a parking ticket.) *Ça, c'est un papillon. Alors, imaginez que vous allez en classe, vous retournez à votre voiture, vous êtes en retard de deux minutes, et voilà! Un papillon! Quelle est votre réaction? Moi, je me fâche! Et vous...* Write the verbs on the board and review often.

CHAPITRE 6

L'enfance et la jeunesse

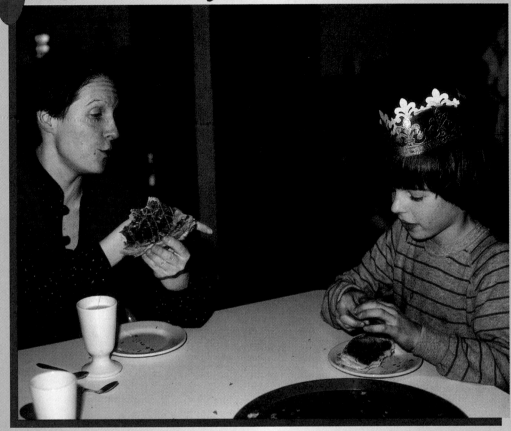

Marseille: Trouvez la fève, et vous êtes roi ou reine!

Objectifs

IN **CHAPITRE 6**, *you will learn to talk about what you used to do and how you felt in the past.*

activités

Les activités de l'enfance
La jeunesse
Les rapports avec les autres
Souvenirs et événements du passé

lectures

Les francophones sur le vif Jean-Marc Dubosc
Info: Arts et lettres Les voix de la francophonie
La langue en mouvement L'accent québécois
Info: Vie quotidienne Les jours fériés
Lecture La maison de vacances en Provence

grammaire

6.1 The verbs **dire, lire, écrire**
6.2 Saying what you used to do: The imperfect
6.3 Describing past states: More on the imperfect
6.4 Linking ideas: Relative pronouns
6.5 Indirect object pronouns
6.6 Idiomatic reflexive verbs
6.7 The verbs **voir** and **croire**
6.8 Different perspectives on the past: Summary of **passé composé** and imperfect

Activités et lectures

LES ACTIVITÉS DE L'ENFANCE

Quand j'étais petite...

Les activités de l'enfance. Compare Adrienne Petit's childhood with your own and with that of students: *Adrienne faisait du ski avec ses camarades de classe. Moi, je ne faisais pas de ski, mais j'allais très souvent à la plage. Et vous?* New vocabulary: *bâtir un château de sable, jouer à cache-cache, monter un spectacle.*

AS 5. Have students write two sentences in the *imparfait* that tell two of their favorite childhood activities. Collect these papers and read a few of the items aloud daily, having the class guess who wrote the statements.

AS 6. Use the statements from *Mise en train Act. 1* to create an autograph activity. (*Est-ce que tu jouais tout le temps au basket... ?*)

Attention! Étudier Grammaire 6.1 et 6.2

En hiver, je faisais du ski à la montagne avec mes camarades de classe.

En été, je jouais à cache-cache dans le jardin avec mes amis.

Le dimanche, je lisais dans ma chambre.

Je courais avec mon chien.

Je bâtissais des châteaux de sable sur la plage.

Quelquefois, mes amis et moi, nous montions des spectacles.

Activité 1 Associations: L'enfance de quelques célébrités

Act. 1. (whole class) This activity allows students to see and hear many imperfect forms. Ask the questions and let the class name the likely person(s). More than one name may be logical. Afterward, you may wish to pair students to ask each other the questions. New vocabulary: *chant, course à voile, entraîneur, mer, navigateur, patiner, patineuse, protéger les forêts, rêver, tourner un film.*

Associez chacune des actions à l'enfance d'une de ces personnes célèbres.

Dominique Voynet, ministre de l'environnement
Thierry Dubois, navigateur
Surya Bonaly, patineuse
Guillaume Depardieu, acteur

AS 7. Distribute two photos each (of people) to groups of three. Students then make a list of what each person pictured probably used to do as a child. Afterward, they show their photos and give their guesses to the class. Amusing variation: Every group receives copies of the same two photos. During follow-up, differences of opinion usually enliven discussion.

Qui...

1. travaillait avec un entraîneur?
2. adorait la mer?
3. savait beaucoup sur le cinéma?
4. lisait beaucoup sur la nature?
5. patinait tous les jours?
6. étudiait la danse?
7. adorait les animaux?
8. étudiait la géographie?
9. voulait protéger les forêts?
10. regardait les films de son père?
11. recyclait les vieux journaux?
12. rêvait de tourner un film?
13. prenait des leçons de chant?
14. adorait les courses à voile?

AS 8. Pair students to discuss their activities and habits as elementary school pupils. You may want to have them take notes and report to the class about what they learned.

AS 9. Assign a composition based on notes taken for *AS 8*. Students report on their partner's childhood life. (*L'enfance de...*)

Activité 2 **Récit: Le monde des enfants**

Regardez le tableau et écoutez les descriptions de votre professeur. Dites si les phrases sont vraies ou fausses.

Act. 2. (whole class; partners) (1) Review/introduce vocabulary by having students listen as you make statements and ask questions. (2) Assign to partners to ask each other questions. Review (and write on board) short questions with *qui, quand,* and *est-ce que.* Input: *Raoul jouait avec ses voitures, passait l'aspirateur, jouait dans la neige, pêchait avec son père; Albert jouait au ballon, allait à l'église avec sa famille, dessinait, allait au zoo; Caroline faisait du tricycle/la vaisselle, allait au cinéma, nageait à la piscine; Jacqueline jouait avec son chat, faisait du piano, lisait des livres, grimpait aux arbres.* New vocabulary: *grimper, jouer au ballon, tricycle.*

D'HABITUDE   SOUVENT   EN HIVER   EN ÉTÉ

Raoul

Albert

Caroline

Jacqueline

Cliquez là! (See IM, Using music in class.) There are many Websites offering words and music from all over the francophone world. Singing with professional recordings is an easy and agreeable way to improve pronunciation and develop vocabulary. It also can open the door for cultural discussion or serve as an advance organizer for a grammar point. Encourage students to find the words (and music) for French songs they like and download them for class. Begin with your own recordings and those of any students who have suitable music.

Cliquez là!

Connaissez-vous *Sur le pont d'Avignon* **et** *Frère Jacques?* **Visitez un site de Chansons populaires et enfantines, et écoutez les chansons aimées par les enfants français depuis plusieurs générations.**

Vocabulaire utile: grimper aux arbres, jouer au ballon, pêcher

Allons plus loin!

Posez des questions à votre partenaire, en utilisant le tableau.

MODÈLE: É1: Que faisait Raoul quand il était enfant?
         É2: D'habitude, il jouait avec ses petites voitures. Souvent...

Les francophones sur le vif. Although they share some characteristics, *colonies de vacances* and camps by Scouts or *Éclaireurs/Éclaireuses* differ in price, level of amenities, and location, with the latter usually held in a wilderness environment. Before the activity, poll your students on whether they attended one type of camp or the other, took family vacations, or stayed home. In any case, reinforce and enlarge vocabulary by asking them if they ever did as Jean-Marc Dubosc: *En vacances, est-ce que vous couchiez dans une tente? Non? dans une caravane? un motel? Faisiez-vous un feu pour préparer vos repas?* etc.

LES FRANCOPHONES SUR LE VIF

Jean-Marc Dubosc, 30 ans, ingénieur à Lyon

Comment passiez-vous vos vacances d'été quand vous étiez jeune?

«Nous avions trois mois de vacances, mais comme ma famille était assez pauvre, je ne pouvais pas partir en voyage, et même les colonies[1] étaient trop chères. J'ai donc adhéré aux[2] «Éclaireurs de France», un mouvement comparable aux Scouts, mais laïque.[3] Tous les étés, pour un mois, la troupe partait faire un camp dans les Alpes. Nous voyagions en train, avec d'immenses sacs à dos, et à pied—on marchait beaucoup! Certaines années, nos camps n'avaient presque aucune installation: il fallait faire un feu de bois pour manger, et dormir dans des tentes achetées à un surplus militaire. Nous nous lavions à l'eau froide, parfois dans une rivière de montagne à l'eau glaciale. Finalement, nous étions tous très heureux d'être loin de la ville, et d'avoir l'impression de vivre comme des nomades pendant un mois; ces camps valaient[4] bien un club cinq étoiles[5]!»

À vous la parole! *Complétez les souvenirs de vacances de Jean-Marc Dubosc. Imaginez la vie dans un camp d'Éclaireurs dans les Alpes: Au camp, nous n'avions pas de frigo et nous mangions beaucoup d'aliments en boîte...*

[1]centres de vacances pour les enfants
[2]**J'ai...** Je suis devenu membre d'une association
[3]≠ religieux
[4]étaient équivalents à
[5]**cinq...** de grand luxe

Act. 3. (whole class; partners) Read questions aloud to the class and answer each in turn yourself. Pair students and circulate while they ask each other these questions. *É1* may ask *É2* all questions and then *É2* asks *É1,* or they may discuss each item together. Follow up with a survey of answers to some of the questions. New vocabulary: *bonbon, dessins animés.*

Activité 3 Entrevue: **Quand j'étais petit(e)**

1. Est-ce que tu habitais dans une maison? (Dans quelle ville?)
2. À quelle école allais-tu? (Tu aimais cette école?)
3. Est-ce que tu te couchais de bonne heure? (À quelle heure, d'habitude?)
4. Qu'est-ce que tu aimais manger? (De la pizza? Des bonbons?)
5. Est-ce que tu avais un chien ou un chat? (Comment s'appelait-il?)
6. Est-ce que tu prenais des leçons de piano? (Pourquoi?)
7. Tu faisais des tâches ménagères à la maison? (Lesquelles?)
8. Tu regardais les dessins animés le samedi? (Lesquels?)
9. Est-ce que quelqu'un te lisait des bandes dessinées? (Lesquelles?)

Allons plus loin! Pensez à des activités que vous aimiez faire et qui n'existaient pas quand vos grands-parents étaient enfants. Pourquoi est-ce que ces activités n'existaient pas?

LA JEUNESSE

Attention! Étudier Grammaire 6.3 et 6.4

L'album de photos de Marie Lasalle

J'avais quinze ans et j'allais à l'école de filles. Moi, j'avais de la chance. J'aimais l'école et j'avais beaucoup d'amies.

La jeunesse. Begin by recounting what your life was like when you were in high school, comparing and contrasting it with your parents' high school years. Next, have students look at Marie Lasalle's "snapshots" and ask them to locate each person as you describe her. *Odile aimait étudier. Elle a l'air très studieuse, n'est-ce pas? Laquelle est Marie?* Explain that, until a few decades ago, even public education in France provided separate schools for boys and girls. New vocabulary: *discipliner, pitre, rire, strict(e).*

AS 10. Lead a discussion in which you compare your own high school experience with that of your students. This activity is particularly interesting when the teacher attended high school in a country other than the U.S. During discussion, make use of the experience of international students or American students who have attended school abroad.

Mᵐᵉ Kaffès était une personne stricte qui savait discipliner ses élèves.

Madeleine et Emma étaient les camarades que je préférais. C'étaient les pitres de la classe.

Florence riait tout le temps. Odile apprenait très vite et Reine avait peur de parler en classe.

Act. 4. (whole class; partners) Introduce the vocabulary by reading the questions aloud and answering yourself. Ask who in class used to do or feel the same. Then assign to pairs. Follow up pair work with a survey of who answered *oui/non* to the items. Ask for some details such as *Que fait cette personne aujourd'hui? Vous êtes toujours en contact? Pourquoi est-ce qu'elle rouspétait tout le temps?* New vocabulary: *dépenser, doué(e), genre, se passionner, rouspéter, sécher un cours.*

Activité 4 Échanges: **Les camarades de classe**

Est-ce que vous connaissiez ces genres de personnes au lycée? Comment s'appelaient-elles? Expliquez vos réponses.

AS 11. Put students in groups to decide (and write down) the five things they liked the most about high school and the three things they liked the least.

MODÈLE: É1: Au lycée, est-ce que tu connaissais quelqu'un qui séchait les cours?

  É2: Oui, Benny Roberts séchait souvent les cours. Il allait jouer au billard avec ses copains. Et toi, tu connaissais quelqu'un comme ça?

1. quelqu'un qui était doué en musique
2. quelqu'un qui rouspétait souvent
3. quelqu'un que tes parents n'aimaient pas
4. quelqu'un que tout le monde admirait
5. quelqu'un qui pouvait sortir quand il/elle voulait
6. quelqu'un qui se passionnait pour les ordinateurs
7. quelqu'un qui était toujours en retard
8. quelqu'un qui dépensait beaucoup d'argent
9. quelqu'un qui...

Activité 5 Récit: L'adolescence de Barbara

Voici certaines activités de Barbara vers l'âge de 15 ans. Posez à votre partenaire des questions basées sur le tableau et demandez-lui s'il (si elle) faisait la même chose à cet âge-là.

> MODÈLE: É1: Que faisait Barbara le week-end?
> É2: Elle montait à cheval.
> É1: Toi, tu montais à cheval à cet âge-là?
> É2: Ah non, je ne montais pas à cheval. J'avais peur des chevaux!

Après les cours

Le week-end

En été

À Noël

Vocabulaire utile: une colonie de vacances, monter à cheval, ranger sa chambre, la veille de Noël, la messe de minuit

Activité 6 Entretien: La vie au lycée

1. Au lycée, est-ce que tu arrivais à l'heure ou en retard le matin, normalement? Pourquoi?
2. Tu lisais beaucoup? Qu'est-ce que tu aimais lire?
3. Qu'est-ce que tu faisais le week-end? (Tu allais au cinéma? Tu te promenais au centre commercial?)
4. Tu étais membre d'une organisation? (l'orchestre? un club? une équipe?) Pourquoi?
5. Tu travaillais après les cours? (Où? Combien d'heures par semaine?)
6. Quels sont tes meilleurs souvenirs de tes années au lycée?

Info: Arts et lettres. MC Solaar has a distinctive style that sets him apart from most French-speaking rap artists, with whom he seldom associates. Although he did contribute a song to the cult 1995 film *La Haine*, he has stayed away from glorifying violence and focuses instead on chronicling contemporary French life and pop culture with a good dose of irony. His play with language and frequent allusions to TV shows, movies, and other cultural phenomena can make his lyrics fairly obscure to the uninitiated.

Info: Arts et lettres

Les voix de la francophonie

Langue de la littérature et de la diplomatie, le français est aussi celle de la chanson, comme le prouvent les carrières très différentes de deux célèbres chanteurs contemporains. MC Solaar (Claude M'Barali) est né au Sénégal en 1969 et a grandi[1] dans la banlieue de Paris où il a fait ses études supérieures. En 1990, il connaît le succès[2] avec la chanson «Bouge de Là» et l'album «Qui sème le vent récolte le tempo» (1991). Ses textes raffinés le distinguent des autres rappeurs francophones d'inspiration américaine. Poétique, ironique, MC Solaar aime les allusions à la littérature et au cinéma. Au rap violent et politique pratiqué par les groupes NTM et Ministère Amer, il préfère le commentaire sociologique, comme dans un de ses derniers succès, «Les temps changent».

Céline Dion, Québécoise née en 1968, a commencé sa carrière à l'âge de treize ans. Elle est devenue une grande vedette[3] au Canada, puis en Europe; en 1988, elle a obtenu le Grand Prix de l'Eurovision avec une chanson en français, «Ne partez pas sans moi». Aujourd'hui, elle chante aussi en anglais avec les plus grands vocalistes mondiaux comme Barbra Streisand ou Pavarotti. Pourtant, Céline reste attachée à sa langue maternelle, et continue de collaborer avec des artistes français comme Jean-Jacques Goldman. En dépit de son extraordinaire succès dans le monde anglophone, Céline reste la voix d'or mondiale de la chanson française— et une véritable idole au Québec!

[1]passé sa jeunesse
[2]**connaît... réussit**
[3]une personne célèbre dans le domaine de la musique, du cinéma ou du sport

Céline Dion's singing, on the other hand, fits in perfectly with the American "Top 40" style: to date, she has been the only native French speaker with any significant crossover appeal (and sales) in the English-speaking pop/rock market. However, her distinctive *québécois* accent helps keep her enormously popular in her native Québec. Her work with J-J Goldman took a more off-beat approach; in fact, she had relatively little success in France until *D'eux,* which has been a huge seller. You may want to play songs from her English albums, such as "The Color of My Love" or the theme song from the movie *Titanic,* and compare them with the French ones. Have students visit the *site officiel* for Dion and Solaar, using a French search engine.

La langue en mouvement

L'accent québécois

Le français parlé dans d'autres pays du monde diffère du français de France, surtout par son vocabulaire et sa prononciation. Au Québec, par exemple, on peut entendre un accent très différent de l'accent parisien. Le trait le plus remarquable, c'est la prononciation de «t» comme «ts» et de «d» comme «dz» devant les voyelles «i» et «u»: «petsit» pour «petit», et «dzur» pour «dur». Bien sûr, les Québécois ne parlent pas toujours avec un accent très fort, particulièrement s'ils font des études. Ils apprennent alors l'accent standard, et ils peuvent adapter leur accent à la situation. Pourtant, certains Québécois sont très fiers de cette différence!

La langue en mouvement. Linguists refer to regional and social varieties of a language as dialects. These are generally comprehensible to speakers of other dialects. A strong Québec accent may present comprehension problems at first, particularly for non-native speakers. Features of this accent include differing vowel qualities: /i/ and /u/ *(liquide, toujours)* are pronounced more like the corresponding English vowels of "bit" and "pull": many vowels have become diphthongs; and words like *moi* may be pronounced *mwè*. There are major differences in vocabulary as well. Since *la révolution tranquille* of the 1960s, when the French language made major inroads with respect to English due to legislation in the province of Québec, there has been an ongoing debate as to whether the standard language should be metropolitan French (i.e., of France) or a variety of native Canadian French.

LES RAPPORTS AVEC LES AUTRES

Attention! Étudier Grammaire 6.5 et 6.6

Les rapports avec les autres. This section introduces several new nonreflexive pronominal verbs. (See *Mise en train*, 3, p. 192.) Note, too, that indirect object pronouns are introduced, in particular *lui* and *leur*. Bring them into your input as much as possible in statements like *je lui disais...* , *je leur donnais...* Begin with photos illustrating states of being. (angry man) *Voici un homme qui n'est pas du tout content! Il se fâche. Pourquoi est-ce qu'il se fâche? Parce qu'il a reçu un papillon* (parking ticket). *Et vous, est-ce que vous vous fâchez quand... ?* New vocabulary: *se battre, celui, s'en aller, s'énerver, s'entendre, se fâcher, finances, s'occuper de, offrir, petit gâteau.*

AS 14. In pairs or groups, students compare their own family life with that of Raoul.

Raoul Durand parle de sa famille.

Dans ma famille, c'était ma mère qui s'occupait des finances.

Mon père s'énervait quand nous ne voulions pas participer aux tâches ménagères.

Mon petit frère s'en allait quand il se fâchait.

Ma grand-mère m'offrait souvent des petits gâteaux.

Je m'entendais très bien avec ma sœur. Parfois, je lui donnais de l'argent pour faire la vaisselle à ma place.

Nous avions trois chats. Celui que je préférais, c'était Tibert. Il se battait avec les autres chats du quartier.

*A*ctivité *7* Discussion: Les autres et moi

Qu'est-ce que vous faisiez dans ces situations quand vous étiez au lycée?

1. Quand quelqu'un voulait m'emprunter un vêtement,...
   a. j'hésitais et je cherchais des excuses.
   b. je m'énervais et je refusais.
   c. je lui prêtais le vêtement.
2. Si mes parents me demandaient d'aider à la maison,...
   a. je me fâchais et je leur disais que c'était injuste.
   b. je leur disais que j'avais trop de devoirs.
   c. je leur obéissais tout de suite.
3. Les jours où je ne voulais pas aller en cours,...
   a. je disais que je ne me sentais pas bien.
   b. je faisais l'école buissonnière.
   c. je faisais des courses pour ma mère.
4. Si (mon père) ne me permettait pas de sortir,...
   a. je sortais sans rien lui dire.
   b. je me disputais avec lui.
   c. je pleurais.
5. Si un(e) de mes ami(e)s se moquait de moi,...
   a. je faisais la tête et refusais de lui parler.
   b. je me battais avec lui (elle).
   c. je ne le (la) prenais pas au sérieux. Ça me faisait rire.

Maintenant, c'est à vous!

Moi aussi!   Ça, c'est une bonne idée!
Moi non, je...   Qu'est-ce qui se passait ensuite?
Ça, c'est rigolo!   Et tu n'avais jamais d'ennuis?

MODÈLE: É1: Quand mon père ne me permettait pas de sortir, je rouspétais.
            É2: Et qu'est-ce qui se passait ensuite?

*A*ctivité *8* Sondage: La famille

À votre avis, est-ce qu'on observe les situations suivantes *souvent, quelquefois* ou *rarement* dans une famille moderne? Pourquoi?

MODÈLE: un père qui s'occupe du ménage →
             On ne voit pas ça très souvent, mais je connais des pères qui font le ménage.

1. des parents qui s'intéressent aux amis de leurs enfants
2. des enfants qui se disputent parce qu'ils veulent tous faire la vaisselle
3. des parents qui s'inquiètent quand les enfants rentrent trop tard

Act. 7. (whole class; partners) This activity provides practice with indirect object pronouns as students discuss how they interacted with family members and others as teenagers. Do the items aloud yourself and explain new terms as you do so. Include the class: *Et vous, vous faisiez aussi l'école buissonnière de temps en temps?* Encourage new answers if the choices do not fit particular situations. New vocabulary: *avoir des ennuis, ça me faisait rire, chercher des excuses, faire l'école buissonnière, faire la tête, hésiter, injuste, obéir (à), permettre (à), pleurer, prendre au sérieux, prêter, Qu'est-ce qui se passait?, se sentir bien.*

Act. 8. (whole class; partners) Read aloud the introduction and the statements, explaining new vocabulary as you go. Assign to partners. Later, ask students to give reasons for their opinions, and whether the stereotypical situations are changing or not. Discuss the differences between life in the family today and life in the family two or three generations ago. New vocabulary: *argent de poche, se disputer, hors de la maison, s'inquiéter, s'intéresser.*

AS 15. With the class, draw up a list of differences between family life today and in their great-grandparents' day.

4. des enfants qui se fâchent parce que leurs parents leur donnent trop d'argent de poche
5. des enfants qui se battent quelquefois
6. une mère qui s'occupe de la voiture
7. un mari qui s'énerve parce que sa femme veut travailler hors de la maison
8. une famille où tout le monde s'entend bien et où il n'y a jamais de problèmes

Act. 9. (whole class) Read the statements aloud as students write *d'accord/pas d'accord*. Then take a survey of the answers, expanding each by asking for reasons behind the answers. Ask if anyone can think of other behaviors they particularly like or dislike. New vocabulary: *bousculer, crier, de rien, s'excuser, il vaut mieux, impoli(e), klaxonner, mâcher du chewing-gum, s'occuper de, portable, pressé(e).*

AS 16. In groups of three, students prepare a description of a fictitious person's behavior. Later, they present their work to the class. Encourage humor. (Examples: a straightforward narrative of the behavior of a very crude person, an ironical presentation of a false saint, etc.)

Activité 9 Sondage: La politesse

Que pensez-vous des suggestions suivantes? Décidez avec votre partenaire si vous êtes d'accord ou non, ou si ça dépend des circonstances.

1. On doit s'excuser quand on bouscule une autre personne.
2. Il est acceptable de crier très fort quand on s'énerve.
3. Si quelqu'un dit «merci», il est poli de répondre «de rien».
4. Il est prudent de s'occuper des affaires de ses voisins.
5. En voiture, on peut klaxonner quand on est pressé.
6. On ne doit pas parler et mâcher du chewing-gum en même temps.
7. Il vaut mieux éviter de se disputer avec un étranger.
8. Les hommes doivent ouvrir la porte pour les femmes.
9. On peut mettre la télé si la conversation n'est pas intéressante.
10. Il est impoli d'utiliser son portable au restaurant quand on dîne seul.

Act. 10. (whole class; partners; small groups) (1) As students look at the realia, ask them how *les méchants* behave: *Ils se fâchent beaucoup...* (2) Read Ève-Marie's question and ask students to answer. (3) Explain that the children's magazine *Astrapi* has replied. Read the text aloud and ask students to reply *vrai/faux* to the statements in *Act. 10. Allons plus loin!* is optional. Have students share their answers with the class.

Activité 10 Dans le monde francophone: Pourquoi y a-t-il des méchants?

Lisez la question d'Ève-Marie et la réponse de la revue *Astrapi* à la page 203. Ensuite, dites si les phrases suivantes font partie de la réponse.

1. On devient méchant parce qu'on est mal nourri.
2. Parfois, on devient méchant parce qu'on cherche à se défendre.
3. Dans certains cas, on ne sait pas pourquoi les gens sont méchants.
4. Le monde est divisé en deux groupes: les bons et les méchants.
5. L'amour joue peut-être un rôle dans la formation de notre caractère.
6. On est influencé par les cycles de la lune.

Allons plus loin!

Avec un(e) partenaire, faites une liste de situations qui peuvent influencer l'humeur et la conduite des gens. Par exemple: *On dit que les gens sont de mauvaise humeur et qu'ils conduisent mal quand il pleut.*

Pourquoi y a-t-il des méchants ?

J'ai horreur d'être gentil !

Cette question est posée par Eve-Marie (8 ans). Voici la réponse d'Astrapi.

Dans certains films à la télé, il y a les gentils,
qui sont toujours très gentils,
et les méchants, qui sont vraiment très méchants.

Mais dans la vie, est-ce qu'on peut aussi facilement
partager le monde en bons et en méchants ?

Souvent, on devient méchant
parce qu'on se sent attaqué
et qu'on cherche à se défendre.
Souvent, on devient méchant
parce qu'on n'est pas assez aimé
ou on croit qu'on n'est pas aimé.
Mais il y a aussi des cas où on ne sait pas
du tout pourquoi certains
deviennent aussi méchants que ça !

Au fond, chacun de nous a tout à la fois
du bon et du méchant en soi.

As-tu une autre réponse ? Si tu veux, tu peux aussi nous envoyer
d'autres questions sur d'autres sujets.

SOUVENIRS ET ÉVÉNEMENTS DU PASSÉ

Les fêtes et les jours fériés

Attention! Étudier Grammaire 6.7 et 6.8

Souvenirs et événements du passé. Use photos to introduce the names of holidays and special events, with activities associated with them. Talk about what your family (or a fictitious family) used to do on various occasions. Include seasons, months, and dates. As you discuss the display, talk about traditions in the United States and, if you have international students, ask about holidays and customs in their countries. New vocabulary: *brin de muguet, la Chandeleur, cœur, crêpe, croire, défilé, fête des Rois, feu d'artifice, fève, galette, jour de l'an, lis, morceau, Pâques, poisson d'avril, réveillon de Noël, sapin, la Toussaint.*

AS 17. Use your PF to introduce names of American holidays and traditions associated with them.

le Jour de l'An — la Saint-Valentin — un cœur — Pâques — un lis — la Toussaint — la Bastille — la fête Nationale — JUILLET 14 — la fête des Morts — NOV. 12 — DÉC 24 — le réveillon de Noël — Noël — un sapin

Les traditions

Le 6 janvier (la fête des Rois), Emmanuel a trouvé la fève dans son morceau de galette.

Le 2 février, Nathalie a réussi à faire sauter sa crêpe pour la Chandeleur.

L'année dernière, Bernard et Christine Lasalle ont vu le défilé pendant la fête du mardi gras à Nice.

Le premier avril, ses camarades de classe ont attaché un poisson d'avril au dos de Joël.

Le premier mai, Francis Lasalle a offert un brin de muguet à Marie.

Tous les ans, la famille Lasalle va voir le feu d'artifice le 14 juillet.

*A*ctivité *11* Définitions: Les fêtes

Associez les fêtes annuelles à leur définition.

la fête des Rois	la Saint-Valentin	le mardi gras	Hanoukka
la Saint-Sylvestre	la fête du Travail	le Ramadan	Noël

1. La fête islamique qui commémore la révélation du Coran à Mahomet.
2. La fête juive qui commémore la purification du Temple en 164 av. J-C.
3. La soirée où on attend l'arrivée du nouvel an.
4. La fête qui reconnaît la contribution des ouvriers.
5. Une fête romaine devenue chrétienne et, de nos jours, la fête des amoureux.
6. La fête chrétienne célébrant la naissance de Jésus-Christ.
7. Le dernier jour pour bien manger avant les privations du carême.
8. La fête célébrant la manifestation du Christ aux Rois mages.

*A*ctivité *12* Associations: Les fêtes et les coutumes

Associez les fêtes aux traditions dans la liste. À quelles autres traditions pensez-vous quand vous pensez à ces fêtes?

1. un bon dîner et des crêpes
2. des feux d'artifice et des défilés
3. un sapin et des cadeaux
4. les Rois mages et une galette
5. des œufs décorés et des lapins
6. des costumes extravagants et des bals
7. des bougies allumées dans le menora
8. des Cupidons et des cœurs
9. des cartes de vœux et des cadeaux
10. des résolutions et du champagne
11. des orchestres et des fêtes dans la rue
12. -?-

la Saint-Valentin
la fête nationale
la Chandeleur
Noël
la fête des Rois
mardi gras
Pâques
Hanoukka
le nouvel an

La Saint-Sylvestre au Casino Municipal d'Aix-en-Provence

- Un menu traditionnel
- Une nuitée dansante, un grand orchestre
- Un spectacle digne des plus grands cabarets
- Le droit d'entrer dans les salons des jeux
- Le champagne Alain-Delon

*A*ctivité 13 Entretien: Les traditions américaines

Répondez aux questions en disant quelles autres coutumes et traditions existaient dans votre famille quand vous étiez petit(e).

> MODÈLE: É1: Est-ce que tu cherchais des œufs le jour de Pâques?
> É2: Oui, toujours. Et avant, nous allions à la messe dans nos beaux vêtements neufs. Moi, j'avais toujours très froid.

Quand tu étais petit(e), est-ce que...

1. tu croyais au père Noël? Tu lui laissais des petits gâteaux et du lait la veille de Noël?
2. tu te déguisais pour aller chez les voisins pour Halloween?
3. tu pique-niquais et est-ce que tu allais voir un feu d'artifice le jour de la fête nationale?
4. tu mangeais trop de bonbons avant le petit déjeuner le jour de Pâques?
5. tu avais un gâteau avec des bougies pour ton anniversaire?
6. tu aidais à préparer le petit déjeuner pour ta mère le jour de la fête des Mères?
7. tu aidais à allumer les bougies du menora pendant Hanoukka?
8. ta famille mangeait de la dinde et regardait des matchs de football américain le jour d'Action de grâce?
9. tu offrais une cravate à ton père pour la fête des Pères?
10. tu échangeais des cartes et des bonbons avec tes camarades de classe à la Saint-Valentin?

La maison de vacances en Provence

*Q*uand il était jeune, le célèbre écrivain et cinéaste Marcel Pagnol habitait en ville, à Marseille. Dans ses Souvenirs d'enfance, *il décrit la maison de campagne, la «bastide», où il passait ses vacances d'été avec sa famille, au début du XXe (vingtième) siècle.*

La maison s'appelait La Bastide Neuve,[1] mais elle n'était plus neuve depuis bien longtemps. C'était une ancienne ferme en ruine, restaurée trente ans plus tôt par un monsieur de la ville. Mon père et mon oncle lui payaient un loyer de 80 francs par an, que leurs femmes trouvaient un peu exagéré. Mais la maison avait l'air d'une villa—et il y avait «l'eau à la pile»: c'est-à-dire que l'audacieux propriétaire avait fait construire une grande citerne, et il suffisait d'ouvrir un robinet de cuivre,[2] placé au-dessus de l'évier, pour voir couler[3] une eau limpide et fraîche.

C'était un luxe extraordinaire, et je n'ai compris que plus tard le miracle de ce robinet: depuis la fontaine du village jusqu'aux lointains sommets de l'Étoile,[4]

---

[1]nouvelle
[2]**robinet...** *copper faucet*
[3]passer
[4]une chaîne de montagnes au nord de Marseille

Un «mas», bâtiment typique de la campagne provençale

Lecture: Point out that the time is around 1905, and the place, the hills north of Marseille, near Aubagne, where Marcel Pagnol was born. The lack of water, then a crucial problem in Provence, is a recurring theme in his works, as evidenced in the popular films *Jean de Florette* and *Manon des Sources,* adapted from Pagnol's own screenplays. Refer to *Chapitre 4* for house-related vocabulary (*robinet, cheminée, fenêtre,* etc.). Tell students that these amazingly "modern" features are seen through the eyes of a young boy who is in constant wonderment as he discovers the world: The relatively modest size, by U.S. standards, of the "immense" dining room betrays both a child's view and the French reality of fairly small living quarters in the city, as evoked in *Chapitre 4. À vous la parole* can be done by separating the class in two or more groups of *il y a cent ans* and *de nos jours:* each group drafts a list of past or present amenities, which are matched with the list from the opposite group; each group must then fill the gaps with either "then" or "now" amenities corresponding to the opposite group's list.

c'était le pays de la soif. Sur vingt kilomètres, on ne rencontrait qu'une douzaine de puits,[5] et trois ou quatre sources.[6] C'est pourquoi, quand une paysanne venait nous apporter des œufs ou des pois chiches[7] et qu'elle entrait dans la cuisine, elle regardait, en hochant la tête, le brillant Robinet du Progrès.

Il y avait aussi, au rez-de-chaussée, une immense salle à manger (qui avait bien cinq mètres sur quatre) que décorait grandement une petite cheminée en marbre véritable. Par un raffinement moderne, les fenêtres des chambres étaient équipées de cadres[8] avec une fine toile[9] métallique pour arrêter les insectes de la nuit. L'éclairage[10] était assuré par des lampes à pétrole et quelques bougies de secours.[11] Mais comme nous prenions tous nos repas sur la terrasse, sous le figuier,[12] il y avait surtout la lampe tempête.[13]

Adapté de *La Gloire de mon père* de Marcel Pagnol, Paris, De Fallois, 1988.

[5]*wells*
[6]*springs*
[7]**pois...** *chick peas*
[8]*il y a un cadre autour d'un tableau*
[9]*screen*

[10]éclairage> éclairer = donner de la lumière
[11]**bougies...** chandelles à utiliser en cas d'urgence
[12]l'arbre qui produit des figues
[13]**lampe...** lampe à pétrole spéciale, qui résiste au vent et à la pluie

Avez-vous compris?

1. Le père et l'oncle de Marcel...
   a. ont acheté la bastide.
   b. ont loué la bastide.
   c. ont modernisé la bastide.
2. L'attitude de la paysanne vis-à-vis du robinet en cuivre était...
   a. admirative.
   b. indifférente.
   c. soupçonneuse.
3. La toile de métal sur les fenêtres servait à...
   a. protéger la maison des regards indiscrets.

b. protéger les enfants.

c. protéger la maison des insectes.

4. La famille de Marcel prenait la majorité de ses repas...

a. à l'extérieur.

b. à la campagne.

c. dans un café.

À vous la parole!

Au début du siècle, la Bastide Neuve semblait ultra-moderne à Marcel Pagnol; aujourd'hui, les progrès techniques ont changé notre conception du «moderne». Pensez à la chambre, à la maison ou à l'appartement où vous habitez, et imaginez-le il y a cent ans pour faire des comparaisons. Quelques suggestions:

IL Y A CENT ANS...

- on s'éclairait à la lampe à pétrole et à la bougie.
- l'hiver, on avait besoin d'une cheminée pour se chauffer.
- l'été, on gardait les fenêtres ouvertes pour avoir moins chaud.

DE NOS JOURS...

- on a l'électricité et des lampes à halogène.
- il y a souvent le chauffage central.
- la maison a l'air climatisé.

À vous d'écrire. Before assigning the activity as homework, brainstorm with the class to list a few differences to extend the *modèle*. Write them in two columns, one for present tense and one for past descriptive. New vocabulary: *il y a un siècle.*

À vous d'écrire

Il y a un siècle, la vie était bien différente de la vie d'aujourd'hui. Comparez la vie dans votre ville il y a 100 ans et la vie d'aujourd'hui. Avant de commencer, faites une liste des choses qui étaient différentes en 19—.

MODÈLE: Il y a cent ans, les gens n'avaient pas de télévision. Aujourd'hui, tout le monde a la télé (et la regarde trop!).

À vous la parole. Suggestions: **Il y a 100 ans:** *L'hiver, on avait besoin d'une cheminée pour se chauffer. L'été, on gardait les fenêtres ouvertes pour avoir moins chaud. Il fallait une citerne ou un puits pour avoir de l'eau. Pour se laver, il fallait mettre de l'eau dans un baquet ou une cuvette. Pour faire la cuisine, on utilisait une cuisinière à bois. Pour correspondre avec ses amis, il fallait leur écrire une lettre, qui mettait des semaines à arriver. Pour faire de longs voyages, on prenait le train ou le bateau.* **De nos jours:** *Il y a souvent le chauffage central. Beaucoup de logements aux États-Unis sont équipés de la climatisation, ou de ventilateurs. La plupart des logements ont l'eau courante. Nous avons des douches et des baignoires. On utilise une cuisinière électrique ou à gaz, ou un four à micro-ondes. Nous pouvons téléphoner ou envoyer un message électronique; c'est immédiat. On prend l'avion à réaction.*

www.mhhe.com/deuxmondes

À explorer: www.mhhe.com/deuxmondes/ pour obtenir plus d'informations sur les thèmes du chapitre.

Vidéothèque

Espace vidéo

Décrire des événements au passé. Dans ce segment, Aimée raconte un accident qu'elle a eu sur sa mobylette. Elle explique ce qui se passait au moment de l'accident et pourquoi cet accident a eu lieu. Sa copine Claire imagine le pire! Que faisait Aimée au moment de l'accident? Est-ce que l'accident était grave? Pourquoi est-ce que le casque d'Aimée est éraflé?

Vocabulaire

L'enfance

l'argent (*m.*) de poche	pocket money
une bande dessinée	a (printed) cartoon
un bonbon	a piece of candy
un jeu	a game
avoir de bonnes notes	to make good grades
avoir peur (de)	to be afraid (of)
bâtir un château de sable	to build a sand castle
dessiner	to draw
jouer à cache-cache	to play hide-and-seek
jouer au ballon	to play ball
monter à cheval	to ride a horse
monter dans les arbres	to climb trees
monter un spectacle	to put on a play
obéir à ses parents	to obey one's parents
patiner	to skate
pleurer	to weep, cry
prendre une leçon particulière	to take a private lesson
regarder les dessins animés	to watch cartoons
taquiner	to tease
tomber	to fall

Mots apparentés: **un camp, un costume, un tricycle, un zoo**

L'adolescence

améliorer ses notes	to improve one's grades
chercher des excuses	to make excuses
dépenser de l'argent	to spend money
faire la tête	to sulk, pout
faire l'école buissonnière	to play hookey
faire le pitre	to act silly
faire partie d'une équipe	to be on a team
faire un devoir	to do homework
mâcher du chewing-gum	to chew gum
prêter (un livre)	to lend (a book)
sécher un cours	to cut a class

Les sentiments, les émotions et la conduite

avoir des ennuis	to have problems
se battre (avec qqn)	to fight (with someone)
crier fort	to scream loudly
s'énerver	to get irritated
s'ennuyer	to get bored
s'entendre	to get along (with)
être de bonne humeur	to be in a good mood
être impoli(e)	to be impolite
s'excuser	to apologize
se fâcher	to get angry
s'inquiéter (de)	to worry (about)
s'intéresser à	to be interested in
se moquer de	to make fun of
se passionner (pour)	to be excited (about)
prendre au sérieux	to take seriously
rouspéter	to grumble

Les fêtes et les traditions

Holidays and traditions

la Chandeleur	Candlemas
la fête des Mères (Pères)	Mother's (Father's) Day
la fête des Rois	Epiphany (January 6)
la fête nationale	the national holiday
Hanoukka (*f.*)	Hanukkah
le jour d'Action de grâce	Thanksgiving (*U.S.*)
le jour de l'an	New Year's Day
le mardi gras	Mardi Gras
Noël (*m.*)	Christmas
le nouvel an	New Year's
Ramadan (*m.*)	Islamic holy period
la Saint-Valentin	Valentine's Day
la Toussaint	All Saints' Day
les amoureux	lovers
des bougies (*f.*)	candles
un brin de muguet	lily-of-the-valley (sprig)
le carême	Lent
une carte de vœux	a greeting card
un cœur	a heart
le Coran	the Koran

un défilé	a parade
un feu d'artifice	firework
une fève	a bean; charm hidden in a *galette des Rois*
la galette des Rois	special cake for Epiphany
un lapin	a rabbit
un lis	a lily
un menora	a menorah
un morceau de (gâteau)	a piece of (cake)
un œuf de Pâques	an Easter egg
le père Noël	Santa Claus
un poisson d'avril	an April fool's joke
le réveillon de Noël	Christmas Eve
les Rois mages	the Wise Men
un sapin	a fir tree
des souvenirs (*m.*)	memories
la veille	eve, day before
la Vierge	the Virgin Mary
cacher des œufs	to hide eggs
se déguiser	to wear a costume
manger de la dinde	to eat turkey
offrir un cadeau	to give a gift
faire sauter des crêpes	to flip crepes
regarder un feu d'artifice	to watch fireworks

Mots apparentés: **un bal, célébrer, commémorer, une crêpe, Cupidon, une résolution**

Les adjectifs

chrétien/chrétienne	Christian
doué(e)	gifted
juif/juive	Jewish
méchant(e)	bad, evil
nourri(e)	nourished
orageux/orageuse	stormy
romain(e)	Roman
sale	dirty

Mots apparentés: **acceptable, extravagant(e), injuste, normalement, professionnel/ professionnelle, prudent(e), strict(e)**

Les substantifs

un chanteur/une chanteuse	a singer
un/une élève	a pupil
une émission	a broadcast
un entraîneur/une entraîneuse	a trainer, coach
un footballeur	a soccer player
un jardin	a yard, garden
un ministre	a minister
un patineur/une patineuse	a skater

Mots apparentés: **un centre de recyclage, la Coupe du monde, les finances** (*f.*), **la nature, un orchestre, un (téléphone) portable**

Les verbes

échanger	to exchange
faire le ménage	to do housework
klaxonner	to blow a horn
laisser	to forget, leave
s'occuper de	to take care of
protéger	to protect
rêver (de)	to dream (about)
rire	to laugh

Mots apparentés: **discipliner, interpréter, participer, permettre, recycler**

Mots et expressions utiles

à notre époque	nowadays
Ça me faisait rire.	That used to make me laugh.
De rien.	You're welcome.
hors de la maison	outside the house
il vaut mieux	it's better (+ inf.)
Qu'est-ce qui se passe?	What's going on?

Grammaire et exercices

6.1 The verbs dire, lire, écrire

These verbs have similar, but not identical, irregularities in the present tense.

6.1. Students already know many of the forms introduced here from past activities and input. Point out the irregularities and review the past participles (introduced in *Grammaire 5.2*).

	dire (*to say*)	lire (*to read*)	écrire (*to write*)
je/j'	dis	lis	écris
tu	dis	lis	écris
il/elle/on	dit	lit	écrit
nous	disons	lisons	écrivons
vous	dites	lisez	écrivez
ils/elles	disent	lisent	écrivent
PASSÉ COMPOSÉ	j'ai **dit**	j'ai **lu**	j'ai **écrit**

Les jeunes Français **disent** souvent «Ciao».

Young French people often say "Ciao."

Est-ce que vous **lisez** régulièrement le journal?

Do you read the newspaper regularly?

Mes parents m'**écrivent** souvent.

My parents write to me often.

➤ **Comment dit-on... ?**
= How do you say . . . ?

Pronunciation Hint:

Note that final **-s** and **-t** in the singular forms are always silent: **je diṣ, elle écriṭ,** etc. As always, final **-ent** in the plural forms is silent, but the preceding consonant (**-s-** or **-v-**) is pronounced: **ils liseṇṭ.** (This **-s-** is pronounced **z.**)

Exercice 1 À l'université

Complétez les phrases et dites si vous faites ces activités dans votre classe de français.

1. Nous _____ les explications grammaticales. (lire)
2. Nous _____ des rédactions. (écrire)
3. Le professeur nous _____ des poèmes en français. (lire)
4. Moi, je _____ un journal ou un magazine français. (lire)
5. Je _____ bonjour au professeur quand j'entre dans la classe. (dire)
6. Tous les étudiants _____ des choses intéressantes. (dire)
7. J'_____ des phrases au tableau quelquefois. (écrire)
8. Le professeur _____ les mots de vocabulaire au tableau. (écrire)

211

212 | CHAPITRE 6 L'enfance et la jeunesse

 Saying what you used to do: THE IMPERFECT

➤ The imperfect often denotes "used to."

*✳ You will learn more about the imperfect in **Grammaire 6.3, 6.8, 8.6, 11.5, 12.2, and 12.5.***

6.2. Review forms of the *imparfait* with PF input before assigning. The use of the imperfect tense is introduced here and practiced progressively through the remainder of the course. In this section, we introduce the imperfect for habitual or repeated events in the past, primarily with verbs that represent actions. The use of the imperfect for description of past states is presented in *Grammaire 6.3*.

➤ Imperfect stem = present-tense **nous** stem.

➤ Spelling changes in the imperfect: **c → ç** and **g → ge** before **-a**:
je commençais, je mangeais

A. The imperfect (**l'imparfait**) is a past tense used to describe actions or conditions that occurred repeatedly or habitually in the past. It is often used where English speakers use the phrases *used to* and *would*, or just a simple past-tense form.

Chaque fois que j'**allais** à Paris, j'**envoyais** beaucoup de cartes postales à mes amis aux États-Unis.	*Each time I went to Paris, I used to (would) send a lot of postcards to my friends in the United States.*
—Que **faisait** Adrienne le dimanche quand elle **était** petite?	*What did Adrienne do on Sundays when she was little?*
—Elle **allait** toujours à la messe avec ses parents.	*She always went with her parents to Mass.*

B. The endings used to form the imperfect are the same for all verbs. The stem is the same as that of the **nous** form of the present tense.

L'IMPARFAIT		
parler parl*ons* → parl-	**finir** finiss*ons* → finiss-	**vendre** vend*ons* → vend-
je parl**ais**	je finiss**ais**	je vend**ais**
tu parl**ais**	tu finiss**ais**	tu vend**ais**
il/elle/on parl**ait**	il/elle/on finiss**ait**	il/elle/on vend**ait**
nous parl**ions**	nous finiss**ions**	nous vend**ions**
vous parl**iez**	vous finiss**iez**	vous vend**iez**
ils/elles parl**aient**	ils/elles finiss**aient**	ils/elles vend**aient**

Pronunciation Hint:

The endings **-ais, -ait,** and **-aient** are all pronounced the same: **-ai$, -ai$, -ai$$$.**

C. The verb **être** has an irregular stem in the imperfect: **ét-.**

être	
j' ét**ais**	nous ét**ions**
tu ét**ais**	vous ét**iez**
il/elle/on ét**ait**	ils/elles ét**aient**

Quand j'**étais** petit, je prenais toujours un chocolat chaud au petit déjeuner.	*When I was little, I always used to drink hot chocolate at breakfast.*

D. All other verbs with irregular present-tense forms follow the regular conjugation pattern for the imperfect. Here are some examples.

aller: nous allons → **all-**	j'all**ais**	nous all**ions**
avoir: nous avons → **av-**	j'av**ais**	nous av**ions**
devoir: nous devons → **dev-**	je dev**ais**	nous dev**ions**
dire: nous disons → **dis-**	je dis**ais**	nous dis**ions**
écrire: nous écrivons → **écriv-**	j'écriv**ais**	nous écriv**ions**
faire: nous faisons → **fais-**	je fais**ais**	nous fais**ions**
lire: nous lisons → **lis-**	je lis**ais**	nous lis**ions**
prendre: nous prenons → **pren-**	je pren**ais**	nous pren**ions**
venir: nous venons → **ven-**	je ven**ais**	nous ven**ions**
vouloir: nous voulons → **voul-**	je voul**ais**	nous voul**ions**

À cette époque, mes deux grand-mères **venaient** toujours chez nous le dimanche.

At that time, my two grandmothers always came to our house on Sundays.

Exercice 2 Au lycée

Regardez les dessins et complétez les phrases pour dire ce que faisait chaque personne pendant ses années au lycée.

MODÈLE: *Julien et ses copains* jouaient au volley-ball.

Agnès

Jean-Yves

Julien

1. _____ lisait le journal tous les jours.
2. _____ et ses amis dansaient très souvent.
3. _____ écoutait de la musique dans la nature.
4. Chaque soir, _____ regardait les actualités.
5. En été, _____ participait à des courses de vélo.
6. _____ et ses amis allaient souvent à la plage.
7. Le week-end, _____ et ses copains sortaient ensemble.
8. _____ bavardait avec ses amis au café.
9. _____ étudiait beaucoup et préparait tous ses examens.

Exercice 3 **Souvenirs d'enfance**

Ex. 3. After students have prepared the assignment, you might have them practice questions and answers in pairs, based on the items in the exercise: *Est-ce que tu allais à l'école à pied? Est-ce que ta famille et toi, vous alliez à l'église le dimanche?*

Que faisait Barbara quand elle était petite? Terminez ses phrases en utilisant l'imparfait.

Quand j'étais petite,...

MODÈLE: faire mes devoirs le soir → je faisais mes devoirs le soir.

1. aller à l'école à pied
2. adorer mes institutrices
3. aimer beaucoup les activités en classe
4. s'amuser avec mes camarades pendant la récréation
5. rentrer chez moi à midi pour déjeuner

Tous les dimanches, mes frères, mes sœurs et moi,...

MODÈLE: se lever de bonne heure → nous nous levions de bonne heure.

6. aller à l'église à 9 h
7. faire un grand repas à midi
8. se promener dans la forêt l'après-midi
9. faire la sieste après la promenade
10. finir nos devoirs pour le lendemain

Exercice 4 **Les inconvénients d'une grande ville**

Ex. 4. Before assigning, provide input on the verb forms by asking choice questions on the facts in the statements. Example: *Autrefois, est-ce qu'Agnès louait un appartement en banlieue ou est-ce qu'elle habitait chez ses parents?*

Quand Agnès Rouet avait dix ans, ses parents ont décidé de quitter la grande ville. Vous allez savoir pourquoi. Utilisez l'imparfait.

MODÈLE: Autrefois, les Rouet / louer un appartement en banlieue → Autrefois, les Rouet louaient un appartement en banlieue.

1. tous les matins, M. et Mme Rouet / se lever à cinq heures
2. Mme Rouet / prendre le bus pour aller au travail
3. elle / devoir attendre l'autobus une demi-heure
4. M. Rouet / aller au travail en voiture, dans sa vieille Deux Chevaux
5. il / y avoir toujours beaucoup de circulation
6. M. Rouet / arriver au bureau furieux
7. il / être obligé de déjeuner en ville et ça / coûter cher
8. leurs enfants / aller à l'école en bus
9. ils / finir les cours à 16 h 30
10. ils / rentrer à la maison et / rester seuls jusqu'à 19 h

6.3 Describing past states: MORE ON THE IMPERFECT

Some verbs describe actions (*run, jump, put, eat*) and others describe states of being (*want, know, have, be, can*). You already know how to express a variety of states with **être** plus an adjective (**être fatigué**), or with **avoir** plus a noun (**avoir sommeil**). You also know the following verbs that describe states of being: **aimer, vouloir, pouvoir, connaître, savoir,** and **devoir.**

To describe a state of being *in the past*, French normally uses the imperfect tense. This is because the imperfect presents a situation as existing at some time in the past, without suggesting a definite beginning or end.

Je ne me **sentais** pas bien hier. Je **savais** que j'**étais** malade parce que je n'**avais** pas envie de manger.	*I didn't feel well yesterday. I knew that I was sick because I didn't feel like eating.*
Quand ma sœur **avait** quinze ans, elle **voulait** devenir championne de patinage.	*When my sister was fifteen, she wanted to become an ice-skating champion.*

Exercice 5 Une semaine difficile

Raoul décrit sa semaine. Utilisez un des verbes indiqués à l'imparfait.

avoir, devoir, être

Le semaine dernière _____¹ une semaine très difficile. J'_____² un peu malade et je n'_____³ pas le temps de dormir suffisamment. Donc, j'_____⁴ très sommeil pendant tous mes cours. J'_____⁵ beaucoup de devoirs, et en plus je _____⁶ travailler tous les jours.

avoir, être, savoir, vouloir

Un ami canadien était de passage à Bâton Rouge. Je _____⁷ sortir avec lui, mais ce n'_____⁸ pas possible. Je _____⁹ que j'_____¹⁰ besoin de me reposer, mais je ne _____¹¹ pas manquer mes cours, puisque c'_____¹² la dernière semaine du semestre. Vive les vacances!

6.4 Linking ideas: RELATIVE PRONOUNS

A. Relative pronouns are used to make one sentence out of two. There are three relative pronouns in English: *that, who(m),* and *which.*

> This is a high school. I attended this high school. →
> This is *the high school that* I attended.
> Mr. Langdon is a teacher. He taught me the most. →
> Mr. Langdon is *the teacher who* taught me the most.

B. In French, the relative pronoun **qui** is used for both people and inanimate things. **Qui** is used when the preceding noun is the *subject* of the following verb.

★ Review **Grammaire 4.7.**

6.3. Review verbs, expressions, and imperfect forms with pictures and imaginary situations. Use choice questions and include expressions with *avoir* from *Chapitre 4.* (woman with headache) *Hier, cette femme ne se sentait pas bien. Elle était un peu malade. À votre avis, de quoi est-ce qu'elle avait besoin? Est-ce qu'elle avait besoin d'aspirine ou est-ce qu'elle avait besoin de faire une promenade dans le parc?* Write the target vocabulary on the board: *se sentait, avait besoin.*

★ You will learn more about the imperfect in **Grammaire 6.8, 8.6,** and **12.2.**

Students should eventually come to understand that although past states are most often expressed with the *imparfait,* this is not necessarily the case. (*Grammaire 12.2.* shows how a number of "state" verbs have "special" meanings when used in the p.c.) What is crucial is whether the state is viewed as having a delimited duration (p.c.) or simply as being true at a particular time in the past (*imparfait*). It may be useful to think of the *imparfait* as the "time machine tense": we arrive at a point of time in the past and know only what was going on at that moment; we don't know when it started or when it ended. The p.c., on the other hand, is the tense of an omniscient narrator looking back at the past from the point of view of the present and seeing its beginning and its ending; the state may then be seen as one whole, no matter how long it lasted.

6.4. Acquisition of relative pronouns usually takes considerable time. We introduce *qui, que,* and *où* here because of their relatively high frequency. This presentation should be considered primarily as an advance organizer, to help students begin to understand how these are used when they encounter them. Although students may be able to use *qui* and *que* accurately in highly controlled written tasks, few are able to do so in speech at this stage.

➤ **Qui** is usually followed by a verb.

J'avais **un ami** *qui* jouait dans
l'orchestre. (**Mon ami** jouait...)

*I had a friend who played in the
orchestra.*

Je cherchais **le livre** *qui* était sur
mon lit. (**Le livre** était...)

*I was looking for the book that was on
my bed.*

C. The relative pronoun **que (qu')** is also used for both people and things.
Que is used when the preceding noun is the *direct object* of the following
verb.

Comment s'appelait **le garçon** *que*
nous rencontrions tous les jours
à la bibliothèque? (Nous
rencontrions **le garçon**...)

*What was the name of the boy we used
to meet every day in the library?*

Elle était **le magazine** *que* je lisais
quand j'étais au lycée. (Je lisais
le magazine...)

Elle *was the magazine (that) I used to
read when I was in high school.*

D. Use the relative pronoun **où** to refer to a place where something happens or
to a point in time when something happens.

Maman, comment s'appelle **le
magasin** *où* tu achetais tous
nos vêtements?

*Mom, what's the name of the shop
where you used to buy all our
clothes?*

J'étais malade **le jour** *où* Daniel
m'a téléphoné.

*I was sick the day (that) Daniel called
me.*

E. Note that the relative pronoun may sometimes be omitted in English, but it is
always present in French.

Denise, tu portes la robe **que** je
voulais acheter.

*Denise, you're wearing the dress
(that) I wanted to buy.*

Exercice 6 **Définitions**

Complétez les définitions avec un mot de la liste à droite, puis avec le pronom
qui ou **que.**

MODÈLE: *Un ordinateur* est une machine *qui* obéit à des programmes.

1. _____ est un animal _____ on ne trouve que dans
les mythes.
2. _____ est l'ensemble d'habitants _____ vivent dans
un pays.
3. _____ est un jeu _____ nous passons et auquel (*which*)
nous jouons à la télé.
4. _____ est un véhicule _____ navigue sur les eaux.
5. _____ est une personne _____ fait le clown.
6. _____ est la tâche ménagère _____ les enfants
détestent.
7. _____ est un petit cahier _____ on utilise pour écrire
des adresses.
8. _____ est le terrain _____ entoure une maison.

a. un pitre
b. un carnet
c. la vaisselle
d. un jardin
e. une licorne
f. un peuple
g. un jeu vidéo
h. un bateau

Exercice 7 Journées d'hiver

Raoul raconte des souvenirs de son enfance à Montréal. Complétez les phrases par le pronom relatif **qui**, **que** ou **où**.

Quand j'étais petit, nous habitions une ville _____¹ était très belle en hiver. C'était le silence du matin et le mystère du paysage blanc _____² j'aimais surtout. Je n'aimais pas sortir les jours _____³ il faisait très froid. Je restais à la maison _____⁴ je lisais des livres _____⁵ j'empruntais à la bibliothèque. Mon frère, _____⁶ n'aimait pas non plus sortir, restait lui aussi à la maison. En général, il chantait et jouait de la guitare. Mon père, _____⁷ travaillait, nous téléphonait toujours vers quatre heures. En fin d'après-midi, je passais de très bons moments dans la cuisine, _____⁸ ma mère préparait le dîner. Les gâteaux _____⁹ elle nous faisait sentaient si bon!

Voilà les bons souvenirs _____¹⁰ je garde de ces journées d'hiver.

Exercice 8 Souvenirs d'enfance

Sarah et Agnès racontent leurs souvenirs. Combinez les deux phrases en employant un pronom relatif **(qui, que, où)**.

MODÈLE: Je ne vais jamais oublier les gâteaux. Ma grand-mère faisait ces gâteaux. →
Je ne vais jamais oublier les gâteaux que ma grand-mère faisait.

1. J'avais deux cousines. Elles nous racontaient des histoires fascinantes.
2. Près de chez nous, il y avait un parc. Nous jouions souvent dans ce parc.
3. Je faisais aussi des promenades à bicyclette. J'aimais beaucoup ces promenades.
4. Il y avait une maîtresse. Elle nous apprenait les noms de toutes les plantes.
5. Je jouais avec une petite fille. Elle avait un gros chien.
6. J'adorais la colonie de vacances. J'allais dans cette colonie de vacances en été.
7. À l'école, j'avais une copine. J'aimais beaucoup cette copine.
8. Il y avait une piscine près de chez nous. Je nageais souvent dans cette piscine.

Ex. 8. In-class follow-up: Have students modify their answers to describe their own childhood, either by simple negation or by altering the lexical content.

6.5 INDIRECT OBJECT PRONOUNS

6.5. Most students are not able to use object pronouns in their speech until toward the end of the first year, but they do learn to recognize and understand them when they are used in teacher-talk and in readings. Their use will be facilitated if students associate them with particular verbs, such as those listed in Section F. It helps for students to learn entire verbal expressions; e.g., *donner quelque chose à quelqu'un.*

A. In French, an indirect object noun is always preceded by the preposition **à**.

Je posais beaucoup de questions à **Mᵐᵉ Kaffès.**

I asked Madame Kaffès a lot of questions.

Mᵐᵉ Kaffès expliquait les problèmes de maths **aux élèves.**

Madame Kaffès explained the math problems to the pupils.

Definition: An indirect object is a noun indicating to whom or for whom an action is performed.

★ *Review* **Grammaire 4.5.**

B. Indirect object pronouns are used to avoid repeating an indirect object noun. You already know most of these pronouns, because they are the same as the direct object pronouns. The only forms that are different are **lui** and **leur**.

ES 4. Focused practice with *lui*. Distribute one set of questions to half the class, and a second set to the remainder. Students answer using *lui*: —*Est-ce que tu parles au professeur en français?* —*Oui, je lui parle en français.* Suggestions: *offrir des fleurs à ta mère, (dans le bus) dire bonjour au conducteur, demander de l'argent à ton père, prêter de l'argent à ton (ta) camarade de chambre, écrire des messages électroniques à ton prof de français, téléphoner.*

➤ **lui** = *him* or *her*, depending on context

ES 5. Modify *ES 4* to practice sentences with *leur: Tu parles à tes amis en français?* Suggestions: *téléphoner à tes profs, écrire des messages électroniques à tes copains, offrir des cadeaux de Noël à tes amis (tes parents), (dans l'avion) parler aux autres voyageurs.*

INDIRECT OBJECT PRONOUNS	
me/m' *(to) me*	**nous** *(to) us*
te/t' *(to) you (familiar)*	**vous** *(to) you (formal, plural)*
lui *(to) him, (to) her*	**leur** *(to) them*

J'étais à côté de Madeleine, et je **lui** disais toujours la réponse.

I was next to Madeleine, and I always told her the answer.

Emma et Florence étaient de l'autre côté de la salle. Je **leur** écrivais souvent des petits mots.

Emma and Florence were on the other side of the room. I often wrote them little notes.

C. Indirect object pronouns, just like reflexive and direct object pronouns, are placed before conjugated verbs or between a conjugated verb and an infinitive.

Georges **m'a expliqué** la leçon de français.

Georges explained the French lesson to me.

Je ne peux pas **te donner** la réponse maintenant.

I can't tell you the answer now.

★ *Review* **Grammaire 2.2** *(**C** and **D**) and* **4.5** *(**C** and **D**).*

D. In negative sentences, indirect objects precede their verb and are placed between **ne** and the verb.

Je ne **lui** parle pas souvent.

I don't talk to him/her often.

Elle ne **leur** a pas dit ça.

She didn't tell them that (say that to them).

E. Some verbs require an indirect object in French although the equivalent English verb takes a direct object:

obéir à... , répondre à... , téléphoner à...

—Tu as été poli quand tu as répondu **au professeur?**

Were you polite when you answered the instructor?

—Mais oui, je **lui** ai répondu très poliment!

Oh yes, I answered him (her) very politely!

F. Some verbs have both a direct object and an indirect object with **à: donner quelque chose à quelqu'un.**

demander qqch. à qqn. *to ask (for)*	**dire qqch. à qqn.** *to say, tell*
emprunter qqch. à qqn. *to borrow (from)*	**prêter qqch. à qqn.** *to lend*
offrir qqch. à qqn. *to offer, give*	**rendre qqch. à qqn.** *to give back*
promettre qqch. à qqn. *to promise*	

—Est-ce que tu demandes de l'argent **à tes amis?**

Do you ask your friends for money?

—Non, je ne **leur** demande jamais d'argent.

No, I never ask them for money.

Exercice 9 Ton adolescence

Un camarade vous pose des questions. Répondez en employant **lui** ou **leur**.

Ex. 9. Note that in two cases, the indirect object is the object of an infinitive complement and the pronoun will need to precede the infinitive. This may be used for partner Q/A practice.

MODÈLE: Tu obéissais à tes parents, même si tu ne voulais pas? →
Oui, je leur obéissais toujours (en général). (Non, je ne leur obéissais pas toujours.)

1. Si tu voulais sortir, est-ce que tu devais demander la permission à tes parents?
2. Est-ce que tu pouvais téléphoner à ton meilleur ami (ta meilleure amie) tous les soirs?
3. Est-ce que tu écrivais à ton acteur favori (ton actrice favorite)?
4. Au lycée, est-ce que tu écrivais des mots à tes camarades pendant les cours?
5. Est-ce que tu posais beaucoup de questions à tes professeurs?
6. Est-ce que tu offrais des cadeaux à ton professeur favori?
7. Est-ce que tu empruntais souvent des livres à tes camarades?
8. Est-ce que tu demandais de l'argent à tes copains?
9. Est-ce que tu rendais souvent visite à tes grands-parents?

Exercice 10 La vie d'un enfant d'autrefois

Joël Colin pose des questions à son grand-père, Francis Lasalle, sur son enfance. Complétez les phrases avec **nous, vous** ou **leur**.

Ex. 10. This exercise includes first-, second-, and third-person indirect objects with verbs in the *imparfait*. In pairs, students might take turns reading Joël's questions as their partner answers for Francis, and then reverse roles.

JOËL: Papi, est-ce que tu obéissais toujours à tes parents?

FRANCIS: Euh... oui, d'habitude je _____¹ obéissais, mais pas toujours, tu sais.

JOËL: Est-ce que tes frères et toi, vous receviez de l'argent de poche?

FRANCIS: Non, nos parents ne _____² donnaient pas d'argent régulièrement, mais ils _____³ donnaient de la petite monnaie de temps en temps.

JOËL: Et à Noël, ils _____⁴ offraient beaucoup de cadeaux, non?

FRANCIS: Oui, ils _____⁵ offraient des cadeaux, mais pas autant qu'à vous aujourd'hui.

Exercice 11 Interrogatoire

Claudine Colin pose des questions à son fils. Mettez-vous à la place de Joël et répondez au négatif.

Ex. 11. This exercise requires negative responses with verbs in the *passé composé*; it includes indirect objects of all three persons. Students might practice together with each person asking the questions, then answering as the partner assumes the role of Claudine.

MODÈLE: Est-ce que tu as téléphoné à ton père? →
Non, maman, je ne lui ai pas téléphoné.

1. Est-ce que tu as écrit à ton grand-père?
2. As-tu rendu les cassettes à Clarisse et Marise?
3. Tu m'as promis de rester à la maison cet après-midi, n'est-ce pas?
4. Tu nous as dit, à ton père et à moi, que tu avais des devoirs à faire, n'est-ce pas?
5. Je t'ai prêté mon stylo, non?
6. Est-ce que tu as donné de l'eau au chien?
7. Est-ce que tu nous as laissé un morceau de gâteau?

8. Est-ce que Marise t'a demandé un service?

9. Tu as rendu visite à Mme Avôké, n'est-ce pas?

10. Enfin, est-ce que tu as obéi à ton père et moi?

6.6 Idiomatic Reflexive Verbs

✳ *Review **Grammaire 2.2.***

6.6. Before assigning, prepare students for this section by reviewing the use of reflexive pronouns with some of the more obvious reflexive verbs (*se lever, se laver, se brosser les dents*). Use photos or a transparency of the drawings at the beginning of *Les rapports avec les autres* to review verbs in this section. Include personalized questions and asides to bring in a variety of forms. Write examples like *nous nous entendons (or nous nous entendions)* on the board. Point out pronoun placement and negative forms.

For most of the reflexive verbs you have seen so far, the subject and object refer to the same person: the subject is acting on himself or herself. (**Il se rase. Elle s'habille.**) However, some verbs are used with reflexive pronouns even though they have no obvious reflexive meaning; that is, the subject is not acting on himself or herself. Here are some examples.

> **s'en aller** *to leave, to go away*
> **se battre** avec quelqu'un *to fight with someone*
> **se disputer** avec quelqu'un *to quarrel with someone*
> **s'énerver** *to be annoyed*
> **s'ennuyer** *to be bored*
> **s'entendre** avec quelqu'un *to get along with someone*
> **se fâcher** avec quelqu'un *to get angry with someone*
> **s'inquiéter de** quelque chose *to worry about something*
> **s'intéresser à** quelque chose *to be interested in something*
> **s'occuper de** quelque chose *to take care of something*
> **se rappeler** quelque chose *to remember something*
> **se sentir** *to feel*
> **se souvenir de** quelque chose *to remember something*

Je **m'entendais** assez bien avec ma sœur, mais nous **nous disputions** quelquefois.	*I got along pretty well with my sister, but we used to quarrel sometimes.*
—Est-ce que tu **te rappelles** le prof de maths?	*Do you remember the math teacher?*
—Tu veux dire M. Morin, le professeur qui **se fâchait** tout le temps?	*You mean Mr. Morin, the teacher who was always getting angry?*

Exercice 12 Souvenirs d'adolescence

Ex. 12. Students need only make simple transformations to first person forms in their answers. After they have done the assignment, you might have students compare their answers with those of a partner. Later, you could practice *vous/nous* by asking whether both partners did the same as Raoul: *Est-ce que vous vous entendiez bien avec... ? (Oui, nous nous entendions bien/Non, nous ne nous entendions pas bien...).*

Comparez votre adolescence avec celle de Raoul Durand. Posez des questions et donnez les réponses.

MODÈLE: Raoul ne se battait pas avec ses frères et sœurs.
—*Tu te battais* avec tes frères et sœurs?
—*Oui, je me battais* avec mes frères et sœurs. (*Non, je ne me battais pas avec mes frères et sœurs.*)

Les souvenirs de Raoul:

1. Il s'entendait très bien avec ses professeurs et ses camarades de classe.
2. Il s'inquiétait de ses notes aux examens.
3. Il ne se fâchait jamais avec ses copains.
4. Il se disputait de temps en temps avec ses parents.
5. Il s'occupait de la voiture de ses parents.
6. Il s'intéressait beaucoup aux sports d'hiver.
7. Il s'ennuyait parfois en été.

Maintenant, posez les mêmes questions à votre professeur.

MODÈLE: Est-ce que vous vous battiez avec vos frères et sœurs, madame (monsieur)?

6.7 The verbs voir and croire

A. The verbs **voir** and **croire** have the same conjugation pattern. Notice that the **i** changes to **y** in the **nous** and **vous** forms.

voir (*to see*)		**croire** (*to believe*)	
je vois	nous voyons	je crois	nous croyons
tu vois	vous voyez	tu crois	vous croyez
il/elle/on voit	ils/elles voient	il/elle/on croit	ils/elles croient
PASSÉ COMPOSÉ: j'ai **vu**, j'ai **cru**			

B. When **croire** is used with **à,** it has the meaning *to believe in.*

Quand j'étais petit, je **croyais au** père Noël.	*When I was little, I believed in Santa Claus.*
Elle **croit aux** licornes.	*She believes in unicorns.*

➤ Exceptions: **croire en Dieu** = to believe in God; **croire en qqn** = avoir confiance en qqn.

C. If **croire** or **voir** is followed by a statement, the statement must be introduced by **que.**

Je **crois qu'**elle a eu une enfance très heureuse.	*I think (that) she had a very happy childhood.*
Je **vois que** j'avais tort.	*I see (that) I was wrong.*

D. Here are a few useful expressions with **croire** and **voir:**

Je crois que oui (non).	*I think so. (I don't think so.)*
Tu crois? Moi, je ne crois pas.	*Do you think so? I don't.*
Tu vois? Je te l'avais dit!	*You see? I told you so!*

Ex. 13. This exercise practices the forms of *croire* in the sense of "believing in" something *(croire à)*. As a follow-up, after students have done the assignment, you might provide additional input by saying what Agnès does and asking if students do the same: *Agnès est féministe, c'est-à-dire, elle croit à l'égalité des sexes. Et vous, est-ce que vous croyez aussi à l'égalité des sexes?*

Exercice 13 Principes

Faites des phrases en employant le présent de **croire à.**

MODÈLES: Je suis toujours très poli(e). (les bonnes manières) →
Je crois aux bonnes manières.
Mes parents sont mariés depuis trente-deux ans. (le divorce) →
Ils ne croient pas au divorce.

1. Agnès Rouet est féministe. (l'égalité des sexes)
2. Les Lasalle ne donnent jamais de fessées à Nathalie. (la punition corporelle)
3. Toi et moi, nous votons à toutes les élections. (la démocratie)
4. Tu as beaucoup d'amis. (l'amitié)
5. J'adore toutes les fêtes de l'année. (les traditions)
6. Vous êtes fiancé(e). (le mariage)

Exercice 14 Les fêtes et les traditions

Complétez par **voir** ou **croire** au présent.

1. À Noël, on _____ des arbres de Noël et des cadeaux enveloppés de papier coloré.
2. Aux États-Unis, nous _____ des enfants en costumes de toutes sortes à Halloween.
3. Dans votre famille, est-ce que vous _____ que la dinde est indispensable au repas principal le jour d'Action de grâce?
4. Moi, je ne _____ pas pourquoi on associe des lapins et des œufs colorés à la fête de Pâques.
5. Les musulmans _____ qu'il faut s'abstenir de manger entre le lever et le coucher du soleil pendant le Ramadan.
6. Dans les familles juives, on _____ à la tradition de l'hospitalité à Pâques.

6.8. This section is meant to serve as a summary of what students have learned so far about the two past tenses (aspects). Other uses of the *imparfait* are presented in subsequent chapters *(Grammaire 8.6, 11.5, 12.2, 12.5).*

6.8 Different perspectives on the past: SUMMARY OF PASSÉ COMPOSÉ AND IMPERFECT

Before assigning, review with examples that show the *imparfait* as expressing habitual action, feelings, and states of being in the past: *je jouais aux donjons et dragons, je me fâchais quelquefois.* Illustrate the *passé composé* with events from the past: *Quand j'avais 12 ans, je me suis cassé le pied. Et vous... ?*

➤ **imparfait** = *used to do, did, would do regularly*

A. The imperfect is used to say what one *used to do* or *did regularly* in the past. In English, this is sometimes expressed with *would.*

À Noël, **nous allions** chez mes grands-parents.   *Every Christmas, we went (would go) to my grandparents' house.*

➤ **imparfait** = description of past state

B. The imperfect is often used to describe states of being and feelings in the past.

Quand **j'avais** dix ans, **je détestais** encore les garçons.   *When I was ten, I still hated boys.*

➤ **passé composé** = completed past event

C. The **passé composé,** in contrast to the imperfect, presents an action as a single event, completed at one time in the past. It is used to say *what happened.*

À l'âge de six ans, **j'ai découvert** que le père Noël n'existait pas.
Quand j'avais dix ans, nous **sommes allés** à Dakar.

At age six, I discovered that Santa Claus did not exist.
When I was ten, we went to Dakar.

Exercice 15 Mes activités du passé

Dites les activités de cette liste que vous avez faites hier. Ensuite, dites si vous les faisiez quand vous étiez petit(e) et avec quelle fréquence.

Ex. 15. Students will need to produce only *imparfait* forms. In class, provide input by asking for a show of hands of those who did each activity yesterday and a show of hands for who did the activities when they were children. (Some students will raise their hands to show they did the activities as children, but will not raise their hands to say they did them yesterday.)

Vocabulaire utile: souvent, tous les jours, de temps en temps, une fois par semaine

MODÈLES: Hier, j'ai mangé des spaghettis. →
Quand j'étais petit(e), je mangeais souvent des spaghettis.
Hier, je ne suis pas allé(e) à la banque. →
Quand j'étais petit(e), je n'allais jamais à la banque.

1. Hier, je me suis levé(e) avant 8 h.
2. Hier, j'ai porté un jean et un tee-shirt.
3. Hier, je suis allé(e) à l'université.
4. Hier, j'ai parlé au téléphone avec des amis.
5. Hier, j'ai conduit une voiture.
6. Hier, j'ai regardé la télé.
7. Hier, je me suis couché(e) à minuit et demi.
8. Hier, j'ai lu les bandes dessinées dans le journal.

GOALS FOR *CHAPITRE 7*
Students develop vocabulary for talking about food, buying groceries, eating out, and other related activities. They learn new ways to ask questions and to situate events in time. *Functional goals:* (1) Order a meal in a restaurant; (2) Compliment your dinner hosts on the meal; (3) Accept or refuse food and drink graciously; (3) Discuss a recipe: list the ingredients and explain how to prepare the dish.

MISE EN TRAIN
1. Use your PF to introduce the most common foods and beverages for breakfast, lunch, and dinner. As you continue this input activity over the next few days, introduce more foods, ingredients, descriptions of foods, nutrition, and stores where one purchases food in France. Ask what students like to eat when they are tired, hungry, or not feeling well, what people eat who are trying to lose/gain weight or have a balanced diet, what foods are bad/good for teeth, young children, etc.

2. Use your PF, the Internet, and other sources (cookbooks, food magazines, etc.) to introduce popular and traditional dishes from the Francophone world. Talk about customs relating to eating (hours for meals, the order in which dishes are served, table manners, etc.).

3. Show pictures of people eating in different types of restaurants, menus, restaurant guides such as the Michelin red guide, etc., to bring in names of more foods and special dishes. Include restaurant terminology such as *carte, maître d'hôtel, menu à prix fixe, serveur/ serveuse, service compris, pourboire.*

CHAPITRE 7

À table!

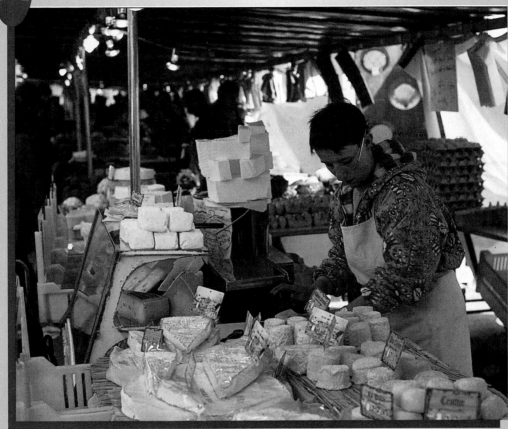

Le fromage français: on a l'embarras du choix!

Objectifs

IN **CHAPITRE 7**, *you will learn to talk about food, purchasing ingredients, preparing meals, and eating in restaurants.*

activités

Les aliments et les boissons
On fait les provisions
L'art de la cuisine
Au restaurant

lectures

Les francophones sur le vif Farida Abdel
La langue en mouvement Emprunts gastronomiques
Info: Société Gastronomie québécoise
Lecture «Le Corbeau et le Renard»

grammaire

7.1 Review of articles
7.2 The verb **boire**
7.3 Expressing quantities: The pronoun **en**
7.4 More on asking questions: **Qui, que, quoi**
7.5 Ongoing actions: **Être en train de**
7.6 Ordering events: **Avant, après**

Activités et lectures

Les aliments et les boissons.
(1) Personalized input: Review words for foods and meals from *Mise en train* with your PF, and introduce new words in the display. (2) Culture: Use the art to discuss typical French meals and to compare the foods here with what students usually eat. In your input, you will use both partitive and definite articles, as well as *en*. Students will not be able to produce these articles accurately on their own, but should easily comprehend your meaning. After multiple encounters with it, students should begin to use the vocabulary. New vocabulary: *Petit déjeuner: baguette, beurre, confiture, lait, pain, tartine; Déjeuner: bifteck, glace, jambon, légume, pommes de terre frites, sandwich, soupe aux légumes; Goûter: gâteau, pain au chocolat, sucre, tarte aux pommes; Dîner: assiette, concombre, crème caramel, fromage, haricots verts, hors-d'œuvre, œuf, radis, riz, saucisson, tomate, tranche de, veau.*

As 1. Association activity. Use what you learn about students' favorite foods, eating habits, etc. to enliven review of food terms: *Voici des mangues. Qui aime les mangues? Oui, c'est Katia! Est-ce que Katia mange des mangues tous les jours? Quand est-ce qu'elle aime en manger?*

Attention! Étudier Grammaire 7.1 et 7.2

LE PETIT DÉJEUNER

du pain (une baguette)
du café au lait
du jus d'orange
du beurre
de la confiture
une tartine

LE DÉJEUNER

un sandwich au jambon
des fruits
de la soupe aux légumes
Du vin? Merci! Moi, je bois de l'eau minérale.
un bifteck et des pommes de terre frites
une glace
une salade

LE THÉ (LE GOÛTER)

une tarte aux pommes
un gâteau
du thé
un pain au chocolat
du sucre
du lait
Moi, j'aime le thé! J'en bois tous les jours.

des tranches de saucisson

LE DÎNER

Mon mari et moi, nous buvons un verre de vin au dîner de temps en temps.

des œufs   du veau
des radis
une assiette de hors-d'œuvre   des haricots verts
du riz
du vin
du fromage   une crème caramel
une salade de tomates et de concombres

Activité 1   Discussion: La nourriture et les boissons

Que prenez-vous pendant une journée typique?

MODÈLES: Je prends (toujours, souvent, quelquefois, rarement)...
Je ne prends pas (jamais)...

1. Pour le petit déjeuner...
   a. des toasts avec de la confiture
   b. du café au lait avec des croissants
   c. des céréales
   d. des œufs et du bacon
   e. -?-
2. Comme déjeuner...
   a. un sandwich au fromage
   b. un hamburger et des frites
   c. de la pizza
   d. une salade
   e. -?-
3. Comme goûter,...
   a. des bonbons
   b. du gâteau
   c. un fruit
   d. des yaourts
   e. -?-
4. Pour le dîner...
   a. de la soupe aux légumes
   b. du poulet avec du riz
   c. un bifteck grillé
   d. un plat végétarien
   e. -?-

Act. 1. (whole class; partners; small groups) (1) Discuss and clarify each item in the activity: *Comme petit déjeuner, je prends parfois des toasts avec de la confiture... Et j'aime les œufs, mais...* (2) Include students in your talk: *Est-ce qu'il y a quelqu'un d'autre qui aime manger des croissants au petit déjeuner?* (3) Assign to partners or small groups. During follow-up, react to answers and ask for explanations: —*Elle n'aime pas la soupe aux légumes? Pourquoi?* —*Parce qu'elle déteste les tomates.* Include *en* in your input (and on the board): *Oui, j'en prends* and *Non, je n'en prends pas.* New vocabulary: *bacon, bonbon, céréales, plat végétarien, poulet, toasts, yaourt.*

AS 2. Autograph activity. (See IRK: *Les aliments préférés.*)

Activité 2   Enquête: Les aliments

Passez cette petite épreuve pour déterminer si vous êtes bien, passablement ou mal informé(e) sur la nutrition.

1. Lesquelles de ces boissons ne sont pas sucrées?
   a. l'eau minérale
   b. le café noir
   c. le jus d'orange
   d. le chocolat
   e. la limonade
2. Lequel de ces desserts a le moins de calories?
   a. une tranche de tarte aux pommes
   b. des fruits frais en compote
   c. un morceau de gâteau au chocolat
   d. un sorbet à l'orange
   e. une glace à la vanille

Act. 2. (whole class) (1) Read aloud each item and its choices so that students can answer. (2) Follow with pictures and ask more questions. With photos, you can use a broad vocabulary. (turkey/pork roast) *Est-ce qu'il y a plus de matières grasses dans une tranche de dinde ou de porc rôti?* New vocabulary: *aliment, banane, bifteck, biscotte, blanc de poulet, calorie, casse-croûte, céleri, en compote, fibre, frais/fraîche, informé(e), lasagnes, limonade, nutrition, pain complet, poisson, protéine, spaghettis, sucré(e), vanille.*

3. Lesquels de ces casse-croûte donnent le plus d'énergie?
   - **a.** des biscottes avec du fromage
   - **b.** du yaourt sans sucre
   - **c.** une tranche de pizza
   - **d.** des bonbons et un coca
   - **e.** un petit pain au chocolat

4. Lesquels de ces aliments sont riches en protéines?
   - **a.** le bifteck
   - **b.** les spaghettis
   - **c.** le poisson
   - **d.** le bacon
   - **e.** la soupe aux légumes

5. Lesquels de ces plats ont peu de matières grasses?
   - **a.** un blanc de poulet
   - **b.** du rosbif au jus
   - **c.** du gâteau à la crème
   - **d.** une salade de fruits
   - **e.** une portion de porc rôti

Activité 3 Dans le monde francophone: Un vrai repas

Amusez votre matinée, faites le tour du monde des petits déjeuners

Russe	thé fort, dilué avec beaucoup de lait petits pains de seigle poisson fumé blinis : (petites crêpes).
Anglais	thé au lait marmelade œuf au plat + bacon toasts.
Allemand	pain de seigle ou de sarrazin beurre, compote fromage en lamelles.
Pays-Bas	pain complet jambon entremets à base de lait jus de fruit.
États-Unis	jus de fruit café céréales french toast : (pain perdu)

Comité Français d'Éducation pour la Santé
2, rue Auguste-Comte, 92170 Vanves

Centre Interprofessionnel de Documentation
et d'Information Laitières
Cidil 27, rue de la Procession, 75015 Paris

1. Dans quel pays est-ce qu'on mange du fromage au petit déjeuner?
2. Où est-ce qu'on mange des œufs au plat avec du bacon?

3. Comment dit-on «french toast» en français?
4. Où mange-t-on du poisson fumé et des blinis?
5. Quel type de pain est-ce qu'on mange aux Pays-Bas?
6. Dans quels pays est-ce qu'on boit du thé?
7. Où est-ce qu'on prend un petit déjeuner léger? Et un petit déjeuner copieux?

Activité 4 Entrevue: Mes habitudes

Posez les questions à votre camarade de classe, en lui demandant de vous expliquer ses réponses.

MODÈLE: É1: Qu'est-ce que tu bois quand tu vas au restaurant?
        É2: Normalement, je bois de l'eau. Si c'est une grande occasion, je prends parfois du vin.

Qu'est-ce que tu bois quand...

1. tu ne peux pas dormir?
2. tu retrouves tes amis au café?
3. tu es fatigué(e) après le sport?
4. tu as froid?
5. tu as sommeil le matin de bonne heure?

Qu'est-ce que tu manges...

6. comme petit déjeuner quand tu es pressé(e)?
7. quand tu comptes les calories?
8. si tu as la grippe ou un rhume?
9. le soir, avant de te coucher?
10. maintenant mais que tu détestais quand tu étais petit(e)?

la tartine de Normandie
Une tranche de terroir au creux de la main

O**n fait les provisions**

On fait les provisions. Use your PF or realia to review old words and introduce new ones. Have students look at each store while you name foods one can buy there. Then ask the class to think of other stores and foods. Use choice questions for frequent review as you progress through the discussion: *Est-ce qu'on peut acheter du lait dans une boulangerie ou dans une épicerie?* New vocabulary: *alcool, bœuf, boucherie, boulangerie, cerises, champignon, charcuterie, citron, coquilles Saint-Jacques, crabe, crevettes, escargot, farine, fraises, fruits de mer, homard, huîtres, pâtisserie, pêche, persil, poire, poivre, poulet, raisins, sel, viande.*

Quelles crevettes! Il y en a qui sont énormes.

Attention! Étudier Grammaire 7.3

As 3. Describe the appearance of food items and introduce terms for how they taste (*un goût aigre, amer, épicé, salé, sec, sucré*). Example: *De quelle couleur est le sel? Et un citron? Est-ce que vous mettez du sel sur les pommes frites? Vous y mettez du citron? Ah non! le citron est très acide. Il a un goût aigre!*

AS 4. Bring small samples of food to class for volunteers to taste and describe (cinnamon dots, small mints, chopped hot pepper, orange, etc.).

AS 5. Describe a food, its taste, appearance, and when or how one eats it. Ask students to guess what it is.

des coquilles Saint-Jacques →
des crevettes
un homard

un crabe

des escargots de Bourgogne
des huîtres

des cerises
une poire
des raisins
une pêche
des fraises

du persil
des champignons
des tranches de citron

la viande de bœuf

le poulet

de la farine
du sel
du poivre

Boulangerie-Pâtisserie   Poissons-Fruits de Mer   Fruits et Légumes   Alcools et Vins   Boucherie-Charcuterie   Épicerie

Act. 5. (partners) Use this activity after you have discussed the display in class. Students should take turns asking each other questions based on the display art.

AS 6. Give the names of stores and ask students to name foods and drinks that one *cannot* purchase in each store.

Activité 5 Échanges: Les magasins d'alimentation

Regardez les dessins et posez des questions à votre camarade de classe.

MODÈLE: É1: Où est-ce qu'on peut trouver des pommes?
          É2: Chez le marchand de fruits et légumes.
          É2: Où est-ce qu'on vend des crevettes?
          É1: On vend des crevettes chez le marchand de poisson.

Act. 6. (whole class) (1) Call attention to the list of answers. (2) Read the descriptions aloud and ask students to find the correct food. Do rough line drawings to help explain the unfamiliar words. (Students should not be held accountable for them.) (3) You may wish to have the class identify cognates of English words or words borrowed from French. New vocabulary: *arôme, croustillant(e), délice, pinces, poudre, poudré(e), produit laitier, se propager, racine.*

Activité 6 Casse-têtes: Les aliments

AS 7. *Casse-têtes.* Ask sets of partners to prepare 6–8 simple riddles. Example: *Qu'est-ce qui est long et jaune? On l'achète chez le marchand de fruits et de légumes. (une banane)* The partners then join another pair of students and take turns asking their riddles.

De quel aliment s'agit-il dans chacune de ces définitions?

1. C'est un légume long et orange. Nous en mangeons la racine.
2. C'est un fruit de mer. D'habitude, nous en mangeons les pinces.
3. C'est une poudre à base de céréales. On l'utilise dans le pain.
4. C'est un délice du printemps à l'arôme délicat. Nous en prenons comme dessert avec de la crème.
5. Nous mettons ce condiment blanc et poudré dans presque tous nos plats.
6. Il faut casser cet ingrédient avant de le mettre dans une omelette.
7. Pâtisserie croustillante, elle est délicieuse avec un café au lait.
8. Cette boisson, riche en vitamine C, vient d'un fruit.
9. En France, on la mange après le plat principal, souvent avec une sauce vinaigrette.
10. Ce produit laitier est riche en protéines et contient peu de calories.
11. Cet aliment ne contient pas de chlorophylle et se propage par des spores.
12. Nous mettons ces petits fruits rouges dans des tartes et des confitures.

Réponses possibles: le jus d'orange, le sel, le yaourt, une carotte, la salade, le homard, les fraises, la farine, un croissant, les œufs, les cerises, les champignons

Act. 7. (whole class; partners) (1) Explain that people in France prefer to buy very fresh products and usually shop every day rather than stocking up, and that they often buy from specialty shops. Supermarket chains like *Casino* sell all types of alcoholic beverages along with foodstuffs. (2) Ask questions about food prices and quantities, to review. (3) Assign the shopping problems to be done in pairs. Check totals and see who finishes most rapidly and accurately. Afterward, ask for explanations such as *trois kilos d'oignons à 6,5 F le kilo, ça fait...* New vocabulary: *avocat, bouteille, côte de porc, crevette, framboise, gruyère, mandarine, moutarde, sorbet, viande hachée.*

Activité 7 Entretien: Le supermarché Casino

Vous allez faire des courses à Casino. Pour chaque liste, calculez combien vous allez dépenser. Attention aux quantités! (Un kilo = 1000 grammes.)

MODÈLE: Le jambon coûte 52 F le kilo. 250g, ça fait un quart de kilo. Alors, ça fait 13 F (à peu près 2 €).

Ça fait penser

Quelques proverbes «alimentaires»

- On reconnaît l'arbre à ses fruits.
- Il vaut mieux aller au boulanger qu'au médecin.
- On ne fait pas d'omelette sans casser des œufs.
- Il faut garder une poire pour la soif.

LISTE 1	LISTE 2	LISTE 3
250 grammes de jambon	1 bouteille de beaujolais	1 pot de moutarde
3 boîtes de petits pois	3 kilos d'oignons	500 grammes de beurre
2 avocats	250 grammes de gruyère	4 yaourts aux fruits
½ kilo de viande hachée	2 kilos de pommes	1 kilo de tomates
2 kilos de mandarines	6 boîtes de jus de tomate	500 grammes de citrons

Ça fait penser. Have students try to guess the meaning of the proverbs, in French if possible. Here are paraphrases that could be used for a matching exercise: (1) *On peut juger le caractère d'une personne par ses actions.* (2) *La maladie coûte plus cher que la nourriture.* (3) *Il faut faire des sacrifices pour accomplir quelque chose d'intéressant.* (4) *Il faut garder quelque chose pour les jours où on n'aura rien.*

Les francophones sur le vif. Open-air markets are very much alive in French cities and villages, as they offer unequalled choice and freshness for items such as cut flowers, fruits and vegetables, cheese, and *charcuterie*. They also provide locally made and nonindustrial products not available in *la grande distribution*. The first over-sized *hypermarchés* were opened by Carrefour in 1960; point out that these are much larger and stocked with a greater variety of items than Amer can supermarkets. There are few comparable stores in the U.S., although the French company Auchan has opene some outlets. Small neighborhood stores retain their edge in terms of specialty products and convenience, since going to the *hypermarchés* often involves a lengthy ca trip to the suburbs. Although most people now stock up on ordinary items at the *hypermarchés*, they buy their bread, pastries, and meat from smaller stores, especiall

232 | **CHAPITRE 7** À table!

LES FRANCOPHONES SUR LE VIF

Farida Abdel, 25 ans, réceptionniste à Lyon

Où préférez-vous faire vos provisions?

Pour les fruits et les légumes, et aussi les fromages, je pré-fère aller au petit marché en plein air[1] qui se tient sur la place de mon quartier le mardi et le jeudi matin. Les pro-duits sont très frais, de bonne qualité, mais pas trop chers, et l'ambiance est sympathique parce que les marchands adorent discuter avec leurs clients. Pour les autres achats, je vais dans un hypermarché en banlieue. Bien que je n'aime pas beaucoup ça—c'est si impersonnel!—, il faut admettre que c'est pratique: on y trouve de tout, pas seulement de la nourriture: des vête-ments, de l'électro-ménager,[2] du vin et des alcools, des livres ou des accessoires auto. J'aime bien fréquenter[3] les petits magasins de quartier, mais je n'ai pas toujours le temps, et je ne veux pas dépenser trop pour des achats ordinaires.

[1]**en...** à l'extérieur
[2]**l'électro-ménager:** appareils électriques pour la maison (grille-pain, four à micro-ondes, etc.)
[3]aller régulièrement dans

AS 8. TPR (See IRK for sequence *Pour faire un gâteau.*)

AS 9. Using French cookbooks and magazines that have color photos of meals and dishes, show a number of dishes to the class, naming their ingre-dients. Then distribute the items to allow students to examine. After they have a chance to look over the materials, ask questions such as: *Qui a la photo de la bouillabaisse?*

Attention! Étudier Grammaire 7.4

Des invités à dîner

Bernard et Christine cherchent des recettes intéressantes.

Ils font les provisions ensemble.

Bernard achète du pain
à la boulangerie.

De retour chez eux, Christine
commence à préparer les plats.

C'est Bernard qui met le couvert.

Ils vérifient que tout est prêt
avant l'arrivée des invités.

Tout le monde se met à table
et ils servent le dîner.

Activité 8 Échanges: Savez-vous cuisiner?

Nommez autant d'ingrédients que possible pour chaque plat.

MODÈLE: Dans une purée de pommes de terre, il y a des pommes de terre, du lait, du beurre, du sel et un peu de poivre.

1. Avec quoi est-ce qu'on fait une omelette aux champignons?
2. Qu'est-ce qui est indispensable pour faire les crêpes?
3. Que met-on dans la sauce tomate à l'italienne?
4. Avec quoi est-ce qu'on fait un gâteau au chocolat?
5. Qu'est-ce qu'on met dans le steak au poivre?
6. Quels sont les ingrédients dans une tarte aux cerises?
7. De quoi est-ce qu'on a besoin pour une sauce vinaigrette?

Suggestions

du beurre	du sucre	de la farine	du lait	du sel
des œufs	du vin	de l'huile	des épices	du poivre
de l'ail	des oignons			

Act 8. (partners) Review vocabulary as needed before you assign the activity. Later, ask about other dishes: *votre pizza préférée, un hamburger, une tarte au citron, etc*. New vocabulary: *omelette, purée*.

AS 10. Do a TPR sequence in which the class prepares a "mystery dish." After they have followed your instructions, have them name the dish. (At first, choose an "easy" dish such as pizza.)

AS 11. Name a food and have class think of all the dishes they can associate with that food. Explore the associations, developing as much spontaneous conversation as possible. Example: *le chocolat (bonbons au chocolat, gâteau au chocolat)*.

Activité 9 Discussion: Quelques plats français

Que savez-vous de la cuisine française? Essayez d'identifier la description de chacun de ces plats traditionnels.

1. le coq au vin
2. la crème caramel
3. la sauce hollandaise
4. la salade niçoise
5. les coquilles Saint-Jacques
6. la bouillabaisse
7. le steak au poivre
8. la quiche lorraine

_____ **a.** C'est un bifteck bien poivré et grillé, servi avec une sauce au vin.

_____ **b.** Ce dessert léger est composé d'œufs, de sucre et de lait. Il est recouvert d'une sauce au sucre caramélisé.

_____ **c.** Cette tarte n'est pas sucrée, mais salée! Elle est faite d'œufs battus et de crème.

_____ **d.** C'est une soupe composée de poissons, de fruits de mer et d'épices.

_____ **e.** Le nom de ce plat vient de la ville de Nice. On le sert comme hors-d'œuvre ou comme déjeuner en été.

_____ **f.** On sert cette sauce très riche avec des œufs, du poisson ou des légumes.

_____ **g.** On sert ce plat avec des pommes de terre ou du riz; le poulet en est un des ingrédients principaux.

_____ **h.** C'est un plat recouvert d'une sauce à la crème et servi dans des coquilles.

Cliquez là!

Cherchez une recette de cuisine en tapant le nom de votre aliment préféré (exemples: le chocolat, l'agneau, les recettes végétariennes).

La bouillabaisse, spécialité de Provence

Act. 10. (whole class) (1) Introduce the new words with PF, realia, or objects and pretend to demonstrate the recipe: *Maintenant, je coupe le persil en tout petits morceaux, puis je casse les œufs...* Include choice questions often: *Qu'est-ce que je fais d'abord? Je coupe l'ail en 4 ou je fais cuire les tomates?* (2) Use TPR to have students do the steps in the recipe. (3) Read the recipe aloud and ask students to tell you the steps in their proper order. New vocabulary: *à feu vif, couper, cuire, glisser, poêle, poivrer, recouvrir, rondelle, saler.*

Activité 10 Dans le monde francophone: Les œufs miroir aux tomates provençales

Mettez dans le bon ordre toutes les étapes pour préparer les œufs miroir.

_____ Faites glisser les œufs sur les tomates.

_____ Parsemez les tomates de persil et d'ail.

_____ Versez l'huile d'olive dans la poêle.

_____ Salez et poivrez les œufs.

___1___ Coupez l'ail en quatre.

_____ Laissez les tomates, le persil et l'ail mijoter dix minutes.

_____ Attendez que le blanc de l'œuf recouvre le jaune.

_____ Faites cuire les œufs cinq minutes à feu vif.

_____ Mettez du sel et du poivre sur les tomates.

_____ Mettez les rondelles de tomates dans la poêle.

AS 12. *Recettes.* Ask students to tell about a recipe for a simple dish they enjoy. In groups, they describe their dish and give the ingredients and instructions. The listeners take notes. (Optional: Listeners sign and give you their papers for a comprehension grade.)

Ça fait penser

- En français, une casserole est l'ustensile de cuisine dans lequel on prépare un plat.
- Le «French dressing» rouge et sucré n'existe pas en France.
- Les Français mangent leur salade avec de la sauce vinaigrette.

AS 13. Have students prepare TPR sequences based on recipes for their favorite dishes. In groups of 3–4, the "chef" has the others prepare the dish.

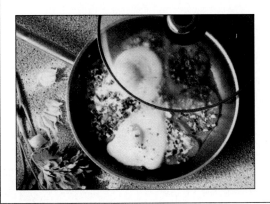

Œufs Miroir Aux Tomates Provençales

Pour 4 personnes, 4 tomates, 8 œufs extra-frais, 1/2 bouquet de persil, 2 gousses d'ail, 2 c. à soupe d'huile d'olive, sel, poivre. Épluchez les gousses d'ail. Lavez le persil. Mixez les gousses d'ail coupées en 4 avec les feuilles de persil.

Faites chauffer l'huile dans une large poêle. Mettez-y les tomates découpées en rondelles. Poivrez, salez, parsemez de persillade. Couvrez la poêle et laissez mijoter 10 mn. Cassez les œufs dans 2 bols. Faites-les glisser sur les tomates. Couvrez de nouveau la poêle et faites cuire à feu vif environ 5 mn. Le jaune de l'œuf doit être recouvert de blanc. Salez et poivrez.

Activité 11 Échanges: Que servir?

Considérez les invités et choisissez un menu. Précisez les modifications éventuelles à faire.

t. 11. (part-s; small ups) Before igning, dis-s the dietary ds of the sts. Review write on rd terms h as ré(e), riche protéines, grir,

ssir. ow with eral cus-s to

at utions dents found.

vendredi 6: Mme Dubois, doit maigrir/adore le sucre

samedi 14: Pierre et Jean, cyclistes/doivent participer à une course le 15

mercredi 18: les Delachaux, riches/aiment bien manger!

samedi 28: les Grognon, le patron!/Madame ne mange pas de viande rouge

---

MENU 2

une soupe iranienne à base de yaourt, une assiette de crudités, des filets de sole pochés, des haricots verts et une tarte aux pêches

---

MENU 3

une soupe aux tomates et au basilic, des escargots de Bourgogne, des blancs de poulet à la crème et aux champignons et une crème caramel

---

MENU 1

une soupe de poissons, une salade de tomates et de concombres, des spaghettis à la bolognaise avec du fromage et un gâteau au chocolat

---

MENU 4

une soupe aux légumes, des coquilles Saint-Jacques, un rôti de porc avec des pommes de terre vapeur, des fraises avec de la crème chantilly

New vocabulary: *basilic, crème Chantilly, crudités, menthe, plat, poché(e), vapeur.*

La langue en mouvement

Emprunts gastronomiques

Au cours des siècles, beaucoup de mots sont passés du français en anglais et vice versa. Par exemple, il est facile de reconnaître les origines françaises de mots comme «menu», «cuisine», «gastronomy» et «gourmet». Il est intéressant de remarquer que «cuisine» et «kitchen» viennent du même mot latin, mais que «kitchen» est arrivé par la route des langues germaniques. Reconnaissez-vous les mots français qui sont à l'origine des mots «puree», «saute» et «blanch»?

Attention! Étudier Grammaire 7.5 et 7.6

Claudine et Victor vont au restaurant.

Cliquez là!

Consultez un annuaire du vin ou une carte des vins sur Internet. Ensuite, choisissez une région à présenter en classe. Comment sont le climat et le terrain?

Le maître d'hôtel les conduit à leur table.

Maintenant, ils sont en train de passer leur commande.

Le sommelier leur propose un vin de Bourgogne.

Le serveur leur apporte le dîner.

Avant le dessert, Victor prend du fromage.

Maintenant, le serveur est en train de donner l'addition à Victor.

Avant de partir, ils laissent un pourboire généreux.

Info: Société

Info: Société. The hearty culinary specialties of Québec are not well known, and—with the exception of *poutine,* a fast-food staple—are not always served in restaurants, which tend to favor French- or American-style cooking. However, there is a growing movement to create a refined, creative *Québécois* cuisine based on native ingredients. Show a flag of Canada to illustrate *érable,* and point out that Québec is the world's largest producer of maple products.

Gastronomie québécoise

Il y a beaucoup d'excellents restaurants de style français au Québec, mais on peut aussi y goûter une cuisine populaire et originale, à base d'ingrédients locaux.[1] Par exemple, la «tourtière» est une sorte de tarte à la viande et aux légumes; chaque famille a sa recette particulière. De nombreuses spécialités sont préparées avec le «sucre» (c'est le nom du sirop d'érable[2] au Québec), et notamment la fameuse «tarte au sucre». Le plat national populaire le plus insolite[3] est sans doute la «poutine», une assiette de frites avec des morceaux de viande de bœuf fumée et une sauce au fromage. Ce n'est pas très léger, mais c'est absolument délicieux!

[1]pluriel de **local**
[2]un arbre: le symbole du Canada est
une feuille d'érable
[3]original et un peu étrange

Dans la vieille ville de Québec

Act. 12. (whole class) Read each item and the choices aloud for students to tell you the logical conclusion. Ask students to identify customs not practiced in their country of origin and in their homes. New vocabulary: *faire goûter.*

*A*ctivité 12 Discussion: Dans un restaurant

En France, quand est-ce qu'on fait ces choses dans un restaurant?

1. On prend la salade...
   a. après avoir terminé le plat principal.
   b. avant de prendre le plat principal.

2. On mange du fromage...
   a. après avoir terminé la soupe.
   b. avant de prendre le dessert.

3. On prend des hors-d'œuvre...
   a. après avoir pris le dessert.
   b. avant de manger le plat principal.

4. On boit du café...
   a. après avoir pris le dessert.
   b. avant de prendre le fromage.

5. Le sommelier fait goûter le vin...
   a. après l'avoir servi.
   b. avant de le servir.

6. On mange le plat principal...
   a. après l'entrée.
   b. avant l'entrée.

Act. 13. (partners) Explain the situation and briefly review vocabulary. Assign to partners. New vocabulary: *Ça veut dire quoi? crudités.*

*A*ctivité 13 Entretien: Se débrouiller au restaurant

Vous êtes dans un restaurant français pour la première fois avec votre partenaire et vous vous sentez un peu mal à l'aise. Vous posez des questions à votre ami(e). Ensuite votre ami(e), à son tour, va vous poser des questions.

Étudiant(e) 1

1. Comment s'appelle le monsieur qui sert le vin?
2. Qu'est-ce que c'est que l'addition?
3. «Des crudités», qu'est-ce que ça veut dire?
4. C'est qui, cette femme qui sert à la table à côté de nous?

Étudiant(e) 2

1. C'est quoi, le plat du jour?
2. Qu'est-ce que c'est qu'un pourboire?
3. Ça veut dire quoi, «service compris»?
4. L'entrée, c'est quoi?

Suggestions le pourboire est compris dans le prix du repas; la note qu'on paie après le repas; le sommelier; le plat spécial offert aujourd'hui; le plat qui précède le plat principal; l'argent qu'on laisse au serveur; des légumes crus (pas cuits); la serveuse

Act. 14. (partners) Demonstrate with a few volunteers to explain the unfamiliar vocabulary. After partners do the activity, practice *en* by offering students other foods and drinks. *Encore de la mousse au chocolat?* —*Merci, j'en ai assez pris.* New vocabulary: *encore* + partitive article.

*A*ctivité 14 Entretien: Formules de politesse

Vous avez dîné chez un ami (une amie) et vous avez trop mangé et trop bu. Qu'est-ce que vous lui répondez pour ne pas le (la) vexer?

MODÈLE: Tu veux encore du vin? →
Merci, il est délicieux mais j'en ai assez pris.

1. Un peu de cognac?
2. Tu as goûté ces chocolats?
3. Encore du rôti à l'ail?
4. Tu veux du café?
5. Essaie ces escargots! Ils sont délicieux.
6. Encore de la salade?

Suggestions

Plus de (café), merci. J'en ai déjà trop pris.
Merci. Il est délicieux mais je n'ai plus faim.
Rien de plus, merci. J'ai très bien mangé!
Plus rien, merci. J'ai (bu) un peu trop de (vin).
Merci. Je ne prends pas d'(alcool).

Activité 15
Entretiens: Au restaurant «Chez Michel»

Lisez le menu et choisissez des plats pour…

1. quelqu'un qui évite les matières grasses.
2. une personne robuste qui mange de tout.
3. une personne qui ne prend jamais de viande rouge.
4. des végétariens.

À vous la parole! **Situation:** Vous dînez avec des amis au restaurant «Chez Michel», un très bon restaurant parisien. Avec votre partenaire, jouez les rôles du client (de la cliente) et du serveur (de la serveuse).

LE SERVEUR: Vous désirez, (mademoiselle)?
VOUS: Comme hors-d'œuvre, je voudrais…
LE SERVEUR: Et comme salade… ?
VOUS: …
LE SERVEUR: …
LE SERVEUR: Et avec ça, c'est tout?
VOUS: …

Suggestions

Est-ce que le service est compris?
Il est comment, le canard à l'orange?
Monsieur (Madame, Mademoiselle), l'addition, s'il vous plaît!
Quelle est la spécialité de la maison?

Act. 15. (partners; whole class; small groups) (1) Discuss the menu before assigning. Example questions: *Qu'est-ce qu'on prend si on préfère le bœuf? Qu'est-ce qu'il y a dans une salade niçoise? Est-ce qu'il y a quelqu'un dans la classe qui aimerait commander les cailles aux raisins?* (2) Afterward, lead a discuss about what students decided to recommend for each customer. New vocabulary: menu items, *à point, bien cuit(e), cru(e), saignant(e)* **À vous la parole!:** Review restaurant expressions:*Que vas-tu (Qu'allez-vous) commander?* etc. Then put students in groups of three for skits: Diners make their choices, then the waiters arrive to take their orders. Waiters should write down each diner's name and order.

Chez Michel
Menu à 350 francs (54€)*

Entrée au choix

Hors-d'œuvre
terrine du chef
œufs en gelée
terrine de saumon
consommé de légumes
crème d'asperges
avocat vinaigrette

Salades
salade du jardin
salade d'endives aux noix
salade niçoise
salade du chef

Plat garni au choix

Viandes
châteaubriand aux pommes
tournedos béarnaise
gigot d'agneau aux flageolets
escalope de veau aux morilles

Volailles
coq au vin
cailles aux raisins
canard à l'orange

Poissons et fruits de mer
sole meunière pommes vapeur
turbot à l'oseille
homard à l'américaine
moules marinières
gratin d'écrevisses

Fromages
camembert
brie
plateau assorti

Desserts
mousse au chocolat
île flottante
orange givrée
crème caramel
tarte maison

café ou thé

* boissons non comprises
service compris

AS 17. Students prepare and present a restaurant skit. Encourage complications such as a fly in the soup, mixed-up orders, underdone steak, or special changes to dishes.

un bifteck cru   saignant   bien cuit   à point

LECTURE

«Le Corbeau et le Renard»

Lecture «Le Corbeau et le Renard» Before you work through the vocabulary and meaning of this fable, read it aloud for the class. Elicit with choice questions the characteristics of a fable, obvious here (*c'est un texte en vers, les personnages sont des animaux qui parlent, il y a une morale à la fin*) and use the illustration to clarify the basic vocabulary. The last activity gives students a chance to retell the anecdote in ordinary language, but also from a different perspective. The story as told in first person by M. Corbeau should lack the narrator's ironic point of view.

Maître Corbeau, sur un arbre perché,
        Tenait en son bec un fromage.
Maître Renard, par l'odeur alléché,[1]
        Lui tint à peu près ce langage:[2]
        «Hé! Bonjour, Monsieur du Corbeau,
Que vous êtes joli! que vous me semblez beau!
        Sans mentir, si votre ramage[3]
        se rapporte[4] à votre plumage,[5]
Vous êtes le phénix[6] des hôtes[7] de ces bois.»[8]
À ces mots, le Corbeau ne se sent pas de joie;
        Et pour montrer sa belle voix,
Il ouvre un large bec, laisse tomber sa proie.[9]
Le Renard s'en saisit[10] et dit: «Mon bon
    Monsieur,
        Apprenez que tout flatteur
        Vit aux dépens de celui qui l'écoute.[11]
Cette leçon vaut bien un fromage, sans doute.»
        Le Corbeau, honteux[12] et confus,
Jura,[13] mais un peu tard, qu'on ne l'y prendrait
        plus.[14]

Le Corbeau et le Renard

Extrait des *Fables* (Livre I) de Jean de la Fontaine (1621–1695)

[1]attiré
[2]**tint...** a parlé à peu près comme ça
[3]voix, chant
[4]est proportionnel
[5]les oiseaux ont des plumes, qui forment un plumage
[6]oiseau mythique
[7]habitants

[8]**ces...** cette forêt
[9]victime (le fromage)
[10]**s'en...** l'a pris rapidement
[11]**vit...** dépend de sa victime
[12]qui a honte
[13]a affirmé
[14]**on...** il a appris sa leçon

Avez-vous compris?

1. Que veut le renard?
   a. manger le corbeau
   b. prendre le fromage du corbeau
   c. se moquer du corbeau
   d. entendre le corbeau chanter
2. Quelle est la stratégie du renard?
   a. amuser le corbeau
   b. distraire le corbeau
   c. flatter le corbeau
   d. intimider le corbeau
3. Pourquoi est-ce que le corbeau accepte de chanter?
   a. Il est très sympathique.
   b. Il est très heureux.
   c. Il est vaniteux.
   d. Il a peur.
4. Comment est le corbeau à la fin de l'histoire? Il est...
   a. furieux.
   b. honteux.
   c. triste.
   d. surpris.

5. Quelle est la morale de cette fable?
   a. Les corbeaux sont idiots.
   b. Les flatteurs ont souvent des intérêts personnels.
   c. Les renards sont manipulateurs.
   d. Les corbeaux n'aiment pas la flatterie.

À vous la parole! La suite de l'histoire: Maître Corbeau rentre chez lui sans son fromage, et raconte ses mésaventures à sa femme. Imaginez leur dialogue.

MME CORBEAU: Qu'est-ce qui est arrivé? Où est ton fromage?
MAÎTRE CORBEAU: Quelle histoire! J'étais perché sur un arbre, avec mon fromage dans mon bec,...

À vous d'écrire. Before assigning as homework or group work, have the class select a local restaurant everyone knows and brainstorm ideas on how to create a brochure for that restaurant. You or a volunteer will need to act as secretary and write all suggestions on the board. Then help the class decide how to organize the brochure.

À vous d'écrire

Préparez un petit article publicitaire au sujet de votre restaurant préféré. Dans votre article, donnez des renseignements importants aux clients potentiels, tels que les heures, le décor, les spécialités et les prix. (Inventez les détails si vous n'en êtes pas certain[e].)

www.mhhe.com/deuxmondes

À explorer: www.mhhe.com/deuxmondes/ pour obtenir plus d'informations sur les thèmes du chapitre.

Vidéothèque

Espace vidéo

Commander au restaurant. Dans ce segment vidéo, Aimée, Claire et Jacques prennent un verre au café. Aimée est en train de dessiner son copain Jacques. Qu'est-ce que le serveur demande à Aimée? Qui commande un citron pressé? Qui prend un café crème? Qu'est-ce que le serveur recommande? Est-ce qu'Aimée suit ses suggestions?

Espace vidéo. Ask students where they like to go to have a drink with their friends and what they usually order. Explain that Aimée, Claire, and Jacques are going to a café together in this segment. Assign the questions either to be discussed in class or to be handed in to you.

Vocabulaire

Les légumes

Vegetables

l'ail (*m.*)	garlic
un avocat	an avocado
le basilic	basil
les champignons (*m.*)	mushrooms
les haricots (*m.*) verts	green beans
la laitue	lettuce
le persil	parsley
une pomme de terre	a potato
le riz	rice

Mots apparentés: **les asperges** (*f.*), **une carotte, le céleri, un concombre, un oignon, un radis, une tomate**

Les fruits et les desserts

Fruit and desserts

une cerise	a cherry
un citron	a lemon
une fraise	a strawberry
une framboise	a raspberry
une pêche	a peach
une poire	a pear
une pomme	an apple
un raisin	a grape
la crème caramel	flan, custard with a caramel sauce
la crème Chantilly	whipped cream
une galette	a puff pastry cake
un gâteau	a cake
une pâtisserie	a piece of pastry
une tarte aux pommes	an apple pie

Mots apparentés: **l'abricot** (*m.*), **la banane, la crêpe, le melon, la mandarine, l'orange** (*f.*), **le sorbet**

Le pain, l'épicerie et les produits laitiers

Bread, grocery, and dairy products

une baguette	a long, thin loaf of bread
le beurre	butter
la confiture	jam, jelly

les épices (*f.*)	spices
la farine	flour
le fromage	cheese
la glace	ice cream
le lait	milk
les œufs (*m.*)	eggs
un pain au chocolat	a chocolate-filled roll
le pain complet	whole-grain bread
le poivre	pepper
le riz	rice
le sel	salt
le sucre	sugar
le yaourt	yogurt

Mots apparentés: **des céreales** (*f.*), **le chocolat, la crème, le croissant, l'huile** (*f.*) **d'olive, la moutarde, la vanille**

La viande, le poisson et les fruits de mer

Meat, fish, and seafood

l'agneau (*m.*)	lamb
le bœuf (haché)	beef (ground)
les coquilles (*f.*) Saint-Jacques	scallops
une côtelette de porc	a pork chop
les crevettes (*f.*)	shrimp
les escargots (*m.*)	snails
un gigot	a leg of lamb
le homard	lobster
les huîtres (*f.*)	oysters
le jambon	ham
le poulet (un blanc de)	chicken (breast)
le saucisson	salami (hard sausage)
le veau	veal

Mots apparentés: **le bifteck, un crabe, le rosbif, une sole**

Pour parler de la nourriture

Talking about food

à point	medium (*meat cookery*)
beurré(e)	buttered
croustillant(e)	crusty, crunchy

cru(e)	raw
cuit(e); bien cuit(e)	cooked; well-done (*meat*)
épicé(e)	spicy
frais/fraîche	fresh
fumé(e)	smoked
haché(e)	chopped, ground
léger/légère	light, fluffy, delicate
poché(e)	poached
recouvert(e) de	covered with
saignant(e)	rare (*meat*)
salé(e)	salty, salted
sucré(e)	sweet
la graisse	fat, grease
les matières (*f.*) **grasses**	fat, fat content
un régime	a diet

Mots apparentés: **acide, un arôme, des calories** (*f.*), **caramélisé(e), le cholestérol, composé(e), en compote, la fibre, fin(e), flambé(e), garni(e), les protéines, riche (en), les vitamines**

Magasins d'alimentation

Food stores

une boucherie	a butcher shop
une boulangerie	a bakery
une charcuterie	a delicatessen (pork)
une épicerie	a grocery store
un(e) marchand(e)	a merchant
une pâtisserie	a pastry shop
une poissonnerie	a fishmonger's

Pour faire la cuisine

Cooking terms

les aliments (*m.*)	food items
les frites (*f.*)	French fries
un goût	a taste, flavor
une recette	a recipe
une tranche	a slice (*of fruit, etc.*)
couper	to cut
faire les provisions	to buy groceries
goûter	to taste
poivrer	to pepper
saler	to salt
verser	to pour

Mots apparentés: **griller, un ingrédient, un liquide, un livre de cuisine**

Les boissons

Drinks

l'eau (*f.*)	water
le thé	tea
le vin	wine

Mots apparentés: **le café au lait, le champagne, le cidre, le jus d'orange**

Les repas et la table

Meals and the table

une assiette	a plate
un couteau	a knife
une cuillère	a spoon
le déjeuner	lunch
le dîner	dinner
une fourchette	a fork
le casse-croûte	snack
le petit déjeuner	breakfast
une serviette	a napkin
une tasse	a cup
un verre	a glass
se mettre à table	to sit down at the table
mettre le couvert	to set the table

Au restaurant

In a restaurant

l'addition (*f.*)	tab, bill
l'entrée (*f.*)	first course
le maître d'hôtel	host (maître d')
le plat du jour	today's special
le plat principal	main course
le pourboire	tip
le serveur/la serveuse	waiter, waitress
le sommelier/ la sommelière	wine waiter
Encore du/de la/ de l'... ?	Would you like more . . . ?
Est-ce que le service est compris?	Is the tip included in the tab?
J'ai très bien mangé!	That was really good!
J'en ai assez/trop pris.	I've had enough/too much.
Je n'ai plus faim.	I'm no longer hungry.
Plus de (café), merci.	No more (coffee), thanks.
Rien de plus, merci.	Nothing else, thanks.

boire	to drink
commander	to order
coûter	to cost
laisser un pourboire	to leave a tip
maigrir	to get thin
se mettre à (+ *inf.*)	to start
passer la commande	to place an order
prendre (perdre) du poids	to gain (lose) weight

Mots apparentés: **conseiller, distinguer, fréquenter, payer, recommander, souffrir, suggérer, vexer**

LE MENU

Menu items

la bouillabaisse	fish stew
le coq au vin	chicken cooked in wine

un croque-monsieur	grilled ham and cheese sandwich
les crudités (*f.*)	raw vegetables served as appetizer
une escalope de veau	a veal cutlet
un gigot aux flageolets	leg of lamb with beans
le pâté de foie gras	meat paste of goose liver
le potage	soup
la salade niçoise	salad of rice, vegetables, tuna
le steak au poivre	pepper steak
une terrine de saumon	cold salmon pâté

Mots apparentés: **la choucroute, les crêpes** (*f.*), **les hors-d'œuvre** (*m.*)

Grammaire et exercices

7.1 Review of articles

7.1. Students saw and practiced the partitive articles in *Grammaire 3.6.* Point out that it is the verb of which the given noun is the object that determines the article choice, e.g., *j'aime le café,* but *j'aime boire du café tous les matins.* Remind students of the use of *de* in negative sentences and after expressions of quantity (presented in *Grammaire 3.6*).

A. Definite articles (**le, la, l', les**) are used as the equivalent of *the* in English.

> **Le** lait que j'ai acheté est dans **le** réfrigérateur.
>
> *The milk I bought is in the refrigerator.*

✖ Review **Grammaire A.3** and **A.5.**

➤ Definite articles: **le, la, l', les**

Definite articles are also used to talk about people or things in general. In such cases, English usually uses no articles at all.

> **La** mousse au chocolat est mon dessert préféré.
>
> *Chocolate mousse is my favorite dessert.*
>
> **Les** hommes fument plus de cigarettes que **les** femmes.
>
> *Men smoke more cigarettes than women (do).*

ES 1. Ask about foods to practice definite articles in negative and affirmative sentences: *Est-ce que vous aimez les petits pois? Je les aime/Je ne les aime pas.* Suggestions: *le sucre, la pizza, les croissants, le fromage, le beurre, la soupe aux légumes, le chocolat, les épinards.*

B. Remember that indefinite articles (**un, une, des**) are used for countable nouns (*des* **croissants**), whereas partitive articles (**du, de la, de l'**) are used for mass nouns (*de la* **confiture**).

> J'ai acheté **des** provisions pour le petit déjeuner. J'ai pris **des** croissants, **du** beurre et **de la** confiture.
>
> *I bought groceries for breakfast. I got (some) croissants, butter, and jam.*

✖ Review **Grammaire 3.6.**

➤ Count nouns take indefinite articles: **un, une, des.** Mass nouns take partitive articles: **du, de la, de l'.**

ES 2. Use choice questions for input with partitive articles: *Est-ce que vous mangez plus souvent du beurre ou de la margarine?* Suggestions: *du bifteck ou du rôti de bœuf, de la soupe aux carottes ou de la soupe aux pommes de terre, des haricots verts ou des petits pois, du gâteau ou de la crème caramel, des pommes ou des poires.*

C. To choose the appropriate article, look at the kind of verb used in the sentence. With verbs describing likes or dislikes, such as **aimer, adorer, détester,** and **préférer,** use the definite article because you are talking about things in a general sense.

> Nathalie **aime** beaucoup **les** carottes et **les** petits pois, mais elle **déteste les** épinards.
>
> *Nathalie likes carrots and peas a lot, but she detests spinach.*
>
> Je n'**aime** pas **le** café fort.
>
> *I don't like strong coffee.*

On the other hand, if the verb deals with having, obtaining, or consuming, use **du, de la, de l',** or **des,** because you are talking about some amount of a thing. Such verbs include **avoir, acheter, manger, boire, prendre,** and many others.

> Les Français **boivent du** café après le dîner.
>
> *The French drink coffee after dinner.*
>
> Nous **mangeons de la** pizza tous les vendredis soir.
>
> *We eat pizza every Friday night.*

➤ Verbs of preference: definite article
Verbs of "consumption": indefinite or partitive article

D. In negative sentences, the indefinite or partitive article becomes **de.** Definite articles do not change.

> Je **n'**achète **jamais de** crème, et je **n'**ai **plus de** lait. Est-ce que vous pouvez boire votre café noir?
>
> *I never buy cream, and I don't have any milk left. Can you drink your coffee black?*

De is also used after expressions of quantity.

➤ Tu *n'aimes pas le* chocolat.
➤ Je *mange du* chocolat.
➤ Tu *ne* manges *pas de* chocolat.
➤ Je mange *trop de* chocolat!

245

QUELQUES EXPRESSIONS DE QUANTITÉ

beaucoup de *a lot of*	un peu de *a little*
assez de *enough*	trop de *too much, too many*
une livre de *a pound of*	un kilo(gramme) de *a kilogram of*
un litre de *a liter of*	une douzaine de *a dozen*
un verre de *a glass of*	une tasse de *a cup of*

Agnès a acheté **un litre de** lait et **un kilo de** gruyère.

Agnès bought a liter of milk and a kilo of gruyère cheese.

Exercice 1 Vos goûts

Ex. 1. This exercise practices the generic use of the definite article with *aimer*. It can be used for partner practice. Afterward, for practice with partitive articles, you might have students substitute *manger* for *aimer*.

Répondez par **oui** ou **non,** et puis indiquez un autre aliment de la même catégorie que vous préférez.

MODÈLE: Tu aimes le jus d'orange? →
Oui, j'aime le jus d'orange, mais je préfère le jus de raisin. (Non, je n'aime pas le jus d'orange. Je préfère le jus de pomme.)

1. Tu aimes les petits pois?
2. Tu aimes les cerises?
3. Tu aimes le jambon?
4. Tu aimes la bière?
5. Tu aimes les huîtres?
6. Tu aimes le lait?
7. Tu aimes la tarte aux pommes?
8. Tu aimes le porc?
9. -?-

Exercice 2 Les courses

Ex. 2. This exercise gives input with partitives. Students practice partitives and *de* with negation. Some answers may vary. It can be used in class as a role play. Encourage students to explain their answers.

Avec votre ami(e), vous allez préparer un dîner pour des amis français. Votre ami(e) ne sait pas faire la cusine, mais il/elle va faire les courses. Répondez à ses questions.

Le menu: des spaghettis à la bolognaise, de la salade, une crème caramel

MODÈLES: J'achète des pâtes? →
Oui, achète des pâtes (pour les spaghettis).
J'achète du poisson? →
Non, n'achète pas de poisson. (Ce n'est pas nécessaire.)

1. J'achète de la sauce tomate?
2. ... du riz?
3. ... du bifteck?
4. ... du bœuf haché?
5. ... de la laitue?
6. ... des pommes de terre?
7. ... de l'huile et du vinaigre?
8. ... des oignons?
9. ... de la glace?
10. ... du lait?
11. ... des œufs?
12. ... du sucre?

Exercice 3 Combien en consommez-vous?

Utilisez l'expression de quantité appropriée.

Vocabulaire utile: assez de, trop de, beaucoup de, (un) peu de, une (demi-)livre de, un kilo de, un (deux, trois,...) litre(s) de, une (demi-)douzaine de, une tasse de, un verre de, une bouteille de, une (deux, trois) portion(s) de...

1. Je bois _____ café(s) par jour.
2. Je bois _____ eau chaque jour.
3. Je consomme _____ œufs par semaine.
4. Je consomme _____ beurre chaque mois.
5. Je mange _____ viande chaque semaine.
6. Je mange _____ fruits par jour.
7. Je mange _____ légumes par jour.

Ex. 3. This exercise practices *de* after expressions of quantity. Partners might compare their habits. Encourage students to comment on their partner's statements (*C'est beaucoup./C'est bon pour la santé...*).

Exercice 4 Les préférences et les habitudes

Faites des questions et des réponses, en employant la forme appropriée de l'article.

MODÈLE: manger souvent / frites (*f.*) →
É1: Est-ce que tu manges souvent des frites?
É2: Oui, je... (Non, je...)

1. acheter quelquefois / bonbons au chocolat
2. aimer / escargots
3. manger souvent / dinde (*f.*)
4. consommer beaucoup / fromage (*m.*)
5. détester / poisson (*m.*)
6. adorer / glace (*f.*)

Ex. 4. This exercise requires students to make the choice between the definite or partitive article (or *de*). After students have prepared and checked their answers, this might be used for Q/A practice in class. Remind them to pay attention to expressions of quantity and the meaning of the verbs. You may need to point out that *quelquefois* and *souvent* are adverbs, not expressions of quantity.

7.2 The verb boire

The verb **boire** is similar to **croire** and **voir**. Note, however, its irregular plural forms.

★ *Review* **Grammaire 6.7.**

7.2. Students should have little trouble with *boire,* similar in conjugation to *voir* and *croire.* Provide input with the present and the *passé composé: Est-ce que vous buvez du champagne pour fêter le nouvel an? Combien de verres avez-vous bus l'année dernière?*

boire (*to drink*)	
je bois	nous **buv**ons
tu bois	vous **buv**ez
il/elle/on boit	ils/elles boi**v**ent
PASSÉ COMPOSÉ: j'ai **bu**	

—Monsieur, que voulez-vous **boire?** — *Sir, what would you like to drink?*

—Du thé, s'il vous plaît. — *Tea, please.*

Les Français **boivent** souvent de l'eau minérale. — *The French often drink mineral water.*

Ex. 5. Remind students that *boire* calls for the partitive (or indefinite) article, even when describing general habits.

Exercice 5 Boissons favorites

Répondez aux questions par des phrases avec **boire.**

> MODÈLE: Que boivent vos parents avec les repas? →
> Ils boivent du thé glacé (du café).

1. Que buvez-vous le matin?
2. Que boivent vos amis quand ils se retrouvent au restau-u?
3. Quand vous sortez avec des amis, que buvez-vous? (nous)
4. Qui boit plus de thé, à votre avis, les Anglais ou les Français?
5. Qu'est-ce que vous avez bu ce matin avant d'aller en cours?
6. Que buviez-vous avec vos repas quand vous étiez petit(e)?
7. Qui buvait du café chez vous quand vous étiez petit(e)?
8. Qu'est-ce qu'on a bu à la dernière fête où vous êtes allé(e)?

7.3 Expressing quantities: THE PRONOUN EN

✳ *Review Grammaire B.1.*

➤ Uses of **en: Tu as des œufs?**

—J'**en** ai trois.
(I have three of them.)

—J'**en** ai.
(I have some.)

—Je n'**en** ai pas.
(I don't have any.)

—J'**en** ai beaucoup.
(I have many.)

7.3. *En* was first mentioned in the presentation of *il y a* in *Grammaire B.1*, and students have seen and used it in fixed expressions. However, this is the first systematic presentation of this pronoun. We present its most common use: replacing a noun and its partitive or indefinite article, or *de* + noun following an expression of quantity. We also include the prepositional use of *en* (*Ce livre? J'en ai besoin.*). This usage should be acquired through input with common expressions: *j'en ai envie/peur.*

A. You are already familiar with the use of the pronoun **en** to replace a noun preceded by a number.

—Avez-vous trois enfants?	*Do you have three children?*
—Non, j'**en** ai **quatre.**	*No, I have four (of them).*

B. En also replaces a noun with a partitive article (**du, de la, de l'**) or an indefinite article (**un, une, des**). The English equivalent is *some* or *any.*

—Est-ce que Raoul prend toujours du café après le dîner?	*Does Raoul always have coffee after dinner?*
—Oui, il **en** prend toujours.	*Yes, he always has some.*
—As-tu des fruits pour le dessert?	*Do you have some fruit for dessert?*
—Non, je n'**en** ai pas, mais Daniel va **en** apporter.	*No, I don't have any, but Daniel is going to bring some.*

In this use, **en** can refer to people or things.

C. Use **en** to replace nouns preceded by other expressions of quantity such as **un peu, beaucoup, assez, trop.**

—Est-ce qu'il y a encore de la glace au chocolat?	*Is there still some chocolate ice cream?*
—Oui, il y **en** a encore **beaucoup.**	*Yes, there's still a lot (of it).*
—Je dois acheter du lait à l'épicerie?	*Should I buy some milk at the grocery store?*
—Non, j'**en** ai déjà **trop.**	*No, I already have too much.*

D. En is also used to replace the preposition **de** + the name of a thing. This often happens with expressions that require **de,** such as **avoir besoin (envie, peur) de.**

—Tu as besoin **de poivre** pour cette recette?

Do you need pepper for this recipe?

—Oui, j'**en** ai besoin.

Yes, I need it (some).

➤ **En** also replaces the preposition **de** + a thing: **j'*en* ai peur.**

Rappel: Je veux *en* manger.

*E*xercice 6 Habitudes alimentaires

Vous passez quelques jours chez une nouvelle amie. Elle vous pose beaucoup de questions pour connaître vos goûts. Répondez-lui en utilisant le pronom **en.**

MODÈLE: Tu mets du lait dans ton café le matin? →
Oui, j'en mets. (Non, je n'en mets pas.)

1. Est-ce que tu voudrais des croissants pour ton petit déjeuner?
2. Tu bois du café le matin?
3. Tu aimes prendre de la viande à tous les repas?
4. Tu prends du vin à tous les repas?
5. Tu manges du poisson de temps en temps?
6. Tu manges beaucoup de desserts?

Ex. 6. This exercise practices en in place of the partitive or des, with present-tense, first-person verbs. It may be used for class pair work.

*E*xercice 7 Combien?

Répondez aux questions en utilisant **en.**

MODÈLE: Il y a combien d'œufs dans une douzaine? → Il y en a douze.

1. Combien de grammes y a-t-il dans un kilo?
2. Est-ce qu'on a besoin de beurre pour faire une omelette?
3. Est-ce que les enfants ont souvent envie de bonbons?
4. Est-ce qu'il y a beaucoup de caféine dans le café?
5. Y a-t-il de la caféine dans le thé?
6. Combien d'œufs est-ce qu'il y a dans une demi-douzaine?
7. Est-ce qu'il y a du fromage dans la glace?

Ex. 7. This exercise practices en with il y a and expressions with avoir. Use for oral pair work or whole-class discussion.

7.4 More on asking questions: Qui, QUE, QUOI

A. You are already familiar with various kinds of questions. Here is a summary of how to form questions with **qui, que,** and **quoi.** Notice that the question form depends not only on whether you are asking about people or things but also on the function of the person or thing in the sentence: as subject, direct object, or object of a preposition.

✶ *Review* **Grammaire B.2** *and* **3.2.**

7.4. Students have already seen *qui* and *que* in *Grammaire 3.2*. This section is a review and an introduction to the use of preposition + *quoi* and *qu'est-ce qui?* In B, we contrast the two different renderings in French of "What is... ?" (Learners tend to overgeneralize *Qu'est-ce que c'est?*) You may wish to do some more focused input activities before assigning. Use a picture of people eating together, and ask questions: *Qui mange ici? (un homme / une femme / un couple) Avec qui mange-t-il/elle? Qu'est-ce qu'ils mangent/boivent? Qui a préparé le repas? Avec quoi mangent-ils? (Avec les doigts ou des couverts?) De quoi parlent-ils?* etc. Except for short formulaic questions such as *Qui est à la porte?* and *Que pense ton père?*, we continue to recommend that students use *est-ce que* instead of the more complex inverted forms of questions. Remind them that *qu'est-ce que = que + est-ce que*. They will require some time and considerable input before they acquire the ability to use *qu'est-ce qui* appropriately.

ASKING ABOUT PEOPLE

Subject: **Qui... ?**

Qui fait la vaisselle?	*Who's doing the dishes?*
Qui fait les meilleures crêpes?	*Who makes the best crepes?*

Direct object: **Qui est-ce que... ?, Qui** + inversion... ?

Qui est-ce que tu as rencontré au restaurant?	
Qui as-tu rencontré au restaurant?	*Who(m) did you meet at the restaurant?*

Object of a preposition: Preposition + **qui est-ce que... ?**
Preposition + **qui** + inversion... ?

Avec qui est-ce qu'il déjeune?	*With whom is he having lunch?*
Avec qui déjeune-t-il?	*(Who is he having lunch with?)*

ASKING ABOUT THINGS

Subject: **Qu'est-ce qui... ?**

Qu'est-ce qui brûle?	*What's burning?*
Qu'est-ce qui se passe?	*What's going on?*

Direct object: **Qu'est-ce que... ?, Que** + inversion... ?

Qu'est-ce que tu bois au petit déjeuner?	
Que bois-tu au petit déjeuner?	*What do you drink at breakfast?*

Object of preposition: Preposition + **quoi est-ce que... ?**
Preposition + **quoi** + inversion... ?

Avec quoi est-ce qu'on boit du vin blanc?	
Avec quoi boit-on du vin blanc?	*With what do you drink white wine?*

➤ In French questions, the preposition must come first:
De quoi/qui... ?
À quoi/qui... ?
Avec quoi/qui... ?
Pour quoi/qui... ?

B. English questions of the form "What is (something)?" are expressed in two different ways in French, depending on the meaning:

1. If you are asking for a definition or explanation of an unfamiliar term, use **Qu'est-ce que c'est que... ?**

—**Qu'est-ce que c'est qu'**une aubergine?	*What's an eggplant?*
—C'est un gros légume à la peau violet foncé.	*It's a large vegetable with a dark purple skin.*

2. If you are asking someone to identify a particular item from a set of possible items, use **Quel(le) est... ?**

—**Quel est** ton dessert préféré?　　　*What's your favorite dessert?*
—C'est la tarte aux pêches.　　　　　　*Peach pie.*

Exercice 8 «Jeopardy»

Ex. 8. This exercise requires students to use *qu'est-ce que, qu'est-ce qui, quoi,* and *qui.* As a follow-up, students can ask and answer questions with a partner.

Trouvez et complétez la question qui correspond à chaque réponse.

MODÈLE:　des œufs et de l'huile →
　　　　　*Qu'est-ce qu'*on met dans une sauce mayonnaise?

1. le sel	a. _____ on prend quand on a très chaud?
2. les enfants	b. Avec _____ est-ce qu'on fait une omelette?
3. un dessert	c. _____ donne plus de goût aux aliments?
4. des œufs	d. _____ on met dans une bouillabaisse?
5. la dinde	e. Avec _____ est-ce qu'on sert du vin rouge?
6. de la viande rouge	f. _____ mange le plus de bonbons?
7. de la limonade	g. _____ on prend à la fin d'un bon dîner?
8. des toasts	h. Sur _____ est-ce qu'on met de la confiture?
9. des fruits de mer	i. _____ prépare les repas dans un restaurant?
10. le chef de cuisine	j. _____ est au four, le jour d'Action de grâce?

Exercice 9 Une soirée

Ex. 9. Remind students that verbs and verbal expressions with *de* will require *de quoi* in questions: *avoir besoin/envie/peur,* and *parler de.*

Les étudiants de Mme Martin arrivent chez Jacqueline pour une soirée. Voici les réponses de Jacqueline. Formulez les questions.

MODÈLE:　*Denise* n'est pas encore là. → Qui n'est pas encore là?

1. Louis doit venir *avec Daniel.*
2. J'ai fait *une mousse au chocolat.*
3. J'ai demandé *à Denise* d'apporter des chips.
4. Nous avons besoin *de glace et de verres.*
5. *Louis* a apporté des cassettes de musique acadienne.
6. Je voudrais parler *du film que nous avons vu hier.*
7. *Le café* sent si bon.
8. Raoul va amener *son camarade de chambre.*

Exercice 10 Questions gastronomiques

Ex. 10. This exercise requires the choice between *Qu'est-ce que c'est que... ?* and *Quel(le)est... ?*

Vous êtes au restaurant avec des amis français et vous parlez de la nourriture. Trouvez la question appropriée pour chaque réponse.

MODÈLES:　La spécialité d'Alsace, c'est la choucroute. → Quelle est la spécialité d'Alsace?
　　　　　Le calvados, c'est une liqueur faite de cidre. → Qu'est-ce que c'est que le calvados?

1. Les carottes sont mon légume favori.
2. Le plat du jour, c'est les coquilles Saint-Jacques.

7.5. Students will have little trouble with the concept of *être en train de* + infinitive, but will require input before they understand and can use it. Explain that this expression indicates that an action is going on at the time you are talking about. Before assigning, illustrate by asking what various well-known people are probably doing right now: *Tiens, il est 11 h 30. Nous sommes en classe. Moi, je suis en train de parler et vous, vous êtes en train de m'écouter, n'est-ce pas? Maintenant, imaginez le Président. Qu'est-ce qu'il est probablement en train de faire? Est-ce qu'il est en train de parler français ou est-ce qu'il est en train de parler avec ses ministres? Est-ce que Madonna est probablement en train de faire le ménage, ou est-ce qu'elle est en train d'apprendre une nouvelle chanson?* Ask also what members of students' families are doing right now, given the current time.

3. Une boulangerie, c'est un magasin où on ne vend que du pain.
4. La boisson que je préfère, c'est le lait.
5. Le meilleur type de café, c'est l'arabica.
6. Une mandarine, c'est une sorte de petite orange douce et parfumée.

7.5 Ongoing actions: ÊTRE EN TRAIN DE

➤ **je mange** = *I eat* or *I am eating*

A. As you know, the present tense in French (**je parle**) has several English equivalents, including the simple present (*I speak*) and the progressive present (*I am speaking*). Notice that where English uses the progressive present to indicate that an action is going on at the time of speaking, French generally uses just the simple present tense.

　　—Mme Martin est dans son bureau?　*Is Madame Martin in her office?*
　　—Oui. Elle **parle** avec Albert.　*Yes. She's speaking with Albert.*

➤ **je suis en train de manger** = *I am in the process of eating*

➤ **j'étais en train de manger** = *I was in the process of eating*

B. If you wish to emphasize that the action is going on as you are speaking, you can use the expression **être en train de** + infinitive.

　　—Tu vas payer l'addition, Charles?　*Are you going to pay the bill, Charles?*
　　—Oui, je **suis en train de** le **faire** maintenant.　*Yes, I'm doing it (right) now.*

Ex. 11. Use in class for input: *Qui est en train de goûter le vin? C'est Bernard ou Christine qui est en train de prendre un bain?*

Exercice 11 Qu'est-ce qu'ils sont en train de faire?

Pour chaque dessin, dites ce que Bernard et Christine sont en train de faire.

MODÈLE:　(Numéro 1.) Christine est en train de réserver une table.

Suggestions

arriver au restaurant
se baigner
bavarder avec leurs amis
commander leur dîner
entrer dans le restaurant
demander l'addition
s'habiller
goûter le vin
régler l'addition
retrouver leurs amis
rentrer chez eux après avoir laissé le pourboire

7.6. Before assigning, review *avant / après* with nouns: *Qu'est-ce que vous avez fait avant le cours aujourd'hui? après le cours hier?* Write a few preposition + noun examples on the board. Then use pictures of people as your context and ask questions: *Est-ce qu'il a passé sa commande avant de manger? Après avoir mangé, est-ce qu'il a laissé un pourboire?* Write examples on the board. Finally, using what you have written, call attention to the difference between *avant/après* + noun, and *avant de* + infinitive. Point out that *après* requires a past infinitive: *avoir/être* + past participle.

Grammaire et exercices | **253**

7.6 Ordering events: AVANT, APRÈS

A. The prepositions **avant** (*before*) and **après** (*after*) are often used with nouns to indicate the order of events.

> **Avant le dessert,** nous avons pris du fromage.
>
> *We had cheese before dessert.*
>
> Nous avons pris l'entrée **après la salade.**
>
> *We had the first course after the salad.*

Avant de... and après... are two examples of the fact that French generally uses infinitives after prepositions, whereas English more often uses gerunds (before going, after studying). Students usually have little difficulty with the *avant de* construction. However, they will probably not acquire the use of *après avoir/être...* until much later. This construction is included here mainly for recognition.

B. To express *before doing something*, use **avant de** followed by an infinitive.

> On casse les œufs **avant de faire** une omelette.
>
> *One breaks the eggs before making an omelet.*

➤ **avant de** + infinitive

C. To express *after doing something*, use **après** followed by a past infinitive. A past infinitive = **avoir** or **être** + past participle. With **être,** the past participle agrees with the understood subject.

> **Après avoir dîné** au restaurant chinois, nous sommes rentrés.
>
> *After eating at the Chinese restaurant, we went home.*
>
> **Après être allés** à l'épicerie, nous avons dû passer à la boulangerie.
>
> *After going to the grocery store, we had to go to the bakery.*

➤ Past infinitive:
avoir parlé
être sorti(e)(s)
➤ **après** + past infinitive

Exercice 12 Du monde à dîner

Vous invitez des amis à dîner chez vous. Dans quel ordre faites-vous les actions suivantes? Répondez avec **avant de** + infinitif.

Ex. 12. Answers may vary. Remind students that *avant de* is followed by an infinitive before you assign this exercise.

> MODÈLE: téléphoner aux amis/faire une liste des invités →
> Je fais une liste des invités avant de téléphoner aux amis.

1. inviter des amis / choisir un menu
2. faire les provisions / lire la recette
3. aller au supermarché / faire une liste
4. m'habiller pour la soirée / faire la cuisine
5. mettre la table / préparer le repas
6. servir le dessert / débarrasser la table (≠ mettre la table)

Exercice 13 Priorités

Que fait l'étudiant typique dans ces situations? Employez **après avoir/être** + un participe passé.

Ex. 13. Review the *après avoir* + past participle and *après être* + past participle constructions before assigning for homework.

> MODÈLE: passer des examens / étudier →
> Un étudiant typique passe des examens après avoir étudié.

1. finir ses devoirs / regarder la télé
2. aller en cours / étudier

3. lire des articles / écrire une thèse
4. regarder son manuel de laboratoire / écouter les cassettes
5. écrire une composition / réfléchir au sujet
6. répondre aux questions du prof / écouter les questions du prof
7. aller à la bibliothèque / aller prendre un café
8. se coucher / sortir pour voir un film

GOALS FOR *CHAPITRE 8*
In *Chapitre 8,* students talk about the Earth, its geographical features and its ecology. They explore both broad ecological issues and daily environmental concerns that can be affected by individual behavior. *Functional goals:* (1) Describe the geographical features of familiar countries or places; (2) Say what someone ought to do.

MISE EN TRAIN
1. Nature and names of countries. (1) Use your PF and realia such as travel brochures to introduce names of natural features (*falaise, fleuve...*) and adjectives like *montagneux.* In your input, discuss weather and activities one does in different settings. *Qu'est-ce qu'on peut faire dans une île tropicale? (nager...) Ce gros orage tropical, c'est un ouragan. Qui dans la classe a déjà vu un ouragan?* (2) Use prepositions with names of countries in your input: *En Suisse, vous allez trouver des glaciers. Y a-t-il des forêts au Canada?* (See *Vocabulaire/La géographie et la terre* for a basic list.)

AS 1. Show photos of countries and describe their physical features and climate, distributing photos to individuals as you talk. Later, recall them one by one: *Qui a la photo d'un pays qui est aussi un continent? Il a énormément de déserts et... ? Ah, Carole! Rendez-moi la photo d'Australie, s'il vous plaît.*

2. Ecology. Introduce the conditional of *devoir* (*ought/should*) and vocabulary for environmental concerns along with a review of terms related to nature: *On a pris cette photo au Brésil. C'est dans la plaine ou dans la jungle? Ces hommes sont en train d'abattre des arbres.* (Write *abattre* on board.) *Est-ce que c'est une bonne idée? Ça va jouer un rôle sur la couche d'ozone, peut-être?* (Write *couche d'ozone.*) *Est-ce que nous devrions sauvegarder la jungle de l'Amazone?* Discuss photos of both useful and poor ecological practices. Include common problems, such as recycling household trash, as well as larger world problems.

CHAPITRE 8

Parlons de la terre!

Une manifestation d'écologistes contre l'énergie nucléaire à Paris

Objectifs

IN **CHAPITRE 8,** *you will talk about geographical and ecological features of the Earth, and about environmental issues. You will learn more about the Francophone world and more about how to describe past time.*

activités

En France et ailleurs
Questions écologiques
Écologie humaine

lectures

Info: Société La France dans sa diversité
Les francophones sur le vif Yolande Madec
La langue en mouvement Mots raccourcis
Lecture La vie sauvage

grammaire

8.1 Expressing *all* and *everything:* Using **tout**

8.2 Expressing location, destination, and origin: Prepositions + place names

8.3 The verb **vivre**

8.4 Review of direct and indirect objects: More on object pronouns

8.5 Expressing *should:* More on **devoir**

8.6 What was going on: More on the imperfect

Activités et lectures

En France et ailleurs. (1) Review terms from *Mise en Train, Act. 1* (*falaise, colline, forêt...*) and add new words from the art. (2) As students look at the map, point out that France has a geographical diversity almost as complex as that of the United States. Ask what natural features one can find in various places: *Dans les Alpes, est-ce qu'on trouve des falaises? des dunes?* (3) Ask specific questions about the map: *Quelles montagnes se trouvent à la frontière entre la France et l'Espagne? Quelles villes sont situées près d'un fleuve? Quels sports est-ce qu'on fait dans les Gorges de l'Ardèche?* New vocabulary/place names: *colline, côte, dune, falaise, fleuve, forêt, golfe, gorge, marais, massif, mer, pin, rapides, rivière, sapin, volcan éteint.*

Attention! Étudier Grammaire 8.1 et 8.2

une forêt de sapins

AS 2. Show slides or photos of different regions in France to illustrate its geographical diversity. Point out that modern France is made up of many former small "states" that represent several different ethnic backgrounds and languages.

AS 3. Distribute travel brochures and tell students they are going to visit the country described in their brochure. Ask questions about what they are going to see and do there.

Ça fait penser. This information helps explain why France is a key country in the European Union. More information can be found at the Website maintained by the *Ministère des Affaires Étrangères.*

Ça fait penser

- La France est le pays le plus étendu de l'Europe occidentale. Elle a 3000 km de frontières maritimes, 1000 km de frontières montagneuses et 195 km de frontières fluviales.
- La France possède le sommet le plus élevé d'Europe occidentale et la principale forêt de l'Union européenne.

Act. 1. (whole class) Get class rather than individual responses to these questions. Afterward, you may wish to pair students to ask each other the questions. New vocabulary: *au bord de, se jeter, marécageux/marécageuse, sablonneux/sablonneuse, siège, se situer.*

AS 4. *Concours.* Using *Act. 1* as a model, partners prepare 5–7 questions about the map. Then change partners and take turns asking the questions. This can also be done as team competition.

Activité 1 Échanges: La carte de France

Regardez la carte et les dessins et répondez aux questions.

Comment s'appelle...

1. la capitale qui se situe aux bords de la Seine?
2. le terrain humide (marécageux) en Camargue?
3. la région sablonneuse avec des forêts de pins dans le sud-ouest?
4. le grand fleuve qui se jette dans la Manche?
5. la ville au Nord-Est, siège du Parlement européen?
6. la côte méditerranéenne près de Nice?
7. la région où on peut trouver des rapides et des falaises?
8. le fleuve qui commence dans les Alpes et descend vers la Méditerranée?
9. le large bras de mer formé par l'Atlantique entre la France et l'Angleterre?
10. les montagnes à la frontière de la France et de l'Espagne?

Info: Société. Students should locate the four *D.O.M. (Martinique, Guadeloupe, Guyane, Réunion)* and *T.O.M.* on maps. This text somewhat simplifies a complex situation, because there are technical differences between *T.O.M. (Wallis-et-Futuna, Polynésie française, Nouvelle-Calédonie)* and *collectivités territoriales* (Saint-Pierre-et-Miquelon) and *Mayotte).* Not mentioned are the *Terres Australes et Antarctiques Françaises (T.A.A.F.),* composed of small islands and a portion of Antarctica occupied only by scientific researchers. Point out the difference between francophone countries and *D.O.M.-T.O.M.,* which are fully French politically and administratively. French has been France's official language only since 1794, and was not spoken by all as a native language until after WWI. At present, 95% of families use French as their primary language; 2% use Arabic, and 1%, Portuguese. The regional languages cited here represent extremely small percentages of actual usage; the most widely spoken, Alsatian, is used in only 0.6% of French families. Still, the use of English and of languages from immigrant communities, especially Arabic, prompted a 1992 Constitutional amendment to make French the only official language of the republic.

Info: Société

La France dans sa diversité

Quand on parle de la France, on pense souvent à l'«Hexagone». En réalité, le territoire français est morcelé sur l'ensemble de la planète, avec ses départements et territoires d'outre-mer (D.O.M.-T.O.M.) et une île en Méditerranée, la Corse. La France est donc présente

- dans les Antilles (Martinique et Guadeloupe)
- dans l'océan Indien (Réunion et Mayotte)
- en Amérique du Nord (Saint-Pierre-et-Miquelon, Terre-Neuve)
- en Amérique du Sud (Guyane)
- dans le Pacifique (Wallis-et-Futuna, Polynésie française, Nouvelle-Calédonie)

Naturellement, le français y est langue officielle, mais on y parle aussi de nombreuses langues locales, comme le créole, le kanak et le swahili. Dans l'Hexagone, on ne parle pas uniquement français non plus, mais aussi breton, alsacien, basque, arabe ou occitan; de même, beaucoup de Corses s'expriment dans leur langue. L'unité française cache donc une grande diversité géographique, linguistique et culturelle.

Paul Gauguin (1848–1903), *Mahana Maa,* 1892

L'île de Tahiti, en Polynésie française (Pacifique sud), est l'un des plus célèbres territoires d'outre-mer.

Act. 2. (whole class) Read the definitions and ask students to identify the terms. Then encourage them to create other definitions for words like *forêt* and *rivière*. New vocabulary: *aboutir, cours d'eau, se déplacer, entouré(e), étendue.*

Activité 2 Définitions: Termes géographiques

_____ **1.** étendue de sable au bord de la mer

_____ **2.** cours d'eau important qui aboutit à la mer

_____ **3.** cours d'eau faible qui se jette dans un autre cours d'eau

_____ **4.** petit golfe

_____ **5.** étendue de terre entourée d'eau

_____ **6.** étendue de terrain couverte d'arbres

_____ **7.** grande masse de pierre dure

_____ **8.** accumulation de neige transformée en glace qui se déplace lentement

a. une falaise
b. un glacier
c. une plage
d. une île
e. un fleuve
f. une rivière
g. une forêt
h. une baie

Act. 3. (partners) Ask questions before students do the activity so that they can hear the pronunciation of the words and where the places are located. If possible, show pictures of the places as you do so. Follow up by encouraging students to ask questions about other places *(monter en haut de la statue de la Liberté)*. New vocabulary: cities/countries, *cadien(ne), canal, descente, palais, pays, profiter, pyramide, un souk (un marché arabe).*

Activité 3 Entretien: Voyages dans le monde

Dans quel pays et dans quelle ville est-ce qu'on peut faire les activités suivantes?

MODÈLE: visiter le Kremlin →
  É1: Où est-ce qu'on peut visiter le Kremlin?
  É2: À Moscou, en Russie.

1. visiter le musée du Prado

2. voir les pyramides et le Sphinx

3. faire une promenade en bateau sur le Grand Canal

4. écouter du bon jazz et goûter à la cuisine cadienne

5. visiter le Palais Impérial

6. voir le Parthénon

7. parler français en faisant une descente du St-Laurent

8. faire des achats dans un souk et visiter une kasbah

VILLES		PAYS	
à Montréal	à Casablanca	au Québec	au Maroc
à Athènes	à La Nouvelle-Orléans	en Égypte	en Grèce
au Caire	à Tokyo	en Espagne	en Italie
à Madrid	à Venise	aux États-Unis	au Japon

Act. 4. (whole class) (1) Read the descriptions aloud for students to identify the countries. (2) Help locate the countries on the maps in the front of the book and ask students to describe other countries they see on the maps for their classmates to guess. New vocabulary: *ancien(ne), archipel, désertique, détroit, fier/fière, moitié, neutralité, quart, superficie.*

Activité 4 Associations: Identifiez le pays

1. _____ Ce pays, de culture multi-ethnique et de langue portugaise, occupe la moitié de la superficie de l'Amérique du Sud.

2. _____ Cet état d'Asie orientale, l'ancienne Formose, est séparé de la Chine continentale par un détroit.

3. _____ Cette île, capitale de la Polynésie française, est située dans un archipel du Pacifique sud.

4. _____ Ce pays désertique, qui a un quart des réserves pétrolières du monde, se situe entre la mer Rouge et le golfe Persique.

a. l'Arabie saoudite
b. Taïwan
c. la Louisiane
d. Tahiti
e. la Suisse
f. le Brésil

5. _____ Au cœur de l'Europe, ce pays montagneux connu pour sa neutralité politique a quatre langues officielles.

6. _____ Cet état américain marécageux, traversé par un grand fleuve, est fier de son héritage français.

Activité 5 **Dans le monde francophone: Les Seychelles**

LES SEYCHELLES

« Je ne veux pas que vous alliez aux Seychelles. Ces 92 îles de rêve, éparpillées sur plus de 400 000 km² sont vraiment trop belles. Pas question de découvrir ces splendides plages, douces et chaudes, blotties sous les cocotiers. Jamais je ne vous laisserai vous prélasser dans les eaux turquoises de cet océan, à quelques degrés de l'équateur et ne comptez pas sur moi pour vous offrir un de ces savoureux punch coco dans la lumière dorée au coucher du soleil. Je vous interdis d'assister à la ponte des grandes tortues de mer, à l'Ile Curieuse ou de surprendre les oiseaux rares de Frégate. Je ne vous permets pas non plus d'explorer les fonds sous-marins d'une rare richesse de Desroches. Et que je ne vous surprenne pas sur une de ces vedettes puissantes qui vous emmènent à la pêche à l'espadon ou au marlin. Le grand Catamaran luxueux qui permet le mouillage dans les baies désertes n'est pas non plus pour vous. Et si j'apprends que les spécialistes VPS ont obtenu une petite île privée uniquement pour vous, je ne le supporterai pas ».
Certains peuvent croire que le paradis leur est réservé : Bienvenue aux Seychelles.

En conseillant de ne pas aller aux Seychelles, cette publicité donne justement envie d'y aller. Pourquoi? Lisez-la et décidez si les phrases sont vraies ou fausses.

1. Le climat de la région est doux et tropical.
2. On peut voir les grandes tortues de mer en train de pondre des œufs.
3. Il n'y a pas de plages, mais des forêts de cocotiers.
4. On peut observer des oiseaux rares.
5. Il est dangereux de faire des explorations sous-marines près des îles.
6. Le coucher du soleil est vraiment très beau.
7. Malgré la proximité de l'équateur, les eaux de l'océan sont froides.
8. On peut se baigner dans des baies désertes.

Allons plus loin! Avec d'autres étudiant(e)s, essayez la même formule. Créez une publicité «négative» pour un lieu qui vous plaît beaucoup, dans votre ville, votre état ou ailleurs.

Cliquez là!

Visitez les Seychelles. Qui habitait là avant l'arrivée des Européens? Quels pays ont colonisé ces îles?

Q UESTIONS ÉCOLOGIQUES

Attention! Étudier Grammaire 8.3 et 8.4

On peut contribuer au bon fonctionnement d'un écosystème.

Respect de la faune et du milieu naturel

Techniques de culture et d'élevage

Choix de variétés et de races

Santé des plantes et des animaux

Rotation des cultures

On peut interrompre le fonctionnement d'un écosystème.

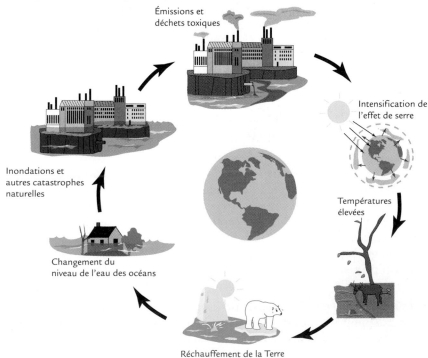

Émissions et déchets toxiques

Intensification de l'effet de serre

Inondations et autres catastrophes naturelles

Températures élevées

Changement du niveau de l'eau des océans

Réchauffement de la Terre

Questions écologiques. (1) Use the introductory statements to contrast the two drawings, a healthy ecosystem with people participating effectively, and a poorly managed industry that interrupts and causes harmful changes to an ecosystem. (2) Describe the farm scene using the terms given, explaining them as needed: *Cet agriculteur respecte la faune, n'est-ce pas? Est-ce qu'il a conservé l'habitat des animaux? Qu'est-ce qu'il a conservé? (les arbres...)* Then describe the second situation: *Et l'usine, elle aussi respecte les animaux et leur habitat?* Include frequent questions to review new vocabulary. (3) Next, ask students to imagine the reverse of each scene. *Qu'est-ce qui se passe si la ferme refuse de protéger la nature? Si les techniques ne sont pas bonnes, est-ce qu'il y a la possibilité d'érosion? Et l'habitat des animaux?... Et l'usine, est-ce qu'elle continue à produire des gaz toxiques?* New vocabulary: *culture, déchets toxiques, écosystème, effet de serre, élevage, faune, fonctionnement, inondation, interrompre, milieu naturel, niveau, race, réchauffement, santé, variété.*

AS 7. Ask students to think of more examples in which humans interact effectively with their environment, and others in which human intervention brings disruption.

Act. 6. (whole class; partners) Most of the words in the activity have close English cognates. Read the descriptions and ask choice questions so students will hear your pronunciation of the answers. Have students work in pairs, taking turns reading the description or giving the answer. Answers: a. 4, b. 8, c. 2, d. 9, e. 5, f. 6, g. 7, h. 1, i. 3. New vocabulary: *biodiversité, chaîne alimentaire, déséquilibré(e), écoproduit, espèce, être vivant, fabriqué(e), flore, gaz carbonique, génétique, milieu déterminé, respecter, valeur.*

Activité 6 Définitions: Termes écolos

Avec un(e) partenaire, cherchez la bonne définition pour chaque terme.

_____ **a.** un écosystème   _____ **d.** la faune   _____ **g.** un écoproduit
_____ **b.** la biodiversité   _____ **e.** la chaîne alimentaire   _____ **h.** la flore
_____ **c.** l'effet de serre   _____ **f.** les déchets   _____ **i.** l'écologie

1. monde des fleurs et des plantes
2. phénomène naturel, déséquilibré par un excès de gaz carbonique
3. étude des relations des êtres vivants avec leur environnement
4. interaction d'espèces vivantes et de leur environnement
5. relation nutritionnelle entre les êtres vivants d'un écosystème
6. débris sans valeur, restes de quelque chose
7. produit fabriqué de façon à respecter l'environnement
8. diversité des espèces vivantes et de leurs caractéristiques génétiques
9. ensemble des animaux qui vivent dans un milieu determiné

Activité 7 Discussion: Questions importantes

Dites si vous êtes d'accord ou non avec les opinions exprimées sur les pratiques suivantes. Ensuite, mettez-vous en groupes pour comparer vos réponses et vos raisons.

1. *La construction de quartiers résidentiels dans le désert*
   a. On utilise des terrains sans grande valeur.
   b. La création de jardins dans le désert donne de l'oxygène.
   c. Cela nous permet de loger plus de gens.
   d. -?-
2. *L'urbanisation des espaces ruraux autour des grandes villes*
   a. Cela nous permet de vivre loin des problèmes urbains.
   b. Ça va stimuler le développement des transports en commun.
   c. En détruisant les espaces ruraux, on détruit aussi des habitats.
   d. -?-
3. *Le drainage des zones humides au profit de l'agriculture*
   a. Il faut le faire, pour nourrir la population croissante.
   b. Cette pratique augmente le risque d'inondations.
   c. On peut éliminer les moustiques en détruisant leur habitat.
   d. -?-
4. *La construction de villas sur les versants de montagne*
   a. Cela peut provoquer des glissements de terrain.
   b. Les constructeurs contribuent à l'économie de la région.
   c. C'est une triomphe de la technologie moderne.
   d. -?-

Maintenant, c'est à vous!

Pourquoi pas?   Ça fait preuve de...
C'est une bonne idée.   C'est (dangereux, insensé...)

MODÈLE: → La construction dans le désert est contre l'environnement. Elle
            nécessite énormément d'eau.

Act. 7. (whole class; partners) (1) While you read each issue and the opinions about it, students should jot down their answers. This procedure allows you to explain unfamiliar terms or new ideas. (2) Students work as partners or in small groups. The discussion may take more time than usual, since many students are very interested in this topic. (3) Lead a follow-up discussion about what the class thinks. New vocabulary: *autour (de), détruire, drainage, espace rural, glissement de terrain, moustique, population croissante, prouesse, versant de la montagne, villa.*

AS 8. Historical perspective. In groups, students prepare a list of human actions that have changed the environment at any point in time. They can be ecologically useful or harmful. (*la chasse aux bisons pour leur peau, le chemin de fer qui a détruit le paysage naturel...*)

Ça fait penser. The statistics come from the Website of the *Ministère de l'Aménagement du Territoire et de l'Environnement.* Forestland is increasing because of commercial production of timber. France, like many other countries, is debating how to deal with increasing urban sprawl. A *hectare* equals approximately 2.7 acres.

Ça fait penser

En France...

- 38.000 hectares de la superficie rurale disparaissent sous la construction chaque année.
- Entre 1991 et 1997, les espaces agricoles ont diminué de 430.000 hectares.
- Entre 1991 et 1997, les forêts ont progressé de 150.000 hectares.
- 7 % des prairies disparaissent tous les cinq ans.

Act. 8. (whole class; partners) Give the quiz orally while students write the answers. Then partners compare their answers and arrive at a joint conclusion. Afterward, propose the answers below so students can verify theirs, and continue discussion. New vocabulary: *s'adapter, emballage ménager, introduit(e).*

Answers: (1) *Vrai; il fait germer certaines graines;* (2) *Faux; 75% s'évapore et retourne dans l'atmosphère;* (3) *Vrai; ils participent au processus d'évaporation;* (4) *Faux; pas toujours. Parfois, elles sont hostiles au système;* (5) *Vrai; elles laissent des particules dans l'atmosphère qui bloquent les rayons du soleil;* (6) *Vrai; ils contiennent un petit monde d'être vivants;* (7) *Vrai; énormément;* (8) *Vrai; mais nous l'augmentons par nos émissions toxiques.*

Activité 8 Sondage: Épreuve écolo

Testez vos connaissances écologiques. Dites si les phrases sont vraies (V) ou fausses (F). Ensuite, comparez vos réponses avec celles d'un(e) partenaire.

_____ **1.** Le feu peut être utile à la forêt.
_____ **2.** La forêt tropicale ne recycle pas l'eau de pluie.
_____ **3.** Les marais contribuent au cycle de l'eau.
_____ **4.** Un écosystème s'adapte toujours aux espèces introduites.
_____ **5.** Les éruptions volcaniques ont parfois un effet sur le climat.
_____ **6.** Un lac et une forêt sont des exemples d'écosystèmes.
_____ **7.** L'emballage ménager contribue beaucoup aux déchets.
_____ **8.** L'effet de serre est un phénomène naturel.

MODÈLE: É1: L'effet de serre est un phénomène naturel.
   É2: Mais non! Il est provoqué par certains déchets toxiques.
   É1: Mais si! C'est naturel. Mais...

Act. 9. (small groups; partners) Explain the situation and the choices, which are also being debated in the French government and elsewhere. This activity engenders much conversation and takes some time. Afterward, discuss the various ways items were ranked and determine if there was class consensus about any item. New vocabulary: *citoyen(ne), l'eau douce, gestion de la chasse, lutte, paysage, sauvetage.*

Activité 9 Discussion: Décisions écologiques

Vous êtes directeur d'une agence bénévole qui reçoit et distribue des milliards de francs pour la protection de l'environnement. Aujourd'hui, vous allez faire votre budget pour l'année prochaine. Voici les catégories. Décidez comment diviser l'argent dont vous disposez et justifiez vos choix.

_____% la protection des paysages, des plages et de la montagne
_____% la protection des sites historiques
_____% la gestion de la chasse et de la pêche en eau douce
_____% la préservation de la qualité de l'air
_____% la lutte contre l'effet de serre
_____% l'information des citoyens sur la pollution du bruit
_____% le sauvetage d'espèces en danger de disparition
_____% le développement de nouvelles sources d'énergie

Menacé, le moineau friquet, un petit piaf des campagnes. Au banc des accusés : les pesticides. Son cousin des villes, le moineau commun, ne se porte pas très bien non plus, surtout dans le nord de l'Europe.

Realia. Ask questions while students skim for answers: *Pourquoi est-ce que le moineau friquet est menacé? Est-ce qu'il y a d'autres oiseaux menacés? Comment s'appelle le moineau des villes? Est-il aussi menacé? À noter:* The singer Édith Piaf took the name of the *piaf* (*moineau commun*) because it is a tiny but plucky survivor on the Parisian streets.

Écologie humaine. This section focuses on how individuals can affect their environment. Activities include the *imparfait* for *used to* and *was doing*, and the conditional of *devoir* for *ought to, should.*

(1) (See *Mise en train, Act. 2.*) Show photos of ecological topics (traffic jams, piles of trash, recycle bins...): *Tous ces déchets! Qu'est-ce qu'il y a dans ce tas de détritus? (des bouteilles...)* *Pour avoir moins de déchets, qu'est-ce qu'on devrait faire?* (2) Describe the art scenes for students to identify, including frequent questions: *Qui ne recyclait pas ses journaux? (Marie) Et vous, est-ce que vous recyclez les journaux chez vous?* List ecological errors on the board as you talk. New vocabulary: *bruit domestique, couler, cultiver, détergent, gaspiller, herbe, phosphates, pollution.*

Attention! Étudier Grammaire 8.5 et 8.6

On ne devrait pas cultiver de l'herbe dans le désert.

Il est interdit de jeter les déchets par terre.

En ville, le bruit peut déranger les autres.

Jean-Yves a vu un film sur les fleuves.

Il s'est rendu compte qu'il contribuait à la pollution des eaux.

Il a acheté un détergent sans phosphates.

Activité 10 Interro: Transformations écologiques

Qu'est-ce qui a influencé ces personnes? Que faisaient-elles jusque-là? Qu'est-ce qu'elles ont fait après?

MODÈLE: É1: Qui a lu un article sur le jardinage naturel?
  É2: Francis Lasalle.
  É1: Que faisait Francis jusque-là?
  É2: Il se servait d'insecticides.

	LE MOMENT CLÉ	AVANT	LE RÉSULTAT
Francis Lasalle	a lu un article sur le jardinage naturel	se servait d'insecticides	a acheté des coccinelles pour son jardin
Marie Lasalle	a assisté à une conférence sur le recyclage	jetait tous ses déchets à la poubelle	a commencé à recycler les objets en verre et en plastique
Julien Leroux	a vu un film sur la réduction de la couche d'ozone	allait au travail en voiture	a décidé de prendre l'autobus
Emmanuel Colin	a appris que le bruit est une forme de pollution	écoutait sa radio au volume maximum	a baissé le volume de sa radio

Activité 11 Récit: Faux-pas écolos

Identifiez les erreurs que Raoul est en train de commettre et dites ce qu'il devrait faire pour ne pas contribuer à la dégradation de l'environnement.

MODÈLE: Il est en train de jeter une boîte en aluminium par terre. →
Il devrait recycler les objets en aluminium recyclable.

Faux-pas et habitudes écolos

- gaspiller l'eau
- laisser couler l'eau
- laisser les lampes allumées
- jeter les bouteilles en plastique
- trier les déchets
- réutiliser les sacs en plastique
- jeter des ordures par terre

- déposer les ordures dans une poubelle
- acheter des détergents sans phosphates
- utiliser les transports en commun
- faire du covoiturage
- se déplacer en vélo

> ### *Ça fait penser*
>
> Plus de 3/4 des Français jugent que les problèmes actuels d'environnement sont réellement préoccupants. Il y a 40.000 associations de défense de la nature et de l'environnement en France. Seulement 2 à 3 % de la population fait partie de ces associations.

Les francophones sur le vif. Since the 1990s, environmentalism has become influential in French political life. Although the right-leaning *Génération Écologie* (founded in 1990) has not fared well, the leftist *Verts* (founded in 1984) have scored several important electoral victories in national and European elections. The nomination of their leader, Dominique Voynet, to a ministerial position has also increased their visibility. Lately, major environmental issues have generated calls to action. 74% of the population is concentrated on barely 16% of the territory, mostly in cities,

266 | CHAPITRE 8 | Parlons de la terre!

where noise pollution is a serious issue: 9 million people (or about 15.6% of the population) live in areas exposed to noise levels above 65 decibels. Pollution from vehicle emissions now frequently reaches emergency levels in large cities on overcast days. There are continuing concerns about the dangers of nuclear energy (France has the world's highest density of nuclear plants), which produces over 80% of the country's electricity. Water-table contamination by nitrates has become particularly severe in some rural areas, such as Brittany, because of a growing number of pig farms.

LES FRANCOPHONES SUR LE VIF

Yolande Madec, 45 ans, propriétaire d'un magasin d'alimentation bio et membre des Verts,[1] Plougastel (Bretagne)

Pourquoi militez-vous dans une association de défense de l'environnement?

C'est évident, non? Regardez autour de vous: marées noires[2] sur la côte atlantique, pics de pollution de plus en plus fréquents dans les grandes villes, nitrates dans l'eau potable... et bien sûr nos 56 centrales nucléaires! Heureusement que les Français se rendent compte aujourd'hui que la préservation de la nature est une affaire sérieuse, depuis les succès électoraux des Verts. Nous voulons faire prendre conscience à nos concitoyens que l'écologie n'est pas une mode,[3] mais un mode de vie; il faut apprendre à recycler le verre, le plastique et le papier, à utiliser moins d'eau, à ne pas jeter d'ordures dans les parcs et sur les plages, à prendre les transports en commun, ou sa bicyclette pour se déplacer. C'est beaucoup d'efforts, mais notre belle planète en vaut la peine,[4] vous ne trouvez pas?

[1]parti politique des écologistes
[2]**marées...** versements de pétrole dans la mer
[3]*fad*
[4]**en...** mérite cet effort

Act. 12. (partners) Explain that students should compare life today with the way it was in the past. Go over the *modèle* with a volunteer or two, then assign the activity. New vocabulary: *atome, covoiturage, domaine, éclairé(e), essence, interdire, pareil, perpétuel(le)*; Idioms: *J'en ai marre!, On délire ou quoi?*

Activité 12 Échanges: Au milieu du XXᵉ siècle

Voici comment vivaient les Américains il y a 50 ans. Est-ce que la vie a changé depuis? Si oui, dites ce qui a provoqué le changement. Si non, expliquez votre avis.

MODÈLE: *Il y a 50 ans, on pensait très peu à conserver l'énergie.* →
    É1: Aujourd'hui, tout le monde en parle mais la situation n'a pas changé. Regarde ces grosses voitures, par exemple!
    É2: Peut-être. Pourtant, nous avons fait des progrès dans certains domaines. Par exemple...

Il y a 50 ans...

1. les voitures étaient grandes et consommaient beaucoup d'essence.
2. l'équipement ménager utilisait beaucoup d'électricité ou de gaz.
3. le covoiturage n'était pas une priorité.
4. on rêvait de créer une source perpétuelle d'énergie à partir de l'atome.
5. les rues n'étaient pas bien éclairées, sauf au centre-ville.
6. on utilisait très peu le vélo comme moyen de transport.
7. beaucoup de gens voyageaient en train et en autocar.
8. la plupart des familles possédaient seulement une voiture.
9. l'essence coûtait plus cher proportionnellement aux salaires.

Act. 13. (partners; small groups) Read the statements and have students jot down their own answers). Later, have partners or small groups discuss their answers. Assign *Allons plus loin!* to the same groups. New vocabulary: *embêtant(e), entretenir, hygiénique, saleté.*

Activité 13 Sondage: La vie en société

Voici des actes et des habitudes qui ont des effets sur notre environnement quotidien. Dites pourquoi chaque action est mal vue.

Suggestions

> C'est impoli.
> Ça peut mettre quelqu'un en danger.
> C'est mauvais pour l'environnement.
> C'est illégal.
> C'est embêtant mais pas grave.
> Ce n'est pas hygiénique.

AS 11. Divide students into groups of 2–3 and have them outline a set of punishments for offenders who commit environmental offenses such as writing on public buildings, throwing trash out of car windows, picking flowers in parks, etc.

1. utiliser son portable pendant qu'on conduit
2. laisser son chien faire des saletés sur le trottoir
3. refuser de recycler, malgré les règlements
4. fumer en présence d'un(e) malade
5. stationner sa voiture dans un espace interdit ou privé
6. faire des graffiti sur les murs des endroits publics
7. faire du bruit qui dérange ses voisins
8. jeter des déchets par terre
9. refuser d'entretenir sa maison
10. s'impatienter souvent et se disputer avec les autres

MODÈLE: conduire une petite distance →
C'est mauvais pour l'environnement de conduire quand on peut se déplacer à pied ou en vélo.

Allons plus loin! Pourquoi est-ce que ces actes sont gênants? Avec votre partenaire, ajoutez à la liste d'autres actions ou habitudes qui vous étonnent ou vous choquent même.

Ça fait penser

En France...

- chaque habitant produit en moyenne 352 kg d'ordures ménagères par an.
- le bruit qui touche le plus les gens provient de la circulation.
- chaque habitant consomme en moyenne 282 litres d'eau potable chaque année.

Ça fait penser. Ask factual questions about the statements, and whether they would be more or less true for the U.S. or students' country of origin.

La langue en mouvement

Mots raccourcis

Le mot *écolo*, forme abrégée d'*écologiste*, illustre un phénomène très fréquent en français courant: l'emploi de mots qui ont perdu leur dernière syllabe (ou leurs deux ou trois dernières syllabes). Par exemple, on entend souvent *foot, télé, aprèm, météo, fac* et *apparte*. Pour certains mots, la forme courte est devenue plus courante que la forme longue, comme dans *métro* (< *métropolitain*), *vélo* (< *vélocipède*) et *cinéma* (< *cinématographe*), qui devient en français courant *ciné*!

Activité 14 Discussion: Le rôle du planning

Vous êtes responsable de l'équipement pour la municipalité. Qu'est-ce que vous allez proposer au Conseil Municipal pour améliorer l'environnement dans votre ville et pour procurer plus d'emplois dans la région?

Les problèmes

- dépense excessive pour le ramassage des ordures ménagères
- détérioration du centre (trop de construction à l'extérieur de la ville)
- air malsain au centre-ville (circulation trop intense)
- manque de logements à prix modéré
- délinquance (parmi les adolescents)

Vos idées

1. création de plus de pistes pour cyclistes, de rues piétonnes, de transports en commun, de restaurants, de musées, de boutiques, de parcs...
2. règlements pour limiter toutes sortes de bruit...
3. primes pour l'architecture écologique et le développement d'écoproduits, d'écoemballage et d'écomarketing...
4. restauration des vieux quartiers...
5. amendes pour excès d'emballage, infraction aux lois du recyclage...
6. -?-

"J'aimerais que la terre ne devienne pas une poubelle." Richard, 6 ans

LECTURE

La vie sauvage

*L*e narrateur, quand il était enfant, habitait à la campagne. Il était fasciné par l'univers mystérieux de la rivière qui passait près de chez lui. Grâce à un jeune Bohémien,[1] Gatzo, il découvre les plaisirs de la vie sauvage quand ils vont camper ensemble sur une île au milieu de la rivière.

«C'est là que sera notre feu, a décidé Gatzo. Il y a du bois mort. Creusons[2] un four.»

On l'a creusé. Nous avons fait un tas de bois mort et de brindilles.[3]

«Et maintenant pêchons notre dîner», a ordonné Gatzo.

Il a armé deux lignes. J'étais novice dans l'art de pêcher. Il m'a enseigné. [...]

«Regarde-moi faire et tais-toi», m'a-t-il ordonné.

Rien ne bougeait. Pas un souffle sur les roseaux.[4] Pas un courant dans l'onde.[5] [...]

Gatzo a pris quatre éperlans et une loche.

Moi, un vairon.[6]

Dès lors[7] nous avons mené une vie passionnante. Nous avions dans nos mains la nourriture! Quelle nourriture! Car ce n'était pas là un aliment banal, acheté, préparé, offert par d'autres mains, mais notre nourriture à nous, celle

---

[1] un Rom, du peuple nomade originaire d'Europe centrale
[2] Faisons une cavité dans la terre
[3] petites branches
[4] plantes aquatiques
[5] l'eau (poétique)
[6] **éperlans...** types de poissons
[7] **Dès...** à partir de ce moment

Lecture. Pre-reading activity: Have students brainstorm from the following prompt. (Make sure they understand that *vous changer de* means "provide a different experience," not "change you.") *Imaginez que vous allez passer quelques jours à faire du camping au bord d'une rivière, dans un endroit sauvage, loin de la ville. Vous n'avez emporté que quelques instruments et outils de base, et peu de nourriture. Qu'est-ce que vous allez faire en priorité? Déterminez comment cette expérience va vous changer de votre vie normale.*

Background: Henri Bosco (1888– 1976), who lived mostly in and near Avignon, is known for a series of novels in which nature can be counted among the characters. Both mystical and sensual, Bosco's prose offers a vivid account of human lives in a complex relationship with nature. The challenging aspect of this reading lies in appreciating the emotional nuances in the boy's discovery of his bond with nature. Before this episode, the boy's experiences of nature had always been indirect; you may want to ask your students to scan the text for indications that all of this is very new to him. Gatzo, the gypsy boy, plays the essential role of initiator in the novel.

Allons plus loin! This activity focuses attention on the central importance of the four elements in the text. Ask what is associated with each element. Examples: *l'eau (la fraîcheur, le bleu et le vert, les poissons, les dauphins, les algues); la terre (la couleur marron, la stabilité, les fourmis, les serpents); l'air (les nuages, le bleu du ciel, les insectes, les oiseaux, la liberté); le feu (la chaleur, l'hiver, la fumée et l'odeur du bois, les dragons).* Students probably will come up with different associations from those in the text. You might distinguish between sensory and cognitive associations in their answers: for instance, water with "coolness" or "saltiness," and water with life.

AS 13. Composition. *Racontez une expérience personnelle de contact avec la nature (éléments, plantes, animaux...), en insistant sur les sensations (la vue, l'ouïe, l'odorat, le goût, le toucher) plutôt que sur les actes.*

que nous avions pêchée nous-mêmes, et qu'il nous fallait nettoyer, assaisonner,[8] cuire nous-mêmes.

Or, les pouvoirs secrets de cette nourriture donnent à celui qui la mange de miraculeuses facultés. Car elle unit sa vie à la nature. C'est pourquoi entre nous et les éléments naturels un merveilleux contact s'est établi aussitôt. L'eau, la terre, le feu et l'air nous ont été révélés.[9]

L'eau qui était devenue notre sol naturel: nous habitions sur l'eau; nous en tirions la vie.

La terre, à peu près invisible, mais qui tenait les eaux entre ses bras puissants.

L'air d'où viennent les vents, les oiseaux, les insectes.

L'air où les nuages circulent si légèrement. L'air paisible[10] et orageux. L'air où s'étendent la lumière et l'ombre. L'air où se forment les présages.

Le feu, enfin, sans quoi la nourriture est inhumaine. Le feu qui réchauffe[11] et rassure. Le feu qui fait le campement. Car sans le feu il manque un génie à la halte. Elle n'a plus de sens. Elle perd tout son charme; elle n'est plus une vraie halte, avec son repas chaud, ses causeries,[12] son loisir entre deux étapes, ses rêves et son sommeil bien protégé.

Jusqu'à ce jour, je ne connaissais pas le feu, le vrai feu, le feu de plein air. Je n'avais jamais vu que des feux apprivoisés,[13] des feux captifs [...] On les mesure, on les tue, on les ressuscite et, pour tout dire, on les avilit.[14] Ils sont uniquement utiles. Et si l'on pouvait s'en passer,[15] pour chauffer et cuire, on n'en verrait plus chez les hommes. Mais là, en plein vent, au milieu des roseaux et des saules, notre feu était vraiment le feu, le vieux feu des camps primitifs.

Adapté d'Henri Bosco, *L'Enfant et la rivière*. Paris, Gallimard, 1953.

[8]mettre du sel, du poivre, des épices
[9]< révélation
[10]tranquille
[11]donne de la chaleur

[12]discussions
[13]domestiqués
[14]dégrade
[15]**s'en**... vivre sans lui (le feu)

Avez-vous compris?

A. Dites qui a fait l'action dans chaque phrase: (a) Gatzo, (b) le narrateur, ou (c) les deux.

Qui...

_____ **1.** a trouvé un endroit où on pouvait faire un feu?
_____ **2.** a trouvé du bois mort et des brindilles pour faire le feu?
_____ **3.** a creusé un four dans la terre pour cuire les poissons?
_____ **4.** a pris seulement un poisson?
_____ **5.** a pris cinq poissons?
_____ **6.** a décidé que la nourriture qu'on attrape soi-même a des pouvoirs miraculeux?
_____ **7.** a apprécié le feu en plein air similaire à celui des camps primitifs?

B. Citations. Choisissez la meilleure interprétation.

1. Elle unit sa vie à la nature. (Elle = la nourriture au camp/sa vie = la vie de celui qui la mange)
   a. La nourriture cuite au feu de camp a des pouvoirs magiques.

    b. La nourriture qu'on attrape, qu'on prépare et qu'on mange en plein air crée un merveilleux contact avec la nature.

    c. Certaines personnes ont des facultés miraculeuses.

2. Nous en tirions la vie. (en = de l'eau)

    a. On ne peut pas vivre sans eau.

    b. Avant d'évoluer, nous vivions dans l'eau.

    c. L'eau offre le transport et la nourriture aux garçons.

3. Jusqu'à ce jour, je ne connaissais pas... le vrai feu...

    a. Il y a deux types de feu: celui de la vie moderne et celui du monde primitif.

    b. Dans leur camp, le feu semblait plus libre.

    c. En regardant leur feu, entouré de la nature, le narrateur avait l'impression de voir le feu pour la première fois.

À vous d'écrire

À vous d'écrire. (1) Explain the situation. Ask students to imagine a large African city in which one sees an international population and the influences of both the Western world and African traditions. What might they expect to see? to hear? Write ideas on the board as the class talks. (2) Composition: Students should describe a number of events that were occurring at a particular time in the past, using the *imparfait*. They should, in most cases, connect these with a completed action. Example: *J'ai pris une limonade à la terrasse d'un café et j'ai regardé autour de moi. Les conducteurs klaxonnaient, les gens marchaient vite, un homme qui portait des vêtements typiques des habitants des villages...*

Vous venez d'arriver à Dakar au Sénégal. Vous vous êtes promené(e) un peu et maintenant, vous écrivez à votre ami(e). Vous voudriez lui dépeindre une image très vive de ce que vous avez vu: des touristes avec leurs appareils photos, des vendeurs de fruits, des hommes d'affaires en costume traditionnel, des clients élégants dans les boutiques, une circulation intense dans les rues... Dans votre lettre, employez l'imparfait pour dire ce qui se passait autour de vous.

MODÈLE: *Cher (Chère)...*

Me voilà enfin, confortablement installé(e) dans ma chambre. Il me semble que je vais aimer Dakar. Je me suis promené(e) un peu cet après-midi. Il faisait un temps splendide. Il y avait des gens qui... Beaucoup de personnes...

Avec toutes mes amitiés,

www.mhhe.com/deuxmondes

À explorer: www.mhhe.com/deuxmondes/ pour obtenir plus d'informations sur les thèmes du chapitre.

Vidéothèque

Espace vidéo

Échanger une marchandise. Jacques a décidé d'utiliser seulement des produits écolos. Le voilà en train d'échanger un bloc de papier à lettres. Pourquoi veut-il rapporter le papier à lettres au magasin? Quelle est l'attitude du vendeur dans le magasin? Qu'est-ce que Jacques accepte à la place du papier à lettres?

Espace vidéo. Ask if students are conscious of ecological issues when they make purchases (*bombes aérosoles, papier...*) Use the *vidéothèque* to introduce the video segment for *Chapitre 8*. Suggestion: give a quiz on the questions in this activity or ask students to do them as written homework.

Vocabulaire

La géographie et la terre
Geography and the Earth

entouré(e) (de)	surrounded (by)
marécageux/ marécageuse	swampy
montagneux/ montagneuse	mountainous
sablonneux/ sablonneuse	sandy

la côte	the coast
un cours d'eau	a stream, river
un détroit	a strait
l'est (*m.*)	east
un état	a state
une falaise	a cliff
un fleuve	a river
une frontière	a border (*between states*)
un golfe	a gulf
se jeter	to flow into
la Manche	the English Channel
un marais	a swamp
le nord	north
l'ouest (*m.*)	west
la pierre	stone
un pin	a pine tree
une rivière	a stream, brook
un sapin	a fir tree
se situer	to be located
le sud	south
un volcan éteint	an extinct volcano

Mots apparentés: **un archipel, une baie, un désert, désertique, une dune, la faune, une forêt, un glacier, une île, une péninsule, une plaine, des rapides** (*m.*)**, un terrain, tropical(e)**

La nature et la production agricole
Nature and farming

une coccinelle	a ladybug
la culture	cultivation (*of crops*)
l'élevage (*m.*) (des bovins)	the raising (*of cattle*)
entretenir	to maintain
l'herbe (*f.*)	grass
le jardinage	gardening
un moustique	a mosquito

Mots apparentés: **agricole, cultiver**

Préoccupations environnementales
Environmental concerns

la chaîne alimentaire	the food chain
la couche d'ozone	the ozone layer
le déboisement de la forêt	clearing of forest land
la dégradation	deterioration
le drainage des zones humides	draining of wetlands
l'effet (*m.*) de serre	the greenhouse effect
l'emballage (*m.*) ménager	commercial packaging
une espèce introduite	an introduced species
les êtres (*m.*) vivants	living beings (creatures)
des déchets (*m.*) toxiques	toxic wastes
la gestion des ressources	resource management
un glissement de terre	a landslide
le niveau de l'eau	the water level
une population croissante	a growing population
le réchauffement de la Terre	global warming
le sauvetage des habitats	saving of habitats

Mots apparentés: **la biodiversité, la désertification, la détérioration, les écosystèmes** (*m.*)**, une éruption volcanique, la faune, la flore, les gaz** (*m.*) **carboniques, une inondation, les insecticides** (*m.*)**, le milieu naturel, les phosphates** (*m.*)**, la réduction d'émissions, l'urbanisation** (*f.*)

Responsabilités de l'individu
Personal responsibilities

améliorer	to improve, better
baisser le volume	to lower the volume

déranger   to disturb, bother
détruire   to destroy
embêtant(e)   annoying
gaspiller   to waste
gênant(e)   disturbing, embarrassing
interrompre   to interrupt
jeter des déchets   to toss out trash
laisser couler   to let flow
malsain(e)   unhealthy
trier les déchets   to sort trash

Mots apparentés: **s'adapter, la délinquance, déséquilibré(e), s'impatienter**

Solutions et buts écolos
Ecological solutions and goals

le covoiturage   carpooling
l'écoemballage (*m.*)   ecopackaging
un écoproduit   an ecoproduct
payer une amende   to pay a fine
une piste pour cyclistes   a bicycle path
une poubelle   a trashcan
une prime   a bonus

le ramassage des ordures   garbage collection
se rendre compte   to realize
une rue piétonne   pedestrian street only
un trottoir   a sidewalk

Mots apparentés: **l'écomarketing** (*m.*), **recycler, la restauration, un résultat, stimuler**

Mots et expressions utiles
Useful words and expressions

au profit de   to the advantage of
autour de   surrounding, around
Ça fait preuve...   That shows (proves) . . .
Ça suffit!   That's enough!
en comparaison (de)   in comparison (with)
J'en ai marre!   I've had enough! I'm fed up.
le moment clé   the key time
On délire ou quoi?   Are they crazy or what?
pourtant   however
sauf   except

Grammaire et exercices

8.1 Expressing *all* and *everything*: Using **TOUT**

8.1. This is a minor grammar point, but both the pronoun and adjective are used very frequently by students and they constantly make errors in this form. Also, especially when writing, students frequently use *toutes les choses* where *tout* is appropriate. Before assigning, review gender agreement with *tout* + noun. Write on the board and complete: _____ *le week-end*, _____ *la journée*, _____ *les mois* and _____ *les années*. For invariable *tout* + verb, ask students to imagine an ideal place: *Tout est calme, tout est tranquille, tout va bien...* See if students can think of a few more examples.

ES 1. For extra practice with forms of *tout*, have students complete the following from the board or a transparency: *la classe = toute la classe.* Suggestions: *les cours, le temps, les jours, le monde, les étudiants, mes amis, mes amies, mes frères, mes sœurs, ma dissertation, mon travail.*

ES 2. Contrast *tout* and *tout le monde* (everything/everybody). Ask students to think of a day when all is well, then of a different day when all goes wrong: *Tout va bien, tout est simple, tout le monde est content, tout le monde est de bonne humeur, tout le monde s'entend... Tout va mal, tout est difficile, tout le monde est de mauvaise humeur, tout le monde s'entend mal.*

Tout can be used as an adjective or as a pronoun.

A. As an adjective, **tout** corresponds to *all* or *the whole* in English. It agrees in gender and number with the word it modifies: **tout, toute, tous, toutes.**

Tout le problème de la pollution est dû à des facteurs économiques.	*The whole problem of pollution is due to economic factors.*
Tous les pays du monde sont touchés par la pollution.	*All the countries of the world are affected by pollution.*
On trouve **toutes** sortes de paysages en France.	*One finds all kinds of landscapes in France.*

Pronunciation Hint:

tou~~t~~, tout~~e~~, tou~~s~~, tout~~es~~

B. As a pronoun, **tout** corresponds to *everything* in English. It is invariable in form.

Aujourd'hui **tout** va mal.	*Today everything is going badly.*
Tu as **tout** vu à Paris?	*Did you see everything in Paris?*

Exercice 1 Connaissances géographiques

Complétez la phrase avec **tout, tous, toute** ou **toutes.** Ensuite, dites si c'est vrai, et justifiez votre réponse.

> MODÈLE: *Tous* les habitants de la France ont le français comme première langue. →
> Non, ce n'est pas vrai. Il y a des habitants en France qui parlent d'autres langues, comme l'arabe ou l'alsacien.

1. _____ la France est couverte de montagnes.
2. _____ les départements français se trouvent dans l'Hexagone.
3. _____ les forêts (*f.*) de France ont déjà été détruites.
4. _____ les fleuves (*m.*) de France se jettent dans l'Atlantique.
5. _____ les côtes (*f.*) de France sont sauvages.
6. _____ la planète est menacée par la pollution et ses effets.
7. _____ l'argent (*m.*) du monde ne peut pas recréer une espèce perdue.

8.2 Expressing location, destination, and origin: PREPOSITIONS + PLACE NAMES

A. Cities. Use **à** (*to, at, in*) and **de** (*from*) with names of cities.

> Cities: Use **à** and **de**.

Agnès Rouet habite **à Paris.**   *Agnès Rouet lives in Paris.*
Julien Leroux vient **de Bruxelles.**   *Julien Leroux comes from Brussels.*

B. Continents, Countries, and Provinces. The preposition used depends on whether the name is masculine, feminine, or plural. In general, names of continents, countries, and provinces that end in **-e** are feminine, and all others are masculine: **la Tunisie, l'Égypte, la Côte-d'Ivoire; le Maroc, le Danemark, le Québec.** (Exception: **le Mexique.**) A few place names are plural: **les États-Unis, les Pays-Bas.**

> Countries:
>   **en/de** + fem.
>   **au/du** + masc.

> Most country names ending in **-e** are feminine. To check gender, see the maps in the front of this book. **Shortcut:** If country names start with a vowel or end in **-e**, use **en/de**. Otherwise, use **au/du**. **Exception: le Mexique**

	all feminines, masculines starting with a vowel	other masculines	plural
in, to	**en** Suède, **en** Iran	**au** Canada	**aux** États-Unis
from	**de** France, **d'**Israël	**du** Sénégal	**des** États-Unis

PREPOSITIONS WITH COUNTRIES, CONTINENTS, AND PROVINCES

8.2. This section is included mainly for reference. At this point, students should realize that there is considerable variation, that place names have gender, and that many take an article. They should also acquire common combinations as set expressions (*des États-Unis, en France, au Canada*). Use choice questions to review *en, au,* and *aux* + names of countries/states: *Pour visiter Genève, est-ce qu'on va en Belgique ou en Suisse? Est-ce que le Taj Mahal se trouve au Pakistan ou en Inde?* For cities: *En Russie, est-ce que vous pouvez aller à Moscou ou à Prague?* To review *de, du,* and *des* + countries/states, use nationalities: *D'où viennent les Ivoiriens, du Sénégal ou de Côte-d'Ivoire? Est-ce que les Navajos habitent au Canada ou aux États-Unis?*

Nous allons **en Allemagne** et **au Luxembourg.**   *We're going to Germany and Luxemburg.*
Leila vient **de Tunisie**, et son mari vient **du Maroc.**   *Leila comes from Tunisia, and her husband comes from Morocco.*
Julien est rentré **des États-Unis** hier.   *Julien came back from the U.S. yesterday.*

C. U.S. States. Most states are masculine because their names do not end in **-e:** **le Connecticut, le Kentucky, le Maryland,** etc. (Exception: **le Maine**). Nine states change their spelling in French and thus become feminine: **la Californie, la Caroline du Nord et du Sud, la Floride, la Géorgie, la Louisiane, la Pennsylvanie, la Virginie, la Virginie-Occidentale.**

> U.S. states:
>   **en/de** + fem.
>   **dans le/du** + masc.

With feminine names, use **en** and **de** as previously explained: **en Californie; de Louisiane.** Likewise, masculine names take **du (de l')**, but **dans le** is usually preferred to **au: dans le Michigan, dans l'Ohio; du Texas, de l'Iowa.**

ES 3. List a few continents, countries, and states on the board. Ask students to name related places and write them under these names, in columns: *l' Afrique / le Congo, le Sénégal; la Louisiane / La Nouvelle-Orléans, Baton Rouge; l'Angleterre: Londres/ Brighton.* Then have partners ask and answer questions following this model:—*Tu vas en Amérique du Sud?*—*Oui, je vais en Argentine.*

Exercice 2 Tour de France

Vous allez visiter la France et vous décrivez votre itinéraire. Suivez le modèle.

MODÈLE: (Paris) → Je vais d'abord à Paris, en Île-de-France. (Reims) → De Paris, je vais à Reims, en Champagne.

Ex. 2. This exercise practices *à* and *de* with cities, and *en/au* with provinces. Remind students that the same rules usually apply for provinces as for continents, countries, and states.

1. Strasbourg (Alsace)
2. Dijon (Bourgogne)
3. Grenoble (Savoie)
4. Arles (Provence)

5. Carcassonne (le Languedoc)
6. La Rochelle (le Poitou)
7. Tours (Loire)

Exercice 3 Le tour du monde

Ex. 3. Students will practice *en/au* + names of countries and continents. This exercise can be used for partner practice. Later, you might modify by asking them to say where they are coming from: *Tu vas en Amérique du Sud?—Oui, et je viens du Portugal.*

Posez des questions à un jeune globe-trotter. Donnez aussi ses réponses.

MODÈLE: l'Amérique du Sud/le Pérou →
            —Est-ce que tu vas en Amérique du Sud?
            —Oui, je vais au Pérou.

1. l'Europe/le Portugal et l'Espagne
2. l'Asie/la Chine et l'Inde
3. l'Afrique/la Côte-d'Ivoire et le Sénégal
4. l'Afrique du Nord/la Tunisie et le Maroc
5. la Louisiane/Baton Rouge et La Nouvelle-Orléans
6. le Canada/Montréal et Toronto
7. l'Amérique du Sud/le Brésil et l'Argentine
8. l'Amérique du Nord/les États-Unis: la Californie et le Texas

Exercice 4 Le marché international

Ex. 4. Students practice *de/du/des* + names of countries. If done in class, you might modify the exercise by using the question *Où est-ce que je dois aller pour... ? Où est-ce que je dois aller pour manger du jambalaya?—Tu dois aller en Louisiane, aux États-Unis.*

Savez-vous de quels pays viennent les produits et les aliments suivants?

MODÈLES: les stylos Waterman →
             D'où viennent les stylos Waterman?
             Les stylos Waterman viennent de France.

             le sushi →
             D'où vient le sushi?
             Le sushi vient du Japon.

1. les Volkswagens
2. les appareils Sony
3. le jambalaya
4. les vins de Bourgogne
5. les enchiladas et les tacos
6. le cappuccino
7. les Cadillacs
8. le sucre d'érable

8.3 THE VERB VIVRE

 Review **Grammaire 6.1.**

The verb **vivre** is irregular but is similar to **écrire** in the present and imperfect. Like **vivre: survivre (à)** (*to survive*).

vivre (*to live*)	
je **vis**	nous **vivons**
tu **vis**	vous **vivez**
il/elle/on **vit**	ils/elles **vivent**
PASSÉ COMPOSÉ: **j'ai vécu**	
IMPARFAIT: **je vivais**	

➤ **Vivre** has two present stems: plural stem = **viv**; singular stem = **vi-**
➤ Singular endings in present: **-s, -s, -t**
➤ Irregular past participle: contrast: **j'ai écrit,** but **j'ai vécu.**

8.3. The main "peculiarity" of *vivre* is its past participle (*vécu*).

Je **vis** à La Nouvelle-Orléans depuis dix ans.

Mes parents **vivaient** à Toronto quand je suis né.

L'accident était horrible, mais miraculeusement, tout le monde **a survécu.**

I've been living in New Orleans for ten years.

My parents were living in Toronto when I was born.

The accident was horrible, but miraculously, everyone survived.

Exercice 5 Les oiseaux et l'environnement

Employez une des formes de **vivre** ou **survivre.**

Il y a près de 9.000 espèces d'oiseaux qui _____[1] dans le monde. Chaque espèce _____[2] dans un milieu particulier. Par exemple, les pics,* oiseaux à becs longs, pointus et solides, _____[3] dans les forêts. L'aigle royal _____[4] en haute montagne, dans les Alpes et les Pyrénées. Le flamant rose, grand oiseau au long cou, ne peut _____[5] qu'au bord de lacs salés peu profonds.

Toutes ces espèces _____[6] (*passé composé*) dans une paix relative jusqu'à récemment. Mais aujourd'hui, celles qui _____[7] (*p.c.*) sont souvent menacées par la destruction de leur habitat ou la pollution des eaux. Pourtant, certaines espèces se sont bien adaptées au milieu humain. Par exemple, la cigogne† blanche, qui autrefois _____[8] (*imparfait*) exclusivement dans les rochers ou les arbres, aujourd'hui construit souvent ses nids énormes sur des toits de maison, surtout en Alsace.

Puisque nous _____[9] tous sur la même planète, nous devrions tous aider à protéger ces belles créatures à plumes.

8.4 Review of direct and indirect objects: MORE ON OBJECT PRONOUNS

A. Me, te, nous, and **vous** are used as both direct and indirect objects. The remaining forms, however, are different for direct and indirect objects.

✶ Review **Grammaire 4.5** *and* **6.5.**

---

*woodpeckers
†stork

8.4. This section is intended to review the difference between the object pronouns *le/la/les* and *lui/leur*. Remind students that it is important to learn prepositions with new verbs, and that *lui/leur* = *à* + name(s) of person(s). Point out that two object pronouns can occur in the same sentence and that when this is the case, the third-person direct object pronoun precedes the third-person indirect object pronoun. (For more information, see *Grammaire 10.4*.)

DIRECT OBJECTS	INDIRECT OBJECTS
le (l')	lui
la (l')	leur
les	

B. Remember that in French, a direct object will have no preposition before it, whereas an indirect object is preceded by **à**.

➤ A direct object has *no* preposition: verb + noun. **J'adore** *les oiseaux.*

DIRECT OBJECT

J'ai beaucoup aimé **ce film.** → *I really liked that film.*
Je l'ai beaucoup aimé. *I really liked it.*

➤ An indirect object is preceded by **à**: verb + **à** + noun. **Je parle** *à mon chat.*

INDIRECT OBJECT

Christine écrit souvent **à ses parents.** → *Christine often writes to her parents.*
Elle **leur** écrit souvent. *She often writes to them.*

C. The kind of object a French verb takes is not necessarily the same as that for the corresponding English verb. Some French verbs require prepositions where their English counterparts do not, and vice versa.

➤ D.O.: **J'écoute** *les oiseaux.*
I.O.: **Je ressemble** *à ma mère.*

DIRECT OBJECTS IN FRENCH

attendre *to wait for*
chercher *to look for*
écouter *to listen to*
regarder *to look at*

INDIRECT OBJECTS IN FRENCH

obéir à *to obey*
plaire à *to please*
répondre à *to answer*
ressembler à *to resemble*
téléphoner à *to telephone*

D. Many verbs can be used with both a direct and an indirect object.

➤ **Le/la/les** come before **lui/leur**.

—Camille, montre **ton dessin à papa.** *Camille, show your drawing to Daddy.*
—Je ne veux pas **le lui** montrer. *I don't want to show it to him.*

✶ *You will learn more about the order of object pronouns in* **Grammaire 10.4.**

Some other verbs that often occur with two pronoun objects: **apporter, dire, donner, emprunter, expliquer, montrer,** and **prêter.**

Exercice 6 Questions pour un(e) militant(e)

Ex. 6. Students need to pay close attention to whether the verbs take a preposition before an object. After they have done the homework, this can be used for partner practice.

Vous interviewez un(e) militant(e) pour l'environnement. D'abord, complétez la question avec la préposition **à**, si nécessaire, sans oublier de faire les contractions nécessaires. Puis jouez le rôle de l'activiste et répondez avec le pronom correct.

MODÈLE: Expliquez-vous ___à___ vos amis les causes des problèmes écologiques?
Oui, je leur explique les causes des problèmes.

1. Allez-vous écrire _____ cette compagnie qui construit un cinéma à quatorze salles en pleine campagne?
2. Écoutez-vous _____ les gens qui disent que le trou dans l'ozone ne pose pas de vrai danger?

3. Téléphonez-vous toutes les semaines _____ vos représentants dans le gouvernement?
4. Regardez-vous _____ les documentaires sur la nature à la télévision?
5. Que voudriez-vous dire _____ une personne qui ne fait rien pour sauvegarder l'environnement?
6. Donnez-vous de l'argent _____ les associations qui luttent pour la protection des espèces en danger?

Exercice 7 Décisions environnementales

Vous êtes président (présidente) et aujourd'hui, vous considérez des demandes qui vont avoir un effet sur l'environnement. Quelle décision prenez-vous dans chaque cas?

MODÈLE: Une industrie d'exploitation agricole voudrait la permission de drainer des zones humides importantes. (donner) →
Je la lui donne. (Je ne la lui donne pas.)

1. Un entrepreneur demande la permission exception pour construire dans une zone protégée. (donner)
2. Les membres d'un club écologiste cherchent les noms de compagnies qui construisent avec des produits naturels. (envoyer)
3. Une femme voudrait votre signature sur sa pétition pour sauver les oiseaux en danger. (promettre)
4. Les élèves d'une école primaire demandent un centre de recyclage dans leur quartier. (accorder)
5. Une industrie demande un brevet* d'invention pour un plastique qui se décompose en matière organique. (donner)

8.5 Expressing *should:* MORE ON **devoir**

A. You already know that the present tense of **devoir** is used with an infinitive to express obligation or probability.

Est-ce que nous **devons** finir le chapitre pour demain?

Do we have to finish the chapter for tomorrow?

Albert est absent. Il **doit** être malade aujourd'hui.

Albert is absent. He must be sick today.

B. One of the most frequent uses of **devoir** is to convey the notion of *should or ought to.* To express *should,* use **devoir** in the conditional tense + an infinitive.

➤ **je dois + inf.** = *I must*
je devrais + inf. = *I should*

➤ Notice that conditional endings are the same as for **imparfait.**

➤ Conditional stem of **devoir = devr-**

CONDITIONAL OF **devoir** (*should, ought to*)	
je devrais	nous devrions
tu devrais	vous devriez
il/elle/on devrait	ils/elles devraient

---
*patent

✳ *You will learn more about the conditional tense in* **Grammaire 11.1.**

On **devrait** recycler les boîtes en aluminium.

Nous **ne devrions pas** gaspiller l'électricité.

People should recycle aluminum cans.

We shouldn't waste electricity.

Ex. 8. This exercise practices all forms of the conditional of *devoir*. After students have prepared and checked their answers at home, have them discuss their views in pairs or small groups for additional input.

Exercice 8 Qu'est-ce que nous devrions faire?

Complétez par des formes de **devoir** au conditionnel. Ensuite, dites **oui** ou **non** et expliquez votre opinion.

MODÈLE: Pour conserver les ressources naturelles...
Nous *devrions* recycler les journaux et les magazines.
Oui, je suis d'accord, parce que c'est vraiment facile. (Non, je ne suis pas d'accord: il faut surtout en consommer moins.)

1. Pour aider à diminuer la pollution de l'air...
   a. nous _____ limiter les émissions toxiques.
   b. je _____ marcher ou prendre les transports en commun.
2. Pour éviter de gaspiller de l'eau...
   a. je ne _____ pas laisser couler l'eau quand je me brosse les dents.
   b. les gens ne _____ pas arroser leur jardin tous les jours.
3. Pour diminuer la contamination de la terre et des eaux...
   a. les agriculteurs ne _____ pas se servir d'insecticides.
   b. nous _____ acheter des détergents sans phosphates.
4. Pour résoudre le problème des déchets...
   a. tout le monde _____ trier les déchets et recycler.
   b. le gouvernement _____ limiter l'usage du plastique.

8.6. Up to this point, we have emphasized the imperfect to describe habitual past actions and past states. We now introduce the function of describing past ongoing actions, simultaneous actions (*je lisais pendant que Denise écrivait une lettre*), and an ongoing action interrupted by another action (*je mangeais quand le téléphone a sonné*). This section includes a comparison and summary of the basic uses of the *imparfait* and the *passé composé*. However, the explanation of the *imparfait/passé composé* contrast is only begun in this chapter. The two tenses are still largely treated separately at this point. In *Grammaire 12.5*, we focus on the ways in which the two tenses interact in a connected narration (background versus main story line).

8.6 What was going on: MORE ON THE IMPERFECT

✳ *Review the formation of the imperfect in* **Grammaire 6.2.**

✳ *Review* **Grammaire 6.2** *on the use of the imperfect to describe habitual past actions.*

✳ *Review* **Grammaire 6.3** *on the use of the imperfect to describe a past state.*

➤ The imperfect is used to describe a past action in progress.

The **passé composé** and the **imparfait** are both past tenses. The tense you use depends on how you regard the past action, for instance, as a single completed action or as an ongoing situation in the past.

A. *Habitual* or *repeated past actions* are expressed with the **imparfait.** Adverbs that often occur with the **imparfait: souvent, d'habitude, tous les jours, tous les ans.**

Autrefois, les gens **jetaient** tous leurs déchets. On ne **recyclait** rien.

In the past, people used to throw away all their trash. They didn't recycle anything.

B. A *past state* or *ongoing condition* is also described with the **imparfait.**

Autrefois, nous ne **savions** pas que beaucoup de produits ordinaires **étaient** toxiques.

In the past, we didn't know that many everyday products were toxic.

C. Another use of the **imparfait** is to describe an action that was *in progress* at a particular time in the past.

> Quand j'ai visité la classe de mon frère, le professeur **parlait** de l'écologie et les élèves **faisaient** des projets sur l'environnement.

> *When I visited my brother's class, the teacher was talking about ecology and the pupils were doing projects on the environment.*

Pendant que (*while*) may be used to emphasize that several actions were happening simultaneously.

> **Pendant qu'**on **utilisait** des produits pleins de phosphates, les algues **se multipliaient** dans les mers.

> *While people were using products full of phosphates, algae were multiplying in the seas.*

D. The **passé composé** presents an action as *a single event*, completed at one time in the past. Adverbs that often occur with the **passé composé: puis, ensuite, soudain, tout à coup** (*all at once*).

> Les astronomes **ont découvert** un trou dans la couche d'ozone.
> Soudain, tout le monde **a commencé** à s'inquiéter.

> *Astronomers discovered a hole in the ozone layer.*
> *Suddenly, everyone began to worry.*

E. The **imparfait** and **passé composé** are often used together to describe what was going on **(imparfait)** when something else happened **(passé composé).**

> Je **lisais** un article sur l'écologie quand les lumières **se sont éteintes.**
> Je **cherchais** des bougies quand les enfants **ont commencé** à pleurer.

> *I was reading an article on ecology when the lights went out.*
> *I was looking for some candles when the kids started crying.*

★ Review **Grammaire 6.8** on the use of the **passé composé** to present a single past action.

ES 5. Review ongoing past actions by presenting scenarios and asking students what they thought was going on: *Je suis allé(e) au restaurant samedi dernier. Imaginez la situation. Quand j'y suis entré(e), qu'est-ce qui se passait? Que faisaient les autres clients? Est-ce qu'ils mangeaient?* Encourage students to add verbs: *Et que faisaient les serveurs? les personnes qui travaillaient dans la cuisine?*

ES 6. Tell students you "saw" them in different places and ask what they were doing there: *Je vous ai vu(e) au cinéma. Que faisiez-vous au cinéma? Je regardais/mangeais/buvais...* Suggestions: *à la bibliothèque, au restau, dans une boîte, dans un grand magasin, à la pharmacie.*

ES 7. Distribute photos of action verbs to all students and have them use the verbs as their excuse for missing class last week: *Alors, Joe, vous étiez absent mercredi dernier. Pourquoi? Je faisais du camping au bord du lac.* Review often: *Qui a séché jeudi parce qu'elle...? Pourquoi est-ce que Joe était absent...?* Variation: Tell individual students to imagine that they have recently heard about amazing events and ask them what they were doing at the time they learned about the events: *On a annoncé à la radio qu'Elvis n'était pas mort. Moi, je lisais une bande dessinée quand on a annoncé...*

SUMMARY OF PAST TENSE USES	IMPARFAIT	PASSÉ COMPOSÉ
Habitual past action	Autrefois, on **jetait** tout à la poubelle.	
Single past action		Finalement, on **a compris** la nécessité de conserver les ressources naturelles.
Description of past state	Il y a trente ans, il n'y **avait** pas de centres de recyclage.	
Past action in progress	Il y a vingt ans, on **commençait** à trier les déchets pour les recycler.	
Ongoing past action + interrupting action	Je **vivais** en France...	... au moment où la centrale nucléaire de Tchernobyl **a explosé.**

Ex. 9. This requires *imparfait* forms only to describe an ongoing situation. For further input, you might discuss other real or imaginary historic times: *l'époque de Napoléon, l'an 3150,* etc.

Exercice 9 Science-fiction ou possibilité?

C'est l'an 3050 et un grand-père et sa petite-fille discutent la question suivante: *Qu'est-ce que c'est qu'un arbre?* Changez les verbes à l'imparfait.

MODÈLE: Les arbres (couvrir) la terre. →
Les arbres couvraient la terre.

1. Beaucoup d'animaux (vivre) dans les arbres.
2. Les arbres (empêcher) l'érosion.
3. Ils (émettre) de l'oxygène.
4. Les enfants (monter) dans les arbres.
5. Les gens (pique-niquer) sous leurs branches.
6. Tout le monde les (trouver) très beaux.
7. Mais les arbres n'(être) pas appréciés.
8. Les gens ne (comprendre) pas leur importance.

Ex. 10. Students will need to use the *imparfait* and the *passé composé* only in a fixed pattern.

Exercice 10 Panne d'électricité

Chez les Colin, chacun s'occupait à sa façon un dimanche soir, quand il y a eu une panne d'électricité. Conjuguez les verbes au temps approprié (**imparfait** ou **passé composé**).

MODÈLE: Joël *lisait* (lire) des bandes dessinées, quand la lumière *s'est éteinte* (s'éteindre).

1. Marise _____ (faire) la vaisselle quand le lave-vaisselle _____ (s'arrêter).
2. Victor _____ (envoyer) du courrier électronique à un ami canadien quand son ordinateur _____ (s'éteindre).
3. Claudine _____ (écouter) les informations quand tout à coup elle n' _____ plus rien _____ (entendre).
4. Emmanuel _____ (parler) au téléphone quand la communication _____ (être) coupée.
5. Clarisse _____ (écouter) une symphonie de Beethoven quand la cassette _____ (s'arrêter).

GOALS FOR *CHAPITRE 9*
In *Chapitre 9,* students begin to acquire future tense forms and talk about preparing themselves for the future. Primary topics include the education system, all types of employment and work conditions, and ways to achieve success. *Functional goals:* (1) Say what will be the outcome of a decision, a situation, or an action; (2) Describe your work skills and experience.

MISE EN TRAIN
1. **Student life.** Use personal photos/slides to relate your undergraduate experience. Include terms like *s'inscrire, faire des études en alternance, payer les frais,* etc. (See *Vocabulaire, Chapitre 9.*) Alternatively, use a series of PF photos to roughly depict a fictional student. Specific events need not be shown; simply show the person at the time and say what

happened: *Voici Alicia au moment où elle a posé sa candidature à l'université _____. Elle a l'air un peu stressée, n'est-ce pas? Il y avait beaucoup de candidats. Mais elle a été acceptée et elle a même reçu une bourse...* List terms on the board and review the photos often, using the words you associated with them.

2. **Jobs and careers.** Use your PF to introduce names of jobs at all levels. Discuss what each job entails, the knowledge, skills, and personal qualities it requires, its advantages, disadvantages, etc.: *Cette femme est agent de voyages. Elle travaille dans une agence de voyages. Pour être agent de voyages, qu'est-ce qu'on doit savoir faire? Utiliser un ordinateur? Organiser un itinéraire?* Write vocabulary as you talk, and include students in your input frequently.

3. **The future tense.** Show photos to discuss upcoming events or activities, using the future tense. (Sunday morning scene) *Voici une famille qui commence son dimanche. Tiens! un journal; est-ce qu'ils liront le journal?* (boy daydreaming) *Ce petit garçon a décidé de devenir astronaute. Qu'est-ce qu'il sera obligé d'étudier?* Include information about students: *Mark, vous avez décidé de vous marier au mois de juin? Est-ce que votre mariage aura lieu dans une église? Vous partirez en voyage après la cérémonie?*

AS 1. Show photos of problems or dilemmas and ask for questions: (stalled car) *Tiens! Sa voiture refuse de bouger. Elle est tombée en panne! Qu'est-ce que cette femme pourra faire, à votre avis? Oui, si elle a son portable, elle pourra téléphoner au garage.*

CHAPITRE 9

L'enseignement, les carrières et l'avenir

Les étudiants discutent de leurs cours devant la fac

Objectifs

IN **CHAPITRE 9**, *you will talk about university life, jobs, and career plans. You will also learn more about how to express future time.*

activités

L'enseignement et la formation professionnelle
Le travail et les métiers
L'avenir

lectures

Info: Société   Passe ton bac d'abord!
La langue en mouvement   La féminisation des noms de métier
Les francophones sur le vif   Manuel Benoit
Lecture   Destins croisés

grammaire

9.1   Other uses of y: **J'y pense**
9.2   Emphatic pronouns
9.3   Identifying and describing: **C'est vs. il/elle est**
9.4   Saying what you've been doing: Present tense + **depuis**
9.5   Saying what you will do: The future tense

Activités et lectures

(See *Mise en train, Act. 1.*) **L'enseignement et la formation professionnelle.** (1) While you discuss the drawings, compare your own university career with that of Agnès Rouet: *Agnès s'est inscrite à... Moi, je me suis inscrit(e) à l'université de...* (2) Include questions to students such as *En quelle année est-ce que vous vous êtes inscrit(e) pour la première fois? Vous vous êtes inscrit(e) à combien de cours ce semestre?* (3) Call attention to the differences between the American educational system and the French: *Agnès a dû bûcher pour le bac. Ça, c'est un examen national à la fin du lycée en France. Il est très difficile. Aux États-Unis, est-ce que les étudiants sont obligés de passer un examen avant de s'inscrire à l'université?* New vocabulary: *au bout de, bac (baccalauréat), bûcher, DEUG (diplôme d'études universitaires générales), être reçu(e), s'inscrire, licence.*

L'ENSEIGNEMENT ET LA FORMATION PROFESSIONNELLE

AS 2. Have students list everything they did to be admitted and enrolled in the university, both before and after arriving on campus. Put this on the board under *avant* and *après (l'inscription).* Examples: *passer des examens, poser ma candidature, m'inscrire, choisir mon programme d'études, établir un compte en banque.* Ask how many students did each item in the lists. Discuss which item was the hardest to do, the most time consuming, the most nerve-wracking, etc.

Attention! Étudier Grammaire 9.1 et 9.2

Agnès a réussi au bac à l'âge de 18 ans. Elle a dû bûcher dur avant de le passer.

La cousine d'Agnès n'a pas été reçue. Elle a échoué à certains examens.

Cliquez là! Students will find many options by using the keyword *lycée*. Encourage them to find other *lycées* in other countries and report to the class. Encourage them also to visit university sites like *Université de Paris, d'Orléans, de Provence Aix-Marseille...*

Agnès s'est inscrite à la faculté des Sciences Humaines et Sociales de l'Université Paris VII.

Elle a assisté à des conférences. Parfois, elle a séché ses cours.

Cliquez là!

Visitez le site du lycée Pierre Reverdy, Sablé-sur-Saône (France) ou celui d'un autre lycée francophone. Qui a créé le site? Pourquoi? Qu'est-ce qu'on peut y faire?

Au bout de deux ans, elle a reçu un DEUG.

Maintenant, elle fait sa troisième année d'études. Elle est en train de préparer une licence en sociologie.

*A*ctivité 1 Casse-têtes: L'université française

1. On les paie quand on s'inscrit aux cours.
2. On y réfléchit, et puis on y répond.
3. Pour y réussir, il faut étudier.
4. On s'y inscrit au début de l'année scolaire.
5. C'est le domaine dans lequel on se spécialise.
6. En France, chaque étudiant à l'université y a réussi.
7. On le reçoit à la fin de deux ans d'études.
8. C'est l'état d'avoir réussi à un examen.
9. C'est le contraire d'être reçu(e). On doit repasser l'examen.

a. les examens
b. les cours
c. être reçu(e)
d. la spécialité
e. les frais d'inscription
f. le bac
g. échouer à une épreuve
h. le DEUG
i. les questions d'un examen

*A*ctivité 2 Discussion: Conseils aux futurs étudiants

Qu'est-ce que vous recommandez à ceux qui vont entrer en fac l'année prochaine? Dites *oui* ou *non*. Si vous n'aimez pas les suggestions, proposez-en une autre.

1. On se sent perdu. L'université paraît énorme.
   a. Trouvez un étudiant de deuxième année et suivez-le.
   b. Ne ratez pas les séances d'orientation.
2. On n'est pas certain d'avoir choisi les bons cours.
   a. Parlez avec les conseillers d'orientation.
   b. Téléphonez à vos parents.
3. On a peur de rater les examens.
   a. Travaillez régulièrement.
   b. Amusez-vous pendant l'année et bûchez avant les examens.
4. Au lycée, on est encadré. À la fac, on ne sait pas s'organiser.
   a. Observez vos copains, puis faites comme eux.
   b. Trouvez la manière d'étudier qui vous convient.
5. Quelqu'un propose une petite sortie à la fin de la semaine de cours.
   a. Restez à la maison. Au boulot!
   b. Il faut s'amuser! Sortez avec lui, mais n'exagérez pas.

*A*ctivité 3 Sondage: Que pensez-vous de l'université?

Donnez des mentions à votre université. Regardez les catégories, et ensuite, comparez vos réponses avec celles des autres étudiant(e)s. Enfin, expliquez vos raisons.

Vocabulaire utile: Très Bien, Bien, Assez Bien, Passable, Insuffisant, Nul

1. le système d'inscription
2. l'accès aux professeurs
3. la qualité des cours
4. les résidences universitaires
5. le service de stages et d'emplois
6. les salles informatiques en libre service
7. le service de santé pour étudiants
8. le service information et orientation

À vous la parole! Avec des camarades de classe, préparez le texte d'une brochure promotionnelle sur votre université.

Act. 1. (whole class) This activity focuses on the French system but most of the terms also apply to that in the U.S. Point out that the pronoun *y* refers to the items. (1) Briefly go over the list of terms, explaining as needed. Then read the riddles and have the class provide the answers. Encourage students to add other riddles for the class to guess: *Les étudiants l'écoutent, le professeur la prépare. Qu'est-ce que c'est? (une conférence)* (2) Afterward, ask questions to reuse the terms, *Ils sont chers, les frais d'inscription dans notre université? Est-ce que ce serait une bonne idée de créer un bac américain?* (3) You may wish to show how one can substitute for *à* + noun: *je réfléchis à mon avenir = j'y réfléchis.* Students have often used *y = à* + place in constructions like *j'y vais.* New vocabulary: *année scolaire, au début, domaine, épreuve, frais, payer, recevoir, se spécialiser, spécialité.*

Act. 2. (whole class; partners) (1) Ask students what they feared when they first entered the university. Accept French or English replies, putting new words on the board. Explain that the fears in the activity were expressed by beginning university students in France. Do the activity as a discussion, or briefly review the issues and unfamiliar vocabulary and then assign to partners. (2) If done as a partner activity, review opinions and conclusions, asking for reasons. New vocabulary: *Au boulot!, conseiller/conseillère, convenir (convient), encadré(e), exagérer, paraître (paraît), rater, séance d'orientation, se sentir.*

AS 3. Autograph activity. (See IRK for activity.)

Act. 3. (partners; small groups) Be sure everyone understands the items in the list. Have students work in small groups/pairs. Then do a general class comparison of answers. Assign *À vous la parole!* to the same pairs/groups or as homework. New vocabulary: *accès, emploi, insuffisant(e), mention, nul, passable, promotionnel(le), santé, stage, service.*

AS 4. Partners prepare a letter to the university suggesting how it can facilitate life for entering freshmen. (International students write about how life could be made easier for incoming students from other countries.)

Act. 4. (whole class) These young people were selected to represent area youth by the *Région Provence-Alpes-Côte d'Azur* and were featured in the regional booth at the *Foire de Marseille.* (1) Pronounce the names as you introduce each student briefly and ask simple review questions: *Et Hugo Musella, il a 20 ou 21 ans?* (2) Ask the questions while students skim for answers. Add other questions to deepen comprehension of the text: *Qui est dingue de théâtre? Est-ce qu'Hugo utilise le mot «écrivain»? Qu'est-ce qu'il dit?* (3) *À vous la parole!* is optional. Answers: 1. Hugo 2. Mandine 3. Hugo 4. Hugo et Mandine 5. Jean-Matthieu 6. Hugo 7. Aurélie 8. Mandine 9. Aurélie 10. Jean-Matthieu

Activité 4 Dans le monde francophone: Paroles de jeunes

Voici des étudiants choisis pour représenter la voix de la jeunesse à la Foire de Marseille en 1998. Écoutez votre professeur et dites le nom de la personne en question.

Mandine GUILLAUME (ALPES-MARITIMES) :

« *J'aime la rencontre, celle avec le public, celle avec les personnages* ».

22 ans - En maîtrise arts du spectacle à Nice.
Signe particulier : dingue de théâtre.
S'intéresse de près à la mise en scène.

Hugo MUSELLA (ALPES-MARITIMES) :

« *Me nourrir du quotidien pour vivre au gré de ma plume* ».

21 ans - En maîtrise arts du spectacle à Nice.
Signe particulier : jeune homme de plume.
Aime raconter des histoires.

Jean-Matthieu CONSTANT (BOUCHES-DU-RHÔNE) :

« *L'amour de la mer m'a donné le goût de la compétition et du voyage* ».

17 ans - en terminale sport-études au lycée Marseilleveyre de Marseille.
Signe particulier : amoureux de la Mer.
Champion de France de voile, série 420, 5e mondial - 6e européen.

Aurélie GILLY (VAR) :

« *Apprendre pour réaliser de belles choses et transmettre son savoir* ».

20 ans - En 1ère année de CAP-BEP menuiserie au CFA des Compagnons du devoir à Marseille.
Signe particulier : aime le bois sous toutes ses formes.
Entend assurer la relève de sa famille de menuisiers de père en fille.

1. Quel jeune homme prépare une maîtrise en arts du spectacle?
2. Qui aime la rencontre avec le public?
3. Qui voudrait devenir écrivain?
4. Lesquelles de ces quatre personnes s'intéressent au théâtre?
5. Qui fait un bac en sport-études dans un lycée à Marseille?
6. Qui aime raconter des histoires?
7. Qui veut poursuivre le métier de son père et travailler le bois?
8. Qui s'intéresse à la production de pièces de théâtre?
9. Qui apprend pour pouvoir créer de belles choses?
10. Lequel de ces jeunes gens a le goût de la compétition et du voyage?

À vous la parole! En groupes de cinq, préparez des questions d'interview pour chacun des étudiants présentés dans ce texte. Ensuite, créez un scénario dans lequel un animateur (ou une animatrice) pose des questions et les jeunes Français y répondent. Enfin, jouez votre scénario pour la classe.

Ça fait penser. Activity: Read the text aloud, then ask if there is a work-study or co-op program in your school, who is in it, what options are available, etc. Point out the workers *(ouvriers)*, the boss *(patron)* and the student intern *(stagiaire)*. **Cartoon:** Ask students to help you interpret the cartoon and to list problems co-op students might have (*trop de travail, fatigue, pas assez de temps pour étudier,* etc.). Why do the workers seem appalled? Culture: Cooperative education has existed in the U.S. since the 1950s, but is a relatively new option in France. It exemplifies the university system's gradual evolution to accommodate a broader range of students. The cartoon shows typical student skepticism.

Ça fait penser

Aujourd'hui, beaucoup d'étudiants choisissent de préparer un diplôme tout en recevant un salaire. Cela leur permet d'alterner des périodes de travail et de formation sous un contrat d'alternance proposé par une entreprise. On peut préparer une licence, une maîtrise ou un DESS (diplôme d'études supérieures spécialisées).

See Instructor's notes on page 302.

Info: Société

Passe ton bac d'abord!

S'il existe un symbole du système éducatif français, c'est bien le diplôme du bacca-lauréat. Chaque année en juin, pendant plusieurs jours, les candidats dans toute la France passent simultanément des exa-mens écrits et oraux[1] dans diverses ma-tières: littérature et langue françaises, philosophie, histoire, géographie, langues vivantes, mathématiques, sciences et autres matières plus spécialisées.

Pour réussir, il faut obtenir au moins 10/20 de moyenne[2] sur l'ensemble des épreuves.[3] Seuls ceux qui réussissent (environ 70 % d'une classe d'âge) ont le droit[4] de s'inscrire à l'université. Si «le bac» reste important, il a perdu une grande partie de son pres-tige parce qu'il ne représente plus une garantie d'emploi: près de la moitié[5] des bacheliers[6] n'ont toujours pas trouvé de travail au bout de[7] six mois.

[1] pluriel d'**oral** [2] **la moyenne...** *average* [3] parties d'un examen [4] la possibilité
[5] 50% [6] personnes qui ont le bac [7] **au...** après une période de

Act. 5. (whole class; partners) Do as a whole-class discussion and then assign *Allons plus loin!* to partners, or assign the entire activity to partners. Dur-ing follow-up, ask for responses students have prepared, including extra suggestions. Then ask students to identify the strategies that would be useful for the courses they are taking. They should name the course and explain the reasons for their choice of strategies. New vocabulary: *écriture, efficace, mé-moire, mnémotechnique, réviser à plusieurs; préfixe re/-ré + verbe (réactiver, relire, recharger, reformuler, réexpliquer).*

Activité 5 Dans le monde francophone: Comment préparer le bac

Cliquez là! *Phosphore* maga-zine is designed for students of 15–25 years of age. Its arti-cles give information ranging from film and music reviews to how to find jobs and housing.

Cliquez là!

Visitez le site web de *Phosphore*, la revue des 15–25 ans. Quelles sortes d'articles y trouve-t-on? Est-ce que les renseignements vous semblent utiles?

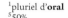

Le magazine *Phosphore* propose une méthode pour préparer le bac. Groupez les détails qui font partie de chaque stratégie.

Stratégies

_____ Faites un planning efficace. _____ Musclez votre écriture.
___8___ Boostez votre mémoire. _____ Révisez à plusieurs.
_____ Trouvez le bon tempo pour vous. _____ Attention aux procédés mnémotechniques.

Détails

1. Soyez réaliste; faites une liste de vos priorités.
2. Reposez-vous souvent pour recharger vos batteries.
3. Profitez des moments de la journée où vous travaillez le mieux.
4. Développez des méthodes pour réactiver votre mémoire.
5. Évitez le stress; ne faites rien à la dernière minute.
6. Exprimez-vous d'une manière simple et claire.
7. Gardez dix minutes à la fin d'une épreuve pour vous relire.
8. Réexpliquez la matière à d'autres étudiants pour mieux la comprendre.
9. Préparez-vous avant de participer aux séances en groupe.
10. Inventez des exercices mentaux afin de mieux retenir la matière.

Le travail et les métiers. (See *Mise en train, Act. 2.*) Review/introduce terms for jobs and work. Include *être en train de* in your input as you describe the pictures. Ask questions like *Est-ce que cet homme est médecin ou dentiste? Qu'est-ce qu'il est en train de faire? Est-ce qu'il est en train d'opérer un malade? (non) d'examiner un malade? (oui)* Include students; *Quelle personne en classe voudrait devenir dentiste?* New vocabulary: *avocat(e), coiffeur/coiffeuse, conseiller/conseillère conjugal(e), couper les cheveux, défondre les accusés, enseigner aux enfants, éteindre des incendies, fonctionnaire, gouvernement, instituteur/institutrice, médecin, ouvrier/ouvrière, photographe, pompier.*

LE TRAVAIL ET LES MÉTIERS

AS 5. Hold up photos of famous people and ask what they do/did. Examples: Napoléon (*général, empereur*), Madonna (*chanteuse, danseuse*).

AS 6. Post or distribute photos of celebrities. Describe them and ask students to give names: *Cet homme est très grand, très costaud. C'est un acteur français qui a interprété le rôle de...* (Gérard Depardieu)

AS 7. Students write what they want to be (*pompier...*) and sign the paper. Use 10–12 in an autograph activity each day. (Example: *devenir photographe et vivre à San Francisco* → *Anne, est-ce que tu voudrais... ? Pourquoi?*)

Attention! Étudier Grammaire 9.3 et 9.4

Une avocate défend les accusés.

Un fonctionnaire travaille pour le gouvernement.

Une conseillère conjugale aide les mariages en difficulté.

Un instituteur enseigne aux enfants.

Cette ouvrière travaille dans le bâtiment.

Un photographe prend des photos.

Un pompier éteint des incendies.

Un médecin s'occupe des malades.

Un cuisinier prépare des repas.

Un coiffeur coupe les cheveux.

Act. 6. (whole class; partners) This activity gives input on work that people do. If you assign it to partners, review the display quickly first, as well as any new vocabulary in the activity. New vocabulary: *exposer une œuvre, métier exigeant, vedette de l'équipe.*

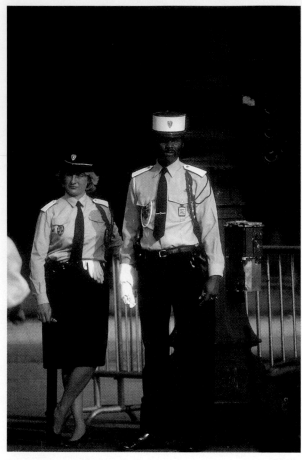

Des agents de police à Paris

AS 8. Students help you name all workers who are necessary to various enterprises (*grand magasin: vendeurs, secrétaires...*).

AS 9. With students, list jobs one can now do at home and the advantages and disadvantages of working at home (*architecte...*).

Ça fait penser

En 1995, 434.000 personnes étaient employées dans les secteurs de la protection de l'environnement. En 1999, à peu près 674.024 personnes étaient employées dans ces secteurs.

Activité 6 Discussion: Qui est-ce?

Regardez les dessins à la page 289 et écoutez le professeur. Ensuite, identifiez la personne dans la description. (C'est un/une... Ce sont des...)

> MODÈLE: Il travaille dans un salon de beauté et il coiffe les gens.
> → C'est un coiffeur.

1. Elle présente des arguments pour défendre ses clients.
2. Cette personne risque parfois sa vie pour éteindre des incendies.
3. Nous consultons cette personne si nous ne nous sentons pas bien.
4. Elle donne des conseils aux époux qui s'entendent mal.
5. Cette personne est le chef d'équipe dans un bon restaurant.
6. Elle fait un métier exigeant et peut-être dangereux.
7. Cette personne travaille avec des enfants pendant l'année scolaire.
8. Les membres de cette profession sont parfois des artistes qui exposent leurs œuvres.
9. Il a peut-être suivi une formation en comptabilité ou en commerce.

Act. 7. (partners) Review new words, then assign for pair work. Students may add more qualities to the text. Afterward, do a general discussion of students' answers. New vocabulary: *chirurgien(ne), comptable, courageux/ courageuse, distribuer le courrier, facteur, ingénieur informaticien, mécanicien(ne), opérer, système d'exploitation, vétérinaire.*

Activité 7 Associations: Les métiers

Dites ce que font ces personnes, et les qualités importantes pour leur travail.

Suggestions: calme, courageux, en bonne forme, patient, bien informé...

> MODÈLE: Les instituteurs enseignent aux enfants. Ils ont besoin d'être patients et bien informés.

1. les professeurs
2. les facteurs
3. les chauffeurs de taxi
4. les vétérinaires
5. les mécanicien(ne)s
6. les pompiers/pompières
7. les comptables
8. les chirurgien(ne)s
9. les ingénieurs informaticiens
10. les serveurs/serveuses

a. servent à table
b. éteignent les incendies
c. s'occupent des finances
d. opèrent les malades
e. s'occupent des animaux malades
f. distribuent le courrier
g. conduisent un taxi
h. enseignent à l'université ou au lycée
i. réparent les voitures
j. s'occupent des systèmes d'exploitation de l'ordinateur

Activité 8 Discussion: Les études et la formation

Avec un(e) partenaire, décidez ce que ces personnes ont dû faire pour atteindre leur niveau d'expertise.

MODÈLE: Jacques Cousteau, océanographe
> É1: Jacques Cousteau a dû faire des études universitaires en sciences et mathématiques.
> É2: C'est vrai. En plus, il a dû faire des stages en océanographie et il a dû faire des recherches en biologie et en géologie.

1. Paul Bocuse, chef cuisinier
2. Surya Bonaly, patineuse olympique
3. Camara Laye, romancier guinéen
4. Yves Duteil, chanteur
5. Émilie Ndogo, journaliste radio camerounais
6. Denis Hallier, pisteur secouriste suisse
7. Pierre Chaline, éducateur de rue (pour adolescents SDF)

- faire des études universitaires (dans quelles matières?)
- faire un stage (une période d'apprentissage) (en quoi? où?)
- suivre un programme d'entraînement physique (lequel?)
- faire des recherches (à quel sujet?)
- prendre des leçons particulières (de quoi?)
- s'entraîner (à faire quoi?)
- -?-

À vous la parole! En groupes de quatre, comparez les programmes d'études que vous devez suivre pour préparer la carrière de votre choix. Décidez quel programme est le plus compliqué.

La langue en mouvement

La féminisation des noms de métier

Que faire quand les femmes commencent à exercer des professions traditionnellement masculines? Pour certaines professions, une désignation féminine a été trouvée et acceptée, comme *une avocate, une chirurgienne, une architecte.* Pourtant, pour d'autres, l'Académie française et une grande partie de la société française ont résisté à toute innovation, et on continue à dire *un professeur, un écrivain* et *un juge,* même pour des femmes. Par contre, d'autres pays et régions francophones, comme la Belgique, la Suisse et notamment le Québec, ont procédé assez rapidement à l'adoption de nouvelles formes telles qu'*une professeure, une écrivaine* et *une pompière,* formes qui sont employées par certains Français d'esprit plus ouvert, mais qu'on ne trouvera pas dans un dictionnaire français de France.

Act. 8. (partners) Make sure everyone understands the vocabulary, then do an example or two with the class: *Denis a dû apprendre à faire du ski, suivre un entraînement en techniques de premier secours...* Students should use the *passé composé* of *devoir (had to).* Afterward, ask what each person probably did to prepare for the chosen work. New vocabulary: *apprentissage, entraînement, leçons particulières, niveau d'expertise, océanographe, pisteur-secouriste, romancier/romancière.*

La langue en mouvement. This problem is more significant in French than in English, due to the greater role of gender in French. It was addressed in the 1970s in Canada and in the 80s in France by the formation of official commissions charged with recommending new feminine terms where needed. In France, this resulted in vehement outcries from the *Académie française,* as its members felt that their authority was being usurped, and that any changes in existing terms would debase the language. The relatively conservative recommendations of the commission, obligatory in all government administrations, have been adopted by some newspapers but not others. Where a feminine term is not available, there remains the option of adding *femme* before or after the masculine term: *une femme médecin, un professeur femme.*

Act. 9. (whole class) The object of this game is to reason through a problem in French. Students should jot down their answers for the follow-up discussion of the solution. New vocabulary: *infirmier/infirmière*.

AS 10. *Ma vie.* Students circulate as at a party, talking about their fictitious work. *É1: Bonjour. Je m'appelle _____. Je suis (pisteur). É2: Ah bon? Et qu'est-ce que c'est qu'un pisteur?* Everyone should speak with at least three people.

Activité 9 Casse-têtes: Devinez leur métier

LES PERSONNES	LES MÉTIERS	
les Hubert (Jacques et Anne)	médecin	instituteur/
les Potin (René et Cécile)	avocat(e)	institutrice
les Bodard (Serge et Michèle)	ingénieur	secrétaire
	dentiste	

1. Anne travaille dans un hôpital mais elle n'est pas médecin.
2. Serge enseigne à des enfants.
3. Jacques travaille avec des infirmiers et des infirmières.
4. La secrétaire est mariée au médecin.
5. Le mari de l'avocate est ingénieur.
6. Le mari de la dentiste travaille dans une école.

Activité 10 Enquête: Le poste idéal

Déterminez l'ordre de priorité que ces critères vont avoir pour vous quand vous chercherez un poste à la fin de vos études.

Act. 10. (partners; whole class) Review the items with the class to explain words as needed, then provide a few minutes for students to rank the items. Later, pair students to discuss and explain their priorities. Do a follow-up with the whole class. New vocabulary: *autonomie, avancement, compter, congé, employeur, entreprise, fourni(e), niveau, poste, prestige, priorité, proximité, salaire élevé, tension.*

_____ 1. un salaire élevé
_____ 2. des chances d'avancement
_____ 3. la possibilité de voyager
_____ 4. les vacances et les congés
_____ 5. la possibilité de travailler à la maison
_____ 6. le niveau de tension
_____ 7. l'autonomie
_____ 8. le prestige de l'entreprise
_____ 9. la proximité de ma famille
_____ 10. une voiture fournie par l'employeur

AS 11. List some pairs of jobs on the board. In groups, students compare the jobs, giving the advantages and disadvantages of each one.

À vous la parole! Maintenant, comparez vos réponses avec celles de votre partenaire.

MODÈLE: É1: J'ai mis le niveau de tension en premier parce que je ne veux pas travailler où les gens sont inquiets et stressés.

É2: Moi non plus, mais un peu de tension est normal, à mon avis. Si le salaire est bon, je peux supporter un peu de stress.

Act. 11. (whole class; partners) Before you assign the activity, explain the *depuis* construction (*depuis* + expression of time + present tense) as you use it in natural input. Ask how long some professions not listed in the activity have existed. Suggestions: *vedette de cinéma/20ème siècle, industrialiste/19ème siècle, chirurgien/l'antiquité.* Answers need only be approximate. As a follow-up, discuss students' answers. New vocabulary: *animateur/animatrice, chef d'orchestre, commerçant(e), couturier/couturière, depuis, époque, exercer un métier, marchandise, programmeur/programmeuse, psychiatre, revendre, siècle.*

Activité 11 Discussion: Les métiers et le passage du temps

Depuis combien de temps (approximativement) existent ces métiers? Que font les gens qui les exercent?

AS 12. *What's my line?* Each student selects a secret profession. In groups, each person is interviewed by the other members of his/her group while they guess the profession. Only *oui/non* are acceptable as answers.

MODÈLE: commerçant → Ce métier existe depuis le début de la civilisation. Les commerçants achètent et revendent des marchandises.

1. programmeur/programmeuse
2. agriculteur/agricultrice
3. photographe
4. psychiatre
5. chauffeur
6. animateur/animatrice à la télé
7. couturier/couturière
8. professeur de lycée
9. chef d'orchestre
10. facteur

Vocabulaire utile: depuis (cinquante) ans, depuis le début (du XXème siècle), depuis l'époque de (Jules César)

Les francophones sar le vif. For years, employment—and unemployment—has been of great concern to French people and their government. Various left- or right-wing policies have failed to significantly reduce an unemployment rate that still hovers around 12%, and almost 25% in the 18–25 age group. Anyone registered with the ANPE can apply for a *stage,* ubiquitous professional skills workshops that are supposed to make job seekers more employable. *Stages* are state subsidized, and participants receive a stipend. Manuel Benoit's plight is typical in that finding a job often proves easier than keeping it: employers receive a substantial tax break for each new hire, but then incur an enormous fiscal burden when a term contract (CDD) becomes a permanent one (CDI: *Contrat à Durée Indéterminée*), usually after a probationary period of nine months.

Because this situation is likely to be unfamiliar to your students, it is a good idea to have them retell Manuel's history in a more chronological, step-by-step fashion: À dix-huit ans, il passe le bac et le réussit. Il cherche du travail mais n'en trouve pas. Il s'inscrit à l'ANPE. Il reste au chômage pendant deux ans. Il fait quelques stages. Finalement, il trouve du travail, mais seulement pour quelques mois, puis redevient chômeur.

LES FRANCOPHONES SUR le vif

Manuel Benoit, 23 ans, employé en Contrat à Durée Déterminée (CDD) dans une entreprise de transports, Clermont-Ferrand

Quelle est votre stratégie pour trouver un travail stable?

Oh, vous savez, j'ai essayé pas mal de stratégies, sans beaucoup de résultats. D'abord, j'ai été chômeur[1] pendant deux ans. Bien sûr, je me suis inscrit à l'ANPE,[2] qui m'a indiqué des possibilités d'emploi; mais c'était toujours la même musique, «qualifications insuffisantes, pas d'expérience». Comment accumuler de l'expérience sans avoir l'occasion de travailler? Je regrette un peu d'avoir arrêté mes études au bac, mais j'ai des amis qui ont des diplômes et qui ne sont pas mieux lotis[3] que moi.

Ensuite, j'ai fait des stages,[4] comme tout le monde: informatique, gestion, comptabilité... Finalement, je suis arrivé à décrocher[5] des petits boulots,[6] un CDD après l'autre: six mois ici, neuf mois là—impossible de se faire embaucher[7] définitivement, ça coûte trop cher au patron.[8] En ce moment, je fais de gros efforts pour montrer que ça vaut la peine[9] de me garder. Mes employeurs apprécient ma bonne volonté et mes initiatives; est-ce que ce sera suffisant? Je reste optimiste, mais sans trop d'illusions.

[1] personne qui n'a pas d'emploi
[2] l'Agence nationale pour l'emploi
[3] **qui...** dont la situation n'est pas meilleure
[4] formations professionnelles courtes et spécifiques
[5] obtenir (*fam.*)
[6] jobs (*fam.*)
[7] **faire...** faire prendre comme employé
[8] chef d'entreprise
[9] **ça...** l'effort est justifié

Act. 12. (whole class; partners) In France, where unemployment runs very high, a good CV is an important asset. Read the items aloud before you assign the activity. Afterward, ask the class if they have other advice. Then, with students, outline the types of information a CV should include and in what order it should be arranged. Recognition vocabulary only.

Activité 12 Échanges: Les secrets d'un CV réussi

Un curriculum vitæ peut vous ouvrir la porte à l'emploi que vous désirez. Avec un(e) partenaire, décidez si vous êtes d'accord ou non avec ces conseils. Sinon, expliquez pourquoi et corrigez la phrase.

1. Le CV doit paraître impeccable, imprimé au laser si possible.
2. Ne suivez pas l'ordre classique pour présenter les informations. Mélangez les détails.
3. La clarté est essentielle. Soyez précis au lieu de généraliser.
4. Précisez où vous avez étudié et les domaines d'activités dans lesquels vous avez travaillé.
5. Utilisez le maximum de termes techniques.
6. L'honnêteté est essentielle. Vous devez être responsable du contenu du CV si l'on vous interroge.
7. Il faut que le CV soit aussi long que possible pour augmenter vos chances d'être lu(e).
8. Montrez que votre formation a suivi un cours logique et que vous êtes une personne organisée.

L'avenir. Students will begin to comprehend and use future tense forms. Review/introduce with photos (see *Mise en train, Act. 3*). Point out the forms as they occur and list them on the board. Later, review the list to show the pattern for endings, how to form the future, and the irregular future stems. If students ask, explain that *aller* + infinitive can be used in most cases where one uses the future tense.

Discuss the art and your own future plans. *Moi, j'ai décidé d'aller au Maroc cette année. Je partirai le... .* Ask *oui/non* and choice questions about student plans: *Dans le ranch, est-ce que vous donnerez des leçons d'équitation? Vous travaillerez dans la cuisine ou vous passerez votre temps dehors?* Include *quand, lorsque, dès que, aussitôt que* and *futur antérieur* forms: *Quand j'aurai fini ma visite... Dès que je serai de retour...* New vocabulary: *accepter de, bourse, capacité, chargé(e) de, doctorat, génie mécanique, offre, prendre une décision, relations publiques, scandinave.*

Attention! Étudier Grammaire 9.5

L'année dernière, Raoul a pris la décision de préparer un doctorat.

Au mois de janvier, Sarah et Agnès ont décidé de voyager ensemble cet été.

Julien vient de recevoir une offre de poste. Acceptera-t-il de devenir vice-président chargé des relations publiques à TF1?

Activité 13 Discussion: Que faire pour s'améliorer?

Vous avez promis à vos parents et à vos amis de changer certaines de vos mauvaises habitudes. Maintenant, vous dressez la liste de ce que vous changerez. Dites *oui* ou *non*.

1. Pour améliorer ma santé...
   a. j'arrêterai de fumer.
   b. je ferai plus de gymnastique.
   c. je mangerai moins d'aliments salés.
   d. je boirai plus d'eau et moins de coca.
2. Dans mes rapports avec les autres...
   a. je passerai plus de temps avec mes parents.
   b. je ne me disputerai avec personne.
   c. je serai plus généreux/généreuse.
   d. je chercherai à connaître plus de gens.
3. Pour améliorer ma situation financière...
   a. je ferai des économies.
   b. je chercherai un travail.
   c. j'achèterai moins de vêtements.
   d. je mangerai moins souvent au restaurant.
4. Pour perdre moins de temps...
   a. je ne regarderai pas la télé.
   b. je me lèverai plus tôt le matin.
   c. je sortirai moins le soir.
   d. j'apprendrai à étudier d'une manière plus efficace.

Act. 14. (partners) Read the predictions aloud for students to write their answers. Then assign for partner discussion. Ask students to explain the reasons for their answers. To do so, they will need to produce future tense statements. Lead a follow-up discussion about students' replies. *À vous la parole!:* Have groups read their predictions aloud afterward. New vocabulary: *éliminer, enthousiasme, grâce à, inspecter, portable, thérapie, traiter, virus informatique.*

AS 16. Students write predictions about how your university will be different in the future.

Activité 14 Sondage: Prédictions

Est-ce que nous verrons les changements suivants dans les 25 ans à venir? Écoutez le professeur et dites *oui* ou *non*. Si vous dites *non*, expliquez pourquoi.

1. Nous trouverons le moyen d'éliminer les virus informatiques.
2. Tous les pays d'Amérique du Nord auront le même gouvernement.
3. Les médecins traiteront beaucoup de maladies par la thérapie génétique.
4. Les transports en commun auront plus d'importance que la voiture.
5. Avant de louer une chambre d'hôtel, on l'inspectera par visite virtuelle sur son ordinateur portable.
6. Grâce à l'enthousiasme pour le recyclage, il n'y aura plus de déchets.
7. Il y aura moins de divorces et plus de mariages.
8. Les cours se feront sur ordinateur. Il n'y aura plus de profs ni de salles de classe.
9. Le tabac sera important dans la production des médicaments.
10. On ne pourra plus rouler en voiture dans le centre des grandes villes.

À vous la parole! En groupes, préparez une liste de prédictions pour vos camarades de classe et pour votre professeur. Présentez-les à la classe.

Act. 15. Explain that the *voyante* is going to tell Jean-Yves about his future. For vocabulary purposes, you may wish to play the role of Jean-Yves yourself, asking *oui/non* questions: *Est-ce que j'aurai besoin de travailler?* etc. Basic sentences: 1. *Jean-Yves finira ses études.* 2. *Il partira en voyage.* 3. *Il rencontrera une femme riche.* 4. *Ils se marieront.* 5. *Ils construiront une maison énorme.* 6. *Ils auront cinq enfants.* 7. *Jean-Yves ne sera pas obligé de travailler et il s'ennuiera.* 8. *Il cherchera un emploi.* 9. *Il trouvera un poste et il sera heureux.* New vocabulary: *voyante.*

Activité 15 Récit: L'avenir de Jean-Yves

Jean-Yves, Sarah et Agnès ont consulté une voyante. Racontez ce qu'elle a prédit à Jean-Yves. Utilisez le futur: **Vous aurez (serez, ferez, etc.)...**

*A*ctivité *16* Entretien: Le travail et l'avenir

1. Est-ce que tu travailles maintenant? Si oui, où et depuis combien de temps? Qu'est-ce que tu fais? Est-ce que ton travail te plaît?
2. Quel type de poste vas-tu chercher quand tu auras fini tes études? Quels facteurs seront les plus importants dans ta décision?
3. Est-ce que tu aimerais travailler à la maison? Pourquoi?
4. Comment est-ce que ta vie va changer quand tu auras trouvé un travail stable et que tu commenceras à gagner un bon salaire?
5. Tu penses faire le même travail toute ta vie? Pourquoi?
6. Que veut dire «réussir dans la vie» pour toi?

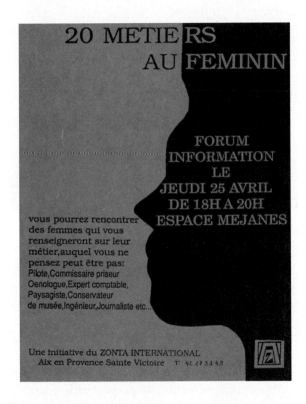

20 METIERS AU FEMININ

FORUM INFORMATION LE JEUDI 25 AVRIL DE 18H A 20H ESPACE MEJANES

vous pourrez rencontrer des femmes qui vous renseigneront sur leur métier, auquel vous ne pensez peut être pas: Pilote, Commissaire priseur Oenologue, Expert comptable, Paysagiste, Conservateur de musée, Ingénieur, Journaliste etc...

Une initiative du ZONTA INTERNATIONAL
Aix en Provence Sainte Victoire / T: 42 47 53 49

LECTURE

Destins croisés

Khaled et Jean-Marc, copains d'enfance, ont suivi des voies différentes: l'un a réussi le bac et poursuit ses études universitaires, l'autre a suivi une filière technique courte et a cherché du travail. Ils continuent à s'écrire pour échanger des nouvelles et garder le contact.

and how they could be altered to produce a formal text. Conversely, they should try to recompose and act out this exchange as a face-to-face or phone conversation.

AS 17. *Imaginez la vie quotidienne de l'étudiant du futur et faites-en la description. «D'abord, il/elle n'ira plus en classe, parce que les cours seront diffusés sur le web.(...)»*

AS 18. *Imaginez la vie quotidienne de l'employé du futur et faites-en la description. «D'abord, il/elle n'ira plus au bureau tous les jours, parce qu'il/elle travaillera à la maison grâce à Internet.(...)»*

Le port d'Ajaccio en Corse

Grenoble, le 8 novembre 20...

Cher Jean-Marc,

Je suis désolé d'avoir tardé à t'écrire, mais j'ai été super occupé ces derniers mois. La vie à la fac demande énormément d'organisation; de toute évidence, ce n'est plus le lycée! Il faut savoir s'organiser tout seul, parce que les profs ne nous donnent pas beaucoup de directives: ils viennent, ils font leur cours et ils repartent. On est libre de travailler ou pas... responsables, quoi. L'important c'est d'arriver préparé aux examens, à la fin de l'année.

À part ça,[1] je passe pas mal de temps à discuter avec mes nouveaux copains, de politique, de cinéma, de littérature... L'ambiance est très bonne, mais la fac est surpeuplée: il y a huit cents personnes dans l'amphi[2] pour les cours magistraux[3]!

Bon, je te quitte pour aujourd'hui: donne-moi de tes nouvelles. Est-ce que tu as finalement trouvé du boulot?

Bien à toi,
Khaled

[1]**À...** Pour changer de sujet   [2]grande salle de classe
[3]**cours...** cours formels donnés à l'ensemble des étudiants d'une classe

Ajaccio, le 15 novembre 20...

Cher Khaled,

Merci de ton mot de la semaine dernière. Je suis content de savoir que tu aimes la fac, mais je ne regrette pas ma décision, même si j'ai cherché du travail sans succès pendant six mois. Tu vois la photo? Eh oui, mon vieux, je suis en Corse trois jours par semaine; j'ai été embauché[4] comme apprenti-mécanicien sur un bateau qui fait la ligne Nice-Ajaccio. Moi qui voulais voyager, je suis servi! J'ai des tonnes de responsabilités aussi, et chaque traversée est un véritable «examen» de mes talents... Au fond, ce n'est pas trop différent de ta propre expérience.

J'aime bien ce travail, et surtout il y a de bonnes chances de promotion pour les gens sérieux et travailleurs. Peut-être que je finirai capitaine! Je t'inviterai à faire des croisières,[5] ça sera sympa...

Pour le moment, je dois descendre à la machine: commençons par le commencement! À très bientôt; tiens-moi au courant[6] de tes brillantes études.

Avec toutes mes amitiés,

Jean-Marc

---

[4]employé   [5]voyages en bateau   [6]**tiens-moi...** informe-moi

Avez-vous compris?

Avez-vous compris?   Déterminez la signification de ces mots et expressions et donnez votre définition en français.

MODÈLE: énormément d'organisation →
            beaucoup d'organisation

1. super occupé
2. pas mal de temps
3. la fac
4. un amphi
5. du boulot
6. je suis servi
7. des tonnes de responsabilités
8. sympa

Allons plus loin!

Allons plus loin!   Poursuivre ses études ou chercher du travail? C'est parfois une décision difficile à prendre... Avec un(e) partenaire, déterminez les avantages et les inconvénients de chaque possibilité.

MODÈLE: Si on poursuit ses études, on n'est pas assuré de...
            Si on cherche un travail, on est plus...

À vous d'écrire

Vous décidez de sortir et vous laissez un mot pour votre camarade de chambre. Utilisez des verbes au futur pour donner quelques détails importants sur vos projets, où vous serez, comment on pourra vous contacter, si vous rentrerez tard ou non, l'heure à laquelle vous comptez retourner, etc.

MODÈLE: *Cher (Chère)...*
            J'ai décidé de... ce soir. Je... Si tu as besoin de me contacter, ...
            À bientôt,

À vous d'écrire. Before assigning as homework, elicit as many ideas as possible about what one might want to say to another person in this circumstance. Stress the use of the future tense in writing this message. New vocabulary: *contacter*.

Realia. These magazines are widely used in France for finding out what sorts of educational opportunities are available to young people. High school and university counseling services are less available in France than in the U.S. Information is also available through Minitel and the Internet, and students can enroll from home.

Vidéothèque

Espace vidéo

Passer une entrevue. Claire vient de poser sa candidature pour un poste en entreprise. Au début de ce clip, nous la trouvons en train de répondre à des questions d'interview. Où est-ce qu'elle a déjà travaillé? Qu'est-ce qu'elle a fait comme travail, et dans quel type d'entreprise? A-t-elle aimé le travail? Décrivez la formation qui lui a permis de le faire.

www.mhhe.com/deuxmondes

À explorer: www.mhhe.
com/deuxmondes/
pour obtenir plus
d'informations sur les
thèmes du chapitre.

Vocabulaire

L'université et le lycée

The university and high school

une bourse	a scholarship
un conseil	a piece of advice
un domaine	an area (of study)
une épreuve	a quiz, test
la formation	training
les frais (*m.*) d'inscription	enrollment fees
une matière	a school subject
une mention	a distinction (grade)
une séance d'orientation	an orientation meeting
une spécialité	a major (*subject*)
un stage	an internship
le baccalauréat (bac)	*national exam at the end of* **lycée**
le brevet	*certificate awarded for successful completion of a course of study*
le DEUG (Diplôme d'études universitaires générales)	*degree awarded after a two-year university program*
la licence	*diploma awarded upon successful completion of third-year university exams*
abandonner	to drop (*a course, class*)
bûcher	to cram, study hard
devenir	to become
échouer à	to flunk, fail (*an exam*)
être reçu(e) (à)	to pass (*a course, exam*)
faire des recherches	to do research
s'inscrire à (la fac)	to enroll in (college)
passer un examen	to take a test
rater (une conférence)	to miss (a lecture)
recevoir un diplôme	to get a degree
réussir à un examen	to pass a test
sécher un cours	to cut class

Mots apparentés: l'année (*f.*) scolaire, un diplôme, le doctorat, se spécialiser

Les métiers

Jobs

un animateur/ une animatrice	a talk show host
un(e) avocat(e)	a lawyer
un chanteur/une chanteuse	a singer
un(e) chirurgien(ne)	a surgeon
un(e) commerçant(e)	a merchant
un(e) comptable	an accountant
un conseiller/une conseillère	a counselor
un couturier/ une couturière	a fashion designer
un facteur/une factrice	a letter carrier
un(e) fonctionnaire	a government employee
un ingénieur informaticien	a computer engineer
un instituteur/ une institutrice	a primary school teacher
un médecin	a doctor
un ouvrier/une ouvrière	a worker
un patineur/ une patineuse	a skater
un photographe	a photographer
un pompier/ une pompière	a firefighter
un romancier/ une romancière	a novelist
une vedette	a star (actor, etc.)

Mots apparentés: un agriculteur/une agricultrice, un coiffeur/une coiffeuse, un(e) dentiste, un(e) journaliste, un(e) mécanicien(ne), un programmeur/une programmeuse analyste, un(e) psychiatre, un(e) secrétaire, un(e) vétérinaire

Le travail

Jobs and work

un congé	a leave, time off
un emploi	a job, employment

un métier exigeant	a demanding job
un niveau	a level, echelon
une réussite	a success
un salaire élevé	a high salary

compter	to count (*number*)
couper les cheveux	to cut hair
distribuer le courrier	to carry the mail
enseigner (aux enfants)	to teach (children)
éteindre un incendie	to extinguish a fire
être chargé(e) de	to be in charge of
exposer une œuvre	to exhibit a piece of work
traiter une maladie	to treat an illness

Mots apparentés: **l'autonomie** (*f.*), **l'avancement** (*m.*), **défendre les accusés, un employeur, une entreprise, inspecter, une offre, opérer un(e) malade, un poste, réparer**

La description

Descriptive words

encadré(e)	sheltered
équilibré(e)	balanced
insuffisant(e)	insufficient
malade	sick
nul(le) (en chimie)	weak (in chemistry)

Mots apparentés: **courageux/courageuse, énorme, financier/financière, généreux/généreuse, passable, portable**

Mots et expressions utiles

Useful words and expressions

Au boulot!	Get to work!
au bout de	at the end of
au début	in the beginning
Ça te plaît?	Do you like that?

grâce à	thanks to
Depuis combien de temps?	For how long? (How long?)

Substantifs

Nouns

le gouvernement	government
un médicament	a medication
les relations (*f.*) **publiques**	public relations
un risque	a risk
la santé	health
un virus informatique	a computer virus

Mots apparentés: **un argument, une capacité, l'enthousiasme** (*m.*), **l'exploitation** (*f.*), **l'océanographie** (*f.*), **une orientation, une prédiction, la proximité, la thérapie**

Verbes

Verbs

améliorer	to improve
arrêter de fumer	to stop smoking
avoir lieu	to take place
se détendre	to relax
dresser une liste	to make a list
établir	to establish
former des liens	to form contacts
fournir une voiture	to provide a car
paraître	to seem
perdre du temps	to waste time
perdre intérêt	to lose interest
prendre une décision	to make decision
recevoir	to receive

Mots apparentés: **accepter de, diminuer, distribuer, éliminer, exagérer, faire des économies**

Info: Société. Although it no longer ensures employment, the *baccalauréat* remains the indispensable passport to higher education. Point out that unlike American-style standardized testing, the *bac* does not resort to multiple-choice questions, and that exams involve either writing an essay (*une dissertation*), usually within a four-hour sitting, or solving problems. The relative weight of each subject matter and the type of exam (written or oral) is determined by the track (*filière*) that each student has followed for three years.

Unlike the SAT, the *bac* does not result in a competitive score used for applying to selec-

tive universities: anything less than *la moyenne* (10/20) is a fail, forcing the candidate to retake the examination. A 10 or higher is a pass, allowing the student to register at a university, but *mentions* (*assez bien*, from 12–14/20; *bien* from 14–16/20, and *très bien*, above 16/20) are essential for being admitted to a *classe préparatoire* leading to a *grande école* and, eventually, to the best executive positions. Emphasize that the 70% figure does not apply to those who take the *bac,* but to an entire age group, including all those who dropped out after the mandatory schooling age (16).

Grammaire et exercices

9.1 This section reviews the locative use of *y* (= *there*) and introduces its less common nonlocative use. You may wish to remind students that *à* + person is replaced by an indirect object pronoun (see *Grammaire 6.5*): *J'écris à ma mère.* → *Je lui écris.* Students will need time and considerable input before they can use these pronouns correctly. It is our goal to help them understand these words when used in speech.

9.1 OTHER USES OF y: J'y pense

Before assigning this section, review usage of *y* with photos: (doing budget) *Cet homme réfléchit a ses finances. Pourquoi est-ce qu'il y réfléchit? Parce qu'il n'est pas riche, n'est-ce pas?* On the board: *Il réfléchit à ses finances = Il y réfléchit.* Point out that *à + nonperson = y,* and that *y* is placed before the verb. Negative: *il n'y pense pas.*

A. The pronoun **y** is used to replace a prepositional phrase referring to a place. In this case, **y** is equivalent to English *there*. It must be used in French, although *there* is sometimes omitted in English.

    —As-tu fait des études **en France?**   *Did you study in France?*

    —Oui, j'**y** ai fait deux ans d'études.   *Yes, I studied there for two years.*

B. **Y** can also replace any phrase made up of **à** + a noun indicating an idea or thing.

    —Est-ce qu'Albert réussit **à tous ses examens?**   *Does Albert pass all his exams?*

    —Oui, il **y** réussit toujours.   *Yes, he always passes them.*

    —Pensez-vous déjà **à votre profession future?**   *Are you already thinking about your future profession?*

    —Oui, j'**y** pense beaucoup.   *Yes, I think about it a lot.*

C. Here are some of the verbs with which you are likely to use **y.**

assister à *to attend*	**réfléchir à** *to think about*
participer à *to participate in*	**répondre à** *to answer*
penser à *to think about*	**réussir à un examen** *to pass a test*

★ *Review* **Grammaire 2.3.**

ES 1. Have students answer with *y*: *Vous pensez encore à votre cours précédent? (Je n'y pense plus.) au week-end passé? aux dernières vacances? au dernier film que vous avez vu? Vous pensez déjà au prochain examen? à vos projets pour le week-end? aux prochaines vacances? à l'année prochaine?*

➤ **Rappel:** *y* comes just before the conjugated verb.
je + y = j'y

➤ **Y** has two uses:
y = *there* (**à Lyon, dans ma chambre**)
y = **à** + a thing (**j'y pense**)

Exercice 1   Votre vie à l'université

Ex. 1. Locative and nonlocative uses of *y* are practiced together in this exercise. Can be used for oral pair work.

Répondez en employant le pronom **y.**

    MODÈLE: En général, réussissez-vous à vos examens? →
                      Oui, j'y réussis. (Non, je n'y réussis pas.)

1. Habitez-vous à la cité universitaire?
2. Est-ce que vous êtes déjà allé(e) au labo de français cette semaine?
3. Est-ce que vous participez beaucoup aux discussions en classe?
4. Répondez-vous souvent aux questions?
5. Assistez-vous parfois aux matchs de basket?
6. Pensez-vous souvent à votre future carrière?

9.2 By this point, most students will have already produced some of these pronouns in their speech. This section reviews those uses and adds their use with prepositions and in compound subjects. Section B: You may wish to explain that emphatic pronouns are not used after the preposition *à* because the indirect object pronouns are used instead: *Je lui ai offert des fleurs.*

Put *lui/elle* on the board and ask questions using photos or famous names. *Est-ce que vous voudriez jouer au tennis avec Steffi Graf? (avec elle) jouer dans un film avec Emmanuelle Béart?* Then do the same with *eux/elles*: *sortir avec Tom Cruise et Nicole Kidman, parler avec Jules César et Cléopâtre, vous battre contre des champions de boxe?*

9.2 EMPHATIC PRONOUNS

A. The emphatic pronouns (**pronoms accentués**) are **moi, toi, lui** (*him*), **elle, nous, vous, eux** (*them, m.*), **elles.** They are often used to emphasize the subject, and after **c'est.**

➤ Emphatic pronouns:
moi   nous
toi   vous
lui/elle eux/elles

➤ Use emphatic pronouns after all prepositions except à: avec eux, pour elles, sans moi.

★ Review **Grammaire 4.2** on how to make comparisons.

Moi, je m'appelle Denise.	*My name is Denise.*
Est-ce que c'est Étienne? Oui, c'est **lui.**	*Is that Étienne? Yes, that's him.*

B. Emphatic pronouns also replace nouns after prepositions other than **à.**

—Tu sors avec tes copains ce soir?	*Are you going out with your friends tonight?*
—Oui, je sors **avec eux.**	*Yes, I'm going out with them.*
Tu peux faire des courses **pour moi?**	*Can you do some errands for me?*

C. Emphatic pronouns are used in comparisons, after **que.**

Mes amis sont plus sérieux **que moi.**	*My friends are more serious than I.*

D. Emphatic pronouns are used to form short questions and answers and can be combined with **aussi** and **non plus.**

J'ai reçu une bonne note. Et **toi?**	*I got a good grade. And you?*
—Je n'aime pas bûcher avant un examen.	*I don't like to cram for a test.*
—**Moi non plus!**	*Me neither!*

E. They also replace subject pronouns if there is more than one subject.

Charles et **moi,** nous sommes copains.	*Charles and I are good friends.*

Exercice 2 Comparaisons

Ex. 2. This exercise practices emphatic pronouns in comparative contexts and can be used for oral pair work.

Écrivez les réponses en utilisant des pronoms accentués. En classe, posez les questions à des camarades et comparez vos réponses.

MODÈLE: Tu es aussi conservateur (conservatrice) que tes parents? →
            Oui, je suis aussi conservateur (conservatrice) qu'*eux*. (Non, je suis moins...)

1. Tu es plus intelligent(e) que ton père?
2. Tu es moins intéressant(e) que tes frères et sœurs?
3. Tu es aussi dynamique que ton meilleur ami (ta meilleure amie)?
4. Est-ce que tes camarades de classe sont aussi intelligents que toi?
5. Est-ce que tes professeurs sont aussi sympathiques que tes parents?
6. Tu es aussi équilibré(e) que ton meilleur ami (ta meilleure amie)?
7. Est-ce que tes frères et sœurs sont plus courageux que toi?

Exercice 3 À l'université: Tu as déjà... ?

Ex. 3. Practices emphatic pronouns with prepositions. Can be used for oral pair work.

ES 2. Ask what several students are going to do this evening (weekend) and whether others want to do the activity, too. *Scott va jouer au poker ce soir. Est-ce que vous voudriez y jouer avec lui, Melinda?*

Répondez aux questions avec des pronoms accentués. Ensuite, posez les questions à votre partenaire.

MODÈLE: Est-ce que tu as déjà déjeuné avec la vice-présidente? →
            Oui, j'ai déjeuné avec elle. (Non, je n'ai jamais déjeuné avec elle.) Et toi?

1. Est-ce que tu as déjà dîné avec le président de l'université?
2. Tu ne t'es jamais disputé(e) avec les conseillers d'orientation?
3. Tu as fait du travail supplémentaire pour ton/ta prof de français?
4. Tu as fait des courses pour tes camarades de chambre?
5. Tu t'es fâché(e) avec ton/ta professeur préféré?
6. Tu as joué au tennis avec tes ami(e)s?

Exercice 4 Opinions

Ex. 4. Practices emphatic pronouns in compound subjects.

Formulez une seule phrase avec des pronoms accentués.

MODÈLE: Céline Dion chante bien. Yves Duteil aussi chante bien. →
Elle et lui, ils chantent bien.

1. Mon copain va au cinéma ce soir. Sa petite amie va au cinéma avec lui.
2. Le professeur lit le journal tous les jours. Son mari le lit aussi.
3. Les enfants aiment Astérix. Nous aussi, nous aimons Astérix.
4. Emmanuelle Béart est star de cinéma. Gérard Depardieu est star aussi.
5. Tu paniques avant les examens. Moi aussi, je panique avant les examens.
6. L'écrivain Daniel Pennac a du talent. L'écrivaine Catherine Clément en a aussi.
7. Marie-José Perec est dynamique. Yannick Noah est dynamique aussi.

9.3. The emphasis here is on the use of *il/elle est* versus *c'est un(e)* with names of professions. You may wish to generalize this, pointing out that *c'est* is generally used before nouns when accompanied by an article *(C'est le chef du département)*, pronouns, and proper names, whereas *il/elle est* is used before adjectives or prepositions *(Elle est excellente.)* C'est is also used where there is no specific antecedent for *il* or *elle,* as in *c'est vrai* or *c'est possible.*

Before assigning the section, show photos and make statements using these constructions: *(ouvrier) Cet homme travaille dans les rues, n'est-ce pas? Est-ce qu'il est ouvrier ou comptable? C'est un ouvrier.*

9.3 Identifying and describing: C'est vs. il/elle est

Il est très grand. Write examples of *il/elle est* + profession and *c'est un/une,* plural forms of these, and *il(s)/elle(s)* + adjectives as you talk. When you have enough examples, use them to explain the points.

A. **C'est** and **ce sont** are used with *nouns* to identify people and things.

➤ **C'est/Ce sont +** article + noun

—Qu'est-ce que c'est? *What is that?*
—**C'est un ordinateur.** *It's a computer.*

B. **Il/elle est** and **ils/elles sont** are used with *adjectives* to describe people and things.

➤ **Il/Elle est, Ils/Elles sont** + adjective

—Cet ordinateur est cher? *Is this computer expensive?*
—Oui, **il est cher.** *Yes, it's expensive.*

C. Either of these constructions can be used to identify someone's profession. Note that with **c'est** and **ce sont,** an article is always used; with a proper name or **il/elle,** no article is used.

➤ **C'est/Ce sont +** article + profession
➤ **Il/Elle est** + profession
Note: No article is used here.

Adrienne **est secrétaire.** *Adrienne is a secretary.*
Jean-Yves? **Il est étudiant.** *Jean-Yves? He's a student.*
Mme Martin? **C'est un professeur.** *Madame Martin? She's an instructor.*
Ces gens-là? **Ce sont des ouvriers.** *Those people? They are workers.*

D. If an adjective is included to describe the person or profession, **c'est/ce sont** is used instead of **il/elle est, ils/elles sont.**

➤ **C'est/Ce sont** + article
+ profession/person
+ adjective

Raoul Durand? **C'est un étudiant très sérieux.**
Ces femmes-là? **Ce sont des journalistes canadiennes.**

Raoul Durand? He's a very serious student.
Those women? They are Canadian journalists.

Ex. 5. This exercise can be used for oral pair work. Afterward, you might use it to practice *c'est* and *c'était* + *un/une.*

Exercice 5 Personnages célèbres

Identifiez le métier de ces gens. Utilisez **il/elle est** ou **il/elle était.**

MODÈLE: Jean-Paul Sartre → Il était philosophe.

1. Céline Dion
2. Marie Curie
3. Charlemagne
4. Simone de Beauvoir
5. Yves Duteil
6. Charles de Gaulle

a. empereur
b. écrivain(e)
c. général
d. chanteur/chanteuse
e. physicien(ne)
f. homme/femme d'État

Ex. 6. You may wish to do this exercise orally as a whole-class activity. Ask also about Adrienne Petit, Julien Leroux, Christine Lasalle, and Nathalie Lasalle.

ES 3. Show a few pictures of celebrities and have the class use *c'est/il est* constructions to say all they can about them: (Bill Clinton) *C'est l'ancien président des États-Unis. (Il était président...) Il est américain. C'est un homme intelligent. C'est un démocrate.*

Exercice 6 Qui est-ce?

Identifiez les personnages dans la liste à gauche et puis ajoutez quelques détails. (Si vous en avez besoin, consultez la liste des personnages dans «To the Student» au début du livre.)

MODÈLE: Sarah Thomas →
C'est une étudiante américaine. C'est la camarade de chambre d'Agnès Rouet.

1. Claudine Colin
2. Victor Colin
3. Bernard Lasalle
4. Clarisse Colin
5. Joël Colin
6. Jean-Yves Lescart

a. petit garçon
b. étudiant à l'Université Paris VII
c. professeur dans un lycée
d. cadre dans une entreprise
e. étudiante en hôtellerie
f. ingénieur

9.4 Saying what you've been doing: PRESENT TENSE + depuis

➤ Use *present tense* +
depuis + *time expression* for
an action that continues
into the present.

9.4. The present + *depuis* construction is usually difficult for English speakers. However, it is a commonly used structure, and students should be able to understand it when they encounter it in listening or reading. Before assigning, tell some things you have been doing and how long you have been doing them. Then ask questions. Write examples on the board and explain the construction: *Moi, je suis professeur ici à _____ depuis _____ ans. J'ai commencé à enseigner ici en _____. Depuis combien de temps est-ce que vous étudiez dans cette université?*

A. To talk about an action or state that began in the past and is still going on, use the *present* tense + **depuis** + a length of time or a date.

Agnès **étudie** l'anglais **depuis six ans.**

Agnès has been studying English for six years.

B. To ask a question about an action or situation continuing in the present, use **depuis quand... ?** or **depuis combien de temps... ?** + the *present* tense.

—**Depuis quand étudies**-tu le génie civil?

Since when have you been studying civil engineering?

—**Depuis** l'année dernière.   *Since last year.*

—**Depuis combien de temps**   *How long have you lived in*
  est-ce que tu **habites** à La   *New Orleans?*
  Nouvelle-Orléans?

—**Depuis** trois **ans.**   *Three years.*

C. Note the contrast with the **passé composé** + **pendant,** which is used for an action or situation that *ended* at some time in the past.

J'**habite** ici **depuis** dix ans.   *I have lived here for ten years.*
Avant, j'**ai habité pendant** deux   *Before that, I lived for two years in*
ans dans l'Ohio.   *Ohio.*

> ➤ Use **passé composé** + **pendant** + *time expression* for an action that ended in the past.

*E*xercice 7 L'histoire de Julien Leroux

Reformulez chaque phrase pour changer le point de vue du passé au présent. À *noter*: Julien a maintenant trente-deux ans.

MODÈLE: Julien est venu habiter à Paris à l'âge de vingt-deux ans.
       (Julien/habiter à Paris...) →
       Julien habite à Paris *depuis dix ans.*

1. Julien a acheté un appartement à la Défense à l'âge de vingt-huit ans. (Julien/habiter à la Défense...)
2. Sa mère est venue habiter à Paris il y a cinq ans. (Sa mère/être à Paris...)
3. Julien a pris un poste à TF1 à l'âge de vingt-cinq ans. (Julien/travailler pour TF1...)
4. Il a rencontré Bernard il y a huit ans. (Il/connaître Bernard...)
5. Julien a appris à faire de la voile à l'âge de vingt ans. (Julien/faire de la voile...)

Ex. 7. Students formulate an appropriate statement using present + *depuis* based on a statement in the *passé composé.*

ES 4. Have students use *depuis* + present to say how long situations have been going on, making calculations from dates: *M./Mme _____ est devenu président (des États-Unis) en 200__. Depuis combien de temps est-ce qu'il est président?* Suggestions: *Le Sénégal est devenu indépendant en 1958. Le président Mitterrand est mort en 1996. Le tunnel sous la Manche a été ouvert en 1994.*

*E*xercice 8 À ton tour!

Répondez, en employant le présent + **depuis.**

1. Depuis quand fais-tu des études dans cette université?
2. Où habites-tu? Depuis combien de temps y habites-tu?
3. Où habitent tes parents? Depuis combien de temps?
4. Depuis combien de temps est-ce que tu étudies le français?
5. Depuis quand as-tu ton permis de conduire? ta propre voiture?

Ex. 8. You may wish to use this exercise for interviews with partners, and have students report what they find out. Later, have the class ask you similar questions with *vous.*

9.5. The future tense is not as commonly used in speech as the *futur proche* (*aller* + infinitive). However, it is very common in more formal spoken French and written French, so students should be familiar with it and recognize its meaning. You should try to incorporate it into your own speech throughout this chapter and in subsequent chapters, whenever its use is natural. Although there are subtle differences in meaning and usage of *futur proche* versus the future tense, these are generally quite similar to the differences between the corresponding English forms.
    Point out that four endings resemble forms of *avoir* (*-ai, -as, -a, -ont*) and that there is always an *-r* before the endings in future-tense forms.

9.5 Saying what you will do: T**HE FUTURE TENSE**

Ask for volunteers to say what they will do if particular situations occur: *S'il neige ce soir et que l'université est fermée: je dormirai, étudierai, etc.* Suggestions: *Si le prochain examen est terriblement difficile, si vous allez à Paris l'été prochain, si je décide de partir pour deux semaines, etc.*

A. You have already learned to talk about plans and future actions with **aller** + infinitive.

Je **vais sécher** mes cours demain.   *I'm going to cut class tomorrow.*

> ✷ Review **Grammaire 2.3** on **aller** + *infinitive for a future action.*

➤ Future stems:
parler-
finir-
attendr-

B. Both French and English have a future tense (*will go, will read*, etc.). To form the French future tense, add the following endings to the future stem. For most verbs, the future stem is the infinitive. Infinitives ending in **-re** drop the final **-e** before adding the future endings.

⭐ *See **Appendix C** for spelling changes in **acheter, appeler**, etc.*

➤ Future endings: **nous, vous** = same as present tense endings (**-ons, -ez**); others = same as present tense forms of **avoir** (**-ai, -as, -a, -ont**)

FUTURE TENSE		
parler	**finir**	**attendre**
je parler**ai**	je finir**ai**	j'attendr**ai**
tu parler**as**	tu finir**as**	tu attendr**as**
il/elle/on parler**a**	il/elle/on finir**a**	il/elle/on attendr**a**
nous parler**ons**	nous finir**ons**	nous attendr**ons**
vous parler**ez**	vous finir**ez**	vous attendr**ez**
ils/elles parler**ont**	ils/elles finir**ont**	ils/elles attendr**ont**

J'en **parlerai** à mon patron demain matin.

I'll speak to my boss about it tomorrow morning.

Nous **finirons** ce projet cette semaine.

We'll finish this project this week.

Tu **comprendras** mieux dans quelques jours.

You will understand better in a few days.

➤ All future stems, both regular and irregular, end in **-r.**

C. Some verbs form the future tense with an irregular stem.

IRREGULAR FUTURE STEMS					
aller	**ir-**	j'**ir**ai	devoir	**devr-**	je **devr**ai
être	**ser-**	je **ser**ai	recevoir	**recevr-**	je **recevr**ai
faire	**fer-**	je **fer**ai	venir	**viendr-**	je **viendr**ai
avoir	**aur-**	j'**aur**ai	vouloir	**voudr-**	je **voudr**ai
savoir	**saur-**	je **saur**ai	voir	**verr-**	je **verr**ai
pouvoir	**pourr-**	je **pourr**ai	envoyer	**enverr-**	j'**enverr**ai

Après mes études, je **ferai** un voyage en Europe.

After college, I will take a trip to Europe.

Est-ce que ton ami **pourra** t'accompagner?

Will your friend be able to go with you?

➤ **quand, lorsque** = *when*
➤ **aussitôt que, dès que** = *as soon as*
➤ If the action introduced by **quand,** etc. takes place in future time, French requires use of the future tense.

D. The future tense is generally used in the same way as the English future with *will*. However, in some cases French requires the future tense where English uses the present: in particular, after **quand** and **lorsque** (*when*), and after **aussitôt que** and **dès que** (*as soon as*).

Quand j'**aurai** plus de temps, je t'**écrirai**.

When I have more time, I'll write you.

Nous **pourrons** partir **aussitôt que** Sarah **arrivera**.

We can (will be able to) leave as soon as Sarah arrives.

E. Use **dans** with a length of time to say when something will happen in the future.

➤ **C'est aujourd'hui le Ier juin. Je partirai en France le Ier juillet. Je partirai** *dans* **un mois.**

> Albert **finira** ses études **dans deux ans.**
>
> Albert will finish his studies in two years.
>
> Sarah **rentrera** aux États-Unis **dans trois mois.**
>
> Sarah will go back home to the United States in three months.

Exercice 9 Intentions et impossibilités

Ex. 9. Practices *je* and *tu* forms, primarily of regular verbs. Use for oral pair work, after students have prepared and checked their answers at home.

Faites des questions et répondez-y vous-même, en employant le futur. Ensuite, interrogez votre partenaire.

MODÈLE: aller au restaurant ce soir →
Est-ce que tu iras au restaurant ce soir?
Oui, j'irai au restaurant ce soir. (Non, je n'irai pas...) Et toi?

1. te coucher tôt ce soir
2. dormir jusqu'à 10 h demain
3. finir tous tes devoirs avant le week-end
4. réussir à tous tes examens ce semestre
5. sortir ce week-end
6. gagner beaucoup d'argent cet été
7. acheter une voiture cette année
8. prendre des vacances la semaine prochaine

Exercice 10 Études à Montpellier

Ex. 10. Practices *nous* forms of irregular verbs. In class, have one student ask the question and another answer with *vous*.

Vous assistez à une réunion pour les étudiants de votre université qui vont aller faire des études à Montpellier, dans le sud de la France, le semestre prochain. Vous posez beaucoup de questions. Employez le futur des verbes indiqués.

MODÈLE: Est-ce que nous (aller) visiter Paris? →
Est-ce que nous irons visiter Paris?

1. Est-ce que nous (être) tous ensemble dans les cours?
2. Est-ce que nous (faire) des activités avec des étudiants français?
3. Est-ce que nous (recevoir) d'autres renseignements avant le départ?
4. Est-ce que nous (voir) souvent la directrice du programme?
5. Est-ce que nous (avoir) le temps de voyager dans le reste de l'Europe?
6. Est-ce que nous (savoir) bientôt quels cours nous (pouvoir) suivre?

Exercice 11 Quel avenir!

Ex. 11. This exercise uses only third-person singular forms of the future tense. You might assign a written paragraph in which students write predictions about what will become of members of your class.

Les étudiants de Mme Martin imaginent l'avenir de leurs camarades. Employez le futur des verbes indiqués.

DENISE ALLMAN

Denise _____¹ de la chance. Elle _____² la première femme candidate à la présidence américaine. Elle _____³ les élections, et son mari et elle _____⁴ vivre à la Maison Blanche.

aller
avoir
être
gagner

Denise _____⁵ travailler de longues heures, mais son mari et elle _____⁶ visiter beaucoup de pays dans le monde. En France, elle _____⁷ un discours en français qui _____⁸ tous les Français.

devoir
faire
impressionner
pouvoir

LOUIS THIBAUDET

Un jour, en faisant un dîner pour des amis, Louis _____⁹ ses talents culinaires. Il _____¹⁰ en France pour travailler avec un chef, et puis il _____¹¹ en Louisiane. Il _____¹² un restaurant, où nous _____¹³ tous dîner.

aller
découvrir
ouvrir
revenir

Au bout de quelques années, Louis _____¹⁴ un des chefs les plus connus des États-Unis, du monde même! Il _____¹⁵ beaucoup de livres, et il _____¹⁶ sa propre émission à la télé, qui _____¹⁷ «Thibaudet's Kitchen».

s'appeler
avoir
devenir
écrire

Exercice 12 Soyez plus optimiste!

Le pessimiste parle de son avenir, mais sans beaucoup de confiance. L'optimiste essaie de l'encourager. Faites les réponses de l'optimiste en employant le futur.

MODÈLE: Je serai surpris si mes copains se souviennent de mon anniversaire. →
Tu seras surpris quand tes copains se souviendront de ton anniversaire.

1. Je serai heureux si je réussis à l'examen demain.
2. Je serai très surpris si je reçois un A en cours de français.
3. Je serai surpris si mes amis m'invitent à sortir ce week-end.
4. Je serai étonné si j'ai assez d'argent pour payer mes études.
5. Je serai surpris si je finis mon devoir d'histoire ce soir.

Ex. 12. Note that we provide input only and do not require students to produce the *si* + present, future (result) sequence. At this time, students need to focus on the forms and meaning of the future tense. Here, they will use the future after *quand*. After they have prepared the exercise at home, you might have partners take turns reading the statements and responding, for extra practice. Remind them about agreement of adjectives.

GOALS FOR *CHAPITRE 10*
In *Chapitre 10*, students comprehend and use language for travel situations and increase their shopping vocabulary. They also begin to comprehend subjunctive forms after *il faut* and other expressions of necessity. *Functional goals:* (1) Describe what you usually do to get ready for a plane trip; (2) Outline a problem your car once had and what had to be done to fix it; (3) Give some helpful tips to a person who is going to travel to a country where tourism is not a well-developed industry.

MISE EN TRAIN
1. (1) Use your PF and realia to introduce basic travel vocabulary: *Cette femme est en train d'enregistrer ses bagages. Elle a énormément de valises! Comptez-les! Quand vous voyagez, est-ce que vous emportez autant de valises que cette femme?* List new vocabulary so it can be copied from the board. (2) Include subjunctive forms in your input: *À mon avis, il faut*

qu'on prenne le minimum de bagages quand on voyage! Write the phrases with subjunctive forms on the board. Later, point out the phrases with subjunctive and briefly explain that these forms are used after *il faut* and expressions of necessity, that the mood is called the present subjunctive, and that the forms have a regular pattern of endings. You may wish to assign students to do a preliminary reading of *Grammaire 10.1* and *10.2* at home.

2. Use TPR to introduce essential terms for driving and maintaining a car. (For TPR activities, see IRK, *Chapitre 10*.)

3. Spend a few minutes each day detailing what happened during trips you have taken and asking about students' experiences. Bring in old tickets, your passport, brochures, etc. while you describe preparations for your trips, departure details, the voyage, and what happened upon arrival. Include unexpected events

you had to deal with and what you did to solve problems. *Vous avez eu des ennuis avec la douane à Lisbonne, Paul? Moi aussi! Il a fallu que nous fassions la queue plus d'une demi-heure. C'était pénible!*

AS 1. Show slides/photos of a trip you took abroad. Talk about what you had to do at different stages of the trip and events that occurred.

4. Use your PF to discuss what things are made of, or bring a bag of small objects to class. Show each item, describe its uses, what it is made of, then hand it to a student. Review often: *Alors, cette petite tasse est très utile pour un pique-nique. Est-ce qu'elle est en acier ou en argent? (acier)... Et qui dans la classe tient un autre objet en acier? (Claire) Oui, Claire a un objet en acier. Est-ce que ce sont des lunettes ou des ciseaux? (ciseaux) Oui! Claire, passez les ciseaux en acier à...*

CHAPITRE 10

*L*es voyages

La cérémonie du thé au Maroc

Objectifs

IN **CHAPITRE 10,** *you will talk about travel experiences, needs, and situations that arise during trips. You will also learn a new way to express necessity.*

activités

lectures

grammaire

Activités *et* lectures

les chèques de voyage

le billet d'avion

le passeport

Attention! Étudier Grammaire 10.1 et 10.2

Voyages à l'étranger.
(1) Introduce/review travel vocabulary. (See *Mise en train, Act. 1.*) Before you discuss the display art, find out how many students have been abroad, have never flown, etc. Describe each art situation in detail, mentioning your own experiences (with luggage, waiting...) and bringing in those of the students. (2) Point out the subjunctive forms, used with *il faut que,* and ask students to identify the infinitives of the verbs. New vocabulary: *à l'étranger, arrivée, bagages, billet d'avion, cabine, carte d'embarquement, contrôle, contrôleur, se débrouiller, déclaration de douane, déclarer, départ, douanier, emporter, enregistrer, faire la queue, fouiller, haut-parleur, hôtesse, passager, quai, remplir, salle d'attente, steward, voie, vol, voyageur.*

ENREGISTREMENT — l'employée — les bagages

Au départ, il faut enregistrer ses bagages.

LA SALLE D'ATTENTE — le haut-parleur — les passagers — la carte d'embarquement

Parfois, il faut que les passagers attendent le départ d'un vol.

la cabine [classe économique] — le steward — l'hôtesse [première classe] — la déclaration de douane

Pendant un vol international, il faut que les passagers remplissent la déclaration de douane.

LE CONTRÔLE DE POLICE — la queue (faire la queue)

À l'arrivée, il faut que les passagers fassent la queue au contrôle des passeports.

AS 2. Autograph activity. Students write and sign a statement about an unusual or special event that occurred during a trip they have taken. (*J'ai laissé mon portefeuille dans un taxi à Rome.*) Use these to create autograph activities to use for a few days.

AS 3. As part of daily warm-up, do a TPR activity on taking a trip. (See IRK for TPR activities.)

le douanier

Même si l'on n'a rien à déclarer, le douanier fouille parfois les bagages.

VOIE 10 — le wagon — le contrôleur — le quai

Il est essentiel que le voyageur apprenne à se débrouiller.

Activité 1 Ordre logique: Avant de partir en voyage

Déterminez l'ordre logique de ces préparatifs.

_____ **a.** On demande un passeport.
_____ **b.** On fait ses bagages.
_____ **c.** On fait les réservations.
_____ **d.** On achète tout le nécessaire.
_____ **e.** On étudie les renseignements.
_____ **f.** On prend des chèques de voyage.
_____ **g.** On économise de l'argent.
_____ **h.** On s'assure d'avoir une carte bancaire valable.
_____ **i.** On s'assure de ne pas oublier les billets.
_____ **j.** On vérifie que le vol va partir à l'heure.

Allons plus loin! Avec deux partenaires, imaginez une scène entre un agent de voyages et deux personnes qui vont voyager ensemble. Les deux voyageurs ne sont pas toujours d'accord sur les détails. Présentez votre scénario à la classe.

Act. 1. (partners) Make sure the vocabulary is understood, then assign to partners to fill in the numbers for the logical order. Afterward, ask for the first step, the second, etc. When there is disagreement over answers, ask for explanations. Extend by asking what small household details must be taken care of before departure: *demander au voisin d'arroser les plantes, donner à manger au chat, téléphoner au journal... Allons plus loin!* Give partners a chance to prepare during one class and have performances the following day. You may need to get things started by mentioning ideas like taking a boat or a plane, where to go, what to see, and where to stay. New vocabulary: *s'assurer, carte bancaire, démarche, économiser, faire les bagages, le nécessaire, vérifier.*

Activité 2 Échanges: Le voyage organisé

Imaginez que vous allez partir en France en voyage organisé et que vous répondez au conseils de votre professeur de français. Jouez les deux rôles avec un(e) camarade de classe.

MODÈLE: PROF: Il faut que vous vous inscriviez bientôt dans le
  programme.
  VOUS: Pas de problème, monsieur (madame). Je m'inscrirai
  demain.

1. Il est essentiel que vous emportiez assez d'argent.
2. Il vaut mieux que vous ne preniez pas trop de bagages.
3. Il faut que vous demandiez tout de suite un passeport.
4. Il faut que vous emportiez des chaussures confortables pour faire des excursions.
5. Il est essentiel que vous suiviez les instructions du guide.
6. Il faut que vous ne parliez que français entre vous.
7. Il est important que vous ne sortiez pas seul(e) le soir.
8. Il vaut mieux que vous gardiez l'esprit ouvert.
9. Il faut que vous soyez à l'heure pour les activités organisées.
10. Il faut que vous vous amusiez bien pendant le voyage.

Act. 2. (partners) (1) Say that the activity includes useful advice for travelers. Read the items aloud so students can hear your pronunciation, pausing for comments or questions. Then ask the class to think of other advice if they can. (2) Do the *modèle* with a volunteeer, pointing out how the verb form changes. Assign to partners. (3) Follow-up: Read the instructor's role, as volunteers respond. Write the verbs on the board and, later, review the forms and *il faut que* + subjunctive construction. New vocabulary: *bientôt, emporter, excursion, garder l'esprit ouvert, guide, tout de suite.*

Act. 3. (partners) Have students use the *passé composé,* and have them name as many things as they can think of that Adrienne has done for each frame. During follow-up, you might turn this into a competition to see who can name the most (logical) activities. For example, the obvious statement for #1 is *Elle a lu des brochures.* Students might also say: *Elle est allée à une agence de voyages, a demandé des renseignements, a décidé de voyager...* Basic sentences: 1. *Elle a lu des brochures.* 2. *Elle a pris son passeport.* 3. *Elle a fait ses réservations.* 4. *Elle a acheté des chèques de voyage.* 5. *Elle a fait des achats.* 6. *Elle a fait ses valises.* 7. *Elle a enregistré ses bagages.* 8. *Elle est montée dans l'avion.*

Activité 3 Récit: Le voyage d'Adrienne Petit

Adrienne Petit est partie à Tahiti l'année dernière. Qu'est-ce qu'elle a fait avant son départ?

MODÈLE: (Numéro un.) Avant de partir, Adrienne a lu des brochures.

Ça fait penser

- Les salariés français ont droit à cinq semaines de vacances.
- On peut visiter plus de 38.000 monuments historiques en France.
- En 1990, le TGV a battu le record de vitesse en train, avec 515 km/h (kilomètres à l'heure).

Les francophones sur le vif

Paul-Henri Jurieu, 46 ans, professeur d'économie à l'Université Charles-de-Gaulle/Lille III

Vous travaillez à Lille, mais vous habitez Paris; est-ce raisonnable?

Tout à fait raisonnable, oui, et je ne suis pas le seul «turbo prof» dans ce cas. J'ai toujours habité Paris et je voulais y rester, mais comme il était difficile d'y trouver un poste en fac, j'ai décidé de chercher dans une autre ville. C'était justement l'époque où la SNCF a mis en service le TGV «Thalys», entre Paris et Bruxelles. À partir de la gare du Nord, on est à une heure de Lille et c'est donc très facile de faire deux aller-retours par semaine. Ajoutez à ça que le train est confortable et relaxant: on peut y lire, écouter la radio, travailler sur son ordinateur... et, contrairement à l'avion, il circule par tous les temps et vous conduit au cœur[1] de la ville. D'ailleurs, je ne possède pas de voiture, puisqu'avec le métro à Paris et 34.000 kms de chemin de fer sur l'ensemble du territoire français, je peux aller pratiquement n'importe où,[2] plus vite—le TGV atteint les 300 km/h[3]!—et à meilleur marché. À l'exception des grèves[4] de cheminots, c'est un système vraiment formidable.

[1]centre
[2]**n'importe...** dans presque tous les endroits
[3]kilomètres à l'heure
[4]*strikes*

Les francophones sur le vif. The evolution of the SNCF (*Société nationale des chemins de fer français*) in the past few decades has sometimes been at odds with its *mission de service public*. Although the development of TGV (*train à grande vitesse*) lines along some routes has made travel easier and faster than ever before, the rail system remains quite centralized, as the *grandes lignes* arrive in and depart from Paris—to Lyon and Marseille, to Bordeaux, to Lille and Brussels. Thus, connections from one provincial city to another have not significantly improved, and there has been some controversy about the proposed cancellation of less-traveled routes operating at a loss. France still relies heavily on the train for passenger and freight transport, however, which has made it possible for the *cheminots* to keep their preferential treatment: on several occasions, they have demonstrated that rail strikes could virtually paralyze the entire country. Since P-H Jurieu primarily gives arguments in favor of train travel in France, ask the students to find its potential disadvantages.

Activité 4 Entretien: Les voyages

1. Tu aimes voyager? Où est-ce que tu vas souvent?
2. Tu as déjà visité un autre pays? Quel pays? Quand? Sinon, quel pays est-ce que tu voudrais visiter?
3. Est-ce que tu préfères les voyages organisés ou les voyages individuels? Pourquoi?
4. Où est-ce que tu aimerais aller si tu pouvais? Qu'est-ce que tu voudrais faire?

Act. 4. (partners) Option 1: Students discuss the questions together. Option 2: *E1* asks all questions and takes notes; then they reverse roles. Afterward, hold a discussion about the students' answers. You might also have the class ask you the questions (using *vous*).

AS 4. Have students work in pairs or small groups to plan a dream trip. They should say where they would like to go, how they would like to get there, with whom they would travel, what they would like to do there, etc.

EN VOITURE!

Attention! Étudier Grammaire 10.3

En voiture! (See *Mise en train, Act. 2.*) (1) Use a photo of a car to present/review terms for basic parts like *roue* and *vitre*. At the same time, include questions about students' cars and describe your own. Ask about basic maintenance: *Est-ce une bonne idée de vérifier la pression des pneus chaque semaine? Avec quelle fréquence est-ce qu'on doit changer l'huile dans le moteur? Tous les cinq ou six mois?* (2) Discuss the art and use PF photos to talk about driving needs and situations: *Qu'est-ce qui se passe si vous brûlez un feu rouge?* New vocabulary: *consommer, contravention, essence, être en mauvais état, pneu (crevé, neuf), station-service.* Car: *capot, clignotant, coffre, essuie-glaces, frein, huile, klaxon, klaxonner, levier de vitesse, pare-brise, phare, plaque d'immatriculation, portière, roue, vitre, volant;* Idioms: *brûler le feu rouge, faire le plein.*

AS 5. Introduce verbs for driving situations (*ralentir, accélérer,* etc.) with TPR. (See *Mise en train, Act. 3,* for TPR.)

AS 6. Show photos from PF of different kinds of cars and ask students to give their approximate prices, their features and advantages, and the kinds of people who are most likely to buy each type you show.

AS 7. Pair/group students to dream up their ideal car and describe it to the class after they finish.

Faites le plein et vérifiez le niveau d'huile, s'il vous plaît.

Donnez-moi une voiture qui ne consomme pas trop d'essence.

Oui, dites-lui de mettre de nouveaux pneus. Les vieux sont en très mauvais état.

Tu vois ce feu rouge? Ne le brûle pas!

Act. 5. (whole class) (1) Discuss the terms in the list by asking questions about their functions: *Est-ce que le klaxon est une lumière? On utilise les freins pour arrêter la voiture ou pour mettre le moteur en marche?* (2) Read the sentences and allow the group to answer. If there is a pronoun in the sentence, ask what it refers to. New vocabulary: *abuser, cas d'urgence, ceinture de sécurité, dépasser les limitations de vitesse, marcher, raconter, règle, réservoir, sinon, verglas.*

Activité 5 Associations: La art de la conduite

Identifiez la suggestion pour chaque objet, personne ou règle.

1. les freins
2. les limitations de vitesse
3. un mécanicien
4. le feu rouge
5. le klaxon
6. de l'essence
7. les clignotants
8. la ceinture de sécurité

a. Mettez-les si vous changez de direction.
b. Racontez-lui les problèmes de votre voiture.
c. Ne les employez pas trop quand il y a du verglas.
d. Utilisez-le en cas d'urgence mais n'en abusez pas.
e. Arrêtez-vous quand vous le voyez. Ne le brûlez jamais.
f. Mettez-en dans le réservoir, sinon votre voiture ne marchera pas.
g. C'est la règle numéro un. Attachez-la chaque fois que vous vous mettez au volant.
h. Ne les dépassez pas, sinon vous allez recevoir une contravention.

Act. 6. (partners) Mention new vocabulary before assigning. Afterward, discuss what students recommend. Find out how many people change their own oil, check tire pressure often, etc. New vocabulary: *balai d'essuie-glace, batterie, équilibrage des pneus, liquide de freins, moteur, pression, radiateur.*

 Activité 6 **Échanges: L'entretien d'une voiture**

Avec quelle fréquence devrait-on faire ces choses?

1. changer l'huile dans le moteur
2. vérifier la pression des pneus
3. mettre de l'eau dans le radiateur
4. vérifier la batterie
5. faire le plein d'essence
6. changer les balais d'essuie-glace
7. acheter des pneus
8. faire l'équilibrage des pneus
9. changer le liquide de freins

a. chaque semaine
b. toutes les (deux) semaines
c. trois fois par an
d. tous les mois
e. quand il le faut
f. jamais

Activité 7 **Entretien: Ta voiture**

1. Quel type de voiture conduis-tu? Elle te plaît ou pas?
2. Si tu n'as pas de voiture, comment est-ce que tu te déplaces? En vélo? À pied?
3. Est-ce que tu fais partie d'un club automobile? Pourquoi (pas)?
4. Tu as déjà eu un accident? C'était de ta faute?
5. Combien de contraventions as-tu reçues? Pourquoi?

Act. 7. (partners) After students discuss the questions, take a survey of the answers.

Cliquez là!

Votre voiture ne fonctionne pas parfaitement? Consultez un mécanicien francophone en vous servant des mots clés *conseils automobiles.* À la prochaine réunion de la classe, racontez votre problème et la solution proposée.

Cliquez là! Students will probably find several sites under *conseils automobiles* and under *garages,* if they use a French language search engine. Advise them to choose a site that offers to answer questions or that lists the types of repairs made by that business.

Activité 8 Échanges: Pour mieux conduire

Imaginez que vous et votre partenaire devez passer une épreuve de conduite. Posez-vous des questions et puis, discutez ensemble de chaque réponse.

> MODÈLE: É1: Qu'est-ce qu'on doit faire s'il commence à neiger très fort?
> É2: Eh bien, on doit conduire lentement. C'est tout?
> É1: Non, il ne faut pas freiner non plus.

SITUATIONS

1. Il y a du verglas et la voiture commence à glisser.
2. Il pleut et il y a du brouillard.
3. On décide de tourner à gauche.
4. Un enfant se précipite dans la rue pour aller chercher son ballon.
5. On roule vite et, tout d'un coup, le feu passe à l'orange.
6. Une voiture te suit de trop près.
7. -?-

IDÉES

- mettre la ceinture de sécurité
- freiner aussi vite que possible
- ralentir / accélérer
- brûler le feu rouge
- rouler (plus lentement)
- mettre (les essuie-glaces)
- mettre le clignotant
- arrêter la voiture
- klaxonner
- changer de vitesse
- -?-

Activité 9 Récit: Julien n'a pas de chance!

Julien Leroux a reçu une invitation pour passer le week-end chez des amis à la campagne. Il a décidé d'y aller en voiture. Est-ce qu'il s'est bien amusé pendant la visite? Pourquoi?

Vocabulaire utile: avoir du mal à, entendre un bruit, tomber malade

COMMENT SE débrouiller

Attention! Étudier Grammaire 10.4

Raoul Durand a reçu son courrier à la poste restante. L'employé le lui a donné.

Pendant qu'il était au bureau de poste, il a passé un coup de fil interurbain.

Sarah Thomas a acheté une télécarte dès son arrivée à Paris. Elle s'en est souvent servie.

Jean-Yves s'est trouvé sans argent à Dakar. Ses parents lui en ont envoyé.

À l'hôtel

Act. 10. (partners) Students will use sentences with pronoun objects while discussing travel situations. Read the question in the model and ask how many students would/would not give money. Ask for reasons. Assign to partners, each of whom should answer the questions. Circulate to explain vocabulary or to provide other help. Afterward, take a survey of answers. New vocabulary: *appareil photo, clochard, demander le chemin, étranger/étrangère, garder, portefeuille, remercier.*

Activité 10 Échanges: Le savoir-faire

Discutez ces situations avec un(e) camarade de classe. Donnez vos réactions et expliquez-les.

MODÈLE: É1: Un clochard s'approche de toi et te demande de l'argent. Est-ce que tu lui en donnes? →

É2: Oui, je lui en donne. Il a l'air d'avoir faim. (Non, je ne le connais pas. Je ne lui en donne pas.)

1. À la banque, la caissière demande à voir ton passeport. Tu le lui montres?
2. Des gens que tu ne connais pas bien te demandent le numéro de ta chambre d'hôtel. Est-ce que tu le leur donnes?
3. Tu remercies le chauffeur de taxi. Lui offres-tu aussi de l'argent?
4. Un étranger te demande le chemin pour aller au musée d'Orsay. Est-ce que tu le lui dis?
5. L'employé à la réception de ton hôtel demande à garder ton passeport. Tu le lui laisses?
6. Le serveur dans un restaurant est très désagréable. Est-ce que tu lui laisses un pourboire?
7. Un ami excentrique demande à se servir de ton nouvel appareil photo. Tu le lui prêtes?
8. Une copine qui a perdu son portefeuille demande à se servir de ta carte de crédit. Est-ce que tu la lui donnes?

Activité 11 Récit: Vacances en Corse

Qu'est-ce qu'Adrienne a fait dès son arrivée à l'hôtel?

Act. 11. (partners) Point out Corsica on a map and explain that it is a French *collectivité territoriale* and the birthplace of Napoléon I. Describe its setting and geographical features. Then assign the activity for discussion. Partners should create as many sentences as possible about each situation. Review these during follow-up, and have students speculate as to what Adrienne did to get ready to go to Corsica (*Elle a fait ses bagages, elle a pris un avion...*). Basic sentences: 1. *Adrienne est arrivée à son hôtel et elle est en train de payer le chauffeur de taxi. Elle a donné ses valises à l'employé.* 2. *Elle est arrivée dans sa chambre et elle est en train de donner un pourboire à l'employé.* 3. *Elle a ouvert sa valise et elle a découvert des vêtements dans le placard.* 4. *Elle a téléphoné à la réception. La douche s'est cassée.* 5. *L'employé lui a apporté le petit déjeuner.*

Info: Vie quotidienne

Se loger en voyage

Lorsqu'on voyage dans un pays inconnu, l'une des principales difficultés consiste à trouver un logement adapté à ses goûts[1] et surtout à son budget. Dans presque tous les pays européens, vous trouverez au centre-ville—généralement tout près de la gare—un bureau appelé «syndicat d'initiative» ou «office du tourisme». Là, on vous aidera à trouver un hôtel selon vos désirs et, généralement, on téléphonera pour vous réserver une chambre.

Pour ceux qui aiment préparer leurs vacances en détail, il existe de nombreux guides qui vous informent sur la qualité des hôtels et—très important en France!—des restaurants. Les plus connus sont les guides *Michelin* et *Gault-Millau*, dont les évaluations gastronomiques[2] («étoiles» ou «toques»[3]) font autorité. Le *Guide du Routard* donne d'excellents trucs[4] pour se loger et manger à bon marché. Pour les plus fortunés,[5] le *Guide des Relais et Châteaux* propose ses hôtels de grand luxe dans des sites prestigieux. Même si vous n'avez pas de guide, vous pouvez toujours juger un hôtel grâce au système de catégorisation officiel, qui attribue entre une et cinq étoiles selon le niveau de confort. À partir de deux étoiles, vous disposerez d'une salle de bains/W.C. dans la chambre et, le plus souvent, d'un téléphone et d'une télévision.

[1]préférences
[2]qui a rapport avec la grande cuisine
[3]chapeaux portés par les cuisiniers
[4]conseils pratiques
5riches

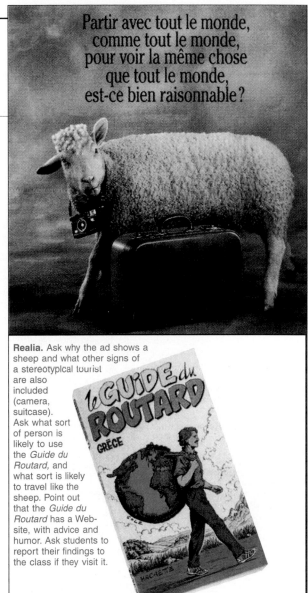

Partir avec tout le monde, comme tout le monde, pour voir la même chose que tout le monde, est-ce bien raisonnable?

Realia. Ask why the ad shows a sheep and what other signs of a stereotypical tourist are also included (camera, suitcase). Ask what sort of person is likely to use the *Guide du Routard,* and what sort is likely to travel like the sheep. Point out that the *Guide du Routard* has a Website, with advice and humor. Ask students to report their findings to the class if they visit it.

Activité 12 Discussion: Débrouillez-vous!

Imaginez que vous voyagez avec votre partenaire. Décidez comment vous allez vous débrouiller dans ces situations.

MODÈLE: Il n'y a plus de chambres dans une petite ville.

  É1: Nous pouvons aller au café pour demander s'il y a quelqu'un qui loue des chambres avec petit déjeuner.
  É2: Oui, mais si tout est fermé...

AS 8. *La naïveté.* In groups, students prepare a scenario based on the unfortunate adventures of a very naïve traveller accustomed to an easy life at home. Suggestion: Two students explain a convoluted story to a policeman at his station. (*Un homme a offert de surveiller mes bagages...*)

AS 9. Do an association activity based on travel experiences and problems students have encountered.

AS 10. Conversation party. Give partners a few minutes to make up a story together about an incredibly eventful trip. Call time and have everyone rise and pretend they're at a party. The object is to tell one's story to at least three people who haven't heard it. Afterward, vote on the most amazing stories.

Vocabulaire utile: l'ambassade de votre pays, l'annuaire téléphonique, le bureau des objets trouvés, le numéro d'urgence, la pharmacie de garde

Situations

1. Vous perdez votre passeport.
2. Vous désirez aller dans un magasin qui vend du matériel électronique.
3. Vous avez besoin d'un médicament à deux heures du matin.
4. Vous désirez recevoir des lettres mais vous n'avez pas d'adresse.
5. Vous avez oublié votre carte d'identité dans un grand magasin la veille.
6. Votre voiture tombe en panne en pleine nuit.
7. ?

Ça fait penser

- En 1997, la France a gardé sa place de première destination mondiale, en recevant 64 millions de touristes. En plus de cela, elle a reçu environ 86 millions de visiteurs qui sont venus pour y passer une journée.
- L'industrie touristique joue un rôle important dans l'économie française et représente plus de 660.000 emplois salariés.
- Disneyland Paris est le site le plus fréquemment visité en France, avec 11,7 millions de visiteurs. Le Louvre est en 4e place, avec 4,7 millions de personnes, et le Parc Astérix, en 11e place, n'a accueilli que 1,7 millions de personnes.

Les achats, les produits et les matières. (1) Review names of articles and materials (see *Mise en train, Act. 4*). (2) Introduce the display situations, then ask questions: *Est-ce qu'on trouve des sous-vêtements en soie au souk marocain ou dans la boutique parisienne? Qu'est-ce qui est plus pratique, des sous-vêtements en soie, en coton ou nylon?* (3) Talk about items students have in class: *Et les boucles d'oreille qu'on peut acheter au souk, elles sont en argent? Karen porte des boucles d'oreille aujourd'hui. Est-ce qu'elles sont aussi en argent? Elles ont des perles ou des turquoises?* (4) Use superlative statements: *Lequel est le plus pratique pour aller en classe, un pantalon en cuir ou un pantalon en coton? Quel collier coûte le plus cher, le collier en or, celui en argent ou celui en verre?* New vocabulary: *acier, argent, bibelot, bijouterie, bois, boucle d'oreille, bouteille, bracelet, ceinture, ciseaux, collier, combinaison, coton, cristal, cuir, cuivre, culotte, écharpe, foulard, gants, laine, marché, marché aux puces, plateau, portefeuille, poterie, slip, soie, soutien-gorge, terre cuite.*

LES AChATS, LES pROdUiTS ET LES MATiÈRES

Attention! Étudier Grammaire 10.5 et 10.6

AS 11. Show items or pictures and ask where they can be bought: *Regardez cette bague en or, avec des diamants. Où est-ce qu'on peut acheter une belle bague comme celle-ci? Au Prisunic ou dans une bijouterie?*

Un marché à Lomé, au Togo

Un souk à Fès, au Maroc

Une boutique à Paris, en France

Un marché aux puces, à Bruxelles, en Belgique

Activité 13 Associations: Les matières et les objets

Dites en quoi sont faits les objets suivantes.

Vocabulaire utile: en terre cuite, en cristal, en soie, en laine, en acier, en cuir, en argent, en plastique, en verre...

1. une fourchette
2. des ciseaux
3. un manteau
4. de la poterie
5. un chandelier
6. un parachute
7. une poubelle
8. des lunettes
9. une tasse
10. des chaussures
11. un verre à vin
12. des sous-vêtements
13. les pare-brise
14. des boucles d'oreille
15. les carreaux d'un parquet
16. un ordinateur

Act. 13. (whole class) Lead the discussion, as many of the objects are manufactured in a variety of materials. Ask students to explain the uses for the product in its different forms: *Des verres à vin en plastique? Quand est-ce qu'on a besoin de ça? Ah! pour des pique-niques ou sur le patio le soir. Oui, je comprends!* New vocabulary: *carreaux d'un parquet chandelier, parachute.*

AS 12. *Idées insolites.* Ask students to think of very impractical inventions (*des chaussures en verre, un chandelier en papier, des boucles d'oreille en fer*). The class must explain why these ideas aren't going to work.

La langue en mouvement

Comment comptez-vous?

Les chiffres français ne sont pas les mêmes dans tous les pays francophones. En Belgique et en Suisse, au lieu de dire *soixante-dix* et *quatre-vingt-dix,* on dit *septante* (avec le *p* prononcé) et *nonante.* De même, en Suisse uniquement, *huitante* remplace *quatre-vingts.* Quel serait l'équivalent des chiffres suivants en français de France: *huitante-trois, septante et un, nonante-huit?*

La langue en mouvement. These regional variants correspond to the decimal system. The Standard French equivalents represent remnants of a number system based on twenty, referred to as a vigesimal system (*numération vicésimale*), which was used by the Gauls. Note that *septante* is also used in parts of eastern France as well as in the Canadian provinces of Nova Scotia and New Brunswick.

Act. 14. (partners) Ask for volunteers to perform the model. Make sure everyone understands the vocabulary before you assign the activity. Afterward, find out if each choice was taken by someone in class, and why: *Vous avez choisi le foulard en polyester, Rashid? Pourquoi?* New vocabulary: *se casser, diamant, durable, fait(e) à la main, goût, insolite, or, pierre, plastique, polir/poli, polyester, rubis, turquoise.*

AS 13. *Marchandez!* Give all students an equal amount of play money and ask everyone to provide an object to "sell." (Those who fail to bring an object can use something from their backpack.) In a given amount of time, see (1) who can purchase and retain the largest number of items, and (2) who ends up with the most cash in hand. (Some entrepreneurs will end up with more than they had at first.)

AS 14. *C'est combien?* Describe items from catalogues or magazines in enticing detail and have students write down the estimated cost of each item. When finished, find out who came closest to the actual value of the item.

Activité 14 Échanges: Décisions à prendre

Imaginez que vous allez acheter des cadeaux pour votre famille et vos amis. Faites votre choix et comparez-le avec celui de votre partenaire. Expliquez vos raisons.

MODÈLE: É1: Moi, je prends le portefeuille en cuir pour mon père. Mon père a beaucoup de goût!

É2: Et moi, je prends celui en plastique pour mon petit frère. C'est le moins cher.

1. le foulard en coton, celui en soie ou celui en polyester?
2. les assiettes en terre cuite, celles en cristal ou celles en acier?
3. la bague en or avec un diamant, celle en argent avec des turquoises ou celle faite à la main en cuivre?
4. les boucles d'oreille avec des perles, celles avec des pierres polies ou celles avec des rubis?
5. le pantalon en cuir, celui en coton ou celui en laine?
6. la montre en or, celle en argent ou celle en acier?

Vocabulaire utile

C'est le/la plus durable (pratique, insolite...)
C'est le/la moins cher/chère (facile à nettoyer...)
C'est le meilleur (la meilleure).
Ça ne se casse pas (se lave bien).

Act. 15. (partners) Students will talk about their shopping habits and preferences. You might prefer to have them include questions to ask one another before the explanations. Later, ask questions to learn about their replies. New vocabulary: *chaussette, en solde, taille.*

AS 15. Have the class ask you when and why you buy the items listed in *Act. 15* and other items of their choosing.

Activité 15 Échanges: Les achats

Quand et pourquoi est-ce que vous achetez les objets suivants? Est-ce qu'il y a d'autres achats que vous faites? Lesquels?

MODÈLE: É1: Moi, j'achète des bottes vers la fin de l'hiver quand elles sont en solde.

É2: Tu as de la chance. Ma pointure est très difficile à trouver. Alors, je suis obligé(e) d'acheter des bottes quand je peux trouver ma pointure.

LES OBJETS	LES RAISONS POSSIBLES
1. des vêtements	Il/Elle est (Ils/Elles sont) en solde.
2. des chocolats	Quand j'ai assez d'argent.
3. des sous-vêtements	Quand on m'a offert de l'argent en cadeau.
4. des chaussettes	Quand j'en ai besoin.
5. des CD	Quand je trouve (ma taille, ma pointure).
6. du parfum	Si je dois acheter un cadeau.
7. des livres	-?-
8. des gants	

LECTURE

L'arrivée en ville

Pre-reading activity: Have the students brainstorm based on the following prompt: «*Qu'est-ce qui va le plus frapper (impressionner, choquer, intriguer) un(e) habitant(e) d'un petit village de campagne qui visite une très grande ville pour la première fois? Quels problèmes risque-t-il/elle de rencontrer?*»

Amoin, une jeune fille de quatorze ans, habite dans un petit village de Côte-d'Ivoire. À l'invitation de son oncle, professeur dans une école d'Abidjan, elle a l'occasion d'aller séjourner dans la grande ville. Mais son taxi-brousse arrive à la gare routière très en retard.

Seulement, c'est déjà le crépuscule[1] quand le taxi-brousse[2] atteint la ville. Déjà les lampes sont allumées dans les rues encombrées de voitures.

Amoin est éblouie[3] par ces innombrables voitures aux phares allumés, ces panneaux électriques aux couleurs vives[4] qui signalent les vitrines des magasins. [...] Cette entrée dans la ville est très agréable car, avec les embouteillages,[5] le taxi roule très lentement et Amoin écarquille[6] les yeux pour mieux prendre contact avec cet univers merveilleux. Enfin, le taxi-brousse s'arrête à la gare. Amoin descend du véhicule, récupère sa valise et se met à chercher son oncle.

Très vite, Amoin se rend compte que cela risque de ne pas être facile de le trouver. En effet, la gare de la ville est très animée. Les gens se bousculent pour descendre des taxis ou pour y monter, pour charger ou décharger les voitures. C'est un continuel mouvement de va-et-vient de voitures, de cris [...] et de commerçants ambulants qui vendent de tout: jouets, assiettes, lampes de poche, pommades,[7] chaussettes, biscuits, etc.

Tout ce mouvement étourdit[8] un peu Amoin qui, pour éviter la bousculade, se met à l'écart[9] avec l'espoir que son oncle la verra plus facilement. Elle remarque que les autres passagers qui sont venus du village dans la même voiture qu'elle s'en vont déjà. Certains sont accueillis par leurs parents, d'autres prennent l'autobus ou les taxis de la ville, les fameux taxi-compteurs. Amoin attend et commence à se sentir seule. «Je pourrais bien partir comme eux, se dit-elle. Mais je ne connais pas chez Tonton.»

[...] Les heures passent. La nuit est complètement tombée. La gare est un peu moins animée maintenant, et Amoin ne voit toujours pas son oncle. [...] Alors, Amoin s'approche de la dernière vendeuse de pain sucré. Comme la vendeuse est petite comme elle, cela encourage Amoin à lui parler:

—Est-ce que tu n'as pas vu mon oncle, M. Joseph Konan, un homme grand et mince, portant des lunettes?

—Oui, j'ai bien vu un homme comme ça ici vers deux heures. Il a attendu longtemps, mais il est parti.

—C'est lui! soupire Amoin, qu'est-ce que je vais faire maintenant?

Lecture: This story is set in Abidjan, the largest city in Ivory Coast with 2.7 million inhabitants (the official capital being Yamoussoukro), which students should first locate on a map. Explain that a *taxi-brousse* is a car or a van used for travel between villages and cities, which leaves only when full (hence its late arrival in the story). *Taxi-compteurs* are western-style metered cabs, which are unusual in West Africa. Amoin is quite dazzled by what she sees because it is her first trip to a large city. Students can try to contrast what she sees in Abidjan with what she is used to in her village: *Au village, il n'y a pas de voitures; les gens ne se bousculent pas*, etc. Use mimicry to explain *écarquille les yeux, se bousculent, étourdit, se met à l'écart, accueillis par leurs parents, soupire.*

Texte adapté de *Pain Sucré* de Mary Lee Martin-Koné (1983)

---

[1]coucher du soleil
[2]en Afrique, taxi qui va d'une ville à une autre
[3]elle ne peut plus voir à cause de la lumière

[4]brillantes
[5]quand la circulation automobile est bloquée
[6]ouvre très grand

[7]médicament sous forme de crème
[8]trouble
[9]**à...** dans un endroit plus tranquille

Allons plus loin. *Aidez Amoin!* is a problem-solving activity in a realistic situation. Have students brainstorm in groups and help them with vocabulary. Point out impossibilities as well: for instance, although M. Konan may have a phone, it can be unrealistic to look someone up in a phone book in an African city. Possible strategies: *dormir à la gare et attendre son oncle le lendemain, aller demander dans une école, téléphoner aux renseignements* (directory assistance).

Avez-vous compris?   Répondez aux questions sur le texte.

1. Quelle impression Amoin a-t-elle quand elle voit la ville pour la première fois?
2. Comment est l'ambiance à la gare routière? Quelle est la réaction d'Amoin?
3. Que font les passagers du taxi-brousse après leur arrivée?
4. En principe, qui doit accueillir Amoin? Pourquoi n'est-il pas là?
5. Imaginez les pensées et les sentiments de la jeune fille à la fin de ce passage.

Allons plus loin!   Aidez Amoin! Elle est seule à Abidjan; elle ne connaît pas la ville, ni l'adresse de son oncle. Elle a juste un peu d'argent. Qu'est-ce qu'elle peut faire? Proposez diverses solutions pour aider la jeune fille.

À vous d'écrire: Read aloud and explain the situation before assigning the activity. You may wish to have students discuss with partners what they might say, or you might ask the class what such a couple would be likely to do in your region. New vocabulary: *avoir du mal à, changer de l'argent, compter, découvrir (découvert), loger, réaliste.*

À vous d'écrire

L'été dernier, les Maegt, un couple belge aux moyens modestes, vous ont demandé de leur préparer un itinéraire de vacances. Ils comptaient passer trois jours et trois nuits dans votre ville, et vous avez essayé de leur laisser une impression positive mais réaliste de la région.

Maintenant, faites la description de leur visite. Dites où ils ont logé, où ils ont mangé, les plats et les produits régionaux qu'ils ont découverts, les magasins et les endroits qu'ils ont visités, etc. Est-ce qu'ils ont eu du mal à changer leur argent ou à conduire la voiture qu'ils avaient louée?

MODÈLE: Les Maegt sont arrivés, jeudi matin, le 23 juin et ils ont loué une voiture. Ils ont logé à l'hôtel Carson (au motel Super Rest) parce que... Le premier jour de leur visite, ils sont allés...

www.mhhe.com/deuxmondes

À explorer: www.mhhe.com/deuxmondes/ pour obtenir plus d'informations sur les thèmes du chapitre.

Vidéothèque

Espace vidéo

Réserver une chambre d'hôtel. Aimée a décidé de peindre des châteaux dans la vallée de la Loire. Dans cet épisode vidéo, elle téléphone à un hôtel pour réserver une chambre pour la visite. Pour combien de nuits et de personnes? Quel type de chambre est-ce qu'elle désire? Y a-t-il une chambre de libre? À quel prix? Avec bain ou douche? Pourquoi est-ce que la réceptionniste décide de lui faire un prix spécial?

Vocabulaire

Partir en voyage

Going on a trip

un agent de voyages	a travel agent
une arrivée/un départ	an arrival/a departure
un billet aller-retour	a round-trip ticket
une carte bancaire	a bank card
une carte d'embarquement	a boarding pass
une démarche	a step, action
des renseignements (*m.*)	information
une salle d'attente	a waiting room
un vol	a flight
économiser	to save
emporter	to carry, take
enregistrer les bagages	to check in luggage
faire les valises	to pack (*luggage*)
s'informer	to find out information

Mots apparentés: **une ambassade, une brochure, une carte d'identité, un chèque de voyage, confirmer, un consulat, un passeport, les réservations (*f.*), réserver, vérifier**

Le logement et les services

Lodging and services

l'annuaire (*m.*) téléphonique	phone book
le bureau des objets trouvés	lost and found office
une cabine à cartes	a phone booth accepting calling cards
le combiné	telephone receiver
l'expédition (*f.*) des colis	sending packages
une femme de chambre	a maid
le fente	deposit slot
le/la gérant(e)	the director
un mandat postal	a postal money order
la note	the bill (*hotel*)
le numéro des urgences	emergency phone number
la pharmacie de garde	after hours pharmacy
la poste restante	general delivery mail
la réception	reception desk
une télécarte	a phone calling card

Mots apparentés: **une cabine téléphonique, payer un supplément, un télégramme**

Les parties de la voiture

The parts of a car

le capot	hood
la ceinture de sécurité	seatbelt
le clignotant	turn signal
le coffre	trunk
les essuie-glaces (*m.*)	windshield wipers
le frein	brake
le klaxon	horn
le levier de vitesse	gearshift lever
le pare-brise	windshield
le phare	headlight
le pneu	tire
la portière	car door
le réservoir	gas tank
la vitre	car window
le volant	steering wheel

Mots apparentés: **la batterie, le moteur, le radiateur**

L'entretien d'une voiture

Car maintenance

changer l'huile	to change the oil
consommer de l'essence	to burn gas
faire le plein (d'essence)	to fill up (with gas)
vérifier la pression des pneus (la batterie)	to check the air pressure (the battery)

Mots apparentés: **une station-service**

La conduite d'une voiture

Driving a car

un cas d'urgence	an emergency
la chaussée glissante	slippery pavement
une contravention	a speeding ticket
un permis de conduire	a driver's license
abuser des règlements	to break the rules
aller doucement	to go slowly
arrêter	to stop
avertir	to warn
brûler le feu rouge	to run a red light
changer de vitesse	to change gears
démarrer	to start, start off

dépasser les limitations de vitesse	to exceed the speed limit
doubler	to pass another vehicle
éviter de (freiner)	to avoid (braking)
freiner	to brake
glisser	to slide
klaxonner	to blow the horn
marcher	to work, run
passer à l'orange	to turn yellow
se précipiter	to run, speed
ralentir	to slow down
suivre (de trop près)	to follow (too closely)

Mots apparentés: **accélérer, décélérer**

Se débrouiller en voyage

Getting by during a trip

un appareil photo	a camera
un(e) clochard(e)	street person
le contrôle des passeports	passport check
la douane	Customs
le douanier/la douanière	customs officer
l'eau (*f.*) du robinet	tap water
un étranger/une étrangère	a stranger, foreigner
un geste	a gesture

Mots apparentés: **une excursion, un(e) guide, une maladie parasitaire, un microbe, purifié(e), la surveillance**

attirer l'attention	to attract attention
éviter les vols	to avoid theft
fouiller les bagages	to search luggage
garder l'esprit ouvert	to keep an open mind
manger sain	to eat healthily
remercier	to thank
remplir la déclaration de douane	to fill out the customs form
se renseigner	to inform oneself

Mots apparentés: **s'approcher, s'assurer, s'intégrer, payer à l'avance, profiter de la visite, se rincer les dents**

Les matières

Materials

l'acier (*m.*)	steel
l'argent (*m.*)	silver
le bois	wood
le cuir	leather
le cuivre	copper
la laine	wool
l'or (*m.*)	gold
la soie	silk
la terre cuite	clay pottery
le verre	glass

Mots apparentés: **le ciment, le coton, le cristal, un diamant, le nylon, une perle, le plastique, le polyester, la porcelaine, la poterie, un rubis, une turquoise, le velours**

Les objets et les vêtements

Objects and clothing

un ballon	a large ball
un bibelot	a trinket
un bijou	a jewel
les boucles (*f.*) d'oreille	earrings
un caleçon	boxer shorts
une ceinture	a belt
des chaussettes (*f.*)	socks
des ciseaux (*m.*)	scissors
un collier	a necklace
une combinaison	a slip
une culotte	women's underpants
un foulard	a scarf
des gants (*m.*)	gloves
un marché aux puces	a flea market
le matériel électronique	electronic equipment
un plateau	a platter
une pointure	shoe size
un portefeuille	a wallet
un slip	briefs, underpants
un soutien-gorge	a bra
une taille	a size

Mots apparentés: **un bracelet, un chandelier, un détergent, un parachute, une pyramide, des ruines (*f.*), un véhicule**

Mots et expressions utiles

Useful words and expressions

je suis désolé(e)	I'm sorry
n'importe où	anywhere
sinon	otherwise, if not
tous les trois mois	every three months
tout d'un coup	all at once
tout de suite	right away
toutes les deux semaines	every two weeks
tout le nécessaire	all the necessities

Grammaire et exercices

10.1. Students will have seen and heard many subjunctive forms in the *Mise en train* and oral activities. Before they study this section, contrast *il faut* + infinitive and *il faut que* + verb in subjunctive: *il faut finir à l'heure / il faut que je finisse à l'heure; il faut lire le livre / il faut que nous lisions le livre; il faut écrire les devoirs / il faut que nous écrivions les devoirs.* Point out that when a subject is named specifically, the *il faut que* + subjunctive construction is required.

10.1 Expressing obligation: Il faut que + subjunctive

It will take considerable time and exposure before students actually begin to use these forms freely. At this time, the goal is for them to begin to comprehend the forms, both in speech and in written texts. Besides the three types of regular verbs, this section includes the subjunctive of irregular verbs that have regular forms: *écrire, lire,* etc. In *Grammaire 10.2* we introduce the irregular verbs *faire, aller, avoir, être, boire,* and *prendre.*

A. **Il faut** is followed by an infinitive when obligation is stated in a general sense without mentioning a specific person.

> **Il faut faire** de l'exercice pour maigrir.
>
> *One (People) must get some exercise to lose weight.*

B. If a specific person *is* mentioned, then **il faut** is followed by the conjunction **que** and a conjugated verb. This verb is conjugated in the subjunctive.

> **Il faut que tu choisisses** la date de ton départ.
>
> *You must choose your departure date.*

C. To form the present subjunctive of most verbs, add the endings shown in the following chart to the stem. The subjunctive stem is usually the same as the stem for the **ils/elles** present indicative form.

★ Review **Grammaire 3.4** on **il faut** + infinitive.

➤ All other tenses presented so far (**présent, passé composé, imparfait, futur**) are in the *indicative* mood.

Definition: A conjunction connects words, phrases, or sentences: **et, mais,** etc.

parler	finir	vendre
Indicative	*Indicative*	*Indicative*
ils **parl**ent	ils **finiss**ent	ils **vend**ent
Subjunctive	*Subjunctive*	*Subjunctive*
que je parl**e**	que je finiss**e**	que je vend**e**
que tu parl**es**	que tu finiss**es**	que tu vend**es**
qu'il/elle/on parl**e**	qu'il/elle/on finiss**e**	qu'il/elle/on vend**e**
que nous parl**ions**	que nous finiss**ions**	que nous vend**ions**
que vous parl**iez**	que vous finiss**iez**	que vous vend**iez**
qu'ils/elles parl**ent**	qu'ils/elles finiss**ent**	qu'ils/elles vend**ent**

➤ For **nous** and **vous**, subjunctive endings are the same as imperfect endings (**-ions, -iez**).

➤ For subjects other than **nous/vous**, subjunctive endings are the same as present tense endings of regular **-er** verbs (**-e, -es, -e, ent**).

ES 1. Put a list of verbs on the board or a transparency for students to use with *on*, to make recommendations for people in different situations. Example: *Que faut-il qu'on fasse pour être en forme? Il faut qu'on mange beaucoup de fruits et de légumes. Il ne faut pas qu'on fume. Il faut qu'on dorme sept ou huit heures chaque nuit.* Suggested verbs with regular third-person forms: *dormir, manger, sortir, choisir, réfléchir, fumer, obéir, rester à la maison, se reposer.* Situations: *quand on est malade, quand on voudrait faire de bonnes études (avoir de bonnes notes), quand on est trop stressé.*

> Il faut que je **parle** à l'agent de voyages.
>
> *I have to talk to the travel agent.*
>
> Joël, il faut que tu m'**obéisses**.
> Il faut qu'on **vende** la voiture.
>
> *Joël, you must obey me.*
> *We need to sell the car.*

Pronunciation Hint:

Notice that all the subjunctive forms other than **nous** and **vous** are pronounced the same. This is true for all verbs.

D. Some verbs that are irregular in the present tense of the indicative are conjugated like regular verbs in the subjunctive. Irregular verbs of this type include **conduire, connaître, dire, dormir, écrire, lire, mettre, partir, sentir, servir, sortir,** and **suivre.**

★ You will learn about irregular subjunctives in **Grammaire 10.2** and **12.1.**

écrire
Indicative
ils **écriv**ent

Subjunctive	
que j'**écriv**e	que nous **écriv**ions
que tu **écriv**es	que vous **écriv**iez
qu'il/elle/on **écriv**e	qu'ils/elles **écriv**ent

Il faut qu'on **parte** avant le 1er juin.   *One has to leave before the first of June.*

⭐ *You will learn about other expressions that require the subjunctive in **Grammaire 12.1, 13.3,** and **14.4.***

E. The subjunctive is also used after other expressions denoting obligation or necessity, such as **il est nécessaire que.**

Vous êtes fatigué. **Il est nécessaire que** vous vous **reposiez** un peu.   *You're tired. You must rest a little.*

Here are some other expressions that require the use of the subjunctive.

il est essentiel que
il est important que
il est indispensable que
il vaut mieux que *(it's better, best)*

Emmanuel est malade. **Il vaut mieux qu'**il **reste** chez lui.   *Emmanuel is ill. It's best that he stay home.*

F. Note that **il ne faut pas que** always means *must not.* To say that someone *doesn't have to* do something, use **il n'est pas nécessaire que** + the subjunctive.

Il ne faut pas que vous sortiez seul(e) la nuit.   *You musn't go out alone at night.*

Il n'est pas nécessaire que tu dormes dix heures par jour.   *You don't have to sleep ten hours a day.*

G. The present subjunctive is also used following expressions of necessity in a past tense.

Il a fallu que nous **dormions** dans la voiture.   *We had to sleep in the car.*

Il était nécessaire que j'**apprenne** un peu d'allemand.   *It was necessary that I learn a little German.*

Ex. 1. This exercise provides practice with first-person singular subjunctive forms of the types of verbs presented in *Grammaire 10.1.* In class, students might ask and answer questions: *Est-ce qu'il faut que tu passes à la banque? —Oui,...* Another option is to have partners imagine they're going to travel together and take turns asking questions with *nous* forms: *Est-ce qu'il faut que nous... ? —Oui, il faut que nous...*

Exercice 1 Le voyage de Sarah Thomas

Sarah pense à tout ce qu'elle doit faire pour préparer son voyage au Maroc. Faites des phrases en utilisant le subjonctif, d'après le modèle.

MODÈLE: chercher plus de renseignements sur le Maroc →
Il faut que je cherche plus de renseignements sur le Maroc.

1. passer à la banque
2. écrire des instructions pour la voisine
3. demander des prospectus au consulat marocain
4. choisir une valise neuve
5. lire les prospectus sur le Maroc
6. finir ma dissertation de français
7. rendre des livres à la bibliothèque
8. organiser mes affaires

Exercice 2 Le voyage de Bernard et Christine Lasalle

À l'aéroport, Bernard est nerveux avant le départ et il répète tout ce que dit Christine. Utilisez le subjonctif et suivez le modèle.

MODÈLE: Nous devrions vérifier le numéro de notre porte de départ. →
Oui, il faut que nous vérifiions le numéro de notre porte.

1. Nous devrions demander si le vol va partir à l'heure.
2. Nous devrions acheter des magazines.
3. Nous ne devons pas oublier la valise en consigne.
4. Nous devrions téléphoner aux enfants ce soir.
5. Nous devrions écrire une carte postale à Julien ce soir.
6. Nous ne devrions pas laisser nos chèques de voyage dans la valise.
7. Nous devrions relire les brochures.
8. Nous devrions nous reposer en avion.

Ex. 2. This exercise practices *nous* forms of the subjunctive. For basic Q/A practice: *Est-ce que nous devrions vérifier... ? —Oui, il faut que nous...* To practice questions with *il faut que*, students might change partners and reverse the format: *Est-ce qu'il faut que nous vérifions... ? —Oui, nous devrions vérifier...*

Exercice 3 Pour faire un bon voyage

Pour vous, qu'est-ce qui est important quand vous voyagez? Exprimez votre opinion en utilisant une des expressions: **il (n')est (pas) indispensable/il est essentiel/il est important/il vaut mieux/il ne faut pas que** + le subjonctif.

MODÈLE: partir pour au moins une semaine →
Il vaut mieux que je parte pour au moins une semaine. (Il n'est pas indispensable que je parte pour au moins une semaine.)

1. connaître des gens du pays
2. écrire à mes amis et à ma famille
3. bien dormir chaque nuit
4. voyager dans une voiture confortable
5. acheter de beaux souvenirs
6. rapporter beaucoup de belles photos
7. sortir tous les soirs
8. faire des projets à l'avance

Ex. 3. Students are to choose an appropriate impersonal expression to express the level of importance of each item to them personally. This activity lends itself to in-class discussion. Encourage students to use varied expressions, including negation as appropriate: *Alors, David dit qu'il est important qu'il écrive à ses amis et à sa famille, mais qu'il n'est pas essentiel qu'il achète de beaux souvenirs. Vous êtes d'accord, Alicia?* Remind them that verbs following these expressions are always in the subjunctive.

10.2 More about the subjunctive: IRREGULAR-STEM VERBS

10.2. Before you assign the section, use pictures or situations to provide input, writing forms on the board. Focus on familiar topics such as diet, housework, and typical routine activities: (man washing dishes) *Cet homme fait la vaisselle, n'est-ce pas? Moi, aussi, il faut que je fasse la vaisselle, tous les jours. Est-ce qu'il y a quelqu'un d'autre qui doit faire la vaisselle?* Later, have students identify the infinitives. Then have them look at the charts in the book and point out that these conjugations follow the usual pattern.

A. Faire does not follow the regular subjunctive pattern, but uses an irregular stem instead.

faire	
Subjunctive stem: **fass-**	
que je **fass**e	que nous **fass**ions
que tu **fass**es	que vous **fass**iez
qu'il/elle/on **fass**e	qu'ils/elles **fass**ent

B. A few verbs use two different stems in the subjunctive: one for the **nous** and **vous** forms and another for all the other forms.

aller	
Subjunctive stems: **aill-, all-**	
que j'**aill**e	que nous **all**ions
que tu **aill**es	que vous **all**iez
qu'il/elle/on **aill**e	qu'ils/elles **aill**ent

Pronunciation Hint:

The L-forms **(aille-)** are pronounced like the second syllable of **(je) trav*aille*.**

boire	
Subjunctive stems: **boiv-, buv-**	
que je **boiv**e	que nous **buv**ions
que tu **boiv**es	que vous **buv**iez
qu'il/elle/on **boiv**e	qu'ils/elles **boiv**ent

prendre	
Subjunctive stems: **prenn-, pren-**	
que je **prenn**e	que nous **pren**ions
que tu **prenn**es	que vous **pren**iez
qu'il/elle/on **prenn**e	qu'ils/elles **prenn**ent

C. The subjunctive forms of **avoir** and **être** have irregularities in both the stem and the endings.

avoir	
que j'**aie**	que nous **ayons**
que tu **aies**	que vous **ayez**
qu'il/elle/on **ait**	qu'ils/elles **aient**

être	
que je **sois**	que nous **soyons**
que tu **sois**	que vous **soyez**
qu'il/elle/on **soit**	qu'ils/elles **soient**

Pronunciation Hint:

Avoir: The L-forms and the **ay-** stem are all pronounced like **(j')ai. Être:** The L-forms and the **soy-** stem are pronounced /swa/.

Exercice 4 Parents et enfants

Imaginez des parents typiques et écrivez les conseils qu'ils voudraient donner à leur enfant qui va partir en Europe en voyage organisé.

MODÈLES: manger des repas équilibrés →
Il faut que tu manges des repas équilibrés.
être impoli(e) →
Il ne faut pas que tu sois impoli(e).

1. boire beaucoup d'alcool
2. aller dans les cabarets
3. sortir seul(e)
4. t'endormir à une heure raisonnable
5. faire du bruit à l'hôtel
6. être ponctuel(le)
7. avoir ton passeport sur toi à tout moment
8. nous écrire souvent
9. prendre des vitamines

Ex. 4. In class, use this to provide input with *fasse*. Ask for individual volunteers to answer your questions: *Je vais partir en Europe en voyage organisé. À votre avis, que faut-il que je fasse? Oui, Suzanne?* Repeat your questions after each answer. *Oui, Larry? Qu'est-ce qu'il faut que je fasse?*

Exercice 5 Conseils au voyageur

Faites des questions et répondez. Utilisez le subjonctif.

MODÈLE: dormir ou non, pendant un long voyage en avion? →
Est-ce qu'il vaut mieux que je dorme ou non pendant un long voyage en avion?
Il vaut mieux que vous dormiez. Comme ça, vous n'arriverez pas trop fatigué(e). (Il vaut mieux que vous ne dormiez pas...)

Est-ce qu'il vaut mieux...

1. prendre les billets à l'aéroport ou aller à l'agence de voyages?
2. mettre mon passeport dans ma petite valise ou dans ma poche?
3. être à l'aéroport trois heures avant le départ ou non?
4. boire beaucoup ou non, pendant le voyage en avion?
5. utiliser des chèques de voyage ou une carte de crédit?
6. avoir du liquide (de l'argent) pour laisser des pourboires?
7. faire mes valises deux ou trois jours avant ou à la dernière minute?
8. aller prendre des brochures avant mon départ ou non?

Ex. 5. Do as Q/A partner practice after students have prepared the exercise and corrected their answers. You might prefer to have them practice *tu* forms.

10.3 Verbs for traveling: CONDUIRE AND SUIVRE

A. **Conduire** and **suivre** have similar present-tense forms, especially in the singular.

conduire (*to drive*)	
je conduis	nous conduisons
tu conduis	vous conduisez
il/elle/on conduit	ils/elles conduisent
PASSÉ COMPOSÉ: j'ai conduit	

suivre (*to follow*)	
je suis	nous suivons
tu suis	vous suivez
il/elle/on suit	ils/elles suivent
PASSÉ COMPOSÉ: j'ai suivi	

Raoul **conduit** bien; il **suit** toujours le code de la route.

Raoul drives well; he always follows the traffic rules.

En général, les Français **conduisent** de petites voitures économiques.

In general, the French drive small economy cars.

Pronunciation Hint:

As always, final consonants are silent. The **-s-** of the plural forms of **conduire** is pronounced *z*.

B. Other uses: **suivre un cours; se conduire** (*to behave*).

En France, on **suit** des cours pour apprendre à conduire.

In France, people take classes to learn to drive.

Essaie de bien **te conduire** à l'école, Nathalie.

Try to behave well at school, Nathalie.

Like **conduire: produire** (*to produce*), **reproduire** (*to reproduce*), **traduire** (*to translate*).

Like **suivre: poursuivre** (*to pursue, chase*).

Exercice 6 Façons de conduire

Dites comment conduisent les personnes suivantes.

MODÈLE: votre frère →
Mon frère conduit imprudemment. Il suit rarement le code de la route.

1. un jeune homme (une jeune fille) de 18 ans
2. les chauffeurs de taxi
3. votre meilleur ami (meilleure amie)
4. vos copains
5. les personnes âgées
6. les gens de votre ville
7. un agent de police
8. vous

Suggestions

assez bien	ne... pas toujours
bien	prudemment
en général	toujours
lentement	trop vite
mal	comme un fou (une folle)

10.4 Double object pronouns

10.4. This section presents the rules for ordering two object pronouns in declarative and interrogative sentences. In order to be able to understand and use two pronouns together, it is not enough to know the rules. In addition, students need to hear each combination used in context many times. In our experience, most students master these combinations by "sound" and not by rules. Given the complexity of these constructions, we suggest an emphasis on comprehension rather than on production. This section should serve mainly as a reference, particularly for writing activities.

A. When two object pronouns occur together, they always follow a fixed order. When the indirect object is **me, te, se, nous,** or **vous,** it always comes first, before the direct object.

★ Review **Grammaire 4.5** *(direct object pronouns) and* **6.5** *(indirect object pronouns).*

Quand je demande mon courrier, l'employé **me le** donne.	*When I ask for my mail, the postal employee gives it to me.*
Vos photos, monsieur? Je peux **vous les** rendre demain.	*Your pictures, sir? I can give them to you tomorrow.*
Nous savons nous servir d'Internet. Adrienne **nous l'**a expliqué.	*We know how to use the Internet. Adrienne explained it to us.*

B. If the indirect object is **lui** or **leur,** it comes last, after **le/la/les.**

Si un étranger demande votre nom, **le lui** donnez-vous?	*If a stranger asks for your name, do you give it to him?*
—Tu as envoyé ta lettre à tes parents, Raoul?	*Did you send the letter to your parents, Raoul?*
—Oui, je **la leur** ai envoyée.	*Yes, I sent it to them.*

C. **Y** and **en** always come last, after any other object pronouns. Except in the phrase **il y en a,** they do not occur together in the same sentence.

★ Review **Grammaire 7.3** **(en),** **8.4** *(review of direct and indirect objects), and* **9.1(y).**

Des magazines? Bien sûr, **il y en a** beaucoup.	*Magazines? Of course, there are lots of them.*
De l'argent? Mes parents **m'en** ont envoyé cette semaine.	*Money? My parents sent me some this week.*
Mes bagages sont à la consigne. Je **les y** ai laissés hier.	*My bags are in the luggage check. I left them there yesterday.*

D. Here is a summary of the order of object pronouns in a declarative sentence or a question.

OBJECT PRONOUNS

$$\left.\begin{array}{l}\text{me (m')}\\\text{te (t')}\\\text{se}\\\text{nous}\\\text{vous}\end{array}\right\} \text{ before } \left\{\begin{array}{l}\text{le (l')}\\\text{la (l')}\\\text{les}\end{array}\right\} \text{ before } \left\{\begin{array}{l}\text{lui}\\\text{leur}\end{array}\right\} \text{ before } \left\{\begin{array}{l}\text{y}\\\text{en}\end{array}\right\} + \text{verb}$$

Ex. 7. We have grouped the items for input with *le/la/les* + *lui/leur* and *lui/leur* + *en*. After students have prepared and checked their answers at home, you may wish to have them compare their answers with a partner for extra input.

Exercice 7 Que faites-vous, d'habitude?

Faites des questions et répondez. Utilisez **le (la, les) + lui**, ou **le (la, les) + leur**.

MODÈLE: donner ton adresse à une personne que tu ne connais pas →
Est-ce que tu la lui donnes?
Oui, je la lui donne. (Non, je ne la lui donne pas.)

1. donner ton manteau à un clochard
2. montrer ton passeport à des agents de police
3. laisser tes derniers sous (*pennies*) à un serveur désagréable
4. prêter ta brosse à dents à ta camarade de chambre

Faites des questions et répondez, en utilisant **lui en** ou **leur en**.

5. donner des fleurs à une bonne serveuse
6. demander des conseils à un agent de police
7. offrir du vin au barman
8. laisser de l'argent aux employés du bureau de poste

10.5. Before assigning, review adjective comparisons with sets of three or more items, using objects or pictures: *Toutes ces bagues sont chères. Laquelle de ces bagues est la plus chère?* Include *meilleur(e)* in your input. To review *plus/moins de* + nouns, distribute slips of paper with numbered items to everyone in class. Include several slips for each item you choose: *trois, cinq, sept, verres de vin rouge. Alors, Patrick, vous avez quoi sur votre papier? Alors, Patrick a... , Tammy a... , Michael a... Qui a le plus de... ?*

10.5 Expressing extremes: THE SUPERLATIVE

➤ Adverb: always **le**
le moins souvent
le plus lentement

A. The superlative (*large* → *largest; interesting* → *most interesting*) is formed by adding **le plus/moins, la plus/moins,** or **les plus/moins** to an adjective or **le plus/moins** to an adverb.

J'aime cette robe. C'est **la plus jolie** et **la moins chère**!

C'est la cravate que je mets **le moins souvent.**

I like that dress. It's the prettiest and the least expensive!

This is the tie I wear the least often.

 Review **Grammaire 4.2** *on comparisons.*

B. When used in the superlative, adjectives keep their normal position either before or after the noun. Note that when the superlative expression follows the noun, *there will be two definite articles.*

Voilà **le plus grand** marché
de Dakar.

Here's the biggest market in Dakar.

Ça, c'est le magasin **le plus cher**
de la ville.

*That's the most expensive store in
town.*

C. The irregular comparative forms of **bon** and **mauvais** are also used as
superlatives.

L'été est **la meilleure** saison pour
visiter la Côte-d'Ivoire, mais **la
pire** pour les tarifs d'avions.

*Summer is the best time to visit the
Ivory Coast, but the worst for
airfares.*

D. To indicate the extent of a comparison, use **de** + noun.

Ce pays a l'hiver le plus froid
d'Europe.

*This country has the coldest winters in
Europe.*

Ce sont les plus belles plages
du monde.

*These are the most beautiful beaches
in the world.*

E. To compare quantities of things, use **le plus de** and **le moins de. Le** is always
used, regardless of noun gender.

J'aime aller au magasin qui a **le
plus de** vêtements en laine.

*I like to go to the store that has the
most wool garments.*

Quel collier a **le moins de**
turquoises?

*Which necklace has the fewest
turquoises?*

➤ Adjective: **le/la/les** agrees
with noun
If adjective precedes
noun:
> **le plus grand musée**
> **la moins belle église**
> **les plus vieux
> bâtiments**
If adjective follows noun:
> **le musée** *le moins
> intéressant*
> **l'église** *la plus
> ancienne*
> **les trains** *les plus
> rapides*

➤ Quantity: always use
le plus/moins de
> **le plus de chance**
> **le moins de talent**

Exercice 8 Avantages et inconvénients

Complétez ces commentaires avec les superlatifs **le/la/les plus** ou **moins.**

MODÈLE: La vaisselle en porcelaine est _____ luxueuse, mais aussi _____
pratique. →
La vaisselle en porcelaine est *la plus* luxueuse, mais aussi *la moins*
pratique.

1. Le coton est le tissu _____ confortable quand il fait chaud.
2. Le polyester est le tissu _____ pratique, mais _____ confortable en été.
3. La laine est le tissu naturel _____ chaud.
4. Les vêtements en soie sont _____ luxueux, mais ils ne sont pas _____
pratiques.
5. Les portefeuilles en cuir sont _____ beaux et aussi _____ durables.
6. L'or est le métal _____ précieux.

Ex. 8. Students will need to provide
superlative constructions with adjectives. Before assigning, you may wish
to review with questions about the
sentences: *Est-ce que la laine est le
tissu naturel le plus chaud ou le
moins chaud?*

Exercice 9 Connaissez-vous les matières?

MODÈLE: Lequel dure le plus longtemps: le ciment, le papier ou le bois? →
Le ciment dure le plus longtemps.

1. Lequel coûte le moins cher: le cuir, le polyester ou le coton?
2. Lequel se lave le mieux: la laine, le cuir ou le nylon?

Ex. 9. This exercise uses the superlative construction with adverbs and
can be done as partner practice. To
review superlative with adjectives,
add questions like: *Lequel est le plus
confortable? le plus pratique?*

3. Lesquels coûtent le plus cher: les perles, les diamants ou les turquoises?
4. Lequel se casse le plus facilement: la porcelaine, l'argent ou le bois?
5. Lequel s'utilise le moins dans les vêtements pour enfants: le coton, le cuir ou la laine?

Exercice 10 Pays francophones

Comparez ces pays en faisant des phrases au superlatif.

MODÈLE: le Mali / la Suisse / le Luxembourg →
La Suisse a le plus d'habitants francophones.
Le Luxembourg en a le moins.

PAYS	HABITANTS FRANCOPHONES
le Canada	8,1 millions
le Congo	720.000
le Luxembourg	200.000
le Mali	1,5 million
la Suisse	2,5 millions

1. le Canada / le Mali / le Congo
2. le Mali / le Congo / le Luxembourg
3. le Congo / la Suisse / le Mali

10.6 Making distinctions: LEQUEL AND CELUI

A. The interrogative **lequel?** (*which one?*) is used to ask about a choice among several objects or people. The form used must agree in gender and number with the noun to which it refers.

	SINGULAR	PLURAL
Masculine	**lequel**	**lesquels**
Feminine	**laquelle**	**lesquelles**

Voici plusieurs modèles de manteaux en laine. **Lesquels** voudriez-vous essayer?

Here are several styles of wool coats. Which ones would you like to try on?

—Voici tous nos répondeurs téléphoniques.

Here are all our answering machines.

—**Lequel** est le modèle le plus récent?

Which one is the latest model?

B. Demonstrative pronouns are used to point out a previously mentioned object or person. They also agree in gender and number with the noun to which they refer.

	SINGULAR	PLURAL
Masculine	**celui**	**ceux**
Feminine	**celle**	**celles**

C. French demonstrative pronouns have several equivalents in English, depending on how they are used.

—Bernard, regarde ces pulls. Lequel préfères-tu?
—**Ceux en laine** sont très beaux.

Bernard, look at these sweaters. Which one do you prefer?
The wool ones are very beautiful.

Je sais que ma montre retarde, mais **celle de Christine** est toujours en avance.

I know that my watch is slow, but Christine's is always fast.

Tu vois ces garçons? **Celui qui porte l'anorak** est le cousin de Barbara.

Do you see those boys? The one wearing the windbreaker is Barbara's cousin.

D. The suffixes **-ci** (*here*) and **-là** (*there*) can be used with demonstrative pronouns to point out the location of things being talked about.

Quelle montre prenez-vous? **Celle-ci** ou **celle-là?**

Which watch do you want? This one or that one?

—Je ne sais pas quel rasoir choisir.
—**Celui-ci** est bien meilleur.

I don't know which razor to choose.
This one is a lot better.

Exercice 11 Quel cadeau?

Posez des questions et répondez en utilisant les formes de **lequel** et **celui.**

MODÈLE: une robe →
Laquelle de ces robes préfères-tu?
Celle en soie parce que j'aime la couleur.

1. une montre
2. une bague
3. un portefeuille
4. un foulard
5. un vase

a. celui en cuir marron
b. celui en terre cuite
c. celle avec une turquoise
d. celle en or
e. celui en soie

Ex. 11. Students will need to produce only singular forms of both demonstrative and interrogative pronouns. For class review, mention other items: *un bracelet, une ceinture, un chapeau, une jupe.*

Exercice 12 Préférences

Complétez les questions, puis répondez-y.

Ex. 12. The exercise requires plural forms of *lequel* and *celui.* In class, students can take turns asking the questions, and compare their prepared answers.

MODÈLE: les livres: Tu préfères *ceux* qui sont sérieux ou *ceux* qui sont amusants?

Moi, je préfère *ceux* qui sont amusants.

1. les cadeaux (*m.*): Tu préfères _____ qui coûtent cher ou _____ qui sont personnalisés?
2. les cartes (*f.*) d'anniversaire: Tu aimes _____ qui ont un message sentimental ou _____ qui sont comiques?
3. les cravates (*f.*): Tu achètes _____ aux couleurs vives ou _____ qui sont plus discrètes?
4. les portefeuilles (*m.*): Tu aimes mieux _____ en cuir ou _____ en plastique?
5. les meubles (*m.*): Tu préfères _____ qui sont confortables ou _____ qui ont beaucoup de style?

GOALS FOR *CHAPITRE 11*

In *Chapitre 11*, students will talk about computers, the Internet, movies, TV, and other media. They will learn to state simple hypothetical views using the conditional mood. *Functional goals:* (1) Describe your use of computers and the Internet; (2) Tell about a favorite movie or TV program; (3) Give your opinion about a situation and say what you would do.

MISE EN TRAIN

1. Introduce the conditional by showing photos of situations and asking students if they would do the same thing: (photo of a boy in a tuxedo) *Il va aller à une grande soirée, n'est-ce pas? Il porte un smoking. Si vous alliez à une fête chez vos amis, que mettriez-vous?*

Pour une fête typique du samedi soir, est-ce que vous mettriez un smoking ou des vête-ments de sport? Write the new verb forms on the board and explain how to derive them, etc. at the end of the input period. Use the conditional often in your input during warm-up and elsewhere over the next few days so that students can begin to bind meaning to the forms.

2. Use your PF and realia to introduce vocabulary for using the computer and the Internet: *clavier, touches, logiciel, écran, souris, page d'accueil, courrier électronique, mot de passe.* Include also discussion of current Internet issues and terms like *pirate informatique.* (See *Vocabulaire, Chapitre. 11.*)

3. Distribute listings for TV programs and movies. Introduce words like *feuilleton, publicité, documentaire,* and *film d'épouvante* as students follow the items you point out in the listings. Ask choice questions about the films and programs: *«Les jours de la vie» est-ce un documentaire ou un feuilleton?* Ask about students' tastes and habits regarding radio, movies, and TV. See *Vocabulaire.*

AS 1. Begin class each day with a brief discussion of news items you and students have heard on the radio or TV, or learned about on the Internet.

Les moyens de communication

Des jeunes
«branchés» au
Café Orbital
(Paris)

Objectifs

CHAPITRE 11 *helps you talk about the Internet, the cinema, and the spoken media. You will learn about trends in electronics and the pleasures and pitfalls of the information highway. You will also learn how to say what you would do in certain situations, using the conditional mood.*

Activités et lectures

L'UNIVERS DE L'ÉLECTRONIQUE

Attention! Étudier Grammaire 11.1

L'ordinateur me permet de travailler chez moi. Autrement, je ferais deux heures d'autoroute pour aller au bureau.

Sans Internet, je serais obligée d'aller à la fac pour m'inscrire aux cours.

J'aurais des contacts moins fréquents avec ma collègue qui voyage si elle n'avait pas son PC de poche.

Ce mobile minuscule permet l'accès à Internet. Je peux même faire ma correspondance e-mail.

Grâce à mon ordinateur portable, j'ai organisé toutes mes affaires. Maintenant je peux consulter mes fichiers n'importe où.

Bientôt, nous pourrons naviguer sur le web de notre fauteuil favori, en nous servant de la télé et de la télécommande.

Activité 1 Définitions: Se servir d'un ordinateur

1. réseau mondial de communication entre les ordinateurs et les centres d'informations
2. programme qui fait fonctionner un ordinateur
3. surface où se forment les images
4. service d'échanges écrites par voie d'ordinateur
5. code secret permettant l'usage d'un programme d'accès limité
6. touches permettant d'écrire à l'ordinateur
7. signe mobile qui indique la position sur l'écran
8. instrument qui sert à connecter un ordinateur et une ligne téléphonique
9. appareil qui crée des impressions sur papier à partir de documents sur ordinateur
10. appareil qui lit un disque compact à lecture laser

a. l'écran
b. l'imprimante
c. le mot de passe
d. Internet
e. le lecteur de cédérom
f. le modem
g. le clavier
h. le courrier électronique
i. le curseur
j. le logiciel

Act. 1. (whole class; partners) Review computer vocabulary with pictures of ads or realia. Assign the activity to partners and review answers later. You may prefer to go over the terms and definitions with the class before assigning to partners. New vocabulary: *à partir de, appareil, courrier électronique, curseur, fonctionner, se former, lecteur de cédérom, ligne, logiciel, manuel(le), modem, mot de passe, par voie de, réseau mondial, signe, touche, usage.*

AS 3. Assign skits in which one person teaches a total novice how to use the computer and/or the Internet. The novice makes some very strange errors and/or some interesting discoveries on the web.

La langue en mouvement

Computer ou *ordinateur?* La lutte contre les anglicismes

Avec les nouvelles inventions technologiques, beaucoup de mots anglais ont été adoptés par les Français. Parce que certains Français s'inquiétaient des effets de cette «invasion» de l'anglais sur la langue française, des commissions officielles ont été établies, à partir des années soixante, afin de proposer de nouveaux mots français pour remplacer les mots anglais. Maintenant, on entend beaucoup plus *ordinateur* que *computer*, et *matériel* et *logiciel* ont plus ou moins remplacé *hardware* et *software*, respectivement. *Logiciel* a donné naissance à d'autres mots apparentés comme *gratuiciel, partagiciel, didacticiel,* et *ludiciel.* Pouvez-vous deviner le sens de ces mots?

La langue en mouvement. Strategies employed by the official commissions for creating neologisms range from substitution of an existing French term (*exclusivité* for "scoop," *lèche-vitrine* for "shopping"), to modification of the anglicism (*reporteur* for "reporter," *franchisage* for "franchising"), to re-creation of the English expression in French (*salle de séjour* for "living room," *remue-méninges* for "brainstorming," *oléoduc* for "pipeline," *restauration rapide* for "fast food"). Sometimes, the English word is simply given a French spelling (*fioul* for "fuel," *cédérom* for "CD-ROM," or *mél* for "e-mail"). The new terms vary considerably in the extent to which they have been actually adopted and used by French speakers. Answers: *gratuiciel* = freeware; *partagiciel* = shareware; *didacticiel* = teachware; *ludiciel* = gameware; note also *courriel* for *courrier électronique.*

Act. 2. (whole class; partners) (1) Review conditional and new vocabulary with pictures. (2) Read each item and the choices aloud for students to answer. Later, students should do the activity with a partner, explaining their answers to each other. (3) Ask the class to explain their answers to you. *Allons plus loin! is optional.* New vocabulary: *coup de fil, magnétoscope, manquer, répondeur téléphonique.*

Activité 2 Discussion: Le monde sans l'électronique

Comment serait le monde sans les innovations technologiques? Dites *oui* ou *non*.

1. À l'université...
   a. l'inscription serait plus facile.
   b. il y aurait plus d'employés à la bibliothèque.

AS 4. Ask the class to help you compare the «*autoroute de l'information*» with a real superhighway (*rapidité des voyages, embouteillages, routes multiples, problèmes de sécurité, gendarmes...*)

AS 5. Skits. In groups of three, one student represents a person to whom the computer is a complete mystery and who wants to know why it has to be a part of modern life. Example: Everyone got along fine before it was invented and it has caused the loss of many jobs (factory workers, bank tellers, etc.). The others explain and try to persuade him/her. Encourage humor and clear explanations.

Savoir où prendre le train pour Shanghai*.

Retenir 100 000 numéros de téléphone.

Entendre le rire de votre enfant.

Lire et répondre à vos mails de l'autre bout de la planète*.

Visiter des millions de sites internet*.

Connaître les gens, les lieux, les choses.

Découvrir le nouveau PC de poche HP Jornada.

En savoir toujours plus. Les solutions numériques hp.

www.france.hp.com

hp invent

2. S'il n'y avait pas de portables...
   a. les gens passeraient plus de temps à écrire des lettres.
   b. il y aurait moins d'accidents de voiture.
3. Si on n'avait pas inventé le magnétoscope...
   a. nous irions plus souvent au cinéma.
   b. les gens passeraient moins de temps devant leur télé.
4. Sans le répondeur téléphonique...
   a. on répondrait moins à des coups de fil embêtants.
   b. on manquerait plus de coups de fil importants.
5. Si les satellites de télécommunication n'existaient pas...
   a. le web et Internet n'existeraient pas.
   b. on ne pourrait pas se servir de son portable.

Allons plus loin! Faites une liste des trois appareils électroniques qui vous semblent les plus utiles. Puis, en discussion générale, faites la liste des dix appareils qui ont le plus d'importance pour toute la classe. Enfin, demandez à votre professeur s'il (si elle) est d'accord avec vous.

Cliquez là! (1) When you assign, have the class brainstorm possibilities for keywords they might use for the activity. Encourage personal interest topics (*forme, tennis, couture, recettes végétariennes*), general terms like *magazines féminins*, or names of magazines students already know,

Cliquez là!

Cherchez un journal ou un magazine francophone sur Internet. Dites à la classe le nom et l'adresse du site, et le type d'articles qu'on peut y trouver.

Act. 3. (partners) (1) Partners ask each other the same question and give their answers, then move on to the next, or (2) one partner interviews the other, taking notes. They then switch roles. Afterward, discuss answers with the whole class. New vocabulary: *accéder à, autant que, branché(e), matériel.*

Activité 3 Entretien: On est branché ou pas?

1. Tu te sers souvent de l'ordinateur? Pour faire quoi? Quel est ton logiciel préféré?
2. Est-ce que tu aimes surfer sur le web? Qu'est-ce que tu y fais?
3. Est-ce que tes parents utilisent l'ordinateur autant que toi? Pourquoi (pas)?
4. Tu as un portable? Pourquoi? Quand est-ce que tu t'en sers? Tu peux accéder à Internet avec le tien?
5. Tu as plus de musique sur cassette ou sur cédérom? Tu as plus de vidéocassettes ou de DVD? Pourquoi?
6. Quel matériel électronique est-ce que tu aimerais acheter? Pourquoi?

Activité 4 Discussion: L'histoire d'Internet

Pour chaque description du web des années 1960 (le premier Internet), choisissez la phrase qui décrit mieux la situation aujourd'hui. Si vous dites *autre réponse*, expliquez pourquoi.

1. Aux années 1960, peu de gens se servaient d'Internet.
   a. Proportionnellement à la population mondiale, c'est encore vrai.
   b. Tout a changé. Aujourd'hui, il y a des millions d'utilisateurs.
   c. Autre réponse
2. Les premiers utilisateurs croyaient à la liberté de la communication.
   a. On y croit toujours mais il y a des gens qui aimeraient la limiter.
   b. On n'y croit plus; il est dangereux de tout permettre sur Internet.
   c. Autre réponse
3. On se servait du web surtout pour des raisons pédagogiques, pour partager ses recherches et ses idées.
   a. Les chercheurs continuent à se servir d'Internet.
   b. Ce n'est plus le cas. Les internautes cherchent à s'amuser et à trouver des infos pratiques.
   c. Autre réponse
4. Il existait un sentiment de solidarité parmi les utilisateurs.
   a. On y trouve des groupes solidaires, mais pas une solidarité générale.
   b. Internet est un phenomène mondial, alors une sorte de solidarité existe toujours.
   c. Autre réponse
5. Le web n'appartenait à personne.
   a. Le web n'appartient à personne, mais on cherche à changer cela.
   b. Le web appartient aux fournisseurs d'accès et aux moteurs de recherche.
   c. Autre réponse

Act. 4. (whole class) Do the activity with the class, asking students to expand and explain their answers. If the class is receptive, you can lead a discussion of issues and values related to Web/Internet use: (1) commercial limitation of access to information, as servers seal off "their" sites from non-subscribers, and (2) prevention of abuse of free exchanges of information by illegal interests (child pornography rings, terrorist organizations, criminal intervention in police databases, etc.). New vocabulary: *appartenir à, chercheur, fournisseur d'accès, internaute, mondial(e), moteur de recherche, pédagogique, solidarité, utilisateur.*

Info: Société. It is important to make students realize that the World Wide Web is not an American or English-language province. Although in many domains French-language Internet development initially lagged behind, the gap has now mostly been closed, and a complete array of information and services are available in French. Encourage your students to conduct searches on a francophone search engine such as *Voilà* (www.voila.fr), *Lokace* (www.lokace.com), and *Nomade* (www.nomade.fr). To give students a sense of the wealth of resources available in French, have them conduct a search in categories that they would not normally look into, such as real estate listings, legal help, health maintenance, and child care. *Indexa* (www.indexa.fr) is an excellent starting point to discover sites of businesses and corporations.

Info: Société

La «toile» francophone

Après des débuts hésitants, la langue française a imposé sa présence sur Internet. Beaucoup plus avancés sur le plan technique que les autres pays de la francophonie, les Québécois ont joué le rôle de pionniers: ils ont créé des milliers de sites, mais surtout développé un vocabulaire approprié pour éviter d'utiliser trop de mots anglais «importés» (voir le site de l'Office de la langue française, http://www.olf.gouv.qc.ca). On dit, par exemple, «courriel» (et non *e-mail*), «toile» (et non *web*), «bogue» (et non *bug*), «didacticiel» (et non *courseware*), «babillard» (et non *chat room*). On trouve maintenant, dans tous les domaines, de très nombreuses ressources en français, comme par exemple les grands journaux (*Le Monde, Libération* de Paris, *Le Soir* de Bruxelles, *La Presse de Montréal,* Télé 5, France 2, etc.), les radios et les chaînes de télévision qui émettent en continu (France Inter, Radio France Internationale), les bibliothèques, les ministères ou les universités—sans oublier les services commerciaux (vente par correspondance de vêtements, de vins, de livres...) et les innombrables sites touristiques ou culturels. On peut très bien fonctionner en virtuel entièrement en français!

Act. 5. (whole class; partners) These are basic terms for Internet use. (1) Do the activity with the class, then assign to partners to quiz each other about the list of terms. (2) Assign to partners at the outset, then review the answers later. New vocabulary: *démarrer, fichier, lien, mot clé, moteur de recherche, navigateur, page d'accueil, rechercher, retrouver, télécharger.*

Activité 5 Définitions: Vocabulaire d'internaute

Identifiez le terme Internet décrit dans chaque phrase.

Les outils

1. première page d'un site web
2. logiciel qui aide à naviguer sur le web
3. mot qu'on écrit pour signaler ce qu'on désire rechercher
4. adresse web qui permet d'accéder à un autre site

a. le mot clé
b. un lien
c. la page d'accueil
d. le navigateur

Les fonctions

5. utiliser un moteur de recherche pour retrouver des informations
6. mettre en marche l'ordinateur
7. copier des fichiers d'un site Internet
8. consulter ou «surfer» sur Internet ou le web

e. télécharger
f. rechercher
g. naviguer
h. démarrer

> ### *Ça fait penser*
>
> Les Espaces Culture Multimédia sont des lieux d'accès public qui offrent aux habitants de la France la possibilité de se servir des nouvelles technologies de l'information et de la communication (informatique, Internet) à très peu de frais.

Ça fait penser. Discuss who is likely to take advantage of this offer and what sorts of public buildings might house this program. Ask if similar opportunities are available in students' native countries.

ON SE DISTRAIT, ON S'INFORME

Attention! Étudier Grammaire 11.2 et 11.3

On se distrait, on s'informe. (1) Review *Mise en train, Act. 3,* or introduce vocabulary for naming and talking about several types of films and broadcast programs. (2) Describe the drawings, extending what you say to include students. *Marie aime les intrigues dans les feuilletons. Pourquoi, à votre avis? Qui dans la classe adore les feuilletons à la télé? (Lucie) Oui, c'est Lucie. Est-ce que vous avez les mêmes raisons que Marie, Lucie? Ce sont les intrigues qui vous attirent?* (3) Note that this section provides input with the relative pronouns *dont, ce qui, ce que,* and *ce dont.* New vocabulary: *s'abonner à, accro du web, cédérom, conte de fées, se distraire, exagérer, fasciner, feuilleton, intrigue, metteur en scène, mise en scène, PC de poche, raconter, réalisation.*

Voilà ce que je te racontais! On peut acheter des contes de fées sur cédérom et DVD.

Les intrigues me fascinent. C'est ce que j'aime le mieux dans les feuilletons.

"VOUS AVEZ 294 MESSAGES"

Les accros du web exagèrent de temps en temps. Ils s'abonnent à trop de listes.

Ah! Le voilà! Sur ce site, on peut voir le PC de poche dont je t'ai parlé.

Activité 6 Échanges: Que ferais-tu?

Act. 6. (partners) Assign for partner discussion, to be followed by a general class discussion about the replies students made.

Demandez combien de temps votre partenaire voudrait consacrer aux activités suivantes si on lui donnait un jour de libre supplémentaire chaque semaine.

MODÈLE: É1: Tu regarderais plus la télé?
É2: Oui, je la regarderais au moins une heure de plus. (Je ne pense pas. Je n'aime pas tellement la télé.)

Activités

1. regarder la télé
2. lire des livres
3. lire un journal ou une revue
4. écouter de la musique ou un livre enregistré
5. surfer sur Internet
6. louer des vidéos ou des DVD
7. aller au cinéma
8. envoyer des lettres par courrier électronique
9. participer à des groupes de discussion sur le web

Suggestions

au moins (une heure)
moins de (deux heures)
pendant (la matinée)
un après-midi
toute la journée
quelques (minutes)
-?-

Cliquez là!

En utilisant la rubrique *Actualités et média,* ajoutez des chaînes de radio et de télévision francophones à vos signets.

À vous la parole! Maintenant, posez les mêmes questions à votre professeur pour voir si vous avez les mêmes goûts.

MODÈLE: Est-ce que vous regarderiez plus la télé, monsieur (madame)?

À vous la parole! Answer questions naturally and truthfully, adding observations as you wish. New vocabulary: *consacrer, revue.*

Realia. Les enfants du paradis, 1945, is considered a classic and an important contribution by Jean-Louis Barrault, whom many consider to be the greatest actor of the period.

Activité 7 Discussion: Si j'allais au cinéma ce soir

Dites *oui* ou *non*. Si vous n'aimez aucune des possibilités, donnez la réponse qui vous convient.

1. Si j'allais au cinéma ce soir, j'irais plutôt pour...
   a. me distraire avec des copains.
   b. échapper à la réalité.
   c. d'autres raisons.
2. J'aimerais voir...
   a. un film d'aventures.
   b. un film d'épouvante.
   c. un film étranger sous-titré.
3. Je m'intéresserais surtout...
   a. à la cinématographie.
   b. aux effets spéciaux.
   c. au talent des acteurs.
4. Mon choix de film serait probablement influencé par...
   a. le nom du metteur en scène.
   b. les noms des vedettes.
   c. l'avis des critiques.

Allons plus loin! Comment s'appelle votre film préféré? Pourquoi aimez-vous ce film? À qui le recommanderiez-vous? Pour quelles raisons?

Cliquez là!

Visitez la Maison du Cinéma à Paris pour découvrir des ressources sur le cinéma français, francophone et mondial.

Ça fait penser

- Les Francais consacrent 3 h 12 mn par jour à la télévision, le même temps à la radio, et lisent en moyenne 6,4 magazines par an. 53 % lisent régulièrement un journal quotidien.
- Des chiffres d'affaires français, 1999: l'industrie du livre a rapporté 25 milliards de francs. L'industrie du cinéma a rapporté 5,5 milliards de francs et l'industrie du disque, 12 milliards.

Activité 8 Sondage: Le petit écran

Y a-t-il des choses qu'on ne devrait pas passer à la télé? Qu'est-ce qui est acceptable? Dites si vous êtes d'accord ou pas, en expliquant votre réponse.

1. On devrait éliminer les interviews de contenu trop personnel.
2. On ne devrait pas rediffuser les épisodes de séries anciennes.

AS 8. In groups, students draw up a list of guidelines to help parents decide which TV programs are appropriate for their children to watch. Students should also recommend the amount of time children should be allowed to watch TV each day/week, and what they should do (homework, chores, etc.) before being allowed to watch.

3. On devrait nous montrer les exécutions. Ça fait réfléchir.

4. La violence à la télé est responsable des crimes violents.

5. On devrait éliminer tous les feuilletons. Ils sont si bêtes!

6. C'est une perte de temps de passer les séances de l'Assemblée nationale.

7. On ne devrait pas repasser constamment les mêmes informations à chaque fois qu'il y a une catastrophe.

8. La naissance d'un bébé à la télé est très éducative pour les enfants.

Suggestions

Je suis d'accord avec toi.   C'est ce qui m'inquiète (me fâche).

Moi, je trouve que...   C'est ce que j'aime (je n'aime pas).

MODÈLE: É1: À mon avis, les pubs à la télé sont des mensonges commerciaux. On devrait les éliminer.

               É2: Je suis d'accord avec toi. Et pourtant, elles sont très amusantes de temps en temps...

AS 9. In groups, students choose the three TV programs they would prefer to export from the U.S. to other countries, and which three they would *not* choose. The goal is to give a good impression of the U.S.

Les francophones sur le vif. Television in France has undergone a spectacular development in the past 35 years, going from a single black-and-white channel in the 60s to the current choice of six free, national channels (*TF1, France 2, France 3, La Cinquième, M6,* and *La Sept/ ARTE*), and a few foreign channels in border areas. Although cable TV is emerging, satellite broadcasting has become extremely popular at the European level, with dozens of channels in French, German, Italian, Spanish; English does not dominate in any way. Canal +, which can be accessed via satellite or through a decoder, remains a French favorite. A browse through the Website of *Télé 7 jours* (www.tele7jours.com) offers a fairly comprehensive view of the channels and the kind of broadcasting they do. As a follow-up to the reading, have students state their own viewing preferences, using the categories cited in the text: *chaînes publiques, nationales, commerciales, câblées, à thème.* Point out that the *chaînes publiques* are not the equivalent of "Public Broadcasting" in the U.S., but rather function much like the major networks.

Lés francophones sur le vif

Yolande Madec, 45 ans, propriétaire de magasin, Plougastel (Bretagne)

Que regardez-vous à la télévision?

Quand j'étais jeune, la télévision française n'offrait qu'une chaîne, publique, gratuite, et en noir et blanc: il était facile de faire un choix. Aujourd'hui, c'est bien plus compliqué... Moi, je continue de préférer les trois: France 2, France 3 et La Sept, parce que leurs émissions sont d'une plus grande qualité. J'aime aussi beaucoup les émissions artistiques et les documentaires sur ARTE. En revanche, je trouve TF1 trop commerciale (il y a de la publicité tout le temps), et je ne supporte pas du tout le format de M6, le défilement rapide d'images colorées. Je ne vois pas l'intérêt de La Cinquième qui ne passe presque que des séries américaines. Mes enfants, eux, n'hésitent pas à payer pour avoir Canal+ et d'autres chaînes câblées, surtout pour les films récents ou en V.O.,[1] et bien sûr le sport. Mes petits-enfants regardent des chaînes à thème, comme Canal Jimmy, Télétoon et Muzzic. Finalement, notre seul point commun, c'est de pratiquer le *zapping* entre toutes ces chaînes!

[1]version originale

L ES piÈges de l'iNforoute

Attention! Étudier Grammaire 11.4 et 11.5

Tiens! Des pirates d'Internet ont fermé le plus grand serveur du monde hier!

Mesdames, messieurs, surveillez vos enfants! Apprenez-leur à limiter la diffusion de leur adresse électronique.

Ça me tente. Si j'allais sur leur site web, peut-être que je rencontrerais l'homme de mes rêves.

Sois plus optimiste! Ne crois pas tout ce que tu lis dans le journal.

J'en ai marre de ces chaînes privées et de leurs interruptions pour les pubs!

Vous gagneriez plus d'argent si vous étiez diplômé de notre école.

Ça fait penser

En France, la plainte de l'UEJF (l'union des étudiants juifs de France) contre l'hébergement d'un site Internet nazi a été rejeté en tribunal. Pourtant, la responsabilité des hébergeurs reste très discutée en France et ailleurs.

*A*ctivité *9* Sondage: La sécurité en ligne

Lisez les règles suivantes et, pour chacune, dites si vous êtes d'accord ou non. Ensuite, expliquez vos réponses à un(e) autre étudiant(e).

1. Soyez présent(e) pendant que vos enfants découvrent le web.
2. Ne donnez jamais vos coordonnées personnelles sur le web.
3. Utilisez une adresse e-mail gratuite pour écrire aux inconnus.
4. Expliquez aux enfants les dangers du web et apprenez-leur à limiter la diffusion de leur adresse électronique.
5. N'attachez jamais votre photo à un message e-mail.
6. Les enfants sont curieux; encouragez-les à explorer le web avec leurs copains.
7. Si vous pensez former une relation web sérieuse, vérifiez que la personne correspond bien à sa description.
8. Utilisez un pseudonyme pour tout ce que vous écrivez en ligne.
9. Contactez le serveur si vous n'aimez pas le contenu de certains sites.
10. N'oubliez jamais que vous avez une vie en dehors du cyber-espace.

Act. 9. (whole class; partners)
(1) Read the items aloud for students and explain the vocabulary if necessary. Allow time for students to write *oui/non*. (2) Assign to partners. Students need to explain their answers and give examples for them. (3) In general discussion, get consensus replies and the reasons for them. Has anybody in the class (or their friends or family) encountered security problems while using the Internet? New vocabulary: *contacter, coordonnées, cyber-espace, découvrir, en dehors de, en ligne, inconnu(e), pseudonyme, soyez, vérifier,*

*A*ctivité *10* Discussion: Êtes-vous trop crédule?

Dites *oui* ou *non* et comparez vos réponses avec celles de vos camarades de classe.

1. Si quelqu'un me demandait de l'argent pour aider à payer les frais médicaux de son bébé malade...
   a. je lui en donnerais.
   b. je refuserais de lui en donner.
   c. j'essaierais de vérifier son histoire avant de lui en donner.
2. Si quelqu'un offrait de me vendre une chaîne stéréo avec un lecteur de disques compacts pour 25 dollars...
   a. je réfléchirais avant de me décider.
   b. je lui dirais non tout de suite.
   c. j'irais à la police.
3. Si je recevais une lettre exigeant que j'envoie une copie de cette lettre à cinq autres personnes...
   a. je ferais ce que la lettre me demande de faire.
   b. je jetterais la lettre à la poubelle.
   c. je me plaindrais aux services postaux.
4. Si on me demandait d'investir de l'argent dans un projet où je pourrais doubler mon investissement en un mois...
   a. je le ferais si je connaissais bien la personne.
   b. je n'investirais pas, même si je connaissais la personne.
   c. je demanderais beaucoup de détails, même si je connaissais la personne.
5. Si quelqu'un qui venait de trouver l'amour de sa vie m'encourageait à visiter le site web d'Amour Parfait...
   a. je le ferais tout de suite.
   b. ça me tenterait, mais je ne le visiterais probablement pas.
   c. j'aurais peur et je refuserais.

Act. 10. (whole class; partners)
(1) Go over the items, answering them yourself and explaining new vocabulary or forms as needed. (2) Assign the activity to partners. They should explain their answers. (3) During follow-up, ask students to describe scams they have encountered. New vocabulary: *chaîne stéréo, crédule, doubler un investissement, investir, menacer, se plaindre.*

AS 11. Skits. Small groups present scams that nearly happened. Example: Two con artists offer to sell a vacant city lot to a naïve person from the country. He is saved by his wife at the last minute.

Cliquez là!

Approfondissez votre connaissance de la Netiquette sur Internet. Pourquoi est-ce que cette question mérite tant de discussion?

Activité 11 Dans le monde francophone: Les malfaiteurs du web

Lisez les commandements. Ensuite, identifiez ceux que les internautes suivant(e)s n'ont pas respectés, en expliquant pourquoi.

1. les pirates d'Internet qui volent de l'argent ou de la musique
2. les personnes qui copient les logiciels achetés par leurs amis
3. les saboteurs d'opérations militaires et policières
4. les gens dont l'identité n'est pas ce qu'ils disent sur Internet
5. les pornographes et les contrebandiers
6. les gens qui envoient des e-mails transmettant des virus
7. les «livreurs de pizza» qui s'attaquent aux serveurs
8. les entreprises qui implantent des cookies pour garder une trace des visites sur leur site

---

LE NET: TRAITÉ DE SAVOIR-VIVRE ET NETIQUETTE

Adaptation française d'un document d'Arlene Rinaldi par Christine Vercken

LES DIX COMMANDEMENTS du Computer Ethics Institute

1) Tu n'utiliseras point l'ordinateur pour causer un préjudice à autrui.
2) Tu ne t'immisceras point dans le travail informatique d'autrui.
3) Tu ne fouineras point dans les fichiers d'autrui.
4) Tu n'utiliseras point un ordinateur pour voler.
5) Tu n'utiliseras point un ordinateur pour porter un faux témoignage.
6) Tu n'utiliseras ou ne copieras pas un logiciel que tu n'as point payé.
7) Tu n'utiliseras point les ressources d'autrui sans autorisation.
8) Tu ne voleras pas la propriété intellectuelle d'autrui.
9) Tu réfléchiras aux conséquences de ton programme pour l'humanité.
10) Tu n'utiliseras l'ordinateur qu'avec considération et respect pour autrui.

Département Informatique de l'École Nationale Supérieure des Télécommunications

Activité 12 Échanges: **Le monde sans publicité**

Dites si vous êtes d'accord ou non, en donnant vos raisons. S'il n'y avait pas de pubs...

1. les consommateurs auraient moins de choix.
2. la télé serait moins amusante.
3. il serait plus facile d'aller sur un site web.
4. nous pourrions regarder nos émissions préférées sans interruption.
5. les enfants n'apprendraient pas à être matérialistes.
6. nous ne reconnaîtrions pas les noms des produits.
7. nous n'aurions pas d'émissions de radio.
8. l'économie mondiale en souffrirait.

http://www.voila.fr

Faites un vœu et puis **voiLa**

Véritable porte d'entrée sur Internet, Voila vous permet d'approfondir vos connaissances en toute liberté. Idéal pour tout trouver grâce à son moteur de recherche, c'est aussi un ensemble d'outils de communication et un média pour vivre en direct vos passions dans le monde entier.

www.voila.fr

Act. 13. (whole class) *Rosières* is a brand of kitchen appliances and refers to the kitchen range here. If students do not know the story of Snow White and Rose Re you may wish to tell it with the help of class members before assigning the activit *Rosières a collaboré avec sa belle-mère méchante (une sorcière) pour empêcher l'amour entre sa sœur Blanche Neige et le beau prince.* New vocabulary: *conte d fées, s'inspirer, mijoter plutôt, séduisant(e), sorcier/sorcière, traditiona*

ROSIERES, ROSIERES, DIS-MOI CE QUE NOUS ALLONS LUI MIJOTER CE SOIR

Activité 13 Dans le monde francophone: Un conte de fées, version commerciale

AS 14. For discussion purposes, have students bring to class ads that play upon the name of the product (Joe Camel, for example) or that refer to stories, folklore, or stereotypical beliefs. They should be prepared to explain their choices.

Regardez de très près cette pub et répondez aux questions suivantes.

1. Est-ce que cette femme est séduisante? Pourquoi?
2. Pour vous, est-ce qu'elle ressemble à une sorcière?
3. À qui est-ce que cette pub est destinée, à votre avis?
4. Diriez-vous que cette pub est plutôt féministe ou traditionaliste?
5. Comment s'appelle le conte de fées dont s'inspire cette pub?

AS 15. Distribute colored ads without text to groups and have them write the text. Later, they should show their ad to the class and read their text. Students vote for the best one.

 LECTURE

Gérard et moi

Reading Hints. This fanciful piece alternates narrative passages and direct speech. The *À vous la parole!* activity has students manipulate this structure two ways, with the entire story told as direct speech, but the direct speech in the narrative transposed into indirect speech: *Le metteur en scène lui a dit qu'elle ne devait pas dévisager Depardieu.* Draw students' attention to this aspect after they have acted out the conversation. At that point, you may remind the entire class of the necessity of using *que* and of adjusting the tense of verbs (*concordance des temps*).

Lecture: Gérard Depardieu (born in 1948) is France's best-known and most bankable movie star. His eclectic career has taken him from highjinx comedy (*La Chèvre, Les Compères*) to gritty drama (*Police, La Femme d'à côté*), costume epics (*Fort-Saganne, Cyrano*), as well as extremely high-brow and esoteric productions such as Marguerite Duras' *Le Camion* or Alain Resnais' *Mon Oncle d'Amérique. Cyrano de Bergerac* (1990) is one of the many screen adaptations of Edmond Rostand's play about a swashbuckling musketeer with a wit as sharp as his sword, but too self-conscious about his physical deformity (a huge nose) to openly profess his love for Roxanne. Depardieu won a French Academy award (a *César*) for the part, although his bid for an Oscar was derailed by "revelations" about his involvement in various crimes as a young hoodlum—which in fact was long known to the French public.

Annick Bouvier, professeur de français en Normandie, raconte une aventure qui lui est arrivée, pendant le tournage[1] du film Cyrano de Bergerac de Jean-Paul Rappeneau.

J'adore le cinéma, surtout les films d'aventures historiques. Imaginez donc ma réaction quand j'ai vu une petite annonce dans le journal pour recruter les figurants[2] de *Cyrano de Bergerac,* avec Depardieu en vedette! C'était l'occasion ou jamais, et j'ai tout de suite téléphoné au numéro indiqué par l'annonce. Une dame m'a annoncé: «Il nous faut absolument des figurants en plus... aucune qualification n'est nécessaire. On tourne jeudi prochain, à partir de huit heures du matin; vous pouvez y être?» J'ai répondu que oui, d'une voix hésitante—j'avais du mal à y croire.

Pourtant, la semaine suivante je me suis retrouvée sur le lieu du tournage. On m'a habillée avec un bonnet et une robe de paysanne.[3] Mon rôle était simple: il fallait que je discute avec les autres figurantes, pendant que le héros passait devant nous.

Les techniciens ont installé et réglé[4] les caméras et les projecteurs, les assistants ont vérifié que les accessoires étaient tous à leur place... Finalement, le metteur en scène est arrivé, l'air très impatient. Enfin, Depardieu a fait son appari-

---

[1]acte de tourner (faire) un film
[2]acteurs qui jouent un petit rôle, souvent sans texte
[3]femme qui vit et travaille à la campagne
[4]ajusté

tion, et la prise[5] a commencé. J'ai essayé de parler avec les autres, mais mon regard était irrésistiblement attiré par mon idole.

Le metteur en scène a crié «Coupez!» et m'a regardée avec fureur: «Mademoiselle! Vous êtes une paysanne! Vous devez discuter avec les autres, pas dévisager[6] Cyrano!» Plusieurs personnes ont ri, et je me suis sentie horriblement gênée.[7] Nous avons aussitôt commencé une seconde prise, et je me suis concentrée sur mon rôle... mais à nouveau, le metteur en scène a hurlé[8] «Coupez!», l'air encore plus furieux. «Votre montre, mademoiselle! Enlevez votre montre! On ne portait pas de montre-bracelet au XVIIème [dix-septième] siècle!»

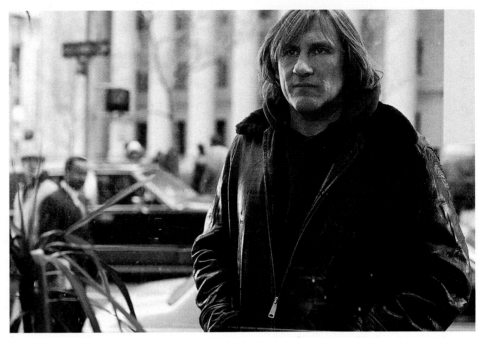

Gérard Depardieu à Paris

J'étais catastrophée, mais—surprise! Depardieu lui-même est venu vers moi et m'a dit: «C'est la première fois, hein? N'ayez pas peur, on est tous un peu nerveux la première fois, moi aussi, vous savez!» La troisième prise s'est passée sans problème, mais c'est la dernière fois que j'ai fait du cinéma. Je m'en souviendrai toujours, non pas à cause de mes gaffes,[9] mais de l'attitude si sympathique de Depardieu. À la fin de la journée, il m'a même signé un autographe!

[5]tournage de la scène
[6]regarder avec insistance
[7]embarrassée

[8]crié très fort
[9]actes maladroits

Avez-vous compris?

A. Résumé de l'histoire

1. Pourquoi est-ce qu'Annick a voulu travailler comme figurante dans le film *Cyrano de Bergerac*?
2. Quelles qualifications étaient nécessaires pour être figurant?
3. Qu'est-ce qu'on a donné à Annick comme costume?
4. Quel était son rôle dans le film?
5. Que faisait Annick au lieu de parler avec les autres paysannes?
6. Pourquoi est-ce que le directeur a coupé le tournage une deuxième fois?
7. Qu'est-ce que Gérard Depardieu a fait après la deuxième interruption?
8. Quel souvenir Annick a-t-elle gardé de cette expérience?

B. Expressions synonymes

Reformulez les expressions suivantes ou trouvez une expression équivalente.

MODÈLE: C'était l'occasion ou jamais... →
C'ést le bon moment. Allez-y!

1. d'une voix hésitante
2. J'avais du mal à y croire.
3. Depardieu a fait son apparition.
4. mon idole
5. Je me suis concentrée sur mon rôle.
6. J'étais catastrophée.

À vous la parole!

Vous êtes l'ami(e) de la narratrice, Annick, qui vous a raconté cette aventure. À votre tour, vous allez raconter l'anecdote à un(e) camarade de classe, mais sans donner plus d'un élément d'information à la fois. Chaque partenaire doit faire progresser activement la conversation pour que l'histoire soit entièrement reconstituée.

MODÈLE: É1: Tu te souviens de ma copine Annick?
É2: Annick... ah oui, celle qui est folle de cinéma!
É1: Exactement! Figure-toi qu'elle a vu une annonce dans le journal pour recruter des figurants...
É2: Pas possible! Pour quel film?...

À vous d'écrire

Êtes-vous doué(e) pour la publicité? Imaginez que vous êtes chargé(e) du marketing des produits suivants à la télé. Choisissez-en deux, puis identifiez la clientèle qui va s'intéresser aux produits. Ensuite, pensez aux heures et aux jours où vous allez faire passer vos pubs. Enfin, décidez du genre des pubs (le type de scénario, les acteurs...) et écrivez vos idées.

Suggestions: un jeu vidéo, une bière, de l'aspirine, un produit qui fait maigrir, une voiture, un fournisseur d'accès à Internet...

MODÈLE: *des céréales en forme d'animaux →*
Les petits enfants aimeraient ces céréales. Je passerais la pub le samedi matin ou en fin d'après-midi quand il y a des émissions pour enfants. Je recommande un scénario amusant avec des dessins animés ou des animaux qui savent parler.

www.mhhe.com/deuxmondes

À explorer: www.mhhe.com/deuxmondes/ pour obtenir plus d'informations sur les thèmes du chapitre.

Vidéothèque

Espace vidéo

Exprimer son désaccord. Dans cet épisode, Aimée et Claire discutent des films de Cyril Collard, et surtout de son film «Les nuits fauves». Claire ne l'aime pas; elle n'aime pas, en fait, le cinéma français. Aimée, par contre, adore les films de Collard. Pourquoi est-ce que Claire est frustrée? Qu'est-ce qu'elle n'aime pas dans le cinéma français? Et pourquoi est-ce qu'Aimée n'est pas d'accord avec elle? Pourquoi est-ce qu'Aimée se fâche avec Claire à la fin de la séquence?

Vocabulaire

L'ordinateur et le matériel électronique

The computer and electronic equipment

un appareil	an appliance, piece of equipment, machine
une chaîne stéréo	a sound system
le clavier	keyboard
un coup de fil (*fam.*)	a phone call
l'écran (*m.*)	screen
l'imprimante (*f.*)	printer
un lecteur cédérom	a CD-ROM player
un logiciel	a software program
un magnétoscope	a VCR
un mot de passe	a password
un PC de poche	an Internet-accessing PDA
un portable (un mobile)	a cellular phone
un répondeur téléphonique	an answering machine
la souris	mouse
une télécommande	a TV remote control
les touches (*f.*)	keys (*on a keyboard*)

Mots apparentés: **l'accès** (*m.*) **limité, un centre d'informations, un code, le curseur, fonctionner, (se) former, une image visuelle, indiquer, une interaction manuelle, un modem, un signe, l'usage** (*m.*)

Internet et le web

The Internet and the Web

un(e) accro du web	a Web addict
le courrier électronique	e-mail
des données (*f.*)	information, data
un fichier	a file
un fournisseur d'accès	a service provider
un(e) internaute	an Internet user
un lien	a link
un mot clé	a keyword
un moteur de recherche	a search engine
la page d'accueil	home page

un serveur	a service provider
un signet	a bookmark
l'utilisateur/ l'utilisatrice	the user
s'abonner (à)	to subscribe to
accéder (à)	to access
se brancher	to link onto, to get plugged in
démarrer	to boot up
mettre en marche	to start, put into action
rechercher	to research
retrouver	to find, locate
télécharger	to download

Mots apparentés: **activer, consulter, le cyber-espace, le navigateur, naviguer, signaler, transférer, visualiser**

Le cinéma et la télévision

Movies and television

une chaîne	a channel
un conte de fées	a fairy tale
le contenu	contents
l'a diffusion	broadcasting
se distraire	to enjoy oneself
échapper à	to escape
les effets (*m.*) **spéciaux**	special effects
une émission	a program (TV or radio)
un feuilleton	a soap opera
un film étranger	a foreign film
l'intrigue (*f.*)	plot
le metteur en scène	director
la mise en scène	production
le réalisateur/ la réalisatrice	producer
une réalisation	a production
rediffuser	to rerun
sous-titré	subtitled

Mots apparentés: **la cinématographie, un clip, un(e) critique, un documentaire, éducatif/éducative, un épisode, fasciner, un film d'aventures, inspirer, une publicité (pub), un rôle, le script**

LE COMPORTEMENT EN LIGNE

On-line behavior

un commandement	a commandment
la conduite	behavior, conduct
consacrer	to devote, use
un don	a talent, gift
s'en prendre (à)	to get upset (with, at)
l'esprit (*m.*)	spirit
éviter	to avoid
s'exprimer	to express oneself
un point faible	a weak point
raconter	to tell, say
un terme grossier	a vulgar term

Mots apparentés: **contacter, destiner, éliminer, exagérer, inconscient(e), insultant(e), modifier, la netiquette**

L'inforoute: les pièges et les précautions

The information highway: pitfalls and safety precautions

un contrebandier/ une contrebandière	a smuggler
les coordonnées (*f.*)	personal data
crédule	gullible
un(e) inconnu(e)	a stranger
un livreur de pizza (*fam.*)	a hacker
un pirate d'Internet	a hacker
garder une trace	to keep a record, trail
se plaindre (de)	to complain (about)
reconnaître	to recognize
souffrir	to suffer
surveiller	to watch over
tenter	to tempt

Mots apparentés: **s'attaquer à, doubler un investissement, investir, menacer, un**

pornographe, un pseudonyme, un saboteur, transmettre un virus, vérifier, violer

LA DESCRIPTION

Descriptive words

bête	stupid
mondial(e)	worldwide
séduisant(e)	appealing

Mots apparentés: **clairement, diplômé(e), féministe, matérialiste, pédagogique, traditionaliste, violent(e)**

SUBSTANTIFS

Nouns

un bouquin (*fam.*)	a book
un chercheur/ une chercheuse	a researcher
le consommateur/ la consommatrice	consumer
une lettre majuscule	a capital letter
un mensonge	a lie
la naissance d'un bébé	birth of a baby
une perte de temps	a waste of time
la solidarité	unity
un sorcier/une sorcière	a sorcerer, witch

Mots apparentés: **un(e) collègue, un désastre, une interruption, la violence**

MOTS ET EXPRESSIONS UTILES

Useful words and expressions

C'est ce qui m'inquiète.	That's what worries me.
en dehors de	outside of, beyond
Je suis d'accord avec toi.	I agree with you.
par voie de	by means of
plutôt	rather

Grammaire et exercices

Saying what you would do: THE CONDITIONAL

A. You have already used some conditional verb forms, such as **je voudrais, j'aimerais,** and **je devrais.** The conditional is most often used to express the result of some hypothetical situation, that is, what would happen "if something were true." In English, this is expressed by *would* + verb.

B. The conditional is formed in French by using the future stem + the **imparfait** endings, as shown in the following chart. Remember that the future stem of regular verbs is the same as the infinitive, except for **-re** verbs, which drop the final **-e.**

★ Review ***Grammaire 2.5*** *and **8.5** for special uses of the conditional of **vouloir/aimer** and **devoir.***

★ Review ***Grammaire 9.5*** *for the form of the future stem.*

➤ The conditional tells what you *would* do in a hypothetical situation.

➤ conditional = future stem + imperfect endings

CONDITIONAL			
	parler	**finir**	**vendre**
je	parler**ais**	finir**ais**	vendr**ais**
tu	parler**ais**	finir**ais**	vendr**ais**
il/elle/on	parler**ait**	finir**ait**	vendr**ait**
nous	parler**ions**	finir**ions**	vendr**ions**
vous	parler**iez**	finir**iez**	vendr**iez**
ils/elles	parler**aient**	finir**aient**	vendr**aient**

Nous **parlerions** plus souvent le français si nous avions des amis francophones.
À ta place, je **finirais** mon travail avant de sortir.
Cet ordinateur se **vendrait** mieux sous un autre nom.

We would speak French more often if we had some French-speaking friends.
If I were you, I'd finish my work before going out.
This computer would sell better under another name.

C. Because the conditional stem is the same as the future stem, any verb that is irregular in the future is also irregular in the conditional.

aller	j'**ir**ais	pouvoir	je **pourr**ais
avoir	j'**aur**ais	recevoir	je **recevr**ais
devoir	je **devr**ais	savoir	je **saur**ais
envoyer	j'**enverr**ais	venir	je **viendr**ais
être	je **ser**ais	voir	je **verr**ais
faire	je **fer**ais	vouloir	je **voudr**ais

11.1. Use input techniques from the *Mise en train* activities to review/introduce verbs in the conditional present. Write a number of forms on the board and use them to explain how the conjugation pattern works. Point out that the endings are the same as those of the *imparfait* and that the letter *r* always occurs before the endings, as it does in the future tense.

This section is the first systematic presentation of the forms and uses of the present conditional, although students have already used conditional forms of *vouloir, aimer,* and *devoir.* Here, the main goal is the association of the conditional forms with the conditional meaning. Conditional sentences (*si*-clause in imperfect + result clause in conditional) occur for recognition only at this time and are introduced in *Grammaire 11.5.*

ES 1. Ask students to imagine life during an electricity or gas outage: *Nous n'aurions pas de télévision, nous utiliserions des bougies et des lampes à huile, les ordinateurs ne pourraient pas fonctionner,* etc.

Si vous alliez en France cet été, vous **pourriez** rendre visite à nos amis à Strasbourg. Moi, je **viendrais** vous rejoindre en août, et on **irait** ensemble à Londres.

If you went to France this summer, you could visit our friends in Strasbourg. I would come and join you in August, and we'd go together to London.

➤ The conditional is used to make polite requests.

D. The conditional is also used to make requests without appearing too direct.

Est-ce que vous **pourriez** nous recommander un bon restaurant?
Auriez-vous l'heure?

Could you (Would you be able to) recommend a good restaurant?
Would you have the time? (Could you tell me what time it is?)

Ex. 1. This exercise practices conditional present forms. After students have done the exercise at home and checked their answers, you might have them discuss their replies in groups. Provide a list of predicates (on board or transparency) and have the groups discuss the reasons behind their answers. Suggestions: *avoir plus de temps, parler aux gens, faire plus d'exercice, ne pas avoir de mauvais exemples, lire des journaux et des magazines.*

Exercice 1 Un monde sans télé

Imaginez le monde sans télévision. Complétez les phrases avec le conditionnel, et dites si vous êtes d'accord ou non.

MODÈLE: Moins de couples _____ (divorcer). →
Moins de couples divorceraient. Oui, c'est vrai, parce qu'il n'y aurait pas de football américain à la télé. (Non, ce n'est pas vrai...)

1. Il y _____ (avoir) moins de crimes violents.
2. Je _____ (lire) beaucoup plus.
3. Les Américains _____ (être) en meilleure santé.
4. Nous ne _____ (savoir) pas ce qui se passe dans le monde.
5. On _____ (connaître) moins bien les autres pays du monde.
6. Les candidats _____ (faire) leur campagne de façon plus intelligente.
7. Nous _____ (dormir) plus.

Ex. 2. This exercise provides functional practice with the "politeness" use of the conditional.

Exercice 2 Par politesse

Sarah Thomas se trouve dans une maison de la presse à Paris, où elle veut demander beaucoup de choses. Reformulez ses phrases pour les rendre plus polies, en employant le conditionnel.

MODÈLE: *Avez*-vous de la monnaie? → Auriez-vous de la monnaie?

1. *Pouvez*-vous m'indiquer la station de métro la plus proche?
2. Est-ce que vous *avez* l'heure?
3. Je *veux* aussi *Le Nouvel Observateur.*
4. Est-ce que vous *pouvez* me commander ce livre?
5. Quand est-ce que je *dois* revenir le chercher?
6. Est-ce que je *peux* prendre un catalogue?
7. *Savez*-vous où se trouve le Bistro de la Sorbonne?

Ex. 3. The hypothetical situation is understood even though *si*-clauses are not given (except in the title). Students will need to make transformations from the present indicative to the conditional. You may wish to have students discuss the sentences together, and say whether they agree or disagree.

Exercice 3 Si le monde était idéal,...

Transformez les phrases en employant le conditionnel pour décrire un monde idéal.

MODÈLE: Dans le monde réel, on a besoin de se méfier des inconnus. →
Dans un monde idéal, on n'aurait pas besoin de se méfier des inconnus.

Dans le monde réel...

1. on ne peut pas toujours croire ce qu'on vous dit.
2. nous sommes souvent influencés par des messages subtils ou subliminaux.
3. on profite quelquefois de la crédulité des gens.
4. les gens dépensent beaucoup d'argent pour des produits inutiles.
5. le travail occupe une très grande partie de notre vie.
6. il n'y a pas assez d'emplois pour tous ceux qui veulent travailler.
7. mentir est quelquefois utile.

11.2 THE RELATIVE PRONOUN **dont**

A. You are already familiar with the relative pronouns **qui, que,** and **où.** Like **qui** and **que,** the relative pronoun **dont** is used for both people and things. **Dont** is used to replace the preposition **de** + a noun.

WITH **DE**	WITH **DONT** (RELATIVE CLAUSE)
J'ai besoin **de** ce magazine.	Je n'ai pas acheté le magazine **dont** j'ai besoin.
I need this magazine.	*I didn't buy the magazine (that) I need.*
Ils parlaient **de** cet homme à la télé.	C'est l'homme **dont** ils parlaient à la télé.
They were talking about this man on TV.	*That's the man (whom) they were talking about on TV.*

B. When used in a possessive construction, **dont** corresponds to English *whose.*

WITH **DE**	WITH **DONT** (RELATIVE CLAUSE)
Je connais le frère **de** cette journaliste.	C'est la journaliste **dont** je connais le frère.
I know that reporter's brother.	*That's the reporter whose brother I know.*
Les émissions **de** cette chaîne sont en anglais.	C'est la seule chaîne **dont** les émissions sont en anglais.
This station's broadcasts are in English.	*It's the only station whose broadcasts are in English.*

C. **Dont** is used frequently with verbs or verbal expressions that require **de,** for example: **parler, avoir besoin, avoir envie, avoir peur, se servir, se souvenir.**

L'émission **dont** je me souviens, c'est «La Rue Sésame».
The program I remember is "Sesame Street."

L'ordinateur **dont** il se sert est très vieux.
The computer he uses is very old.

⭐ Review **Grammaire 6.4** *for the uses of the relative pronouns* **qui, que,** *and* **où.**

➤ The relative pronoun **dont** replaces *de* + noun: **C'est le livre** *dont* **j'ai parlé. C'est la personne** *dont* **j'ai besoin.**

➤ **Dont** may refer to people or things.

11.2. This section is intended to help students understand *dont* in speech and texts. Because it requires a transformation from *de* + noun, the ability to use *dont* in spontaneous speech is not easily acquired, even after much study. We also include a review of the relative pronouns *qui* and *que*.

Use input techniques to introduce *dont* and to review *qui/que*. Show photos/ads of products: *Ça, c'est une lotion solaire. C'est le produit dont on a besoin pour se protéger contre les effets du soleil, n'est-ce pas?* Place the pictures in a chalk tray as you finish. Later, ask students to identify the products: *Lequel est le produit dont on a besoin pour se laver les cheveux?*

Ex. 4. This exercise provides practice in using *dont* in a very controlled context, so students learn to associate it with certain verbs followed by *de*.

Exercice 4 À la FNAC

Sarah et Agnès visitent la FNAC, un magasin spécialisé dans les médias. Reformulez leurs phrases (en italique) en employant **dont.**

MODÈLE: *J'ai entendu parler de cet auteur cette semaine.*
C'est l'auteur... →
C'est l'auteur dont j'ai entendu parler cette semaine.

1. *Je parlais de ce magazine l'autre jour.* C'est le magazine...
2. *On discutait de ce livre à la télé.* C'est le livre...
3. *Je connais d'autres films de ce metteur en scène.* C'est un metteur en scène...
4. *J'ai vu tous les films de cette vedette.* C'est une vedette...
5. *Je ne me souviens jamais de ce titre.* C'est un titre...

11.3 More on relative pronouns: CE QUI, CE QUE, CE DONT

⭐ Review **Grammaire 6.4** and **11.2.**

11.3. The indefinite relatives are presented here because they are often used in conversation. The exercises of this section provide practice in choosing between *ce qui, ce que,* and *ce dont.* We do not expect students to produce these forms in speech. It may be helpful to point out the correspondence between *ce qui/ce que* and the corresponding question forms: *Sais-tu* **ce qui** *se passe? Qu'est-***ce qui** *se passe?* and *Je ne sais pas* **ce que** *tu fais. Qu'est-***ce que** *tu fais?*

ES 2. *Le couple amoureux.* Distribute two sets of questions, one to each partner. *Modèle:—Qu'est-ce qui te plaît, mon amour?—Ce qui te plaît, chéri(e)!* Set A: *Qu'est-ce que tu veux? Qu'est-ce qui t'amuse? Qu'est-ce que tu aimes? Qu'est-ce qui te fait plaisir?* Set B: *Qu'est-ce que tu penses? Qu'est-ce qui te fâche? Qu'est-ce qui t'ennuie? Qu'est-ce que tu préfères?*

ES 3. *Le couple amoureux 2.* To heighten awareness of *ce dont,* you might have partners ask and answer these questions. Each partner should ask the questions and later answer them: *De quoi est-ce que tu as envie? (De ce dont tu as envie.) De quoi est-ce que tu as peur? ... tu parles? ... tu as besoin? ... tu te souviens?*

A. **Ce qui, ce que,** and **ce dont** are called indefinite relative pronouns. They are used in the same way as **qui, que,** and **dont,** but they are used when the thing referred to is not specified. They usually correspond to English *what.*

SPECIFIC REFERENCE	UNSPECIFIED REFERENCE
noun + **qui**	**ce** + **qui**
Les films qui m'intéressent...	Ce qui m'intéresse...
noun + **que**	**ce** + **que**
Les livres que j'aime...	Ce que j'aime...
noun + **dont**	**ce** + **dont**
L'ordinateur dont je me sers...	Ce dont je me sers...

Sais-tu **ce qui** s'est passé dans le dernier épisode?

Do you know what happened in the last episode?

Je ne vois pas **ce que** tu aimes dans cette émission.

I don't see what you like about that show.

Ces reportages sont trop techniques—je ne comprends jamais **ce dont** ils parlent.

These reports are too technical— I never understand what they're talking about.

B. **Ce qui, ce que,** and **ce dont** are often combined with **tout,** meaning *everything.*

—Ça t'ennuie qu'il regarde la télé?

Does it bother you that he watches TV?

—Non, mais c'est **tout ce qu'**il
veut faire!

No, but that's all he wants to do.

C. The indefinite relatives are also frequently used in conversation to introduce a
new idea.

Ce qui compte, c'est que le travail
lui plaise.

What counts is that he likes the work.

Ce que j'aime, c'est voir un vieux
film dans une salle de cinéma.

*What I like is to see an old movie in a
movie theater.*

Exercice 5 Définitions

Complétez chaque définition avec **ce qui** ou **ce que**. Ensuite, choisissez la bonne
définition pour chaque type d'émission ou de film.

EX. 5. *Ce qui* and *ce que* occur here in short explanations such as one often hears in conversation. After students have done the assignment, assign for partner practice. Partners take turns giving a description (chosen at random) for the other person to identify.

1. _____ fait parfois pleurer les téléspectateurs
2. _____ donne des frissons aux adolescents
3. _____ les enfants préfèrent
4. _____ explique quel temps il va faire demain
5. _____ on regarde pour s'informer
6. _____ on cherche si on veut rire
7. _____ fait peur
8. _____ on regarde avant de faire un long voyage en voiture

a. C'est une comédie.
b. C'est un documentaire.
c. Ce sont les feuilletons.
d. Ce sont les dessins animés.
e. C'est le bulletin météorologique.
f. C'est un film d'épouvante.

Exercice 6 «Ma meilleure amie m'a piqué mon copain!»

Adrienne parle de l'intrigue de son feuilleton favori avec Fatima, une collègue de
travail. Complétez leur conversation en employant **ce qui, ce que (ce qu')** ou **ce
dont**.

ADRIENNE: La pauvre Jacqueline! Elle ne sait pas _____[1] elle doit faire. Elle
vient d'apprendre que son mari Maurice est parti en vacances avec
sa meilleure amie, Évelyne.

FATIMA: Et sait-elle _____[2] se passe au bureau avec Annick, la secrétaire?

ADRIENNE: Non, ça, elle ne le sait pas encore. _____[3] l'énerve vraiment, c'est
qu'ils ont pris sa voiture quand ils sont partis. Alors elle va chez sa
mère pour lui demander _____[4] elle pense de tout cela. Mais tout
_____[5] intéresse sa mère, c'est l'argent. Alors naturellement, puisque
Maurice est très riche, elle trouve qu'elle devrait rester avec lui.

FATIMA: Et c'est _____[6] elle fait?

ADRIENNE: Pour l'instant, oui. Mais tu sais _____[7] va se passer? Elle va
apprendre qu'elle attend un bébé. Et ça, ce n'est pas du tout _____[8]
elle avait envie.

FATIMA: Quel drame! Je ne vois vraiment pas pourquoi tu regardes ces
bêtises!

11.4. Students have heard and used commands since the beginning of the course, often with pronouns: *asseyez-vous, allez-y, dites-lui.* This section provides a summary of what they already know and gives rules for formation of the imperative. It should be used primarily for reference. Pronoun placement is complex: at this time, we review only the use of a single object pronoun with commands.

364 | **CHAPITRE 11**   Les moyens de communication

Do a TPR activity with *vous* (whole class) and *tu* (individuals). Include pronoun objects in the input: *Prends ton livre. Maintenant, mets-le sous ton pupitre.* Write examples of commands (with attached pronoun objects) on the board. Afterward, use these to review what students already know.

11.4 Giving orders: COMMANDS WITH PRONOUNS

Imperative forms for *nous* are new but should cause little difficulty.
Point out that pronouns precede the verb in negative commands. Write headings for two columns on the board: *l'ange* and *le*

➤ Most commands = present-tense forms without the subject

diable. L'ange dit: Lisez la leçon pour demain. Lisez-la. Mais... que dit le diable? Il dit: Ne la lisez pas! Give more examples and have students say the opposites. Not all items in a column need be negative or affirmative: the point is to illustrate the two

➤ All **-er** verbs: **tu** form drops the final **-s.** Exception: **Vas-y!**

➤ **Être** and **avoir** imperatives = present subjunctive forms

➤ **Rappel: aie** and **ay-** are pronounced just like **(j')ai.**

types of commands. Other examples for l'ange: (cette cigarette) Ne la fumez pas; (vos parents) Ne leur mentez pas: Couchez-vous de bonne heure: (votre argent) Économisez-le: (vos amis quand vous êtes en retard) Téléphonez-leur; (la bibliothèque) Allez-y.

✴ *Review* **Grammaire 2.2, 4.5,** *and* **6.5.**

➤ Affirmative commands: verb + object pronoun

➤ Affirmative commands: **me, te → moi, toi**

➤ Negative commands: **ne** + object pronoun + verb + **pas**

✴ *Review* **Grammaire 7.3** *and* **9.1.**

A. Commands (imperative forms) are formed by dropping the subject from the verb form. They exist for **vous, tu,** and **nous; nous** commands are used for making suggestions.

Commandez votre exemplaire aujourd'hui!	*Order your copy today!*
Ne **mets** pas la radio maintenant, Joël.	*Don't turn on the radio now, Joël.*
Allons au nouveau cinéma ce soir.	*Let's go to the new movie theater tonight.*

B. For regular **-er** verbs and **aller,** the imperative **tu** form drops the **-s** from the present-tense form.

Victor, n'**allume** pas la télé, s'il te plaît.	*Victor, please don't turn the TV on.*
Va allumer l'imprimante, s'il te plaît.	*Go turn on the printer, please.*

C. Être, avoir, and savoir have irregular command forms.

	être	avoir	savoir
tu	sois	aie	sache
vous	soyez	ayez	sachez
nous	soyons	ayons	sachons

Ne **sois** pas si crédule, Claudine.	*Don't be so gullible, Claudine.*
Ayez l'intelligence de bien réfléchir avant d'acheter.	*Have enough intelligence to think carefully before buying.*
Sachez que je ne me sers pas de cartes de crédit.	*I'll have you know that I don't use credit cards.*

D. Object pronouns and reflexive pronouns are placed after the verb in affirmative commands. They are attached to the verb form with a hyphen.

Quelle belle page d'accueil! Regardez-**la!**	*What a beautiful home page! Look at it!*
Abonnez-**vous** dès aujourd'hui à ce serveur!	*Sign up for this ISP today!*

Me and **te** become **moi** and **toi** in affirmative commands.

Dépêche-**toi** de finir, Victor!	*Hurry up and finish, Victor!*
Écoutez-**moi,** s'il vous plaît.	*Listen to me, please.*

E. In negative commands, object pronouns and reflexive pronouns are placed *before* the verb.

Ne **me** parle pas pendant que je lis le journal.	*Don't talk to me while I'm reading the newspaper.*
Ne **te** mets pas en colère contre l'ordinateur!	*Don't get angry with the computer!*

F. **Y** and **en** follow the same placement rules as other pronouns.

Vous êtes prêt? Allons-**y!**	*Are you ready? Let's go!*
Du papier? Oui, prenons-**en.**	*Some paper? Yes, let's get some.*
Encore un virus? N'**en** parlez pas!	*Another virus? Don't talk about it!*

Pronunciation Hint:

Note obligatory liaison: **Allons‿y, prenons‿en.**

Exercice 7 Les sept commandements du HTML

Voici quelques-uns des «dix commandements» pour construire une page web. Mettez-les à l'impératif, en suivant le modèle.

MODÈLE: Tu n'oublieras pas de tester ta page avec différents navigateurs. →
N'oublie pas de tester ta page avec différents navigateurs.

1. Tu auras quelque chose à dire dans ta page web. (Informe et intéresse le visiteur, ne le déçois point!)
2. Tu ne feras pas une liste de listes.
3. Tu te rappelleras que tous tes visiteurs ne sont pas équipés d'un modem puissant. (Et tu ne fourniras pas trop d'informations dans la même page.)
4. Tu vérifieras tes liens pour éliminer les culs-de-sac.
5. Tu permettras les commentaires par courrier électronique sur ta page.
6. Tu amélioreras constamment tes connaissances en HTML.
7. Tu seras créatif/créative, malgré toutes ces directives.

Ex. 7. This exercise practices *tu* commands, primarily in the affirmative. In class, you might have students practice *vous* or *nous* commands as a whole-group activity. Note that this will usually require other changes in the sentence as well.

Exercice 8 Les six commandements de la famille informatisée

Voici «Les six commandements du parfait parent pour les petits utilisateurs (d'ordinateurs)». Transformez les conseils à l'impératif, en suivant le modèle.

MODÈLE: Je m'assurerai que tous les membres de la famille savent qu'un ordinateur est un objet précieux et coûteux. →
Assurez-vous que tous les membres de la famille savent...

1. Je leur montrerai donc comment bien l'utiliser.
2. En cas d'invasion de très jeunes, je bloquerai les fentes de disquettes et de CD-ROM, je rangerai le clavier et je mettrai la souris en cage.
3. Je n'apporterai mon travail à la maison qu'en cas de nécessité absolue.
4. Je m'assiérai souvent avec mes enfants quand ils utiliseront l'ordinateur.
5. Si les enfants sont branchés en ligne, je saurai où ils vont et combien cela va coûter.
6. Je m'assurerai qu'ils ont une chaise confortable. J'essaierai aussi de placer l'ordinateur dans un endroit facile d'accès.

Ex. 8. This exercise practices *vous* commands. Occasionally, other items must also be changed, such as possessives. Some pronoun objects are included (1, 4, 6). In class, the exercise may be used to practice *tu* and *nous* commands as well.

Exercice 9 Conseils pour l'acheteur en ligne

Voici des conseils sur le commerce électronique. Dites si vous êtes d'accord ou non avec chaque conseil et répétez-le (ou changez-le) avec un pronom.

MODÈLE: Méfiez-vous des pages qui demandent le numéro de votre carte de crédit dès votre arrivée. →
C'est une bonne idée. Méfiez-vous-en. (Ce n'est pas nécessaire. Ne vous en méfiez pas.)

Ex. 9. This exercise practices *vous* commands with pronoun objects (direct objects and *en*). Students may respond in the affirmative or negative.

1. Posez des questions avant d'acheter.
2. Vérifiez la sécurité. (Regardez le petit icône (le cadenas) de votre navigateur, qui doit être en position fermée.)
3. Appréciez la qualité du service. (Les achats en ligne doivent être plus faciles et plus agréables que les achats dans les magasins.)
4. Pour les achats à l'étranger qui peuvent attendre, vérifiez le cours des changes.
5. Groupez vos commandes. (Vous réduirez très sensiblement les frais de port.)
6. Parlez de vos expériences—en particulier des mauvaises, autour de vous et sur le web.

11.5 Talking about hypothetical situations: MORE ON THE imparfait

We often talk about what we would do if something else were true. The statement "if something were true" describes an unreal or hypothetical situation; this is expressed in French by **si** (*if*) + a verb in the **imparfait. Si + imparfait** is often used when a result statement is in the conditional.

Si mes parents **achetaient** un ordinateur, je **pourrais** leur envoyer des messages électroniques.

If my parents bought a computer, I could send them e-mail.

Monsieur Vincent, que **feriez**-vous **si** vous **aviez** un million de francs?

Mr. Vincent, what would you do if you had a million francs?

Exercice 10 Habitudes de consommateur

Un ami parle de ses habitudes quand il fait des achats. Comparez vos habitudes, en expliquant ce que vous feriez et en employant des phrases au conditionnel.

MODÈLE: Quand je reçois de l'argent, je le dépense tout de suite. →
Moi aussi, si je recevais de l'argent, je le dépenserais tout de suite. (Moi non, si je recevais de l'argent, je ne le dépenserais pas tout de suite.)

1. Quand je veux vraiment acheter quelque chose, je suis très impatient(e).
2. Quand je suis déprimé(e), j'ai envie de faire des achats.
3. Quand j'ai envie de faire des achats, je laisse mes cartes de crédit à la maison.
4. Quand je fais beaucoup d'achats, je suis encore plus déprimé(e).
5. Quand j'achète quelque chose de cher, je vais dans tous les magasins pour trouver le meilleur prix.
6. Quand je n'aime pas quelque chose, je le rapporte au magasin.

GOALS FOR *CHAPITRE 12*
The topics of *Chapitre 12* are fitness and health, illnesses and accidents. Students begin to hear and use present subjunctive forms after wishes and suggestions. The *passé composé* and *imparfait* are used together to describe changes in states and to narrate past events. Functional goals: (1) Explain what one needs to do to stay healthy and be in good physical condition; (2) Describe an illness you had and how you treated the symptoms; (3) Tell about an accident you have had.

CHAPITRE 12

La santé et les urgences

Lyon, France: Un médecin ausculte son jeune patient

Objectifs IN **CHAPITRE 12**, *you will talk about fitness and staying healthy. You will learn how to describe illnesses and accidents, and more ways to talk about past experiences.*

activités

La santé
Les maladies et les traitements
Les accidents et les urgences

lectures

La langue en mouvement Le latin: lien entre le français et l'anglais
Les francophones sur le vif Ange Simeoni
Info: Société Vivre bien, vivre bio
Lecture Le malade imaginaire [extrait]

grammaire

12.1 Saying what you want others to do: More on the subjunctive
12.2 Changes of state: **Passé composé** vs. imperfect
12.3 The present participle
12.4 Expressing events in the recent past: **Venir de** + infinitive
12.5 Narrating in the past tense: **Passé composé** vs. imperfect

MISE EN TRAIN
TPR. Parts of the body. Review and introduce more terms (see chart in *Chapitre* ...) with new commands like *respirez, ... tez, frottez, ... rdez, avalez, ... rnuez, toussez.* ... er, give two students one command ... ece and follow ... either/or questions: *Qu'est-ce que ...mas a fait? Est-...qu'il a toussé ou ... rnué?*

1. Ask students ... at parts of the ... ty one uses to do ... se things: *se ... sser les dents, ... parer un plat spé-..., faire la sieste.*

La santé. Use ... r PF and associ-... n techniques to ... oduce terms for ... sical conditions, ... idents, illnesses, ... common reme-... s. Select pictures ... eople in various ... ations, states of ... lth, or using ... dications or other ... tments. Sugges-... pictures work ... . For example, a ... n not paying at-... tion could easily ... trate *il va se ... e mal.* Include *se ... tir*, expressions ... avoir, and adjec-... s like *malade.* ... questions like: ... nd vous avez ... à la tête, est-ce ... vous prenez de ... pirine ou du ... acétamol ... enol)?*

2. Do an associ-... n activity with ... t you've learned ... ut students. *Qui ... eut pas prendre ... pirine? Quelle ... sonne mange ... ucoup quand elle ... la fièvre? Qui ... t cassé le pied ... s un match de ...*

... ubjunctive with ... nes and feel-... . Introduce a

number of situations via photos. Example: (person who looks exhausted) *Cette personne ne se sent pas très bien, n'est-ce pas? Elle n'est pas en forme! Qu'est-ce que vous suggérez pour elle? De l'exercice, Tony? Bon, Tony suggère qu'elle fasse de l'exercice. Dormir, Mira? Alors, Mira propose qu'elle dorme huit heures par nuit.* Write subjunctive forms on the board in context: *Alex voudrait qu'elle boive plus d'eau.* Afterward, review verbs and their formation. Review or explain the situation that requires using the subjunctive.

4. Past Narration. Show photos of events, stating what occurred, then giving the background. (photo) *Tiens, ces enfants ont cassé un vase. Ils ont peur de la réaction de ...*

leurs parents, n'est-ce pas? Pourquoi? Ils avaient la permission de jouer dans le salon, non? (non) Ils couraient, peut-être? (oui) Alors, ils jouaient... While talking, write *passé composé* forms on the board in a column, imperfect forms to their left. Do this procedure with several pictures, then call attention to the forms on the board and point out that those in the *passé composé* state what happened, while the *imparfait* forms fill in the background by saying what was going on at the time.

Activités *et* *lectures*

LA SANTÉ

La bonne santé. (1) Review health situations with drawings. (See *Mise en train, Acts. 1–2.*) Include subjunctive with both *il faut* and expressions of volition. (2) Describe the drawings and captions. Ask students if they agree, if they follow the advice, etc., then expand: *Combien de portions de légumes faut-il que nous mangions par jour? Si vous courez, quelles précautions est-ce qu'on recommande que vous preniez avant de vous mettre en route?* (3) Review and add new body parts. New vocabulary: Body parts and organs; *se détendre, exiger, maigrir.*

Attention! Étudier Grammaire 12.1

Je voudrais que vous mangiez plus de fruits et de légumes.

Mon entraîneur exige que je fasse de l'exercice tous les jours.

Les médecins recommandent que nous ne consommions pas trop d'alcool.

Je suggère que vous vous détendiez tous les jours.

Il vaut mieux que vous ne maigrissiez pas trop.

Les dentistes préfèrent que leurs clients aient un peu de courage!

LA TÊTE — le front, le nez, la bouche, les cheveux, la joue, l'oreille, les lèvres, le menton

LA MAIN, LE BRAS — l'épaule, le cou, les muscles, la poitrine, le doigt, l'ongle, le poignet, le coude

L'ŒIL — le sourcil, les cils

LA JAMBE — le genou, le mollet, la cheville, les orteils, LE PIED

le dos, la taille, les hanches, les fesses, la cuisse

LES ORGANES — le cerveau, le cœur, un os, les veines, le foie, le sang, les poumons, l'estomac, les reins

Activité 1 Interros: Les parties du corps

Regardez les dessins et dites quelles parties du corps on utilise pour faire les activités suivantes.

1. jouer au tennis
2. jouer aux échecs
3. dormir
4. conduire une voiture
5. faire de l'escalade
6. danser
7. aimer
8. digérer un repas
9. passer un examen
10. -?-

Dites comment s'appellent ces parties du corps.

a. la masse nerveuse contenue dans le crâne
b. les organes de la respiration
c. les poils fins qui protègent l'œil
d. le liquide rouge qui circule dans les veines et les artères
e. l'articulation principale de la jambe
f. l'organe central du système de circulation
g. -?-

Act. 1. (whole class; partners) (A) Have the class name as many parts of the body as they can think of that are involved in each activity. They are not limited to the obvious choices in the chart. Besides *les bras* or *les pieds*, *le cerveau*, *les yeux* and *le cœur* are important for tennis, for instance. You may prefer to treat this as a game to see which group or pair can come up with the greatest number of reasonable answers. (B) This activity makes strong use of cognates. Ask students to create or help you create other questions. New vocabulary: *articulation, circular, contenu(e), crâne, digérer, organe, poil, respiration.*

La langue en mouvement

Le latin: lien entre le français et l'anglais

Le latin constitue un lien utile entre l'anglais et le français, parce que les deux langues ont beaucoup utilisé le latin comme source de mots techniques. Par exemple, l'origine commune des adjectifs *pulmonary* et *pulmonaire* est évidente; comme le nom *poumon*, ces deux adjectifs viennent du latin *pulmo = lung*. Pouvez-vous trouver les mots apparentés dans ces deux listes?
Mots français: (1) doigt (2) pied (3) dos (4) cerveau (5) vertige (6) os
Mots anglais: (a) cerebral (b) dorsal (c) pedicure (d) osteoporosis (e) digit (f) vertigo

La langue en mouvement. The difference in French between words like *pulmonaire* and *poumon*, or *dorsal* and *dos*, is due to the different history of the two words. *Poumon* and *dos* were present in the language from its Latin beginnings, whereas the corresponding technical terms were coined sometime later (after the late Middle Ages). Thus, only the older words underwent the major phonetic changes (*l'usure phonétique*) that characterized the passage from Latin to French. Notice that some of the silent letters of Modern French spellings (the g of *doigt* or of *vingt*) are letters that have been added back to make a word more closely resemble its Latin ancestor.

Act. 2. (whole class; partners) Students will see and use a number of subjunctive forms as they discuss the suggestions. (1) Read the items aloud and have students note their own answers during a general discussion. (2) Assign to partners to discuss. They should give reasons for or against each choice. New vocabulary: *améliorer, pilule.*

Activité 2 Discussion: La santé

Quelles recommandations vous semblent les plus logiques? Pourquoi?

1. Qu'est-ce que le médecin nous dit si nous voulons perdre du poids?
   a. Je veux que vous évitiez les matières grasses.
   b. Je suggère que vous fassiez deux heures de gym chaque jour.
   c. Je propose que vous preniez des pilules.

AS 3. Lead a class discussion: 1. *Quels aliments sont bons pour la santé? Lesquels faut-il que nous évitions?* 2. *Est-ce que vous faites attention aux agents conservateurs dans la nourriture? Est-ce qu'ils sont dangereux?* 3. *Faut-il qu'on prenne des vitamines? Pourquoi?* 4. *Est-ce que le stress contribue parfois aux maladies? De quelle façon?* 5. *À votre avis, est-ce que les Américains exagèrent parfois au sujet de la nutrition et de l'exercice?*

2. Que dit un médecin à ceux qui voudraient améliorer leur mémoire?
   a. Il faut que vous suiviez un régime équilibré.
   b. Je voudrais que vous fassiez de la lecture et des casse-têtes.
   d. Il vaut mieux que vous ne fassiez pas beaucoup d'exercice.
3. Que recommande l'entraîneur à son équipe de tennis?
   a. J'aimerais que vous dormiez huit heures par nuit.
   b. Je voudrais que vous mangiez une nourriture riche en acides.
   c. J'insiste pour que vous buviez un verre de vin rouge tous les jours.
4. Que propose la conseillère à l'étudiant stressé?
   a. Il vaut mieux que vous vous couchiez à la même heure tous les soirs.
   b. Je suggère que vous n'étudiiez pas.
   c. J'aimerais que vous appreniez des techniques pour vous détendre.

Ça fait penser. Read the facts aloud and ask for students' views. *Quels types d'exercice préfèrent les Français, à votre avis? (la marche, la pétanque, le football, le cyclisme, etc.) Pourquoi est-ce que les gens de gauche fument plus? Et pourquoi est-ce que les extrémistes fument encore plus?*

Ça fait penser

- Plus de 80 % des Français disent pratiquer au moins une activité pour rester en forme.
- Il semble y avoir un rapport entre la consommation de tabac et la tendance politique. On fume plus lorsqu'on est de gauche que de droite, et beaucoup plus si l'on se situe à l'extrême gauche ou à l'extrême droite.

Act. 3. (individuals; whole class) Treat this activity as a game. Have students circle *oui, non, parfois.* Then have them work in pairs to figure out their total score. Later, survey for answers. New vocabulary: *contredire, équilibré(e), tempérament, tension.*

Activité 3   Enquête: Êtes-vous facile à vivre?

Répondez aux questions suivantes, puis calculez vos points pour savoir comment les autres vous perçoivent.

	oui	non	parfois
• Je m'énerve quand je perds mes affaires.	**oui**	**non**	**parfois**
• Je me mets en colère quand on me contredit.	**oui**	**non**	**parfois**
• Je me fâche si le téléphone sonne pendant que je suis sous la douche.	**oui**	**non**	**parfois**
• Je m'impatiente aux feux rouges.	**oui**	**non**	**parfois**
• Je m'irrite d'être obligé(e) d'attendre quelqu'un.	**oui**	**non**	**parfois**
• Je m'inquiète avant un examen.	**oui**	**non**	**parfois**

Valeurs: oui = 2 points, **parfois** = 1 point, **non** = 0 points

De 8 à 12 points: Il faut que vous vous détendiez. La tension est mauvaise pour la santé.

De 6 à 10 points: Vous avez un tempérament assez équilibré.

De 0 à 4 points: Vous êtes une personne très calme et équilibrée.

Activité 4 **Dans le monde francophone: Marchez, nagez, roulez...**

Act. 4. (whole class; partners)
(1) Have students skim the text and then ask questions about it, demonstrating by gesture when the meaning isn't clear: *Est-ce qu'il faut faire de la gym pour rester en forme? Que dit cette brochure? Qu'est-ce qu'on peut faire si on prend le métro? si on conduit?* (2) Do the items in the activity, then have students complete statements using subjunctive forms: *Si on prend le métro au travail, il faut qu'on... Si on laisse tomber un objet, il faut qu'on...* Assign *Allons plus loin!* for partner discussion. New vocabulary: *s'accroupir, au lieu de, garer, profondément, ramasser, respirer, sédentaire.*

MARCHEZ, NAGEZ, ROULEZ...

La sédentarité, le travail de bureau sont les pires ennemis de votre forme. Même si vous ne pouvez pratiquer un sport régulièrement, vous pouvez au moins marcher. Prenez l'habitude de descendre à la station précédente, ne vous garez pas juste devant chez vous, montez vos étages à pied (c'est bon pour les chevilles), accroupissez-vous pour ramasser quelque chose (c'est bon pour les cuisses), respirez plusieurs fois par jour très profondément pour oxygéner tout votre corps.

Et le week-end essayez d'aller à la piscine avec les enfants ou faites un peu de bicyclette : vous vous sentirez tellement mieux après.

LE GUIDE PRATIQUE DE VOTRE LIGNE

MAIGRIR EN FORME

Substr 500

Corrigez les phrases incorrectes.

L'auteur de ce guide pratique recommande que...

1. nous garions notre voiture tout près de chez nous.
2. nous nous accroupissions quand nous ramassons des objets.
3. nous prenions l'escalier au lieu de l'ascenseur.
4. nous courions si nous ne pouvons pas pratiquer un sport régulièrement.
5. nous respirions profondément plusieurs fois par jour.
6. nous menions une vie sédentaire.

Allons plus loin! Faites-vous assez d'exercice tous les jours? Est-ce que vous suivez les conseils offerts par ce guide? Quelles autres formes d'exercice faites-vous chaque semaine?

Activité 5 Entretien: Pour rester en forme

Act. 5. (partners) (1) Partners discuss each item together, or (2) partners ask each other all the questions and take notes, then change roles. After the activity, ask questions to find out what answers were given. New vocabulary: *faire la sieste, fumer, interdire, manger sainement, se remonter le moral.*

1. Combien d'heures est-ce que tu dors la nuit, d'habitude? Tu fais parfois la sieste?
2. Qu'est-ce que tu fais pour combattre le stress? Quand est-ce que tu te sens le plus stressé(e)? Pendant les examens?
3. Pour toi, est-ce que manger est plus un plaisir ou une nécessité? Tu manges sainement, d'habitude? Où manges-tu? Pourquoi?
4. Tu fumes de temps en temps? Est-ce que tu fumais quand tu étais plus jeune? À ton avis, est-ce qu'on devrait interdire de fumer dans les restaurants et les bars?
5. Qu'est-ce que tu aimes faire pour te remonter le moral quand tu te sens triste ou déprimé(e)? Tu te fâches facilement? Que fais-tu pour rester calme?

La randonnée, c'est bon pour la forme.

Les maladies et les traitements. (1) Use photos to review terms for illnesses, treatments, and medications. (See *Mise en train, Acts. 1–2.*) Example: (antacid ad) *Est-ce qu'on prend ce médicament quand on a mal à la tête? (non) quand on a une indigestion? (oui)* (2) Art: Describe each drawing, adding other symptoms and other meds: *Ce pauvre garçon! Il a mal à la gorge. Est-ce qu'il a besoin de gouttes ou de sirop? Quand on a mal à la gorge, qu'est-ce qu'on peut manger et boire? Doit-on prendre de l'aspirine?* New vocabulary: *avoir mal à, bouché(e), comprimé, fièvre, gélule, goutte, grippe, se moucher, pommade, rhume, sirop, toux, ventre.*

LES MALADIES ET LES TRAITEMENTS

AS 4. Ask how people feel using *se sentir. Comment se sent une personne qui vient de passer un long examen? quelqu'un qui a mangé six hamburgers? qui a la grippe? qui s'est cassé la jambe?*, etc.

Attention! Étudier Grammaire 12.2 et 12.3

Il se mouche.

un rhume

la toux

Il a mal à la gorge.

la fièvre

la grippe

Il a mal au ventre.

du sirop

de la pommade

des gouttes

des comprimés

des gélules

Aïe! Non, merci! Les fleurs me rendent malade!

le nez bouché

une allergie

Info: Société

Vivre bien, vivre bio

Après avoir pris le goût du sport, les Français du début du XXIᵉ siècle ont celui des produits naturels. Pas les produits allégés[1] qui faisaient fureur[2] il y a dix ans (à l'époque de l'aérobic et du jogging), mais les produits authentiques. La nourriture bio[3] (légumes, volailles, fromages—même le vin!) envahit[4] les supermarchés et les restaurants, particulièrement depuis que les problèmes de la «vache folle» et du maïs transgénique[5] ont renforcé le sentiment que la qualité des produits de base était essentielle. Les succès politiques du parti écologiste (les Verts) et les manifestations contre la globalisation à Seattle en 1999 ont accentué cette tendance. L'ennemi désigné est maintenant «le Macdo», symbole de la «mal-bouffe»,[6] à l'opposé des produits régionaux élaborés selon des méthodes traditionnelles. La mode du bio s'allie ainsi à la recherche des racines culturelles.

[1] avec moins de matières grasses
[2] **faisaient...** avaient beaucoup de succès
[3] cultivée ou élevée sans produits chimiques
[4] < invasion
[5] génétiquement modifié
[6] le mal-manger (*fam.*)

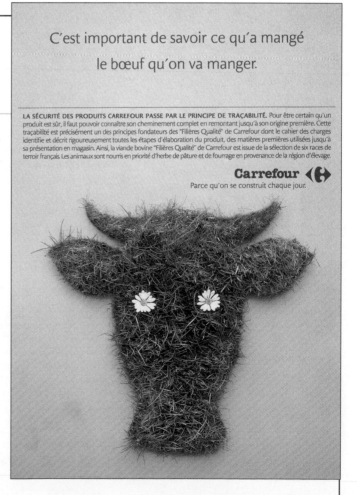

Cliquez là!

Vous avez des questions de nature médicale? Allez sur le *Médisite* ou utilisez le mot clé *questions médicales* pour trouver des réponses.

Activité 6 Discussion: Les remèdes

Identifiez le meilleur remède dans chaque situation. Si vous n'êtes pas d'accord avec les suggestions, proposez-en d'autres à leur place.

1. On peut arrêter une toux persistante...
   a. en prenant des somnifères.
   b. en prenant du sirop.
2. On peut se déboucher le nez...
   a. en prenant des comprimés.
   b. en y mettant des gouttes.
3. On guérit la grippe intestinale...
   a. en prenant des antibiotiques.
   b. en se reposant et en attendant que ça passe.
4. Les insomniaques peuvent dormir mieux...
   a. en buvant du lait chaud avant de se coucher.
   b. en regardant la télé avant d'aller au lit.
5. On peut guérir un mal de tête...
   a. en mettant du vinaigre sur les tempes.
   b. en prenant de l'aspirine.
6. On peut soulager des muscles endoloris...
   a. en les frottant avec de l'alcool.
   b. en y passant une pommade chauffante.
7. On peut soigner une tendinite au poignet...
   a. en faisant des exercices pour étirer le tendon.
   b. en buvant des tisanes.
8. On guérit une foulure à la cheville...
   a. en prenant de la vitamine D.
   b. en y mettant de la glace.

Activité 7 Échanges: Les maladies et les symptômes

Identifiez les symptômes de ces maladies.

MODÈLE: la rougeole →
On a des rougeurs et une température élevée. Parfois, on a mal à la gorge et on tousse.

1. un rhume
2. une grippe intestinale
3. une entorse
4. une tendinite
5. l'appendicite
6. une piqûre de guêpe

Suggestions

le nez bouché	des rougeurs	des vertiges	des maux de tête
la fièvre	des vomissements	un gonflement	
des douleurs	une toux	des frissons	mal (partout)

Les francophones sur le vif

Ange Simeoni, 37 ans, médecin généraliste, Bastia (Corse)

Vos patients viennent vous voir souvent?

« Disons que la majorité vient régulièrement, c'est-à-dire une fois par mois, parfois deux, selon la saison: en hiver, on consulte plus souvent à cause de la grippe, des bronchites. Les personnes du troisième âge[1] sont les plus fidèles, bien sûr, et certaines ne manquent jamais leur visite hebdomadaire[2]... Bien sûr, les personnes âgées ont beaucoup de petits problèmes de santé; rien de grave, mais ça les rassure de venir me parler. Je les écoute, je leur donne quelques conseils, et surtout je leur fais une ordonnance.[3] Pour se sentir mieux, les Français doivent repartir de chez leur médecin avec une ordonnance, même si, le plus souvent, ils ne finiront pas les médicaments qu'on leur a prescrits. Que voulez-vous que j'y fasse?»

[1]les personnes âgées (à partir de 65 ans environ)
[2]qui se répète chaque semaine
[3]formulaire indispensable pour obtenir certains médicaments

Activité 8 Sondage: Savez-vous vous soigner?

Dites *oui* ou *non*. Ensuite, discutez de vos réponses avec d'autres étudiant(e)s, pour savoir si vous avez raison.

1. Si un médicament est bon pour vous, il est bon pour votre ami(e).
2. Pour avoir un bon diagnostic, il faut consulter un second médecin.
3. On se soigne en pratiquant une activité physique.
4. Il faut arrêter de prendre un antibiotique quand on se sent mieux.
5. Il ne faut pas ennuyer le médecin en lui racontant tous vos symptômes.
6. On doit prendre un médicament quand l'estomac est vide.
7. On peut réduire la fièvre en prenant de l'aspirine.
8. La gymnastique d'entretien aide à rester en forme.
9. Les vaccins sont dangereux. Il vaut mieux prendre des pilules.
10. On peut éviter les rhumes en se lavant fréquemment les mains.

Act. 9. (partners; small groups) Students integrate what they have learned so far as they describe their personal views and methods. Follow up by asking what they mentioned. Students should be prepared to explain their reasons during follow-up discussion. New vocabulary: *insomnie, mal au cœur, nourrir, sinus, tousser.*

AS 6. Role-play. (See IRK, *Chapitre 12* for activity.)

Activité 9 Échanges: Quand je ne vais pas bien

Avec un(e) partenaire, discutez de ce que vous préférez faire quand vous avez les maladies ou les problèmes suivants.

MODÈLE: É1: Quand j'ai un rhume, je prends de la vitamine C.
É2: Quelle superstition! Moi, je nourris les rhumes. Je mange beaucoup quand j'ai un rhume.
É1: Tu parles de superstition! Ça, c'est...

1. Quand je tousse beaucoup, je...
2. Si j'ai mal à la tête...
3. Quand j'ai les sinus bouchés...
4. Si j'ai mal au cœur...
5. Quand j'ai mal à la gorge...
6. Pour la grippe, je préfère...
7. Les nuits où j'ai des insomnies...
8. Quand je suis trop stressé(e)...

Act. 10. (partners) Assign students to prepare descriptions of an illness. Then reassign everyone to new partners, one of whom will play the doctor while the other describes symptoms. After they finish, partners should exchange roles. Circulate to offer help as needed. New vocabulary: *un(e) malade, mal au cœur, prescrire.*

Activité 10 Situations: Chez le docteur

Vous ne vous sentez pas bien et vous allez consulter le médecin. Avec votre partenaire, jouez les rôles du médecin et du malade. Le médecin aura besoin de faire un diagnostic et de prescrire un traitement.

MÉDECIN: Comment allez-vous aujourd'hui?
VOUS: Je ne me sens pas très bien, docteur. J'ai...
MÉDECIN: Et depuis quand est-ce que vous...?
VOUS: Depuis...
MÉDECIN: Eh bien, je pense que vous avez... Il faut que vous... et vous avez besoin de...
VOUS: Et quand est-ce que je pourrai...?
MÉDECIN: ...

Cliquez là!

Allez sur le site du Ministère des Affaires Étrangères et cliquez sur «Voici la France» pour en apprendre plus sur les services de santé en France. Qui peut s'en servir? Est-ce que ça coûte cher?

Cliquez là! Health coverage by the *Sécu* is very different from American Social Security. Ask students to note differences for class discussion.

Ça fait penser. Ask specific questions: *Combien de centenaires y a-t-il en France aujourd'hui? Est-ce que l'espérance de vie augmente ou diminue? De combien d'années? Que prédit-on pour les filles qui naissent en France aujourd'hui?*

Ça fait penser

- Il y a environ 5.000 centenaires en France. Plus de la moitié de ces personnes d'âge vénérable sont en bonne santé.
- L'espérance de vie moyenne des Français augmente d'environ 100 jours chaque année.
- Les démographes prédisent que la moitié des filles qui naissent en France aujourd'hui deviendront centenaires.

L ES ACCIDENTS ET LES URGENCES

Attention! Étudier Grammaire 12.4 et 12.5

Qu'est-ce qui s'est passé?

Ils allaient trop vite et n'ont pas pu s'arrêter à temps.

Le conducteur allait bien, mais l'enfant avait l'air blessé.

L'enfant était sans connaissance quand on lui a pris le pouls.

L'ambulance est arrivée et on a emmené l'enfant à l'hôpital.

Act. 11. (whole class; partners) Discuss the items with the class. Then assign for students to discuss and give reasons. During follow-up, find out who has had the experiences and treatments. Review experiences mentioned by students: *Quelle personne s'est coupé le pied? Qui est tombé du haut d'une falaise?* New vocabulary: *administrer, béquilles, se brûler, campeur, coureur, crise cardiaque, se fouler, fumée, mordu(e), opérer, pansement, piqûre, respirer, soins, souffrir.*

Activité 11 Discussion: Au service des urgences

Lesquelles de ces victimes ont probablement reçu les soins indiqués? Pourquoi?

1. Qui a été opéré d'urgence?
   a. un homme qui vient d'avoir une crise cardiaque
   b. une femme qui vient de se fouler la cheville
2. Qui a dû se faire faire une piqûre?
   a. un campeur qui vient de se couper à la main
   b. une fille qui vient d'être mordue par un chien
3. Qui est sorti de l'hôpital avec des béquilles?
   a. à un petit garçon qui vient de tomber d'un arbre
   b. à un homme qui vient de souffrir d'une réaction allergique
4. À qui a-t-on mis un pansement?
   a. à un coureur souffrant d'une tendinite
   b. à quelqu'un qui vient de se brûler la main
5. Qui a dû passer la nuit à l'hôpital?
   a. quelqu'un qui vient de se casser le poignet
   b. un pompier qui a respiré trop de fumée

Act. 12. (partners) This activity provides practice in using the *imparfait* to describe what was going on. Do the example, then repeat and ask students to help you add other details like *Elles discutaient de leurs cours, elles pensaient au week-end.* Assign, asking students to think of as many details as possible. Have a contest after students finish to see which partners can name the most details. New vocabulary: *avaler une arête, s'évanouir, la fin.*

Activité 12 Récits: Voilà ce qui s'est passé.

Voici des accidents qui sont arrivés à quelques personnages de ce livre. Expliquez tout ce qui se passait avant et au moment de leur accident, puis dites ce qui s'est probablement passé à la fin.

MODÈLE: Claudine descendait l'escalier avec une collègue. C'était une journée normale. Elles parlaient et elles ne faisaient pas très attention. Tout à coup, Claudine a fait un faux pas et... Finalement, elle a dû téléphoner à Victor pour qu'il vienne la chercher.

1. Jean-Yves a avalé une arête. Il...
2. Joël a eu un accident de vélo. Il...
3. Charles s'est cassé la jambe. Il...
4. Agnès s'est évanouie pendant une manifestation. Elle...
5. Emmanuel s'est foulé la cheville. Il...

4.

5.

Emmanuel

À vous la parole!
Demandez à votre partenaire de vous décrire un accident qu'il (qu'elle) a eu et de vous expliquer la cause de cet accident. Ensuite, changez de partenaire et décrivez-lui ce même incident.

À vous la parole! Have students move to a new partner to do this part of the activity, and to a third partner to describe the accident.

Activité 13 Échanges: Accidents

Connaissez-vous quelqu'un (peut-être vous-même) qui a eu un accident? Qu'est-ce qui s'est passé? Décrivez les circonstances en utilisant les suggestions suivantes.

Suggestions: glisser, tomber, se heurter contre, se couper, se casser le bras, laisser tomber, renverser

1. à la maison
2. à l'université
3. pendant des vacances

4. à l'école primaire
5. dans la rue
6. dans une salle de gym

Act. 13. (partners; small groups) Ask where a few accidents are most likely to occur: *se brûler le doigt, se fouler la cheville, tomber d'un arbre,* etc. Then assign for partner or group discussion. Later, ask for volunteers to give their answers for everyone to hear. Suggestion: Have students interview several partners. New vocabulary: *circonstance, se heurter, lieu, laisser tomber, renverser.*

Activité 14
Récit: Une mauvaise expérience

Dites quels événements ont eu lieu et ce qui se passait à chaque fois.

MODÈLE: (Numéro un.) Francis est sorti de la maison. Il faisait beau...

Vocabulaire utile: une civière, être étendu(e) par terre, une échelle, être sans connaissance, des béquilles

t. 14. (whole class; rtners) Students should this story by naming ch main event and ting as much back-und information for ng the *imparfait*. Do the frame yourself as a del: *Francis voulait vailler dans son jardin, rs il est sorti de la ison. Il faisait beau...*

w vocabulary: *accueillir, échelle, étendu(e) par terre.* Basic tences: 1. *Francis est sorti de la maison.* 2. *Il a vu son* sin. 3. *Il a commencé à cultiver son jardin.* 4. *Il a entendu* bruit. 5. *Le voisin était tombé de son échelle.* 6. *Francis a* phoné à l'hôpital. 7. *L'ambulance est arrivée.* 8. *Francis et* rie ont emmené la femme du voisin à l'hôpital. 9. *Ils ont attendu dans la salle d'attente.* 10. *Le* decin leur a parlé. 11. *Le voisin est arrivé sur des béquilles.* 12. *Ils sont rentrés chez eux.*

LECTURE

Le Malade imaginaire

*L*e Malade imaginaire (1673) est la dernière comédie de Molière, le plus grand auteur dramatique français. Molière jouait le rôle d'Argan, mais il était vraiment malade et il est mort à la fin d'une représentation de cette pièce.

Dans la pièce, Argan croit qu'il est très malade et consulte de nombreux médecins. Son frère Béralde n'est pas du tout d'accord avec lui. (Acte III, scène 3)

BÉRALDE: Est-il possible que vous serez toujours embéguiné[1] de vos apothicaires[2] et de vos médecins, et que vous vouliez être malade en dépit des[3] gens et en dépit de la nature?

ARGAN: Comment l'entendez-vous mon frère?

BÉRALDE: J'entends, mon frère, que je ne vois point d'homme qui soit moins malade que vous, et que je ne demanderais point une meilleure constitution que la vôtre. C'est qu'avec tous les soins que vous avez pris,

[1]passionné   [2]pharmaciens   [3]**en...** malgré les

Le malade imaginaire. Pre-reading activities: Ask your students to brainstorm about the state of medicine in the late 17th century, by giving clues as to what knowledge, drugs, and procedures existed or not; they can probably easily guess what did *not* exist (antibiotics, aspirin, anesthesia). Alternatively, present these items in a true/false format. Generally, medicine lagged far behind the physical sciences (physics, chemistry, optics); even a clear understanding of basic physiology was lacking; the ancient theory of humors was still prevalent, and Harvey's discovery of the circulation of the blood was not yet fully accepted in France. Molière's plays reflect the fact that bleeding and purges were by far the most universally prescribed "treatments." Ask students to work in groups and draft a list of what they consider to be the most significant advances in medicine since then (or just in the 20th century), and another list of the top five medical issues of today. Lead them in identifying expressions and structures that are no longer current in French: *apothicaire = pharmacien; entendre = comprendre; point = pas; médecine = médicament;* reversal of pronoun order, etc.

AS 8. Role-play: *L'esprit de contradiction. Imaginez un dialogue semblable à celui de Molière, entre deux personnes qui sont en désaccord complet sur un sujet médical: le broccoli est bon pour la santé; il faut boire trois verres de lait par jour; le tabac est néfaste; l'homéopathie (ou la médecine par les plantes) est aussi efficace que les médecines traditionnelles, etc.*

Argan et Béralde discutent de la médecine

vous n'avez pu parvenir[4] encore à gâter[5] la bonté de votre tempérament, et que vous n'êtes point crevé[6] de toutes les médecines qu'on vous a fait prendre.

ARGAN: Mais savez-vous, mon frère, que c'est cela qui me conserve, et que Monsieur Purgon dit que je succomberais s'il était seulement trois jours sans prendre soin de moi?

BÉRALDE: Si vous n'y prenez garde,[7] il prendra tant de soin de vous qu'il vous envoiera en l'autre monde.

ARGAN: Mais raisonnons un peu, mon frère. Vous ne croyez donc point à la médecine? [...] Vous ne tenez pas véritable une chose établie par tout le monde, et que tous les siècles ont révérée?

BÉRALDE: Bien loin de la tenir véritable, je la trouve, entre nous, l'une des plus grandes folies qui soit parmi les hommes, et à regarder les choses en philosophe, je ne vois point de plus plaisante momerie,[8] je ne vois rien de plus ridicule qu'un homme qui se veut mêler[9] d'en guérir un autre.

ARGAN: Les médecins ne savent donc rien, à votre compte?

BÉRALDE: Si fait, mon frère. Ils savent parler en beau latin, savent nommer en grec toutes les maladies, les définir et les diviser; mais pour ce qui est de les guérir, c'est ce qu'ils ne savent point du tout.

[4]arriver à
[5]**gâter...** affecter, altérer
[6]mort
[7]**Si...** Si vous ne faites pas attention
[8]mascarade, spectacle ridicule
[9]**qui...** qui veut essayer

Avez-vous compris?

A. Pour ou contre les médecins?

Dans chaque cas, dites s'il s'agit de l'opinion de Béralde ou d'Argan.

1. Les pharmaciens et les médecins sont des charlatans.
2. Il y a des gens en bonne santé qui veulent être malades.
3. Si une personne est très malade, il faut qu'elle consulte un médecin.
4. Si on va tout le temps chez le médecin, on se rend malade.
5. Les médecins sont parfois dangereux et il leur arrive de tuer les malades.
6. La médecine est une science respectable qui existe depuis des siècles.
7. Les médecins ne comprennent rien au fonctionnement du corps humain.
8. Les médecins cherchent à mystifier les patients avec des mots grecs et latins.

B. Avez-vous compris ces expressions de la langue du XVIIe siècle?

1. *Comment l'entendez-vous... ?*
   a) Qui vous a dit cela?   **b)** Que voulez-vous dire?
   c) De quoi vous méfiez-vous?
2. *Il vous envoiera en l'autre monde.*
   a) Il va vous tuer.   **b)** Il va vous envoyer en voyage.   **c)** Il va vous ruiner.
   d) Il va vous rendre fou.
3. *à votre compte*
   a) en conclusion   **b)** en général   **c)** à votre avis   **d)** dans votre intérêt

À vous la parole! Avec un(e) partenaire, jouez le rôle d'un docteur et d'un patient (d'une patiente) qui ne se sent pas bien et qui ne mène pas une vie très saine: il/elle est sédentaire, fume, mange gras... Le docteur essaie de lui expliquer comment changer ses habitudes, mais le patient (la patiente) n'est pas très coopératif/coopérative: il/elle trouve l'exercice fatigant et ennuyeux, adore regarder la télé...

MODÈLE: DOCTEUR: Monsieur, il faut absolument que vous mangiez moins gras...

PATIENT(E): Mais docteur, je déteste la salade! J'aime mieux un bon biffeck avec des frites...

À vous d'écrire

La lettre que vous venez de recevoir de votre correspondant français contient le paragraphe suivant. Répondez à ses questions sur les Américains et la santé.

... Je viens de lire un autre article consacré aux Américains et à leur santé. Franchement, je n'arrive pas à les comprendre. Pourquoi est-ce qu'ils continuent à utiliser autant leur voiture alors qu'ils cherchent par tous les moyens à faire de l'exercice dans des clubs de gym? Pourquoi est-ce que les gens qui mangent du poisson afin de réduire leur taux de cholestérol vont aussi dans des fast-foods? Tu peux m'expliquer tout ça?

Vidéothèque

Espace vidéo

Décrire ses symptômes. Aujourd'hui, Jacques est malade et il con-sulte sa pharmacienne. Jacques pense qu'il a un rhume. Pourquoi? La pharmacienne trouve que le sommeil est le meilleur remède pour un rhume. Quels médicaments est-ce qu'elle lui vend? Est-ce que Jacques va se soulager avec une bière bien fraîche après la consultation?

www.mhhe.com/deuxmondes

À explorer: www.mhhe.com/deuxmondes/ pour obtenir plus d'informations sur les thèmes du chapitre.

Vocabulaire

LE CORPS HUMAIN

The human body

les articulations (*f.*)	joints
le cerveau	brain
les cils (*m.*)	eyelashes
la cheville	ankle
le cou	neck
le coude	elbow
la cuisse	thigh
le doigt	finger
les fesses (*f.*)	buttocks
le foie	liver
le front	forehead
le genou	knee
les hanches (*f.*)	hips
la joue	cheek
les lèvres (*f.*)	lips
le menton	chin
le mollet	calf
l'ongle (*m.*)	fingernail, toenail
l'orteil (*m.*)	toe
un os	a bone
le poignet	wrist
un poil	a body hair
la poitrine	chest
les poumons (*m.*)	lungs
les reins (*m.*)	kidneys
le sang	blood
le sourcil	eyebrow
la taille	waist

Mots apparentés: **l'artère** (*f.*), **le crâne, les sinus** (*m.*), **le tendon, la veine**

LES MALADIES ET LES ACCIDENTS

Illnesses and accidents

une blessure	a wound
une cicatrice	a scar
la grippe (intestinale)	the (intestinal) flu
le mal au cœur	nausea, heartburn
un mal de tête	a headache (-aches)
(des maux...)	

mordu(e)	bitten
une piqûre de guêpe	a wasp sting
la rougeole	rubella (German measles)
une urgence	an emergency
attraper un rhume	to catch a cold
avoir mal à la tête	to have a headache
se blesser	to get injured
se brûler	to get burned
se casser (le bras)	to break (an arm)
se couper	to cut oneself
être renversé	to be knocked over
se fouler la cheville	to sprain an ankle
se heurter contre	to hit, bump against
rendre malade	to make (*someone*) ill
se sentir	to feel
tomber	to fall

Mots apparentés: **une allergie, l'appendicite** (*f.*), **une crise cardiaque, la tendinite**

LES SYMPTÔMES ET LES ÉMOTIONS

Symptoms and emotions

avoir mal à la gorge (au ventre)	to have a sore throat (a stomach ache)
une douleur	a pain
des frissons (*f.*)	chills
un gonflement	a swelling
le nez bouché	a stuffy nose
des rougeurs (*f.*)	a rash
une toux	a cough
sans connaissance (*f.*)	unconscious
des vertiges (*m.*)	dizziness

Mots apparentés: **la fièvre, l'insomnie** (*f.*), **un muscle, sédentaire, des vomissements** (*m.*)

s'évanouir	to faint
souffrir	to suffer
tousser	to cough

LES REMÈDES, LES TRAITEMENTS ET LES SERVICES MÉDICAUX

Medications, treatments, and medical services

des béquilles (*f.*)	crutches
une civière	a stretcher
un comprimé	a tablet (*pill*)
une gélule	a capsule
des gouttes (*f.*)	drops
la gymnastique d'entretien	fitness exercise
un pansement	a bandage
une pilule	a pill
une piqûre	a shot
un plâtre	a cast
la pommade	ointment, cream
des soins (*m.*) médicaux	medical care
un somnifère	a sleeping pill
une tisane	an herbal tea

Mots apparentés: **les antibiotiques** (*m.*), **l'aspirine** (*f.*), **un remède efficace, le sirop, un vaccin**

se déboucher le nez	to unclog one's nose
défendre	to forbid
digérer (bien)	to digest
emmener à l'hôpital	to take (*someone*) to the hospital
exiger	to require
faire un diagnostic	to make a diagnosis
guérir	to heal; to recover
interdire	to forbid
manger sainement	to eat "healthy"
mener une vie équilibrée	to lead a balanced life
se moucher	to blow one's nose
prendre le pouls (de quelqu'un)	to take (*someone's*) pulse

prescrire un traitement	to prescribe a treatment
protéger	to protect
réduire	to reduce
rmonter le moral (à qq'un)	to cheer (*someone*) up
se soigner	to care for oneself
soulager	to ease, make feel better

Mots apparentés: **administrer, améliorer, nourrir, opérer, respirer**

SUBSTANTIFS

Nouns

les connaissances (*f.*)	knowledge
un coureur/une coureuse	a runner
une échelle	a ladder
des ennuis (*m.*)	troubles
la fin	the end
la fumée	smoke

Mots apparentés: **un campeur, une circonstance, un(e) insomniaque, la respiration**

VERBES

Verbs

accueillir	to accept, welcome
ennuyer	to bother
fumer	to smoke
laisser tomber	to drop (*something*)

MOTS ET EXPRESSIONS UTILES

Useful words and expressions

partout	everywhere
pour que	in order that

Grammaire et exercices

12.1 Saying what you want others to do: MORE ON THE SUBJUNCTIVE

A. The verb **vouloir** is used with an infinitive to tell what someone wants to do.

✴ Review **Grammaire 2.5.**

Je **veux maigrir.** I want to lose weight.

B. To say what someone wants *someone else* to do, you must use **que** + a subject (referring to the other person) and a verb in the subjunctive.

✴ Review **Grammaire 10.1** and **10.2** for the formation of the subjunctive.

Mon petit ami **veut que j'arrête** de fumer. My boyfriend wants me to quit smoking.

Ma femme **voudrait que je mange** moins de viande. My wife would like me to eat less meat.

C. Other verbs taking this same construction include:

demander que (*to ask*)	**proposer que**
désirer que	**recommander que**
exiger que (*to require*)	**souhaiter que** (*to want, wish*)
préférer que	**suggérer que**
j'aimerais (tu aimerais, etc.) que	
je voudrais (tu voudrais, etc.) que	

Le médecin **recommande que je dorme** plus. The doctor recommends that I get more sleep.

Je **souhaite que tu te sentes** mieux bientôt. I hope you'll feel better soon.

Exception: **espérer** (*to hope*) always takes a verb in the indicative: **J'espère que tu viendras demain.**

D. Here are the subjunctive forms of the verbs **pouvoir, savoir,** and **venir. Pouvoir** and **savoir** have only one subjunctive stem; **venir (devenir, revenir)** has two.

pouvoir (puiss-)	
que je **puiss**e	que nous **puiss**ions
que tu **puiss**es	que vous **puiss**iez
qu'il/elle/on **puiss**e	qu'ils/elles **puiss**ent

➤ Subjunctive stem of **pouvoir: puiss-**

12.1. This section aims to help students express what they would like others to do using *vouloir* and other expressions of volition + subjunctive. Write *Je voudrais que...* on the board and introduce the concept by asking students what they want someone else to do. Give some examples first: *Moi, je voudrais que mon mari aille plus souvent au club de gym. Il ne fait pas assez d'exercice. Et vous, est-ce que vous êtes contents de tout le monde?* Write phrases like *mes parents préfèrent que je sois* on the board during the discussion. Later, point out that after verbs expressing desires or wishes + *que*, one uses the subjunctive.

Then contrast sentences from your input with some examples of the verb + infinitive construction (on the board): *Moi, je veux que mon mari aille au club de gym, mais il ne veut pas y aller.*

ES 1. Put several unfinished sentences on the board or transparency for partners to complete together: *Je voudrais que mes parents... ; J'aimerais que mon prof de... ; Mes profs voudraient que je... ; Ma famille désire que je...* Write out several completions for each statement during follow-up discussion.

➤ Subjunctive stem of
savoir: sach-

savoir (sach-)	
que je **sach**e	que nous **sach**ions
que tu **sach**es	que vous **sach**iez
qu'il/elle/on **sach**e	qu'ils/elles **sach**ent

➤ Subjunctive stems of
venir: ven- and **vienn-**

venir (vienn-, ven-)	
que je **vienn**e	que nous **ven**ions
que tu **vienn**es	que vous **ven**iez
qu'il/elle/on **vienn**e	qu'ils/elles **vienn**ent

Ex. 1. Students will need to make the transformation only to first person. For in-class practice, assign as questions and answers for partners.

Exercice 1 Les désirs des autres

Identifiez la personne qui s'intéresse le plus à votre vie: par exemple, votre mère, votre père, votre petit ami (petite amie). Posez des questions sur les choses que cette personne désire pour vous dans la vie et répondez-y.

> MODÈLE: Est-ce que *ton père* voudrait que tu fasses plus d'exercice? →
> Oui, *mon père* voudrait que je fasse plus d'exercice. (Non, *mon père* ne voudrait pas que... Ça lui est égal.)

Est-ce que _____ voudrait que...

1. tu fasses plus de sport?
2. tu dormes moins?
3. tu perdes du poids?
4. tu sois plus sérieux/sérieuse dans tes études?
5. tu dépenses moins d'argent?
6. tu deviennes médecin?
7. tu puisses le/la voir plus souvent?

Ex. 2. Students use the formula *je voudrais* (*désire,* etc.) *que* and transform the infinitive into a dependent clause with the verb in the present subjunctive. In class, students could compare the answers they prepared at home.

Exercice 2 Qu'en pensez-vous?

Qu'est-ce que votre université devrait faire pour améliorer la qualité de la vie sur le campus? Employez le subjonctif avec une des expressions suivantes: **je désire, je demanderais, j'aimerais, je préférerais, je voudrais.**

> MODÈLE: L'université devrait interdire qu'on fume dans tous les bâtiments du campus. →
> Oui, je voudrais que l'université interdise qu'on fume dans tous les bâtiments du campus. (Non, je ne voudrais pas que...)

1. On devrait enlever toutes les nourritures malsaines des distributeurs.
2. On devrait servir des plats végétariens dans tous les restau-u.
3. On devrait installer une salle de gym dans chaque résidence.
4. L'université devrait dépenser moins d'argent pour le football américain et plus pour les cours de yoga et de taï chi.
5. Les cours ne devraient pas commencer avant 9 h du matin.
6. Les examens de fin d'année devraient être mieux espacés.

12.2 Changes of state: Passé composé vs. imperfect

A. As you know, the **imparfait** is used to describe an ongoing past state, whereas the **passé composé** expresses a well-defined punctual event in the past. Although verbs expressing states of being are more often used in the **imparfait,** they can be used in the **passé composé** to express a sudden change of state. Often a totally different verb is used in English to express this meaning.

> ✱ Review **Grammaire 4.7** for **avoir** expressions describing states, and **Grammaire 6.8** and **8.6** for a summary of the uses of **passé composé** and **imparfait.**

IMPARFAIT	PASSÉ COMPOSÉ
j'avais *I had*	**j'ai eu** *I got, received*
je connaissais *I knew*	**j'ai connu** *I met*
je pouvais *I could*	**j'ai pu** *I was able, succeeded*
je savais *I knew*	**j'ai su** *I learned, found out*
je voulais *I wanted*	**je n'ai pas voulu** *I refused*

> ➤ **J'avais** chaud, et tout à coup, **j'ai eu** froid.

12.2. These meaning differences are an example of the aspectual difference between the *passé composé* and the imperfect. This section will help students better understand this fundamental concept. Stress the fact that the meaning differences in A and B are the natural result of the basic difference in meaning of these two tenses. Before you assign the section as homework, do an input activity with photos that can suggest a sequence: (young female) *Cette femme ne voulait pas apprendre à faire du ski. Elle pensait que c'était dangereux.* (female skiing) *Mais l'année dernière, tous ses amis ont décidé de partir en vacances de ski et elle a décidé d'y aller.* As you talk, list verbs from your input in two columns: *avant* (*elle ne voulait pas*) and *un jour* (*a décidé d'apprendre*).

Je ne **savais** pas que Raoul était malade. Je l'**ai su** seulement hier.
J'**ai eu** peur quand j'ai entendu ce bruit.

I didn't know Raoul was sick. I found out only yesterday.
I became frightened when I heard that noise.

B. There is a similar difference in meaning when **devoir** is used in the **imparfait** or **passé composé: Je devais** often means *I was supposed to,* whereas **j'ai dû** means either *I had to* or *I must have.*

> ➤ **je devais** = I was supposed to

> ➤ **j'ai dû** = I had to, must have

Je **devais** aller au concert hier, mais **j'ai dû** rester à la maison à cause de mon rhume.
Mme Martin n'est pas là. Elle **a dû** tomber malade.

I was supposed to go to the concert yesterday, but I had to stay home because of my cold.
Madame Martin isn't here. She must have gotten sick.

Exercice 3 Une journée horrible!

Ex. 3. Students will practice the aspectual difference between *passé composé* and imperfect in a simple pattern.

Jacqueline raconte sa journée d'hier. Conjuguez le premier verbe à l'imparfait et le deuxième au passé composé.

MODÈLE: Le matin, *j'avais* (avoir) très mal à la tête, donc *j'ai pris* (prendre) des comprimés.

1. À midi, je _____ (ne pas avoir) faim, donc je _____ (ne rien manger).
2. L'après-midi, j'_____ (avoir) tellement sommeil que je _____ (s'endormir) en cours de français.
3. Je _____' (se sentir) si mal que j'_____ (devoir) rentrer tout de suite après mes cours.
4. Je _____ (devoir) aller à une soirée, mais évidemment, je _____ (ne pas pouvoir) y aller.

5. Je _____ (ne pas avoir) de voix, donc je _____ (ne pas téléphoner) à mes amies.

6. Je _____ (vouloir) voir un film, mais j'_____ (devoir) me coucher au milieu du film.

12.3 THE PRESENT PARTICIPLE

12.3. We present the present participle with *en* for recognition, because it occurs fairly often in conversation and written material. Give several examples before you assign the section: *Comment est-ce qu'on réussit à un examen? En buvant de la bière ou en étudiant?* Explain how to create the present participle, using examples you have written on the board.

➤ **En parlant** = while/by speaking

ES 2. In groups, students use present participles to think of as many ways as possible to do certain things. Provide a list of predicates. Example: *réussir à un cours: on réussit en étudiant, en allant en classe, en écoutant le prof, en faisant les devoirs, en lisant...*

A. Every French verb has a present participle form ending in **-ant.** This form is most commonly used with the preposition **en** to express a simultaneous action or the means of doing something.

Je me détends **en lisant** un bon roman.	*I relax by reading a good novel.*
Marise s'est cassé la jambe **en faisant** du ski.	*Marise broke her leg while skiing.*

B. Although the English equivalent is the *-ing* form of the verb, note that *-ing* forms have many other uses in English that are *not* expressed with the present participle in French.

Elle **souriait** quand je l'ai trouvée.	*She was smiling when I found her.*
Il parle **sans réfléchir** à ce qu'il dit.	*He talks without thinking about what he's saying.*

➤ Present participle stem = stem of present-tense **nous** form

➤ Present participle ending = **-ant**

C. To form the present participle, use the stem of the present-tense **nous** form with the ending **-ant.**

parler	**parl**ons	→ parl**ant**	partir	**part**ons	→ part**ant**
finir	**finiss**ons	→ finiss**ant**	faire	**fais**ons	→ fais**ant**
attendre	**attend**ons	→ attend**ant**			

D. Three verbs have irregular present participles.

avoir → **ayant**   être → **étant**   savoir → **sachant**

Ex. 4. This requires transforming infinitives to present participles. In class, partners might compare their responses.

Exercice 4 Pour guérir

Associez l'action et le moyen de l'accomplir, puis faites une phrase avec **en** + un participe présent. Finalement, indiquez si vous êtes d'accord.

MODÈLE: confirmer un diagnostic/aller voir un deuxième médecin →
On peut confirmer un diagnostic en allant voir un deuxième médecin. Oui, c'est vrai. (Non, ce n'est pas vrai. Les médecins ne sont pas toujours d'accord.)

On peut...

1. soulager les yeux enflammés
2. transmettre des microbes
3. éviter les rhumes
4. guérir une grippe
5. arrêter le hoquet (*hiccups*)

a. tousser et éternuer
b. prendre beaucoup de vitamine C
c. y mettre des gouttes
d. se mettre un sac sur la tête
e. manger de la soupe au poulet

12.4. Students understand this construction easily but will require time and input before they can use it spontaneously in speech and writing. To do in input before assigning the section, show pictures of events that have just occurred (or that suggest what might have occurred): (hen beside an egg) *Qu'est-ce que cette poule vient de faire? Elle vient de pondre un œuf, n'est-ce pas?*

12.4 Expressing events in the recent past: VENIR DE + infinitive

To express *to have just (done something)*, use the present tense of **venir + de +** infinitive.

> Joël **vient de tomber** dans l'escalier.
>
> Nous **venons de faire** de la gym.
>
> Je **viens de voir** un reportage sur l'homéopathie.

> *Joël just fell (has just fallen) down the stairs.*
>
> *We just (have just) worked out.*
>
> *I've just seen a TV report on homeopathy.*

Note that the meaning of **venir de** + infinitive is completely different from that of **venir** (*to come*), and that the action you are talking about is expressed by the infinitive.

✷ *Review **Grammaire 1.4** for present-tense forms of **venir**.*

➤ **Venir** (present) + **de** + infinitive = to have just done something

ES 3. In groups, have students create on-the-scene radio scripts using *venir de*. Example: *Nous sommes actuellement au restaurant Vagenande. Le maître d'hôtel vient de nous accompagner à une table. Le serveur vient de nous apporter le menu. Nous venons de commander l'apéritif. Nous venons de lire les prix exorbitants. Les personnes à la table à côté de nous viennent de...*

Exercice 5 Sur les lieux d'un incendie

Julien Leroux fait un reportage en direct d'un immeuble en flammes. Complétez ses phrases avec **venir de** + l'infinitif indiqué.

MODÈLE: Nous _____ arriver sur place. → Nous *venons d'*arriver sur place.

1. Deux voitures de pompiers _____ arriver.
2. L'explosion que vous _____ voir provenait du sous-sol.
3. Nous _____ apprendre que l'immeuble était vide.
4. Le propriétaire de l'immeuble _____ arriver à l'instant.
5. Les pompiers _____ éteindre le feu.

12.5 Narrating in the past tense: PASSÉ COMPOSÉ VS. IMPERFECT

A. You have already seen some of the ways in which the two past tenses, the **passé composé** and the **imparfait,** are used to present different perspectives on a past action or state. Both of these past tenses are used to tell a story in the past.

- The **imparfait** is used to *set the scene: to give background information* and *to describe a past action in progress.*

> **C'était** le dernier jour de nos vacances à Megève. Il **faisait** froid, et les pistes **étaient** très glissantes.
>
> Nous **descendions** la grande piste pour la dernière fois...

> *It was the last day of our vacation at Megève. It was cold, and the slopes were very slippery.*
>
> *We were going down the big slope for the last time...*

- The **passé composé** is used to relate a *single event* in the *main story line.*

> ... quand je **suis tombée** et je me **suis cassé** le bras. J'**ai dû** aller à l'hôpital.

> *... when I fell down and broke my arm. I had to go to the hospital.*

✷ *Review **Grammaire 8.6** on uses of **passé composé** and **imparfait**.*

➤ **Imparfait** sets the scene and gives background information.

➤ **Passé composé** relates events of the main story line.

12.5. This is the last grammar section treating the *imparfait/passé composé* distinction. We show how the uses of these two tenses combine in a narrative: the main story line (*passé composé*) together with description of the scene or situation that forms the background (*imparfait*). Read the sample text aloud in class before assigning the exercises.

B. Read the following narrative by Sarah Thomas and notice how the **passé composé** and **imparfait** are combined. Identify each past tense, and then tell why that tense is used.

Je n'oublierai jamais mon voyage à Châlon-sur-Saône. J'avais[1] deux changements de train à faire. À Lyon, je me suis trompée[2] de train et je suis partie[3] dans une direction opposée à celle de Châlon! Il était[4] déjà neuf heures et demie du soir et l'auberge où je devais[5] passer la nuit fermait[6] à neuf heures et demie! J'ai dû[7] téléphoner rapidement à l'auberge pour leur demander de m'attendre avant de fermer les portes. La dame qui a répondu[8] au téléphone était[9] vraiment aimable. Elle m'a dit[10] que je n'avais[11] pas à m'inquiéter. Quand je suis arrivée[12] à l'auberge, il était[13] une heure du matin! Mais la dame m'attendait[14] et elle m'a même offert[15] une tasse de thé à la camomille. Finalement, mon voyage s'est assez bien terminé.[16]

Exercice 6 Soir d'hiver au Canada

Raoul raconte une aventure qui lui est arrivée pendant des vacances d'hiver. Lisez les phrases, puis transformez son histoire du présent au passé.

MODÈLE: Il fait froid, alors nous mettons des vêtements chauds. →
              Il faisait froid, alors nous avons mis des vêtements chauds.

1. C'est l'hiver, il ne fait pas froid et il y a un beau clair de lune.
2. Sylvie et moi, nous décidons d'aller faire une randonnée à ski.
3. Nous mettons nos skis et nous partons.
4. La neige est couverte d'une couche de glace et nos skis glissent très vite.
5. Après une demi-heure, nous arrivons en haut d'une colline très abrupte.
6. En descendant la colline, je tombe et un de mes skis se casse.
7. Heureusement, je n'ai rien de cassé.
8. Ensuite, nous devons faire une longue promenade à pied pour rentrer, mais nous sommes contents de notre soirée.

Exercice 7 Quels ennuis!

Marise Colin raconte les difficultés qu'elle a eues pour aller à la fac. Mettez les verbes entre parenthèses au passé composé ou à l'imparfait.

Ce (être)[1] un jeudi après-midi et j'(avoir)[2] cours à la fac. Je (prendre)[3] la voiture parce que j'(être)[4] pressée.

   Malheureusement, je (ne pas trouver)[5] de place pour garer la voiture. Alors, je (prendre)[6] une petite rue à côté de la fac. La rue (être)[7] très petite et il y (avoir)[8] tant de voitures des deux côtés qu'il (être)[9] presque impossible de passer. Pas de chance! Une autre voiture venait dans l'autre direction et (s'avancer)[10] vers moi. J'(mal estimer)[11] les distances et ma voiture (toucher)[12] le côté de cette voiture. Je (chercher)[13] une place de stationnement quand j'(entendre)[14] quelqu'un m'appeler. C'(être)[15] la conductrice de l'autre voiture. Elle (penser)[16] que j'(aller)[17] partir sans m'arrêter. Quelle journée horrible!

Ex. 6. Students must select *passé composé* or *imparfait* according to whether the verb is reporting an event that is part of the main story line or is describing the scene or situation (background).

Ex. 7. Because understanding the context is crucial to making the choice, you may wish to narrate this story in class, using the present tense, and clarify meaning where necessary before you assign as homework.

Chapitre 13, students talk about human relationships and social values, especially those
ted to love, friendship, and family. Related grammar includes reciprocal use of reflexive
nouns and the subjunctive with expressions of wishes and feelings. *Functional goals:* (1)
scribe what you have in common with a good friend, and why you value that friendship;
Tell someone how to get along better with others; (3) Explain the differences and similari-
between your
sonal values and
se of your
ents.

CHAPITRE 13

La famille et les valeurs en société

E EN TRAIN
eciprocal
ons. (1) Explain
procity and intro-
e the pronouns by
g simple situations
ass. Write the
s on the board as
occur. Example:
egarde Mario
ntenant, et Mario
regarde. Nous
s regardons, n'est-
pas, Mario? (2) In-
ce a number of
s of reciprocal ac-
with pictures from
PF. Describe pho-
of people with ex-
ssions such as *ils*
détestent, il s'en-
ent bien, ils
ent, to describe
ngs, or *ils se*
ent, ils se rencon-
, ils se télépho-
. As students
erstand the con-
ction, include other
es in your input.

1. With the class,
elop a humorous
story using the re-
ocal construction.
se sont vus/ren-
rés, se sont
é...). This might be
e in pairs or
ps instead.

ubjunctive with
tions. (See
mmaire 13.3.) Use
PF to provide re-
with subjunctive
s after expres-
s of feelings and
res: souhaiter,
oir, préférer, aimer,
er; être étonné(e),
olé(e), ravi(e),
u(e); c'est dom-
e que, rare que.
ou talk, expand on
ements about pic-
s by asking per-
al questions and
ing remarks about
self and your own
y. (photo of a
ager and a disap-
ing parent) Est-ce
cette mère
rait mieux que sa
ne sorte pas avec
eune homme?
Pourquoi? À
le heure est-ce
lle voudrait qu'ils
rent? (avant mi-
Oui, elle veut
ablement que sa
rentre avant
it.

AS 2. Cartoon charac-
ters. Give partners five
minutes together to list
as many things as pos-
sible that Dennis the
Menace's mother, Dil-
bert's boss, Cathy's
mother, etc. doesn't
want him or her to do.
See which team has
the most items listed.

3. **Possessive pro-
noun.** Ack 5–7 stu-
dents to contribute two
items each to your grab
bag, a brown sack. They
then sit in front of the
class and take turns
pulling out one item
each (without looking).
As they do so, comment
on what's going on, us-
ing the pronouns: *Tiens,
David! Un rouge à
lèvres! Est-ce le tien?
Non? Alors, la classe,
ce rouge à lèvres n'est
pas à David. Ce n'est
pas le sien. À qui est-il?
Ce n'est pas le mien.
Ah, Marianne, c'est le
tien?* Write the forms on
the board as they occur
and explain later.

«Oui, en général,
on s'entend bien
en famille... »

Objectifs

IN **CHAPITRE 13**, *you will talk about friendship,
marriage, and other relationships. You will also learn new ways to state your
feelings about what people do and more ways to express past events.*

activités

L'amour, l'amitié et la famille
La vie de famille
Valeurs et décisions

lectures

Les francophones sur le vif   Yolande
   Madec
La langue en mouvement   Les sigles
Info: Société   L'exclusion et la solidarité
Lecture   La cohabitation

grammaire

13.1 Reciprocal actions: More on **reflexive**
   pronouns
13.2 Describing actions: Adverbs
13.3 Expressing feelings: More on the
   subjunctive
13.4 A past in the past: The **plus-que-
   parfait**
13.5 More on expressing possession:
   Possessive pronouns

Activités *et* lectures

L'amour, l'amitié et la famille. (1) Review activities from *Mise en train, Act. 1.* (2) Relate a story of a relationship each day (*Serge et Michèle, Fifi et Fido...*). Work in as many familiar verbs as possible (*ils se sont écrit, prêté...*). Example: *Serge et Michèle se sont rencontrés dans le parc... Ils se sont aimés tout de suite. Ça a été le coup de foudre! Ils se voyaient tous les jours, se téléphonaient le soir...* (3) Art: Point out that attendants are generally children in French weddings and that the civil ceremony, usually at the *mairie*, is the officially recognized wedding. Those wishing a church wedding have two ceremonies instead of one. Explain that godparents are often regarded as members of the extended family. New vocabulary: *alliance, amitié, arrière-grands-parents, baptême, demoiselle (garçon) d'honneur, s'embrasser, famille monoparentale, famille recomposée, filleul(e), le/la marié(e), marraine, parrain, prêtre, se serrer la main.*

L' amour, l'amitié et la famille

Attention! Étudier Grammaire 13.1 et 13.2

L'amitié

Elles s'embrassent.   Ils se sont rencontrés.   Ils se serrent la main.

LE MARIAGE TRADITIONNEL

le maire · le prêtre · l'alliance · la mariée · le marié · les demoiselles d'honneur · le garçon d'honneur

LE BAPTÊME
(la mère - le père)

la marraine · les arrière-grands-parents · le parrain · le filleul · la filleule

La famille

LA FAMILLE RECOMPOSÉE

la belle-mère · le beau-père · la belle-fille · le beau-fils · la demi-sœur · le demi-frère

LA FAMILLE MONOPARENTALE

le père célibataire

Activité 1 Définitions: Les cérémonies de la vie

1. Elle présente l'enfant au baptême et s'engage à s'occuper de lui.

2. C'est la période qui précède le mariage.

3. C'est le rapport qui existe entre amis.

4. Ce sont les premiers mois d'un mariage.

5. Cet homme est le témoin du marié.

6. Cet objet symbolise une union durable.

7. C'est le mari de la belle-mère.

8. Ce sont les parents des grands-parents.

9. C'est l'unité formée par le mariage du père d'une famille monoparentale avec la mère d'une autre.

10. C'est la personne qui célèbre la messe.

a. le prêtre
b. le beau-père
c. l'amitié
d. une famille recomposée
e. les fiançailles
f. la marraine
g. le garçon d'honneur
h. la lune de miel
i. les arrière-grands-parents
j. l'alliance

Act. 1. (whole class; partners) Explain the terms in your own words before students do the activity in pairs. Follow up with questions such as *Qui dans la classe a été garçon d'honneur? Qui a une marraine? Comment s'appelle-t-elle? Votre sœur s'est mariée l'année dernière? Est-ce que le couple a fait un voyage de noces?* New vocabulary: *alliance* (ring), *durable, s'engager, fiançailles, lune de miel, précéder, rapport, symboliser, union, unité, voyage de noces.*

AS 3. Role-play: *Vous avez rencontré une extraterrestre, Galaxia, et vous l'avez invitée à une réunion de famille. Maintenant vous devez la présenter à au moins sept membres de votre famille. Par exemple: Galaxia, je veux te présenter à ma belle-sœur Sylvie. C'est la deuxième femme de mon...*

Activité 2 Enquête: L'amitié

Voici des questions extraites d'un sondage effectué par *L'Express*. Répondez-y avant d'écouter ce qu'ont dit les participants français. Ensuite, discutez de vos réponses avec des camarades de classe.

1. Quelle est l'importance de l'amitié pour votre équilibre personnel?
   a. indispensable
   b. importante
   c. peu importante
   d. inutile

2. Pour vous, l'amitié, c'est d'abord...
   a. s'entraider
   b. se confier
   c. agir ensemble
   d. s'amuser ensemble

3. Pour conserver une amitié, que seriez-vous prêt(e) à faire?
   a. changer ma façon de penser
   b. déménager
   c. sacrifier une relation amoureuse
   d. quitter mon travail

4. Pour qu'il existe une vraie amitié entre deux personnes, il est nécessaire...
   a. d'avoir des valeurs communes
   b. d'avoir le même niveau de vie
   c. d'avoir le même âge
   d. d'être du même sexe

5. Par amitié pour votre ami(e), seriez-vous prêt(e) à...
   a. l'héberger?
   b. lui remonter le moral à 3 h du matin?
   c. l'aider financièrement?
   d. lui prêter votre voiture?

6. Parmi les choses suivantes, quelles sont celles qui peuvent être un frein à vos amitiés?
   a. l'éloignement géographique
   b. le manque de temps
   c. des désaccords sur la façon de vivre
   d. des différences de situation familiale

Act. 2. (whole class; partners) Read the items and have students write down their choices. Then pair them up to compare their answers. Finally, let the class know how the respondents answered in the *Express* survey. Items 1–2: each person chose one answer: 1. a/49, b/47, c/3, d/1; 2. a/59, b/17, c/16, d/7 (*autre*-1). Items 3–6: each person ranked all choices. We list first choice of only four options for each item, so figures do not add exactly to 100. 3. a/27, b/24, c/12, d/1; 4. a/68, b/7, c–d/9; 5. a/95, b/89, c–d/83; 6. a/49, b/42, c/24, d/21. New vocabulary: *éloignement, s'entraider, héberger.*

Act. 3. (partners) Explain a few things about your relationship to someone, so that students can hear the use of the reflexive pronouns. *J'ai un ami (une amie) qui s'appelle... Nous nous aimons beaucoup. Nous nous parlons tous les jours...* After partners have completed the interview, ask questions about what has been discussed, including as many reflexive pronouns as possible in your input: *Vous ne vous disputez jamais?* New vocabulary: *se confier, se critiquer, fréquemment, intérêt, mentir, parfaitement, partager.*

Activité 3 Entretien: De meilleur(e)s ami(e)s

Comment sonts les rapports entre vous et votre meilleur ami(e)?

1. Est-ce que vous vous entendez toujours? Vous disputez-vous quelquefois?
2. Vous prêtez-vous de l'argent ou des vêtements?
3. Quels intérêts partagez-vous?
4. Est-ce que vous vous confiez vos secrets sans hésiter?
5. Mentez-vous l'un(e) pour l'autre de temps en temps?
6. Est-ce que vous vous voyez fréquemment?
7. Vous comprenez-vous parfaitement?
8. Vous critiquez-vous parfois?

Act. 4. (whole class) Read the statements aloud with comments (and explanations, as needed). Then ask: *Qui dit que le mariage crée des problèmes qui n'existaient pas avant? qu'il faut rester dans l'ignorance pour conserver une bonne image de la personne aimée? que le mari et la femme ne sont pas d'accord sur qui est le chef d'équipe? que la personne qui ne termine pas une histoire d'amour continue d'aimer, peut-être? que les hommes qui se marient sont bêtes?* Authors cited: Tristan Bernard (1866–1947, *écrivain et humoriste français*); Romain Gary (1914–1980, *écrivain français*); Sacha Guitry (1885–1957, *acteur, auteur et cinéaste fr. d'origine russe*); François de la Rochefoucauld (duc, 1613–1680, *auteur des Maximes*); G. B. Shaw (1856–1950, *écrivain et humoriste britannique*). New vocabulary: *demeurer intact, incompréhension, merveilleux/merveilleuse, réciproque, résoudre.*

Activité 4 Dans le monde francophone: L'amitié et le mariage

Est-ce que vous êtes d'accord ou non avec ces écrivains célèbres? Pourquoi?

Suggestions: cynique, sexiste, réaliste, surprenant, bête, équivoque

1. « En amour, celui qui guérit le premier est toujours le mieux guéri.» (le duc de la Rochefoucauld)
2. «Le mariage permet de résoudre à deux des problèmes qu'on ne se posait pas tout seul.» (Tristan Bernard)
3. «Le bonheur exige une qualité rare d'ignorance, d'incompréhension réciproque, pour que l'image merveilleuse que chacun avait inventée de l'autre demeure intacte, comme aux premiers instants.» (Romain Gary)
4. «Il y a des hommes qui n'ont que ce qu'ils méritent; les autres sont célibataires.» (Sacha Guitry)
5. «Quand un homme et une femme se marient, ils ne deviennent plus qu'un; la première difficulté est de savoir lequel.» (George Bernard Shaw)

Cliquez là!

Utilisez les mots-clés *marriage online, mariage virtuel,* ou *site du mariage* pour découvrir comment organiser un mariage à la française. Notez les URLs du site et les idées qui vous intéressent.

Cliquez là! Students should look for interesting points about weddings in France. Ask them to take notes for later class discussion. If you assign to everyone, you might wish to make this a fuller written assignment to be graded.

Ça fait penser. Ask questions that cause students to use numbers and ask how these statistics compare with U.S. statistics, and with those from the country of origin of international students or immigrant citizens.

Ça fait penser

En France...

- L'âge moyen au premier mariage est 27 ans chez les femmes et 29 ans chez les hommes.
- Le nombre de mariages est passé de 6,2 pour 100 habitants en 1980 à 4,9 en 1997.
- Le nombre de divorces est passé de 22 pour 100 mariages en 1980 à 42 en 1996.

Act. 5. (whole class; partners) Students should use reciprocal pronouns and do the story in past tense (*passé composé*). Start the story, with the class's help, and then assign it for partner discussion. Basic sentences: 1. *Christine et Bernard se sont rencontrés chez Julien.* 2. *Ils se sont serré la main.* 3. *Ils se sont parlé toute la soirée.* 4. *Ils se sont dit «bonsoir».* 5. *Ils se sont téléphoné très souvent.* 6. *Ils sont souvent sortis ensemble.* 7. *Ils se sont disputés.* 8. *Ils se sont fiancés.* 9. *Ils ont choisi une bague de fiançailles.* 10. *Ils ont reçu leur diplôme.* 11. *Ils se sont mariés* 12. *Ils sont partis en voyage de noces.*

Activité 5
Récit: L'histoire de Bernard et Christine

Racontez l'histoire d'amour de Bernard et Christine Lasalle. Tout a commencé pendant une soirée chez Julien Leroux.

4. Skits. Christine and Bernard relate their story in first person. They are not always in agreement about what they recall.

5. In groups, students create a story about relationship. They should use as many verbs with reflexive pronouns as possible. Humor is ued.

LES FRANCOPHONES SUR LE VIF

francopho-s sur le vif. In er to under-nd French so-political reali-s, it is ortant to have idea of the *hiquier poli-ue* (the political ene [lit., essboard"]) d its division political par-s. However, rely political dif-nces have en eroded by a ed for pragma-n in the face of actable social d economic blems. For in-nce, socialist ernments in early 80s pted definitely -marxist eco-nic policies, ereas Chirac used his 1995 sidential cam-n on the ght of the *ex-s*. Such blur-g of bound-es is most ious in local itics (*Com-ne, Départe-nt, Région*), ere traditional ty identity is t disappearing avor of ad hoc tforms and alliances.

Yolande Madec, 45 ans, propriétaire d'un magasin d'alimentation bio et membre des Verts, Plougastel (Bretagne)

Politiquement, vous êtes à gauche ou à droite?

« Je dirais sans hésiter à gauche, puisque je suis membre des Verts... mais ce parti ne se résume[1] pas à une ligne politique. Parfois nous sommes d'accord avec les socialistes et les communistes, et parfois nous avons de grandes divergences d'opinion. Vous savez, depuis le début des années 90, les distinctions politiques traditionnelles ont moins d'importance qu'avant. L'opposition idéologique entre «la gauche» et «la droite», entre marxisme et capitalisme, si vous voulez, n'est plus aussi stricte, surtout au niveau local. Les politiques savent que les électeurs refusent de suivre systématiquement un parti; chacun garde la liberté de ses opinions. Regardez les priorités actuelles, elles sont souvent apolitiques: la lutte[2] contre la fracture sociale,[3] l'écologie, le développement des pays les plus pauvres, la construction de l'Europe. La politique traditionnelle n'offre pas de réponse aux questions que nous nous posons.»

[1]**se...** se limite
[2]effort fait pour combattre
[3]**fracture...** la différence excessive entre riches et pauvres

Internal strife and influence struggles in some of the parties (the RPR, now RPF; the *Front national*) ve further disillusioned the French about the potential of traditional parties for addressing contemporary problems.

La vie de famille. In this section, students talk about relationships and personal feelings. (1) Review subjunctive with expressions of volition (see *Mise en train, Act. 2.*). (2) Art: Expand from the statements as you describe each drawing: *Moi, je pense que le père a l'air de ne pas aimer le jeune homme. Est-ce qu'ils vont se marier? J'ai l'impression que le père souhaite que non.* New vocabulary: *étonné(e)*.

Attention! Étudier Grammaire 13.3

Je suis étonné que tu n'aies pas de devoir pour demain.

Papa, je suis surpris que tu fumes toujours. C'est mauvais pour la santé.

Mes parents ont peur que je perde mon temps.

Je suis furieux que vous rentriez si tard tous les soirs.

Ça m'énerve que mes parents soient si stricts.

C'est absurde que tu refasses le budget toutes les semaines!

*A*ctivité 6 Entretien: Valeurs et décisions

1. Est-ce que tu demandes des conseils à quelqu'un dans ta famille? À qui? Tu peux parler de n'importe quoi avec cette personne, sans réserve?
2. Tu es ami(e) avec tes parents? Est-ce qu'il y a une différence entre cette amitié et celles que tu as avec des copains de ton âge?
3. Quelles qualités est-ce que tu recherches dans la personne avec qui tu espères passer ta vie? Si tu es déjà marié(e), ou si tu es déjà dans une relation stable, quelles qualités est-ce que tu apprécies le plus dans ton mari, ta femme ou ton/ta partenaire?
4. Tu comptes avoir ou adopter des enfants un jour? Est-ce que tu veux les élever comme tes parents t'ont élevé(e)? Qu'est-ce que tu feras de différent?

Act. 6. (partners) You may wish to read the questions aloud to be sure they are understood. (1) Assign for partners to discuss each item together, or (2) assign for É1 to interview É2, then to change roles. After partners complete the activity, discuss answers with the class. New vocabulary: *compter* (to plan), *élever un enfant, sans réserve.*

*A*ctivité 7 Échanges: Point de vue parental

Des étudiants de première année à la fac ont décrit ces situations à leurs parents. Mettez-vous à la place des parents et répondez pour eux.

MODÈLE: Mon camarade de chambre me demande de lui prêter de l'argent mais il ne me le rend pas. →
Nous ne voulons pas que tu lui prêtes de l'argent. Nous ne sommes pas riches!

1. Mon camarade de chambre invite ses amis dans notre chambre. Ça m'empêche d'étudier.
2. Nous passons des journées entières à discuter. C'est plus éducatif que d'aller en cours. Et puis, on peut toujours bûcher avant les examens.
3. J'ai rencontré des anarchistes, des athées! Tout ça me fait réfléchir!
4. Je ne sais pas quoi faire. Ma camarade de chambre vient de découvrir qu'elle est enceinte et elle a peur de le dire à ses parents.
5. Mes camarades de chambre ont installé des pots de marijuana dans notre apparte. Ça m'inquiète un peu.
6. Mon copain et sa petite amie ont décidé de partir ensemble.
7. Mes copains sont impressionnés! Je peux identifier le goût de n'importe quelle bière au bar du quartier.
8. Ma camarade de chambre fume dans notre chambre et ça me rend malade.

Act. 7. (whole class; partners) Do first with the class, to provide input and so that everyone understands. Then have the students do the activity in pairs. Point out the vocabulary in *Exprime-toi!* and remind students that subjunctive forms are used after expressions of opinion. After they have done the activity, take the role of the student writing home and ask the class to respond. As various answers come in, correct indirectly via questions, exclamations, etc. Example: (student reply) *Nous sommes furieux que tu fais cela!* (teacher) *Comment! Vous êtes furieux que je fasse cela? Mais pourquoi?* Write subjunctive forms on the board as you talk, without interrupting the flow of ideas. New vocabulary: *anarchiste, athée, choqué(e), déçu(e), désolé(e), empêcher, enceinte, ravi(e).*

Exprime-toi!

Nous sommes ravis (déçus, étonnés, choqués, tristes, désolés...)
Nous avons peur que tu...

*A*ctivité 8 Échanges: Opinions divergentes

Un jeune couple va avoir son premier enfant et il pose des questions à deux pédiatres qui offrent des opinions contraires. Jouez le rôle des parents et des pédiatres avec vos partenaires et répondez à leur place.

MODÈLE: laisser pleurer le bébé ou le prendre dans les bras à chaque fois qu'il pleure?
P1: C'est important que vous le preniez dans les bras. Il aura besoin de se sentir protégé.
P2: Pas du tout! C'est indispensable que vous le laissiez pleurer. Il faut qu'il apprenne à être indépendant.

Act. 8. (small groups) Have students do this activity in groups of three. One person should speak for the parents and each of the others take the role of a pediatrician. During discussion, the pediatricians always take opposite views. Enthusiastic students will probably want to extend the differences of opinion. During follow-up, find out what the students really think about the parents' questions. At another time, you may wish to have students build skits around the activity. New vocabulary: *accouchement, allaiter, anesthésie, biberon, couches jetables (lavables), crèche, érudit(e), indispensable, pédiatre, pistolet, protéger.*

1. avoir un accouchement naturel ou sous anesthésie
2. allaiter le bébé ou lui donner le biberon
3. utiliser des couches jetables ou des couches lavables
4. mettre l'enfant dans une crèche ou décider qu'un des parents restera à la maison avec lui
5. sortir sans l'enfant de temps en temps, ou l'emmener partout
6. défendre ou permettre que l'enfant regarde la télé de temps en temps
7. permettre ou interdire que l'enfant joue avec des petits pistolets

À vous la parole! En groupes de quatre, choisissez deux des questions adressées par ces docteurs érudits (ou d'autres questions que vous préférez) et faites un débat devant vos camarades de classe en donnant les arguments pour et contre.

Realia First, describe the scene. Then ask how this ad is intended to reflect the changing nature of today's family. What is it like to be *Maman* in many modern families today? What is the father's role?

Activité 9 Sondage: Hier et aujourd'hui

Dites (1) si on voyait ces situations il y a 50 ans, et (2) si elles sont typiques aujourd'hui. Ensuite, en groupe, comparez vos réponses en donnant les raisons. Quelle est votre opinion dans chaque cas?

(1)   (2)

_____ _____ **1.** Un couple qui s'entend mal divorce.

_____ _____ **2.** Deux époux habitent dans des régions différentes pour poursuivre leurs carrières.

_____ _____ **3.** Un mari décide qu'il restera à la maison et s'occupera des enfants.

_____ _____ **4.** L'épouse fait toutes les tâches ménagères.

_____ _____ **5.** Un(e) célibataire adopte un enfant.

_____ _____ **6.** Un homme de 26 ans épouse une femme de 49 ans.

_____ _____ **7.** Deux personnes fondent un foyer ensemble sans se marier.

_____ _____ **8.** Le mari travaille et la femme reste à la maison.

_____ _____ **9.** Deux fiancés signent un contrat de mariage avant de se marier.

_____ _____ **10.** Deux personnes du même sexe se marient.

Suggestions: bête, surprenant, étonnant, normal, choquant, immoral, raisonnable...

MODÈLE: É1: Il y a 50 ans, on trouvait impensable qu'une femme mariée garde son nom de jeune fille, mais c'est commun aujourd'hui. Moi, je trouve ça normal.

É1: D'accord, c'est commun. Mais à mon avis, c'est bête...

Act. 9. (whole class; partners) (1) Read the *modèle* and the items aloud. Students should quickly jot down their views. Then assign for partner discussion. (2) In this activity, students will need to use judgmental expressions + subjunctive, and will also need to use the *imparfait* to say what life was like 50 years ago. Before they begin, point out the suggested adjectives and go over the *modèle*. Mention the verb usages as you do so. (3) During follow-up, respond to what students say (rather than how they say it). In your responses, however, you can use expansion to provide further input with subjunctive forms. New vocabulary: *bête, célibataire, fonder un foyer, immoral(e), impensable, nom de jeune fille, poursuivre.*

Activité 10 Récit: Les Vincent se promènent

Les Vincent ont souvent des idées d'une autre époque. Avec votre partenaire, jouez les rôles de Florence et d'Édouard pendant ces sorties. Qu'est-ce qu'ils se disent?

1.

—C'est terrible que les jeunes d'aujourd'hui...

—Oui, Édouard! Je regrette qu'ils...

2.

—Je suis ravie que...

—Moi aussi, Florence. Je voudrais que tous les jeunes...

Act. 10. (whole class; partners) Ask the class to help you complete the sentences for the first drawing. They will probably make several suggestions for each sentence. Write all these on the board and then point out the use of the subjunctive forms. Finally, read the sentences with the completions on the board, using exaggerated tones so that you have a comical shocked feminine voice for Florence and a stereotypical affronted masculine voice for Édouard. Encourage students to put drama into the activity as they work with a partner. Have each pair of partners select one drawing to read aloud for the class. New vocabulary: *craindre, déplorable, s'étonner.*

Cliquez là!

Savez-vous ce qu'on met dans un contrat de mariage? Sinon, utilisez ce terme comme mot clé, ou visitez le site aufeminin.com. Jusqu'à quel point est-ce qu'on peut personnaliser son contrat?

3.

—C'est bizarre qu'on...
—Je suis d'accord, Édouard.
   Je m'étonne qu'on...

4.

—Il est déplorable que...
—Ah, Florence, je suis
   heureux que...

5.

—Tu sais, Édouard, je crains
   que l'influence américaine...
—Moi, j'ai peur que les enfants
   d'aujourd'hui...

6.

—Il est absurde que les jeunes mères
   modernes...
—Tu as raison, Florence. Je trouve
   qu'il est impensable que...

La langue en mouvement

Les sigles

Les sigles, ou abréviations par les initiales d'un groupe de mots, sont beaucoup utilisés en France. Tous les Français comprennent «le TGV» (Train à grande vitesse), «l'EDF» (Électricité de France), «les SDF» (sans domicile fixe) et «les HLM» (habitations à loyer modéré). Les Français adorent les BD (bandes dessinées) et les JO (jeux Olympiques). Et, depuis 1999, les couples qui ne veulent ou ne peuvent pas se marier peuvent se pacser, c'est-à-dire, conclure un PACS. Le Pacte Civil de Solidarité est un contrat conclu entre deux personnes, de sexe différent ou de même sexe, pour organiser leur vie commune et pour bénéficier de certains avantages sociaux.

La langue en mouvement. The proliferation of acronyms (*sigles, m.*) is a notable phenomenon of the second half of the 20th century. Most *sigles* refer to bureaucratic or commercial entities, such as *le SMIC* (*salaire minimum interprofessionnel de croissance* = "minimum wage"), *les ZUP* (*zones à urbaniser en priorité,* or "new suburbs"), and *la TVA (taxe à la valeur ajoutée).* As is the case in the U.S., the French are often unaware of what words the acronym represents. Note that, when feasible, the acronym is pronounced as a word in its own right. This is true for *le PACS, le SMIC,* and *les ZUP,* as well as *le sida, l'ONU, le DEUG, les OVNI (objets volants non-identifiés),* and *les DOM-TOM.* The abbreviation generally preserves the gender of the main noun, e.g., *la BNP.*

Valeurs et décisions

Attention! Étudier Grammaire 13.4 et 13.5

Ma petite-fille a vingt-sept ans et elle est encore célibataire. Moi, à son âge, j'avais abandonné mes études et j'étais mère de famille!

—C'est la tienne?
—Mais non, ce n'est pas la mienne! C'est la sienne!

J'apprécie de nombreuses œuvres d'art, mais les leurs, pas du tout!

Je suis très déçu. Quand j'ai voté pour cette candidate, elle n'avait pas annoncé son soutien de l'énergie nucléaire.

Valeurs et décisions. (1) Input with the *plus-que-parfait:* Use photos and imagination to create situations. Say what had happened previously, to explain what students are seeing. Example: (unhappy woman taking aspirin) *Cette femme s'appelle Marie et la semaine dernière, elle a accepté une invitation à une fête. La voilà, le lendemain de la fête! Elle se sentait très mal, n'est-ce pas? Pourquoi? Parce qu'elle s'était couchée à trois heures du matin! Elle avait dansé toute la nuit!* Write the new verb forms on the board and point out that these events happened before other past events. (2) Art: Talk about attitudes and values exhibited by the characters. *Est-ce que Florence est une femme «libérée»? Quel est le rôle de la femme, d'après elle?* Explain the references for the pronouns (*les leurs = les œuvres des artistes contemporains,* etc.) as you read the captions. (See *Mise en train,* Act. 3) New vocabulary: *célibataire, décevoir (déçu), œuvre d'art, soutien, valeur;* possessive pronouns.

Activité 11 Sondage: Que pense votre génération?

Est-ce que les jeunes d'aujourd'hui sont d'accord ou pas avec ceux qui ont le plus d'influence sur leur vie? Répondez à leur place. Ensuite, faites une enquête pour déterminer si la majorité de la classe pense comme vous.

1. Les valeurs de vos parents:
   a. En général, elles nous semblent raisonnables.
   b. Souvent, elles sont différentes des nôtres.
2. Les décisions du gouvernement:
   a. Elles nous paraissent très bonnes, normalement.
   b. Souvent, elles ne représentent pas nos idées.

Act. 11. (Whole class; partners) (1) Explain the context and read the statements aloud for students to write their choices. Then assign to partners, who may modify the replies in the activity. (2) Take a survey to see how students feel. Include possessive pronouns in your input: *Leurs valeurs sont différentes des vôtres? En quels domaines? Vous êtes moins matérialistes, par exemple?* At the end of discussion, you may wish to have students help you identify the possessives and explain what they refer to. New vocabulary: *acceptable, un but, les nôtres, multinational(e), normalement, paraître, plus ou moins, priorité, réaliser, représenter, sembler.*

Info: Société. *L'exclusion* and *la solidarité* have become key words in the discourse on French public life. *L'exclusion* and *la fracture sociale* are often used as catchall terms to refer to various social ills perceived to be threatening the nation. There is no paradox in the concurrent development of both *exclusion* and *solidarité*, as the worrisome progress of one has fueled a revival of the other. Fear of the steady rise in influence of the *extrême droite*—topped by Jean-Marie Le Pen's 15% score at the 1995 presidential election, and the subsequent mayoral elections of three candidates from his party *(Front national)*—have seemed both an effect and a cause of a "ruptured society." As a result, mainstream politicians from the left and the right have emphasized *solidarité* (i.e., with less fortunate compatriots) as an indispensable value. The glorious victory of the French team in the 1999 soccer world cup emphasized that *La France qui gagne* is indeed a diverse entity, thereby breaking down some entrenched beliefs about the true nature of French society.

3. Les priorités de votre université:
   a. En général, elles nous semblent acceptables.
   b. Les nôtres sont souvent différentes.
4. Les priorités de vos professeurs:
   a. Elles sont plus ou moins comme les nôtres.
   b. Les leurs sont souvent différentes des nôtres.
5. Les choix de ceux qui réalisent les émissions de télé:
   a. D'ordinaire, nous aimons leurs choix.
   b. Leurs idées ne correspondent pas aux nôtres.
6. Les buts et les valeurs des entreprises multinationales:
   a. Comme nous, elles désirent surtout la paix et la prospérité.
   b. Leurs valeurs sont différentes des nôtres. Elles ne pensent qu'aux profits.

Info: Société

L'exclusion et la solidarité

Les conditions économiques ont aggravé en France le phénomène de l'exclusion, qui concerne des gens aussi divers que les maghrébins, les chômeurs de longue durée, les SDF[1] et les victimes du sida.[2] Pourtant, une majorité de Français pense que l'exclusion est le problème de tous, car elle crée une société fracturée et hostile, et de nombreuses associations se sont formées pour lutter contre[3] ce mal: S.O.S. Racisme, Droit au Logement (qui aide les SDF), AIDES (qui soutient les malades du sida), etc. L'égoïsme n'est plus considéré comme acceptable, et la solidarité apparaît aujourd'hui comme une des valeurs les plus importantes. Cette solidarité s'étend aussi aux autres pays: la France envoie énormément d'aide humanitaire à l'étranger pour les victimes de catastrophes naturelles ou de conflits armés.

[1]personnes qui n'ont pas de logement
[2]**le sida:** le <u>S</u>yndrome <u>I</u>mmuno-<u>D</u>éficitaire <u>A</u>cquis
[3]**lutter...** combattre

Act. 12. (partners; small groups) (1) Give students a few minutes to rank the values. (2) Assign to work in pairs. Partners need to agree together as they rank the items. (3) Lead a follow-up discussion in which the entire class must come to agreement about the order of importance.

Activité 12 **Enquête: Quelles sont vos valeurs?**

Cette liste de mots vient d'une enquête réalisée en France par *Francoscopie*. Classez-les selon l'importance que vous leur donnez. Ensuite, essayez de peser l'importance de chacun pour l'ensemble de la classe.

_____ santé	_____ enfants
_____ travail	_____ amitié
_____ amour	_____ bonheur
_____ famille	_____ loisirs
_____ argent	_____ liberté

*À **vous la parole!*** Demandez à votre professeur comment les Français ont répondu dans cette enquête, et quelles différences se sont révélées entre les réponses des hommes et celles des femmes. Est-ce qu'on retrouve les mêmes différences (entre hommes et femmes) dans les réponses de la classe?

A vous la parole! In the *Francoscopie* survey, women valued family-related items (*amour, famille, enfants, amitié, bonheur, maison*), while men chose lifestyle and activities outside the home (*travail, argent, loisirs, vacances, vie, paix*). Ask for a show of hands to see if this was also true in your class. New vocabulary: *bonheur, enquête, liberté.*

Activité **13** **Dans le monde francophone:**
Le divorce en Europe

Lisez ce tableau sur les taux de divorces en Europe, imprimé dans *Francoscopie 1999*. Ensuite, répondez aux questions.

Evolution de la proportion de divorces pour 100 mariages dans les pays de l'Union européenne:

Act. 13. (whole class; partners) (1) Ask questions about the chart to help familiarize the class with its contents: *Quel était le taux de divorce en Autriche en 1980? Est-ce que le taux de divorce finlandais était supérieur ou inférieur au taux autrichien? Quel pays avait un taux d'1% en 1970? Quel était son taux en 1995?* (2) You may choose to do the questions with the class before assigning to partners. Have partners ask each other more questions about the chart after item 7. *Allons plus loin!* You may wish to assign this to partners before class discussion. New vocabulary: *augmentation, diminuer, taux.*

	1970	1980	1990	1995
Allemagne	—	—	—	33,0
• Allemagne de l'Ouest	12,2	22,7	29,2	—
• Allemagne de l'Est	20,7	32,0	23,5	—
Angleterre—Galles	16,2	39,3	42,5	46,0
Autriche	18,2	26,2	32,8	38,3
Belgique	9,6	20,8	31,9	58,1
Danemark	25,1	39,3	42,8	40,9
Espagne	—	—	8,0	12,0
Finlande	17,1	27,3	42,7	49,0
FRANCE	12,0	22,3	32,1	38,7
Grèce	5,0	10,8	12,0	17,0
Italie	5,0	3,2	8,0	8,0
Luxembourg	9,7	27,0	36,0	33,0
Norvège	13,4	25,1	42,9	46,0
Pays-Bas	11,0	25,7	29,1	37,0
Portugal	1,0	11,0	11,9	16,0
Suède	23,4	42,2	44,1	53,9

Eurostat, statistiques nationales

1. Dans quel pays est ce qu'il y a eu la plus grande augmentation du taux de divorce entre 1970 et 1980?
2. Où est-ce que le taux de divorce a diminué entre 1970 et 1980?
3. Où est-ce que le taux de divorce a le plus changé entre 1970 et 1990?
4. En 1995, quel pays avait le plus grand taux de divorces?
5. Quel pays avait la plus grande augmentation du taux de divorce entre 1990 et 1995?
6. Quel pays avait le même taux de divorce en 1995 qu'en 1990?
7. En 1995, dans quels pays est-ce que le taux de divorce a dépassé 40%?

Allons plus loin! À votre avis, quels facteurs ont probablement influencé l'accroissement des taux de divorce? En regardant le tableau, cherchez des exemples pour aider à expliquer vos raisons.

Activité 14 Discussion: Bonnes et mauvaises raisons

Julien Leroux a réalisé une émission sur la famille d'aujourd'hui. Lisez les raisons que ces personnes ont données pour justifier leurs décisions et décidez avec un(e) partenaire si celles-ci vous semblent logiques. Pourquoi (pas)?

Interviewés:
1. une femme qui s'est mariée à l'âge de dix-sept ans
   a. Je n'avais pas assez d'expérience puisque mes parents ne m'avaient pas permis de sortir avec des garçons auparavant.
   b. Toutes mes amies s'étaient déjà mariées.
   c. Je m'étais brouillée avec un petit ami et je voulais lui prouver qu'il n'avait plus d'importance pour moi.
2. un homme qui a insisté pour que sa femme reste à la maison
   a. Dans ma famille les femmes n'avaient jamais travaillé en dehors de la maison.
   b. J'avais toujours voulu gagner notre vie.
   c. Toutes les femmes de mes amis avaient choisi de rester à la maison.
3. un garçon qui a arrêté ses études à la fin du collège (à l'âge de seize ans)
   a. Personne dans ma famille n'était jamais allé à l'université.
   b. Mon père avait arrêté ses études à l'âge de seize ans.
   c. Je n'avais jamais aimé étudier et je trouvais que c'était une perte de temps et d'argent de continuer mes études.
4. une mère qui a décidé de travailler et de mettre ses enfants dans une crèche
   a. J'avais reçu un diplôme universitaire et je me voyais en femme indépendante. Je m'ennuyais à la maison.
   b. Ma sœur l'avait déjà fait et sa famille était contente de sa décision.
   c. Mon mari ne gagnait pas beaucoup; d'ailleurs, je voulais un peu d'argent pour pouvoir m'acheter des trucs.

Ça fait penser

- Dans les années 1960, on enregistrait 400.000 couples non-mariés en France. Aujourd'hui, il y en a plus de 2.000.000.
- Quatre naissances sur dix ont lieu hors du mariage en France.
- Bon nombre de personnes sans domicile fixe (SDF) n'ont plus de contacts avec leur famille.

Activité 15 Associations: Les valeurs et la politique

Est-ce que ces idées représentent les vues (1) d'un candidat conservateur ou (2) d'un candidat progressiste à votre avis? Pourquoi?

- diminuer la quantité de déchets
- arrêter et punir les criminels
- garantir le droit à l'IVG (l'interruption volontaire de grossesse)
- garantir le droit au travail aux groupes minoritaires
- créer des lois contre la pornographie
- dépenser plus pour les personnes atteintes du sida
- laisser la responsabilité de l'éducation sexuelle des enfants aux parents
- élargir l'accès aux ressources naturelles

Allons plus loin! Divisez la classe en groupes pour débattre des idées exposées dans l'Activité 15. Chaque groupe doit choisir une ou deux des idées et, dans le groupe, il faudra choisir les «progressistes» et les «conservateurs» qui vont représenter les deux côtés de chaque question. Préparez vos arguments et présentez-les à la classe.

Allons plus loin! Students might choose other positions instead, such as *les Verts*.

LECTURE

La cohabitation

Le système politique français de la Vᵉ République (depuis 1958) rend possible d'avoir un président et un premier ministre qui sont opposés politiquement: on appelle cela «cohabitation». La situation s'est produite[1] trois fois en moins de quinze ans. En 1998, Lionel Jospin, politicien de gauche (Parti socialiste) est ainsi devenu chef du gouvernement sous la présidence de Jacques Chirac, qui est de droite. Naturellement, les deux hommes ont souvent des opinions contraires, en particulier sur les questions économiques et sociales.

Par exemple, Jospin pense qu'il serait dangereux pour la société d'accepter le niveau actuel du chômage[2] (environ 11 % des actifs en France). Selon lui, le chômage brise[3] les solidarités sociales et mutile la vie de millions de familles. Il propose donc une politique de salaires plus favorable, pour consolider la consommation intérieure, et donc l'emploi. Il a aussi obtenu une réduction du temps de travail à 35 heures hebdomadaires, avec les mêmes salaires. Il juge la participation des entreprises nécessaire, mais il ne veut pas seulement avantager les patrons[4] en espérant qu'ils vont créer des emplois, parce qu'il affirme que cela n'arrive pas en réalité.

Pour Chirac, l'emploi est la dignité de l'homme, et sa meilleure protection sociale. À son avis, il ne faut pas laisser se développer une sorte de culture du

La cohabitation. Pre-reading activity: Ask students to brainstorm a list of the most detrimental effects of high unemployment, and of possible solutions that might alleviate it. The differences between left- and right-wing politicians in approaching the issue of (un)employment are not always obvious. After they complete the follow-up comprehension activity, have students try to state clearly what separates Jospin and Chirac: the former rejects the "trickle down" theory and proposes to raise salaries, whereas the latter believes in favoring businesses. Although this text is rich in cognates, you should have the students practice reformulating certain sentences or expressions: *deux candidats s'expriment = donnent leur point de vue; pour consolider la consommation intérieure = pour encourager les français à acheter plus*, etc. **Post-reading activity:** Ask students to reconsider the solutions they proposed earlier and to try categorizing them as left- or right-wing policies according to the French system.

---

[1]**s'est...** est arrivée [2]**niveau...** *current level of unemployment* [3]détruit [4]**avantager...** favoriser les chefs d'entreprises

Jacques Chirac prononce un discours lors de la campagne pour les élections presidentielles en 1995

non-travail, qui conduirait tout droit à la décadence du pays. Il donne la priorité au traitement économique du chômage, grâce à une réforme fiscale qui favorise «l'argent qui investit» par rapport à «l'argent qui dort»; il veut que tous les Français investissent dans leur économie. Il croit que la réduction des impôts sur les entreprises incitera celles-ci à recruter davantage,[5] mais estime[6] que ce n'est pas l'État qui doit imposer le niveau des salaires.

(adapté d'interviews publiées dans *L'Express*)

[5]plus   [6]pense, croit

Avez-vous compris?   Lisez attentivement les phrases suivantes et décidez si on pourrait les attribuer à: (a) Lionel Jospin, (b) Jacques Chirac, (c) les deux, (d) ni l'un ni l'autre.

_____   **1.**   Les chômeurs n'ont pas besoin de protection sociale.

_____   **2.**   L'investissement crée des emplois.

_____   **3.**   Il faut absolument réduire le chômage.

_____   **4.**   Les Français devraient travailler moins, mais sans gagner moins.

_____   **5.**   Il ne faut absolument pas augmenter le salaire minimum.

_____   **6.**   L'État doit imposer aux entreprises des augmentations de salaire.

_____   **7.**   Favoriser la consommation va sûrement contribuer à la création d'emplois.

_____   **8.**   L'emploi est moins prioritaire que l'investissement.

À vous la parole!   Imaginez que vous êtes candidat(e) à une élection locale ou nationale. Trouvez dans la classe un(e) partenaire qui s'intéresse à un sujet particulier, et préparez un mini-débat sur le modèle de la lecture, avec des arguments aussi précis que possible.

Quelques suggestions de sujets

- l'immigration
- l'éducation
- la politique extérieure
- l'économie

- la défense nationale
- l'aide aux pays défavorisés
- l'environnement
- -?-

À vous d'écrire

Une jeune femme a écrit cette lettre à Mamie, au *Courrier du cœur*. Lisez la lettre et répondez à la place de Mamie.

Chère Mamie,

J'ai 20 ans, et depuis un an je sors avec un homme que j'adore. Nous avons des projets d'avenir très sérieux. Malheureusement, mes parents ne veulent pas le recevoir chez nous. (Nous avons peur que nos familles se fâchent entre elles.) Mon ami, très vexé et humilié, souffre de leur attitude. Du coup, il a décidé de ne plus se marier car il redoute que ma famille fasse un scandale le jour du mariage. Déjà mes parents ne sont pas très aimables avec ceux de mon ami. Nous ne savons plus du tout quoi faire tous les deux. J'ai peur que toutes ces histoires ne fassent craquer son amour pour moi. S'il vous plaît, Mamie, donnez-moi un conseil.

Dominique (Rouen)

Ma chère Dominique,
Le seul conseil que je puisse te donner, c'est de… Sinon,…
Bonne chance,
Dominique!

À vous d'écrire. This letter appeared in *Courrier anonyme*, an advice column published in a popular magazine. Students reply for *Mamie*, who is in charge of the column. Read the letter aloud and explain meaning as needed. Assign as homework. Students should express Mamie's feelings/wishes with expressions such as *je crains que, je voudrais que, je souhaite que.* New vocabulary: *craquer, humilié(e), redouter, scandale, sinon, vexé(e).*

www.mhhe.com/deuxmondes

À explorer: www.mhhe.com/deuxmondes/ pour obtenir plus d'informations sur les thèmes du chapitre.

Vidéothèque

Espace vidéo

Exprimer ses opinions. Aimée n'aime pas la décision de son amie Sandrine de se marier. Claire essaie de raisonner avec Aimée, mais finalement elle doit trouver un moyen de parler d'autre chose. Que dit Claire pour introduire un autre sujet? De quels projets parlent ces deux copines à la fin de la conversation? Pourquoi est-ce que la décision de Sandrine n'a pas plu à Aimée?

Vocabulaire

LE MARIAGE

Weddings

l'alliance (*f.*)	wedding ring
la demoiselle d'honneur	bridesmaid
les fiançailles (*f.*)	engagement
le garçon d'honneur	groomsman
la lune de miel	early weeks of marriage
le maire	mayor
le marié/la mariée	groom/bride
le prêtre	priest
le témoin	witness
le voyage de noces	wedding trip, honeymoon

LA FAMILLE

Family members

les arrière-grands-parents (*m.*)	great-grandparents
la famille monoparentale	single-parent family
la famille recomposée	blended family
le/la filleul(e)	godchild
la marraine	godmother
le parrain	godfather
le père/la mère célibataire	single father/mother

LES ENFANTS

Children

l'accouchement (*m.*)	childbirth
allaiter	to breastfeed
un biberon	a baby bottle
des couches (*f.*) jetables	disposable diapers
une crèche	a nursery school
élever	to bring up, raise
enceinte	pregnant
un pédiatre	a pediatrician

Mots apparentés: **adopter, l'anesthésie (*f.*), le baptême**

RAPPORTS PERSONNELS

Personal relationships

l'amitié (*f.*)	friendship
le bonheur	happiness
se brouiller (avec)	to quarrel, break up (with)
se confier à	to confide in (*someone*)
craindre	to fear
s'embrasser	to kiss, hug one another
s'engager (à)	to commit to
s'entendre	to get along well
s'entraider	to help one another
fonder un foyer	to start a household
mentir	to lie
se serrer la main	to shake hands
se voir	to see one another

Mots apparentés: **une dispute, le divorce, jaloux/jalouse, la passion, possessif/possessive**

OPINIONS, RÉACTIONS ET VALEURS

Opinions, reactions, and values

C'est/il est/elle est...

bête	stupid, silly, dumb
choquant(e)	shocking
dégoûtant(e)	disgusting
étonnant(e)	astonishing
impensable	unthinkable
merveilleux/ merveilleuse	marvelous
surprenant(e)	surprising

Mots apparentés: **absurde, acceptable, déplorable, immoral(e), indispensable**

Je suis...

choqué(e)	shocked
déçu(e)	disappointed
désolé(e)	very sorry
étonné(e)	astonished
impressionné(e)	impressed

ravi(e)	delighted
surpris(e)	surprised

Mots apparentés: **conservateur/conservatrice, progressiste**

Substantifs

Nouns

un(e) athée	an atheist
un but	a goal
l'IVG (*f.*)	abortion
une œuvre d'art	a work of art
une perte de temps	a waste of time
la poursuite	pursuit, continuation
le sida	AIDS
le soutien	support
le taux	rate, statistic(s)
un truc	a gadget

Mots apparentés: **un anarchiste, la continuation, un(e) criminel(le), l'incomprehénsion** (*f.*)**, un pistolet, un point de vue, la pornographie, une priorité**

Verbes

Verbs

compter sur	to plan on
créer	to create

demeurer intact	to remain intact
élargir	to enlarge, broaden
empêcher	to prevent
s'enfuir	to flee, run away
s'étonner	to be astonished
gagner sa vie	to earn a living
paraître	to appear, seem
poursuivre une carrière	to pursue a career
réaliser	to achieve, accomplish
résoudre	to resolve
sembler	to seem

Mots apparentés: **garantir, prouver, questionner, représenter**

Mots et expressions utiles

Useful words and expressions

d'ailleurs	moreover, furthermore
le mien/la mienne	mine
le/la nôtre	ours
le sien/la sienne	his/hers
le tien/la tienne	yours (*fam.*)
puisque	since
sans réserve	without reservation
l'un et l'autre	both

Grammaire et exercices

13.1. Students have little trouble with the reciprocal use of reflexive pronouns. Before you assign the section, explain the construction, using simple examples based on what is going on in class: *Qu'est-ce que nous sommes en train de faire maintenant? Bon, je vous regarde, n'est-ce pas, et vous me regardez. Alors, nous nous regardons.* (write on the board) *En général, pendant le cours, est-ce que nous nous écoutons?* Write examples on the board. Address single students: *Carla, vous (toi) et moi, nous nous parlons, n'est-ce pas?* After you have explained the construction, point out that most verbs can be used in reflexive (and reciprocal) constructions: *Nous nous parlons, et moi, quelquefois, je me parle! Est-ce que vous vous parlez? Tu te parles quelquefois. Yen? Qu'est-ce que tu te dis?*

13.1 Reciprocal actions: MORE ON REFLEXIVE PRONOUNS

Definition: A reciprocal action is expressed in English with *each other: They call each other often.*

★ Review **Grammaire 2.2** and **6.6.**

➤ Reciprocal action: plural subject + reflexive pronoun
Vous vous reverrez.
Ils se sont quittés.
Elle se sont vues.

A. You have often used reflexive pronouns in verbal constructions such as **je me lève, nous nous promenons,** and **elle se rappelle.** Another common use of the plural reflexive pronouns **(nous, vous, se)** is to express reciprocal actions.

—Depuis quand connais-tu ton mari?
—Nous **nous connaissons** depuis vingt ans.

How long have you known your husband?
We have known each other for twenty years.

C'est triste, mais mon frère et son patron **se détestent** cordialement.

It's sad, but my brother and his boss really hate each other.

B. Like other reflexive verbs, reciprocal expressions take **être** as the auxiliary verb in the **passé composé.** Remember, also, that the past participle usually agrees with the reflexive pronoun in gender and number.

Christine et Bernard **se sont connus** lors d'une fête chez Julien Leroux.

Christine and Bernard met at a party at Julien Leroux's.

➤ Pierre et Marie se sont mariés.
Pierre and Marie got married.

Pierre s'est marié.
Pierre got married.

Marie s'est mariée avec Pierre.
Marie (got) married (to) Pierre.

C. The following verbs are commonly used with reciprocal meaning.

s'admirer	se connaître	se rencontrer
s'aider	se détester	se revoir
s'aimer	se quitter	se séparer
se comprendre	se regarder	se voir

D. You have already seen the expression **s'entendre (bien/mal) avec quelqu'un. S'entendre** can also be used as a reciprocal verb.

Je m'entends bien **avec** mon frère.
Mon frère et moi, nous nous entendons bien.

I get along well with my brother.
My brother and I get along well.

Other verbs that can be used in both of these ways include **se brouiller** (*to break up*), **se disputer, se fiancer, se marier.**

Ex. 1. Tell this story in class for input, either before or after students do the exercise at home.

ES 1. Give the start of a love story between two fictitious people for students to complete. Within groups of four, students work in pairs. The teams take turns adding actions to the story. Circulate among groups to provide help. Later, ask for a whole-class construction of the story. List the verbs on the board: *Estelle et Raoul se sont vus la première fois... , se sont bien aimés, se sont brouillés, etc.*

Exercice 1 Tout est bien qui finit bien

Choisissez un des verbes indiqués et conjuguez-le, s'il le faut, au temps correct.

Mes amis Fatima et Khaled ont une histoire assez drôle. La première fois qu'ils _____[1], ça n'a pas été du tout le coup de foudre. Au contraire, ils _____[2]! Naturellement, ils n'ont pas eu très envie de _____[3] après.

se détester
se rencontrer
se revoir

410

Mais, quinze jours plus tard, ils _____⁴ une deuxième fois, à la bibliothèque. Ils avaient tous les deux des problèmes difficiles à faire en maths, alors ils _____⁵ avec leur travail. À la fin de cette soirée, ils ont pris rendez-vous pour le lendemain, et depuis, ils ne veulent plus _____.⁶ Aujourd'hui, ils sont mari et femme, et ils _____⁷ à merveille. Les premières impressions sont parfois fausses!

s'aider
s'entendre
se quitter
se rencontrer

Exercice 2 L'amitié

Dites ce qui se passe en amitié, en vous servant de verbes pronominaux réciproques.

MODÈLE: Toi et moi, _____ (envoyer) des cartes postales. →
Toi et moi, *nous nous envoyons* des cartes postales.

1. Toi et moi, _____ (dire) bonjour quand nous nous rencontrons.
2. Toi et ton/ta camarade de chambre, _____ (écouter) quand vous avez des problèmes.
3. Julien et Bernard _____ (parler) avec beaucoup de plaisir.
4. Sarah et Agnès _____ (téléphoner) souvent.
5. Toi et moi, _____ (inviter) souvent à dîner.
6. Raoul et sa petite amie _____ (embrasser) souvent.

13.2 Describing actions: ADVERBS

A. You are already familiar with the most common French adverbs: **beaucoup, bien, encore, ici, mal, peu, souvent, toujours,** and related expressions.

B. Many French adverbs are formed with an adjective + **-ment,** which corresponds to the English *-ly* ending.

- If the adjective ends in a consonant, **-ment** is added to its feminine form: **certain(e) → certainement.**

actif, active → activement	certain, certaine → certainement
entier, entière → entièrement	lent, lente → lentement
franc, franche → franchement	long, longue → longuement
heureux, heureuse → heureusement	

Malheureusement, il est déjà marié.

Unfortunately, he's already married.

Réfléchissez **longuement** avant de vous marier.

Think for a long time before you get married.

Definition: Adverbs modify verbs, adjectives, or other adverbs. They usually tell *how, when, where,* or *how much.*

★ Review **Grammaire B.6** on *adjectives.*

➤ Adjective/adverb:
true/truly
slow/slowly
easy/easily

- If the adjective ends in a vowel, **-ment** is added directly to the masculine form.

absolu → absolument	facile → facilement

Vous croyez **vraiment** qu'ils vont divorcer?

Do you really think they're going to get divorced?

- If the adjective ends in **-ent** or **-ant,** remove that ending and add **-emment** or **-amment,** respectively.

constant → constamment	évident → évidemment
courant → couramment	fréquent → fréquemment

➤ To form an adverb from an adjective, add **-ment** to the appropriate form of the adjective:

sérieux → sérieusement

calme → calmement

Irregular:

constant → constamment

Sarah parle **couramment** le français.

Sarah speaks French fluently.

Évidemment, il faut bien choisir son époux.

Obviously, you must choose your mate carefully.

Pronunciation Hint:

Both **-emment** and **-amment** are pronounced *ah* + **mě̜n̸t.**

Exercice 3 Un mariage typique

Employez des adverbes en **-ment** pour compléter les phrases.

MODÈLE: Le garçon d'honneur ponctuel arrive... →
Le garçon d'honneur ponctuel arrive *ponctuellement.*

1. Les invités patients attendent...
2. Le prêtre sérieux parle...
3. Le marié nerveux répond...
4. La mariée attentive écoute...
5. La mère élégante de la mariée est habillée...
6. Le père très calme se conduit...
7. Les invités discrets parlent...

13.3. We add a new semantic context (expression of feeling/emotion) for the use of the subjunctive. Review the patterns from *Grammaire 12.1: Je préfère lire le journal le matin/Je préfère que tu lises...* Then explain that the same pattern applies when one expresses feelings or emotions about some situation: *Je suis heureux d'apprendre le français/Je suis heureux que tu apprennes...* Point out that most of the predicates in this category require *de* in the infinitive construction. By now, students should begin to develop some awareness that subjective statements will affect the verb in the dependent clause. However, accurate use of the subjunctive is usually not acquired until students arrive at a very advanced level of fluency. Note that with the impersonal expressions of B, *il est (bon) que...* is the more formal version, but *c'est (bon) que...* is normal in ordinary conversation.

13.3 Expressing feelings: MORE ON THE SUBJUNCTIVE

✴ Review **Grammaire 10.1, 10.2,** and **12.1.**

A. You have already seen how subjunctive forms are used after expressions of necessity and desire when these pertain to the action of another person. Subjunctive forms are also used when expressing a feeling or an attitude about some event or state of affairs.

Je suis heureux que mes parents
puissent voyager.

I'm glad my parents can travel.

C'est dommage que tu **sois** si
occupé(e).

It's a shame you're so busy.

B. There are many different expressions that can be used this way. Here are some examples.

> avoir honte/peur que
> c'est dommage que
> être content/heureux/désolé/furieux/triste que
> être déçu que
> être étonné/surpris que
> être ravi que
> c'est (il est) bon/juste/naturel/rare/normal/préférable que
> regretter que

➤ Use subjunctive after expressions of
- necessity: **il faut que...**
- desire: **je voudrais que...**
- emotion or attitude: **je suis désolé(e) que...**, **c'est normal que...**

ES 2. Give students a set of statements to make. As they read them aloud, their partners react, using the expressions in 13.3, B. (A) *Nous ne parlons pas toujours le français. Je suis rarement malade. Mes amis n'ont jamais envie de sortir.* (B) *Je ne peux pas accepter ton invitation. Je pars en Europe cet été. Mes amis et moi, nous buvons rarement de la bière.*

Ex. 4. Students will transform to statements with subjunctive forms. In class, have partners compare their answers.

Exercice 4 Le conflit des générations

Exprimez votre réaction aux faits suivants, en employant une des expressions indiquées (à l'affirmatif ou au négatif) et le subjonctif.

Suggestions: C'est étonnant, honteux, inévitable, préférable, rare, regrettable que...

MODÈLE: Un Américain ne se sent pas obligé d'inviter ses parents âgés à habiter chez lui. →
C'est naturel qu'un Américain ne se sente pas obligé d'inviter ses parents âgés à habiter chez lui.

1. Les jeunes et les vieux ne s'entendent pas bien.
2. Les jeunes ne font pas attention aux conseils de leurs parents.
3. Les jeunes ne peuvent pas profiter de l'expérience de leurs aînés.
4. Nous sommes obligés de répéter les erreurs de nos parents.
5. Un jeune Américain a envie d'habiter longtemps chez ses parents.
6. Les personnes âgées ne croient plus pouvoir contribuer à la société.
7. Un certain nombre de personnes âgées sont abandonnées par leurs enfants.

Exercice 5 Que c'est triste!

Ex. 5. Students will need to add a subjective statement and then use the sentences, transforming the verbs to present subjunctive. For oral practice, have one partner make the statements while the other reacts. Then they should reverse roles.

Clarisse Colin rencontre une amie qu'elle n'a pas vue depuis longtemps. Employez le subjonctif pour exprimer ses réactions à chaque nouvelle que son amie lui raconte.

MODÈLE: Mon petit ami ne veut plus me voir. →
Je suis désolée que ton petit ami ne veuille plus te voir.

1. Mes parents sont séparés.
2. Mon grand-père est à l'hôpital.
3. Je n'ai pas encore mon baccalauréat.
4. Je dois repasser mes examens le mois prochain.
5. Tous mes amis partent à l'étranger cet été.
6. Moi, je ne peux pas y aller.
7. Je me sens vraiment triste.

13.4. This is the first of the compound lenses other than *passé composé* to be presented. Students need to be able to recognize the *plus-que-parfait* because it is more commonly used in French than in English. We do not expect them to use it spontaneously in either speech or writing at this stage, however.

13.4 A past in the past: THE plus-que-parfait

Definition: A compound tense consists of a helping verb (auxiliary) + a past participle.

★ Review **Grammaire 6.2.**

A. French, like English, has several compound tenses, of which the most common is the **passé composé.** Other compound tenses are formed in the same way, but with the helping verb in a tense other than the present.

B. The **plus-que-parfait** (*pluperfect* or *past perfect*) is a compound tense with the helping verb in the **imparfait.** It is used to tell what *had* happened before something else in the past.

➤ **Plus-que-parfait =** **imparfait** of **avoir** or **être** + past participle

➤ The auxiliary required (**avoir** or **être**) is the same for all compound tenses of a given verb: **j'ai fait, j'avais fait; je suis allé, j'étais allé.**

finir	aller
j' **avais** fini	j' **étais** allé(e)
tu **avais** fini	tu **étais** allé(e)
il/elle/on **avait** fini	il/elle/on **était** allé(e)
nous **avions** fini	nous **étions** allé(e)s
vous **aviez** fini	vous **étiez** allé(e)(s)
ils/elles **avaient** fini	ils/elles **étaient** allé(e)s

Reflexive verb: je m'**étais** endormi(e); nous nous **étions** levé(e)s

Le candidat a annoncé qu'il **avait réfléchi** au problème.	*The candidate announced that he had thought about the problem.*
On a annoncé que les mariés **étaient** déjà **partis.**	*They announced that the newlyweds had already left.*

C. In conversation, the **plus-que-parfait** is often used to explain why one did a particular action, or to indicate the time sequence of events in the past.

Ils ont divorcé parce qu'elle **était devenue** trop célèbre.	*They divorced because she had become too famous.*
Quand je lui ai parlé, il **avait** déjà **décidé** de partir.	*When I talked with him, he had already decided to leave.*

Ex. 6. This exercise provides input on expressing prior actions using the *plus-que-parfait.*

Exercice 6 Un mariage désastreux

Cherchez la terminaison logique pour chaque phrase. Ensuite, soulignez le verbe au plus-que-parfait.

1. Le marié s'est mis en colère parce que...
2. La mariée portait une robe rouge parce que...
3. Le père de la mariée s'est endormi parce que...
4. Le prêtre a fait beaucoup d'erreurs parce que...
5. On n'a pas servi de gâteau parce que...

a. il avait bu trop de champagne.
b. le garçon d'honneur avait perdu l'alliance.
c. le chien du prêtre l'avait mangé.
d. il avait oublié ses lunettes.
e. elle avait oublié sa robe blanche.

Exercice 7 Une mauvaise journée

Ex. 7. Students will need to supply *plus-que-parfait* forms to express earlier action.

Jean-Yves a passé une journée bien frustrante. Dites pourquoi en utilisant le plus-que-parfait.

MODÈLE: Jean-Yves a voulu faire du café au lait pour le petit déjeuner, mais il (oublier) d'acheter du lait. →
Jean-Yves a voulu faire du café au lait pour le petit déjeuner, mais il avait oublié d'acheter du lait.

1. Il est arrivé sur le quai du métro à 8 h 32, mais son train (partir) à 8 h 30.
2. Quand il a voulu rendre sa dissertation en cours d'anglais, il a découvert qu'il la (oublier) chez lui.
3. Il est allé chercher des petits pains à la boulangerie, mais le boulanger (vendre) les derniers petits pains.
4. Un ami l'a invité au cinéma, mais Jean-Yves (voir) le film la semaine précédente.
5. Quand il a téléphoné à Agnès à 10 h 30 du soir, elle (se coucher déjà) et elle s'est fâchée.

13.5. The use of these forms is difficult because of their morphological complexity. Moreover, their use is not necessary for communication, because students can always use the possessive adjective + noun construction. For these reasons, students generally use these forms very little, and we suggest an emphasis on understanding them in spoken and written contexts. Point out the difference in pronunciation between the adjectives *notre/votre* pronounced with an "open" o and the pronouns *nôtre/vôtre* pronounced with a "closed" o. Present the forms by picking up items around the classroom and making statements, then asking choice questions: *Ça, c'est mon livre de français, C'est le mien.* (on board) *Et ça,* (pick up Joseph's book) *c'est le livre de Joseph. C'est le sien.* (on board) *Alors,* (hold up his book) *ce livre, c'est le mien ou c'est le sien?*

13.5 More on expressing possession: POSSESSIVE PRONOUNS

A. In French, a possessive pronoun agrees in gender and number with the noun it replaces. Thus, each pronoun has three or four possible forms.

Definition: Possessive pronouns replace a noun and a possessive adjective. Is that *your car*? Yes, it's *mine*.

★ Review **Grammaire 1.1** on *possessive adjectives.*

	SINGULIER		PLURIEL	
	masculin	**féminin**	**masculin**	**féminin**
mine	le mien	la mienne	les miens	les miennes
yours	le tien	la tienne	les tiens	les tiennes
his	le sien	la sienne	les siens	les siennes
hers	le sien	la sienne	les siens	les siennes
its	le sien	la sienne	les siens	les siennes
ours	le nôtre	la nôtre	les nôtres	
yours	le vôtre	la vôtre	les vôtres	
theirs	le leur	la leur	les leurs	

—Tu as les mêmes **idées** que ton père?	*Do you have the same views as your father?*
—Non, **les miennes** sont différentes.	*No, mine are different.*
—Vous avez les mêmes **goûts?**	*Do you have the same tastes?*
—Non, **les siens** sont plus conservateurs.	*No, his are more conservative.*

B. Note that the choice of pronoun gender depends on *the noun it replaces*. It does *not* reflect the gender of the possessor **(la voiture de Raoul → la sienne; les lunettes de Raoul → les siennes).**

C. Remember that **le sien** and its other forms **(la sienne, les siens, les siennes)** can all express *his, hers,* or *its.* The context usually makes the meaning clear.

Est-ce que **ces livres** sont à ta grand-mère?	*Are these books your grandmother's?*
Oui, ce sont **les siens.**	*Yes, they're hers.*

Exercice 8 Comparaisons

Ex. 8. Students will use forms of *mien/sien.* In class, partners might ask each other the questions.

As-tu beaucoup de choses en commun avec ton meilleur ami (ta meilleure amie)?

MODÈLE: Ton travail est intéressant ou ennuyeux? →
Le mien est intéressant.
Et celui de ton meilleur ami (ta meilleure amie)? →
Le sien est ennuyeux.

1. En général, ta voiture est propre ou sale?
Et celle de ton meilleur ami (ta meilleure amie)?
2. En général, ta chambre est en ordre ou en désordre?
Et celle de ton meilleur ami (ta meilleure amie)?
3. Tes vêtements sont chic ou pratiques?
Et ceux de ton ami(e)?
4. Ton/Ta camarade de chambre est facile ou difficile à vivre?
Et celui/celle de ton ami(e)?
5. En général, tes notes sont très bonnes ou moyennes?
Et celles de ton ami(e)?

GOALS FOR *CHAPITRE 14*
In *Chapitre 14,* students talk about social and political issues. Topics include emigration/immigration, the position of minorities, and social decisions. Grammar topics enable students to communicate what should have been done or how things might have been different. New vocabulary is very light in this chapter so that students can receive maximum input with the new forms and their meanings. *Functional goals:* (1) Express doubts, uncertainty, and regrets; (2) Say what you would have done in a given situation; (3) Describe current social issues and what the future may hold.

MISE EN TRAIN
1. Past conditional of *devoir.* Use pictures that suggest errors and allow you to ask what should have happened but did not. Examples: (photo of a man receiving a speeding ticket) *Qu'est-ce qu'il aurait dû faire? Est-ce qu'il aurait dû conduire plus lentement ou plus rapidement? Il n'aurait pas dû dépasser la limitation de vitesse.* (photo of a girl crying because of a cut finger) *Ah, la pauvre. Elle s'est coupé le doigt. Qu'est-ce qu'elle aurait dû faire pour éviter cet accident? Oui, elle aurait dû faire plus attention. Ses parents n'auraient jamais dû lui permettre de jouer avec un objet dangereux.* Write new forms on the board to use later for reviewing meaning and explaining how to form the past conditional of *devoir.*

2. Past conditional. Use your PF, personal anecdotes, and association techniques to introduce verbs in the past conditional: (woman with new car) *Cette femme vient de s'acheter une belle voiture bleue. Elle a beaucoup d'argent, n'est-ce pas? Si vous aviez été à sa place, est-ce que vous auriez acheté une voiture comme celle-là, ou en auriez-vous acheté une autre?* (couple on beach) *Ils passent leurs vacances à la plage. Moi, je ne serais pas allé(e) à la plage. Je serais allé(e) à la montagne. Et vous, seriez-vous allés à la plage ou à la montagne... ?*

*L*es enjeux du présent et de l'avenir

Début vingt et unième siècle: diversité et vigueur de la francophonie

Objectifs

IN **CHAPITRE 14**, *you will talk about current issues, decisions from the past, and what the future may be like. You will also learn more about expressing opinions and regrets.*

Activités et lectures

L'intégration sociale: (See *Mise en train, Act. 1*) Use magazine or newspaper articles (in French) about world events to discuss emigration and minority groups seeking cultural autonomy. Include students in your talk and review what you have said often: *Oui, les Basques veulent parler basque. Est-ce que les Hutus aussi veulent parler leur langue à eux?* As you point out the art, include the past conditional of *devoir: Imaginez le monde idéal. Qu'est-ce que les gens auraient dû faire dans le passé pour que nous vivions en harmonie aujourd'hui? Est-ce qu'ils auraient dû refuser de faire la guerre?* New vocabulary: *accorder, au sein de, bloc, chauvin, égalité, élu(e), ethnies, harmonie, majoritaire, Quel dommage!*

L'INTÉGRATION SOCIALE

Attention! Étudier Grammaire 14.1

Le monde idéal...

Dans le meilleur des mondes possibles, on vit en harmonie.

...et la réalité

On aurait dû accorder l'indépendance à la Côte-d'Ivoire avant 1960!

Les vestiges du système colonial nous laissent des problèmes à résoudre.

Parfois, je crois que je n'aurais pas dû immigrer dans ce pays.

L'exclusion reste un problème pour beaucoup de personnes.

Les ethnies qui vivent au sein d'une culture majoritaire risquent de perdre leur identité.

Quel dommage! Les femmes auraient dû s'organiser en bloc.

Les femmes sont en train de lutter pour obtenir l'égalité.

Dites-moi! Qui a élu ce chauvin imbécile?

L'extrême droite cherche à fermer la porte aux influences étrangères.

Activité 1 Entretien: Un monde plus divers

1. Est-ce que tu vois souvent des films étrangers? De quels pays?
2. As-tu un ami (une amie) qui a immigré d'un autre pays? D'où vient cette personne? Pourquoi est-ce qu'elle a immigré?
3. Que diraient tes parents si tu voulais épouser quelqu'un d'un autre pays?
4. Si tu épousais un étranger (une étrangère), quelle langue parleriez-vous chez vous? Quelle langue voudrais-tu que tes enfants parlent?
5. Est-ce qu'il y a beaucoup d'immigrés où tu habites? D'où viennent-ils? Pourquoi ont-ils immigré dans ta région?
6. Y a-t-il des quartiers «ethniques» dans ta ville? Vous avez une foire internationale de temps en temps? Si oui, comment est-elle?

Act. 1. (partners) This activity aims to heighten awareness of cultural differences and the presence and concerns of immigrants. (1) Point out that the world currently has an unprecedented level of emigrant movement and ask students to suggest reasons. (2) Assign the activity and discuss the results of student talk afterward. New vocabulary: *foire, immigré(e).*

Activité 2 Discussion: Les effets de l'immigration

Choisissez la réponse qui exprime le mieux votre point de vue. Si vous n'êtes pas d'accord avec les réponses, donnez-en une autre.

1. Les lois d'immigration nous empêchent de vivre dans le pays de notre choix.
   a. C'est vrai. Les pays développés n'auraient jamais dû limiter le nombre d'immigrés qu'ils acceptent.
   b. Peut-être, mais il faut contrôler l'immigration pour éviter le chômage.
2. Il est ridicule d'insister pour que les enfants des immigrés parlent anglais à l'école aux États-Unis.
   a. C'est vrai, et les Américains auraient dû établir plus d'écoles bilingues il y a longtemps.
   b. Peut-être, mais en apprenant l'anglais, les enfants s'intègrent mieux à la vie culturelle et économique du pays.
3. On ne peut plus rester une culture monolingue. Le monde a changé.
   a. C'est vrai, et nous aurions dû apprendre une langue étrangère dès l'école primaire.
   b. C'est faux. Chaque pays devrait établir une seule langue officielle.
4. Il est triste de ne pas permettre aux immigrés d'amener toute leur famille.
   a. C'est vrai. On aurait dû permettre à la famille d'immigrer ensemble.
   b. C'est vrai, mais il faut limiter le nombre d'immigrés pour protéger l'économie du pays.

Act. 2. (whole class; partners) (1) Read the statements aloud before assigning for discussion. This activity will probably elicit some differences of opinion that will engender arguments and explanations. (2) Follow with general class discussion. Ask also if students know families that have been affected by immigration laws, and to relate what occurred. New vocabulary: *amener, bilingue, chômage, empêcher, immigration, s'intégrer, monolingue.*

Activité 3 Échanges: Ancienne colonie française

Imaginez que vous vivez dans le Kadoga, un pays fictif. Autrefois, votre pays consistait en plusieurs tribus qui parlaient des langues différentes. Les Français sont arrivés et ils ont «créé» votre pays. Ils ont uni les tribus sous leur système d'administration. Aujourd'hui, officiellement, tout fonctionne en français: l'enseignement, le gouvernement, les services.

Maintenant, on vous pose des questions. Choisissez la réponse qui vous semble la plus logique ou proposez-en une autre.

Act. 3. This activity heightens student awareness of an underlying cause for many situations that exist throughout the world today, in Africa and elsewhere, namely, the creation of political boundaries that override cultural and linguistic identities. Ask the class to name such countries and to describe their current status: the former Soviet Union, Rwanda, Burundi, etc. Discuss answers after students complete the activity. New vocabulary: *biculturel(le), déchiré(e), éduquer, fictif/fictive, peuplé(e), tribu.*

Act. 4. (whole class; partners; small groups) (1) Explain that *le chauvin* came into being as an overpatriotic soldier during the *Premier Empire* and became a stereotype still used today. Ask why soldiers in Napoleon's successful army might have developed this attitude and what others in history might have done the same. (2) Assign the activity. Students eliminate the statements that do not fit the definition, giving reasons or explanations for their decisions. (3) During follow-up, discuss other chauvinistic attitudes one encounters today and the problems they create. *À vous la parole!:* You may wish to do this over a period of two days. New vocabulary: *chauvin(e), manifester, prononcer.*

Act. 5. (whole class; partners) In answering the questions, students should come to realize some of the issues that confront an individual who is deciding to emigrate and to live in another country. (1) Assign in advance or allow a little time for everyone to write brief answers. Assign for partners to interview one another. (2) During follow-up, students who have immigrated or are international students might be asked to contribute their own experiences to the discussion. Ask those students to talk also about immigration to their own countries of origin and issues that confront immigrants there, and to discuss the rights and duties of immigrants. New vocabulary: *compatriot(e), pays d'adoption.*

1. Pourquoi parlez-vous français avec vos amis kadogais?
   a. Nous aimons le français et nous trouvons que c'est une belle langue.
   b. Nos tribus n'ont pas la même langue, mais tout le monde parle français.
2. Pourquoi est-ce que vos parents vous ont fait éduquer en français?
   a. Dans le reste du monde, très peu de gens parlent la langue de notre tribu.
   b. Ils ont voulu que je ressemble autant que possible aux Français.
3. Pourquoi est-ce que votre pays fait partie de l'organisation des pays francophones?
   a. Ces pays ont des liens culturels et historiques.
   b. Ces pays s'entraident dans leurs affaires commerciales.
4. Pourquoi est-ce que les écrivains kadogais choisissent d'écrire en français?
   a. C'est la langue des affaires au Kadoga.
   b. Pour que plus de gens puissent lire ce qu'ils écrivent.
5. Vous trouvez facile d'être biculturel(le)?
   a. Oui, ça me semble normal.
   b. Non, je suis toujours déchiré(e) entre la culture de ma tribu et celle de Kadoga.

Activité 4 Associations: Le chauvin

Définition: (Le chauvin est une personne) *qui a ou qui manifeste un patriotisme excessif, souvent agressif; qui admire de façon exagérée, trop exclusive sa ville ou sa région.* (Petit Larousse illustré)

Identifiez les propos du chauvin.

- Je trouve que l'immigration a enrichi notre culture.
- Je trouve la cuisine étrangère bizarre!
- Je m'intéresse aux quartiers ethniques de ma ville.
- J'habite un quartier multiculturel et multi-ethnique.
- Ma langue est la plus belle du monde.

- Je pense que mon pays a toujours raison.
- J'adore voir des films d'autres pays.
- Je ne m'intéresse pas à l'actualité internationale.
- Je m'impatiente si un étranger prononce mal ma langue.
- J'apprends une autre langue.

À vous la parole! En groupe, créez des scènes qui pourraient se réaliser si le chauvin décidait de voyager à l'étranger.

Activité 5 Situation: Vous avez émigré!

Imaginez que vous avez quitté votre pays et que vous vous êtes installé(e) dans un autre pays, où vous avez un cousin. Vous ne parliez pas la langue du pays et vous aviez très peu d'argent quand vous avez quitté votre pays. Répondez aux questions posées par un journaliste.

1. Est-ce que vous vivez près d'autres gens qui parlent votre langue?
2. Vous avez de la difficulté à trouver un travail? Comment vivez-vous?

3. Restez-vous en contact avec vos amis et votre famille dans votre pays?
4. Vous avez parfois le mal du pays? Pourquoi?
5. Est-ce que vous êtes souvent invité(e) chez vos nouveaux compatriotes?
6. Comment vous débrouillez-vous, puisque vous avez de la difficulté avec la langue de votre pays d'adoption?

À vous la parole! Avec un(e) camarade, créez deux scènes dans lesquelles un(e) émigré(e) téléphone à son frère (ou à sa sœur) «chez eux». Dans la première, l'émigré(e) s'est très bien intégré(e) dans son pays d'adoption. Dans la deuxième, il (elle) a encore beaucoup de difficultés. Essayez d'imaginer ce qui s'est passé dans les deux cas. **Ça fait penser.** Ask for students to give you the numbers of migrants in each case and whether they agree with the reason given. Ask also for other reasons why people decide to emigrate to another country.

> ### *Ça fait penser*
>
> Il y a 120 millions de migrants dans le monde aujourd'hui, contre 75 millions en 1965. Cela représente le flux des pays pauvres vers les pays riches.

Les francophones sur le vif. The name *Beur* is a product of *verlan,* the youth slang that inverts syllables of words, in this case, *arabe.* The feminine version, *Beurette,* is somewhat facetious but widely used nevertheless. Immigration from North Africa peaked in the mid-fifties and in 1962 (at the beginning and the end of the Algerian war of independence), and then again around 1970, at the height of France's post-war economic boom, before official measures were taken to curb it. Changes in the political color of successive governments have caused great variations in tolerance of North African immigration and in the granting of citizenship to long-term residents or their children born on French soil. In spite of their (relatively) successful integration into French society, the *Beurs,* who now number in the millions, remain a visible minority that still faces a significant amount of racism.

LES FRANCOPHONES SUR LE VIF

Farida Abdel, 25 ans, réceptionniste à Lyon

Vous êtes une «Beurette»: qu'est-ce que cela signifie pour vous?

«Objectivement, ça signifie que mes parents ont immigré du Maghreb dans les années 60, mais que moi je suis née en France et que j'ai la nationalité française. En fait, j'ai l'impression d'appartenir à une génération dont l'identité est originale: nous, les Beurs, nous nous considérons de culture française, même si nous parlons arabe ou berbère[1] avec la famille ou si nous pratiquons l'Islam. Bien que je sois parfois aussi victime du racisme, je ne peux pas me sentir étrangère ici, puisque j'y suis née, alors que je n'ai jamais mis les pieds[2] en Algérie! Je ne cherche pas non plus à faire oublier mes origines, et d'ailleurs les «Français de souche»[3] acceptent de mieux en mieux l'idée d'une diversification de la société. L'immense popularité de Zinedine Zidane montre que toute la France peut s'identifier à un Beur—même les supporters de football, qui sont plutôt chauvins!»

[1]les Berbères (ou Kabyles) sont une ethnie indigène d'Afrique du Nord
[2]**je...** je ne suis jamais allée
[3]**Français...** qui ont des ancêtres français

L'héritage du passé: (See *Mise en train, Act. 2*) For input containing the past conditional, read the captions and ask if students agree or not with the sentiments expressed in the art: *Si nous avions interdit la vente des pistolets, est-ce que nous aurions eu moins de crimes? Est-ce que nous aurions pu contrôler les activités des gangs?* We do not expect students to learn to use the *conditionnel passé*, but hope to help them understand when they hear and see it. Long conditional sentences with *si* clauses are included, but students should not be asked to produce them. New vocabulary: *agression, arme à feu, armements, bombe, lancer.*

Attention! Étudier Grammaire 14.2 et 14.3

Les gens vivraient mieux si nous avions dépensé moins pour les armements.

Tu n'aurais pas été victime de cette agression sans la vente libre des armes à feu.

Tiens! Les femmes n'avaient pas le droit de disposer de leur salaire avant 1907.

Nous n'aurions pas pu venir ici si on n'avait pas nettoyé cette plage.

Je me demande parfois ce que le monde serait devenu si on n'avait jamais lancé la première bombe atomique.

Act. 6. (whole class; partners) Assign for discussion after you read these items aloud for the class as an input activity and ask students to agree or disagree. Ask if there are other suggestions. If students must use English, write their statements on the board in French. New vocabulary: *aménager, atmosphère, couche d'ozone, élargir, émission, espèces* (species), *gratte-ciel, hydrocarbure, hypothèse, laque à cheveux, passionnel(le), trou.*

Activité 6 Discussion: La société: Hypothèses

Pour chaque choix, dites si vous êtes d'accord ou pas. Expliquez vos raisons.

1. Si on avait limité les échappements d'hydrocarbures dans l'atmosphère plus tôt...
   a. on aurait éliminé les pluies acides.
   b. le trou dans la couche d'ozone ne se serait pas élargi.

2. Si nous avions développé des voitures sans émissions toxiques...
   a. l'air des villes serait resté pur.
   b. la pollution n'aurait pas détérioré les gratte-ciel.
3. Si les industries avaient limité leurs déchets...
   a. les cours d'eau et les fleuves ne seraient pas aussi si pollués.
   b. le chômage serait devenu un problème encore plus grave.
4. Si nous avions reconnu l'importance des eaux et des forêts...
   a. nous aurions pu sauver les espèces animales disparues.
   b. nous aurions construit plus de centrales électro-nucléaires.
5. Si on avait adopté des lois limitant la vente des armes à feu...
   a. moins de gens seraient morts à cause des crimes passionnels.
   b. il y aurait eu moins de guerres.

Suggestions

Mais non! Ce n'est pas comme ça! Oui, si tu veux, mais...
Ça, c'est un peu simpliste, non? Oui, mais n'oublie pas que...

MODÈLE: É1: Si on n'avait pas inventé la laque à cheveux, on n'aurait pas causé le trou dans la couche d'ozone.
          É2: Tiens, c'est intéressant! Mais je pense que ce n'est pas la seule raison...

Qu'est-ce qui se joue entre la forêt et nous ?

Forêts du monde, forêts des hommes.

Exposition
22 juin 1995 - 25 mars 1996

GRANDE GALERIE DE L'EVOLUTION
36 rue Geoffroy Saint-Hilaire - Paris Vᵉ

Act. 7. (whole class; partners; small groups) (1) Before assigning, review each of the events with the class, involving students as much as you can. Some dates to include as input: (1) 1803; (2) 1867; (3) 1776; (4) 1865; (5) 1962; (8) 1755. Review with questions: *En quelle année est-ce que... ? Qu'est-ce qui s'est passé en... ?* (2) In groups, students should make several statements about each possibility. These might range from simple items such as foods to political effects. New vocabulary: *Acadien(ne), colon, colonie, révolte, se révolter.*

Activité 7 Échanges: Une autre Amérique

Imaginez comment la vie américaine aurait été différente si les choses suivantes s'étaient passées.

> MODÈLE: Si Santa Ana avait gagné la bataille de l'Alamo, moi, je pense que le Texas ne serait pas devenu un état américain et que l'espagnol aurait été la langue officielle de la région.

1. Si Napoléon n'avait pas vendu la Louisiane, ...
2. Si Seward n'avait pas acheté l'Alaska aux Russes, ...
3. Si les colonies américaines ne s'étaient pas révoltées, ...
4. Si le Nord n'avait pas gagné la guerre de Sécession, ...
5. Si les Russes avaient installé des armes nucléaires à Cuba, ...
6. Si les colonies avaient limité l'immigration des Anglais, ...
7. Si les Français n'avaient pas aidé les colons américains lors de leur révolte contre le roi d'Angleterre, ...
8. Si les Acadiens ne s'étaient pas établis en Louisiane, ...
9. Si les Européens n'avaient pas pris goût au tabac, ...

Ça fait penser

- Le français est la langue officielle, seul ou avec d'autres langues, dans dix-sept pays africains.
- Le français est la première langue de 120 millions de personnes.
- Presque 200 millions de personnes dans le monde parlent français comme deuxième langue.

La langue en mouvement

Le français en Louisiane

Depuis l'arrivée des Acadiens (Français chassés du Canada par les Anglais) en Louisiane au XVIIIe siècle, la langue française est au cœur de la culture cadienne. Pourtant, au XXe siècle, le français a été très menacé par l'anglais, au point où sa survie en Louisiane a été mise en question. Les années 1960 ont vu la renaissance du français. Bannie des écoles et des églises pendant les années 1920 et 30, la langue française a, depuis, été réintroduite dans les écoles. Il existe des stations de radio de langue française, et les musiques traditionnelles cadienne et zydeco, avec leurs chansons en français, aident à consolider la position du français.

Ça fait penser. World population counts and the economic and political power of the United States have served to establish several languages ahead of French in terms of the total number of speakers. Despite this fact, French remains an important world language not only as described here in *Deux mondes,* but as a major language in the world of the arts and diplomacy. The French have traditionally prided themselves upon its beauty and logic, and the *Académie française* retains a strong position of respect among those who love the language.

La langue en mouvement. Note that the French version of the word *Cajun* has been much debated, but the currently prevailing term among scholars of Cajun French language and culture is *cadien(ne),* pronounced 'cadjin' and 'cadjenne.' Organizations such as CODOFIL and Action Cadienne are fighting to reverse the trend toward the disappearance of French among young Cajuns. CODOFIL (Council for the Development of French in Louisiana) was created in 1968 by the Louisiana legislature "to do any and all things necessary to accomplish the development, utilization, and preservation of the French language as found in Louisiana for the cultural, economic, and touristic benefit of the state." Action Cadienne is a nonprofit organization seeking to promote immersion schools where children begin their schooling by doing half their instruction in French. Both these agencies have excellent websites.

Act. 8. (partners; small groups) (1) Read aloud and explain the events in the realia. Ask the class to elaborate on the significance of each and what would have happened if the event hadn't occurred. Example: *Qu'est-ce qui serait arrivé si on n'avait pas offert le même programme d'études aux deux sexes?* (2) Assign to partners or groups and encourage them to add other questions to the list. After students have completed their discussions, ask for a summary of their answers. They should correct any statement that is false and give reasons for the true ones.

Activité 8 Dans le monde francophone: Le deuxième sexe

Lisez ce tableau tiré de *Francoscopie* et déterminez si les phrases qui le suivent sont vraies ou non. Si une phrase est fausse, corrigez-la.

Les grandes batailles

1850 : admission des filles à l'école primaire

1880 : admission des filles au lycée

1907 : les femmes mariées peuvent disposer de leur propre salaire

1928 : capacité juridique de la femme mariée

1937 : garçons et filles suivent le même programme scolaire

1944 : les femmes obtiennent le droit de vote (96 ans après les hommes)

1965 : la femme peut travailler sans demander la permission à son époux

1967 : la loi autorise la contraception

1970 : partage de l'autorité parentale

1972 : l'égalité de rémunération entre hommes et femmes est inscrite dans la loi

1974 : la loi autorise l'interruption volontaire de la grossesse (IVG)

1982 : remboursement de l'IVG par la Sécurité sociale

1983 : loi sur l'égalité professionnelle entre hommes et femmes

1985 : possibilité d'administrer conjointement les biens familiaux

---

1. Sans la loi de 1850, le mari aurait eu le droit de contrôler les finances de la famille.
2. Sans la loi de 1974, l'avortement serait illégal aujourd'hui.
3. Sans la loi de 1937, les garçons auraient eu un programme d'études inférieur à celui des filles.
4. Sans la loi de 1880, les filles n'auraient pas eu le droit d'aller à l'école publique.
5. Sans la loi de 1972, les femmes recevraient aujourd'hui un salaire supérieur à celui des hommes pour le même travail.
6. Sans la loi de 1944, les femmes ne pourraient pas voter.
7. -?-

Cliquez là!

Utilisez le moteur de recherche *FemmeOnline.fr* pour avoir une autre perspective sur le web. Comparez les résultats que vous obtenez quand vous vous servez d'autres moteurs.

Cliquez là! Assign for students to note the differences between this search engine and the so-called generic engines. What sort of women does it have in mind? What women's needs and issues does it address? Is there really a need for a gender-marked (or other, such as ethnicity-marked) search capability?

Info: Société. You may want to add to this list of prominent women, and identify some of the ones listed here. Olympe de Gouges wrote the *Déclaration des Droits de femme* in response to the *Déclaration des Droits de l'homme* and was executed in 1793 as a counterrevolutionary. In 1980, Marguerite Yourcenar (M. Crayencourt, 1903–1987) was the first woman elected to the *Académie française.* Suzanne Lenglen (1899–1938) was a tennis ace who won six Wimbledon and two Roland-Garros titles. Cyclist Jeannie Longo won the *Tour de France féminin* 1987, 1988, and 1989, and has more world titles and records than any other French female athlete alive today. Sprinter Marie-Jo Pérec won both the 200 and 400 me races in the 1996 Olympics in Atlanta. In politics, women currently account for only about 6% of house representatives (*députés*) in France, 5% of senators, and only about 0.6% of mayors—some of the worst percentages in Europe.

426 | CHAPITRE 14　　Les enjeux du présent et de l'avenir

Info: Société

The new law on *parité,* which forces political parties to field men and women candidates in equal proportion in some electoral contests, reflects a definite awareness about unequal access to certain positions and professions. The feminization of titles has become an issue of its own, as the French tend to balk at terms like *la professeure* and *l'écrivaine,* which have become the norm in Québec.

Femmes remarquables d'hier et d'aujourd hui

Historiquement, la société française n'a jamais manqué de femmes influentes dans des domaines variés comme la politique (Jeanne d'Arc, Marie de Médicis, Olympe de Gouges), la littérature (Mme de Lafayette, George Sand, Simone de Beauvoir, Marguerite Yourcenar), ou le sport (Suzanne Lenglen, Jeannie Longo, Surya Bonaly, Marie-Jo Pérec). Pourtant, depuis le XVIIIe siècle, le rôle des femmes restait très minime dans les milieux encore très masculins des affaires, des sciences et de la politique. Ce n'est plus vrai aujourd'hui: en 1991, Édith Cresson a été nommée premier ministre, et nombreuses sont les femmes qui occupent à présent des postes ministériels (Dominique Voynet à l'environnement, Martine Aubry aux affaires sociales, Élisabeth Guigou à la justice...). En 1999, Michèle Alliot-Marie a été élue

Claudie Deshays, astronaute

à la tête d'un des plus grands partis politiques français, le RPR. La loi sur la parité[1] récemment votée garantit qu'on trouvera toujours plus de femmes à des postes de responsabilité: elles sont déjà général d'armée, chef d'entreprise, et même spationaute[2] (Claudie Deshays). Il subsiste néanmoins un problème linguistique, car les noms de nombreuses fonctions et professions n'ont pas de féminin accepté en France (professeur, écrivain, médecin, ministre), contrairement à l'usage adopté dans d'autres pays francophones.

[1]l'égalité des sexes en termes légaux ou professionnels
[2]pilote d'un engin spatial

LES ENJEUX DU XXIE SIÈCLE

Attention! Étudier Grammaire 14.4

Les enjeux du XXIe siècle: Ask questions about what the future holds, using the future tense: *À l'avenir, est-ce que nous aurons tous des maisons électroniques qui feront le travail ménager? Combien d'étudiants y aura-t-il dans cette université dans 100 ans? Quelle sera la population de cette ville?* Write future forms on the board for reference and review. Discuss the art and ask whether students agree with the statements. Afterward, point out the conjunctions and the use of the subjunctive. The use of subjunctive occurs here to facilitate comprehension in speech and reading. Put phrases on the board to use for later explanation. Students should not be required to produce sentences using this construction. New vocabulary: *à moins que, enjeu, génétique, pourvu que, surpopulation.*

Le stress sera toujours un problème, à moins que nous apprenions à nous détendre.

Malgré nos discussions, on ne résoudra pas tous les problèmes sociaux.

On peut éviter la crise de la surpopulation, à condition que chacun fasse des efforts.

La génétique pourra nous aider, à condition que nous n'en abusions pas.

Activité 9 Discussion: Un siècle nouveau

Complétez les observations sur les problèmes de notre époque avec la solution que vous préférez, ou proposez-en une autre. Est-ce qu'il serait possible de résoudre ces problèmes dans les vingt prochaines années?

1. Il y aura moins de crimes violents à condition que...
   a. nous abolissions la vente des armes à feu.
   b. nous changions les idées de ceux qui commettent des crimes.
2. Nous ne pourrons pas arrêter la dégradation de l'environnement jusqu'à ce que...
   a. toutes les industries fassent des efforts sincères.
   b. tout le monde prenne conscience du gaspillage.
3. Nous ne pourrons pas compter sur des soins médicaux à l'avenir à moins que...
   a. nous n'établissions un système d'assurance nationale.
   b. nous ne dépensions moins pour la recherche et la technologie.
4. La drogue sera un danger pour la société jusqu'à ce que (qu')...
   a. nous trouvions et arrêtions tous les trafiquants.
   b. elle devienne une substance contrôlée comme l'alcool.
5. On ne pourra pas équilibrer le budget national sans que...
   a. les industriels acceptent de faire moins de profit.
   b. les individus fassent des sacrifices dans la qualité de leur vie.

MODÈLE: ...à condition que nous abolissions la vente d'armes à feu.
 É1: Je suis d'accord, mais il faut ajouter que nous aurons moins de crimes à condition que nous changions la vie des pauvres et que nous...
 É2: Moi, je trouve l'idée d'abolir la vente d'armes à feu complètement risible! Tout le monde...

Act. 9. (whole class; partners) (1) Ask students to list annoyances and social problems while you list them on the board. Then ask if they agree with proposals like the following: *Nous n'aurons pas le problème de logiciels incompatibles à condition que le gouvernement fasse des changements dans la loi. Il y aura moins de crimes violents à condition que nous abolissions la vente des armes à feu.* (2) Ask about the items in the activity, then assign the activity to partners. Later, take a survey of opinions. New vocabulary: *à condition que, abolir, assurances, dégradation, drogue, jusqu'à ce que, risible, trafiquant, vente.*

Ça fait penser. Mention that the terms *exclusion* and *solidarité* are very much heard in France these days. This picnic was intended to mark an idyllic beginning for the new century, bringing together the poor, the ill, and the disadvantaged to break bread (and open bottles) with the well and the prosperous.

Realia. *Marianne est le symbole de la République française, représentée par le buste d'une femme coiffée d'un bonnet phrygien. Elle existe depuis 1792.*

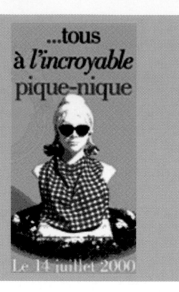

Ça fait penser

«L'incroyable pique-nique» a eu lieu le 14 juillet 2000. Organisé par le gouvernement français pour célébrer l'an 2000, le pique-nique devait lancer une campagne de solidarité et de prévention contre le sida. Plus de 4 millions de personnes ont pique-niqué ensemble sur plus de 1000 kilomètres, ce qui reliait le nord et le sud de France.

...tous à *l'incroyable* pique-nique

Le 14 juillet 2000

Act. 10. (partners) Be sure everyone understands the vocabulary, then assign for discussion. Encourage the class to make full use of *Exprime-toi!* to react to their partner's views. Later, review what students have said, reacting yourself with the suggestions in *Exprime-toi!* or others. New vocabulary: *pauvreté, plaire à, quotient intellectuel (QI), réagir, remplacer.*

Activité 10 Discussion: Prédictions pour l'avenir

Nous allons voir des changements au XXIᵉ siècle. Avec votre partenaire, réagissez aux prédictions, en expliquant vos raisons.

1. Nous pourrons choisir le sexe, le QI et l'apparence physique des bébés.
2. Tous les ordinateurs et les logiciels seront compatibles.
3. La plupart des gens pourront travailler chez eux au lieu d'aller au bureau.
4. Il y aura très peu de pauvreté et de chômage dans le monde.
5. Le soleil deviendra notre source d'énergie principale.
6. La plupart des Américains parleront français, espagnol et anglais.
7. Nous aurons des matières grasses artificielles inoffensives.
8. Grâce à Internet, on arrêtera les criminels juste après le crime.
9. La carte génétique personnelle remplacera la carte d'identité.
10. On deviendra plus conscient de l'environnement et de sa santé. Tout le monde se déplacera à pied, en vélo ou par le train.

Exprime-toi!

Ça me plairait (m'étonnnerait, me surprendrait...).
Ce serait un désastre (un miracle...)!
Quelle catastrophe! (joie!, horreur!...)
Il est temps!
C'est merveilleux! (super!, révoltant!...)
Ça m'est égal!

> MODÈLE: Les chercheurs découvriront un médicament qui fait rajeunir.
> É1: C'est merveilleux! Mais je doute que ma future carrière de chirurgienne esthétique soit très lucrative!
> É2: Ça plairait à ma sœur! Elle ne veut pas vieillir!

Act. 11. (small groups) You may wish to do this activity over a two-day period, so that students will have an opportunity to work together. Encourage visuals when students present their countries to the class.

Activité 11 Échanges: Un nouveau pays

En petits groupes, créez un pays où vous voudriez vivre. Présentez votre pays à la classe.

- Comment s'appelle le pays? Où est-il situé?
- Comment est sa topographie? Y a-t-il des montagnes, des forêts... ?
- Quel type de gouvernement a-t-il?
- Quelles sont les bases de l'économie? Fonctionne-t-elle bien?

- Qui habite dans ce pays? Quelle est son histoire?
- Est-ce qu'il y a une fête nationale? Pour quelle raison?
- Comment fonctionne son système d'enseignement?
- Comment sont ses habitants? Comment est leur vie?

Activité 12 Échanges: Qu'est-ce qu'on peut faire?

En groupes, décidez ce que les personnes suivantes peuvent faire pour aider à convaincre les gens à affronter les problèmes écologiques d'aujourd'hui.

- le rédacteur en chef d'un journal
- le chef du gouvernement
- un sportif ou une sportive célèbre
- une vedette de cinéma
- le président d'une université
- le/la P.-D.G. d'une entreprise internationale

MODÈLE: É1: Les profs de français peuvent discuter de ces problèmes en cours.

É2: Ils pourraient exiger que les étudiants lisent des articles et qu'ils écrivent sur ce sujet.

É3: Moi, à leur place, je passerais des films en français sur l'écologie dans mes cours.

Act. 12. (small groups) Students should consider the skills, connections, equipment, income, etc. of each proposed individual when thinking of their replies. They might also mention the target audience for each. This activity can later be used for group competitions (to see who can last the longest in thinking of good answers). New vocabulary: *P.-D.G., rédacteur en chef*.

 LECTURE

Le voyageur du temps

Un inventeur génial de la fin du XIXe siècle a conçu une machine à voyager dans le temps. Il s'arrête en 2000 et sort de sa machine en plein Paris. Très surpris de ce qu'il voit, il s'adresse à une passante.

—Excusez-moi, monsieur...

La passante le regarde d'un air étonné et réplique:

—Mademoiselle.

—Mademoiselle? Ah oui, c'est vrai... Je suis confus. Mais... pourquoi portez-vous un pantalon?

—Parce que je trouve ça confortable. Quelle drôle de question!

—Excusez-moi, je suis un peu désorienté... Dites-moi: nous sommes bien à Paris, n'est-ce pas?

—Oui, bien sûr.

—Et, euh... j'ai perdu ma montre, voyez-vous... pouvez-vous me dire la date?

La passante a l'air de plus en plus étonné.

—Le 1er avril. Ah, je comprends: c'est une blague, hein? Un poisson d'avril?[1]

---

[1]**un poisson d'avril** = une blague qu'on fait traditionnellement le 1er avril

Le voyageur du temps. The fairly simple premise of this story could serve as a starting point for reviewing what students have learned throughout the semester about contemporary France and how it has changed in the past 30 years. One teaching strategy is to divide the class in groups: each one drafts five statements about current social, political, and cultural realities, and five statements about past realities. Groups then gather two by two to determine if any of one group's "present" statements can be matched with the other group's "past" statements, and to draft a few matching statements where there are none. It is important to insist that France in the early 21st century is quite different from the traditional image still often conveyed in the media, movies, and many textbooks. There were several actual *Expositions Coloniales* in the early 20th century; the most celebrated was held in Paris in 1931. The domestic policies of France have become increasingly inseparable from those of the European Union, born of the *Traité de Maastricht* in 1992. Although the date of monetary unification had to be pushed back several times (with the *euro* replacing the *écu* as currency in 1996), there has been steady progress toward a "United States of Europe" under the joint leadership of France and Germany. The main governing bodies of the union are *le parlement européen* (Strasbourg), *la commission européenne* (Bruxelles), *le conseil européen* (heads of state) and *la cour de justice* (Luxembourg).

—Non, non, je vous assure, je suis très sérieux, mais un peu distrait, voyez-vous. Et l'année?

—2000. Vous êtes sûr que vous vous sentez bien?

—2000!!! Mon dieu! Oui, merci, ça va. Je suis juste un peu déconcerté.

—Ah, je comprends; vous n'êtes pas d'ici...

—Oh, si, justement, c'est «ici» qui me semble avoir beaucoup changé. Regardez tous ces gens, tous ces étrangers! Toutes ces races! Est-ce qu'il y a de nouveau une Exposition Coloniale?

—Ce serait difficile: il n'y a plus de colonies, vous savez. Ces gens vivent et travaillent ici, et d'ailleurs, la plupart sont sans doute français.

—C'est vrai? Mais, alors, est-ce que la France est toujours un pays souverain? Nous n'avons pas été envahis par les Allemands, au moins?

La passante réfléchit quelques instants avec un sourire amusé.

—Pas exactement. C'est de l'histoire ancienne, tout ça. Les Allemands sont nos meilleurs amis à présent; ensemble, nous construisons l'Europe.

—Tiens! Quelle idée! Ahem... Vous savez, je suis ingénieur, je passe mes journées dans mon laboratoire et je ne suis pas l'actualité de très près. Expliquez-moi en quoi consiste cette Europe.

—Eh bien, l'Union européenne comprend quinze pays, depuis 1995, et il y en aura sans doute d'autres à l'avenir. Les frontières ont presque été abolies, et dans deux ans, nous aurons une monnaie unique, l'euro. Nous avons déjà une politique agricole commune, une force militaire multinationale...

—Vraiment? Et est-ce que cette Europe est unie politiquement aussi, avec un président?

—Non, pas encore, mais il y a des instances de gouvernement communes, comme la commission de Bruxelles, ou le parlement de Strasbourg... Vous n'avez vraiment jamais entendu parler de tout ça?

—Non, je suis très très distrait, vous savez. Mais tout ce que vous me dites m'intéresse beaucoup. J'espère seulement qu'avec tous ces changements, la France ne va pas devenir un petit pays sans importance.

—Ne vous inquiétez pas! La France aura encore un grand rôle à jouer, non seulement au sein de l'Union européenne, mais aussi dans le cadre de la francophonie...

—Je vous remercie beaucoup, jeune homme... euh, enfin, je veux dire, chère mademoiselle. Merci et bonne journée!

—Quel vieil original!— pense la jeune femme en s'éloignant, —et quel accoutrement[2] bizarre! C'est à croire que ce monsieur vit encore au XIXe siècle!

[2]costume

Avez-vous compris? Le voyageur du temps est déconcerté par les différences entre la fin du XIXe siècle et l'an 2000. Trouvez dans le texte des éléments qui sont nouveaux pour lui.

MODÈLE: À son époque, les femmes devaient porter des corsets, des robes et des jupons. →
En 2000, les femmes portent ce qu'elles veulent.

le douanier (Rousseau) montrant à un ami l'abolition des frontières européennes

ÇA ME PLAÎT !... BIEN QUE CE SOIT UN PEU NAÏF !

PLANTU

Realia. The French painter Henri Rousseau (1844–1910) was a customs officer most of his life. His paintings depict a world filtered through poetical imagination, just as sceptics have seen proposals for free movement without customs within the European Union as a fanciful rather than a logical plan.

À son époque,...

1. la France et l'Allemagne étaient souvent en conflit.
2. la France possédait un immense empire colonial.
3. chaque pays européen avait des institutions totalement distinctes de celles des autres.
4. Strasbourg était sur le territoire allemand.
5. la population française était extrêmement homogène.
6. les frontières entre pays jouaient un rôle important.

À vous la parole! Enthousiasmé par ce qu'il vient de voir, le voyageur du temps retourne dans sa machine pour rentrer dans son époque et tout raconter à ses amis. Malheureusement, il fait une erreur et se retrouve en 2098! Imaginez une scène où il rencontre un passant (une passante) du vingt et unième siècle.

MODÈLE: VOYAGEUR: Bonjour... monsieur? madame?
GOGI: Bonjour, je suis Gogi, robot à votre service. Vous désirez continuer en français?
VOYAGEUR: ...

À vous d'écrire

À vous d'écrire. Be prepared to provide prearranged (and willing) contact names and phone numbers in case some students do not have anyone to interview. Before assigning, have the class ask you the questions as preparatory input.

Interviewez quelqu'un qui a immigré d'un autre pays. Ensuite, écrivez un article au sujet de ses expériences.

Suggestions: son pays d'origine, sa raison pour partir, son travail et les changements que cette décision a provoqués dans sa vie (la langue, la culture, la nourriture, etc.)

MODÈLE: *La tante de mon ami Tuan Nguyen est venue aux États-Unis pendant les années 1980 après la guerre du Viêtnam. Elle avait été séparée de sa famille pendant la guerre et...*

www.mhhe.com/deuxmondes

À explorer: www.mhhe.com/deuxmondes/ pour obtenir plus d'informations sur les thèmes du chapitre.

Vidéothèque

Espace vidéo

Suggérer et conseiller. Claire a mauvaise conscience. Elle vient de refuser son aide à un sans-abri (SDF). Elle explique la situation à Aimée, qui lui dit comment se montrer plus généreuse envers cette personne et les pauvres en général. Qu'est-ce qu'Aimée lui propose de faire? Pourquoi est-ce qu'elle sait à qui il faut parler et quoi faire? Comment se sent Claire à la fin de leur conversation?

Vocabulaire

Le monde et ses habitants

The world and those who live there

bilingue	bilingual
chauvin(e)	chauvinistic, prejudiced
disparu(e)	gone, disappeared
monolingue	monolingual
peuplé(e)	inhabited by
puni(e)	punished

Mots apparentés: **biculturel(le), enrichir, ethnique, inférieur(e), majoritaire, multiculturel(le), pur(e)**

les droits (*m.*) **de l'homme**	human rights
les enjeux (*m.*)	stakes
un(e) immigré(e)	an immigrant
une foire internationale	an international fair
une tribu	a tribe

Mots apparentés: **l'harmonie** (*f.*)**, l'intégration** (*f.*)**, le quotient intellectuel (QI)**

commettre	to commit
faire partie de	to belong to
soutenir	to support, aid

Mots apparentés: **abuser, consister, disposer, éduquer, immigrer, s'intégrer, se révolter**

Les problèmes sociaux et l'opinion publique

Social problems and public opinion

les assurances (*f.*)	insurance
l'avortement (*m.*)	abortion
une bataille	a battle
le chômage	unemployment
le gaspillage	waste
la guerre	war
la pauvreté	poverty
l'IVG (*f.*)	abortion
les soins (*m.*) **médicaux**	medical care

Mots apparentés: **l'agression** (*f.*)**, les armements** (*m.*)**, une bombe atomique, un crime passionnel, la dégradation, la drogue**

L'environnement

The environment

abolir	to abolish
affronter	to confront, deal with
une centrale nucléaire	a nuclear power plant
un cours d'eau	a stream
une décharge	a (trash) dump
l'échappement (*m.*) **d'hydrocarbures**	hydrocarbon emissions
les espèces (*f.*) **animales**	animal species
l'exclusion (*f.*)	(state of) marginalization
la laque à cheveux	hairspray
la pluie acide	acid rain
risible	laughable
la solidarité	support, help for people in distress
la surpopulation	overpopulation
le trou dans la couche d'ozone	the hole in the ozone layer
la vente d'armes à feu	sale of firearms
les vestiges (*m.*) **du passé**	remains of the past

Mots apparentés: **appréhendé(e), enrichir, la génétique, lucratif/lucrative, révoltant(e), la révolte, simpliste**

Mots et expressions utiles

Useful words and expressions

au sein de	at the heart of, within
autant que possible	as much as possible
Ça m'est égal.	It doesn't matter to me.
les colons (*m.*)	colonials, colonists
le/la P.-D.G.	CEO
pire (le...)	worse (the worst)
le rédacteur en chef	executive editor

433

Grammaire et exercices

14.1. We include the conditional past of *devoir* for recognition. First, review the conditional of *devoir* with questions like: *Qu'est-ce que vous devriez faire avant l'examen final?* Then ask about the past: *Est-ce que vous êtes complètement satisfaits de votre semestre? Est-ce que vous auriez dû étudier davantage?* Write conditional forms + infinitives in one column, and conditional past + infinitive in another. After you have generated several forms, point out the difference.

14.1 Should have: THE PAST CONDITIONAL OF devoir

✷ *Review* **Grammaire 8.5.**

ES 1. Tell students about some past mistakes you've made and ask them what you should have done instead.

✷ *You will learn more about the past conditional in* **Grammaire 14.2.**

A. You have already used the present conditional of **devoir** + an infinitive to express a judgment about a present or future action.

> Nous **devrions être** moins dépendants de la voiture.

> *We should be less dependent on cars.*

B. To express a judgment about a past action, use the past conditional of **devoir** + an infinitive.

<table>
<tr><td colspan="2" align="center">PAST CONDITIONAL OF devoir</td></tr>
<tr><td>j'aurais dû</td><td>nous aurions dû</td></tr>
<tr><td>tu aurais dû</td><td>vous auriez dû</td></tr>
<tr><td>il/elle/on aurait dû</td><td>ils/elles auraient dû</td></tr>
</table>

➤ **je dois** = I have to
➤ **je devrais** = I should
➤ **j'aurais dû** = I should have

> Tu n'as pas voté? Tu **aurais dû** le faire.

> *You didn't vote? You should have.*

> Nous **aurions dû** penser à ces problèmes plus tôt.

> *We should have thought of these problems sooner.*

Ex. 1. After students do the exercise as homework, go over the exercise in class for input purposes. Ask how many people agree or disagree with the sentiments expressed in the statements.

Exercice 1 Erreurs du passé

La classe de Mme Martin parle de certains problèmes sociaux. Employez le conditionnel passé de **devoir.**

> MODÈLE: On *aurait dû* accorder le droit de vote aux femmes beaucoup plus tôt.

1. Les scientifiques _____ nous avertir plus tôt des problèmes écologiques.
2. Nous _____ être informés plus tôt sur les dangers du tabac.
3. Vous _____ voter aux dernières élections.
4. On _____ prévoir les effets des nouvelles technologies sur les emplois.
5. Daniel, tu _____ acheter un vélo, au lieu de conduire ta voiture.
6. Moi, j'_____ recycler les déchets recyclables il y a très longtemps.

14.2. The past conditional (*le conditionnel passé*) is presented primarily for recognition. Few students are able to use these structures in their speech at this level.

14.2 Saying what you would have done: THE PAST CONDITIONAL

✷ *Review* **Grammaire 11.1** *on the present conditional.*

A. The past conditional is used to tell what someone would have done in the past. It consists of the conditional form of **avoir** or **être** + the past participle.

434

CONDITIONNEL PASSÉ		
j'**aurais** fini	je **serais** arrivé(e)	je me **serais** levé(e)
tu **aurais** fini	tu **serais** arrivé(e)	tu te **serais** levé(e)
il/elle/on **aurait** fini	il/elle/on **serait** arrivé(e)	il/elle/on se **serait** levé(e)
nous **aurions** fini	nous **serions** arrivé(e)s	nous nous **serions** levé(e)s
vous **auriez** fini	vous **seriez** arrivé(e)(s)	vous vous **seriez** levé(e)(s)
ils/elles **auraient** fini	ils/elles **seraient** arrivé(e)s	ils/elles se **seraient** levé(e)s

Si j'avais vécu au XIXe siècle, j'**aurais été** plus heureuse. J'**aurais pu** vivre dans un monde plus simple.

If I had lived in the 19th century, I would have been happier. I could have lived (would have been able to live) in a simpler world.

> j'**aurais fait** = I would have done

> je **serais allé(e)** = I would have gone

B. You have seen how French expresses a hypothetical condition and its result by using **si** + the **imparfait** and the conditional.

Si j'avais le temps, **je travaillerais** pour ce candidat.

If I had the time, I would work for that candidate.

✹ Review **Grammaire 11.5** *on conditional sentences with* **si** *+ imperfect and present conditional.*

To express a *past* hypothetical condition and a *past* result, use **si** + the **plus-que-parfait** and the past conditional. Remember that the **plus-que-parfait** consists of the **imparfait** of **avoir** or **être** + the past participle.

Si j'avais eu le temps, **j'aurais travaillé** pour ce candidat.
Si tu étais resté(e) à la maison, **tu n'aurais pas eu** cet accident.

If I had had the time, I would have worked for that candidate.
If you had stayed at home, you wouldn't have had this accident.

✹ Review **Grammaire 13.4** *on the* **plus-que-parfait.**

ES 2. Ask students what they would have done if you had been absent during the last class. Write their replies on the board. Use association techniques to provide further input: *Qui serait resté au lit toute la journée? Est-ce que Rob aurait fait des courses ou est-ce qu'il serait allé à la bibliothèque?*

Exercice 2 Moi, j'aurais fait autrement!

Ex. 2. Students need only supply forms in the past conditional.

Marie Lasalle est écologiste, mais elle a du mal à changer les habitudes de Francis. Voici ce qu'elle lui dit quand il rentre du supermarché. Complétez les phrases en mettant le verbe au conditionnel passé.

1. Moi, je _____ (ne pas acheter) ces sacs poubelle non-biodégradables.
2. Si tu avais pris le bus au lieu de la voiture, ça _____ (être) mieux pour l'environnement.
3. On _____ (ne pas jeter) tout ce plastique à la poubelle si tu n'avais pas choisi des légumes emballés dans du plastique.
4. Est-ce que tu sais que tu _____ (pouvoir) trouver une lessive sans phosphates?
5. Si tu avais emporté nos filets à provisions, tu _____ (ne pas rentrer) avec tous ces sacs en plastique.
6. Si tu avais réfléchi un peu plus, tu _____ (se rendre compte) qu'on vend beaucoup de produits «bio» au supermarché maintenant.

14.3 CONJUNCTIONS: More on the subjunctive

Definition: A *conjunction* is a word or expression that links one idea to another within a sentence: **et, mais,** etc.

14.3. This section is intended for recognition and reference only. Contrast these conjunctions with the corresponding prepositions: *J'espère le voir avant son départ/J'espère le voir avant de partir*, but *J'espère le voir avant qu'il parte.* Also review conjunctions requiring the indicative *(parce que, puisque)*.

A. Certain French conjunctions require the verb that follows to be in the subjunctive.

> Il faudra prendre des mesures sévères, **pour que** tout le monde **comprenne** la gravité de la situation.
>
> *It will be necessary to take some drastic steps, so that everyone will understand the seriousness of the situation.*

B. The conjunctions that require the use of the subjunctive generally include some element of uncertainty, in the sense that they introduce an event that may or may not actually take place. Here are the most commonly used conjunctions that require the subjunctive.

TIME	RESTRICTION
avant que *before*	**bien que, quoique** *although, even though*
jusqu'à ce que *until*	**à moins que** *unless*
PURPOSE	**pourvu que, à condition que** *provided that*
afin que, pour que *so that*	**sans que** *without*

> J'espère lui parler **avant qu'**elle **prenne** une décision.
> **Bien que** vous **ayez** de bonnes idées, je trouve que vous êtes trop optimiste.
>
> *I hope to speak to her before she makes a decision.*
> *Although you have some good ideas, I think you are too optimistic.*

Exercice 3 Que faut-il faire?

Complétez les phrases de façon logique en choisissant une des conjonctions indiquées.

bien que, à condition que, à moins que

1. La surpopulation de la terre va bientôt prendre des proportions catastrophiques, _____ tous les pays du monde se mettent d'accord sur les mesures à prendre.
2. Nous devrions aider les pays en voie de développement _____ ce développement se conforme à des priorités écologiques.
3. _____ les femmes aient le droit de vote depuis assez longtemps, il y a très peu de femmes dans notre législature.

jusqu'à ce que, pour que, quoique

4. Les jeunes défavorisés vont continuer à avoir des problèmes _____ nous dépensions plus pour les écoles que pour les prisons.

5. Notre gouvernement continue à aider ce pays, ____ ses leaders n'arrêtent pas d'emprisonner leurs adversaires politiques.

6. Il faudrait enseigner les principes de l'écologie à l'école, ____ les enfants les apprennent très jeunes.

14.4 Expressing doubt and uncertainty: MORE ON THE SUBJUNCTIVE

Another use of the subjunctive is to express doubt or uncertainty about some event or state of affairs. The following charts show possible beliefs one can have about the likelihood of some event. Notice that the indicative is used for something that is considered probable or certain, whereas the subjunctive is used for anything that is impossible, unlikely, or merely possible.

➤ Use subjunctive after expressions of
- necessity
- desire
- emotion, attitude
- doubt, uncertainty, impossibility

14.4. This section introduces the last semantic category of expressions requiring the use of the subjunctive. For the first time, we contrast these expressions (doubt and uncertainty) with semantically opposite expressions requiring the indicative (probability and certainty). We do this to combat students' frequent misconception that the subjunctive is used in subordinate clauses after any impersonal or personal expression + *que*. Note that *c'est* is used in impersonal expressions here, following informal usage. Formal French requires *il est* for these expressions.

SUBJUNCTIVE	
Impossible	c'est impossible que ce n'est pas possible que
Unlikely, doubtful	c'est peu probable que c'est douteux que je doute que
Possible, uncertain	c'est possible que ce n'est pas certain que je ne suis pas certain(e)/sûr(e) que

INDICATIVE	
Likely, probable	c'est probable que je crois que, je pense que
Certain	c'est certain que c'est vrai que c'est sûr que c'est clair que je suis certain(e)/sûr(e) que

SUBJUNCTIVE

C'est impossible que tous les pays **se mettent** d'accord sur la solution.

Je doute que cela **soit** vrai.

C'est possible que le président **fasse** une conférence de presse ce soir.

It's impossible for all countries to agree on the solution.

I doubt that that is true.

It's possible the president will hold a press conference tonight.

➤ Subjunctive:

C'est **impossible** qu'il vienne.

C'est **peu probable** que tu aies raison.

C'est **possible** que je sois en retard.

➤ Indicative:

C'est **probable** que tu as raison.

C'est **certain** que je serai en retard.

INDICATIVE

C'est probable que la presse lui **posera** beaucoup de questions.

C'est certain que ces problèmes **vont** s'aggraver.

It's likely the press will ask him a lot of questions.

It's certain these problems are going to get worse.

Ex. 4. Students must identify the meaning of the expressions and then produce either subjunctive or indicative forms. This exercise is intended to increase awareness of the grammar point, but students should not be expected to produce statements such as these on their own. After they have done the exercise as homework, partners could compare their answers to see if they agreed.

Exercice 4 Prédictions pour l'an 2010

Complétez les phrases en utilisant l'indicatif ou le subjonctif. Ensuite, dites laquelle exprime le mieux votre opinion. Comparez vos réponses avec celles de vos camarades de classe.

MODÈLE: Tous les téléphones seront équipés d'un écran de télévision.
  a. C'est peu probable que tous les téléphones *soient* équipés d'un écran de télévision.
  b. C'est probable que tous les téléphones *seront* équipés d'un écran de télévision.

1. Les résidences universitaires auront un ordinateur dans chaque chambre.
   a. Il est impossible que...
   b. Je crois que...
2. Tous les Américains parleront anglais, français et espagnol.
   a. C'est impossible que...
   b. C'est probable que...
3. Nous éliminerons la pauvreté.
   a. J'espère que...
   b. C'est peu probable que...
4. Tout le monde travaillera à la maison.
   a. Je pense que...
   b. Ce n'est pas possible que...
5. Toutes les familles du monde auront Internet.
   a. C'est peu probable que...
   b. C'est possible que...

Appendix A:
Verbs ending in -er with spelling changes

A few regular **-er** verbs have minor spelling changes in the present-tense stem. Most of these changes correspond to changes in pronunciation that occur when the verb has an ending that is not pronounced.

- Verbs like **préférer:** The **é** just before the infinitive ending becomes **è** in all but the **nous** and **vous** forms; that is, in those forms where the verb ending is *not* pronounced: **préfère, préfères, préfèrent; préférer, préférons, préférez.**
- Verbs like **acheter:** the **e** of the stem **(achet-)** is not normally pronounced in the infinitive or in the **nous** and **vous** forms. However, it becomes an **è** in the other forms, where it *is* pronounced: **achète, achètes, achètent; acheter, achetons, achetez.**
- Verbs like **appeler:** the final consonant of the stem is doubled in all but the **nous** and **vous** forms to indicate that the **e** of the stem is pronounced: **appelle, appelles, appellent; appeler, appelons, appelez.**
- Verbs like **manger:** an **e** is added to the **g** before **-ons** to preserve the correct pronunciation of the letter **g: mangeons.**
- Verbs like **commencer:** a cedilla (¸) is added to the **c** before **-ons** to preserve the *s* pronunciation: **nous commençons.**

A chart showing the full conjugation of these verbs, with lists of other verbs that have similar conjugation patterns, follows in Part 3 of Appendix C.

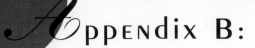

Appendix B:
Verb + verb constructions

1. Some verbs directly precede an infinitive, with no intervening preposition
   (**J'aime danser**).

aimer	espérer	pouvoir	valoir (il vaut
aller	faire	préférer	mieux)
désirer	falloir (il faut)	savoir	venir*
détester	laisser	souhaiter	vouloir
devoir	penser		

2. Some verbs require the preposition **à** before the infinitive (**Il commence à parler**).

aider à	commencer à	s'habituer à	se préparer à
s'amuser à	continuer à	hésiter à	réussir à
apprendre à	se décider à	s'intéresser à	servir à
arriver à	demander à	inviter à	tenir à
chercher à	encourager à	se mettre à	

3. Some verbs require the preposition **de** before the infinitive (**Nous essayons de travailler**).

accepter de	demander de	interdire de	proposer de
s'arrêter de	dire de	offrir de	refuser de
avoir peur de	empêcher de	oublier de	regretter de
cesser de	essayer de	parler de	remercier de
choisir de	éviter de	permettre de	rêver de
conseiller de	s'excuser de	persuader de	risquer de
décider de	finir de	promettre de	venir de*

---

*When used as a verb of motion, **venir** has no preposition before an infinitive: **Je viens vous aider.** *I'm coming to help you.* However, the preposition **de** is used before the infinitive in the **passé récent** construction: **Je viens de l'aider.** *I've just helped him/her.*

Appendix C:
Conjugations of regular and irregular verbs

1. Auxiliary verbs

VERB	INDICATIVE			CONDITIONAL	SUBJUNCTIVE	IMPERATIVE
	Present	*Imperfect*	*Future*	*Present*	*Present*	
avoir*	ai	avais	aurai	aurais	aie	
(*to have*)	as	avais	auras	aurais	aies	aie
ayant	a	avait	aura	aurait	ait	
eu	avons	avions	aurons	aurions	ayons	ayons
	avez	aviez	aurez	auriez	ayez	ayez
	ont	avaient	auront	auraient	aient	
	Passé composé	*Pluperfect*		*Past*		
	ai eu	avais eu		aurais eu		
	as eu	avais eu		aurais eu		
	a eu	avait eu		aurait eu		
	avons eu	avions eu		aurions eu		
	avez eu	aviez eu		auriez eu		
	ont eu	avaient eu		auraient eu		
	Present	*Imperfect*	*Future*	*Present*	*Present*	
être	suis	étais	serai	serais	sois	
(*to be*)	es	étais	seras	serais	sois	sois
étant	est	était	sera	serait	soit	
été	sommes	étions	serons	serions	soyons	soyons
	êtes	étiez	serez	seriez	soyez	soyez
	sont	étaient	seront	seraient	soient	
	Passé composé	*Pluperfect*		*Past*		
	ai été	avais été		aurais été		
	as été	avais été		aurais été		
	a été	avait été		aurait été		
	avons été	avions été		aurions été		
	avez été	aviez été		auriez été		
	ont été	avaient été		auraient été		

*The left-hand column of each chart contains the infinitive, the present participle, and the past participle of each verb. Conjugated verbs are shown without subject pronouns.

2. Regular verbs

VERB	INDICATIVE				CONDITIONAL	SUBJUNCTIVE	IMPERATIVE
-er Verbs	*Present*	*Imperfect*		*Future*	*Present*	*Present*	
parler	parle	parlais		parlerai	parlerais	parle	
(*to speak*)	parles	parlais		parleras	parlerais	parles	parle
parlant	parle	parlait		parlera	parlerait	parle	
parlé	parlons	parlions		parlerons	parlerions	parlions	parlons
	parlez	parliez		parlerez	parleriez	parliez	parlez
	parlent	parlaient		parleront	parleraient	parlent	
	*Passé composé**		*Pluperfect*		*Past*		
	ai parlé		avais parlé		aurais parlé		
	as parlé		avais parlé		aurais parlé		
	a parlé		avait parlé		aurait parlé		
	avons parlé		avions parlé		aurions parlé		
	avez parlé		aviez parlé		auriez parlé		
	ont parlé		avaient parlé		auraient parlé		
-ir Verbs	*Present*	*Imperfect*		*Future*	*Present*	*Present*	
finir	finis	finissais		finirai	finirais	finisse	
(*to finish*)	finis	finissais		finiras	finirais	finisses	finis
finissant	finit	finissait		finira	finirait	finisse	
fini	finissons	finissions		finirons	finirions	finissions	finissons
	finissez	finissiez		finirez	finiriez	finissiez	finissez
	finissent	finissaient		finiront	finiraient	finissent	
	*Passé composé**		*Pluperfect*		*Past*		
	ai fini		avais fini		aurais fini		
	as fini		avais fini		aurais fini		
	a fini		avait fini		aurait fini		
	avons fini		avions fini		aurions fini		
	avez fini		aviez fini		auriez fini		
	ont fini		avaient fini		auraient fini		
-re Verbs	*Present*	*Imperfect*		*Future*	*Present*	*Present*	
perdre	perds	perdais		perdrai	perdrais	perde	
(*to lose*)	perds	perdais		perdras	perdrais	perdes	perds
perdant	perd	perdait		perdra	perdrait	perde	
perdu	perdons	perdions		perdrons	perdrions	perdions	perdons
	perdez	perdiez		perdrez	perdriez	perdiez	perdez
	perdent	perdaient		perdront	perdraient	perdent	
	*Passé composé**		*Pluperfect*		*Past*		
	ai perdu		avais perdu		aurais perdu		
	as perdu		avais perdu		aurais perdu		
	a perdu		avait perdu		aurait perdu		
	avons perdu		avions perdu		aurions perdu		
	avez perdu		aviez perdu		auriez perdu		
	ont perdu		avaient perdu		auraient perdu		

*Certain intransitive verbs are conjugated with **être** instead of **avoir** in compound tenses. Regular verbs conjugated with **être** include **arriver, monter, passer, rentrer, rester, retourner, tomber,** and **descendre.**

3. -er Verbs with spelling changes

Certain verbs ending in **-er** require spelling changes. Models for each kind of change are listed here. Forms showing stem changes are in boldface type.

VERB	PRESENT	IMPERFECT	PASSÉ COMPOSÉ	FUTURE	CONDI- TIONAL	PRESENT SUBJUNCTIVE	IMPERATIVE
commencer*	commence	**commençais**	ai commencé	commencerai	commencerais	commence	
(to begin)	commences	**commençais**	as commencé	commenceras	commencerais	commences	commence
commençant	commence	**commençait**	a commencé	commencera	commencerait	commence	
commencé	**commençons**	commencions	avons commencé	commencerons	commencerions	commencions	**commençons**
	commencez	commenciez	avez commencé	commencerez	commenceriez	commenciez	commencez
	commencent	**commençaient**	ont commencé	commenceront	commenceraient	commencent	
manger**	mange	**mangeais**	ai mangé	mangerai	mangerais	mange	
(to eat)	manges	**mangeais**	as mangé	mangeras	mangerais	manges	mange
mangeant	mange	**mangeait**	a mangé	mangera	mangerait	mange	
mangé	**mangeons**	mangions	avons mangé	mangerons	mangerions	mangions	**mangeons**
	mangez	mangiez	avez mangé	mangerez	mangeriez	mangiez	mangez
	mangent	**mangeaient**	ont mangé	mangeront	mangeraient	mangent	
appeler†	**appelle**	appelais	ai appelé	**appellerai**	**appellerais**	**appelle**	
(to call)	**appelles**	appelais	as appelé	**appelleras**	**appellerais**	**appelles**	**appelle**
appelant	**appelle**	appelait	a appelé	**appellera**	**appellerait**	**appelle**	
appelé	appelons	appelions	avons appelé	**appellerons**	**appellerions**	appelions	appelons
	appelez	appeliez	avez appelé	**appellerez**	**appelleriez**	appeliez	appelez
	appellent	appelaient	ont appelé	**appelleront**	**appelleraient**	**appellent**	
essayer††	**essaie**	essayais	ai essayé	**essaierai**	**essaierais**	**essaie**	
(to try)	**essaies**	essayais	as essayé	**essaieras**	**essaierais**	**essaies**	**essaie**
essayant	**essaie**	essayait	a essayé	**essaiera**	**essaierait**	**essaie**	
essayé	essayons	essayions	avons essayé	**essaierons**	**essaierions**	essayions	essayons
	essayez	essayiez	avez essayé	**essaierez**	**essaieriez**	essayiez	essayez
	essaient	essayaient	ont essayé	**essaieront**	**essaieraient**	**essaient**	
acheter‡	**achète**	achetais	ai acheté	**achèterai**	**achèterais**	**achète**	
(to buy)	**achètes**	achetais	as acheté	**achèteras**	**achèterais**	**achètes**	**achète**
achetant	**achète**	achetait	a acheté	**achètera**	**achèterait**	**achète**	
acheté	achetons	achetions	avons acheté	**achèterons**	**achèterions**	achetions	achetons
	achetez	achetiez	avez acheté	**achèterez**	**achèteriez**	achetiez	achetez
	achètent	achetaient	ont acheté	**achèteront**	**achèteraient**	**achètent**	
préférer§	**préfère**	préférais	ai préféré	préférerai	préférerais	**préfère**	
(to prefer)	**préfères**	préférais	as préféré	préféreras	préférerais	**préfères**	**préfère**
préférant	**préfère**	préférait	a préféré	préférera	préférerait	**préfère**	
préféré	préférons	préférions	avons préféré	préférerons	préférerions	préférions	préférons
	préférez	préfériez	avez préféré	préférerez	préféreriez	préfériez	préférez
	préfèrent	préféraient	ont préféré	préféreront	préféreraient	**préfèrent**	

*Verbs like **commencer**: dénoncer, divorcer, menacer, placer, prononcer, remplacer, tracer
Verbs like **manger: bouger, changer, dégager, engager, exiger, juger, loger, mélanger, nager, obliger, partager, voyager
†Verbs like **appeler**: épeler, jeter, projeter, (se) rappeler
††Verbs like **essayer**: employer, (s')ennuyer, nettoyer, payer
‡Verbs like **acheter**: achever, amener, emmener, (se) lever, promener
§Verbs like **préférer**: célébrer, considérer, espérer, (s')inquiéter, pénétrer, posséder, répéter, révéler, suggérer

4. Reflexive verbs

VERB	INDICATIVE			CONDITIONAL	SUB-JUNCTIVE	IMPERATIVE
	Present	*Imperfect*	*Future*	*Present*	*Present*	
se laver	me lave	me lavais	me laverai	me laverais	me lave	
(*to wash*	te laves	te lavais	te laveras	te laverais	te laves	lave-toi
oneself)	se lave	se lavait	se lavera	se laverait	se lave	
se lavant	nous lavons	nous lavions	nous laverons	nous laverions	nous lavions	lavons-nous
lavé	vous lavez	vous laviez	vous laverez	vous laveriez	vous laviez	lavez-vous
	se lavent	se lavaient	se laveront	se laveraient	se lavent	
	Passé composé	*Pluperfect*		*Past*		
	me suis lavé(e)	m'étais lavé(e)		me serais lavé(e)		
	t'es lavé(e)	t'étais lavé(e)		te serais lavé(e)		
	s'est lavé(e)	s'était lavé(e)		se serait lavé(e)		
	nous sommes lavé(e)s	nous étions lavé(e)s		nous serions lavé(e)s		
	vous êtes lavé(e)(s)	vous étiez lavé(e)(s)		vous seriez lavé(e)(s)		
	se sont lavé(e)s	s'étaient lavé(e)s		se seraient lavé(e)s		

5. Irregular verbs

VERB	PRESENT	PASSÉ COMPOSÉ	IMPERFECT	FUTURE	CONDI-TIONAL	PRESENT SUBJUNCTIVE	IMPERATIVE
aller	vais	suis allé(e)	allais	irai	irais	aille	
(*to go*)	vas	es allé(e)	allais	iras	irais	ailles	va
allant	va	est allé(e)	allait	ira	irait	aille	
allé	allons	sommes allé(e)s	allions	irons	irions	allions	allons
	allez	êtes allé(e)(s)	alliez	irez	iriez	alliez	allez
	vont	sont allé(e)s	allaient	iront	iraient	aillent	
boire	bois	ai bu	buvais	boirai	boirais	boive	
(*to drink*)	bois	as bu	buvais	boiras	boirais	boives	bois
buvant	boit	a bu	buvait	boira	boirait	boive	
bu	buvons	avons bu	buvions	boirons	boirions	buvions	buvons
	buvez	avez bu	buviez	boirez	boiriez	buviez	buvez
	boivent	ont bu	buvaient	boiront	boiraient	boivent	
conduire*	conduis	ai conduit	conduisais	conduirai	conduirais	conduise	
(*to lead,*	conduis	as conduit	conduisais	conduiras	conduirais	conduises	conduis
to drive)	conduit	a conduit	conduisait	conduira	conduirait	conduise	
conduisant	conduisons	avons conduit	conduisions	conduirons	conduirions	conduisions	conduisons
conduit	conduisez	avez conduit	conduisiez	conduirez	conduiriez	conduisiez	conduisez
	conduisent	ont conduit	conduisaient	conduiront	conduiraient	conduisent	
connaître	connais	ai connu	connaissais	connaîtrai	connaîtrais	connaisse	
(*to be*	connais	as connu	connaissais	connaîtras	connaîtrais	connaisses	connais
acquainted	connaît	a connu	connaissait	connaîtra	connaîtrait	connaisse	
with)	connaissons	avons connu	connaissions	connaîtrons	connaîtrions	connaissions	connaissons
connaissant	connaissez	avez connu	connaissiez	connaîtrez	connaîtriez	connaissiez	connaissez
connu	connaissent	ont connu	connaissaient	connaîtront	connaîtraient	connaissent	

*Verbs like **conduire: détruire, réduire, traduire**

VERB	PRESENT	PASSÉ COMPOSÉ	IMPERFECT	FUTURE	CONDI-TIONAL	PRESENT SUBJUNCTIVE	IMPERATIVE
courir	cours	ai couru	courais	courrai	courrais	coure	
(to run)	cours	as couru	courais	courras	courrais	coures	cours
courant	court	a couru	courait	courra	courrait	coure	
couru	courons	avons couru	courions	courrons	courrions	courions	courons
	courez	avez couru	couriez	courrez	courriez	couriez	courez
	courent	ont couru	couraient	courront	courraient	courent	
craindre*	crains	ai craint	craignais	craindrai	craindrais	craigne	
(to fear)	crains	as craint	craignais	craindras	craindrais	craignes	crains
craignant	craint	a craint	craignait	craindra	craindrait	craigne	
craint	craignons	avons craint	craignions	craindrons	craindrions	craignions	craignons
	craignez	avez craint	craigniez	craindrez	craindriez	craigniez	craignez
	craignent	ont craint	craignaient	craindront	craindraient	craignent	
croire	crois	ai cru	croyais	croirai	croirais	croie	
(to believe)	crois	as cru	croyais	croiras	croirais	croies	crois
croyant	croit	a cru	croyait	croira	croirait	croie	
cru	croyons	avons cru	croyions	croirons	croirions	croyions	croyons
	croyez	avez cru	croyiez	croirez	croiriez	croyiez	croyez
	croient	ont cru	croyaient	croiront	croiraient	croient	
devoir	dois	ai dû	devais	devrai	devrais	doive	
(to have to,	dois	as dû	devais	devras	devrais	doives	dois
to owe)	doit	a dû	devait	devra	devrait	doive	
devant	devons	avons dû	devions	devrons	devrions	devions	devons
dû	devez	avez dû	deviez	devrez	devriez	deviez	devez
	doivent	ont dû	devaient	devront	devraient	doivent	
dire**	dis	ai dit	disais	dirai	dirais	dise	
(to say,	dis	as dit	disais	diras	dirais	dises	dis
to tell)	dit	a dit	disait	dira	dirait	dise	
disant	disons	avons dit	disions	dirons	dirions	disions	disons
dit	dites	avez dit	disiez	direz	diriez	disiez	dites
	disent	ont dit	disaient	diront	diraient	disent	
dormir†	dors	ai dormi	dormais	dormirai	dormirais	dorme	
(to sleep)	dors	as dormi	dormais	dormiras	dormirais	dormes	dors
dormant	dort	a dormi	dormait	dormira	dormirait	dorme	
dormi	dormons	avons dormi	dormions	dormirons	dormirions	dormions	dormons
	dormez	avez dormi	dormiez	dormirez	dormiriez	dormiez	dormez
	dorment	ont dormi	dormaient	dormiront	dormiraient	dorment	
écrire††	écris	ai écrit	écrivais	écrirai	écrirais	écrive	
(to write)	écris	as écrit	écrivais	écriras	écrirais	écrives	écris
écrivant	écrit	a écrit	écrivait	écrira	écrirait	écrive	
écrit	écrivons	avons écrit	écrivions	écrirons	écririons	écrivions	écrivons
	écrivez	avez écrit	écriviez	écrirez	écririez	écriviez	écrivez
	écrivent	ont écrit	écrivaient	écriront	écriraient	écrivent	
envoyer	envoie	ai envoyé	envoyais	enverrai	enverrais	envoie	
(to send)	envoies	as envoyé	envoyais	enverras	enverrais	envoies	envoie
envoyant	envoie	a envoyé	envoyait	enverra	enverrait	envoie	
envoyé	envoyons	avons envoyé	envoyions	enverrons	enverrions	envoyions	envoyons
	envoyez	avez envoyé	envoyiez	enverrez	enverriez	envoyiez	envoyez
	envoient	ont envoyé	envoyaient	enverront	enverraient	envoient	

*Verbs like **craindre**: atteindre, éteindre, plaindre
Verbs like **dire: contredire (vous contredisez), interdire (vous interdisez), prédire (vous prédisez)
†Verbs like **dormir**: mentir, partir, repartir, sentir, servir, sortir. (**Partir, repartir,** and **sortir** are conjugated with **être.**)
††Verbs like **écrire**: décrire

VERB	PRESENT	PASSÉ COMPOSÉ	IMPERFECT	FUTURE	CONDI-TIONAL	PRESENT SUBJUNCTIVE	IMPERATIVE
faire	fais	ai fait	faisais	ferai	ferais	fasse	
(*to do,*	fais	as fait	faisais	feras	ferais	fasses	fais
to make)	fait	a fait	faisait	fera	ferait	fasse	
faisant	faisons	avons fait	faisions	ferons	ferions	fassions	faisons
fait	faites	avez fait	faisiez	ferez	feriez	fassiez	faites
	font	ont fait	faisaient	feront	feraient	fassent	
falloir	il faut	il a fallu	il fallait	il faudra	il faudrait	il faille	
(*to be*							
necessary)							
fallu							
lire	lis	ai lu	lisais	lirai	lirais	lise	
(*to read*)	lis	as lu	lisais	liras	lirais	lises	lis
lisant	lit	a lu	lisait	lira	lirait	lise	
lu	lisons	avons lu	lisions	lirons	lirions	lisions	lisons
	lisez	avez lu	lisiez	lirez	liriez	lisiez	lisez
	lisent	ont lu	lisaient	liront	liraient	lisent	
mettre*	mets	ai mis	mettais	mettrai	mettrais	mette	
(*to put*)	mets	as mis	mettais	mettras	mettrais	mettes	mets
mettant	met	a mis	mettait	mettra	mettrait	mette	
mis	mettons	avons mis	mettions	mettrons	mettrions	mettions	mettons
	mettez	avez mis	mettiez	mettrez	mettriez	mettiez	mettez
	mettent	ont mis	mettaient	mettront	mettraient	mettent	
mourir	meurs	suis mort(e)	mourais	mourrai	mourrais	meure	
(*to die*)	meurs	es mort(e)	mourais	mourras	mourrais	meures	meurs
mourant	meurt	est mort(e)	mourait	mourra	mourrait	meure	
mort	mourons	sommes mort(e)s	mourions	mourrons	mourrions	mourions	mourons
	mourez	êtes mort(e)(s)	mouriez	mourrez	mourriez	mouriez	mourez
	meurent	sont mort(e)s	mouraient	mourront	mourraient	meurent	
ouvrir**	ouvre	ai ouvert	ouvrais	ouvrirai	ouvrirais	ouvre	
(*to open*)	ouvres	as ouvert	ouvrais	ouvriras	ouvrirais	ouvres	ouvre
ouvrant	ouvre	a ouvert	ouvrait	ouvrira	ouvrirait	ouvre	
ouvert	ouvrons	avons ouvert	ouvrions	ouvrirons	ouvririons	ouvrions	ouvrons
	ouvrez	avez ouvert	ouvriez	ouvrirez	ouvririez	ouvriez	ouvrez
	ouvrent	ont ouvert	ouvraient	ouvriront	ouvriraient	ouvrent	
plaire	plais	ai plu	plaisais	plairai	plairais	plaise	
(*to please*)	plais	as plu	plaisais	plairas	plairais	plaises	plais
plaisant	plaît	a plu	plaisait	plaira	plairait	plaise	
plu	plaisons	avons plu	plaisions	plairons	plairions	plaisions	plaisons
	plaisez	avez plu	plaisiez	plairez	plairiez	plaisiez	plaisez
	plaisent	ont plu	plaisaient	plairont	plairaient	plaisent	
pleuvoir	il pleut	il a plu	il pleuvait	il pleuvra	il pleuvrait	il pleuve	
(*to rain*)							
pleuvant							
plu							
pouvoir	peux (puis)	ai pu	pouvais	pourrai	pourrais	puisse	
(*to be able*)	peux	as pu	pouvais	pourras	pourrais	puisses	
pouvant	peut	a pu	pouvait	pourra	pourrait	puisse	
pu	pouvons	avons pu	pouvions	pourrons	pourrions	puissions	
	pouvez	avez pu	pouviez	pourrez	pourriez	puissiez	
	peuvent	ont pu	pouvaient	pourront	pourraient	puissent	

*Verbs like **mettre**: permettre, promettre, remettre
Verbs like **ouvrir: couvrir, découvrir, offrir, souffrir

VERB	PRESENT	PASSÉ COMPOSÉ	IMPERFECT	FUTURE	CONDI-TIONAL	PRESENT SUBJUNCTIVE	IMPERATIVE
prendre*	prends	ai pris	prenais	prendrai	prendrais	prenne	
(*to take*)	prends	as pris	prenais	prendras	prendrais	prennes	prends
prenant	prend	a pris	prenait	prendra	prendrait	prenne	
pris	prenons	avons pris	prenions	prendrons	prendrions	prenions	prenons
	prenez	avez pris	preniez	prendrez	prendriez	preniez	prenez
	prennent	ont pris	prenaient	prendront	prendraient	prennent	
recevoir**	reçois	ai reçu	recevais	recevrai	recevrais	reçoive	
(*to receive*)	reçois	as reçu	recevais	recevras	recevrais	reçoives	reçois
recevant	reçoit	a reçu	recevait	recevra	recevrait	reçoive	
reçu	recevons	avons reçu	recevions	recevrons	recevrions	recevions	recevons
	recevez	avez reçu	receviez	recevrez	recevriez	receviez	recevez
	reçoivent	ont reçu	recevaient	recevront	recevraient	reçoivent	
rire†	ris	ai ri	riais	rirai	rirais	rie	
(*to laugh*)	ris	as ri	riais	riras	rirais	ries	ris
riant	rit	a ri	riait	rira	rirait	rie	
ri	rions	avons ri	riions	rirons	ririons	riions	rions
	riez	avez ri	riiez	rirez	ririez	riiez	riez
	rient	ont ri	riaient	riront	riraient	rient	
savoir	sais	ai su	savais	saurai	saurais	sache	
(*to know*)	sais	as su	savais	sauras	saurais	saches	sache
sachant	sait	a su	savait	saura	saurait	sache	
su	savons	avons su	savions	saurons	saurions	sachions	sachons
	savez	avez su	saviez	saurez	sauriez	sachiez	sachez
	savent	ont su	savaient	sauront	sauraient	sachent	
suivre	suis	ai suivi	suivais	suivrai	suivrais	suive	
(*to follow*)	suis	as suivi	suivais	suivras	suivrais	suives	suis
suivant	suit	a suivi	suivait	suivra	suivrait	suive	
suivi	suivons	avons suivi	suivions	suivrons	suivrions	suivions	suivons
	suivez	avez suivi	suiviez	suivrez	suivriez	suiviez	suivez
	suivent	ont suivi	suivaient	suivront	suivraient	suivent	
tenir	tiens	ai tenu	tenais	tiendrai	tiendrais	tienne	
(*to hold*,	tiens	as tenu	tenais	tiendras	tiendrais	tiennes	tiens
to keep)	tient	a tenu	tenait	tiendra	tiendrait	tienne	
tenant	tenons	avons tenu	tenions	tiendrons	tiendrions	tenions	tenons
tenu	tenez	avez tenu	teniez	tiendrez	tiendriez	teniez	tenez
	tiennent	ont tenu	tenaient	tiendront	tiendraient	tiennent	
venir††	viens	suis venu(e)	venais	viendrai	viendrais	vienne	
(*to come*)	viens	es venu(e)	venais	viendras	viendrais	viennes	viens
venant	vient	est venu(e)	venait	viendra	viendrait	vienne	
venu	venons	sommes venu(e)s	venions	viendrons	viendrions	venions	venons
	venez	êtes venu(e)(s)	veniez	viendrez	viendriez	veniez	venez
	viennent	sont venu(e)s	venaient	viendront	viendraient	viennent	

*Verbs like **prendre**: apprendre, comprendre, surprendre
Verbs like **recevoir: apercevoir, s'apercevoir de, décevoir
†Verbs like **rire**: sourire
††Verbs like **venir**: devenir (elle est devenue), revenir (elle est revenue), maintenir (elle a maintenu), obtenir (elle a obtenu), se souvenir de (elle s'est souvenue de...), tenir (elle a tenu)

VERB	PRESENT	PASSÉ COMPOSÉ	IMPERFECT	FUTURE	CONDI-TIONAL	PRESENT SUBJUNCTIVE	IMPERATIVE
vivre*	vis	ai vécu	vivais	vivrai	vivrais	vive	
(*to live*)	vis	as vécu	vivais	vivras	vivrais	vives	vis
vivant	vit	a vécu	vivait	vivra	vivrait	vive	
vécu	vivons	avons vécu	vivions	vivrons	vivrions	vivions	vivons
	vivez	avez vécu	viviez	vivrez	vivriez	viviez	vivez
	vivent	ont vécu	vivaient	vivront	vivraient	vivent	
voir* *	vois	ai vu	voyais	verrai	verrais	voie	
(*to see*)	vois	as vu	voyais	verras	verrais	voies	vois
voyant	voit	a vu	voyait	verra	verrait	voie	
vu	voyons	avons vu	voyions	verrons	verrions	voyions	voyons
	voyez	avez vu	voyiez	verrez	verriez	voyiez	voyez
	voient	ont vu	voyaient	verront	verraient	voient	
vouloir	veux	ai voulu	voulais	voudrai	voudrais	veuille	
(*to wish,*	veux	as voulu	voulais	voudras	voudrais	veuilles	veuille
to want)	veut	a voulu	voulait	voudra	voudrait	veuille	
voulant	voulons	avons voulu	voulions	voudrons	voudrions	voulions	veuillons
voulu	voulez	avez voulu	vouliez	voudrez	voudriez	vouliez	veuillez
	veulent	ont voulu	voulaient	voudront	voudraient	veuillent	

*Like **vivre: survivre**
Like **voir: prévoir, revoir

Appendix D:
Answers to grammar exercises

PREMIÈRE ÉTAPE

Ex. 1. 1. oui 2. non 3. non 4. oui 5. oui 6. non 7. oui 8. non **Ex. 2.** 1. c 2. a 3. b 4. d **Ex. 3.** 1. petit, petite 2. grande, grand 3. vieille 4. beau 5. noir 6. moyen **Ex. 4.** 1. un, Le 2. un, L' 3. un, un, un, le 4. une, une, une 5. une, la 6. une, la **Ex. 5.** 1. Je, je 2. Il 3. Elle, Ils 4. nous 5. Elles 6. Tu **Ex. 6.** 1. suis 2. est 3. sommes 4. sont 5. es 6. êtes **Ex. 7.** 1. ne sont pas 2. n'es pas 3. n'êtes pas 4. ne suis pas 5. ne sommes pas 6. n'est pas **Ex. 8.** 1. L' 2. Les 3. Les 4. La 5. Le **Ex. 9.** 1. une, une 2. une, un, un, un 3. des, des 4. un, des, un, des 5. une, un, une, un **Ex. 10.** 1. a 2. a 3. b 4. a 5. b

DEUXIÈME ÉTAPE

Ex. 1. 1. des 2. un 3. des 4. un 5. des 6. de 7. de **Ex. 2.** 1. Oui, il y a une bicyclette. (Non, il n'y a pas de bicyclette.) 2. Oui, il y a une grande fenêtre. (Non, il n'y a pas de grande fenêtre.) 3. Oui, il y a une horloge. (Non, il n'y a pas d'horloge.) 4. Oui, il y a une plante. (Non, il n'y a pas de plante.) 5. Oui, il y a un bureau. (Non, il n'y a pas de bureau.) 6. Oui, il y a une lampe. (Non, il n'y a pas de lampe.) 7. Oui, il y a un téléphone. (Non, il n'y a pas de téléphone.) 8. Oui, il y a un tableau noir. (Non, il n'y a pas de tableau noir.) **Ex. 3.** 1. Qui est-ce 2. Qu'est-ce que c'est 3. Qui est-ce 4. Qui est-ce 5. Qu'est-ce que c'est 6. Qu'est-ce que c'est **Ex. 4.** 1. c 2. e 3. a 4. b 5. d **Ex. 5.** 1. Il est quatre heures vingt. 2. Il est six heures et quart. 3. Il est huit heures treize. 4. Il est une heure dix. 5. Il est sept heures sept. 6. Il est cinq heures et demie. 7. Il est dix heures moins sept. 8. Il est quatre heures moins vingt. 9. Il est midi. 10. Il est onze heures moins le quart. **Ex. 6.** 1. Il est quinze heures. Il est trois heures de l'après-midi. 2. Il est sept heures quinze. Il est sept heures et quart du matin. 3. Il est treize heures trente. Il est une heure et demie de l'après-midi. 4. Il est vingt heures. Il est huit heures du soir. 5. Il est vingt-deux heures trente. Il est dix heures et demie du soir. 6. Il est dix heures quarante-cinq. Il est onze heures moins le quart du matin. 7. Il est dix-huit heures vingt. Il est six heures vingt du soir. 8. Il est dix-neuf heures. Il est sept heures du soir. 9. Il est seize heures quarante-cinq. Il est cinq heures moins le quart de l'après-midi. 10. Il est onze heures cinquante. Il est midi moins dix. **Ex. 7.** 1. avons 2. avons 3. ai 4. a 5. ont 6. avez 7. avez 8. as 9. as **Ex. 8.** 1. des, de 2. un, de 3. une, de 4. un, de 5. un, de 6. un, d' **Ex. 9.**

1. Oui, j'ai un dictionnaire français. (Non, je n'ai pas de dictionnaire français.) 2. Oui, j'ai un appartement. (Non, je n'ai pas d'appartement.) 3. Oui, j'ai une télévision dans ma chambre. (Non, je n'ai pas de télévision dans ma chambre.) 4. Oui, j'ai un ordinateur. (Non, je n'ai pas d'ordinateur.) 5. Oui, j'ai un cours de maths. (Non, je n'ai pas de cours de maths.) 6. Oui, j'ai une guitare. (Non, je n'ai pas de guitare.) **Ex. 10.** 1. une 2. un 3. une 4. un 5. une 6. un 7. une 8. une 9. une 10. un **Ex. 11.** 1. Daniel est sympathique et intelligent. 2. Barbara est sportive et généreuse. 3. Louis est beau et raisonnable. 4. Albert est grand et mince. 5. Denise est blonde et belle. 6. Jacqueline est petite et intelligente. **Ex. 12.** 1. Emmanuelle Béart est (n'est pas) belle. Un tigre est (n'est pas) beau. Une vieille Ford est (n'est pas) belle. Une peinture de Matisse est (n'est pas) belle. 2. Le chocolat est (n'est pas) bon. La programmation à la radio publique est (n'est pas) bonne. La télévision est (n'est pas) bonne. Le fast-food est (n'est pas) bon. 3. Une motocyclette est (n'est pas) dangereuse. Une bombe est dangereuse. Le tennis est (n'est pas) dangereux. La politique est (n'est pas) dangereuse. 4. Un livre de science-fiction est (n'est pas) amusant. La politique est (n'est pas) amusante. Un examen de physique est (n'est pas) amusant. Un film avec Gérard Depardieu est (n'est pas) amusant. 5. L'astronomie est vieille. Le Louvre est vieux. Le président américain est (n'est pas) vieux. L'université où je suis est (n'est pas) vieille. **Ex. 13.** 1. sérieux, nerveux, intelligents, amusants. 2. patient, intéressant, raisonnable, amusant 3. long, compliqué, amusant, intéressant 4. beaux, amusants, sportifs, individualistes 5. belle, compliquée, facile, mystérieuse

CHAPITRE 1

Ex. 1. 1. ta, tes, Mon, mes 2. tes, Ma, mon 3. ta, son, ses 4. Ton, son **Ex. 2.** Answers may vary. 1. Il y a 30 hommes dans notre classe. 2. Nos camarades de classe sont timides (extravertis). 3. Notre professeur s'appelle... 4. Notre cours est à... heures. 5. Nos devoirs sonts difficiles (faciles). **Ex. 3.** 1. Ses 2. Sa 3. Son, son 4. Leur 5. ses, Son **Ex. 4.** 1. aime 2. aiment 3. aimons 4. aime 5. aimez 6. aimes **Ex. 5.** Answers may vary. 1. Mes amis aiment surfer sur Internet, mais ils aiment aussi regarder la télé. (Mes amis n'aiment pas surfer sur Internet, mais ils aiment regarder la télé.) 2. Ma mère aime jouer du piano, mais elle aime aussi lire des

livres. (Ma mère n'aime pas jouer du piano, mais elle aime lire des livres.) 3. Mon père aime écouter du rock, mais il aime aussi écouter de la musique classique. (Mon père n'aime pas écouter du rock, mais il aime écouter de la musique classique.) 4. Mon petit ami (Ma petite amie) aime faire une promenade, mais il (elle) aime aussi lire le journal. (Mon petit ami [Ma petite amie] n'aime pas faire une promenade, mais il [elle] aime lire le journal.) 5. Mon professeur de français aime aller au cinéma, mais il aime aussi regarder la télé. (Mon professeur de français n'aime pas aller au cinéma, mais il aime regarder la télé.) 6. J'aime jouer au tennis, mais j'aime aussi danser. (Je n'aime pas jouer au tennis, mais j'aime danser.) **Ex. 6.** 1. Quel âge a Francis Lasalle? Il a soixante-dix ans. 2. Quel âge a Claudine Colin? Elle a quarante-cinq ans. 3. Quel âge a Victor Colin? Il a quarante-sept ans. 4. Quel âge ont Marise et Clarisse? Elles ont dix-neuf ans. 5. Quel âge a Charles? Il a dix-sept ans. 6. Quel âge a Emmanuel? Il a quatorze ans. **Ex. 7.** 1. zéro deux, soixante-cinq, dix, quatre-vingts, trente 2. zero trois, quatre-vingt-sept, cinquante-trois, quarante, seize 3. zéro cinq, vingt, cinquante-cinq, soixante-dix, quatre-vingt-un 4. zéro un, quatre-vingt-dix-huit, soixante-quinze, vingt et un, soixante 5. zéro deux, soixante-dix-sept, trente-huit, quatre-vingt-deux, quatre-vingt-dix-sept 6. zéro cinq, quatre-vingt-onze, dix-huit, trente-neuf, soixante-dix-huit 7. zéro quatre, quarante-cinq, soixante-deux, quatre-vingt-six, quarante-trois 8. zéro trois, quatre-vingt-trois, soixante-seize, soixante-quatre, quatre-vingt-dix 9. zéro deux, cinquante-trois, soixante-sept, zéro sept, onze **Ex. 8** 1. Quand est l'anniversaire d'Elvis Presley? C'est le 8 janvier 1935 (le huit janvier mille neuf cent trente-cinq). 2. Quand est l'anniversaire de Martina Hingis? C'est le 30 septembre 1980 (le trente septembre mille neuf cent quatre-vingt). 3. Quand est l'anniversaire de Frédéric Chopin? C'est le 1ᵉʳ mars 1810 (le premier mars mille huit cent dix). 4. Quand est l'anniversaire de Ringo Starr? C'est le 7 juillet 1940 (le sept juillet mille neuf cent quarante). 5. Quand est l'anniversaire de Margaret Thatcher? C'est le 13 octobre 1925 (le treize octobre mille neuf cent vingt-cinq). 6. Quand est l'anniversaire de Mickey Mouse? C'est le 18 novembre 1928 (le dix-huit novembre mille neuf cent vingt-huit). 7. Quand est l'anniversaire de Magic Johnson? C'est le 14 août 1959 (le quatorze août mille neuf cent cinquante-neuf). 8. Quand est l'anniversaire d'Yves Saint-Laurent? C'est le 1er août 1936 (le premier août mille neuf cent trente-six). 9. Quand est l'anniversaire de Pete Rose? C'est le 14 avril 1941 (le quatorze avril mille neuf cent quarante et un). 10. Quand est l'anniversaire de B.B. King? C'est le 16 septembre 1925 (le seize septembre mille neuf cent vingt-cinq). **Ex. 9.** 1. quarante-quatre mille 2. soixante-sept mille 3. soixante-neuf mille neuf 4. treize mille deux 5. cinquante-neuf mille 6. soixante-quatre mille deux cents 7. soixante-quinze mille quinze 8. trente-trois mille **Ex. 10** 1. vient 2. viennent 3. vient, vient 4. viennent 5. venez, venons 6. viens, viens **Ex. 11.** 1. nage 2. parle 3. parles 4. dînons 5. travaille 6. habitent 7. chantons 8. voyage 9. jouent 10. invitent **Ex. 12.** 1. a. travailles (oui/non) b. parles (oui/non) 2. a. regardons (oui/non) b. dînons (oui/non) 3. a. écoutent (oui/non) b. jouent (oui/non) 4. a. étudiez (oui/non) b. préparez (oui/non) 5. a. habite (oui/non) b. déjeune (oui/non) 6. a. donnent (oui/non) b. parle (oui/non) **Ex. 13.** 1. de Paul 2. des petites filles 3. de la femme blonde 4. de Mme Haddad 5. du cousin de mon père 6. de Claire **Ex. 14.** 1. La grand-mère, c'est la femme du grand-père. 2. La tante, c'est la femme de l'oncle. 3. Le cousin, c'est le fils de l'oncle et de la tante. 4. La belle-sœur, c'est la femme du frère. 5. Le grand-père, c'est le père de la mère ou du père. 6. L'oncle, c'est le père du cousin (des cousins) (de la cousine) (des cousines).

CHAPITRE 2

Ex. 1. 1. font, font 2. fais, fais 3. fait 4. fait 5. faites, faites 6. faites. **Ex. 2.** 1. Est-ce que tu te lèves tôt? Oui, je me lève tôt. (Non, je me lève tard.) 2. Est-ce que tu te maquilles tous les jours? Oui, je me maquille tous les jours. (Non, je ne me maquille pas tous les jours.) 3. Est-ce que tu te laves les cheveux tous les jours? Oui, je me lave les cheveux tous les jours. (Non, je ne me lave pas les cheveux tous les jours. / Non, je me lave les cheveux trois fois par semaine.) 4. Est-ce que tu te brosses les dents trois fois par jour? Oui, je me brosse les dents trois fois par jour. (Non, je ne me brosse pas les dents trois fois par jour. / Non, je me brosse les dents deux fois par jour.) 5. Tu aimes te coucher tard? Oui, j'aime me coucher tard. (Non, je n'aime pas me coucher tard. / Non, j'aime me coucher tôt.) 6. Tu préfères te doucher le soir? Oui, je préfère me doucher le soir. (Non, je ne préfère pas me doucher le soir. / Non, je préfère me doucher le matin.) 7. Tu aimes te reposer après les cours? Oui, j'aime me reposer après les cours. (Non, je n'aime pas me reposer après les cours.) 8. Tu préfères te lever tard le week-end? Oui, je préfère me lever tard le week-end. (Non, je ne préfère pas me lever tard le week-end.) **Ex. 3.** 1. Oui, en général, les étudiants s'amusent beaucoup le vendredi soir. Mes copains et moi, nous nous amusons

beaucoup le vendredi soir (nous ne nous amusons pas le vendredi soir / nous nous amusons le samedi soir). 2. Oui, en général, les étudiants s'habillent toujours en jean. Mes copains et moi, nous nous habillons toujours en jean (nous ne nous habillons pas toujours en jean). 3. Oui, les étudiants ne se reposent pas assez. Mes copains et moi, nous ne nous reposons pas assez (nous nous reposons assez). 4. Oui, en général, les étudiants se couchent après minuit. Mes copains et moi, nous nous couchons après minuit (nous ne nous couchons pas après minuit). 5. Oui, en général, les étudiants se lèvent tard le week-end. Mes copains et moi, nous nous levons tard le week-end (nous ne nous levons pas tard le week-end). **Ex. 4.** 1. vais 2. allons 3. allez 4. vont 5. vas 6. va **Ex. 5.** Answers in all cases: Oui, j'y vais souvent / quelquefois. (Non, je n'y vais pas.) 1. Tu vas à la piscine? 2. Tu vas au théâtre? 3. Tu vas au bar? 4. Tu vas à l'hôpital? 5. Tu vas au gymnase? 6. Tu vas à la banque? 7. Tu vas au café? 8. Tu vas à l'église? **Ex. 6.** Answers may vary. 1. Ce soir, je vais faire mes devoirs. / Je vais sortir avec des amis. (Ce soir, je vais regarder la télé. Je suis fatigué[e].) 2. Demain matin, je vais me lever à 7 h. / Je vais dormir jusqu'à 9 h. (Demain matin, je vais rester au lit. C'est le week-end.) 3. Demain soir, je vais regarder mon émission favorite à la télé. / Je vais me coucher de bonne heure. (Demain soir, je vais sortir avec des amis.) 4. Ce week-end, ils vont faire du ski nautique. / Ils vont regarder un film ensemble. (Ce week-end, ils vont se promener à la campagne. Il va faire beau.) 5. Samedi soir, il (elle) va rester à la maison et jouer aux cartes. / Il (Elle) va aller à un concert symphonique. (Samedi soir, il (elle) va dîner au restaurant. Il (Elle) ne va pas faire la cuisine!) **Ex. 7.** 1. Oui, on regarde beaucoup la télévision. 2. Non, on ne mange pas toujours des hamburgers. 3. Non, on ne va pas au restaurant tous les jours. 4. Non, on ne dîne pas à huit heures du soir. 5. Oui, on aime les films français. 6. Non, on ne fait pas de promenades en famille le dimanche après-midi. 7. Oui, on aime parler de la politique. (Non, on n'aime pas parler de politique.) 8. Oui, on étudie beaucoup la géographie. **Ex. 8.** 1. Oui, je veux aller en Europe l'été prochain. (Non, je ne veux pas aller en Europe l'été prochain.) / Oui, je peux aller en Europe l'été prochain. (Non, je ne peux pas aller en Europe l'été prochain.) 2. Oui, mes parents veulent passer l'hiver en Floride. (Non, mes parents ne veulent pas passer l'hiver en Floride.) / Oui, mes parents peuvent passer l'hiver en Floride. (Non, mes parents ne peuvent pas passer l'hiver en Floride.) 3. Oui, le professeur veut se lever tard en semaine. (Non, le professeur ne veut pas se lever tard en semaine.) Oui, le professeur peut se lever tard en semaine. (Non, le professeur ne peut pas se lever tard en semaine.) 4. Oui, nous voulons comprendre un film en français. Oui,

nous pouvons comprendre un film en français. 5. Mon ami(e) _____ veut m'aider avec mes devoirs de français. (Non, mon ami[e] ne veut pas m'aider avec mes devoirs de français.) Oui, il/elle peut m'aider avec mes devoirs de français. (Non, il/elle ne peut pas m'aider avec mes devoirs de français.) **Ex. 9.** 1. Oui, je voudrais dîner dans un bon restaurant français. (Non, je ne voudrais pas dîner dans un bon restaurant français.) 2. Oui, je voudrais manger des escargots. (Non, je ne voudrais pas manger des (d')escargots.) 3. Oui, je voudrais habiter à Paris. (Non, je ne voudrais pas habiter à Paris.) 4. Oui, je voudrais faire de la plongée sous-marine. (Non, je ne voudrais pas faire de (la) plongée sous-marine.) 5. Oui, je voudrais visiter une autre planète. (Non, je ne voudrais pas visiter une autre planète.) 6. Oui, je voudrais être président(e) des États-Unis. (Non, je ne voudrais pas être président(e) des États-Unis.) **Ex. 10.** 1. savez; Oui, je sais faire du ski nautique. (Non, je ne sais pas faire du ski nautique.) 2. sait; Oui, il sait faire la cuisine. (Non, il ne sait pas faire la cuisine.) 3. sait; Oui, elle sait réparer une voiture. (Non, elle ne sait pas réparer une voiture.) 4. savez; Oui, nous savons jouer au bridge. (Non, nous ne savons pas jouer au bridge.) 5. savent; Oui, ils savent utiliser un ordinateur. (Non, ils ne savent pas utiliser un ordinateur.) 6. Savez; Oui, je sais / nous savons parler grec. (Non, je ne sais pas / nous ne savons pas parler grec.)

CHAPITRE 3

Ex. 1. 1. Le bureau de Mme Martin est devant le tableau noir. 2. Les livres de Mme Martin sont sur son bureau. 3. Elle est devant la classe. 4. Elle est près du tableau. 5. Le pupitre de Daniel est à côté du pupitre d'Albert. 6. Il regarde un match de football dans le parc en face du bâtiment des cours. 7. Barbara est trop loin du tableau noir. 8. La salle 300A se trouve entre les salles 300 et 301. **Ex. 2.** 1. Comment va maman? 2. Que fait Charles? 3. Où est papa? 4. Que fait Jean-Claude? 5. Qui est Michel? 6. Comment est-il? 7. Comment s'appelle le nouveau bébé des voisins? 8. Comment est ce bébé? 9. Comment va sa mère? 10. Quand commencent tes vacances? **Ex. 3.** 1. Où est-ce qu'ils logent? (Où logent-ils?) 2. Qu'est-ce qu'ils veulent visiter? (Que veulent-ils visiter?) 3. Quels musées est-ce qu'ils visitent? (Quels musées visitent-ils?) 4. Comment est-ce qu'ils se déplacent? (Comment se déplacent-ils?) 5. Pourquoi est-ce qu'ils sont contents? (Pourquoi sont-ils contents?) 6. Quels restaurants est-ce qu'ils préfèrent? (Quels restaurants préfèrent-ils?) 7. Qu'est-ce qu'ils achètent pour leurs amis? (Qu'achètent-ils pour leurs amis?) 8. Quand est-ce qu'ils quittent Paris? (Quand quittent-ils Paris?) **Ex. 4.** 1. prends 2. prennent 3. apprends 4. comprends 5. prendre 6. comprennent 7. apprenons

8. Prenez **Ex. 5.** 1. Julien et son amie prennent du vin. Moi, je prends du vin de temps en temps. (Moi, je ne prends jamais de vin.) 2. Denise voudrait apprendre à faire du ski. Moi, je (ne) voudrais (pas) apprendre à faire du ski. 3. Joël prend trop de risques. Moi, je prends quelquefois trop de risques. (Moi, je ne prends jamais trop de risques.) 4. Barbara ne comprend pas la leçon. Moi, je comprends toujours la leçon. (Moi, je ne prends jamais la leçon.) 5. Raoul et ses camarades prennent un café. Moi, je prends rarement un café. (Moi, je ne prends jamais de café.) 6. Nathalie prend un bain. Moi, je prends quelquefois un bain. (Moi, je ne prends jamais de bain.) **Ex. 6.** 1. Alors, tu dois te déplacer à bicyclette. 2. Vous devez appeler un taxi. 3. Bon, vous devez étudier le plan du métro de la ville. 4. On doit arriver plus tôt. 5. Il doit aller au travail à pied. **Ex. 7.** 1. Ce, ces 2. Ces, ces 3. Cette 4. Ces, Cette, cet 5. Ces, cette 6. Cette **Ex. 8.** 1. Ces sandales-là 2. Ces chaussures-ci 3. Ces bottes-là 4. Ces chaussures-ci 5. ces tennis-ci **Ex. 9.** 1. du, des 2. des 3. de l', du, du, de la 4. de 5. du, de l' 6. du **Ex. 10.** 1. Je prends du lait / du café / du vin / de l'eau minérale. 2. Je prends une tasse de thé / de café / de chocolat chaud / d'eau chaude. 3. Je ne prends jamais de whisky / de champagne / de coca / de café. 4. J'aime commander de la bière / du vin / du coca / du jus de fruits. 5. J'aime prendre un verre de thé glacé / de coca / d'eau froide / de jus de fruits. 6. Je prends de l'eau / du jus de fruits / du thé / du coca. **Ex. 11.** 1. Tu pars en vacances en été? Oui, je pars en vacances en été. (Non, je ne pars pas en vacances en été.) 2. Tu sors du cinéma si un film est mauvais? Oui, je sors du cinéma si un film est mauvais. (Non, je ne sors pas du cinéma si un film est mauvais.) 3. Tu dors bien la nuit? Oui, je dors bien la nuit. (Non, je ne dors pas bien la nuit.) 4. Tu sers du vin chez toi? Oui, je sers du vin chez moi. (Non, je ne sers pas de vin chez moi.) 5. Tu mens quand tu ne veux pas révéler un secret? Oui, je mens quand je ne veux pas révéler un secret. (Non, je ne mens pas quand je ne veux pas révéler un secret.) 6. Tu sens les fruits au supermarché? Oui, je sens les fruits au supermarché. (Non, je ne sens pas les fruits au supermarché.) 7. Tu sors souvent le samedi soir? Oui, je sors souvent le samedi soir. (Non, je ne sors pas souvent le samedi soir.) 8. Tu dors quelquefois pendant la journée? Oui, je dors pendant la journée quelquefois. (Non, je ne dors jamais pendant la journée.) (*Second part of the exercise*) Answers may vary. 1. Vous partez en vacances en été? Oui, nous partons en vacances en été. (Non, nous ne partons pas en vacances en été.) 2. Vous dormez bien la nuit? Oui, nous dormons bien la nuit. (Non, nous ne dormons pas bien la nuit.) 3. Vous servez souvent des repas chez vous? Oui, nous servons parfois des repas chez nous. (Non, nous ne servons pas de repas chez nous.) 4. Vous mentez quelquefois? Non, nous ne mentons jamais. 5. Vous sortez souvent le samedi soir? Oui nous sortons souvent le samedi soir. (Non, nous ne sortons pas souvent le samedi soir.) **Ex. 12.** Answers may vary. 1. Non, ils ne sortent pas seuls la nuit. (Si, ils sortent quelquefois seuls la nuit.) Moi, je ne sors jamais seul(e). 2. Beaucoup d'étudiants américains partent en vacances en Floride, mais la majorité des étudiants ne partent pas en vacances. Moi, je pars en vacances en Californie. 3. Non, la plupart des Américains ne partent pas en Europe. Moi, je pars à la campagne. 4. Non, ils ne sortent pas tous les soirs. Moi, je sors seulement le week-end. 5. Non, ils s'endorment vers dix heures. Moi, je m'endors vers onze heures. 6. Si, ils servent souvent du vin au dîner. Moi, je sers quelquefois du vin au dîner. **Ex. 13.** 1. Answers may vary. 1. Oui, je cours régulièrement. (Non, je ne cours pas régulièrement.) a. Je cours tous les matins, en été comme en hiver, dans un parc qui se trouve près de chez moi, et je cours entre cinq et huit kilomètres en général. b. Je ne cours pas parce que j'ai des problèmes de santé. Je fais d'autres sports. 2. Oui, il y a des membres de ma famille qui courent et il y en a d'autres qui ne courent pas. Ma mère court deux ou trois fois par semaine dans un gymnase. Elle court entre trois et cinq kilomètres. Mon père et mon frère ne courent pas. Ils préfèrent regarder des émissions de sport à la télé! 3. J'ai quelques amis qui courent, mais nous ne courons pas souvent ensemble parce que nous n'avons pas les mêmes horaires. 4. Selon moi, on court pour rester en forme et pour oublier ses problèmes. On court aussi pour maigrir.

CHAPITRE 4

Ex. 1. 1. une vieille maison 2. une belle cheminée 3. un petit réfrigérateur 4. une bonne cuisinière 5. un grand sauna 6. un nouveau numéro de téléphone **Ex. 2.** 1. Tu as une petite chambre, n'est-ce pas? Mais non, j'ai une grande chambre. 2. Tu as un nouvel appartement, n'est-ce pas? Mais non, j'ai un vieil appartement. 3. Tu as un nouveau jean, n'est-ce pas? Mais non, j'ai un vieux jean. 4. Tu as de nouvelles chaussures, n'est-ce pas? Mais non, j'ai de vieilles chaussures. 5. Tu as une grande étagère, n'est-ce pas? Mais non, j'ai une petite étagère. 6. Tu as un bon dictionnaire de français, n'est-ce pas? Mais non, j'ai un mauvais dictionnaire de français. 7. Tu as un jeune professeur de français, n'est-ce pas? Mais non, j'ai un vieux professeur de français. 8. Tu as de nouveaux amis, n'est-ce pas? Mais non, j'ai de vieux amis. **Ex. 3.** Answers may vary. 1. Un lave-vaisselle est aussi utile qu'un réfrigérateur, mais un réfrigérateur est plus important qu'un lave-vaisselle. 2. Un appartement est moins cher qu'une maison, mais une maison est plus agréable qu'un appartement. 3. Un aspirateur est plus important qu'un four à micro-ondes, mais un four à micro-ondes est plus pratique qu'un aspirateur. 4. Un immeuble moderne est plus confortable qu'un vieil immeuble, mais un vieil immeuble est plus beau qu'un immeuble moderne. 5. Une chaîne stéréo est plus amusante qu'une radio, mais une radio est moins chère qu'une chaîne stéréo. 6. Un répondeur téléphonique est plus utile qu'un magnétoscope, mais un magnétoscope est plus amusant qu'un répondeur téléphonique. **Ex. 4.** 1. plus de 2. autant de 3. moins de 4. plus de 5. autant de 6. plus de **Ex. 5.** 1. bon (mauvaise) 2. bonne (mauvaise) 3. bonne 4. bien (mal) 5. mauvaise 6. mal 7. bien (mal) **Ex. 6.** Answers may vary. 1. Oui, les étudiants d'aujourd'hui sont moins bons que les étudiants d'il y a vingt ans. (Non, les étudiants d'aujourd'hui sont meilleurs que les étudiants d'il y a vingt ans.) 2. Oui, les diplômés d'aujourd'hui sont moins bien préparés pour le monde du travail que leurs parents. (Non, les diplômés d'aujourd'hui sont mieux préparés pour le monde du travail que leurs parents.) 3. Oui, mes notes en maths sont meilleures que mes notes en français. (Non, mes notes en maths sont moins bonnes que mes notes en français.) 4. Oui, en général, les petites universités sont moins bonnes que les grandes. (Non, en général, les petites universités sont meilleures que les grandes.) 5. Oui, je travaille mieux à la bibliothèque que chez moi. (Non, je travaille moins bien à la bibliothèque que chez moi.) 6. Oui, les jeunes professeurs sont meilleurs que les professeurs plus âgés. (Non, les jeunes professeurs sont moins bons que les professeurs plus âgés.) **Ex. 7.** 1. réfléchit; Moi aussi, je réfléchis avant de parler. 2. finit; Moi, je finis toujours mes devoirs. 3. obéit; Moi aussi, j'obéis toujours à ma conscience. 4. choisissent; Dans notre classe, nous choisissons nos partenaires pour travailler en groupes. 5. réussissent; Dans notre classe, nous réussissons à nos examens. 6. finissent; Dans notre classe, nous allons au café quand nous finissons nos cours. **Ex. 8.** 1. Chez toi, est-ce que tu mets la table pour dîner? Oui, je mets la table pour dîner. (Non, je ne mets pas la table pour dîner.) 2. Chez toi, est-ce que tu prends le petit déjeuner dans la cuisine? Oui, je prends le petit déjeuner dans la cuisine. (Non, je ne prends pas le petit déjeuner dans la cuisine.) 3. Chez toi, est-ce que tu tonds le gazon en été? Oui, je tonds le gazon en été. (Non, je ne tonds pas le gazon en été.) 4. Chez toi, est-ce que tu permets au chien de dormir sur ton lit? Oui, je permets au chien de dormir sur mon lit. (Non, je ne permets pas au chien de dormir sur mon lit.) 5. Chez toi, est-ce que tu apprends à surfer le Net? Oui, j'apprends à surfer le Net. (Non, je n'apprends pas à surfer le Net.) 6. Chez toi, est-ce que tu mets ta chambre en ordre tous les jours? Oui, je mets ma chambre en ordre tous les jours. (Non, je ne mets pas ma chambre en ordre tous les jours.) 7. Chez toi, est-ce que tu réponds toujours au téléphone? Oui, je réponds toujours au téléphone? (Non, je ne réponds pas toujours au téléphone.) 8. Chez toi, est-ce que tu perds souvent tes livres? Oui, je perds souvent mes livres. (Non, je ne perds pas souvent mes livres.) *Maintenant* 1. Est-ce que vous mettez la table pour dîner? (See answers above.) 2. Est-ce que vous prenez le petit déjeuner dans la cuisine? 3. Est-ce que vous tondez le gazon en été? 4. Est-ce que vous permettez au chien de dormir sur votre lit? 5. Est-ce que vous apprenez à surfer le Net? 6. Est-ce que vous mettez votre chambre en ordre tous les jours? 7. Est-ce que vous répondez toujours au téléphone? 8. Est-ce que vous perdez souvent vos livres? **Ex. 9.** 1. vendent; a. vend (ne vend pas)... b. vendons (ne vendons pas)... 2. attendent; a. attend... b. attendons 3. remettent; a. remet... b. remettons... 4. perdent; a. perd... b. perdons... 5. permettent; a. permet... b. permet... 6. rendent; a. rend... b. rend... **Ex. 10.** 1. La voilà! 2. Les voilà! 3. La voilà! 4. Le voilà! 5. Les voilà! 6. La voilà! **Ex. 11.** 1. Oui, je les arrose quelquefois / souvent / une fois par semaine. (Non, moi, je ne les arrose jamais, mais ma sœur les arrose.) 2. Oui, je la fais quelquefois / souvent / une fois par semaine. (Non, moi, je ne la fais jamais, mais mon père la fait.) 3. Oui, je le fais quelquefois / souvent / une fois par semaine. (Non, moi, je ne le fais jamais, mais mon père le fait.) 4. Oui, je les repasse quelquefois / souvent / une fois par semaine. (Non, moi, je ne les repasse jamais, mais ma sœur les repasse.) 5. Oui, je le fais quelquefois / souvent / une fois par semaine. (Non, moi, je ne le fais jamais, mais mes frères et sœurs le font.) 6. Oui, je la nettoie quelquefois / souvent / une fois par semaine. (Non, moi, je ne la nettoie jamais, mais ma mère la nettoie.) 7. Oui, je les achète quelquefois / souvent / une fois par semaine. (Non, moi, je ne les achète jamais, mais mon père les achète.) 8. Oui, je le passe quelquefois / souvent / une fois par semaine. (Non, moi, je ne le passe jamais, mais mon frère le passe.) **Ex. 12.** 1. Oui, je vais la ranger ce matin. (Non, je ne vais pas la ranger.) 2. Oui, je vais la faire aujourd'hui. (Non, je ne vais pas la faire.) 3. Oui, je vais les repasser. (Non, je ne vais pas les repasser. Ce n'est pas nécessaire.) 4. Oui, je vais les faire ce soir. (Non, je ne vais pas les faire ce soir. Je vais les faire demain.) 5. Oui, je les aime. (Non, je ne les aime pas.) 6. Oui, je les prends tous les jours. (Non, je ne les prends pas tous les jours.) 7. Oui, je vais venir vous voir demain. (Non, je ne vais pas venir vous voir demain.) 8. Je vais l'inviter à la maison la semaine prochaine. (Je ne vais pas l'inviter à la maison.) **Ex. 13.** 1. me; Oui, je te trouve belle! 2. m'; Oui, je t'écoute quand tu parles. 3. me; Oui, je te trouve intelligente. 4. m'; Oui, je veux t'aider à faire tes devoirs. 5. me; Oui, je te préfère à toutes les autres petites filles du monde. 6. me; Non, je ne te trouve

pas difficile. 7. m'; Oui, je vais toujours t'aimer! **Ex. 14.** 1. connaissez, connaissons 2. connais, connais 3. connaît, connaît 4. connaissez, connais 5. connaissent, connaissent **Ex. 15.** 1. sait; Moi aussi, je sais faire du canoë. (Moi, je ne sais pas faire du canoë.) 2. sait; Moi aussi, je sais la date de l'anniversaire de ma mère. (Moi, je ne sais pas la date de l'anniversaire de ma mère.) 3. sait; Moi aussi, je sais faire de l'escalade. (Moi, je ne sais pas faire de l'escalade.) 4. connaît; Moi aussi, je connais bien La Nouvelle-Orléans. (Moi, je ne connais pas bien La Nouvelle-Orléans.) 5. connaît; Moi aussi, je connais l'histoire de ma famille. (Moi, je ne connais pas l'histoire de ma famille.) 6. connaît; Moi aussi, je connais bien les poèmes de Jacques Prévert. (Moi, je ne connais pas bien les poèmes de Jacques Prévert.) **Ex. 16.** 1. besoin 2. envie 3. l'air 4. honte 5. peur 6. tort **Ex. 17.** 1. il a faim 2. il a soif 3. il a sommeil 4. il a chaud 5. il a froid 6. il a envie 7. il a besoin 8. il a peur

CHAPITRE 5

Ex. 1. 1. Est-ce que tu as acheté le journal hier? Oui, j'ai acheté le journal. (Non, je n'ai pas acheté le journal.) 2. Est-ce que tu as écouté de la musique hier? Oui, j'ai écouté de la musique. (Non, je n'ai pas écouté de [la] musique.) 3. Est-ce que tu as parlé français avec des amis hier? Oui, j'ai parlé français avec des amis hier. (Non, je n'ai pas parlé français avec des amis.) 4. Est-ce que tu as mangé un hamburger hier? Oui, j'ai mangé un hamburger hier. (Non, je n'ai pas mangé de hamburger.) 5. Est-ce que tu as préparé le dîner hier? Oui, j'ai préparé le dîner hier. (Non, je n'ai pas préparé le dîner.) 6. Est-ce que tu as promené ton chien hier? Oui, j'ai promené mon chien hier. (Non, je n'ai pas promené mon chien.) 7. Est-ce que tu as téléphoné à un ami/une amie hier? Oui, j'ai téléphoné à un ami/une amie hier. (Non, je n'ai pas téléphoné à un ami/une amie.) 8. Est-ce que tu as regardé un film hier? Oui, j'ai regardé un film hier. (Non, je n'ai pas regardé de film.) 9. Est-ce que tu as travaillé à la bibliothèque hier? Oui, j'ai travaillé à la bibliothèque hier. (Non, je n'ai pas travaillé à la bibliothèque.) 10. Est-ce que tu as nettoyé ta chambre hier? Oui, j'ai nettoyé ma chambre hier. (Non, je n'ai pas nettoyé ma chambre.) **Ex. 2.** Answers may vary. 1. Moi, je n'ai pas rendu visite à une amie. (Moi aussi, j'ai rendu visite à une amie. J'ai rendu visite à mon amie Claire.) 2. Moi, je n'ai pas fini de devoir pour mon cours d'anglais. (Moi aussi, j'ai fini un devoir pour mon cours d'anglais.) 3. Moi, je n'ai pas choisi de nouveau CD-ROM. (Moi aussi, j'ai choisi un nouveau CD-ROM.) 4. Moi, je n'ai pas répondu à mon courrier électronique. (Moi aussi, j'ai répondu à mon courrier électronique.) 5. Moi, je n'ai pas perdu mes clés. (Moi aussi, j'ai perdu mes clés.) 6. Moi, je n'ai pas dormi pendant un cours ennuyeux. (Moi aussi, j'ai dormi pen-

dant un cours ennuyeux. J'ai dormi pendant le cours de philosophie.) 7. Moi, je n'ai pas attendu le bus pendant une demi-heure. (Moi aussi, j'ai attendu le bus pendant une demi-heure.) 8. Moi, je n'ai pas réussi à un examen. (Moi aussi, j'ai réussi à un examen. J'ai réussi à l'examen de français.) 9. Moi, je n'ai pas servi de thé à mes amis. (Moi aussi, j'ai servi du thé à mes amis.) **Ex. 3.** 1. Daniel et Louis ont acheté des boissons. 2. Nous avons mangé des crêpes. 3. Barbara et Jacqueline ont apporté des CD français. 4. Tout le monde a parlé français. 5. Même Mme Martin a dansé. 6. Nous avons regardé les photos de cette année. 7. Denise a donné un album de photos à Pierre. 8. Quelques étudiants ont pleuré. **Ex. 4.** 1. Oui, j'ai fait mon lit. (Non, je n'ai pas fait mon lit.) 2. Oui, j'ai pris le petit déjeuner. (Non, je n'ai pas pris le petit déjeuner.) 3. Oui, j'ai lu le journal. (Non, je n'ai pas lu le journal.) 4. Oui, j'ai bu un coca. (Non, je n'ai pas bu de coca.) 5. Oui, j'ai reçu un coup de téléphone. (Non, je n'ai pas reçu de coup de téléphone.) 6. Oui, j'ai dû chercher mes affaires. (Non, je n'ai pas dû chercher mes affaires.) 7. Oui, j'ai conduit ma voiture. (Non, je n'ai pas conduit ma voiture.) 8. Oui, j'ai eu un accident. (Non, je n'ai pas eu d'accident.) 9. Oui, j'ai été en retard pour un cours. (Non, je n'ai pas été en retard pour un cours.) 10. Oui, j'ai mis un manteau pour sortir. (Non, je n'ai pas mis de manteau pour sortir.) *Maintenant.* 1. Est-ce que vous avez fait votre lit? 2. Est-ce que vous avez pris le petit déjeuner? 3. Est-ce que vous avez lu le journal? 4. Est-ce que vous avez bu un coca? 5. Est-ce que vous avez reçu un coup de téléphone? 6. Est-ce que vous avez dû chercher vos affaires? 7. Est-ce que vous avez conduit votre voiture? 8. Est-ce que vous avez eu un accident? 9. Est-ce que vous avez été en retard pour un cours? 10. Est-ce que vous avez mis un manteau pour sortir? **Ex. 5.** Answers may vary. 1. Les clients dans un bar ont pris un cocktail. 2. Les personnes devant un cinéma ont vu un film. 3. L'explorateur célèbre a découvert une ville perdue. 4. Les bons étudiants ont lu leurs leçons. 5. Le fils affectueux a offert un cadeau à sa mère. 6. Les acteurs ont appris leur rôle. 7. L'auteur connu a écrit un nouveau livre. 8. La femme élégante a mis une nouvelle robe. **Ex. 6.** 1. J'ai reçu... 2. J'ai rencontré... 3. Sarah nous a offert... 4. Nous avons eu... 5. ... nous avons pris... nous avons vu... 6. Je leur ai dit... j'ai dû courir... 7. J'ai ouvert... j'ai vu... j'ai été découragé 8. J'ai mis... j'ai fait... **Ex. 7.** Answers may vary. 1. Je suis sorti(e) sans prendre le petit déjeuner hier matin. (Je ne suis jamais sorti[e] sans prendre le petit déjeuner.) (Je ne me rappelle pas la dernière fois que je suis sorti[e]...) 2. Je suis allé(e) faire des courses au supermarché la semaine dernière. (Je ne suis jamais allé[e] faire des courses au supermarché.) (Je ne me rappelle pas la dernière fois que je suis allé[e]...) 3. Je suis monté(e) dans un ascenseur à la bibliothèque ce matin. (Je ne suis jamais monté[e] dans un ascenseur.) (Je ne me rappelle pas la dernière fois que je suis monté[e]...) 4. Je suis tombé(e) dans l'escalier l'année dernière. (Je ne suis jamais tombé[e].) (Je ne me rappelle pas la dernière fois que je suis tombé[e]...) 5. Je suis parti(e) à la campagne pour le week-end le mois dernier. (Je ne suis jamais parti[e] pour le week-end.) (Je ne me rappelle pas la dernière fois que je suis parti[e]...) 6. Je suis arrivé(e) en classe en retard hier. (Je ne suis jamais arrivé[e] en classe en retard.) (Je ne me rappelle pas la dernière fois que je suis arrivé[e]...) 7. Je suis devenu(e) furieux/ furieuse contre un agent de police l'été dernier. (Je ne suis jamais devenu[e] furieux/ furieuse contre un agent de police.) (Je ne me rappelle pas la dernière fois que je suis devenu[e]...) 8. Je suis entré(e) dans une discothèque vendredi soir. (Je ne suis jamais entré[e] dans une discothèque. (Je ne me rappelle pas la dernière fois que je suis entré[e]...) 9. Je suis resté(e) au lit jusqu'à midi dimanche dernier. (Je ne suis jamais resté[e] au lit jusqu'à midi.) (Je ne me rappelle pas la dernière fois que je suis resté[e]...) 10. Je suis rentré(e) après minuit samedi dernier. (Je ne suis jamais rentré[e] après minuit.) (Je ne me rappelle pas la dernière fois que je suis rentré[e]...) **Ex. 8.** 1. Nous sommes partis à cinq heures vendredi soir. 2. Nous sommes arrivés à Megève vers dix heures. 3. Samedi matin, les enfants sont allés sur les pistes de bonne heure. 4. Victor et moi, nous sommes restés au lit un peu plus longtemps. 5. Marise et Clarisse sont montées et descendues plusieurs fois. 6. Elles ne sont pas tombées, heureusement. 7. Samedi soir, nous sommes revenus au chalet pour dîner. 8. Dimanche matin, les enfants sont retournés sur les pistes à 9 h. 9. Nous sommes rentrés à Clermont-Ferrand dimanche soir, fatigués mais très contents de notre week-end. **Ex. 9.** 1. Moi aussi, je suis allé(e) chez le coiffeur. (Je ne suis pas allé[e] chez le coiffeur.) 2. Moi aussi, je me suis reposé(e). (Je ne me suis pas reposé[e].) 3. Moi aussi, je me suis douché(e). (Je ne me suis pas douché[e].) 4. Moi aussi, je me suis brossé les dents. (Je ne me suis pas brossé les dents.) 5. Moi aussi, je me suis maquillée, mais je ne me suis pas rasée. (Moi aussi, je me suis rasé, mais je ne me suis pas maquillé.) 6. Moi aussi, je me suis habillé(e) en vitesse. (Je ne me suis pas habillé[e] en vitesse.) 7. Moi aussi, je me suis bien amusé(e) et je suis rentré(e) après minuit. (Je ne me suis pas bien amusé[e] et je ne suis pas rentré[e] après minuit.) 8. Moi aussi, je me suis couché(e) et je me suis tout de suite endormi(e). (Je ne me suis pas couché[e] et je ne me suis pas tout de suite endormi[e]. **Ex. 10.** 1. Caroline s'est baignée. 2. Caroline s'est séchée. 3. Caroline s'est brossé les dents. 4. Albert est arrivé chez elle. 5. Albert et Caroline sont sortis en-

semble. 6. Ils sont arrivés à la fête. 7. Ils sont partis à 2 h du matin. 8. Caroline s'est déshabillée. 9. Caroline s'est couchée. 10. Caroline s'est endormie. **Ex. 11.** 1. Dans la ville où tout va mal, les enfants n'obéissent jamais à leurs parents. 2. ...rien n'est simple et calme. 3. ...personne n'est dynamique. 4. ...on ne fait jamais la fête. 5. ...on n'a pas encore éliminé la pollution de l'air. 6. ...les habitants n'aiment personne. 7. ...on n'a rien d'intéressant à faire. 8. ...la ville n'est plus prospère. **Ex. 12.** Non, je n'ai qu'une chambre. 2. Non, je n'ai qu'une bicyclette. 3. Non, ils n'ont qu'un appartement. 4. Non, il n'y a que des autobus. 5. Non, ils n'ont que quinze jours de vacances. 6. Non, je n'ai étudié que le français. 7. Non, je n'ai visité que la côte est.

CHAPITRE 6

Ex. 1. 1. lisons (ne lisons pas) 2. écrivons (n'écrivons pas d'exercices et de compositions) 3. lit (ne nous lit pas de) 4. lis (ne lis pas de) 5. dis (ne dis pas) 6. disent (ne disent pas de) 7. J'écris (Je n'écris jamais de phrases au tableau.) 8. écrit (n'écrit pas) **Ex. 2.** 1. Julien 2. Agnès 3. Jean-Yves 4. Julien 5. Jean-Yves 6. Julien 7. Agnès 8. Jean-Yves 9. Agnès **Ex. 3.** 1. j'allais 2. j'adorais 3. j'aimais 4. je m'amusais 5. je rentrais 6. nous allions 7. nous faisions 8. nous nous promenions 9. nous faisions 10. nous finissions **Ex. 4.** 1. Tous les matins, M. et Mme Rouet se levaient à cinq heures. 2. Mme Rouet prenait le bus pour aller au travail. 3. Elle devait attendre l'autobus une demi-heure. 4. M. Rouet allait au travail en voiture... 5. Il y avait toujours beaucoup de circulation. 6. M. Rouet arrivait au bureau furieux. 7. Il était obligé de déjeuner en ville et ça coûtait cher. 8. Leurs enfants allaient à l'école en bus. 9. Ils finissaient les cours à 6 h 30. 10. Ils rentraient à la maison et restaient seuls jusqu'à 9 h. **Ex. 5.** 1. était 2. étais 3. avais 4. avais 5. avais 6. devais 7. voulais 8. était 9. savais 10. avais 11. voulais 12. était **Ex. 6.** 1. (e) qui 2. (g) qu' 3. (f) que 4. (h) qui 5. (a) qu' 6. (b) qui 7. (c) que 8. (d) qui **Ex. 7.** 1. qui 2. où 3. où 4. où 5. que 6. qui 7. qui 8. où 9. qu' 10. que **Ex. 8.** 1. J'avais deux cousines qui nous racontaient des histoires fascinantes. 2. Près de chez nous, il y avait un parc où nous jouions souvent. 3. Je faisais aussi des promenades à bicyclette que j'aimais beaucoup. 4. Il y avait une maîtresse qui nous apprenait les noms de toutes les plantes. 5. Je jouais avec une petite fille qui avait un gros chien. 6. J'adorais la colonie de vacances où j'allais en été. 7. À l'école, j'avais une copine que j'aimais beaucoup. 8. Il y avait une piscine près de chez nous où je nageais souvent. **Ex. 9.** 1. Oui, je devais leur demander la permission. (Non, je n'avais pas besoin de leur demander la permission.) 2. Oui, je pouvais lui téléphoner tous les soirs. (Non, je ne pouvais pas lui téléphoner tous les soirs.) 3. Oui, je lui écrivais. (Non, je ne lui

écrivais pas.) 4. Oui, je leur écrivais des mots pendant les cours. (Non, je ne leur écrivais pas de mots pendant les cours.) 5. Oui, je leur posais beaucoup de questions. (Non, je ne leur posais pas beaucoup de questions.) 6. Oui, je lui offrais des cadeaux. (Non, je ne lui offrais pas de cadeaux.) 7. Oui, je leur empruntais souvent des livres. (Non, je ne leur empruntais pas de livres.) 8. Oui, je leur demandais de l'argent. (Non, je ne leur demandais pas d'argent.) 9. Oui, je leur rendais souvent visite. (Non, je ne leur rendais pas souvent visite.) **Ex. 10.** 1. leur 2. nous 3. nous 4. vous 5. nous **Ex. 11.** 1. Non maman, je ne lui ai pas écrit. 2. Non maman, je ne leur ai pas rendu les cassettes. 3. Non maman, je ne t'ai pas promis de rester à la maison. 4. Non maman, je ne vous ai pas dit que j'avais des devoirs à faire. 5. Non maman, tu ne m'as pas prêté ton stylo. 6. Non maman, je ne lui ai pas donné d'eau. 7. Non maman, je ne vous ai pas laissé de morceau de gâteau. 8. Non maman, elle ne m'a pas demandé de service. 9. Non maman, je ne lui ai pas rendu visite. 10. Non maman, je ne vous ai pas obéi. **Ex. 12.** 1. Tu t'entendais très bien avec tes professeurs et tes camarades de classe? Oui (Non), je m'entendais (ne m'entendais pas)... 2. Tu t'inquiétais de tes notes aux examens? Oui (Non), je m'inquiétais (ne m'inquiétais pas)... 3. Tu ne te fâchais jamais avec tes copains? Oui (Non), je me fâchais (ne me fâchais jamais)... 4. Tu te disputais de temps en temps avec tes parents? Oui (Non), je me disputais (ne me disputais pas)... 5. Tu t'occupais de la voiture de tes parents? Oui (Non), je m'occupais (ne m'occupais pas)... 6. Tu t'intéressais beaucoup aux sports d'hiver? Oui (Non), je m'intéressais (ne m'intéressais pas)... 7. Tu t'ennuyais parfois en été? Oui (Non), je m'ennuyais (ne m'ennuyais pas)... *Maintenant* 1. Est-ce que vous vous entendiez très bien avec vos professeurs et vos camarades de classe, madame (monsieur)? (See answers above) 2. Est-ce que vous vous inquiétiez de vos notes aux examens? 3. Est-ce que vous vous fâchiez avec vos copains? 4. Est-ce que vous vous disputiez de temps en temps avec vos parents? 5. Est-ce que vous vous occupiez de la voiture de vos parents? 6. Est-ce que vous vous intéressiez beaucoup aux sports d'hiver? 7. Est-ce que vous vous ennuyiez parfois en été? **Ex. 13.** 1. Elle croit à l'égalité des sexes. 2. Ils ne croient pas à la punition corporelle. 3. Nous croyons à la démocratie. 4. Tu crois à l'amitié. 5. Je crois aux traditions. 6. Vous croyez au mariage. **Ex. 14.** 1. voit 2. voyons 3. croyez 4. vois 5. croient 6. croit **Ex. 15.** Answers may vary. 1. Hier, je (ne) me suis (pas) levé(e) avant huit heures. Quand j'étais petit(e), je (ne) me levais (pas) souvent avant huit heures. 2. Hier, j'ai (ne pas) porté un jean et un tee-shirt. Quand j'étais petit(e), je portais quelquefois un jean et un tee-shirt. 3. Hier, je (ne) suis (pas) allé(e) à l'université. Quand j'étais petit(e), je n'allais pas à l'université. 4. Hier, j'ai (je n'ai pas) parlé au téléphone avec des amis. Quand j'étais petit(e), je parlais quelquefois au téléphone avec des amis. 5. Hier, j'ai (je n'ai pas) conduit une (de) voiture. Quand j'étais petit(e), je ne conduisais pas de voiture. 6. Hier, j'ai (je n'ai pas) regardé la télé. Quand j'étais petit(e), je la regardais souvent. 7. Hier, je ne me suis pas couché(e) à minuit et demi. Quand j'étais petit(e), je ne me couchais jamais a minuit et demi. 8. Hier, j'ai (je n'ai pas) lu les bandes dessinées dans le journal. Quand j'étais petit(e), je les lisais une fois par semaine.

CHAPITRE 7

Ex. 1. Answers will vary. 1. Oui, j'aime les petits pois, mais je préfère les (épinards). 2. Oui, j'aime les cerises, mais je préfère (les pommes). 3. Non, je n'aime pas le jambon. Je préfère (le poulet). 4. Non, je n'aime pas la bière. Je préfère (l'eau minérale). 5. Oui, j'aime les huîtres, mais je préfère (les crevettes). 6. Oui, j'aime le lait, mais je préfère le thé. 7. Oui, j'aime la tarte aux pommes, mais je préfère (la crème caramel). 8. Non, je n'aime pas le porc. Je préfère (le poulet). **Ex. 2.** 1. Oui, achète de la sauce tomate (pour les spaghettis). 2. Non, n'achète pas de riz. 3. Non, n'achète pas de bifteck. 4. Oui, achète du bœuf haché (pour les spaghettis). 5. Oui, achète de la laitue (pour la salade). 6. Non, n'achète pas de pommes de terre. 7. Oui, achète de l'huile et du vinaigre (pour la salade). 8. Oui, achète des oignons (pour les spaghettis et la salade). 9. Non, n'achète pas de glace. 10. Oui, achète du lait (pour la crème caramel). 11. Oui, achète des œufs (pour la crème caramel). 12. Oui, achète du sucre (pour la crème caramel). **Ex. 3.** Answers may vary. 1. deux tasses de 2. trois verres d' 3. une demi-douzaine d' 4. une livre de 5. un peu de 6. deux 7. trois portions de **Ex. 4.** 1. Est-ce que tu achètes quelquefois des bonbons au chocolat? Oui, j'achète quelquefois des... (Non, je n'achète pas de...) 2. Est-ce que tu aimes les escargots? Oui, j'aime les escargots. (Non, je n'aime pas les escargots.) 3. Est-ce que tu manges souvent de la dinde? Oui, je mange souvent de la dinde. (Non, je ne mange pas de dinde.) 4. Est-ce que tu consommes beaucoup de fromage? Oui, je consomme beaucoup de fromage. (Non, je ne consomme pas beaucoup de fromage.) 5. Est-ce que tu détestes le poisson? Oui, je déteste le poisson. (Non, je ne déteste pas le poisson.) 6. Est-ce que tu adores la glace? Oui, j'adore la glace. (Non, je n'adore pas la glace.) **Ex. 5.** Answers will vary. 1. Je bois du café. 2. Ils boivent de l'eau minérale. 3. Nous buvons du thé. 4. Les Anglais boivent plus de thé. 5. J'ai bu du jus d'orange. 6. Je buvais du lait. 7. Mes parents buvaient du café. 8. On a bu du champagne et de l'eau minérale. **Ex. 6.** 1. Oui, j'en voudrais. (Non, je n'en voudrais pas.) 2. Oui, j'en bois. (Non, je n'en bois pas.) 3. Oui, j'aime en

prendre à tous les repas. (Non, je n'aime pas en prendre à tous les repas.) 4. Oui, j'en prends à tous les repas. (Non, je n'en prends pas à tous les repas.) 5. Oui, j'en mange de temps en temps. (Non, je n'en mange pas.) 6. Oui, j'en mange beaucoup. (Non, je n'en mange pas beaucoup.) **Ex. 7.** 1. Il y en a 1,000. 2. Oui, on en a besoin. 3. Oui, les enfants en ont souvent envie. 4. Oui, il y en a beaucoup dans le café. 5. Oui, il y en a dans le thé. (Non, il n'y en a pas. Il y a de la théine.) 6. Il y en a six. 7. Non, il n'y en a pas dans la glace. **Ex. 8.** 1. c, Qu'est-ce qui 2. f, Qui 3. g, Qu'est-ce qu' 4. b, quoi 5. j, Qu'est-ce qui 6. e, quoi 7. a, Qu'est-ce qu' 8. h, quoi 9. d, Qu'est-ce qu' 10. I, Qui **Ex. 9.** 1. Avec qui est-ce que Louis doit venir? (Avec qui Louis doit-il venir?) 2. Qu'est-ce que tu as fait? (Qu'as-tu fait?) 3. À qui est-ce que tu as demandé d'apporter des chips? (À qui as-tu demandé d'apporter des chips?) 4. De quoi est-ce que vous avez besoin? (De quoi avez-vous besoin?) 5. Qui a apporté des cassettes de musique acadienne? 6. De quoi est-ce que tu voudrais parler? (De quoi voudrais-tu parler?) 7. Qu'est-ce qui sent si bon? 8. Qui est-ce que Raoul va amener? (Qui Raoul va-t-il amener?) **Ex. 10.** 1. Quel est ton légume favori? 2. Quel est le plat du jour? 3. Qu'est-ce que c'est qu'une boulangerie? 4. Quelle est la boisson que tu préfères? 5. Quel est le meilleur type de café? 6. Qu'est-ce que c'est qu'une mandarine? **Ex. 11.** 1. Christine est en train de réserver une table. 2. Christine est en train de se baigner. 3. Christine est en train de s'habiller. 4. Christine et Bernard sont en train d'arriver au restaurant. 5. Christine et Bernard sont en train de retrouver leurs amis. 6. Christine, Bernard et leurs amis sont en train d'entrer dans le restaurant. 7. Christine, Bernard et leurs amis sont en train de commander leur dîner. 8. Bernard est en train de goûter le vin. 9. Christine et Bernard sont en train de bavarder avec leurs amis. 10. Bernard est en train de demander l'addition. 11. Bernard est en train de régler l'addition. 12. Christine et Bernard sont en train de rentrer chez eux après avoir laissé le pourboire. **Ex. 12.** Answers may vary. 1. Je choisis un menu avant d'inviter des amis. (Avant d'inviter des amis, je choisis un menu.) 2. Je lis la recette avant de faire les provisions. 3. Je fais une liste avant d'aller au supermarché. 4. Je fais la cuisine avant de m'habiller pour la soirée. 5. Je prépare le repas avant de mettre la table. 6. Je débarrasse la table avant de servir le dessert. **Ex. 13.** 1. Un étudiant typique regarde la télé après avoir fini ses devoirs. 2. Un étudiant typique étudie après être allé en cours. 3. Un étudiant typique écrit une thèse après avoir lu des articles. 4. Un étudiant typique écoute les cassettes après avoir regardé son manuel de laboratoire. 5. Un étudiant typique écrit une composition après avoir réfléchi au sujet. 6. Un étudiant typique répond après avoir écouté les

questions du prof. 7. Un étudiant typique va à la bibliothèque après être allé prendre un café. 8. Un étudiant typique se couche après être sorti pour voir un film.

CHAPITRE 8

Ex. 1. Answers may vary. 1. Toute / Non, ce n'est pas vrai. Il y a aussi des plaines en France. 2. Tous / Non, ce n'est pas vrai. Il y a des départements français qui se trouvent en dehors de l'Hexagone, comme la Corse ou les départements d'outre-mer. 3. Toutes / Non, ce n'est pas vrai. Il y a des feux de forêts en France, mais il existe des forêts qui n'ont jamais été détruites. 4. Tous / Non, ce n'est pas vrai. Il y en a qui se jettent dans la Méditerranée ou dans la mer du Nord. 5. Toutes / Non, ce n'est pas vrai. Il y a des côtes très développées où toute ce qui était sauvage a été détruit. 6. Toute / C'est vrai, et c'est pourquoi il faut rester conscient de l'environnement. 7. Tout / Oui, c'est vrai. Il y a des choses que l'argent ne peut pas acheter. Il faut protéger les espèces en danger. **Ex. 2.** 1. De Reims, je vais à Strasbourg, en Alsace. 2. De Strasbourg, je vais à Dijon, en Bourgogne. 3. De Dijon, je vais à Grenoble, en Savoie. 4. De Grenoble, je vais à Arles, en Provence. 5. D'Arles, je vais à Carcassonne, dans le Languedoc. 6. De Carcassonne, je vais à La Rochelle, dans le Poitou. 7. De La Rochelle, je vais à Tours, dans la Loire. **Ex. 3.** 1. Est-ce que tu vas en Europe? Oui, je vais au Portugal et en Espagne. 2. Est-ce que tu vas en Asie? Oui, je vais en Chine et en Inde. 3. Est-ce que tu vas en Afrique? Oui, je vais en Côte-d'Ivoire et au Sénégal. 4. Est-ce que tu vas en Afrique du Nord? Oui, je vais en Tunisie et au Maroc. 5. Est-ce que tu vas en Louisiane? Oui, je vais à Baton Rouge et à La Nouvelle-Orléans. 6. Est-ce que tu vas au Canada? Oui, je vais à Montréal et à Toronto. 7. Est-ce que tu vas en Amérique du Sud? Oui, je vais au Brésil et en Argentine. 8. Est-ce que tu vas en Amérique du Nord? Oui, je vais aux États-Unis: en Californie et au (dans le) Texas. **Ex. 4.** 1. D'où viennent les Volkswagens? Les Volkswagens viennent d'Allemagne. 2. D'où viennent les appareils Sony? Les appareils Sony viennent du Japon. 3. D'où vient le jamabalaya? Le jambalaya vient de Louisiane. 4. D'où viennent les vins de Bourgogne? Les vins de Bourgogne viennent de France. 5. D'où viennent les enchiladas et les tacos? Les enchiladas et les tacos viennent du Mexique. 6. D'où vient le cappuccino? Le cappuccino vient d'Italie. 7. D'où viennent les Cadillacs? Les Cadillacs viennent des États-Unis. 8. D'où vient le sucre d'érable? Le sucre d'érable vient du Canada et du Vermont. **Ex. 5.** 1. vivent 2. vit 3. vivent 4. vit 5. survivre (vivre) 6. ont vécu 7. ont survécu 8. vivait 9. vivons **Ex. 6.** 1. à. Oui je vais lui écrire. 2.— / Non, je ne les écoute pas. 3. à / Oui, je leur téléphone toutes les semaines. 4. — / Oui, je les regarde. 5. à / Je voudrais lui dire que tout le monde doit participer à la sauvegarde de l'environnement. 6. aux associations / Oui, je leur donne de l'argent. **Ex. 7.** 1. Je la lui donne. (Je ne la lui donne pas.) 2. Je les leur envoie. (Je ne les leur envoie pas.) 3. Je la lui promets. (Je ne la lui promets pas.) 4. Je leur accorde. (Je ne le leur accorde pas.) 5. Je le lui donne. (Je ne le lui donne pas.) **Ex. 8.** Answers may vary. 1. a. devrions / Oui, je suis d'accord parce que les émissions toxiques sont mauvaises pour la santé. (Non, je ne suis pas d'accord parce que les entreprises ne peuvent pas le faire sans réduire leur production.) b. devrais / Oui, je suis d'accord parce que j'habite près de mon lieu de travail. (Non, je ne suis pas d'accord parce que je préfère prendre la voiture.) 2. a. devrais / Oui, je suis d'accord parce que c'est facile à faire. (Non, je ne suis pas d'accord parce que je ne voudrais pas changer mes habitudes!) b. devraient / Oui, je suis d'accord parce que ce n'est pas nécessaire, sauf quand il fait très chaud! (Non, je ne suis pas d'accord parce que mon jardin a besoin d'être arrosé tous les jours.) 3. a. devraient / Oui, je suis d'accord parce que je préfère manger des produits naturels. (Non, je ne suis pas d'accord parce qu'il faut tuer les insectes.) b. devrions / Oui, je suis d'accord parce que ces détergents sont bons. (Non, je ne suis pas d'accord parce qu'ils ne sont pas aussi bons que les autres.) 4. a. devrait / Oui, je suis d'accord parce que c'est bon pour la planète. (Non, je ne suis pas d'accord parce que je n'aime pas le faire.) b. devrait / Oui, je suis d'accord parce qu'il y a trop de plastique. (Non, je ne suis pas d'accord. Il faut le recycler, c'est tout.) **Ex. 9.** 1. vivaient 2. empêchaient 3. émettaient 4. montaient 5. pique-niquaient 6. trouvait 7. étaient 8. comprenaient **Ex. 10.** 1. faisait, s'est arrêté 2. envoyait, s'est éteint 3. écoutait, a... entendu 4. parlait, a été 5. écoutait, s'est arrêtée

CHAPITRE 9

Ex. 1. Oui, j'y habite. (Non, je n'y habite pas.) 2. Oui, j'y suis déjà allé(e) cette semaine. (Non, je n'y suis pas encore allé[e]...) 3. Oui, j'y participe beaucoup. (Non, je n'y participe pas beaucoup.) 4. Oui, j'y réponds souvent. (Non, je n'y...) 5. Oui, j'y assiste parfois. (Non, je n'y assiste jamais.) 6. Oui, j'y pense souvent. (Non, je n'y...) **Ex. 2.** 1. Answers may vary. 1. Oui, je suis plus intelligent(e) que lui. (Non, je suis moins/aussi...) 2. Oui, je suis moins intéressant(e) qu'eux. (Non, je suis plus/aussi...) 3. Oui, je suis aussi dynamique que lui / qu'elle. (Non, je suis moins/plus...) 4. Oui, mes camarades de classe sont aussi intelligents que moi. (Non, ils sont plus/moins...) 5. Oui, mes professeurs sont aussi sympathiques qu'eux. (Non, ils sont plus/moins...) 6. Oui, je suis aussi équilibré(e) que lui / qu'elle. (Non, je suis moins/plus...) 7. Oui, ils sont plus courageux que moi. (Non, ils sont moins/aussi...) **Ex. 3.** 1. Oui, j'ai dîné

avec lui. (Non, je n'ai jamais dîné avec lui.) 2. Si, je me suis disputé(e) avec eux. (Non, je ne me suis jamais disputé[e] avec eux.) 3. Oui, j'ai fait du travail supplémentaire pour lui/elle. (Non,...) 4. Oui, j'ai fait des courses pour eux/elles. (Non,...) 5. Oui, je me suis fâché(e) avec lui/elle. (Non,...) 6. Oui, j'ai joué au tennis avec eux/elles. (Non,...) **Ex. 4.** 1. Lui et elle, ils vont au cinéma. 2. Elle et lui, ils lisent le journal tous les jours. 3. Eux et nous, nous aimons Astérix. Moi, non! Je n'aime pas Astérix. 4. Elle et lui, ils sont stars de cinéma. 5. Toi et moi, nous paniquons avant les examens. 6. Lui et elle, ils ont du talent. 7. Elle et lui, ils sont dynamiques. **Ex. 5.** 1. Elle est chanteuse. 2. Elle était physicienne. 3. Il était empereur. 4. Elle était écrivain. 5. Il est chanteur. 6. Il était général (homme d'État). **Ex. 6.** Answers may vary. 1. C'est un professeur de lycée. C'est la femme de Victor. (C'est la sœur de Bernard.) 2. C'est un cadre dans une entreprise. C'est le beau-frère de Bernard Lasalle. 3. C'est un ingénieur. C'est le fils de Francis Lasalle. (C'est le frère de Claudine.) 4. C'est une étudiante en hôtellerie. C'est la sœur de Marise. 5. C'est un petit garçon. C'est le frère de Clarisse. 6. C'est un étudiant à l'Université Paris VII. C'est l'ami d'Agnès Rouet. **Ex. 7.** 1. Julien habite à la Défense depuis quatre ans. 2. Sa mère est à Paris depuis cinq ans. 3. Julien travaille pour TF1 depuis sept ans. 4. Il connaît Bernard Lasalle depuis huit ans. 5. Julien fait de la voile depuis douze ans. **Ex. 8.** Answers will vary. 1. Je fais des études à l'université depuis (deux ans). 2. J'habite (à la cité universitaire). J'y habite depuis (un an). 3. Mes parents habitent (à la campagne). Ils y habitent depuis (vingt-cinq ans). 4. J'étudie le français depuis (six mois). 5. J'ai mon permis de conduire depuis (l'année dernière). J'ai ma propre voiture depuis (l'année dernière). **Ex. 9.** 1. Est-ce que tu te coucheras tôt ce soir? Oui, je me coucherai tôt ce soir. (Non, je ne me coucherai pas...) Et toi? 2. Est-ce que tu dormiras jusqu'à 10 h demain? Oui, je dormirai... (Non, je ne dormirai pas...) 3. Est-ce que tu finiras tous tes devoirs avant le week-end? Oui, je finirai... (Non,...) 4. Est-ce que tu réussiras à tous tes examens ce semestre? Oui, je réussirai à... (Non,...) 5. Est-ce que tu sortiras ce weekend? Oui, je sortirai... (Non,...) 6. Est-ce que tu gagneras beaucoup d'argent cet été? Oui, je gagnerai... (Non,...) 7. Est-ce que tu achèteras une voiture cette année? Oui, j'achèterai... (Non,...) 8. Est-ce que tu prendras des vacances la semaine prochaine? Oui, je prendrai... (Non,...) **Ex. 10.** 1. serons 2. ferons 3. recevrons 4. verrons 5. aurons 6. saurons, pourrons **Ex. 11.** 1. aura 2. sera 3. gagnera 4. iront 5. devra 6. pourront 7. fera 8. impressionnera 9. découvrira 10. ira 11. reviendra 12. ouvrira 13. irons 14. deviendra 15. écrira 16. aura 17. s'appellera **Ex. 12.** 1. Tu seras heureux quand tu réussiras à l'examen demain. 2. Tu seras très

surpris quand tu recevras un A en cours de français. 3. Tu seras surpris quand tes amis t'inviteront à sortir ce week-end. 4. Tu seras étonné quand tu auras assez d'argent pour payer tes études. 5. Tu seras surpris quand tu finiras ton devoir d'histoire ce soir.

CHAPITRE 10

Ex. 1. 1. Il faut que je passe à la banque. 2. Il faut que j'écrive des instructions pour la voisine. 3. Il faut que je demande des prospectus au consulat marocain. 4. Il faut que je choisisse une valise neuve. 5. Il faut que je lise les prospectus sur le Maroc. 6. Il faut que je finisse ma dissertation de français. 7. Il faut que je rende des livres à la bibliothèque. 8. Il faut que j'organise mes affaires. **Ex. 2.** 1. Il faut que nous demandions si le vol va partir à l'heure. 2. Il faut que nous achetions des magazines. 3. Il ne faut pas que nous oubliions la valise en consigne. 4. Il faut que nous téléphonions aux enfants ce soir. 5. Il faut que nous écrivions une carte postale à Julien ce soir. 6. Il ne faut pas que nous laissions nos chèques de voyage dans la valise. 7. Il faut que nous relisions les brochures. 8. Il faut que nous nous reposions en avion. **Ex. 3.** Answers will vary. 1. Il est important que je connaisse des gens du pays. 2. Il faut que j'écrive à mes amis et à ma famille. 3. Il vaut mieux que je dorme bien chaque nuit. 4. Il n'est pas essentiel que je voyage dans une voiture confortable. 5. Il n'est pas indispensable que j'achète de beaux souvenirs. 6. Il faut que je rapporte beaucoup de belles photos. 7. Il n'est pas indispensable que je sorte tous les soirs. 8. Il ne faut pas que je fasse des projets à l'avance. **Ex. 4.** 1. Il ne faut pas que tu boives beaucoup d'alcool. 2. Il ne faut pas que tu ailles dans les cabarets. 3. Il ne faut pas que tu sortes seul(e). 4. Il faut que tu t'endormes à une heure raisonnable. 5. Il ne faut pas que tu fasses du bruit à l'hôtel. 6. Il faut que tu sois ponctuel(le). 7. Il faut que tu aies ton passeport sur toi à tout moment. 8. Il faut que tu nous écrives souvent. 9. Il faut que tu prennes des vitamines. **Ex. 5.** 1. Est-ce qu'il vaut mieux que je prenne les billets à l'aéroport ou que j'aille à l'agence de voyages? Il vaut mieux que vous alliez à l'agence de voyages pour éviter de longues queues à l'aéroport. (Il vaut mieux que vous preniez les billets à l'aéroport.) 2. Est-ce qu'il vaut mieux que je mette mon passeport dans ma petite valise ou dans ma poche? Il vaut mieux que vous le mettiez dans votre poche, parce qu'il faut que vous le montriez à la douane. (Il vaut mieux que vous le mettiez dans votre petite valise pour ne pas le perdre.) 3. Est-ce qu'il vaut mieux que je sois à l'aéroport trois heures avant le départ ou non? Il vaut mieux que vous arriviez trois heures avant le départ. Ainsi, vous aurez un peu de temps pour vous détendre avant votre départ. (Il vaut mieux que vous arriviez deux heures avant votre départ. Vous aurez assez de temps pour faire peser vos bagages.) 4. Est-ce qu'il vaut mieux que je boive beaucoup ou non, pendant le voyage en avion? Il vaut mieux que vous buviez beaucoup pour ne pas être déshydraté(e). (Il vaut mieux que vous ne buviez pas beaucoup de liquides.) 5. Est-ce qu'il vaut mieux que j'utilise des chèques de voyage ou une carte de crédit? Il vaut mieux que vous utilisiez des chèques de voyage. Ainsi, si vous les perdez, vous pourrez les remplacer facilement. (Il vaut mieux que vous utilisiez une carte de crédit. C'est plus pratique.) 6. Est-ce qu'il vaut mieux que j'aie du liquide (de l'argent) pour laisser des pourboires? Oui, il vaut mieux que vous en ayez pour laisser des pourboires. (Il vaut mieux que vous n'ayez pas trop de liquide. Mettez le pourboire sur votre carte de crédit.) 7. Est-ce qu'il vaut mieux que je fasse mes valises deux ou trois jours avant ou à la dernière minute? Il vaut mieux que vous les fassiez deux ou trois jours avant pour ne rien oublier. (Il vaut mieux que vous ne les fassiez pas trop tôt si vous voulez que vos vêtements soient en bon état.) 8. Est-ce qu'il vaut mieux que j'aille prendre des brochures avant mon départ ou non? Il vaut mieux que vous alliez prendre des brochures avant votre départ pour mieux vous préparer. (Il vaut mieux que vous n'en preniez pas avant le départ. Sinon vous ne serez pas surpris(e) à l'arrivée.) **Ex. 6.** Answers will vary. 1. Un jeune homme (Une jeune fille) de 18 ans conduit trop vite. Il/Elle suit rarement le code de la route. 2. Les chauffeurs de taxi conduisent prudemment. En général, ils suivent le code de la route. 3. Mon meilleur ami (Ma meilleure amie) conduit bien. Il/Elle suit toujours le code de la route. 4. Mes copains conduisent comme des fous. Ils suivent rarement le code de la route. 5. Les personnes âgées conduisent lentement. Elles suivent toujours le code de la route. 6. Les gens de ma ville conduisent assez bien. En général, ils suivent le code de la route. 7. Un agent de police conduit bien. Il suit toujours le code de la route. 8. Je conduis prudemment. Je suis toujours le code de la route. **Ex. 7.** 1. Est-ce que tu le lui donnes? Oui, je le lui donne. (Non, je ne le lui donne pas.) 2. Est-ce que tu le leur montres? Oui, je le leur montre. (Non, je ne le leur montre pas.) 3. Est-ce que tu les lui laisses? Oui, je les lui laisse. (Non, je ne les lui laisse pas.) 4. Est-ce que tu la lui prêtes? Oui, je la lui prête. (Non, je ne la lui prête pas.) 5. Est-ce que tu lui en donnes? Oui, je lui en donne. (Non, je ne lui en donne pas.) 6. Est-ce que tu lui en demandes? Oui, je lui en demande. (Non, je ne lui en demande pas.) 7. Tu lui en offres? Oui, je lui en offre. (Non, je ne lui en offre pas.) 8. Tu leur en laisses? Oui, je leur en laisse. (Non, je ne leur en laisse pas.) **Ex. 8.** 1. le plus 2. le plus, le moins 3. le plus 4. les plus, les plus 5. les plus, les plus 6. le plus **Ex. 9.** 1. Le polyester coûte le moins cher. 2. Le nylon se lave le mieux. 3. Les diamants coûtent le

plus cher. 4. La porcelaine se casse le plus facilement. 5. Le cuir s'utilise le moins dans les vêtements pour enfants. **Ex. 10.** 1. Le Canada a le plus d'habitants francophones. / Le Congo a le moins d'habitants francophones. 2. Le Mali a le plus d'habitants francophones. / Le Luxembourg a le moins d'habitants francophones. 3. La Suisse a le plus d'habitants francophones. / Le Congo a le moins d'habitants francophones. **Ex. 11.** Answers may vary. 1. Laquelle de ces montres préfères-tu? d (Celle en or parce que...) 2. Laquelle de ces bagues préfères-tu? c 3. Lequel de ces portefeuilles préfères-tu? a 4. Lequel de ces foulards préfères-tu? e 5. Lequel de ces vases préfères-tu? b **Ex. 12.** Answers may vary. 1. ceux, ceux / Moi, je préfère ceux qui sont personnalisés (qui coûtent cher). 2. celles, celles / Moi, je préfère celles qui sont comiques. 3. celles, celles / Moi, je préfère celles qui sont plus discrètes. 4. ceux, ceux / Moi, je préfère ceux en cuir. 5. ceux, ceux / Moi, je préfère ceux qui sont confortables.

CHAPITRE 11

Ex. 1. Answers will vary. 1. aurait / Oui, c'est vrai, parce qu'on n'aurait pas d'exemples de crimes violents. (Non, ce n'est pas vrai...) 2. lirais / C'est vrai, parce que je ne serais pas aussi distrait(e) par la télévision. (Non,...) 3. serait / C'est vrai, parce qu'ils passeraient plus de temps à faire de l'exercice. (Non,...) 4. saurions / Ce n'est pas vrai, parce que nous aurions encore des journaux et des ordinateurs! (C'est vrai...) 5. connaîtrait / Ce n'est pas vrai, parce qu'on pourrait lire des journaux et des livres. (C'est vrai...) 6. feraient / C'est vrai, parce qu'il n'y aurait pas de publicité. (Non,...) 7. dormirions / C'est vrai, parce que nous ne regarderions pas d'émissions à minuit. (Non,...) **Ex. 2.** 1. Pourriez 2. auriez 3. voudrais 4. pourriez 5. devrais 6. pourrais 7. Sauriez **Ex. 3.** 1. Dans un monde idéal, on pourrait toujours croire ce qu'on vous dit. 2. Dans un monde idéal, nous ne serions pas influencés par des messages subtils ou subliminaux. 3. Dans un monde idéal, on ne profiterait jamais de la crédulité des gens. 4. Dans un monde idéal, les gens ne dépenseraient pas beaucoup d'argent pour des produits inutiles. 5. Dans un monde idéal, le travail occuperait une moins grande partie de notre vie. 6. Dans un monde idéal, il y aurait assez d'emplois pour tous ceux qui veulent travailler. 7. Dans un monde idéal, mentir ne serait jamais utile. **Ex. 4.** 1. C'est le magazine dont je parlais l'autre jour. 2. C'est le livre dont on discutait à la télé. 3. C'est un metteur en scène dont je connais d'autres films. 4. C'est une vedette dont j'ai vu tous les films. 5. C'est un titre dont je ne me souviens jamais. **Ex. 5.** 1. Ce qui: c 2. Ce qui: f 3. Ce que: d 4. Ce qui: e 5. Ce qu': b 6. Ce qu': a 7. Ce qu': f 8. Ce qu': e **Ex. 6.** 1. ce qu' 2. ce qui 3. Ce qui 4. ce qu' 5. ce qui 6. ce qu'

7. ce qui 8. ce dont **Ex. 7.** 1. Aies quelque chose à dire dans ta page web. 2. Ne fais pas une liste de listes. 3. Rappelle-toi que tes visiteurs ne sont pas tous équipés d'un modem 28.8. 4. Vérifie tes liens pour éliminer les culs-de-sac. 5. Permets les commentaires par courrier électronique sur ta page. 6. Améliore-toi constamment dans l'art de construire les html. 7. Sois créatif/créative malgré toutes ces directives. **Ex. 8.** 1. Montrez-leur donc comment... 2. ... bloquez les fentes de disquettes et de CD-ROM, rangez le clavier et mettez la souris en cage. 3. N'apportez votre travail à la maison qu'en cas. 4. Asseyez-vous souvent avec vos enfants... 5. ... sachez où ils vont... 6. Donnez-leur une chaise confortable. Essayez aussi de placer... **Ex. 9.** 1. C'est une bonne idée. Posez-en. (Ce n'est pas nécessaire. N'en posez pas.) 2. C'est une bonne idée. Vérifiez-la. (Regardez-le.) (Ce n'est pas nécessaire. Ne la vérifiez-pas. [Ne le regardez pas.]) 3. C'est une bonne idée. Appréciez-la. (Ce n'est pas nécessaire. Ne l'appréciez pas.) 4. C'est une bonne idée. Vérifiez-le. (Ce n'est pas nécessaire. Ne le vérifiez pas.) 5. C'est une bonne idée. Groupez-les. (Ce n'est pas nécessaire. Ne les groupez pas.) 6. C'est une bonne idée. Parlez-en. (Ce n'est pas nécessaire. N'en parlez pas.) **Ex. 10.** 1. Si je voulais vraiment acheter quelque chose, je serais (ne serais pas) très impatient(e). 2. Si j'étais déprimé(e), j'aurais (n'aurais pas) envie de faire des achats. 3. Si j'avais envie de faire des achats, je laisserais (ne laisserais pas) mes cartes de crédit à la maison. 4. Si je faisais beaucoup d'achats, je serais encore plus (ne serais plus) déprimé(e). 5. Si j'achetais quelque chose de cher, j'irais (je n'irais pas) dans tous les magasins pour trouver le meilleur prix. 6. Si je n'aimais pas quelque chose, je le rapporterais (ne le rapporterais pas) au magasin.

CHAPITRE 12

Ex. 1. 1. Oui, il/elle voudrait que je fasse plus de sport. (Non, il/elle ne voudrait pas que... / Ça lui est égal.) 2. Oui, il/elle voudrait que je dorme moins. (Non, il/elle ne voudrait pas que... / Ça lui est égal.) 3. Oui, il/elle voudrait que je perde du poids. (Non,...) 4. Oui, il/elle voudrait que je sois plus sérieux/sérieuse dans mes études. (Non,...) 5. Oui, il/elle voudrait que je dépense moins d'argent. (Non,...) 6. Oui, il/elle voudrait que je devienne médecin. (Non,...) 7. Oui, il/elle voudrait que je puisse le/la voir plus souvent. **Ex. 2.** Answers may vary. 1. Oui, je demanderais qu'on enlève toutes... (Non, je ne demanderais pas...) 2. Je désire qu'on serve des plats végétariens... (Non, je ne désire pas...) 3. J'aimerais qu'il y ait une salle... (Non, je n'aimerais pas...) 4. Je préférerais que l'université dépense moins d'argent... (Non, je ne préférerais pas...) 5. Oui, j'aimerais que les cours ne commencent pas avant 9 h... (Non, je n'exigerais pas que...) 6. Oui, je demande-

rais que les examens finals soient mieux espacés. (Non, je ne demanderais pas que...)
Ex. 3. 1. n'avais pas, n'ai rien mangé
2. avais, me suis endormie 3. me sentais, ai
dû 4. devais, n'ai pas pu 5. n'avais pas, n'ai
pas téléphoné 6. voulais, ai dû **Ex. 4.** 1. c /
On peut soulager les yeux inflammés en y
mettant des gouttes. Oui, c'est vrai. (Non,...)
2. a / On peut transmettre des microbes en
toussant et en éternuant. Oui, c'est vrai. 3. b
/ On peut éviter les rhumes en prenant
beaucoup de vitamine C. Oui, c'est vrai. 4. e
/ On peut guérir une grippe en mangeant
de la soupe au poulet. Oui, c'est vrai. 5. d /
On peut arrêter le hoquet en se mettant un
sac sur la tête. Non, ce n'est pas vrai. (Oui,...)
Ex. 5. 1. viennent d'arriver 2. venez de voir
3. venons d'apprendre 4. vient d'arriver
5. viennent d'éteindre **Ex. 6.** 1. était, faisait,
avait 2. avons décidé 3. avons mis, sommes
partis 4. était, glissaient 5. sommes arrivés
6. suis tombé, s'est cassé 7. n'avais 8. avons
dû, étions **Ex. 7.** 1. était 2. avais 3. j'ai pris
4. étais 5. n'ai pas trouvé 6. j'ai pris 7. était
8. avait 9. était 10. s'avançait 11. J'ai mal es-
timé 12. a touché 13. Je cherchais 14. j'ai entendu 15. était 16. pensait 17. j'allais

CHAPITRE 13

Ex. 1. 1. se sont rencontrés 2. se sont détes-
tés 3. se revoir 4. se sont rencontrés 5. se
sont aidés 6. se quitter 7. s'entendent **Ex. 2.**
1. nous nous disons 2. vous vous écoutez

3. se parlent 4. se téléphonent 5. nous nous
invitons 6. s'embrassent **Ex. 3.** 1. patiem-
ment 2. sérieusement 3. nerveusement 4. attentivement 5. élégamment 6. (très) calme-
ment 7. discrètement **Ex. 4.** Answers may
vary. 1. C'est regrettable que les jeunes et les
vieux ne s'entendent pas bien. 2. C'est inévitable que les jeunes ne fassent pas attention
aux conseils de leurs parents. 3. C'est regrettable que les jeunes ne puissent pas profiter
de l'expérience de leurs aînés. 4. C'est regrettable que nous soyons obligés de répéter les
erreurs de nos parents. 5. C'est rare qu'un
jeune Américain ait envie d'habiter longtemps chez ses parents. 6. C'est regrettable
que les personnes âgées ne croient plus
pouvoir contribuer à la société. 7. C'est honteux (étonnant) qu'un certain nombre de
personnes âgées soient abandonnées par
leurs enfants. **Ex. 5.** 1. Je suis triste que tes
parents soient séparés. 2. Je suis désolée que
ton grand-père soit à l'hôpital. 3. C'est
dommage que tu n'aies pas encore ton baccalauréat. 4. Il est regrettable que tu doives
repasser tes examens le mois prochain. 5. Je
suis heureuse que tous tes amis partent à
l'étranger cet été. 6. Je regrette que toi, tu ne
puisses pas y aller. 7. Je suis désolée que tu
te sentes vraiment triste. **Ex. 6.** 1. b / avait
perdu 2. e / avait oublié 3. a / avait bu 4. d /
avait oublié 5. c / avait mangé **Ex. 7.** 1. était
parti 2. l'avait oubliée 3. avait vendu 4. avait
vu 5. elle s'était déjà couchée **Ex. 8.** 1. La

mienne est propre/sale. La sienne est
propre/sale. 2. La mienne est en ordre/en
désordre. La sienne est en ordre/en
désordre. 3. Les miens sont chic/pratiques.
Les siens sont chic/pratiques. 4. Le mien (La
mienne) est facile/difficile à vivre. Le sien
(La sienne) est facile/difficile à vivre. 5. Les
miennes sont très bonnes/moyennes. Les
siennes sont très bonnes/moyennes.

CHAPITRE 14

Ex. 1. 1. auraient dû 2. aurions dû 3. auriez
dû 4. aurait dû 5. aurais dû 6. aurais dû
Ex. 2. 1. n'aurais pas acheté 2. aurait été
3. n'aurait pas jeté 4. aurais pu 5. ne serais
pas rentré 6. te serais rendu compte **Ex. 3.**
1. à moins que 2. à condition que 3. Bien
que 4. jusqu'à ce que 5. quoique 6. pour que
Ex. 4. Answers vary. 1. a. Il est impossible que les résidences universitaires aient...
b. Je crois que les résidences universitaires
auront... 2. a. C'est impossible que tous les
Américains parlent... b. C'est probable que
tous les Américains parleront... 3. a. J'espère
que nous éliminerons... b. C'est peu probable que nous éliminions... 4. a. Je pense
que tout le monde travaillera... b. Ce n'est
pas possible que tout le monde travaille...
5. a. C'est peu probable que toutes les familles du monde aient... b. C'est possible
que toutes les familles du monde aient...

*L*exique: Vocabulaire français–anglais

This vocabulary contains French words and expressions used in this book, with their contextual meanings. The gender of nouns is indicated by the abbreviations *m.* and *f.* Both masculine and feminine forms of adjectives are shown.

All words and expressions from chapter vocabulary lists are included, with the exception of exact cognates. Conjugated verb forms, present participles, and regular past participles are not included. In general, regular adverbs do not appear if the adjectives upon which they are based are included (e.g., **lent[e], lentement**); regular past participles used as adjectives do not appear if the verbs upon which they are based are included (e.g., **varier, varié[e]**). Words beginning with aspirate *h* are preceded by an asterisk (*).

Abbreviations

A.	archaic	*fam.*	familiar, colloquial	*m.*	masculine noun
ab.	abbreviation	*fig.*	figurative	*pl.*	plural
adj.	adjective	*Gram.*	grammar term	*p.p.*	past participle
adv.	adverb	*interj.*	interjection	*prep.*	preposition
art.	article	*intr.*	intransitive	*pron.*	pronoun
conj.	conjunction	*inv.*	invariable	*s.*	singular
f.	feminine noun	*irreg.*	irregular (verb)	*subj.*	subjunctive
		lit.	literary	*trans.*	transitive

à *prep.* to; at; in; with

abandonner to drop (*a course of study, a class*); to give up; to abandon, desert

abattre (*like* **battre**) *irreg.* to cut down (*trees*)

abîmer to damage; to spoil

abolir to abolish, do away with

abonnement *m.* subscription; service contract

s'abonner (à) to subscribe (to)

aboutir (à) to end up (in)

abréger (j'abrège) to abbreviate, shorten

abricot *m.* apricot

abrupt(e) *adj.* abrupt; steep

absence *f.* absence; lack

absolu(e) *adj.* absolute

s'abstenir (*like* **tenir**) *irreg.* to abstain

abstrait(e) *adj.* abstract

absurde *adj.* absurd

abus *m.* abuse; misuse; **abus de la drogue** drug abuse

abuser de to misuse, abuse; **abuser des règlements** to break the rules

Acadie *f.* Acadia (Nova Scotia)

acadien(ne) *adj.* Acadian; **Acadien(ne)** *m., f.* Acadian (*person*)

acajou *m.* mahogany

accéder (j'accède) (à) to access

accélérer (j'accélère) to accelerate

accentué(e) accentuated, stressed

accentuer to increase; to emphasize

accepter (de) to accept; to agree (to)

accès *m.* access; **accès limité** limited access

accessoires *m. pl.* accessories

accompagner to accompany

accomplir to accomplish, fulfill, carry out

accord *m.* agreement; **d'accord** all right, O.K.; **être d'accord** to agree, be in agreement; **se mettre d'accord** to reconcile, come to an agreement

accorder to grant, bestow, confer

accouchement *m.* childbirth

accro (*m., f.*) **du Web** Web addict

accroché(e) *m., f., fam.* fanatic

accroissement *m.* (**de**) increase (in)

s'accroupir to squat, stoop over

accueil *m.* greeting, welcome; **page** (*f.*) **d'accueil** home page

accueillir (*like* **cueillir**) *irreg.* to welcome, greet

accumuler to accumulate

accusé(e) *m., f.* accused, defendant; **défendre les accusés** to defend the accused

achat *m.* purchase; **faire des achats** to go shopping

acheter (j'achète) to buy; **acheter des provisions** to buy groceries

acide *adj.* acid; tart, sour; *m.* acid; **pluie** (*f.*) **acide** acid rain

acier *m.* steel

acquérir (*p.p.* **acquis**) *irreg.* to acquire, obtain

acte *m.* act

acteur/actrice *m., f.* actor/actress

actif/active *adj.* active; working

action *f.* action, gesture; **jour** (*m.*) **d'Action de Grâce** Thanksgiving Day (*U.S., Canada*)

activité *f.* activity

actualité *f.* piece of news; news; current event; **suivre les actualités** to keep up with the news

actuel(le) *adj.* present, current

actuellement *adv.* now, at the present time

adapter to adapt

addition *f.* bill, tab (*in a restaurant*)

adieu *interj.* good-bye; **soirée** (*f.*) **d'adieu** farewell party

adjectif *m.* adjective

admettre (*like* **mettre**) *irreg.* to admit, accept

administratif/administrative *adj.* administrative

administrer to administer

admiratif/admirative *adj.* admiring

admirer to admire; **s'admirer** to admire oneself, one another

adopter to adopt

adorer to adore, worship; to admire; to be fond of

adresse *f.* address

adresser to address, speak to; **s'adresser à** to speak to; to appeal to; to inquire

adulte *m., f.* adult

adverbe *m.* adverb

adversaire *m., f.* opponent, adversary

aérobic *f.* aerobics; **faire de l'aérobic** to do aerobics

aéroport *m.* airport

affaire *f.* affair; (business) matter; *pl.* belongings; business; **chiffre** (*m.*) **d'affaires** total sales; **homme** (*m.*)/**femme** (*f.*) **d'affaires** businessman/woman

affecter to affect

affectueux/affectueuse *adj.* affectionate

affichage *m.:* **tableau** (*m.*) **d'affichage** display board

afficher to display, post

affirmatif/affirmative *adj.* affirmative

affirmation *f.* statement

affirmer to affirm, assert

affronter to confront, deal with, face

afin de *prep.* to, in order to; **afin que** *conj.* so, so that

africain(e) *adj.* African; **Africain(e)** *m., f.* African (*person*)

Afrique *f.* Africa

âge *m.* age; **Quel âge avez-vous?** How old are you?; **le moyen âge** Middle Ages; **personne** (*f.*) **du troisième âge** senior citizen

âgé(e) *adj.* aged; old; elderly

agence *f.* agency; **agence de voyages** travel agency; **agence bénévole** volunteer agency, organization; **agence matrimoniale** marriage/dating service

agent *m.* agent; **agent conservateur** (food) preservative; **agent de police** police officer; **agent de voyages** travel agent

aggraver to aggravate, worsen; **s'aggraver** to grow worse

agir to act, take action; **s'agir: il s'agit de** it is a question/matter of; it is about

agité(e) *adj.* agitated; **heures** (*f.*) **agitées** troubled times

agneau *m.* lamb; **gigot** (*m.*) **d'agneau** leg of lamb

agréable *adj.* pleasant, nice, agreeable

agréer to accept; **je vous prie d'agréer l'expression de mes sentiments distingués** yours truly

agressif/agressive *adj.* aggressive

agricole *adj.* agricultural, farming

agriculteur/agricultrice *m., f.* cultivator, farmer

ah bon? (ah oui?) *interj.* really? is that right?

aide *f.* help, assistance

aider (à) to help (to); to provide aid; **aider à la maison** to help around the house; **s'aider** to help one another

aigle (*m.*) eagle; **aigle royal** golden eagle

aigre *adj.* sour

aigu(ë) *adj.* acute; **accent** (*m.*) **aigu** acute accent

ail *m.* garlic

ailleurs *adv.* elsewhere; **d'ailleurs** *adv.* moreover; furthermore

aimable *adj.* likeable, friendly

aimer to like; to love; **aimer bien** to like; **aimer mieux** to prefer

aîné(e) *adj.* older, oldest (*child*)

ainsi *conj.* thus, so, such as; **ainsi que** *conj.* as well as, in the same way as

air *m.* air; look; tune; **avoir l'air (de)** to seem, appear; **en plein air** outdoors, in the open air; **hôtesse** (*f.*) **de l'air** flight attendant, stewardess

aise *f.* ease, comfort; **être mal à l'aise** to be uncomfortable; **se sentir à l'aise** to feel at ease

aisé(e) *adj.* comfortable; well-off; easy, effortless

ajouter to add

alcool *m.* alcohol; alcoholic beverage

Algérie *f.* Algeria

algérien(ne) *adj.* Algerian; **Algérien(ne)** *m., f.* Algerian (*person*)

algue *f.* seaweed

aliéner (j'aliène) to alienate

aliment *m.* food, nourishment; food item

alimentaire *adj.* alimentary, pertaining to food; **chaîne** (*f.*) **alimentaire** food chain

alimentation *f.* food, feeding, nourishment; **magasin** (*m.*) **d'alimentation** food store

allaiter to breastfeed

allécher (j'allèche) to allure; to attract

allégé(e) *adj.* light, low-fat

Allemagne *f.* Germany

allemand(e) *adj.* German; *m.* German (*language*); **Allemand(e)** *m., f.* German (*person*)

aller *irreg.* to go; **aller + inf.** to be going to + *inf.*; **allons-y!** let's go!; **aller-retour** *m.* round-trip; **comment allez-vous?** how are you?; **s'en aller** to leave

allergie *f.* allergy

allergique *adj.* allergic

alliance *f.* union; wedding ring

s'allier (à) to be/become united, allied (with)

allô *interj.* hello (*phone greeting*)

allocation *f.* allotment; pension; **allocations familiales** *pl.* family subsidy

allongé(e) *adj.* stretched out, lying (down)

allumer to light (*a cigarette, a fire*); **allumer la télé** to turn on the TV

alors *adv.* then, in that case, therefore; **alors que** *conj.* while, whereas

Alpes *f. pl.* the Alps

alpin(e) *adj.* alpine; **ski** (*m.*) **alpin** downhill skiing

alpiniste *m., f.* mountaineer, climber

Alsace *f.* Alsace (*eastern French province*)

alsacien(ne) *adj.* Alsatian, from Alsace; *m.* Alsatian (*language*); **Alsacien(ne)** *m., f.* Alsatian (*person*)

altérer (j'altère) to alter, change

alternance *f.* alternation; **des cours en alternance** cooperative education

alterner to alternate

amazonien(ne) *adj.* Amazonian

ambassade *f.* embassy

ambiance *f.* atmosphere, surroundings

ambitieux/ambitieuse *adj.* ambitious

ambulant(e) *adj.* able to walk, traveling

améliorer to improve, better; **s'améliorer** to improve (oneself), get better

aménagement *m.* planning, development; **aménagement du territoire** national and regional development

amende *f.* fine

amener (j'amène) to bring; to take (*a person*)

amer/amère *adj.* bitter

américain(e) *adj.* American; **Américain(e)** *m., f.* American (*person*)

Amérique *f.* America; **Amérique centrale** Central America; **Amérique du Nord (du Sud)** North (South) America

ami(e) *m., f.* friend; **petit(e) ami(e)** boyfriend/girlfriend

amitié *f.* friendship; **amitiés** your friend, best wishes (*in correspondance*)

amour *m.* love

amoureux/amoureuse *adj.* in love; **tomber amoureux/amoureuse (de)** to fall in love (with)

amphi *m., fam.* (**amphithéâtre**) amphitheater

amusant(e) *adj.* amusing, fun

amuser to entertain, amuse; **s'amuser (à)** to have fun, have a good time

an *m.* year; **avoir (vingt) ans** to be (twenty) years old; **jour** (*m.*) **de l'an** New Year's Day; **nouvel an** New Year('s); **par an** per year, each year; **tous les ans** every year

analyse *f.* analysis

anarchiste *m., f.* anarchist

ancêtre *m., f.* ancestor

ancien(ne) *adj.* old, antique; former; ancient

andouille *f. sausage made from pork tripe*

anesthésie *f.* anesthesia

anglais(e) *adj.* English; *m.* English (*language*); **Anglais(e)** *m., f.* English (*person*)

Angleterre *f.* England; **Nouvelle-Angleterre** New England

anglicisme *m.* anglicism

anglophone *adj.* English-speaking

animal (*m.*) **domestique** *m.* pet (*animal*)

animateur/animatrice *m., f.* host/hostess (*radio, TV*)

animé(e) *adj.* animated, lively; motivated; **dessins** (*m. pl.*) **animés** (*film*) cartoons

année *f.* year; **l'année dernière** last year; **l'année prochaine** next year; **l'année scolaire** academic, school year; **les années cinquante (soixante)** the fifties (sixties)

anniversaire *m.* anniversary; birthday

annonce *f.* announcement, ad; **petite annonce** (classified) ad

annoncer (nous annonçons) to announce, declare

annuaire *m.* directory; **annuaire téléphonique** phone book

annuel(le) *adj.* annual, yearly

anorak *m.* windbreaker; ski jacket

antarctique *adj.* antarctic

antérieur(e): futur (*m.*) **antérieur** *Gram.* future perfect (tense)

antibiotique *m.* antibiotic

Antilles *f. pl.* the West Indies

antiquité *f.* antiquity

août August

apéritif *m.* before dinner drink, aperitif

apolitique *adj.* apolitical

apothicaire *m.* pharmacist

apparaître (*like* **connaître**) *irreg.* to appear

appareil *m.* apparatus; device; appliance; **appareil photo** *m.* camera

apparemment *adv.* apparently

apparence *f.* appearance

apparenté(e) *adj.* related; **mot** (*m.*) **apparenté** cognate

apparition *f.* appearance

appartement *m.* (*fam.* **apparte**) apartment

appartenir (*like* **tenir**) **à** *irreg.* to belong to

appelé(e) *adj.* called; named

appeler (j'appelle) to call; to name; **comment s'appelle-t-il/elle?** what's his/her name? **comment vous appelez-vous?** what's your name? **je m'appelle…** my name is . . . ; **s'appeler** to be named, called

appendicite *f.* appendicitis

s'appliquer à to apply to

apporter to bring; to furnish

apprécier to appreciate, value

appréhender to seize, arrest

apprendre (*like* **prendre**) *irreg.* to learn; to find out; to teach; **apprendre à** to learn (how) to

apprentissage *m.* apprenticeship

apprivoisé(e) *adj.* tame(d)

s'approcher de to approach, draw near

approfondir to deepen; to increase

approprié(e) *adj.* appropriate, proper, suitable

approximativement *adv.* approximately

appuyer (j'appuie) sur les freins to step on the brakes

après *prep.* after; **après avoir (être)…** after having (being) . . . ; **après tout** after all; **d'après** *prep.* according to

après-midi *m.* afternoon

aquatique *adj.* aquatic

arabe *adj.* Arabic, Arab; *m.* Arabic (*language*); **Arabe** *m., f.* Arab (*person*)

Arabie (*f.*) **Saoudite** Saudi Arabia

arbre *m.* tree

arc *m.* arch

archéologie *f.* archeology

archipel *m.* archipelago

architecte *m., f.* architect

arête *f.* fishbone; **avaler une arête** to swallow a fishbone

argent *m.* money; silver; **argent de poche** allowance, pocket money; **déposer de l'argent** to deposit money

Argentine *f.* Argentina

arme *f.* weapon; **armes à feu** firearms

armée *f.* army

armer to arm; to equip

armement *m.* armament, arms

arménien(ne) *adj.* Armenian

arôme *m.* aroma

arranger (nous arrangeons) to arrange; to accommodate

arrêt *m.* stop; **arrêt d'autobus** bus stop

arrêter to stop; to arrest; **s'arrêter de** to stop (oneself)

arrière-grands-parents *m., pl.* great-grand-parents

arrivée *f.* arrival

arriver to arrive; to happen; **arriver à** (+ *inf.*) to manage to, succeed in

arrondissement *m.* ward, section (*of Paris*)

arroser to water (*plants*)

art *m.* art; **art dramatique** theater; **beaux-arts** *m. pl.* fine arts; **arts du spectacle** (*m.*) performing arts **œuvre** (*f.*) **d'art** work of art

artère *f.* artery

arthrose *f.* osteoarthritis

articulation *f.* joint (*limb*)

artifice *m.* artifice, scheme, strategy; **feu** (*m.*) **d'artifice** fireworks

artificiel(le) *adj.* artificial; synthetic

artiste *m., f.* artist

artistique *adj.* artistic

ascenseur *m.* elevator

asiatique *adj.* Asian

Asie *f.* Asia

asperge *f.* asparagus

aspirateur *m.* vacuum cleaner; **passer l'aspirateur** to vacuum

aspirine *f.* aspirin

assaisonner to season

assemblée *f.* assembly; **Assemblée nationale** French national assembly

asseoir (*p.p.* **assis**) *irreg.* to seat; **asseyez-vous** sit down; **s'asseoir** to sit down

assez (de) *adv.* enough; rather; quite; **j'en ai assez pris** I've had enough

assiette *f.* plate

assistant(e) *m., f.* assistant; helper; teaching assistant

assister à to attend, go to; be present at (*concert, etc.*)

associer to associate

assorti(e) *adj.* assorted

assumer to assume; to take on; to fulfil

assurance *f.* insurance

assuré(e) *adj.* ensured, assured

assurer to insure; to assure; **s'assurer** to make sure, check

astronaute *m., f.* astronaut

astronome *m., f.* astronomer

astronomie *f.* astronomy

athée *m., f.* atheist

Athènes Athens

Atlantide *f.* Atlantis

Atlantique *m.* Atlantic Ocean

atmosphère *f.* atmosphere

atome *m.* atom

atomique *adj.* atomic

attacher to tie; to attach; to buckle

attaquer to attack; **s'attaquer à** to attack; to tackle (*a problem*)

atteindre (*like* **craindre**) *irreg.* to attain; to reach, arrive at

atteint(e) *adj.* affected (by); stricken

attendre to wait, to wait for; to expect

attente *f.* wait; expectation; **salle** (*f.*) **d'attente** waiting room

attentif/attentive *adj.* attentive

attention *f.* attention; **attention à** *interj.* watch out for; **attirer l'attention** to attract attention; **faire attention à** to pay attention to

attirer to attract; to draw; **attirer l'attention** (*f.*) to attract attention

attraper to catch; **attraper un rhume** to catch a cold

attribuer to attribute

auberge *f.* inn; **auberge de jeunesse** youth hostel

aubergine (*f.*) eggplant

aucun(e) (ne… aucun[e]) *adj., pron.* none; no one, not one, not any; **aucune idée!** I've no idea

audacieux/audacieuse *adj.* daring, audacious

augmentation *f.* increase, raise

augmenter to increase, raise; to rise

aujourd'hui *adv.* today; nowadays; at present; **aujourd'hui encore** still

auparavant *adv.* previously

aussi *adv.* too, also; so; as; **aussi… que** as . . . as; **moi aussi** me too

aussitôt *conj.* immediately, at once; **aussitôt que** as soon as

austral(e) *adj.* southern, austral

Australie *f.* Australia

australien(ne) *adj.* Australian; **Australien(ne)** *m., f.* Australian (*person*)

autant *adv.* as much, so much, as many, so many; **autant de** as many . . . as; **autant que** *conj.* as much as, as many as

auteur *m.* author

authentique *adj.* authentic, genuine

auto *f.* car, auto; **salon** (*m.*) **de l'auto** auto show; **auto-école** *f.* driving school; **faire de l'auto-stop** to hitch-hike

autobus (*fam.* **bus**) *m.* bus; **arrêt** (*m.*) **d'autobus** bus stop; **ligne** (*f.*) **d'autobus** bus line

autocar *m.* (interurban) bus

autographe *m.* autograph

automne *m.* autumn, fall; **en automne** in autumn

autonomie *f.* autonomy

autorisation *f.* permission; autorization

autoriser to allow; to authorize

autorité *f.* authority; **faire autorité** to be authoritative, be accepted as an authority

autoroute *f.* freeway

autour (de) *prep.* around

autre *adj., pron.* other; another; **autre chose** *f.* something else; **d'autres** other(s); **l'un(e) l'autre** one another; **ni l'un(e) ni l'autre** neither one; **quelqu'un d'autre** somebody, someone else

autrefois *adv.* in the past; **d'autrefois** of the past; past

autrement *adv.* otherwise

Autriche *f.* Austria

autrichien(ne) *adj.* Austrian; **Autrichien(ne)** *m., f.* Austrian (*person*)

autrui *pron.* others (*pl. of* **autre**)

avaler to swallow

avance *f.* advance; **à l'avance** beforehand; **en avance** early

avancement *m.* promotion; advancement

avancer (nous avançons) to approach

avant *adv.* before (*in time*); *prep.* before, in advance of; *m.* front; **avant de** (+ *inf.*) *prep.* before; **avant que** *conj.* before

avantage *m.* advantage, benefit

avantager (nous avantageons) to favor, give an advantage to

avec *prep.* with

avenir *m.* future; **à l'avenir** in the future, henceforth

aventure *f.* adventure; **film** (*m.*) **d'aventure(s)** adventure movie

avertir to warn

avilir to degrade, debase, demean

avion *m.* airplane; **en avion** by plane

avis *m.* opinion; **à son (mon, votre) avis** in his/her (my, your) opinion

avocat *m.* avocado

avocat(e) *m., f.* lawyer

avoir (*p.p.* **eu**) *irreg.* to have; *m. s.* holdings, assets; **avoir à** to have to, be obliged to; **avoir (20) ans** to be (20) years old

avortement *m.* abortion

avouer to confess, admit

avril April; **poisson** (*m.*) **d'avril** April Fool's joke

azur *m.* azure, blue; **Côte** (*f.*) **d'Azur** French Riviera

babillard(e) *m., f.* chatterbox; *m.* chatroom

baccalauréat (*fam.* **bac**) *m. French secondary school degree*

bachelier/bachelière *m., f. holder of the secondary school degree* (**baccalauréat**)

bagages *m. pl.* luggage; **enregistrer les bagages** to check in luggage; **l'excédent** (*m.*) **de bagages** excess baggage

bague *f.* ring (*jewelry*)

baguette *f. long thin loaf of French bread,* baguette

baie *f.* bay

baigner to bathe; **se baigner** to take a bath, to swim

baignoire *f.* bathtub

bâiller to yawn

bain *m.* bath; **prendre un bain** to take a bath; **salle** (*f.*) **de bain(s)** bathroom

baisser to lower

bal *m.* dance, ball

se balader to stroll

baladeur (enregistreur) *m.* walkman (with tape recorder)

balai *m.* broom, brush; **balai d'essuie-glace** windshield wiper blade

balcon *m.* balcony

ballerines *f. pl.* flat shoes, slippers

ballon *m.* ball (*inflated*); balloon

banane *f.* banana

banc: au banc des accusés on trial, on the stand

bande *f.* group; gang; **bande dessinée** comic strip; *pl.* comics; **en bande** in a group

banlieue *f.* suburbs; **en banlieue** in the suburbs

banni(e) (de) *adj.* banished, banned (from)

banque *f.* bank

baptême *m.* baptism

baptiser to baptize, christen

baquet *m.* tub

barbant: c'est barbant *fam.* it's really boring

barbe *f.* beard

barman *m.* bartender

barrière: récif-barrière (*m.*) barrier reef

bas(se) *adj.* low; *m.* stocking(s); **en bas** at the bottom, below; **bas de nylon** nylon stocking(s); **là-bas** *adv.* over there; **Pays-Bas** *m. pl.* Holland, the Netherlands; **table** (*f.*) **basse** coffee table

base *f.* basis; **à base de produits naturels** natural-based products

basilic *m.* basil

basket *m., fam.* basketball; **jouer au basket** to play basketball

basque *adj.* Basque; *m.* Basque (*language*); **Basque** *m., f.* Basque (*person*); **pays** (*m.*) **Basque** the Basque country

bastide *f.* country house (*in Provence*)

bataille *f.* battle

bateau *m.* boat; **en bateau** by boat, in a boat; **faire du bateau** to go boating

bâtiment *m.* building

bâtir to build

batterie *f.* battery (*car*)

battre (*p.p.* **battu**) *irreg.* to beat; **se battre (avec)** to fight (with)

bavarder to chat; to talk

beau (bel, belle [beaux, belles]) *adj.* beautiful; handsome; **il fait beau** it's nice (weather) out

beaucoup *adv.* much, many

beau-fils *m.* son-in-law; stepson

beau-frère *m.* brother-in-law

beau-père *m.* father-in-law; stepfather

beauté *f.* beauty

beaux-arts *m. pl.* fine arts

bébé *m.* baby

bec *m.* beak; spout

belge *adj.* Belgian; **Belge** *m., f.* Belgian (*person*)

Belgique *f.* Belgium

belle-fille *f.* daughter-in-law; stepdaughter

belle-mère *f.* mother-in-law; stepmother

belle-sœur *f.* sister-in-law

bénéficier de (certains avantages) to have, enjoy (certain advantages)

bénévole: agence (*f.*) **bénévole** volunteer agency, organization

béquille *f.* crutch

berbère *adj.* Berber

besoin *m.* need; **avoir besoin de** to need

bête *adj.* silly; stupid, dumb

bêtise *f.* foolishness; foolish thing; **Quelle bêtise** *interj.* how silly

Beur/Beurette *m., f., fam. young North African born in France*

beurre *m.* butter; **beurre de cacahuètes** peanut butter

beurré(e) *adj.* buttered

bibelot *m.* trinket

biberon *m.* baby bottle

bibliothèque *f.* library

biculturel(le) *adj.* bicultural

bicyclette *f.* bicycle; **promenade** (*f.*) **à bicyclette** bicycle ride; **faire de la bicyclette** to ride a bike

bien *adv.* well, quite; comfortable; *m. pl.* goods, belongings; **bien que** *conj.* (+ *subj.*) although; **bien sûr** *interj.* of course; **eh bien!** *interj.* well!; **merci bien** thanks a lot; **ou bien** or else

bientôt *adv.* soon; **à bientôt!** *interj.* see you soon!

bienvenue *f.* welcome

bière *f.* beer

bifteck *m.* steak

bijou *m.* jewel

bijouterie *f.* jewelry

bijoutier/bijoutière *m., f.* jeweler

bilingue *adj.* bilingual

bilinguisme *m.* bilingualism

billard *m. s.* billiards, pool; **jouer au billard** to play pool

billet *m.* ticket; **billet aller-retour** roundtrip ticket

biodégradable *adj.* biodegradable

biodiversité *f.* biodiversity

biologie *f.* biology

biologique (*fam. inv.* **bio**) organic, natural (*foods, etc.*); biological

biscotte *f. type of cracker*

biscuit (sec) *m.* cookie

blague *f.* joke; **sans blague!** no kidding

blanc(he) *adj.* white; **blanc** (*m.*) **d'œuf** egg white; **blanc** (*m.*) **de poulet** breast of chicken

blessé(e) *adj.* wounded, injured; *m., f.* wounded person

blesser to injure; **se blesser** to get injured

blessure *f.* wound

bleu(e) *adj.* blue

bloc *m.* block; **en bloc** as a whole

blond(e) *adj.* blond

bloquer to block

blotti(e) *adj.* nestled, huddled up

blouson *m.* windbreaker; jacket

blue-jean *m. s.* jeans

bœuf *m.* beef; ox; **rôti** (*m.*) **de bœuf** roast beef; **bœuf haché** ground beef

boire (*p.p.* **bu**) *irreg.* to drink

bois *m.* wood; forest; **en bois** wooden

boisé(e) *adj.* wooded, woody

boisson *f.* drink, beverage

boîte *f.* box; can

bol *m.* bowl

bombe *f.* bomb

bon(ne) *adj.* good; right, correct; **bonne** *f.* maid, chambermaid; **ah bon?** is that right? really? **bon** well, okay; **bon anniversaire** happy birthday; **bonne chance** good luck; **bon chic bon genre (BCBG)** preppy; **bonne journée** good day; **bon marché** *adj. inv.* cheap, inexpensive; **bonne nouvelle** good news;

bon vivant pleasure-loving; **de bonne heure** early; **de bonne humeur** in a good mood; **en bonne forme** fit, healthy; **en bonne santé** in good health

bonbon *m.* (piece of) candy

bonheur *m.* happiness

bonjour *interj.* hello; good morning

bonnet (*m.*) **phrygien** cap worn by revolutionaries of 1789

bonsoir *interj.* good evening, good-bye

bonté *f.* kindness, goodness

bord *m.* edge; **au bord de la mer** at the beach (seashore)

botte *f.* boot

bouche *f.* mouth

bouché(e) *adj.* plugged up; **nez** (*m.*) **bouché** stuffy nose

boucherie *f.* butcher shop

boucle *f.* curl; **boucle d'oreille** earring

boue *f.* mud

bouger (**nous bougeons**) to move

bougie *f.* candle

bouillabaisse *f.* bouillabaisse (*fish soup from Provence*)

bouillir (*p.p.* **bouilli**) *irreg.* to boil; **faire bouillir** to boil, bring to a boil

bouilloire *f.* kettle; **bouilloire électrique** electric kettle

boulanger/boulangère *m., f.* baker

boulangerie *f.* bakery

boulot *m., fam.* job; work; **au boulot!** (let's) get to work!

bouquin *m., fam.* book

Bourgogne *f.* Burgundy (*French province*)

bourse *f.* scholarship; **Bourse** stock exchange

bousculade *f.* jostling, crush; rush

bousculer to push, bump against; **se bousculer** to jostle each other

bout *m.* end; **au bout (de)** at the end (of)

bouteille *f.* bottle

bovins *m. pl.* cattle

branche *f.* branch

branché(e) *adj., fam.* cool, trendy

bras *m.* arm

brasserie *f.* pub, bar

bref/brève *adj.* short, brief; **(en) bref** in short

Brésil *m.* Brazil

Brésilien(ne) *m., f.* Brazilian (*person*)

Bretagne *f.* Brittany (*region of France*)

breton(ne) *adj.* from Brittany (*French Province*); *m.* Breton (*language*); **Breton(ne)** *m., f.* Breton (*person*)

brevet *m.* diploma; certificate

bricolage *m.* do-it-yourself home projects

bricoler to putter around the house

brillant(e) *adj.* brilliant; shining

briller to shine, gleam

brin *m.* sprig; **brin de muguet** sprig of lily-of-the-valley

brindille *f.* twig

brique *f.* brick

briser to break; to shatter; to wreck, ruin

britannique *adj.* British

bronzer to tan, sunbathe

brosse *f.* brush; chalkboard eraser; **brosse à cheveux** hairbrush; **brosse à dents** toothbrush

brosser to brush; **se brosser les cheveux** to brush one's hair; **se brosser les dents** to brush one's teeth

brouillard *m.* fog; **il y a du brouillard** it's foggy

se brouiller (avec) to quarrel, break up (with)

brousse *f.* bush, wilderness

bruit *m.* noise

brûler to burn (up); **brûler le feu rouge** to run a red light; **se brûler** to get burned

brun(e) *adj.* brown; dark-haired

brunir to tan

Bruxelles Brussels

bruyant(e) *adj.* noisy

bûcher *fam.* to cram, study hard

buffet *m.* buffet (*piece of furniture*)

buissonnière: faire l'école buissonnière to play hooky

bureau *m.* office; (teacher's) desk; **bureau de change** (*foreign*) currency exchange; **bureau de poste** post office

ça this, that; it; **ça fait penser** it makes one think; **ça m'est égal** it's all the same to me; **ça te va?** is that OK with you? **ça va?** *fam.* how's it going? **ça va** fine; it's going well; **comme ci, comme ça** so-so

cabane *f.* hut; cabin

cabine *f.* cabin; booth; **cabine à cartes** *phone booth accepting calling cards;* **cabine téléphonique** phone booth

câble *m.* cable (*TV*)

câblé(e) *adj.* wired up

cacahuète *f.* peanut; **beurre** (*m.*) **de cacahuètes** peanut butter

cache-cache: jouer à cache-cache to play hide-and-seek

cacher to hide

cadeau *m.* present, gift; **offrir un cadeau** to give a present

cadien(ne) / cadjin(e) *adj.* Cajun; Acadian; Cadien(ne) / **Cadjin(e)** *m., f.* Cajun, Acadian (*person*)

cadre *m.* frame; setting; (business) executive, manager; **cadre de vie** lifestyle

café *m.* coffee; café; **café au lait** coffee with milk; **café en poudre** instant coffee; **café-tabac** *m.* bar-tobacconist

caféine *f.* caffeine

cafétéria *f.* cafeteria, dining hall, self-service

cafetière (*f.*) **expresso** expresso maker
cahier *m.* notebook, workbook
cahoter to jolt, shake, bump
caille *f.* quail
caillou *m.* (**poli**) (polished) stone
Caire (Le) *m.* Cairo
caisse *f.* cash register
caissier/caissière *m., f.* cashier
calculatrice *f.* calculator
calculer to calculate, figure
caleçon *m. s.* boxer shorts
calendrier *m.* calendar
Californie *f.* California
câlin *m.* cuddle, hug
calme *adj., m.* calm
camarade *m., f.* friend, companion; **camarade de chambre** roommate; **camarade de classe** classmate, schoolmate
Cambodge *m.* Kampuchea, Cambodia
cambriolage *m.* burglary
caméra *f.* movie camera
camomille *f.* chamomile
campagne *f.* countryside, country; campaign; **à la campagne** in the country; **en pleine campagne** out in the country
campement *m.* camp; encampment
camper to camp
campeur/campeuse *m., f.* camper
camping *m.* camping; campground; **faire du camping** to go camping
canadien(ne) *adj.* Canadian; **Canadien(ne)** *m., f.* Canadian (*person*)
canal *m.* channel; canal
canapé *m.* sofa, couch
canard *m.* duck; **canard à l'orange** duck with orange sauce
candidat(e) *m., f.* candidate; applicant
candidature *f.* candidacy; **poser sa candidature** to apply; to run (*for office*)
canne *f.* cane; **canne à sucre** sugar cane
canoë *m.* canoe; **faire du canoë** to canoe, go canoeing
cantine *f.* cafeteria (*school*)
caoutchouc *m.* rubber
capacité *f.* ability; capacity
capitaine *m.* captain
capital(e) *adj.* capital, chief; **capitale** *f.* capital (*city*)
capitalisme *m.* capitalism
capot *m.* hood (*of car*)
captif/captive *m., f.* captive, prisoner; *adj.* captive
captivité *f.* captivity; bondage
capturer to capture
car *conj.* for, because; *m.* (interurban) bus
caractère *m.* character; nature
caramel *m.* caramel; **crème** (*f.*) **caramel** caramel custard
caramélisé(e) *adj.* caramelized
caravane *f.* (camping) trailer

carbonique: **gaz** (*m.*) **carbonique** carbon dioxide
cardiaque *adj.* cardiac; **crise** (*f.*) **cardiaque** heart attack
Carême *m.* Lent
carnet *m.* booklet; **carnet d'adresses** address book
carotte *f.* carrot
carré *m.* square; **kilomètre** (*m.*) **carré** square kilometer
carreau *m.* (floor) tile
carrefour *m.* intersection, crossroad
carrière *f.* career
carte *f.* card; map; menu; playing card; **carte bancaire** bank card, credit card; **carte de crédit** credit card; **carte d'embarquement** boarding pass; **carte de vœux** greeting card; **carte d'identité** identification card; **carte orange** type of bus pass; **carte postale** postcard; **carte routière** road map; **jouer aux cartes** to play cards; **tireuse** (*f.*) **de cartes** fortune-teller
cas *m.* case; **cas d'urgence** emergency; **en cas de** in case of, in the event of
casque *m.* helmet
casquette *f.* cap
cassé(e) *adj.* broken
casse-croûte *m. inv.* snack
casse-pieds *m., f., inv., fam.* bore; pain in the neck
casse-tête *m. inv.* puzzle, brain teaser
casser *trans.* to break; **se casser le bras (la jambe)** to break an arm (a leg)
catalan *m.* Catalan (*language*)
catastrophé(e) *adj.* stunned
catastrophique *adj.* catastrophic, disastrous
catégorie *f.* category, class
catégoriser to categorize
cathédrale *f.* cathedral
catholique *adj.* Catholic
cauchemar *m.* nightmare
cause *f.* cause; **à cause de** because of
causer to cause
causerie *f.* discussion
cavalier/cavalière *adj.* cavalier; *m., f.* horseback rider
cave *f.* cellar; wine cellar; **cave à vin** winery
ce (cet, cette, ces) *adj.* this, that; these, those; *pron.* it, this; **c'est** he/she/it is
ceci *pron.* this
céder (je cède) to give up; to give away
cédérom: lecteur cédérom *m.* CD-ROM player
cédille *f., Gram.* cedilla
ceinture *f.* belt; **ceinture de sécurité** seat belt, safety belt
cela *pron.* that
célèbre *adj.* famous

célébrer (je célèbre) to celebrate
célébrité *f.* celebrity
céleri *m.* celery
célibataire *adj., m., f.* single, unmarried
celte *adj.* Celtic
celtique *adj.* celtic
celui (celle, ceux, celles) *pron.* the one, the ones; this one, that one; these, those
cendre *f.* ash
cendrier *m.* ashtray
cent one hundred
centaines *f. pl.* hundreds
centenaire *m., f.* hundred-year-old person
central(e) *adj.* central, main; **centrale** (*f.*) **nucléaire** nuclear power plant
centre *m.* center; **centre commercial** shopping center, mall; **centre-ville** *m.* downtown
cependant *conj.* yet, still, however, nevertheless
céréales *f. pl.* cereals; grains
cérémonie *f.* ceremony
cerise *f.* cherry
certain: d'un certain âge middle-aged
certifié(e) *adj.* certified, guaranteed
cerveau *m.* brain
cesser (de) to stop, cease, end
chacun(e) *pron.* each, each one, every one
chaîne *f.* TV or radio channel; chain; **chaîne alimentaire** food chain; **chaîne de montagnes** mountain range; **chaîne stéréo** stereo system
chaise *f.* chair
chaleur *f.* heat; warmth
chambre *f.* bedroom; room; **camarade** (*m., f.*) **de chambre** roommate; **chambre à coucher** bedroom
champignon *m.* mushroom
chance *f.* luck; possibility; opportunity; **avoir de la chance** to be lucky; **bonne chance** good luck; **pas de chance!** *interj.* no way; out of luck
Chandeleur *f.* Candlemas (*Catholic festival on February 2*), Ground Hog Day
changement *m.* change
changer (nous changeons) (de) to change; to exchange; **changer de l'argent** to exchange currency; **changer de vitesse** to change gears
chanson *f.* song
chant *m.* song; birdsong
chanter to sing
chanteur/chanteuse *m., f.* singer
chapeau *m.* hat
chapitre *m.* chapter
chaque *adj.* each, every
charcuterie *f.* cold cuts; deli; pork butcher's shop, delicatessen

chargé(e) (de) *adj.* in charge of, responsible for

charger (nous chargeons) to load

charmant(e) *adj.* charming

charme *m.* charm

chasse *f.* **(au bison)** (bison) hunting

chassé(e) *adj.* driven out, expelled

chasseur *m.* bellhop

chat(te) *m., f.* cat

châtain *adj. m.* chestnut-colored (*hair*)

château *m.* castle

chaud(e) *adj.* warm; hot; **avoir chaud** to feel warm, hot; **il fait chaud** it (the weather) is warm, hot

chauffage *m.* heat; heating system

chauffant(e) *adj.* warming, heating

chauffer to heat; **faire chauffer** to warm up, heat up; **se chauffer** to get warm

chauffeur *m.* chauffeur; driver; **chauffeur de taxi** taxi (cab) driver

chaussée *f.* pavement; **chaussée glissante** slippery pavement

chaussettes *f. pl.* socks

chaussures *f. pl.* shoes

chauvin(e) *adj.* chauvinistic, prejudiced; *m., f.* chauvinist

chef *m.* leader; head; *fam.* boss; **chef de cuisine** chef; **chef d'État** head of state; **chef de gouvernement** head of government; **chef-lieu** county seat (*town*)

chemin *m.* way; road; path; **chemin de fer** railroad; **montrer le chemin** to show the way (route)

cheminée *f.* chimney; fireplace

chemise *f.* shirt

chemisier *m.* blouse

chèque *m.* check; **chèque de voyage** traveler's check

cher/chère *adj.* dear; expensive; **coûter (se vendre) cher** to be expensive

chercher to hunt for; to go get; to look for; to pick up; **chercher à** to try to

chéri(e) *m., f.* darling

cheval *m.* horse; **monter à cheval** to ride, go horseback riding

cheveu *m.* (strand of) hair; **cheveux** *m. pl.* hair; **laque** (*f.*) **(à cheveux)** hair spray

cheville *f.* ankle; **se fouler la cheville** to sprain one's ankle

chez *prep.* at, to, in (*the house, family, business or country of*)

chien(ne) *m., f.* dog

chiffre *m.* digit, number; **chiffre d'affaires** total sales

chimie *f.* chemistry

chimique *adj.* chemical

Chine *f.* China

chinois(e) *adj.* Chinese; *m.* chinese (*language*); **Chinois(e)** *m., f.* Chinese (*person*)

chirurgien(ne) *m., f.* surgeon

chlorophylle *f.* chlorophyll

chocolat *m.* chocolate

choisir (de) to choose (to)

choix *m.* choice

cholestérol *m.* cholesterol

chômage *m.* unemployment

chômeur/chômeuse *m., f.* unemployed person

choquant(e) *adj.* shocking

choquer to shock

chorale *f.* choral society; choir

chose *f.* thing; **autre chose** something else; **pas grand-chose** not much; **quelque chose** something; **quelque chose de cher (d'intéressant)** something expensive (interesting)

choucroute *f.* sauerkraut

chrétien(ne) *adj.* Christian

chronologique *adj.* chronological

chute *f.* **(d'eau)** (water) fall

ciao! *interj.* ciao!, 'bye! (*Italian*)

cicatrice *f.* scar

ci-dessous *adv.* below

ci-dessus *adv.* above

cidre *m.* (apple) cider

ciel *m.* sky, heaven; **gratte-ciel** *m. inv.* skyscraper

cigogne *f.* stork

cil *m.* eyelash

ciment *m.* cement

cimetière *f.* cemetery

cinéaste *m., f.* film director, filmmaker

cinéma (*fam.* **ciné**) *m.* cinema, movies; **salle** (*f.*) **de cinéma** movie theater

cinémathèque *f.* film library; national cinema

cinématographie *f.* cinematography, filmmaking

cinquante fifty

circonflexe: accent (*m.*) **circonflexe** *Gram.* circumflex accent

circonstance *f.* circumstance; occurrence

circulation *f.* traffic

circuler to circulate; to travel

ciseaux *m. pl.* scissors

citadin(e) *m., f.* city dweller

citation *f.* quotation

cité *f.* (area in a) city; **cité universitaire** (*fam.* **cité-u**) university residential complex

citer to quote, cite

citerne *f.* cistern, tank

citoyen(ne) *m., f.* citizen

citron *m.* lemon; **citron pressé** lemonade

civière *f.* stretcher

civil(e) *adj.* civil; civilian; **génie** (*m.*) **civil** civil engineering; **guerre** (*f.*) **civile** civil war; **vie** (*f.*) **civile** civilian life

civilisation *f.* civilization

clair(e) *adj.* light, bright; light-colored; clear; evident

clarinette *f.* clarinet

clarté *f.* clarity

classe *f.* class; classroom; **salle** (*f.*) **de classe** classroom

classer to classify

classique *adj.* classical; classic; *m.* classic; **musique** (*f.*) **classique** classical music

clavier *m.* keyboard

clé, clef *f.* key; **moment-clé** (*m.*) key time; **mot-clé** (*m.*) key word

clément(e) *adj.* mild (*weather*)

client(e) *m., f.* customer, client

clientèle *f.* clientele, customers

clignotant *m.* turn signal; blinker

climat *m.* climate

climatisation *f.* air-conditioning

climatisé(e) *adj.* air-conditioned

clinique *f.* clinic; private hospital

clip *m.* video(clip), video segment

cliquer (sur) to click (on)

coca *m., fam.* cola drink

coccinelle *f.* ladybug

cocher to check off (*appropriate entry in a form*)

coco: noix (*f.*) **de coco** *f.* coconut

cocotier *m.* coconut tree

code *m.* code; **code de la route** highway regulations; **code postal** postal code, zip code

cœur *m.* heart; **mal au cœur** indigestion; **courrier** (*m.*) **du cœur** advice column

coffre *m.* trunk (*of car*)

coiffé(e) *adj.* **(d'un bonnet)** wearing (a bonnet, cap)

coiffer to style, do someone's hair

coiffeur/coiffeuse *m., f.* hairdresser

coin *m.* corner; **coin de la rue** street corner

coincé(e) *adj.* stuck

coïncidence *f.* coincidence; **quelle coïncidence!** *interj.* what a coincidence

coïncider to coincide

colère *f.* anger; **se mettre en colère (contre)** to get angry (at)

colis *m.* parcel, package; **expédition** (*f.*) **de colis** sending packages

collaborer to collaborate, work together

collectionner to collect

collectif/collective *adj.* public, group; collective

collectivité *f.* group; community; organization

collège *m. junior high school in France*

collègue *m., f.* colleague

collier *m.* necklace

colline *f.* hill

colocataire *m., f.* fellow tenant

colon *m.* settler, colonist, colonial

colonial(e) *adj.* colonial

colonie *f.* colony; **colonie de vacances** (*fam.* **colo**) summer camp

colonisateur/colonisatrice *m., f.* colonizer

colonisation *f.* colonization

coloniser to colonize

colonne *f.* column

coloré(e) *adj.* colorful; colored

combattre (*like* **battre**) *irreg.* to fight

combien (de) *adv.* how much; how many; **combien de temps?** how long?

combinaison *f.* combination; woman's slip

combiné *m.* telephone receiver

combiner to combine

comédie *f.* comedy; theater

comique *adj.* funny, comical, comic

commande *f.* order; **passer la commande** to place an order

commandement *m.* command; commandment

commander to order (*a meal, product, etc.*); to give orders

comme *adv.* as, like, how; **comme ci, comme ça** so-so; **comme d'habitude** as usual

commémorer to commemorate

commencement *m.* beginning

commencer (à) (nous commençons) to begin (to); **pour commencer** first of all

comment *adv.* how; **comment allez-vous?** how are you?; **comment ça va?** how are you? how's it going?; **comment est-il/elle?** what's he/she like?; **comment s'appelle... ?** what's . . . 's name?; **comment t'appelles-tu/vous appelez-vous?** what's your name?

commentaire *m.* commentary, remark

commerçant(e) *m., f.* merchant, storekeeper

commettre (*like* **mettre**) *irreg.* to commit

commissaire *m.* commissioner; superintendent (*police*); **commissaire-priseur** *m.* auctioneer

commissariat (de police) *m.* police station

commode *f.* dresser; *adj.* convenient, comfortable

commun(e) *adj.* ordinary, common, usual; popular; **transports** (*m. pl.*) **en commun** public transportation

communauté *f.* community

communiquer to communicate; to adjoin

compagnie *f.* company

compagnon/compagne *m., f.* companion

comparaison *f.* comparison; **en comparaison (de)** in comparison (with); **par comparaison (à)** compared to

comparer to compare

compatriote *m.* compatriot

compétent(e) *adj.* competent, able

compétition *f.* competition

complet/complète *adj.* complete; full; **pain** (*m.*) **complet** whole-grain bread

compléter (je complète) to complete, finish

compliqué(e) *adj.* complicated

comportement *m.* behavior

comporter to include

composé(e) *adj.* compound; **passé** (*m.*) **composé** *Gram.* present perfect

composer to compose (*music, a letter*)

compréhensif/compréhensive *adj.* understanding

comprendre (*like* **prendre**) *irreg.* to understand; to comprise, include

comprimé *m.* tablet, pill

compris: service (*m.*) **compris** tip included

comptabilité *f.* accounting

comptable *m., f.* accountant

compte *m.* account; **se rendre compte de/que** to realize (that); **à votre compte** in your opinion, according to you

compter (sur) to plan (on); to intend; to count (*on someone*); **ce qui compte pour moi** what counts for me

comptoir *m.* counter, bar (*in café*)

se concentrer (sur) to concentrate (on)

concentrique *adj.* concentric

concerner to concern

concevoir (*like* **recevoir**) *irreg.* to devise; to conceive

concitoyen(ne) *m., f.* fellow citizen

conclure (*p.p.* **conclu**) *irreg.* to conclude

concombre *m.* cucumber

concours *m.* competition; contest

condition *f.* condition; **à condition que** *conj.* (+*subj.*) provided that

conditionnel *m., Gram.* conditional

conducteur/conductrice *m., f.* driver

conduire (*p.p.* **conduit**) *irreg.* to drive; take; to conduct; **permis** (*m.*) **de conduire** driver's license; **se conduire** to behave

conduite *f.* behavior; conduct

conférence *f.* lecture; conference

confiance *f.* confidence

confier to confide; **se confier à** to confide in

confirmer to confirm

confiture *f.* jam, preserves

conflit *m.* conflict

se conformer à to conform to

conformiste *adj.* conformist

confort *m.* comfort; amenities

confortable *adj.* comfortable

confus(e) *adj.* embarrassed

congé *m.* leave (*from work*), time off

congelé(e) *adj.* (deep) frozen

conjointement *adv.* jointly

conjonction *f., Gram.* conjunction

conjugal(e) *adj.* conjugal, married; **conseiller/conseillère** (*f.*) **conjugal(e)** marriage counselor

conjuguer *Gram.* to conjugate

connaissance *f.* knowledge; acquaintance; consciousness; **faire connaissance** to get acquainted; **faire la connaissance de** to meet (*for the first time*); **sans connaissance** unconscious

connaître (*p.p.* **connu**) *irreg.* to know; to be acquainted (familiar) with; **se connaître** to get to know one another; to meet

connu(e) *adj.* known; famous

consacré(e) à *adj.* devoted to, used for

consacrer to devote, use

conscience *f.* consciousness; **prendre conscience de** to become aware of

conscient(e) *adj.* conscious

conseil *m.* (piece of) advice; council; **donner (suivre) des conseils** to give (follow) advice

conseiller (de) to advise (to); to counsel

conseiller/conseillère *m., f.* advisor; counselor; **conseiller/conseillère conjugal(e)** marriage counselor

conséquence *f.* consequence

conséquent: par conséquent *conj.* therefore, accordingly

conservateur/conservatrice *adj.* conservative; **agent** (*m.*) **conservateur** (food) preservative; **conservateur/conservatrice** (*m., f.*) **de musée** museum curator

conserver to conserve; to preserve

considérer (je considère) to consider

consigne *f.* baggage check

consister (à, en) to consist (in, of)

consommateur/consommatrice *m., f.* consumer

consommation *f.* consumption; consumerism

consommer to consume; to spend; **consommer de l'essence** to burn gas

consonne *f.* consonant

constamment *adv.* constantly

constant(e) *adj.* constant, unceasing

constituer to constitute

constructeur *m.* builder

construire (*like* **conduire**) *irreg.* to construct, build

consulat *m.* consulate

consulter to consult

contact *m.* contact; **verres** (*m. pl.*) **de contact** contact lenses

contacter to contact

conte *m.* tale, story; **conte de fées** fairy tale

contemporain(e) *adj.* contemporary

contenir (*like* **tenir**) *irreg.* to contain

content(e) *adj.* content; happy

contenu *m. s.* contents

continu(e) *adj.* continuous, uninterrupted

continuer (à, de) to continue (to)

contraire *adj.* opposite; *m.* opposite; **au contraire** on the contrary

contrat *m.* contract

contravention *f.* speeding ticket, traffic ticket

contre *prep.* against; contrasted with

contrebandier/contrebandière *m., f.* smuggler

contredire (*like* **dire**, *but* **vous contredisez**) *irreg.* to contradict

contribuer to contribute

contrôle *m.* control; checkpoint; **contrôle des passeports** passport check; **contrôle de police** police checkpoint

contrôler to control

contrôleur/contrôleuse *m., f.* conductor

controversé(e) *adj.* controversial

convaincre (*p.p.* **convaincu**) *irreg.* to convince

convenable *adj.* proper; appropriate

convenir (*like* **venir**) *irreg.* to be suitable, to fit

converger (nous convergeons) to converge

coopératif/coopérative *adj.* cooperative

coordonnées *f. pl.* personal data

copain/copine *m., f., fam.* close friend, pal

copie *f.* copy

copier to copy

copieux/copieuse *adj.* copious, abundant

coq *m.* rooster; **coq au vin** *chicken prepared with (red) wine*

coquille *f.* seashell; **coquilles Saint-Jacques** *scallop dish in shells*

coran *m.* Koran

corbeau *m.* crow; raven

cordialement *adv.* cordially

cordonnier/cordonnière *m., f.* shoemaker, cobbler; shoe repairperson

corporel(le) *adj.* corporal

corps *m.* body; **parties** (*f.*) **du corps** parts of the body

correspondant(e) *m., f.* correspondent; pen pal

correspondre to correspond

corriger (nous corrigeons) to correct

Corse *f.* Corsica

costaud(e) *adj.* sturdy, strong

costume *m.* man's suit; costume

côte *f.* coast; rib; side; **Côte d'Azur** French Riviera; **Côte-d'Ivoire** Ivory Coast

côté *m.* side; **à côté (de)** *prep.* beside, by, near, next to; at one's side; **de l'autre côté (de)** from, on the other side (of)

côtelette *f.* cutlet, (*lamb, pork*) chop

coton *m.* cotton; **en coton** (made of) cotton

cou *m.* neck

couchage: sac (*m.*) **de couchage** sleeping bag

couche *f.* layer; stratum; **couches (jetables, lavables)** (disposable, washable) diapers; **couche d'ozone** ozone layer

coucher to put to bed; **chambre** (*f.*) **à coucher** bedroom; **se coucher** to go to bed; to set (*sun*)

coucher (*m.*) **du soleil** sunset

coude *m.* elbow

coudre (*p.p.* **cousu**) *irreg.* to sew

couler to flow, run

couleur *f.* color; **de quelle couleur est... ?** what color is . . . ?

coup *m.* blow; coup; (gun)shot; influence; **coup de fil** *fam.* phone call; **coup de foudre** lightning bolt; *fig.* love at first sight; **coup de téléphone** telephone call; **du coup** thereupon; suddenly; **tout à coup, tout d'un coup** *adv.* suddenly, all at once

coupe *f.* (**du monde; Davis; Stanley**) (world; Davis; Stanley) cup

couper to cut; to divide; **se couper à la main** to cut one's hand; **se faire couper les cheveux** to have one's hair cut

coupon *m.* coupon; ticket stub

cour *f.* court, courtyard

courageux/courageuse *adj.* courageous

couramment *adv.* fluently; commonly

courant(e) *adj.* frequent; general, everyday; **se tenir au courant** to keep informed

coureur/coureuse *m., f.* runner

courgette *f.* zucchini squash

courir (*p.p.* **couru**) *irreg.* to run

courrier *m.* mail; **courrier du cœur** "lonely hearts" column; **courrier électronique** e-mail

cours *m.* course, class; rate; price; **sécher un cours** (*fam.*) to cut class, play hooky; **suivre un cours** to take a course

course *f.* race; errand; **faire les courses** to do the shopping (errands)

court(e) *adj.* short (*not used for people*)

cousin(e) *m., f.* cousin

coussin *m.* cushion

coût *m.* cost; **coût de la vie** cost of living

couteau *m.* knife

coûter to cost; **coûter cher** to be expensive

coûteux/coûteuse *adj.* costly, expensive

coutume *f.* custom

couturier/couturière *m., f.* seamster, seamstress; **grand couturier/grande couturière** fashion designer

couvert(e) *adj.* covered; cloudy; *m.* table setting; **couvert(e) de** covered with; **mettre le couvert** to set the table; **le ciel est couvert** it's cloudy

couvrir (*like* **ouvrir**) *irreg.* to cover

covoiturage *m.* carpooling; **faire du covoiturage** to carpool

crabe *m.* crab

craie *f.* chalk

craindre (*p.p.* **craint**) *irreg.* to fear

craquer to give (*under stress*), to break down

cravate *f.* necktie

crayon *m.* pencil

créateur/créatrice *adj.* creative; *m., f.* creator

créatif/créative *adj.* creative

crèche *f.* child care center, nursery school

crédit *m.* credit

crédule *adj.* gullible

crédulité *f.* gullibility

créer to create

crème *f.* cream; **crème caramel** caramel custard; **crème Chantilly** whipped cream

créole *adj.* Creole; *m.* Creole (*language*)

crêpe *f.* crepe, French pancake

crépuscule *m.* twilight

creuser to dig; to hollow out

creux/creuse *adj.* hollow; **creux** *m.* hollow

crevé(e) *adj.* punctured; **pneu** (*m.*) **crevé** flat tire

crevette *f.* shrimp

crier to cry out; to shout

criminel(le) *m., f.* criminal

crise *f.* crisis; recession; depression; **crise cardiaque** heart attack; **crise économique** recession; depression

cristal *m.* crystal

critère *m.* criterion

critiquer to criticize

croire (*p.p.* **cru**) *irreg.* to believe

croisé(e) *adj.* crossed; **mots** (*m. pl.*) **croisés** crossword puzzle

croisière *f.* cruise; **partir en croisière** to go on a cruise

croissance *f.* growth

croque-monsieur *m.* grilled cheese sandwich with ham

croustillant(e) *adj.* crusty, crunchy

cru(e) *adj.* raw

crudités *f. pl. raw vegetables served as appetizer*

cruel(le) *adj.* cruel

cuillère, cuiller *f.* spoon

cuir *m.* leather; **en cuir** (made of) leather

cuire (*p.p.* **cuit**) *irreg.* to cook; to bake; **cuire à feu vif** to cook on high heat; **cuire à la vapeur** to steam; **faire cuire** to cook

cuisine *f.* cooking; cuisine; kitchen; **chef** (*m.*) **de cuisine** head cook, chef; **faire la cuisine** to cook; **livre** (*m.*) **de cuisine** cookbook

cuisiner to cook

cuisinier/cuisinière *m., f.* cook;
  cuisinière *f.* stove, range
cuisse *f.* thigh; leg
cuisson *f.* cooking (*process*)
cuit(e) *adj.* cooked; **terre** (*f.*) **cuite** earthenware, clay pottery
cuivre *m.* copper; **en cuivre** (made of) copper
culinaire *adj.* culinary
culotte *f. s.* women's underpants
culte *m.* cult
cultiver to cultivate, grow
culturel(le) *adj.* cultural
Cupidon *m.* Cupid
curieux/curieuse *adj.* curious
curiosité *f.* curiosity
curseur *m.* cursor
cuvette *f.* basin, bowl
cyclisme *m.* bicycle riding

d'abord *adv.* first, first of all
d'ailleurs *adv.* besides, moreover
dame *f.* lady, woman
Danemark *m.* Denmark
dangereux/dangereuse *adj.* dangerous
dans *prep.* in; within
danse *f.* dance; dancing
danser to dance
danseur/danseuse *m., f.* dancer
dauphin *m.* dolphin
davantage *adv.* more, a greater amount
de *prep.* from, of, about
débarrasser to clear; **débarrasser la table** to clear the table
débat *m.* debate
débattre (*like* **battre**) *irreg.* to debate
déboisement *m.* deforestation; clearing
se déboucher (**le nez**) to unclog (one's nose)
débrouiller to disentangle; **se débrouiller** to manage, get along, cope
début *m.* beginning; **au début (de)** in, at the beginning (of)
décadence *f.* decadence, decline
déceler (**je décèle**) to disclose, divulge; to discover
décembre December
décevoir (*like* **recevoir;** *p.p.* **déçu**) *irreg.* to disappoint
décharge *f.* (trash) dump
décharger (**nous déchargeons**) to unload
déchets *m. pl.* (*industrial*) waste(s); debris; garbage, trash
déchiré(e) *adj.* torn
décider (de) to decide (to)
décisif/décisive *adj.* decisive
décision: prendre une décision to make a decision
déclaration *f.* declaration, statement; **déclaration de douane** customs declaration

déclarer to declare
déconcerté(e) *adj.* upset, disconcerted
décorer (de) to decorate (with)
découpé(e) *adj.* cut up
décourager (**nous décourageons**) to discourage
découvert(e) *adj.* discovered; **découverte** *f.* discovery
découvrir (*like* **ouvrir**) *irreg.* to discover, learn
décrire (*like* **écrire**) *irreg.* to describe
décrocher to pick up (*telephone receiver*); (*fam.*) to get, land (*a job*)
déçu(e) *adj.* disappointed
défavorisé(e) *adj.* at a disadvantage
défendre to defend; to forbid
défenseur *m.* defender, counsel for defense
défi *m.* challenge
défilé *m.* procession, parade
défilement *m.* continuous showing, rolling (*of film, videotape, etc.*)
défini(e) *adj.* definite; defined
définir to define
définitivement *adv.* for good, permanently
dégoûtant(e) *adj.* disgusting
se déguiser to disguise oneself, wear a costume
dehors *adv.* out-of-doors; outside; **en dehors de** outside of, besides
déjà *adv.* already
déjeuner to have lunch; *m.* lunch; **petit déjeuner** breakfast
délicat(e) *adj.* delicate
délice *m.* delight
délicieux/délicieuse *adj.* delicious
délirer to be delirious; **on délire ou quoi?** are they crazy or what?
deltaplane *m.* hang gliding
demain *adv.* tomorrow; **à demain** see you tomorrow
demande *f.* request; application
demander to ask (for); **demander le chemin** to ask the way (*to someplace*); **demander pardon à** to apologize to
démarche *f.* (*necessary*) step, action
démarrer to start (*a car*); to start off; to boot up
démêlant(e) *adj.*: **shampooing** (*m.*) **démêlant** conditioning shampoo
déménager (**nous déménageons**) to move out (*of a house, etc.*)
demeure *f.* residence
demeurer (**intact[e]**) to remain (intact)
demi(e) *adj.* half; **il est minuit et demi** it's twelve-thirty A.M.
demi-douzaine *f.* half-dozen
demi-frère *m.* half-brother; stepbrother
demi-sœur *f.* half-sister; stepsister
demi-heure *f.* half an hour

démocratie *f.* democracy
démographe *m., f.* demographer
demoiselle *f.* young lady; single (unmarried) woman
démolir to demolish, destroy
démonstratif/démonstrative *adj.* demonstrative
dent *f.* tooth; **brosse** (*f.*) **à dents** toothbrush; **se brosser les dents** to brush one's teeth
dentifrice *m.* toothpaste
dentiste *m., f.* dentist
déodorant *m.* deodorant
départ *m.* departure
département *m.* French territorial; district; **départements et territoires d'outre-mer (D.O.M.-T.O.M.)** French overseas departments and territories
dépasser to go beyond; to pass, surpass; **dépasser la limite de vitesse** to exceed the speed limit
se dépêcher (de) to hurry (to)
dépeindre (*like* **craindre**) *irreg.* to depict
dépendance *f.* dependency
dépendant(e) *adj.* dependent
dépens: aux dépens de at the expense of
dépenser to spend
dépit: en dépit de in spite of
déplacer (**nous déplaçons**) to displace; to shift; to remove; **se déplacer** to move from place to place; to go someplace
déplorable *adj.* deplorable, lamentable
déporté(e) *adj.* deported
déposer to deposit; **déposer de l'argent** to deposit money
déprimé(e) *adj.* depressed; **être déprimé(e)** to be depressed
depuis *prep.* since; for; **depuis combien de temps** for how long; **depuis que** *conj.* since, now that
déranger (**nous dérangeons**) to disturb; to bother
dernier/dernière *adj.* last, most recent
se dérouler to take place
derrière *prep.* behind
désaccord *m.* disagreement
désagréable *adj.* disagreeable, unpleasant
désastre *m.* disaster
désastreux/désastreuse *adj.* disastrous
désavouer to disavow, disclaim, deny
descendre *intr.* to go down; *trans.* to take down; **descendre de** to get out of
descente *f.* descent, going down
descriptif/descriptive *adj.* descriptive
déséquilibré(e) *adj.* unbalanced
désert(e) *adj.* deserted; **désert** *m.* desert; wilderness
désertique *adj.* desert, pertaining to the desert
se déshabiller to undress

désigner to designate; to indicate
désir *m.* desire
désirer to want, desire
désolé(e) *adj.* very sorry
désordre *m.* disorder; **en désordre** disorderly, untidy
désorganisé(e) *adj.* disorganized
désorienté(e) *adj.* bewildered
dessin *m.* drawing; **dessin graphique** graphic arts; **dessin animé** (*film*) cartoon
dessiné(e) *adj.* drawn, sketched; **bande** (*f.*). **dessinée** comic strip; *pl.* comics
dessiner to draw; to design
dessous *adv.* under, underneath; **au-dessous de** *prep.* below, underneath; **ci-dessous** *adv.* below
dessus *adv.* above; over; on; **au-dessus de** *prep.* above; **ci-dessus** *adv.* above, previously; **par-dessus** *prep.* over, above
destin *m.* fate, destiny
destiné(e) à *adj.* designed for, aimed at; intended to, for
se détendre to relax
détériorer to deteriorate
déterminer to determine
détester to detest; to hate
détritus *m. pl.* rubbish, refuse
détroit *m.* strait
détruire (*like* **conduire**) *irreg.* to destroy
D.E.U.G. (Diplôme d'études universitaires générales) *m. two-year university degree in France*
deux two; (**tous/toutes**) *m., f.* **les deux** both (of them)
deuxième *adj.* second
devant *prep.* before, in front of
développement *m.* development
développer to spread out; to develop; **se développer** to expand; to develop
devenir (*like* **venir**) *irreg.* to become
deviner to guess
devinette *f.* riddle, conundrum
dévisager (nous dévisageons) to stare at
devoir (*p.p.* **dû**) *irreg.* to be obliged to, have to; to owe; *m.* duty; *m. pl.* homework; **faire ses devoirs** to do one's homework; **rendre un devoir** to turn in a homework assignment
d'habitude *adv.* usually
diagnostic *m.* diagnosis; **faire un diagnostic** to make a diagnosis
diamant *m.* diamond
dictée *f.* dictation
dictionnaire (*fam.* **dico**) *m.* dictionary
didacticiel *m.* teachware (*type of software*)
dieu *m.* god; **croire en Dieu** to believe in God
difficile *adj.* difficult
difficulté *f.* difficulty
diffuser to broadcast

diffusion *f.* broadcast; distribution
digérer (je digère) to digest
digne (de) *adj.* worthy (of)
dignité *f.* dignity
dilué(e) *adj.* diluted
dimanche *m.* Sunday
diminuer to lessen, diminish
dinde *f.* turkey; **dinde rôtie** roast turkey
dîner to dine, have dinner; *m.* dinner
dingue (*adj., fam.*) (**de**) crazy (about)
diplomatie *f.* diplomacy
diplôme *m.* diploma
dire (*p.p.* **dit**) *irreg.* to tell; to say; to speak; **c'est-à-dire** that is to say, namely; **vouloir dire** to mean
direct(e) *adj.* direct; through; **en direct** live (*broadcasting*)
directeur/directrice *m., f.* director
direction *f.* direction; management; leadership
diriger (nous dirigeons) to direct; to govern, control
discipliner to discipline
discours *m.* discourse; speech
discret/discrète *adj.* discreet
discuter (de) to discuss
disparaître (*like* **connaître**) *irreg.* to disappear
disparu(e) *adj.* gone, disappeared, extinct
disponible *adj.* available
disposer de to have (available); to dispose, make use of
dispute *f.* quarrel
se disputer (avec) to quarrel (with)
disque *m.* record, recording; **disque compact** (*music*) CD, compact disc
disquette *f.* diskette
disséminé(e) *adj.* spread, disseminated
dissertation *f.* essay, term paper
distingué(e) *adj.* distinguished
distinguer to distinguish
distraction *f.* recreation; entertainment; distraction
se distraire *irreg.* to have fun, amuse oneself
distrait(e) *adj.* absentminded; inattentive
distribuer to distribute
distributeur/distributrice *m., f.* distributor; **distributeur** *m.* vending machine
divers(e) *adj.* changing; varied; diverse
diversité *f.* diversity
diviser to divide
divorcer (nous divorçons) to divorce
dizaine *f.* about ten, ten or so
docteur *m.* doctor
doctorat *m.* doctoral degree, Ph.D.
documentaire *m.* documentary
doigt *m.* finger
domaine *m.* domain; specialty
domestique *adj.* domestic; **animal** (*m.*) **domestique** pet (*animal*)

domicile *m.* domicile, place of residence; **sans domicile fixe (S.D.F.)** homeless
dommage: c'est dommage it's too bad; **quel dommage** what a shame
donc *conj.* then; therefore, so
données *f. pl.* information, facts; data
donner to give; **donner des conseils** to give advice; **se donner rendez-vous** to make a date (an appointment)
dont *pron.* whose, of whom, from whom; of which, about which; **ce dont** that (of) which
dormir *irreg.* to sleep; **dormir tard** to sleep late
dos *m.* back; **sac** (*m.*) **a dos** backpack
douane *f. s.* customs; **déclaration** (*f.*) **de douane** customs declaration, duty
douanier/douanière *m., f.* customs officer
doubler to pass (*another vehicle*); to double
doucement *adv.* gently, softly; sweetly; slowly
douche *f.* shower (*bath*)
se doucher to take a shower
doué(e) *adj.* talented, gifted; bright; **être doué(e) pour** to be talented in
douleur *f.* pain
douloureux/douloureuse *adj.* painful; aching
doute *m.* doubt; **sans doute** probably, no doubt
douter (de) to doubt
douteux/douteuse *adj.* doubtful, uncertain, dubious
doux/douce *adj.* sweet; mild; **eau** (*f.*) **douce** fresh water
douzaine *f.* dozen; about twelve
douze *adj.* twelve
douzième twelfth
dramatique *adj.* dramatic; **art** (*m.*) **dramatique** theater, drama
drame *m.* drama
dresser une liste to make a list
drogue *f.* drug
se droguer to take drugs
droit *m.* law; right; **avoir droit à** (+ *noun*) to have a right to; **avoir le droit de** (+ *inf.*) to be allowed to, to have the right to
droit *adv.* straight on; **tout droit** straight ahead
droite *f.* right; right-hand side; **à droite** on, to the right
drôle (de) *adj.* droll, funny, amusing; **faire une drôle de tête** to make a funny face
duc *m.* duke
dur(e) *adj.* hard; **travailler dur** to work hard
durée *f.* duration

durer to last, continue; to endure
dynamique *adj.* dynamic

eau *f.* water; **eau douce** fresh water; **eau minérale** mineral water; **eaux** *pl.* waters, bodies of water
ébloui(e) *adj.* dazzled
écarquiller les yeux (*m. pl.*) to stare wide-eyed
écart *m.:* **se mettre** (*irreg.*) **à l'écart** to move, to go and stand out of the way
échanger (nous échangeons) to exchange
échantillon *m.* sample, sampling
échappement *m.* leak; car exhaust; **échappement d'hydrocarbures** hydrocarbon emissions
échapper to escape
écharpe *f.* scarf
échecs *m. pl.* chess; **jouer aux échecs** to play chess
échelle *f.* ladder
échiquier *m.* chessboard; *fig.* **échiquier politique** political scene, field, affairs
échouer (à) to fail, flunk
éclairage *m.* lighting, illumination
éclairer to light
éclaireur/éclaireuse *m., f.* (boy/girl) scout, guide
s'éclater *fam.* to have a ball, blast
écoemballage *m.* ecopackaging
école *f.* school; **école maternelle** preschool, kindergarten; **école primaire (secondaire)** primary (secondary) school; **faire l'école buissonnière** to skip school, play hooky
écologie *f.* ecology
écologique (*fam.* **écolo**) *adj.* ecological
écologiste (*fam.* **écolo**) *m., f.* ecologist (*in politics*)
économe *adj.* thrifty, economical
économie *f.* economy; *pl.* savings; **faire des économies** to save (*money*)
économique *adj.* economic, financial; economical; **crise** (*f.*) **économique** recession, depression
économiser to save
écoproduit *m.* ecoproduct
écosystème *m.* ecosystem
écouter to listen (to)
écran *m.* screen; **petit écran** television
écraser to crush
écrevisse *f.* crayfish
écrire (*p.p.* **écrit**) *irreg.* to write
écrit(e) *adj.* written
écrivain(e) *m.* writer, author
éducatif/éducative *adj.* educational
éducation *f.* upbringing; breeding; education
éduquer to bring up; to educate

effet *m.* effect; **effets spéciaux** special effects; **effet de serre** greenhouse effect; **en effet** as a matter of fact, indeed
efficace *adj.* useful, efficacious
effort *m.* effort, attempt; **faire un (des) effort(s) pour** to try, make an effort to
effrayé(e) *adj.* frightened
égal(e) *adj.* equal; **ça lui est égal** he/she doesn't care, it's all the same to him/her
également *adv.* equally; likewise, also
égalité *f.* equality
église *f.* (Catholic) church
égoïsme *m.* egotism, selfishness
égoïste *adj.* selfish; *m., f.* selfish person
Égypte *f.* Egypt
eh! *interj.* hey!; **eh bien!** well! now then!
élaboré(e) *adj.* elaborate; complex
élargir to enlarge, broaden
électeur/électrice *m., f.* voter
électricité *f.* electricity
électrique *adj.* electric
électroménager *m.* household appliance(s)
électronique *adj.* electronic; *f. s.* electronics; **courrier** (*m.*) **électronique** e-mail
électronucléaire *adj.* electronuclear
élégant(e) *adj.* elegant, stylish
élément *m.* element
élevage *m.* raising, breeding
élève *m., f.* pupil, student
élevé(e) *adj.* high; (*children*) raised; brought up
élever (j'élève) to bring up, raise; to lift up
éliminer to eliminate
elle *pron.* she; her; **elle-même** herself
elles *pron. f.* they; them
élocution *f.* elocution; **cours** (*m.*) **d'élocution** speech class
éloge *m.* praise
éloignement *m.* distance; estrangement
s'éloigner to go away
élu(e) *adj.* elected
emballage *m.* packaging; **emballage ménager** common packaging materials
emballé(e) *adj.* wrapped
embarquement *m.* embarkation; **carte** (*f.*) **d'embarquement** boarding pass
embarras *m.* obstacle; embarrassment; **embarras du choix** too much to choose from
embarrassé(e) *adj.* embarrassed
embauché(e) *adj.* hired
embêtant(e) *adj.* annoying
embouteillage *m.* traffic jam
embrasser to kiss; to embrace; **s'embrasser** to kiss, hug one another
s'émerveiller to wonder, be amazed
émettre (*like* **mettre**) *irreg.* to emit
émigré(e) *m., f.* expatriate, émigré

émigrer to emigrate
émission *f.* program; broadcast; emission; **émission toxique** toxic waste
emmener (j'emmène) to take along; to take (*someone somewhere*); **emmener quelqu'un à l'hôpital** to take someone to the hospital
empêcher (de) to prevent; to preclude
empereur *m.* emperor
emploi *m.* use; job; **emploi du temps** schedule
employer (j'emploie) to use; to employ
employeur/employeuse *m., f.* employer
emporter to take with one, carry
emprisonner to imprison
emprunt *m.* borrowing
emprunter to borrow
en *prep.* in; to; within; into; at; like; in the form of; by; *pron.* of it, of them; some of it; any
encadré(e) *adj.* sheltered; framed; accompanied
enceinte *adj. f.* pregnant
enchanté(e) *adj.* delighted; enchanted; pleased
encore *adv.* still; again; yet; even; more; **ne... pas encore** not yet
encourager (nous encourageons) (à) to encourage (to)
endolori(e) *adj.* sore, painful
s'endormir (*like* **dormir**) *irreg.* to fall asleep
endroit *m.* place, spot
énergie *f.* energy
énergique *adj.* energetic
énerver to irritate; **s'énerver** to get upset, annoyed, irritated
enfance *f.* childhood
enfant *m., f.* child
enfantin(e): chanson (*f.*) **enfantine** children's song
enfermé(e) *adj.* locked up
enfin *adv.* finally, at last
enflammé(e) *adj.* blazing, ablaze
s'enfuir (*p.p.* **enfui**) *irreg.* to flee, run away
s'engager (nous nous engageons) to commit to
enjeu *m.* stake, ante
enlever (j'enlève) to take away; to remove, take off; **enlever de force** to remove forcibly, by force
ennemi(e) *m., f.* enemy
ennui *m.* trouble, worry; boredom; **avoir des ennuis** to have problems
ennuyer (j'ennuie) to bother; to bore; **s'ennuyer** to be bored, get bored
ennuyeux/ennuyeuse *adj.* boring; annoying
énorme *adj.* huge, enormous
énormément (de) *adv.* a great deal; a great many; enormously

enquête *f.* inquiry; investigation; opinion poll

enregistrement *m.* recording; registration

enregistrer to record; to register (*luggage*)

enregistreur: baladeur (*m.*) **enregistreur** walkman with tape recorder

enrichir to enrich; **s'enrichir** to get rich

enseignement *m.* teaching; education

enseigner to teach

ensemble *adv.* together; *m.* ensemble; whole; **tous ensemble** all together

ensuite *adv.* next; then

entendre to hear; **entendre parler de** to hear about; **s'entendre (bien, mal) avec** to get along (well, badly) with

enthousiasme *m.* enthusiasm

enthousiasmé(e) *adj.* thrilled

enthousiaste *adj.* enthusiastic

entier/entière *adj.* entire, whole, complete

entorse *f.* sprain

entourage *m.* circle of friends, set

entouré(e) de *adj.* surrounded by

entourer (de) to surround (with)

s'entraider to help one another

entraînement *m.* (*athletic*) training, coaching

s'entraîner to work out; to train

entraîneur/entraîneuse *m., f.* trainer, coach

entre *prep.* between, among

entrée *f.* entrance, entry; admission; first course (*in a meal*)

entremets *m.* sweet, dessert

entreprise *f.* enterprise, business

entrer (dans) to go into, enter

entretenir (*like* **tenir**) *irreg.* to maintain, keep up

entretien *m.* conversation; interview

entrevue *f.* (*job*) interview

envahir to invade

enveloppe *f.* envelope

enveloppé(e) wrapped

envers *prep.* to; toward

envers: à l'envers backward, reversed

envie *f.* desire; **avoir envie de** to want; to feel like

environ *adv.* about, approximately; **environs** *m. pl.* neighborhood, surroundings; outskirts

environnement *m.* environment; milieu

environnemental(e) *adj.* environmental

envisageable *adj.* imaginable, conceivable

envoyer (j'envoie) to send

éparpillé(e) *adj.* scattered

épaule *f.* shoulder

éperlan *m.* smelt (*fish*)

épicé(e) *adj.* spicy

épicerie *f.* grocery store; grocery items

épices *f. pl.* spices

épinards *m. pl.* spinach

Épiphanie *f.* Epiphany, Twelfth Night

éplucher to peel

époque *f.* epoch, period, era; time

épouser to wed, to get married to

épouvante *f.* terror; **film** (*m.*) **d'épouvante** horror film

époux/épouse *m., f.* spouse; husband/wife

épreuve *f.* proof; trial; test

équateur *m.* equator

équilibrage *m.* balancing; **faire l'équilibrage des pneus** to balance the tires

équilibre *m.* equilibrium, balance

équilibré(e) *adj.* balanced, well-balanced

équilibrer to balance

équipe *f.* team; working group; **équipe rédactionnelle** editorial team

équipé(e) *adj.* equipped

équipement *m.* equipment; gear; **équipement ménager** household furnishings

équitation *f.* horseback riding

équivalent(e) *adj.* equivalent

équivoque *adj.* ambiguous; dubious, questionable

érable *m.* maple; **sirop** (*m.*) **d'érable** maple syrup; **sucre** (*m.*) **d'érable** maple sugar

éraflé(e) *adj.* scratched

érigé(e) *adj.* erected

erreur *f.* error; mistake

érudit(e) *adj.* erudite, scholarly

escalade *f.* climbing; **faire de l'escalade** to do rock climbing, mountain climbing

escalier *m.* stairs, staircase; **rampe** (*f.*) **de l'escalier** stair banister

escalope *f.* (**de veau**) (veal) cutlet

escargot *m.* snail; escargot

esclavage *m.* slavery

esclave *m., f.* slave

espace *m.* space

espacé(e) *adj.* spaced out, made less frequent

espadon *m.* swordfish

Espagne *f.* Spain

espagnol(e) *adj.* Spanish; *m.* Spanish (*language*); **Espagnol(e)** *m., f.* Spaniard

espèce *f.* type, kind; **espèces d'animaux** animal species; **une espèce de** a kind of

espérance (*f.*) **de vie** life expectancy

espérer (j'espère) to hope

espoir *m.* hope

esprit *m.* spirit; **garder l'esprit ouvert** to keep an open mind

essayer (j'essaie) (de) to try (to)

essence *f.* gasoline, gas; essence; **consommer de l'essence** to burn gas; **faire le plein d'essence** to fill up with gas

essentiel(le) *adj.* essential

essuie-glace (*pl.* **essuie-glaces**) *m.* windshield wiper

essuyer (j'essuie) to wipe

esthétique *adj.* esthetic

estimer to value; to estimate

estomac *m.* stomach

estudiantin(e) *adj.* student

et *conj.* and

établir to establish, set up

établissement *m.* settlement; establishment

étage *m.* floor (*of building*); **premier étage** second floor (*American*)

étagère *f.* shelf, shelving

étape *f.* stage; stopping place

état *m.* state; condition; **chef** (*m.*) **d'État** head of state; **en bon (mauvais) état** in good (bad) condition; **état civil** civil status; marital status; **garder en bon état** to maintain; **homme** (*m.*) **d'État** statesman

États-Unis *m. pl.* United States (of America)

été *m.* summer; **en été** in summer

éteindre (*like* **craindre**) *irreg.* to put out; to turn off; **éteindre un incendie** to put out a fire; **s'éteindre** to go out (*light*)

éteint(e) *adj.* extinguished; dead, extinct

s'étendre to extend; to spread; to expand

étendu(e) *adj.* extensive, wide, large; **étendu(e) par terre** lying down flat; **étendue** *f.* expanse, area

éternel(le) *adj.* eternal

éternuer to sneeze

ethnie *f.* ethnic group

ethnique *adj.* ethnic

étirer, s'étirer to stretch

étoile *f.* star

étonnant(e) *adj.* astonishing, surprising

s'étonner de to be surprised, astonished at

étourdir to stun, make dizzy

étrange *adj.* strange

étranger/étrangère *adj.* foreign; *m., f.* stranger; foreigner; **à l'étranger** abroad, overseas

être (*p.p.* **été**) *irreg.* to be; *m.* being; **être en train de** to be in the process of

étude *f.* study; research; *pl.* studies; **faire des études** to study

étudiant(e) *m., f.* student

étudier to study

euh *interj.* uh, um

euro *m.* euro (*European currency unit*)

européen(ne) *adj.* European; **Européen(ne)** *m., f.* European (*person*)

euthanasie *f.* euthanasia

eux *pron., m. pl.* them; **eux-mêmes** *pron.* themselves

s'évader to escape

s'évanouir to faint

s'évaporer to evaporate

événement *m.* event

évidemment *adv.* evidently, obviously

évident(e) *adj.* obvious, clear

évier *m.* (kitchen) sink

éviter to avoid

évoluer to evolve

évolution *f.* evolution, development

évoquer to evoke, call to mind

exagérer (j'exagère) to exaggerate

examen *m.* test, exam; **(re)passer un examen** to (re)take an exam; **préparer un examen** to study for a test; **rater un examen** to fail a test; **réussir à un examen** to pass a test

examiner to examine

excédent *m.* excess, surplus; **excédent de bagages** excess baggage

excentricité *f.* eccentricity

excentrique *adj.* eccentric

excès *m.* excess

excessif/excessive *adj.* excessive

exclu(e) *m., f.* social outcast

exclusivement *adv.* exclusively

excursion *f.* excursion, outing; **faire une excursion** to go on an outing

s'excuser (de) to excuse oneself (for); to apologize; **excusez-moi** excuse me, pardon me

exécution *f.* carrying out; execution

exemplaire *m.* copy (*book, magazine*)

exemple *m.* example; **par exemple** for example

exercer (nous exerçons) to exercise; to practice; **exercer un métier** to work at a particular job

exercice *m.* exercise; **faire de l'exercice** to do exercise(s), to work out

exigeant(e) *adj.* demanding

exiger (nous exigeons) to require; to demand

exister to exist; **il existe** (*inv.*) there is, are

exotique *adj.* exotic; foreign

expédition *f.* shipping; expedition; **expédition de colis** sending packages

explication *f.* explanation

expliquer to explain

exploitation *f.* working, operating; exploitation; **système** (*m.*) **d'exploitation** operating system (*computer*)

explorateur/exploratrice *m., f.* explorer

explorer to explore

exploser to explode

exporter to export

exposé(e) *adj.* exposed; set forth

exposer to exhibit; **exposer une œuvre** to exhibit a piece of work

exposition *f.* exhibition; show

exprimer to express; **s'exprimer** to express oneself

exquis(e) *adj.* exquisite

extérieur(e) *adj., m.* exterior; outside; **à l'extérieur** (on the) outside, out-of-doors

extrait(e) (de) *adj.* excerpted, extracted (from); **extrait** *m.* excerpt; extract

extraordinaire *adj.* extraordinary

extraterrestre *m., f.* alien, extraterrestrial

extraverti(e) *adj.* extroverted

extrême *adj.* extreme; intense

extrêmement *adv.* extremely, exceedingly

extrémiste *m., f.* extremist

fabrication *f.* manufacturing

fabriquer to manufacture

fabuleux/fabuleuse *adj.* fabulous; incredible

fac *f., fam.* (**faculté**) university department or school; **en fac** at the university

face *f.* face; façade; **en face (de)** *prep.* opposite, facing; **faire face à** to confront

fâché(e) *adj.* angry, annoyed

fâcher to anger; to annoy; **se fâcher** to get angry

facile *adj.* easy; **facile à vivre** easy to get along with

façon *f.* way, manner, fashion; **de façon (bizarre)** in a (funny) way; **de toute façon** anyhow, in any case

facteur *m.* factor; **facteur/factrice** *m., f.* mail carrier

facture *f.* bill (*to pay*)

faculté *f.* ability; (*fam.* **fac**) university department or school

faible *adj.* weak

faim *f.* hunger; **avoir faim** to be hungry

faire (*p.p.* **fait**) *irreg.* to do; to make; to form; to be; **faire beau (il fait beau)** to be nice out, good weather (it's nice out)

fait(e) *adj.* made; *m.* fact; **fait(e) à la main** handmade

falaise *f.* cliff

falloir (*p.p.* **fallu**) *irreg.* to be necessary; to be lacking; **il me faut** I need

familial(e) *adj.* family

familier/familière *adj.* familiar

famille *f.* family; **en famille** with one's family; **famille monoparentale** single-parent family; **famille nombreuse** large family; **famille recomposée** blended family

farine *f.* flour

fascinant(e) *adj.* fascinating

fasciner to fascinate

fast-food *m.* fast food restaurant; fast food

fatigant(e) *adj.* tiring

fatigué(e) *adj.* tired

fatiguer to tire; **se fatiguer** to get tired

fauché(e) *adj., fam.* broke, out of money

faune *f.* fauna

faute *f.* fault, mistake

fauteuil *m.* armchair

faux/fausse *adj.* false; **faux témoignage** *m.* perjury

faveur *f.* favor; **en faveur de** supporting, backing

favori(te) *adj.* favorite

favoriser to favor

fée *f.* fairy; **conte** (*m.*) **de fées** fairy tale

féminin(e) *adj.* feminine

féministe *adj.* feminist

femme *f.* woman; wife; **femme d'affaires** businesswoman

fenêtre *f.* window

fente *f.* slot

fer *m.* iron; **chemin** (*m.*) **de fer** railroad; **fer à repasser** (*clothes*) iron

ferme *adj.* firm; *f.* farm

fermé(e) *adj.* closed

fermer to close

fermeture *f.* closing; closure; **fermeture annuelle** annual closing

féroce *adj.* ferocious

fesse *f.* buttock

fessée *f.* spanking

fête *f.* celebration, holiday; party; **faire la fête** to party; **fête des Mères (des Pères)** Mother's (Father's) Day; **fête des Rois** Feast of the Magi, Epiphany; **fête du Travail** Labor Day; **fête nationale** July 14, Bastille Day

fêter to celebrate; to observe a holiday

feu *m.* fire; traffic light; **armes** (*f. pl.*) **à feu** firearms; **brûler le feu rouge** to run a red light; **cuire à feu vif** to cook on high heat; **feu d'artifice** fireworks

feuille *f.* leaf; sheet; **feuille d'érable** maple leaf; **feuille de papier** sheet of paper

feuilleton *m.* soap opera

fève *f.* bean; party (cake) favor

février February

fiançailles *f. pl.* engagement

fiancé(e) *m., f.* fiancé(e), betrothed

se fiancer (nous nous fiançons) to become engaged

fibre *f.* fiber, filament

fichier *m.* file

fictif/fictive *adj.* fictional

fidèles *m. pl.* faithful (*people*); congregation

fier/fière *adj.* proud; **être fier/fière de** to be proud of

fièvre *f.* fever

figue *f.* fig

figuier *m.* fig tree

figurant(e) *m., f.* extra (*in a film*)

figurer to appear

fil *m.* thread; cord; **passer un coup de fil (interurbain)** *fam.* to make a (long-distance) phone call

filet *m.* net; string bag; fillet (*beef, fish, etc.*)

filière *f.* channel, path; track, major (*in school*)

fille *f.* girl; daughter; **école** (*f.*) **de filles** girls' school; **jeune fille** girl, young woman; **petite fille** little girl; **petite-fille** granddaughter

filleul(e) *m., f.* godchild

film *m.* film; movie; **passer un film** to show a movie; **tournage du film** film-making, film shooting

fils *m.* son; **petit-fils** grandson

fin(e) *adj.* fine; thin; *f.* end; purpose; **à la fin de** at the end of; **en fin d'après-midi** in the late afternoon; **fin de siè-cle** end of the century

final(e) *adj.* final

finalement *adv.* finally

financier/financière *adj.* financial, *m., f.* financier

finir (de) to finish; **finir par** to end up by (doing something)

finlandais(e) *adj.* Finnish; **Finlandais(e)** Finnish (*person*)

Finlande *f.* Finland

firme *f.* firm, company

fiscal(e) *adj.* fiscal

fixe *adj.* fixed; **sans domicile fixe (S.D.F.)** homeless

fixer to set

flageolet *m.* kidney bean

flamand *m.* Flemish (*language*); **Flamand(e)** Flemish (*person*)

flamant *m.* flamingo

flambé(e) *adj.* flambé, flaming

flamme: en flammes ablaze

flâner to stroll

flatterie *f.* flattery

flatteur/flatteuse *adj.* flattering; **flatteur** *m.* flatterer; sycophant

fleur *f.* flower

fleuriste *m., f.* florist

fleuve *m.* river (*flowing into the sea*)

flic *m., fam.* cop

flore *f.* flora

Floride *f.* Florida

flotter to float; **île** (*f.*) **flottante** *dessert made of beaten egg whites floating on cream*

fluvial(e) *adj.* river; fluvial

foie *m.* liver; **pâté** (*m.*) **de foie gras** goose liver pâté

foire *f.* fair

fois *f.* time, occasion; **chaque fois** each time; **la dernière (première) fois** the last (first) time; **une fois par semaine** once a week; **une (seule) fois** (only) once

folklorique *adj.* traditional; folk (*music, etc.*)

foncé(e) *adj.* dark (*color*)

fonction *f.* function; use, office

fonctionnaire *m., f.* government employee, civil servant

fonctionnement *m.* working order, functioning

fonctionner to function, work

fond *m.* bottom; back, background; **au fond** basically

fonder to found; **fonder un foyer** to start a home and family

fontaine *f.* fountain; spring

football (*fam.* **foot**) *m.* soccer

footballeur/footballeuse *m., f.* soccer player

force *f.* force; **enlever de force** to remove forcibly, by force

forcé(e) *adj.* forced

forêt *f.* forest

formation *f.* formation; education, training

forme *f.* form; shape; figure; **en (bonne, pleine) forme** physically fit; **en forme de** in the form (shape) of; **être (rester) en forme** to be (stay) in shape

former to form, shape; to train; **se former** to form, get organized

formel(le) *adj.* formal; strict

formidable *adj.* great

formulaire *m.* form (*to fill out*); **remplir un formulaire** to fill out a form

formule *f.* formula; form

formuler to formulate

fort *adv.* loudly, loud; hard

fort(e) *adj.* strong; heavy; plump; high (*heat*)

fortifié(e) *adj.* fortified

fossé *m.* gap, gulf

fou (fol, folle) *adj.* crazy, mad; **fou (folle)** *m., f.* crazy person

foudre *f.* lightning; **coup** (*m.*) **de foudre** thunderbolt; *fig.* love at first sight

fouiller to search; to look through (*luggage*)

fouiner to snoop, nose around

foulard *m.* scarf

foule *f.* crowd; **foule de gens** crowd of people

se fouler la cheville to sprain one's ankle

foulure *f.* sprain

four *m.* oven; **four à micro-ondes** microwave oven

fourchette *f.* fork

fourmi *f.* ant

fournir to provide, supply

fournisseur/fournisseuse *m., f.* provider, supplier

fourrure *f.* fur

foyer *m.* home

fracturé(e) *adj.* fractured

fraîcheur *f.* coolness; freshness

frais/fraîche *adj.* fresh; cool; *m. pl.* fees; expenses; **il fait frais** it's chilly

frais (*m. pl.*) **d'inscription (de scolarité)** school, university (tuition) fees

fraise *f.* strawberry

framboise *f.* raspberry

franc(he) *adj.* frank; truthful; honest; **franc** *m.* franc (*French, Swiss currency*)

français(e) *adj.* French; *m.* French (*language*); **Français(e)** *m., f.* Frenchman/Frenchwoman

Francfort Frankfurt

franchement *adv.* frankly

franco-allemand(e) *adj.* French-German

Franco-Américain(e) (*fam.* **Franco**) *m., f.* French-American (*person*)

francophone *adj.* French-speaking, of the French language

francophonie *f.* French-speaking world

frapper to strike; to knock

frein *m.* brake

freiner to brake

fréquemment *adv.* frequently

fréquence *f.* frequency

fréquent(e) *adj.* frequent

fréquenter to frequent, visit frequently

frère *m.* brother; **beau-frère** brother-in-law; **demi-frère** half-brother; step-brother

frigo *m., fam.* fridge, refrigerator

friquet: moineau (*m.*) **friquet** *species of sparrow*

frisé(e) *adj.* curly

frisson *m.* shiver, chill

frit(e) *adj.* fried; **frites** *f. pl.* French fries

froid(e) *adj.* cold; *m.* cold; **avoir froid** to be cold; **il fait froid** it's cold (*weather*)

frôler to touch lightly, brush

fromage *m.* cheese

front *m.* forehead; front

frontière *f.* frontier; border

frotter to rub

fruit *m.* fruit; **fruits** (*pl.*) **de mer** seafood; **jus** (*m.*) **de fruits** fruit juice

frustrant(e) *adj.* frustrating

frustré(e) *adj.* frustrated

fumé(e) *adj.* smoked

fumée *f.* smoke

fumer to smoke

fureur *f.* fury; **faire fureur** to be all the rage

furieux/furieuse *adj.* furious

futur(e) *adj.* future; **futur** *m., Gram.* future (*tense*); future (*time*)

gaffe *f., fam.* blunder

gagner to win; to earn; **gagner sa vie** to earn a living

galère *f.* mess, difficult situation

galerie *f.* gallery

galette *f. puff pastry cake;* **galette des rois** *special cake for Epiphany*

Galles: pays (*m.*) **de Galles** Wales

gants *m. pl.* gloves

garanti(e) *adj.* guaranteed; **garantie** *f.* guarantee; safeguard

garantir to guarantee

garçon *m.* boy; café waiter; **garçon d'honneur** best man; groomsman

garde *f.* watch; *m., f.* guard; **pharmacie** (*f.*) **de garde** all-night (emergency service) pharmacy

garder to keep, retain; to take care of

gare *f.* station (*train, bus*); **gare routière** bus station, depot

garer to park; **garer la voiture** to park the car

garni(e) *adj.* garnished

gaspillage *m.* waste

gaspiller to waste

gastronomie *f.* gastronomy

gâteau *m.* cake; **morceau** (*m.*) **de gâteau** slice of cake; **petit gâteau** cookie

gâter to ruin, spoil; to have a harmful effect on

gauche *adj.* left; *f.* left; **à gauche** on the left, to the left; **de gauche** leftist; **extrême gauche** *f.* extreme left (*politically*)

gaulois(e) *adj.* Gallic

gaz *m.* gas; **gaz carbonique** carbon dioxide

gazon *m.* lawn; **tondre le gazon** to mow the lawn

géant(e) *adj.* gigantic

gelée *f.* aspic, jelly

gélule *f.* capsule

gênant(e) *adj.* disturbing, embarrassing

gêné(e) *adj.* embarrassed; annoyed, bothered

généralement *adv.* generally

généralisation *f.* generalization

généreux/généreuse *adj.* generous

génétique *adj.* genetic

Genève Geneva

génial(e) *adj.* brilliant, inspired; *fam.* nice, cool, great

génie *m.* spirit; genius; genie; engineering; **génie civil** civil engineering; **génie mécanique** mechanical engineering

genou (*pl.* **genoux**) *m.* knee

genre *m.* gender; kind, type

gens *m. pl.* people; **foule** (*f.*) **de gens** crowd of people; **jeunes gens** young men; young people

gentil(le) *adj.* nice, kind

gentilhomme *m.* (*historical, fig.*) gentleman

géographie *f.* geography

géographique *adj.* geographic

géologie *f.* geology

Géorgie *f.* Georgia

gérant(e) *m., f.* manager, director

germanique *adj.* Germanic

germer to sprout, germinate

geste *m.* gesture

gestion *f.* management; **gestion des ressources** resource management

gigot (d'agneau) *m.* leg of lamb

givré(e): orange (*f.*) **givrée** *orange sorbet served in the orange peel*

glace *f.* ice cream; ice; mirror; **essuie-glace** *m.* windshield wiper

glacier *m.* glacier

glissant(e) *adj.* slippery; **chaussée** (*f.*) **glissante** slippery pavement

glissement (*m.*) **de terrain** landslide

glisser to slide; to slip; to skid

global(e) *adj.* global

globalisation *f.* globalization

golfe *m.* gulf; **petit golfe** bay

gomme *f.* eraser

gonflement *m.* swelling

gonfler to inflate; to swell; **gonfler les pneus** to inflate the tires

gorge *f.* throat; gorge; **mal à la gorge** sore throat; **soutien-gorge** *m.* bra, brassiere

gousse (*f.*) **d'ail** clove of garlic

goût *m.* taste, flavor; preference

goûter to taste; *m.* snack

goutte *f.* drop; **gouttes** (*f. pl.*) **pour le nez** nose drops

gouvernement *m.* government; **chef** (*m.*) **de gouvernement** head of state

gouverneur *m.* governor

grâce *f.* grace; pardon; **grâce à** *prep.* thanks to; **jour** (*m.*) **d'Action de Grâce** Thanksgiving Day (*U.S., Canada*)

graine *f.* seed

graisse *f.* grease, fat

grammaire *f.* grammar

gramme *m.* gram

grand(e) *adj.* great; large, big; tall; **grand-chose (pas grand-chose)** *pron. m.* much (not much); **grande surface** *f.* mall; superstore; **grandes vacances** *f. pl.* summer vacation; **grand magasin** *m.* department store; **Train** (*m.*) **à grande vitesse (T.G.V.)** *French high-speed bullet train*

grand-mère *f.* grandmother

grand-père *m.* grandfather

grandement *adv.* easily, amply; nobly

grands-parents *m. pl.* grandparents

graphique *adj.* graphic; **dessin** (*m.*) **graphique** graphic arts

gras(se) *adj.* fat; oily; rich; **gras** *m.* fat; **foie** (*m.*) **gras** goose liver; **matière** (*f.*) **grasse** fat content (*of food*)

gratte-ciel *m inv.* skyscraper

gratter to scratch

gratuiciel *m.* freeware (*software*)

gratuit(e) *adj.* free (*of charge*)

grave *adj.* grave, serious

gravité *f.* seriousness

grec(que) *adj.* Greek; *m.* Greek (*language*); **Grec(que)** *m., f.* Greek (*person*)

Grèce *f.* Greece

grève *f.* (labor) strike

grille-pain *m. inv.* toaster

griller to broil, toast, grill

grimper to climb

grippe *f.* flu; **attraper la grippe** to catch the flu

gris(e) *adj.* gray

grognon(ne) *m., f.* grumbler, grumpy person

gros(se) *adj.* big

grossesse *f.* pregnancy; **interruption** (*f.*) **volontaire de grossesse (IVG)** abortion

grossier/grossière *adj.* vulgar, gross; **terme** (*m.*) **grossier** vulgar term

grossir to gain weight

groupe *m.* group

se grouper to gather

gruyère *m.* Gruyère (*Swiss cheese*)

guêpe *f.* wasp; **piqûre** (*f.*) **de guêpe** wasp sting

guérir to cure; to heal; to recover; **guérir un malade** to cure a sick person

guerre *f.* war; **guerre de Sécession** American Civil War

guichet *m.* ticket window

guide *m., f.* guide; *m.* guidebook; instructions

Guinée *f.* Guinea

guitare *f.* guitar

Guyane *f.* Guyana

gymnase *m.* gymnasium

gymnastique (*fam.* **gym**) *f.* gymnastics; exercise; **faire de la gymnastique** to do gymnastics (exercises)

habiller to dress; **s'habiller** to get dressed

habitant(e) *m., f.* inhabitant; resident

habitation *f.* lodging, housing; **Habitation à loyer modéré (H.L.M.)** *French public housing*

habiter to live, dwell

habitude *f.* habit; **comme d'habitude** as usual; **d'habitude** *adv.* usually, habitually

*haché(e) *adj.* ground; chopped up (*meat*); **bœuf** (*m.*) **haché** ground beef

haïtien(ne) *adj.* Haitian

halogène: lampe (*f.*) **halogène** halogen lamp

*halte *f.* stop, break; stopping place

*hanche *f.* hip; haunch

*Hanoukka *f.* Hanukkah

*haricot *m.* bean; ***haricots verts** green beans

harmonie *f.* harmony

harmonieux/harmonieuse *adj.* harmonious

*haut(e) *adj.* high; **à *haute voix** out loud; **en *haut (de)** at the top (of); ***haut-parleur** *m.* (loud) speaker

hebdomadaire *adj.* weekly

hébergement *m.* lodging

héberger to lodge, put up

*hein? *interj.* eh? what?

hémisphère *m.* hemisphere
herbe *f.* grass
héritage *m.* inheritance; heritage
***héros** *m.* hero
hésitant(e) *adj.* hesitant
hésiter to hesitate
heure *f.* hour; time; **à la même heure** at the same time; **à l'heure** on time; per hour; **à quelle heure** (at) what time; **de bonne heure** early; **demi-heure** *f.* half-hour; **il est... heure(s)** it's . . . o'clock; **quelle heure est-il?** what time is it?
heureusement *adv.* fortunately
heureux/heureuse *adj.* happy; fortunate
se *heurter contre to hit, bump against
hexagone *m.* hexagon; **Hexagone** France
hier *adv.* yesterday; **hier après-midi (matin)** yesterday afternoon (morning); **hier soir** yesterday evening
histoire *f.* history; story
historique *adj.* historical, historic
hiver *m.* winter; **en hiver** in the winter
***hocher: *hocher la tête** to nod
***hockey** *m.* hockey; ***hockey sur glace** ice hockey
***hollandais(e)** *adj.* Dutch; **Hollandais(e) sauce** (*f.*) Hollandaise sauce (*butter, eggs, lemon juice*); ***hollandaise** Dutch (*person*)
***Hollande** *f.* Holland, Low Countries
***homard** *m.* lobster
homéopathie *f.* homeopathy
homme *m.* man; **homme d'affaires** businessman; **homme d'État** statesman
homogène *adj.* homogeneous
homosexualité *f.* homosexuality
honnête *adj.* honest
honnêteté *f.* honesty
honneur *m.* honor; **demoiselle** (*f.*) **d'honneur** bridesmaid; **garçon** (*m.*) **d'honneur** best man; groomsman
***honte** *f.* shame; **avoir *honte de** to be ashamed of
***honteux/honteuse** *adj.* shameful; ashamed
hôpital *m.* hospital
***hoquet** *m.* hiccup
horloge *f.* clock
horreur *f.* horror; **avoir horreur de** to hate, detest
horriblement *adv.* horribly
horrifié(e) *adj.* horrified
***hors de** *prep.* out of, outside of; ***hors saison** off-season
***hors-d'œuvre** *m. inv.* appetizer
hospitalité *f.* hospitality
hôtel *m.* hotel; public building, hall; **maître** (*m.*) **d'hôtel** maître d'; headwaiter
hôtellerie *f.* hotel trade

hôtesse *f.* hostess; **hôtesse de l'air** flight attendant, stewardess
huile *f.* oil; **changer l'huile** to change the oil
***huit** eight
huîtres *f. pl.* oysters
humain(e) *adj.* human; **humain** *m.* human being
humanitaire *adj.* humanitarian
humanité *f.* humanity
humeur *f.* temperament, disposition; mood; **être de mauvaise (bonne) humeur** to be in a bad (good) mood
humide *adj.* humid; damp
humilié(e) *adj.* humiliated
humoristique *adj.* humoristic
humour *m.* humor; **sens** (*m.*) **de l'humour** sense of humor
***hurler** to scream
hydrocarbure *m.* hydrocarbon; **échappement** (*m.*) **d'hydrocarbures** hydrocarbon emissions
hygiène *f.* hygiene
hypermarché *m.* superstore
hypothèse *f.* hypothesis

ici *adv.* here
icone *m.* icon
idéal(e) *adj.* ideal; **idéal** *m.* ideal
idéaliste *adj.* idealistic; *m., f.* idealist
idée *f.* idea; **aucune idée** I've no idea
identifier to identify
identité *f.* identity; **carte** (*f.*) **d'identité** identification card
idéologique *adj.* ideological
idiot(e) *adj.* idiotic, foolish
idole *f.* idol
ignorer to not know; to be ignorant of
il *pron., m.* he; it; there; **il y a** there is, there are; **il y a** (+ *time period*) ago; **il y a... que** (+ *period of time*); it's been . . . since
île *f.* island; **île flottante** *dessert made of beaten egg whites floating on cream*
illégal(e) *adj.* illegal
illustré(e) *adj.* illustrated
illustrer to illustrate
ils *pron., m.* they
image *f.* picture; image
imaginaire *adj.* imaginary; made-up
imaginer to imagine
imbécile *m., f.* idiot, imbecile
immatriculation *f.* registration; **plaque** (*f.*) **d'immatriculation** license plate
immédiat(e) *adj.* immediate
immeuble *m.* (apartment or office) building, highrise
immigré(e) *m., f.* immigrant
immigrer to immigrate
s'immiscer (**nous nous immisçons**) (**dans**) to interfere (in, with)

immobilier *m.* real-estate (business)
imparfait *m., Gram.* imperfect (*verb tense*)
s'impatienter to grow impatient, lose patience
impensable *adj.* unthinkable
impératif *m., Gram.* imperative, command
impersonnel(le) *adj.* impersonal
implanter to implant, introduce
impoli(e) *adj.* impolite, rude
important(e) *adj.* important; large, sizeable
importé(e) *adj.* imported
importer to be important; to matter; **n'importe où** anywhere; **n'importe quel(le)** no matter which; **n'importe quoi** anything
imposer to impose
impossibilité *f.* impossibility
impôts *m. pl.* direct taxes
impressionnant(e) *adj.* impressive
impressionner to impress
imprimante *f.* printer
imprimer to print
imprudemment *adv.* imprudently, unwisely
incendie *m.* fire, house fire
inciter to incite
incompétent(e) *adj.* incompetent
inconnu(e) *adj.* unknown; *m., f.* stranger
inconscient(e) *adj.* unconscious; thoughtless; unaware
inconvénient *m.* disadvantage
incroyable *adj.* unbelievable, incredible
Inde *f.* India; **Indes** *f. pl.* Indies
indéfini(e) *adj.* indefinite; **article** (*m.*) **indéfini** *Gram.* indefinite article
indépendance *f.* independence
indépendant(e) *adj.* independent
indéterminé(e) *adj.* unspecified; indeterminate
indicatif *m., Gram.* indicative (*mood*)
indien(ne) *adj.* Indian; *m., f.* **Indien(ne)** Indian (*person*)
indifférent(e) *adj.* indifferent
indigène *adj.* indigenous, native
indiqué(e) *adj.* indicated
indiquer to indicate; to point out
indirect(e) *adj.* indirect
indiscret/indiscrète *adj.* indiscreet; prying
individu *m.* individual, person
individualiste *adj.* individualistic, nonconformist
individuel(le) *adj.* private
industrie *f.* industry
industriel(le) *adj.* industrial
inévitable *adj.* unavoidable
inférieur(e) *adj.* inferior; lower
infinitif *m., Gram.* infinitive
infirmier/infirmière *m., f.* nurse
influencer (**nous influençons**) to influence

influent(e) *adj.* influential

information *f.* information, data; *pl.* news (*broadcast*)

informaticien(ne) *m., f.* computer scientist; **ingénieur** (*m.*) **informaticien** computer engineer

informatique *f.* computer science; *adj.* computer **virus** (*m.*) **informatique** computer virus

informatisé(e) *adj.* computerized

informer to inform; **s'informer** to find out information

inforoute *f.* information highway

ingénierie *f.* engineering

ingénieur *m.* engineer; **ingénieur informaticien** computer engineer; **ingénieur mécanicien** mechanical engineer

ingrédient *m.* ingredient

inhumain(e) *adj.* inhuman

initial(e) *adj.* initial, first; **initiale** *f.* initial (*letter*)

initiative *f.* initiative; **syndicat** (*m.*) **d'initiative** (local) chamber of commerce, tourist office

s'initier (à) to become initiated (into)

injuste *adj.* unjust, unfair

innombrable *adj.* countless

inondation *f.* flood

inoubliable *adj.* unforgettable

inquiet/inquiète *adj.* worried, anxious

inquiéter (j'inquiète) to worry; **s'inquiéter (de) (je m'inquiète)** to become uneasy; to be worried (about)

inquiétude *f.* anxiety, uneasiness

inscription *f.* matriculation; registration; **frais** (*m. pl.*) **d'inscription** university enrollment fees, tuition

s'inscrire (*like* **écrire**) **(à)** *irreg.* to join; to enroll; to register

insecte *m.* insect

insensé(e) *adj.* insane

inséparable *adj.* inseparable

insistance *f.* insistence

insister to insist; **insister sur** to stress

insolite *adj.* unusual

insomniaque *m., f.* insomniac

insomnie *f.* insomnia

inspecter to inspect

inspirer to inspire

installer to install; to set up; **s'installer (à)** to settle down, settle in

instituteur/institutrice *m., f.* elementary school teacher

insuffisant(e) *adj.* insufficient

insulter to insult

intact(e) *adj.* intact; **demeurer intact(e)** to remain intact

s'intégrer (je m'intègre) (à) to integrate oneself, get assimilated (into)

intellectuel(le) *adj.* intellectual

intensif/intensive *adj.* intensive

interdire (*like* **dire**, *but* **vous interdisez**) **(de)** to forbid (to); to prohibit

interdit(e) *adj.* forbidden, prohibited; **stationnement** (*m.*) **interdit** no parking

intéressant(e) *adj.* interesting

intéresser to interest; **s'intéresser à (quelque chose)** to be interested in (something)

intérêt *m.* interest, concern

intérieur(e) *m.* interior; **à l'intérieur** inside

intermédiaire: par l'intermédiaire de through

internaute *m., f.* Internet user

interpréter (j'interprète) to perform, interpret

interrogatoire *m.* interrogation, examination

interroger (nous interrogeons) to interrogate

interrompre (*p.p.* **interrompu**) *irreg.* to interrupt

interurbain(e) *adj.* interurban

interviewer to interview

intestinal(e) *adj.* intestinal; stomach

intrigue *f.* plot

introduire (*like* **conduire**) *irreg.* to introduce

introverti(e) *adj.* introverted

inutile *adj.* useless

inventer to invent

inventeur/inventrice *m., f.* inventor, discoverer

inversé(e) *adj.* opposite, inverted

investir to invest

investissement *m.* investment

invité(e) *adj.* invited; *m., f.* guest

inviter to invite

ironique *adj.* ironic

irrésistiblement *adv.* irresistibly

irriter to irritate

islamique *adj.* Islamic

isolé(e) *adj.* isolated

Israël *m.* Israel

Italie *f.* Italy

italien(ne) *adj.* Italian; **Italien(ne)** *m., f.* Italian (*person*)

itinéraire *m.* itinerary

ivoire: Côte-d'Ivoire (*f.*) Ivory Coast

jaloux/jalouse *adj.* jealous

jamais (ne... jamais) *adv.* never, ever

jambalaya *m. traditional Cajun rice stew*

jambe *f.* leg; **jambe cassée** broken leg

jambon *m.* ham

janvier January

Japon *m.* Japan

japonais(e) *adj.* Japanese; *m.* Japanese (*language*); **Japonais(e)** *m., f.* Japanese (*person*)

jardin *m.* garden; **jardin public** public park

jardinage *m.* gardening

jardiner to garden

jaune *adj.* yellow

jaunir to turn yellow

je *pron.* I

jean *m. s.* (blue) jeans

jetable *adj.* disposable

jeter (je jette) to throw; to throw away, toss; **jeter des déchets** to toss out trash; **jeter par terre** to throw down (on the ground); **se jeter (dans)** to flow (into)

jeu *m.* game; **jeu CD-ROM** computer game; **jeu vidéo** video game; **Jeux olympiques (JO)** Olympic games

jeudi *m.* Thursday

jeune *adj.* young; *m. pl.* young people, youth; **jeune fille** *f.* girl, young woman; **jeunes gens** *m. pl.* young men; young people

jeunesse *f.* youth

joie *f.* joy

joli(e) *adj.* pretty

joue *f.* cheek

jouer to play; **jouer à** to play (*a sport or game*); **jouer de** to play (*an instrument*)

jouet *m.* toy

joueur/joueuse *m., f.* player

jour *m.* day; **de nos jours** these days, currently; **il y a deux jours** two days ago; **jour d'Action de Grâce** Thanksgiving Day (*U.S., Canada*); **jour de Pâques** Easter; **jour férié** public holiday; **le jour de l'an** New Year's Day; **par jour** per day, each day; **plat** (*m.*) **du jour** today's special (*restaurant*); **tous les jours** every day

journal *m.* newspaper; journal, diary

journalisme *m.* journalism

journaliste *m., f.* reporter, newscaster, journalist

journée *f.* day, duration of a day; **toute la journée** all day

juger (nous jugeons) to judge

juif/juive *adj.* Jewish

juillet July

juin June

jumeau/jumelle *m., f.* twin

jupe *f.* skirt

jupon *m.* slip, petticoat

jurer to swear; to vow

juridique *adj.* legal

jus *m.* juice; **jus de fruits** fruit juice

jusqu'à *prep.* until, up to; **jusqu'à ce que** *conj.* (+ *subj.*) until; **jusqu'à présent** up to now, until now

juste *adj.* just, fair; right, exact; *adv.* just, precisely

justement *interj.* exactly

justifier to justify; to give proof

Kabyle *m., f.* Kabyle (*indigenous person from mountainous region of Algeria*)

kanak *m.* Kanak (*indigenous language of New Caledonia*)

kilo(gramme) *m.* kilogram

kilomètre *m.* kilometer

kiosque *m.* newsstand

klaxon *m.* (*car*) horn

klaxonner to blow the (*car*) horn

km *ab.* (**kilomètre**) *m.* kilometer

Koweït *m.* Kuwait

la *art., f.* the; *pron., f.* it, her

là: *adv.* there, **là-bas** *adv.* over there; **oh là là!** *interj.* good heavens! my goodness!

laboratoire (*fam.* **labo**) *m.* laboratory

lac *m.* lake

laid(e) *adj.* ugly

laine *f.* wool; **en laine** (made of) wool

laïque *adj.* nonreligious, secular

laisser to let, allow; to leave, leave behind; **laisser tomber** to drop (*something*)

lait *m.* milk; **café** (*m.*) **au lait** coffee with hot milk

laitier/laitière *adj.* pertaining to milk; **produits** (*m. pl.*) **laitiers** dairy products

laitue *f.* lettuce

lamelle: (couper) en lamelles (to cut) in(to) thin strips

lampe *f.* lamp; light fixture; **lampe halogène** halogen lamp; **lampe à huile** oil lamp; **lampe à pétrole** kerosene lamp; **lampe-tempête** *f.* hurricane lamp

lancer (nous lançons) to launch; to throw; to drop

langage *m.* language; jargon; specialized vocabulary

langue *f.* language; tongue; **langue étrangère** foreign language; **tirer la langue** to stick out one's tongue

lapin *m.* rabbit

large *adj.* wide

lasagnes *f. pl.* lasagna

latin(e) *adj.* Latin

lavable *adj.* washable

lavabo *m.* (*washroom, bathroom*) sink

laver to wash; **machine** (*f.*) **à laver** washing machine

lave-vaisselle *m.* (automatic) dishwasher

le *art., m.* the; *pron., m.* it, him

lèche-vitrines: faire du lèche-vitrines *fam.* to window-shop

leçon *f.* lesson; **leçon particulière** private lesson

lecteur/lectrice *m., f.* reader; **lecteur** *m.* disk drive; **lecteur (de) CD** CD player; **lecteur (de) CD-rom** CD-ROM player

lecture *f.* reading

légende *f.* legend

léger/légère *adj.* light; fluffy; delicate

légionnaire *m.* legionary; legionnaire

législature *f.* legislature

légume *m.* vegetable

lendemain *m.* next day, day after, following day

lent(e) *adj.* slow

lequel/laquelle (lesquels/lesquelles) *pron.* which, which one; who, whom

les *art., pl.* the; *pron., pl.* them

lessive *f.* laundry; **faire la lessive** to do the laundry

lettre *f.* letter; **boîte** (*f.*) **aux lettres** mailbox

leur *adj.* their; *pron.* to them; **le/la/les leur(s)** *pron.* theirs

lever (je lève) to raise, lift; **lever** (*m.*) **du soleil** sunrise; **levez la main** raise your hand; **se lever** to get up, stand up; to get out of bed

levier *m.* lever; **levier de vitesse** gear shift (*lever*)

lèvres *f. pl.* lips; **rouge** (*m.*) **à lèvres** lipstick

liaison *Gram. m.* joining, linking (*two words together*)

libération *f.* freedom; liberation

libérer (je libère) to free, liberate

liberté *f.* freedom

librairie *f.* bookstore

libre *adj.* free; available; open; vacant; **temps** (*m.*) **libre** leisure time; **vente** (*f.*) **libre** open sale

licence *f.* French university degree, equivalent to bachelor's degree; license; permission

licencié(e) *m., f.* degree holder; license holder

licorne *f.* unicorn

lié(e) *adj.* linked, tied

lien *m.* link, tie, bond; **former des liens** to form contacts, connections

lieu *m.* place; **au lieu de** *prep.* instead of, in the place of; **avoir lieu** to take place; **chef-lieu** county seat (*town*)

ligne *f.* line; bus line; figure; **en ligne** on-line

ligue *f.* league

limitation *f.* limit; restriction; **limitation de vitesse** speed limit

limite *f.* limit; boundary; **dépasser la limite de vitesse** to exceed the speed limit

limiter to limit

limonade *f.* lemonade; soft drink

limpide *adj.* limpid; clear

linguistique *adj.* language; linguistic

liquide *m.* liquid; **payer (je paie) en liquide** to pay in cash

lire (*p.p.* **lu**) *irreg.* to read

liste *f.* list

lit *m.* bed; **faire son lit** to make one's bed

litre *m.* liter

littérature *f.* literature

livre *m.* book; *f.* pound (*half-kilo*); **demi-livre** (*f.*) half pound; **livre** (*m.*) **de cuisine** cookbook

livreur (*m.*) **de pizza** pizza delivery man; *fam.* hacker (*computer*)

local(e) *adj.* local

localisation *f.* localization

locataire *m., f.* renter, tenant

logement *m.* housing, lodgings

loger (nous logeons) to house; to dwell; to lodge

logiciel *m.* program (*computer*); software

logique *adj.* logical

loi *f.* law

loin (de) *adv., prep.* far (from), at a distance (from)

lointain(e) *adj.* distant, faraway, remote

loisirs *m. pl.* leisure time activities

Londres London

long(ue) *adj.* long; slow; **de longue durée** long-term

longtemps *adv.* (for) a long time; **il y a longtemps** a long time ago

longuement *adv.* for a long time, lengthily

lorsque *conj.* when

loterie *f.* lottery

loti(e): être bien loti(e) to be well-off

louer to rent; to reserve; **à louer** for rent

Louisiane *f.* Louisiana

loyauté *f.* loyalty

loyer *m.* rent (*payment*)

lucratif/lucrative *adj.* lucrative

ludiciel *m.* gameware (*software*)

lui *pron.* he; it; to him; to her; to it; **lui-même** himself

lumière *f.* light

lumineux/lumineuse *adj.* luminous; **signal** (*m.*) **lumineux** flashing road sign

lundi *m.* Monday

lune *f.* moon; **lune de miel** honeymoon

lunettes *f. pl.* eyeglasses

lutte *f.* struggle, battle

lutter to struggle, fight

luxe *m.* luxury

luxueux/luxueuse *adj.* luxurious

lycée *m.* French secondary school (*high school*)

lycéen(ne) *m., f.* secondary, high school student

ma *adj., f. s.* my

mâcher to chew

machine *f.* machine; **machine à laver** washing machine

madame (mme) (*pl.* **mesdames**) madam; lady

mademoiselle (mlle) (*pl.* **mesdemoiselles**) Miss

magasin *m.* store; **grand magasin** department store; **magasin d'alimentation** food store

mages: les Rois (*m. pl.*) **mages** the Three Wise Men, Magi

Maghreb *m.* Maghreb (*French-speaking North Africa*)

maghrébin(e) *adj.* from French-speaking North Africa

magique *adj.* magic

magistral(e): cours (*m.*) **magistral** lecture course

magnétoscope *m.* videocassette recorder (VCR)

magnifique *adj.* magnificent

mai May

maigrir to grow thin, lose weight

main *f.* hand; **fait(e) à la main** handmade; **se serrer la main** to shake hands

maintenant *adv.* now

maintenir (*like* **tenir**) *irreg.* to maintain; to keep up

maintien *m.* maintenance; **maintien d'une voiture** car maintenance

maire *m.* mayor

mairie *f.* town hall

mais *conj.* but; *interj.* why

maison *f.* house; company, firm; **à la maison** at home; **maison de la presse** newsstand

maître/maîtresse *m., f.* master/mistress; elementary school teacher; **maître d'hôtel** maître d'; headwaiter

maîtrise *f.* mastery

majestueux/majestueuse *adj.* majestic; stately

majoritaire *adj.* of, in the majority

majorité *f.* majority

majuscule *f.* capital letter

mal *adv.* badly; *m.* evil; pain (*pl.* **maux**); **aller mal** to not be well; **avoir du mal à** (+ *verb*) to have a hard time; **avoir mal à la gorge** to have a sore throat; **mal de l'air** airsickness; **mal de mer** seasickness; **mal de tête** headache; **se faire (du) mal** to hurt oneself

malade *adj.* ill; *m., f.* sick person; **rendre malade** to make (*someone*) sick; **tomber malade** to get sick

maladie *f.* illness, disease; **guérir (traiter) une maladie** to cure (treat) an illness

maladroit(e) *adj.* clumsy

malfaiteur *m.* lawbreaker; burglar, thief

malgré *prep.* in spite of

malheureux/malheureuse *adj.* unhappy

malheureusement *adv.* unfortunately

malsain(e) *adj.* unhealthy

maman *f., fam.* mom, mommy

mamy (mamie) *f., fam.* grandma

Manche *f.* English channel

mandarine *f.* tangerine; mandarin orange

mandat *m.* mandate; **mandat postal** postal money order

manger (nous mangeons) to eat; **salle** (*f.*) **à manger** dining room

manière *f.* manner, way

manifestation *f.* (political) demonstration; manifestation

manifester to show, display

manipulateur/manipulatrice *m., f.* manipulator

manque *m.* lack, shortage

manquer (de) to miss

manteau *m.* coat, overcoat

manuel(le) *adj.* manual; *m.* manual; textbook

se maquiller to put on makeup

marais *m.* swamp, marsh

marbre *m.* marble

marchand(e) *m., f.* merchant, shopkeeper; **marchand** (*m.*) **de vins** wine seller; liquor store

marchander to bargain, haggle

marchandise *f.* merchandise

marche *f.* walk; walking, hiking; (stair) step; **mettre en marche** to start, put into action (*device*)

marché *m.* market; **marché aux puces** flea market; **bon marché** inexpensive

marcher to walk; to work, to run (*device*)

mardi *m.* Tuesday; **mardi gras** Mardi Gras, Shrove Tuesday, Fat Tuesday

marécageux/marécageuse *adj.* swampy, marshy

marée (*f.*) **noire** oil spill

marginalisation *f.* marginalization

marguerite *f.* daisy

mari *m.* husband

mariage *m.* marriage; wedding

marié(e) *m., f.* groom/bride; *adj.* married; **nouveaux mariés** *m. pl.* newlyweds

se marier (avec) to get married (to)

marin *m.* sailor; mariner

marinière: moules (*f. pl.*) **marinière** *mussels cooked in white wine*

Maroc *m.* Morocco

marocain(e) *adj.* Moroccan; **Marocain(e)** *m., f.* Moroccan (*person*)

marque *f.* brand

marquer to mark; to indicate, denote

marraine *f.* godmother

marre: en avoir marre (*fam.*) to be fed up (with)

marron *adj. inv.* brown; maroon

mars March

marxisme *m.* Marxism

masculin(e) *adj.* masculine

masse *f.* mass (*volume, form*)

massif/massive *adj.* massive

match *m.* game; **match de football (de rugby)** soccer (rugby) game

matérialiste *adj.* materialistic

matériel *m.* apparatus, equipment; **matériel électronique** electronic equipment

maternel(le) *adj.* maternal; **l'école** (*f.*) **maternelle** nursery school, preschool

mathématiques (*fam.* **maths**) *f. pl.* mathematics

matière *f.* academic subject; material; matter; **matière grasse** fat content (*of food*)

matin *m.* morning; **hier matin** yesterday morning

matinée *f.* morning (*duration*); **(faire) la grasse matinée** to sleep late

matrimonial(e): agence (*f.*) **matrimoniale** marriage/dating service

mauvais(e) *adj.* bad; wrong; **en mauvais état** in bad condition; **il fait mauvais** it's bad weather out; **la mauvaise réponse** the wrong answer

me (m') *pron.* me; to me

mécanicien(ne) *m., f.* mechanic; technician; **ingénieur** (*m.*) **mécanicien** mechanical engineer

mécanique *adj.* mechanical, power; **génie** (*m.*) **mécanique** mechanical engineering

méchant(e) *adj.* bad, evil; naughty; *m. pl.* bad guys

médecin *m.* doctor

médecine *f.* medicine (*study, profession*)

médias *m. pl.* media

médiatique *adj.* media-related

médical(e) *adj.* medical

médicament *m.* medication; drug

méditer to meditate

Méditerranée *f.* Mediterranean (Sea)

méditerranéen(ne) *adj.* Mediterranean

se méfier de to be wary of

meilleur(e) *adj.* better; best

mélanger (nous mélangeons) to mix, blend

mêlé(e) (*adj.*) **(à de)** mixed (with) **se mêler de** to meddle, interfere in/with; to get mixed up in

membre *m.* member

même *adj.* same; *adv.* even; **à même** right into; **de même** the same, likewise; **en même temps** at the same time; **même si** even if; **quand même** anyway; even though

mémoire *f.* memory; *m. pl.* memoirs

menacé(e) *adj.* threatened; **animaux** (*m. pl.*) **menacés** endangered animals

menacer (nous menaçons) (de) to threaten (to)

ménage *m.* housekeeping; household; **faire le ménage** to do the housework

ménager/ménagère *adj.* pertaining to the home; housekeeping **équipement** (*m.*)

ménager household furnishings; **tâches** (*f. pl.*) **ménagères** household tasks

mener (je **mène**) to take; to lead; **mener une vie équilibrée (sédentaire)** to lead a balanced (sedentary) life

mensonge *m.* lie

mention *f.* grade, evaluation, distinction (*school, university*)

mentir (*like dormir*) *irreg.* to lie

menton *m.* chin

menuiserie *f.* carpentry

menuisier *m.* carpenter

mer *f.* sea; **au bord de la mer** at the seashore; **fruits** (*m. pl.*) **de mer** seafood

merci *interj.* thanks; **merci bien** thanks a lot

mercredi *m.* Wednesday

mère *f.* mother; **belle-mère** mother-in-law; stepmother; **fête** (*f.*) **des Mères** Mother's Day; **grand-mère** *f.* grandmother

méridienne *f.* meridian line

mériter to deserve; to be worth

merveille *f.* marvel; delight; **à merveille** perfectly, marvellously

merveilleux/merveilleuse *adj.* marvelous

mes *adj. m., f., pl.* my

mésaventure *f.* misadventure

messagerie *f.* message/voicemail service; delivery service

messe *f.* (Catholic) Mass

mesure *f.* measure; **prendre des mesures** to take measures

mesurer to moderate, weigh (*one's words*)

métal *m.* metal

métallique *adj.* metallic

météorologie (*fam.* **météo**) *f.* weather forecasting.

météorologique: bulletin (*m.*) **météorologique** weather forecast

méthode *f.* method

métier *m.* trade, profession, job, occupation; **exercer un métier** to work at a particular job

mètre *m.* meter

métro *m.* subway (*train, system*); **plan** (*m.*) **du métro** subway map; **prendre le métro** to take the subway

métropole *f.* metropolis; mainland France

métropolitain(e) *adj.* metropolitan; referring to mainland; **métropolitain** *m.* subway (*train, system*)

metteur/metteuse en scène *m., f.* producer; film director

mettre (*p.p.* **mis**) *irreg.* to put, place; to put on; to turn on; to take (*time*); **mettre des vêtements** to put on clothes; **mettre (le) feu à** to set fire to; **mettre le couvert (la table)** to set the table; **se**

mettre à to begin to; **se mettre à la place de** to put oneself in the place of; **se mettre à table** to sit down at the table; **se mettre d'accord** to reach an agreement; **se mettre en colère** to get angry; **se mettre au volant** to get behind the steering wheel

meuble *m.* piece of furniture

meublé(e) *adj.* furnished

meunier/meunière: sole (*f.*) **meunière** *lightly breaded sole with lemon butter*

Mexique *m.* Mexico

mi- *prefix* half, mid-; **cheveux** (*m. pl.*) **mi-longs** medium-length hair

micro-onde *f.* microwave; **four** (*m.*) **à micro-ondes** microwave oven

midi *m.* noon; **Midi** (*m.*) south-central France; **à midi** at noon; **après-midi** (*m. or f.*) afternoon

miel *m.* honey; **lune** (*f.*) **de miel** early weeks of marriage

mien(ne) (le/la) *pron., m., f* mine

mieux *adv.* better; **aimer mieux** to prefer; **il vaut mieux** it's better; **le mieux** the best

mijoter to simmer; *fam.* to cook

milieu *m.* environment; background; milieu; middle; **au milieu de** in the middle of

militaire *m.* serviceman, soldier

militer to be a militant; to protest against

mille thousand

milliard *m.* billion

millier *m.* (around) a thousand

mince *adj.* thin; slender

minéral(e) *adj.* mineral; **eau** (*f.*) **minérale** mineral water

ministère *m.* ministry; department

ministériel(le) *adj.* ministerial

ministre *m.* minister; **Premier ministre** Prime minister

Minitel *m.* French personal communications terminal

minoritaire *adj.* minority

minorité *f.* minority

minuit midnight; **à minuit** at midnight

minuscule *adj.* tiny; small (*letter*)

miraculeusement *adv.* miraculously

miraculeux/miraculeuse *adj.* miraculous; wonderful

miroir *m.* mirror

mise *f.* putting; **mise en scène** setting (*theater, film*)

mixeur *m.* (*food*) mixer

mixte *adj.* mixed (*marriage*)

mnémotechnique *adj.* mnemonic

mobile *adj.* mobile; *m.* cellular phone

mobylette *f.* moped, scooter

mode *f.* fashion, style; **à la mode** in style; *m.* mode; method; **mode de vie** lifestyle

modèle *m.* model; pattern

modéré(e) *adj.* moderate; **Habitation** (*f.*) **à loyer modéré (H.L.M.)** *French public housing*

moderne *adj.* modern

moderniser to modernize

modifier to modify, alter

moi *pron.* I, me; **à moi** mine; **moi aussi (moi non plus)** me too (me neither); **moi non** not me

moineau *m.* sparrow

moindre *adj.* less, smaller, slighter

moins *adv.* less; **à moins que** *conj.* unless; **au moins** at least; **le moins** the least; **moins de/que** fewer/less than

mois *m.* month

moitié *f.* half

mollet *m.* calf (*of leg*)

moment *m.* moment; **à tout moment** always; **au moment de** at the time when; **en ce moment** now, currently; **le moment où** the time when (*something occurred*); **pour le moment** for the moment; **un petit moment** just a moment

momerie *f.* masquerade; farce

monde *m.* world; people; society; **carte** (*f.*) **du monde** map of the world; **coupe** (*f.*) **du monde** world cup (*soccer*); **faire le tour du monde** to go around the world; **tout le monde** everyone

mondial(e) *adj.* world; worldwide

monnaie *f.* change; coins; currency; **petite monnaie** small change

monolingue *adj.* monolingual

monoparental(e) *adj.* single-parent

monoski *m.* snowboard(ing); **faire du monoski** to snowboard

monsieur (*m.*) (*pl.* **messieurs**) mister; gentleman; sir; **croque-monsieur** *m.* *grilled cheese sandwich with ham*

montagne *f.* mountain(s); **à la montagne** in the mountains

montagneux/montagneuse *adj.* mountainous

monter to set up, organize; to put on; to carry up; to go up; to climb into; **monter à cheval** to go horseback riding; **monter dans un autobus** to get on a bus

monter un spectacle (une émission) to put on, perform a play (show)

montre *f.* watch; wristwatch

montrer to show; **montrer le chemin** to show the way (route)

se moquer de to make fun of; to mock

moquette *f.* wall-to-wall carpeting

moral(e) *adj.* moral; psychological; **moral** *m.* state of mind, morale, spirits; **remonter le moral** to cheer up (*someone*)

morale *f.* moral (*of a story*)

morceau *m.* piece

morcelé(e) *adj.* divided up
mordre to bite
mordu(e) *adj.* bitten
morille *f.* morel (*mushroom*)
mort(e) *adj.* dead, deceased; *m., f.* dead person; **mort** *f.* death
Moscou Moscow
mosquée *f.* mosque
mot *m.* word; note; **mot apparenté** related word, cognate; **mot-clé** keyword; **mot de passe** password; **mots croisés** crossword puzzle; **petit mot** note, brief letter
moteur *m.* motor; engine
motocyclette (moto) *f.* motorcycle, motorbike
motorisé(e) *adj.* motorized
se moucher to blow one's nose
mouillage *m.* anchoring
moules *f. pl.* mussels; **moules marinière** *mussels cooked in white wine*
moulin *m.* mill
mourir (*p.p.* **mort**) *irreg.* to die
mousse *f.* foam; **mousse au chocolat** chocolate mousse
moustache *f.* mustache
moustique *m.* mosquito
moutarde *f.* mustard
mouvement *m.* movement
moyen(ne) *adj.* average; **moyen** *m.* means; way; **de taille moyenne** of average height; **en moyenne** on average; **moyen âge** Middle Ages
muguet *m.* lily of the valley; **brin** (*m.*) **de muguet** sprig of lily of the valley
multiculturel(le) *adj.* multicultural
multiplier to multiply
multinational(e) *adj.* multinational
municipal(e) *adj.* municipal
municipalité *f.* municipality; town
mur *m.* wall
muscler to develop the muscle of
musculation *f.* weight training
musée *m.* museum
musique *f.* music; **musique classique** classical music
musulman(e) *adj.* Moslem; **Musulman(e)** *m., f.* Moslem (*person*)
mutiler to mutilate
mystère *m.* mystery
mystérieux/mystérieuse *adj.* mysterious
mythe *m.* myth
mythique *adj.* mythical

nager (nous nageons) to swim
naïf/naïve *adj.* naïve
naissance *f.* birth
naître (*p.p.* **né**) to be born
naïveté *f.* naïvete
nappe *f.* tablecloth
narrateur/narratrice *m., f.* narrator

nasal(e) *adj.* nasal
natal(e) *adj.* native
national(e) *adj.* national; **fête** (*f.*) **nationale** French national holiday, Bastille Day (July 14)
nationalité *f.* nationality
naturel(le) *adj.* natural
nautique *adj.* nautical; **faire du ski nautique** to go water skiing
navigateur/navigatrice *m., f.* navigator
naviguer to navigate
né(e) *adj.* born
nécessaire *adj.* necessary; **le nécessaire** what's necessary
nécessité *f.* necessity
néfaste *adj.* harmful
négatif/négative *adj.* negative
neige *f.* snow
neiger (il neigeait) to snow; **il neige** it's snowing
nerveux/nerveuse *adj.* nervous
nettoyer (je nettoie) to clean
neuf nine
neuf/neuve *adj.* new, brand-new; **quoi de neuf?** what's new?
neutralité *f.* neutrality
neuvième *adj.* ninth
neveu *m.* nephew
nez *m.* nose
ni neither; nor; **ne... ni... ni** neither . . . nor
niçois(e) *adj.* from Nice; **salade** (*f.*) **niçoise** *salad with tomatoes, tuna, and anchovies*
nid *m.* nest
nièce *f.* niece
niveau *m.* level; level of achievement
noces *f. pl.* wedding; **voyage** (*m.*) **de noces** honeymoon trip
Noël *m.* Christmas; **père** (*m.*) **Noël** Santa Claus
noir(e) *adj.* black; **marée** (*f.*) **noire** oil spill; **tableau** (*m.*) **noir** blackboard, chalkboard
noix *f.* nut
nom *m.* noun; name
nomade *m., f.* nomad
nombre *m.* number; quantity
nombreux/nombreuse *adj.* numerous; **famille nombreuse** large family
nommer to name; to appoint
non *interj.* no; not; **moi non plus** me neither, nor I
nord *m.* north; **Amérique** (*f.*) **du Nord** North America; **nord-africain(e)** *adj.* North African; **nord-américain(e)** *adj.* North American, **nord-est** *m.* Northeast; **nord-ouest** *m.* Northwest
normal(e) *adj.* normal
Normandie *f.* Normandy
Norvège *f.* Norway

nos *adj. m., f. pl* our; **de nos jours** these days, currently
notamment *adv.* notably; especially
note *f.* grade (*in school*); bill
noter to notice; **à noter** worth remembering
notoriété *f.* notoriety; fame
notre *adj. m., f., s.* our
nôtre (le/la) *pron.* ours; our own; **les nôtres** *pl.* ours; our people
nourrir to feed, nourish; **se nourrir (de)** to eat; to live (on)
nourrissant(e) *adj.* nutritious
nourrisson *m.* infant
nourriture *f.* food
nous *pron.* we; us
nouveau (nouvel, nouvelle) *adj.* new; different; **à nouveau** once more; **de nouveau** again; **nouvel an** New year('s) **nouveaux mariés** *m. pl.* newlyweds; **nouveaux venus** *m. pl.* newcomers; **nouvelle cuisine** *f. French low-fat cooking*
nouvelle *f.* piece of news; short story; **nouvelles** *pl.* news, current events; **bonne(s) nouvelle(s)** good news
Nouvelle-Calédonie *f.* New Caledonia
Nouvelle-Orléans (La) New Orleans
novembre November
nuage *m.* cloud
nucléaire *adj.* nuclear; **centrale** (*f.*) **nucléaire** nuclear power plant
nuit *f.* night; **table** (*f.*) **de nuit** night table
nuitée *f.* overnight stay
nul: c'est nul *fam.* it's awful
numération *f.* number system
numérique *adj.* digital; numerical
numéro *m.* number; **numéro de téléphone** telephone number; **numéro d'urgence/des urgences** emergency phone number(s)
nutritionnel(le) *adj.* nutritional
nylon: bas (*m. pl.*) **de nylon** (*m.*) stockings, nylons

obéir (à) to obey
obéissant(e) *adj.* obedient
objectif *m.* objective
objectivement *adv.* objectively
objet *m.* objective; object; **bureau** (*m.*) **des objets trouvés** lost and found office; **pronom** (*m.*) **d'objet direct (indirect)** *Gram.* direct (indirect) object pronoun
obligatoire *adj.* obligatory; mandatory
obligé(e) *adj.* obliged, required; **être obligé(e) de** to be obliged to
observateur/observatrice *m., f.* observer
observer to observe
obtenir (*like* **tenir**) *irreg.* to obtain, get
occasion *f.* opportunity; occasion; bargain; **à l'occasion de** on the occasion of
occidental(e) *adj.* western, occidental

occitan *m. group of dialects spoken in the south of France*

occupé(e) *adj.* occupied; held; busy

occuper to occupy; **s'occuper de** to look after, be interested in, take care of

océanographie *f.* oceanography

octobre October

odeur *f.* odor, smell

odorat *m.* (sense of) smell

œil (*pl.* **yeux**) *m.* eye; look; **coup** (*m.*) **d'œil** glance; **mon œil!** *interj.* I don't believe it!

œnologue *m., f.* oenologist, wine specialist

œuf *m.* egg; **blanc** (*m.*) **d'œuf** egg white; **œuf de Pâques** Easter egg; **œufs miroir** *eggs fried in butter*

œuvre *f.* work; artistic work; ***hors-d'œuvre** *m. inv.* hors-d'oeuvre, appetizer; **œuvre d'art** work of art; **exposer une œuvre** to exhibit a piece of work

offert(e) *adj.* offered

officiel(le) *adj.* official

officier *m.* officer

offre *f.* offer

offrir (*like* **ouvrir**) *irreg.* to offer; **offrir des cadeaux** to give presents

oignon *m.* onion

oiseau *m.* bird

oléoduc *m.* pipeline

olive *f.* olive; **huile** (*f.*) **d'olive** olive oil

olivier *m.* olive tree

olympique *adj.* Olympic; **Jeux** (*m. pl.*) **olympiques (JO)** Olympic games

ombre *f.* shadow

omelette *f.* omelet

oncle *m.* uncle

onde *f.* wave; **four** (*m.*) **à micro-ondes** microwave oven

ongle *m.* (finger-, toe-)nail

onze eleven

opéra *m.* opera

opérer (**j'opère**) to operate

opinion *f.* opinion; **quelle est votre opinion sur... ?** what's your opinion of . . . ?

opposé(e) *adj.* opposing, opposite; *m.* opposite

s'opposer à to be opposed to

optimiste *adj.* optimistic; *m., f.* optimist

or *m.* gold

orage *m.* storm

orageux/orageuse *adj.* stormy

oral(e) *adj.* oral; **oral** *m.* oral exam

orange *adj. inv.* orange (*color*); *f.* orange (*fruit*); **carte** (*f.*) **orange** bus/métro pass; **jus** (*m.*) **d'orange** orange juice; **canard** (*m.*) **à l'orange** duck with orange sauce; **passer à l'orange** to turn yellow (*traffic light*)

oratoire *m.* small chapel; shrine

orchestre *m.* orchestra

ordinaire *adj.* ordinary

ordinateur *m.* computer

ordonnance *f.* prescription

ordonner to order, command

ordre *m.* order; command; **le bon ordre** correct order; **en ordre** orderly, neat

ordure *f.* filth; garbage; **ramassage** (*m.*) **des ordures** garbage collection; **vider/sortir les ordures** to empty the garbage

oreille *f.* ear; **boucles** (*f. pl.*) **d'oreilles** earrings

organe *m.* (*body*) organ

organisation *f.* organization

organisé(e) *adj.* organized; **voyage** (*m.*) **organisé** guided tour

organiser to organize

organisme *m.* organism; **organisme génétiquement modifié (OGM)** genetically modified organism

oriental(e) *adj.* eastern; oriental

s'orienter to find one's bearings, get oriented

originaire (*adj.*) **de** originating from; **être originaire de** to be a native of

original(e) *adj.* eccentric; original

origine *f.* origin; **d'origine française (italienne)** of French (Italian) extraction; **à l'origine** originally, to begin with

orné(e) *adj.* (**de**) decorated (with)

orteil *m.* toe

orthographe *f.* spelling

os *m.* bone

oseille *f.* sorrel; **turbot** (*m.*) **à l'oseille** turbot (*type of fish*) with sorrel

otage *m.* hostage

ou *conj.* or; either; **ou bien** or else

où *adv.* where; *pron.* where, in which; **où est... ?** where is . . . ?; **D'où vient-il?** Where does he come from?

oublier (de) to forget (to)

ouest *m.* west; **nord-ouest** *m.* Northwest; **sud-ouest** *m.* Southwest

oui *interj.* yes

ouïe *f.* (sense of) hearing

ouragan *m.* hurricane

outil *m.* tool

outre *prep.* beyond, in addition to; **outre-mer** *adv.* overseas

ouvert(e) *adj.* open

ouverture *f.* opening; **heures** (*f. pl.*) **d'ouverture** business hours

ouvrier/ouvrière *m., f.* worker, factory worker

ouvrir (*p.p.* **ouvert**) *irreg.* to open

oxygène *m.* oxygen

oxygéner (**j'oxygène**) to oxygenate; to get some fresh air into

ozone *m.* ozone; **couche** (*f.*) **d'ozone** ozone layer

Pacifique *m.* Pacific; **Pacifique Sud** south Pacific

pacte *m.* pact; **pacte civil de solidarité (PACS)** domestic partnership agreement

page *f.* page; **page d'accueil** home page

paie *f. s.* wages, payment; **toucher sa paie** to get paid

paiement *m.* payment

pain *m.* bread; **pain au chocolat** chocolate-filled roll; **pain complet** whole-grain bread; **petit pain** hard roll

paisible *adj.* peaceful

paix *f.* peace

palace *m.* luxury hotel

palais *m.* palace

pâlir to turn pale

paniquer to panic

panne *f.* (*mechanical*) breakdown; **panne d'électricité** power failure; **tomber en panne** to have a (*mechanical*) breakdown

panneau *m.* road sign; billboard

pansement *m.* bandage

pantalon *m. s.* (pair of) pants

papeterie *f.* stationery store, stationer's

papi *m., fam.* grandpa

papier *m.* paper; **papier à lettres** letter paper, stationery; **papier d'emballage** paper wrapper

papillon *m.* butterfly

Pâques *f. pl.* Easter; **fête de Pâques** Easter

paquet *m.* package

par *prep.* by, through; **par ailleurs** in other respects, incidentally; **par an** per year, each year; **par jour** per day, each day; **par rapport à** with regard to, in relation to; **par semaine** per week; **par terre** on the ground; **par voie de** by means of

parachutisme *m.* parachuting

paradis *m.* paradise, heaven

paragraphe *m.* paragraph

paraître (*like* **connaître**) *irreg.* to appear, seem

parasitaire *adj.* parasitic

parc *m.* park; **parc d'attractions** amusement park; **parc résidentiel** residential complex

parcouru(e) *adj.* covered, travelled (*distance*)

pardon *interj.* pardon me; *m.* forgiveness, pardon

pare-brise *m. inv.* windshield

pareil(le) *adj.* similar; **pareil** *adv.* the same; **faire pareil** to do the same thing

parenthèse *f.* parenthesis

paresseux/paresseuse *adj.* lazy

parfait(e) *adj.* perfect

parfaitement *adv.* perfectly

parfois *adv.* sometimes; now and then; often

parfum *m.* perfume
parfumé(e) *adj.* fragrant
parisien(ne) *adj.* Parisian; **Parisien(ne)** *m., f.* Parisian (*person*)
parité *f.* parity
parking *m.* parking lot
parlement *m.* parliament
parler (à) to speak; to talk; **entendre parler de** to hear about; **parler au téléphone** to talk on the phone; **parler de** to talk about; **se parler** to speak to one another; **Tu parles!** You don't say!
parmi *prep.* among
parole *f.* word
parrain *m.* godfather
parsemer (je parsème) to sprinkle, strew
part *f.* share, portion; role; **à part** besides; **de la part de** from, on behalf of
partager (nous partageons) to share
partagiciel *m.* shareware (*software*)
partenaire *m., f.* partner
parti *m.* (*political*) party
participe *m., Gram.* participle; **participe (présent) passé** past (present) participle
participer à to participate in
particularisme *m.* local character; sense of identity
particulier/particulière *adj.* particular; **en particulier** *adv.* particularly; **leçon** (*f.*) **particulière** private lesson; **signe** (*m.*) **particulier** distinctive characteristic, sign, peculiarity
particulièrement *adv.* particularly
partie *f.* part; game, match; outing; **faire partie de** to be part of, belong to; **parties** (*pl.*) **de la voiture** parts of a car
partiellement *adv.* partially
partir (*like* **dormir**) *irreg.* to depart, leave; **à partir de** *prep.* starting from; **partir à l'étranger** to go abroad; **partir en vacances** to leave on vacation
partout *adv.* everywhere
parvenir (*like* **venir**) *irreg.* **à** to succeed in
pas (ne... pas) not; **ne... pas du tout** not at all; **pas grand-chose** not much
passable *adj.* passable, tolerable
passage *m.* passage; passing; **être de passage** to be passing through
passager/passagère *m., f.* passenger
passant(e) *m., f.* passerby
passe *f.* pass; **mot** (*m.*) **de passe** password
passé(e) *adj.* past, gone, last; spent; **passé** *m.* past
passeport *m.* passport; **contrôle des passeports** passport check
passer *intr.* to pass; to stop by; to pass by; *trans.* to pass; to cross; to spend (*time*); **Qu'est-ce qui se passe?** What's going on? **se passer** to happen, take place; **se passer de** to do without

passe-temps *m.* pastime, hobby
passionnant(e) *adj.* exciting, thrilling
passionné(e) *adj.* passionate; **être passionné(e) de (pour)** to be very excited by (interested in)
passionnel(le) *adj.* pertaining to the passions; **crime** (*m.*) **passionnel** crime of passion
passionner to fascinate, grip; **se passionner (pour)** to be excited (about)
pâté *m.* liver paste, pâté; **pâté de foie gras** goose liver pâté (meat paste)
pâtes *f. pl.* pasta, noodles
patience *f.* patience; **avoir de la patience** to be patient, have patience
patient(e) *adj.* patient; *m., f.* (*hospital*) patient
patinage *m.* skating
patiner to skate
patineur/patineuse *m., f.* skater
patins (*m. pl.*) **en ligne** in-line skates
pâtisserie *f.* pastry; pastry shop
patrimoine *m.* heritage
patriote *m., f.* patriot
patriotisme *m.* patriotism
patron(ne) *m., f.* boss, employer
pauvre *adj.* poor, needy; wretched, unfortunate
patrouiller to patrol
pauvreté *f.* poverty
pavillon *m.* pavilion; small house
payant(e) *adj.* paying, requiring payment
payer (je paie) to pay, pay for
pays *m.* country; land; **pays Basque** Basque country
paysage *m.* landscape, scenery
paysagiste *m., f.* landscaper
paysan(ne) *m., f.* peasant, farmer
Pays-Bas *m. pl.* Holland, the Netherlands
pc (*m.*) **de poche** Internet-accessing PDA
P.-D.G. *m.* (**Président-directeur général**) CEO
peau *f.* skin; **peaux-rouges** *m. pl.* American Indians
pêche *f.* fishing; peach
pêcher to fish
pêcheur/pêcheuse *m., f.* fisherman, fisherwoman
pédagogique *adj.* pedagogical
pédiatre *m., f.* pediatrician
peindre (*like* **craindre**) *irreg.* to paint
peine *f.* effort, trouble; **ça vaut la peine** it's worth the effort; it's worth it
peintre *m.* painter
peinture *f.* paint; painting
pendant *prep.* during; for; **pendant que** *conj.* while; **pendant un mois (une semaine)** for a month (a week)
péninsule *f.* peninsula
Pennsylvanie *f.* Pennsylvania

penser to think; to reflect; to expect, intend; **c'est ce que je pense** that's what I think; **faire penser à** to make one think of; **penser à** to think about (*something*); **penser de** to think about, have an opinion about
percevoir (*like* **recevoir**) *irreg.* to perceive
perché(e) *adj.* perched
perdre to lose; to waste; **perdre du poids** to lose weight; **perdre du temps** to waste time; **perdre intérêt dans** to lose interest in
perdu(e) *adj.* lost; wasted
père *m.* father; **beau-père** *m.* stepfather; father-in-law; **fête** (*f.*) **des Pères** Father's Day; **père Noël** Santa Claus; **grand-père** *m.* grandfather
période *f.* period (*of time*)
périodiquement *adv.* periodically
périphérie *f.* outskirts
perle *f.* pearl; bead
permanent(e) *adj.* permanent
permettre (**de** + *inf.*) to allow to; (**à** + *person*) to allow someone; (**de**)... (*to do something*)
permis(e) *adj.* allowed, permitted; **permis** *m.* license; **permis de conduire** driver's license
Pérou *m.* Peru
perpétuel(le) *adj.* perpetual, everlasting
persil *m.* parsley
persistant(e) *adj.* persistent
personnage *m.* (*fictional*) character; personage
personnaliser to personalize
personnalité *f.* personality; personal character
personne *f.* person; *pron. m.* **ne... personne** nobody, no one; **personne ne...** nobody, no one
personnel(le) *adj.* personal; **personnel** *m.* personnel; **rapports** (*m. pl.*) **personnels** personal relationships; **soins** (*m. pl.*) **personnels** personal care
persuader to persuade, convince
perte *f.* loss; **perte de temps** waste of time
peser (je pèse) to weigh
pessimiste *adj.* pessimistic
pétanque *f. game of bowling (south of France)*
petit(e) *adj.* little; short; small; very young; **petits** *m. pl.* young ones; little ones
petits-enfants *m. pl.* grandchildren
petite-fille *f.* granddaughter
petit-fils *m.* grandson
pétrole *m.* crude oil, petroleum
pétrolier/pétrolière *adj.* oil, petroleum
peu *adv.* little, not much; few, not many; not very; **à peu près** roughly, approxi-

mately; **il est peu probable que** it's doubtful that; **peu à peu** little by little; **très peu** very little; **un peu (de)** a little; **un peu de tout** a little bit of everything

peuple *m.* nation; people (*of a country*)

peuplé(e) *adj.* populated, inhabited

peur *f.* fear; **avoir peur** to be afraid

peut-être *adv.* perhaps, maybe

phare *m.* (*car*) headlight

pharmacie *f.* pharmacy, drugstore; **pharmacie de garde** all-night drugstore

pharmacien(ne) *m., f.* pharmacist

phénix *m.* phoenix (*mythical bird*)

phénomène *m.* phenomenon

philosophe *m., f.* philosopher

philosophie (*fam.* **philo**) *f.* philosophy

photo *f.* picture, photograph

photographe *m., f.* photographer

photographie (*fam.* **photo**) *f.* photograph; photography

photomaton *m.* self-service photo booth

phrase *f.* sentence

phrygien(ne): bonnet (*m.*) **phrygien** cap worn by 1789 revolutionaries

physicien(ne) *m., f.* physicist

physique *adj.* physical; *m.* physical appearance; *f.* physics

piaf *m., fam.* sparrow

pic *m.* woodpecker

pièce *f.* (theatrical) play; piece; coin; room (*of a house*); **deux-pièces** *m.* two-bedroom apartment (*in France*); **pièce de théâtre** (theatrical) play

pied *m.* foot; **à pied** on foot

piège *m.* pitfall; trap

pierre *f.* stone

piéton(ne) *adj., m., f.* pedestrian; **rue** (*f.*) **piétonne** pedestrian-only street

pile *f.* pile; battery

pilote *m., f.* pilot

pilule *f.* pill

pin *m.* pine (*tree*)

pince *f.* claw (*crab*)

pingouin *m.* penguin

pionnier/pionnière *m., f.* pioneer

pique-nique *m.* picnic; **faire un pique-nique** to have a picnic

pique-niquer to have a picnic

piquer to prick; *fam.* to steal

piqûre *f.* shot, injection; **piqûre de guêpe** wasp sting

pirate (*m.*) **informatique** hacker

pire *adj.* worse

piscine *f.* swimming pool

piste *f.* path, trail; course; slope

pisteur-secouriste *m.* emergency ski patrol worker

pistolet *m.* pistol

pitre *m.* idiot; clown; **faire le pitre** to act silly

pittoresque *adj.* picturesque

placard *m.* cupboard, cabinet; closet

place *f.* place; position; seat (*theater, train*); public square; **à ta place** in your place, if I were you; **sur place** on the spot, scene

plafond *m.* ceiling

plage *f.* beach

se plaindre (de) (*like* **craindre**) *irreg.* to complain (about)

plaine *f.* plain

plainte *f.* complaint

plaire (*p.p.* **plu**) **à** *irreg.* to please; **s'il te (vous) plaît** *interj.* please

plaisant(e) *adj.* pleasant

plaisir *m.* pleasure; **quel plaisir** *interj.* what a pleasure

plan *m.* plan; diagram; **plan de la ville** city map

planche *f.* board; **faire de la planche à voile** to go sailboarding (windsurfing)

plancher *m.* floor

planétaire *adj.* planetary

planète *f.* planet

plante *f.* plant

planter to plant; to set

plaque *f.* plate; tablet; **plaque d'immatriculation** license plate

plastique *m.* plastic

plat(e) *adj.* flat; *m.* dish; course; **plat du jour** today's special (*restaurant*); **plat principal** main course

plateau *m.* tray, platter

plâtre *m.* cast

plein(e) (de) *adj.* full (of); **en plein air** (in the) open air, outdoor(s); **en pleine campagne** out in the country; **faire le plein (d'essence)** to fill up (with gasoline)

pleurer to cry, weep

pleuvoir (*p.p.* **plu**) *irreg.* to rain; **il pleut** it's raining

plombage *m.* filling (*tooth*)

plongée *f.* diving; **faire de la plongée sous-marine** to scuba-dive

pluie *f.* rain; **pluie acide** acid rain

plupart: la plupart (de) most (of); the majority (of)

pluriel *m.* plural

plus (de) *adv.* more; (-er); plus; **de plus en plus** more and more; **en plus (de)** in addition (to); **le/la/les plus** + *adj. or adv.* the most; **le plus près** the closest; **plus tôt** earlier; **moi non plus** me neither; **ne... plus** no longer, not anymore; **non plus** neither, not . . . either; **plus... que...** more . . . than . . .

plusieurs *adj., pl. inv. pron.* several

plutôt *adv.* more; rather; sooner

pneu *m.* tire

poche *f.* pocket; **argent** (*m.*) **de poche** pocket money, allowance; **pc** (*m.*) **de poche** Internet-accessing PDA

poché(e) *adj.* poached (*in cooking*)

poêle *f.* frying pan, skillet

poème *m.* poem

poète *m.* poet

poids *m.* weight; **excédent** (*m.*) **de poids** excess weight (*luggage*); **mettre (perdre) du poids** to gain (lose) weight

poignet *m.* wrist

poil *m.* (body) hair; bristle

point *m.* point; period (*punctuation*); **point de vue** point of view; **ne... point** *neg. adv.* not

pointe *f.* peak; point; **heures** (*f. pl.*) **de pointe** rush hour(s)

pointu(e) *adj.* sharp, pointed

pointure *f.* shoe size

poire *f.* pear

pois *m.* pea; **petits pois** green peas

poisson *m.* fish; **poisson d'avril** April Fool's joke, hoax

poissonnerie *f.* fish market

poitrine *f.* chest; breasts

poivre *m.* pepper; **bifteck** (*m.*) **au poivre** pepper steak

poivrer to (add) pepper

poivron *m.* green pepper

polémique *adj.* controversial

poli(e) *adj.* polite; polished

police *f.* police; **agent** (*m.*) **de police** police officer; **commissariat** (*m.*) **de police** police station; **contrôle** (*m.*) **de police** police checkpoint

policier/policière *adj.* pertaining to police; **policier** *m.* police officer; **roman** (*m.*) **policier** detective novel

poliment *adv.* politely

politesse *f.* politeness; good breeding

politique *adj.* political; *f. s.* politics; policy; **homme/femme politique** *m., f.* politician

polluant(e) *adj.* polluting

polluer to pollute

Pologne *f.* Poland

polonais(e) *adj.* Polish; **Polonais(e)** Polish (*person*)

Polynésie *f.* Polynesia

pommade *f.* ointment, salve

pomme *f.* apple; **pomme de terre** potato

pompier *m.* firefighter

ponctuel(le) *adj.* punctual

pondre to lay (*eggs*)

pont *m.* bridge

populaire *adj.* popular; common

porc *m.* pork; **côtelette** (*f.*) **de porc** pork chop

porcelaine *f.* porcelain; china

pornographe *m., f.* pornographer

pornographie *f.* pornography

portable *adj.* portable; *m.* cellular phone
porte *f.* door
portefeuille *m.* wallet
porter to carry; to wear
portier (*m.*) **électronique** "electronic doorman" with video surveillance
portière *f.* car door
portugais(e) *adj.* Portuguese; **Portugais(e)** *m., f.* Portuguese (*person*)
poser to put (down); to state; to pose; to ask; **poser sa candidature** (*f.*) to apply; to run (*for office*); **poser une question** to ask a question
positif/positive *adj.* positive
position *f.* position; stand
posséder (je possède) to possess
possessif/possessive *adj.* possessive
possibilité *f.* possibility
postal(e) *adj.* postal, post; **carte** (*f.*) **postale** postcard; **code** (*m.*) **postal** postal code, zip code; **mandat** (*m.*) **postal** postal money order
poste *m.* position; job; television, radio set; *f.* post office, postal service; **bureau** (*m.*) **de poste** post office; **poste** (*f.*) **restante** general delivery
pot *m.* pot; jar; **prendre un pot** *fam.* to have a drink
potage *m.* soup, stew
potentiel(le) *adj.* potential, possible
poterie *f.* pottery
poubelle *f.* garbage can
poudre *f.* powder
poudré(e) *adj.* powdered
poulet *m.* chicken; **blanc** (*m.*) **de poulet** chicken breast
pouls *m. s.* pulse; **prendre le pouls** to take (*someone's*) pulse
poumon *m.* lung
poupée *f.* doll
pour *prep.* for; on account of; in order; for the sake of; **pour que** *conj.* so that, in order that
pourboire *m.* tip, gratuity
pourquoi *adv., conj.* why
poursuivre (*like* **suivre**) *irreg.* to pursue
pourtant *adv.* however, yet, still, nevertheless
pourvu que *conj.* provided that
poussière *f.* dust; **faire la poussière** to dust (*furniture*)
pouvoir (*p.p.* **pu**) *irreg.* to be able; *m.* power, strength
pratique *adj.* practical
pratiquer to practice, exercise
précédent(e) *adj.* preceding
précéder (je précède) to precede, come before
précieux/précieuse *adj.* precious
se précipiter (dans) to hurry, rush over; to run, speed; to hurl oneself (into)

précis(e) *adj.* precise
précisément *adv.* precisely, exactly
préciser to specify
prédire (*like* **dire**, *but* **vous prédisez**) *irreg.* to predict, foretell
prédit(e) *adj.* predicted, foretold
préféré(e) *adj.* preferred, favorite
préférer (je préfère) to prefer; to like better
se prélasser to bask; to lounge
premier/première *adj.* first; principal; **la première fois** the first time; **le premier avril** April Fool's Day; **le premier étage** the second floor
prendre (*p.p.* **pris**) *irreg.* to take; to catch, capture; to choose; to eat, to drink; **j'en ai assez/trop pris** I've had enough/too much
se préoccuper de to concern oneself with, worry about
préparatifs *m. pl.* preparations; **préparatifs de voyage** travel preparations
préparatoire *adj.* preparatory
préparer to prepare; **préparer un examen** to study for a test; **se préparer à** to prepare oneself, get ready for (to)
près *adv.* by, near; **à peu près** roughly, approximately; **de près** closely; **le plus près** the closest; **près de** *prep.* near, close to; almost
présage *m.* omen
prescrire (*like* **écrire**) *irreg.* to prescribe; **prescrire un traitement** to prescribe a treatment
présence *f.* presence
présent(e) *adj.* present; **présent** *m.* present; **à présent** presently, now; **jusqu'à présent** until now
présenter to present; to introduce; to put on (*a performance*); **je vous (te) présente...** I want you to meet . . . ; **se présenter (à)** to present, introduce oneself (to); to appear; to arrive at
présidence *f.* presidency
président(e) *m., f.* president; **Président-directeur général (P.-D.G.)** CEO
présidentiel(le) *adj.* presidential
presque *adv.* almost, nearly
presse *f.* press (media); **maison** (*f.*) **de la presse** newsstand
pressé(e) *adj.* in a hurry, rushed; squeezed; **être pressé(e)** to be in a hurry
pressing *m.* dry cleaner's
pression *f.* pressure; **vérifier la pression des pneus** to check the tire pressure
prestigieux/prestigieuse *adj.* prestigious
prêt(e) *adj.* ready
prêter to lend, loan; **se prêter** to lend to one another

prêtre *m.* priest
preuve *f.* proof; **Ça fait preuve...** that shows . . . , proves . . .
prévoir (*like* **voir**) *irreg.* to foresee; to anticipate
prier to pray
primaire *adj.* primary; **école** (*f.*) **primaire** elementary school
primitif/primitive *adj.* primitive
principal(e) *adj.* principal, most important; **plat** (*m.*) **principal** main course
principe *m.* principle
printemps *m.* spring, springtime
prioritaire *adj.* (having) priority
priorité *f.* right of way; priority
pris(e) *adj.* taken; occupied; busy; caught; **prise** *f.* take (*in filmmaking*)
privation *f.* deprivation
privé(e) *adj.* private
prix *m.* price; prize
problème *m.* problem; **problèmes sociaux** societal issues
procédé *m.* process
procéder (je procède) to proceed
processus *m.* process
prochain(e) *adj.* next; near; following; **semaine** (*f.*) **prochaine** next week
proche *adj.,* near, close; **proches** *m. pl.* close relatives
proclamer to proclaim
producteur *m.* producer, grower
produire (*like* **conduire**) *irreg.* to produce
produit *m.* product; **produits laitiers** dairy products
professeur (*fam.* **prof**) *m.* professor; teacher
professionnel(le) *adj.* professional; *m., f.* professional
profil *m.* profile
profiter de to take advantage of
profond(e) *adj.* deep
profondeur *f.* depth
programmation *f.* programming (*TV, radio*)
programme *m.* program; course program; design, plan
programmeur/programmeuse *m., f.* programmer; program planner; **analyste-programmeur/analyste-programmeuse** *m., f.* software engineer
progrès *m.* progress
progresser to progress
progressiste *adj.* progressive
prohiber to prohibit, forbid
proie *f.* prey
projecteur *m.* projector (*film*)
projet *m.* project; plan; **faire des projets** to make plans; **projets d'avenir** plans for the future
se prolonger (il se prolongeait) to go on, extend

promenade *f.* promenade; walk; stroll; drive; excursion, pleasure trip; **faire une promenade (en voiture)** to go on an outing (car ride); **promenade à bicyclette** bicycle ride

se promener (je me promène) to take a walk, drive, ride

promettre (*like* **mettre**) **(de)** *irreg.* to promise

promotion: de promotion *adj.* on sale

promotionnel(le) *adj.* promotional

pronominal(e) *adj., Gram.* pronominal; **verbe** (*m.*) **pronominal** *Gram.* pronominal verb, reflexive verb

prononcer (nous prononçons) to pronounce

se propager (il se propageait) to spread; to propagate

proportionnel(le) *adj.* proportional

propos *m.* talk; *pl.* words; **à propos de** *prep.* with respect to, about

proposer to propose

propre *adj.* own; proper; clean

propriétaire *m., f.* property owner; landlord

propriété *f.* property

prospectus *m.* handbill, leaflet; brochure

prospère *adj.* prosperous

prospérité *f.* prosperity

protecteur/protectrice *adj.* protective

protéger (je protège, nous protégeons) to protect; **se protéger contre** to protect oneself against

protéine *f.* protein

protestation *f.* protest; objection

prouesse *f.* feat

prouver to prove; **ça ne prouve rien** that doesn't matter, prove anything

provençal(e) *adj.* from the Provence region of France

Provence *f.* Provence region (*southeastern France*)

provenir (*like* **venir**) **de** *irreg.* to proceed, result, arise from

provision *f.* supply; **provisions** *pl.* groceries; **faire (acheter) les provisions** to buy groceries

provoquer to provoke

proximité *f.* proximity, closeness; **à proximité** near, close by

prudemment *adv.* prudently, carefully

prudent(e) *adj.* prudent, cautious, careful

psychiatre *m., f.* psychiatrist

psychologie *f.* psychology

psychologique *adj.* psychological

public/publique *adj.* public; *m.* public; audience

publicitaire *adj.* pertaining to advertising

publicité (*fam.* **pub**) *f.* publicity; advertising

publier to publish

puce *f.* flea; **marché** (*m.*) **aux puces** flea market

puis *adv.* then, afterward, next; besides; **et puis** and then; and besides

puisque *conj.* since, as, seeing that

puissance *f.* power

puissant(e) *adj.* powerful, strong

puits *m. s.* well, hole

pull-over (*fam.* **pull**) *m.* pullover

pulmonaire *adj.* pulmonary, lung

punir to punish

punition *f.* punishment

pupitre *m.* (*school*) desk, desk chair

pur(e) *adj.* pure

purée *f.* purée; **purée de pommes de terre** mashed potatoes

purifié(e) *adj.* purified

pyjama *m. s.* pajamas

pyramide *f.* pyramid

Pyrénées *f. pl.* Pyrenees

quai *m.* quai; platform (*subway stop, train station*)

qualité *f.* quality; personal characteristic

quand *adv., conj.* when; **depuis quand?** since when? for how long is it since?; **quand même** even though; anyway

quantité *f.* quantity

quarante forty

quart *m.* quarter; quarter of an hour; fourth (*part*)

quartier *m.* neighborhood

quatorze fourteen

que *conj.* that; than; *pron.* whom; that; which; what; **ne... que** *adv.* only; **qu'est-ce que c'est?** what is it?

Québec *m.* Quebec (*Canadian province, city*)

québécois(e) *adj.* from, of Quebec

quel(le)(s) *adj.* what, which; what a

quelque(s) *adj.* some, any; a few; **quelque chose** *pron.* something; **quelque chose d'important** something important

quelquefois *adv.* sometimes

quelqu'un *pron.* someone, somebody; **passer chez quelqu'un** to stop by someone's house

queue *f.* line (*of people*); **faire la queue** to stand in line

qui *pron.* who, whom, that which; **qui est-ce?** who is it?

quinze fifteen

quitter to leave; to abandon, leave behind; **se quitter** to separate

quoi (à quoi, de quoi) *pron.* which; what; **de quoi vivre** something to live on; **je ne sais pas quoi faire** I don't know what to do; **n'importe quoi** anything; no matter what; **Quoi de neuf?** What's new?

quoique *conj.* although, even though

quotidien(ne) *adj.* daily everyday

quotient *m.* quotient; **quotient intellectuel (QI)** intelligence quotient (I.Q.)

raccourci(e) *adj.* shortened

race *f.* breed, type

racine *f.* root

racisme *m.* racism

raconter to tell; to relate

radiateur *m.* radiator

radical(e) *adj.* radical, extreme

radio *f.* radio; **écouter la radio** to listen to the radio

radio-réveil *m.* clock radio

radiographie *f.* x-ray

radis *m.* radish

raffermir to strengthen

raffiné(e) *adj.* refined, sophisticated

raffinement *m.* refinement, sophistication

raisin *m.* grape(s)

raison *f.* reason; **avoir raison** to be right

raisonnable *adj.* reasonable; rational

raisonnement *m.* reasoning, argument

raisonner to reason

rajeunir to make younger; to feel, look younger

ralentir to slow down

ramadan *m.* Ramadan (*Islamic holy days*)

ramage *m.* (bird) song

ramassage *m.* collection; **ramassage des ordures** garbage collection

ramasser to gather up, pick up

randonnée *f.* hike; **faire une randonnée** to go on a hike; to take a trip, tour

ranger (nous rangeons) to put in order; to arrange, categorize

rapide *adj.* rapid, fast; **rapides** *m. pl.* rapids (*in river*)

rappeler (je rappelle) to remind; to recall; **se rappeler** to recall; to remember

rapport *m.* connection, relation; report; **rapports** *pl.* relations; **par rapport à** concerning, regarding, in relation to

rapporter to bring back, return; to report; **se rapporter à** to relate to; to be in relation to

raser to shave; **se raser** to shave

rasoir *m.* razor

rassurer to reassure

rater to miss (*a class*); to fail (*a test*)

rationner to ration

ravagé(e) *adj.* ravaged

ravi(e) *adj.* delighted

réactiver to reactivate

réagir to react

réalisateur/réalisatrice *m., f.* (*TV, film*) producer

réalisation *f.* production

réaliser to achieve, accomplish; to realize; to carry out, fulfill; to produce

réaliste *adj.* realist; realistic

réalité *f.* reality; **en réalité** in reality

rebelle *adj.* rebellious

récemment *adv.* recently, lately

réception *f.* reception desk; welcome

réceptionniste *m., f.* receptionist

recette *f.* recipe

recevoir (*p.p.* **reçu**) *irreg.* to receive

recharger (**nous rechargeons**) to recharge

réchauffement *m.* warming; **réchauffement de la terre** global warming

réchauffer to warm (up)

recherche *f.* (piece of) research; search; **faire des recherches** to do research; **moteur** (*m.*) **de recherche** search engine

rechercher to seek; to search for

récif *m.* reef

réciproque *adj., Gram.* reciprocal; **verbes** (*m. pl.*) **pronominaux réciproques** reciprocal reflexive verbs

récit *m.* account, story

réclame *f.* advertisement, commercial

recommandation *f.* recommendation

recommander to recommend

recomposé(e) *adj.* reconstructed; **famille recomposée** blended family

reconnaître (*like* **connaître**) *irreg.* to recognize

reconstitué(e) *adj.* reconstructed

recouvert(e) (de) *adj.* covered (with), recovered

recouvrir (*like* **ouvrir**) *irreg.* to cover up

récréation (*fam.* **récré**) *f.* recess (*at school*); recreation

recruter to recruit

reçu(e) *adj.* received; **reçu** *m.* receipt; **être reçu(e)** to pass an exam

récupérer (**je récupère**) to retrieve; to get back

recyclage *m.* recycling

recycler to recycle

rédacteur/rédactrice *m., f.* writer; editor

redevenir (*like* **venir**) *irreg.* to become again

rediffuser to rerun (*TV program, etc.*)

redouter to fear, dread

réduire (*like* **conduire**) *irreg.* to reduce

réel(le) *adj.* real, actual

refaire (*like* **faire**) *irreg.* to redo

réfléchir to reflect; to think; **ça fait réfléchir** that makes one think

refléter (**il reflète**) to reflect

réforme *f.* reform

reformuler to reformulate

réfrigérateur *m.* refrigerator

refuser (de) to refuse (to)

regard *m.* glance; gaze, look

regarder to look at; **se regarder** to look at oneself (each other)

régime *m.* diet; system (of government)

régional(e) *adj.* local, of the district

règle *f.* rule

règlement *m.* rule, regulation; **abuser des règlements** to break the rules

régler (**je règle**) to regulate, adjust; to settle; **régler l'addition** to pay one's bill

regretter to regret; to be sorry for; to miss

regrouper to regroup; to contain

régulier/régulière *adj.* regular

rein *m.* kidney

reine *f.* queen

réintroduire (*like* **conduire**) *irreg.* to reintroduce, introduce again

rejeter (**je rejette**) to reject, throw out

rejoindre (*like* **craindre**) *irreg.* to join; to rejoin

relais *m.* inn

relatif/relative *adj.* relative; **pronom** (*m.*) **relatif** *Gram.* relative pronoun

relation *f.* relation; relationship

se relaxer to relax

relié(e) *adj.* tied, linked

relier to join, link together

religieux/religieuse *adj.* religious

relire (*like* **lire**) *irreg.* to reread

remarié(e) *adj.* remarried

remarquable *adj.* remarkable

remarque *f.* remark

remarquer to notice; to remark

remboursement *m.* reimbursement

remède *m.* remedy; medication

remercier (de) to thank (for)

remettre (*like* **mettre**) *irreg.* to hand in; to put back, to postpone

remonter to go back (up); to get back in; **remonter le moral** to cheer up (*someone*)

remplacer (**nous remplaçons**) to replace

remplir to fill (in, out, up); **remplir un formulaire** to fill out a form

remporter to carry (*something*) home

rémuneration *f.* pay, salary

renaissance *f.* rebirth

renard *m.* fox

rencontre *f.* meeting, encounter

rencontrer to meet, encounter; **se rencontrer** to meet each other

rendez-vous *m.* meeting, appointment; date; meeting place; **prendre rendez-vous** to make a date, make an appointment

rendre to give (back); to submit; **rendre malade** to make (*someone*) ill; **rendre visite à** to visit (*people*); **se rendre (à, dans)** to go to; **se rendre compte de/que** to realize (that)

renforcer (**nous renforçons**) to reinforce

renier to renounce; to disown

renseignement *m.* (piece of) information

se renseigner (sur) to ask for, get information (about); to find out (about)

rentrée *f.* start of new school/academic year

rentrer *intr.* to return (*home*)

renversement *m.* reversal

renverser to overturn, upset (*something*); to run over; **être renversé(e)** to be knocked over

réparer to repair; **réparer un pneu crevé** to fix a flat tire

répartir (*like* **finir**) to share, divide

repas *m.* meal, repast

repasser to iron (*clothes*); to retake an exam; **fer** (*m.*) **à repasser** (*clothes*) iron

repeindre (*like* **craindre**) *irreg.* to repaint

repérer (**je repère**) to discover

répéter (**je répète**) to repeat

répliquer to reply

répondeur (*m.*) **téléphonique** telephone answering machine

répondre (à) to answer, respond

réponse *f.* answer, response

reportage *m.* reporting; commentary

reposer (sur) to put down again; to rest; **se reposer** to rest

représentant(e) *m., f.* sales representative

représenter to represent; to present again

reproduire (*like* **conduire**) *irreg.* to reproduce

république *f.* republic

réseau *m.* net; network

réservation *f.* reservation

réserve *f.* reserve; preserve; **sans réserve** without reservation, unhesitatingly

réserver to reserve, keep in store

réservoir *m.* reservoir; gas tank

résidence *f.* residence; apartment building

résidentiel(le) *adj.* residential; **parc** (*m.*) **résidentiel** residential complex

résister (à) to resist

résolution *f.* resolution; **prendre des résolutions** to resolve, make resolutions

résoudre (*p.p.* **résolu**) *irreg.* to resolve

respecter to respect, have regard for

respectivement *adv.* respectively

respiration *f.* respiration, breathing

respirer to breathe

responsabilité *f.* responsibility

responsable *adj.* responsible

ressembler à to resemble

ressources *f. pl.* resources; funds

restant(e): poste (*f.*) **restante** general delivery mail

restau-u *m., fam.* university restaurant

restauration *f.* restoration; restaurant business, industry

restauré(e) *adj.* restored

reste *m.* rest, remainder

rester to stay, remain; to be remaining; **rester à la maison** to stay home

résultat *m.* result

résumer to summarize

rétablir to restore, reestablish

retard *m.* delay; **en retard** late

retarder to be slow (*watch*)

retour *m.* return; **billet** (*m.*) **aller-retour** round-trip ticket

retourner to return

retraite (*f.*): **prendre la retraite** to retire

retraverser to recross; to cross back over

retrouver to find (again); to regain; **se retrouver** to find oneself, each other (again); to meet (by prearrangement)

réunion *f.* meeting; reunion

réussir (à) to succeed (in); to pass (*an exam*)

réussite *f.* success

réutiliser to reuse

revanche (*f.*): **en revanche** on the other hand

rêve *m.* dream; **une maison de rêve** an ideal house

réveil *m.* alarm; **radio-réveil** *m.* clock radio; **réveil-matin** alarm clock

se réveiller to wake up

réveillon *m.* Christmas Eve dinner

révéler (je révèle) to reveal

revendre to (re)sell

revenir (*like* **venir**) *irreg.* to return, come back

rêver to dream

révérer (je révère) to revere

réviser to review

revoir (*like* **voir**) *irreg.* to see (again); **au revoir** good-bye, see you soon

révolter to revolt, rebel

révolutionnaire *adj.* revolutionary

revue *f.* review; journal; magazine

rez-de-chaussée *m.* ground floor

rhumatismes *m. pl.* rheumatism

rhume *m.* cold (*illness*); **attraper un rhume** to catch a cold

riche *adj.* rich

richesse *f.* lushness, richness

rideau *m.* curtain

ridicule *adj.* ridiculous

ridiculiser to ridicule

rien (ne... rien) *pron.* nothing; **ça ne prouve rien** that doesn't prove anything; **de rien** you're welcome

rigoler *fam.* to laugh; to have fun

rigolo: c'est rigolo that's funny

rigoureux/rigoureuse *adj.* harsh, severe

se rincer (nous nous rinçons) les dents to rinse one's teeth

rire (*p.p.* **ri**) *irreg.* to laugh

risque *m.* risk

risquer (de) to risk

rive *f.* (river)bank

rivière *f.* river

riz *m.* rice

robe *f.* dress

robinet *m.* water faucet

robuste *adj.* robust, sturdy

rocher *m.* rock, crag

roi *m.* king; **les Rois mages** the Three Wise Men, Magi; **fête** (*f.*) **des Rois** Feast of the Magi, Epiphany; **galette** (*f.*) **des Rois** Twelfth Night cake

romain(e) *adj.* Roman; **Romain(e)** *m., f.* Roman (*person*)

roman *m.* novel

romancier/romancière *m., f.* novelist

rond(e) *adj.* round; *m.* **rond de fumée** smoke ring

rondelle *f.* slice; **couper en rondelles** to slice into rounds

rosbif *m.* roast beef

roseau *m.* reed

rose *f.* rose; *adj.* pink

rôti(e) *adj.* roast(ed); *m.* roast; **rôti de bœuf** beef roast

roue *f.* wheel

rouge *adj.* red; **rouge** (*m.*) **à lèvres** lipstick; **brûler le feu rouge** to run a red light

rougeole *f. s.* measles

rougeur *f.* rash, redness

rougir to blush, turn red

rouler to drive; to travel along; to roll (up)

Roumanie *f.* Romania

rouspéter (je rouspète) *fam.* to resist, protest, grumble

route *f.* road, highway; **code** (*m.*) **de la route** traffic code; **en route** on the way, en route

routier/routière *adj.* pertaining to the road; **signalisation** (*f.*) **routière** system of road signs

roux/rousse *adj.* red-haired; *m., f.* redhead

royal(e) *adj.* royal; **aigle** (*m.*) **royal** golden eagle

rubis *m.* ruby

rubrique *f.* headline; newspaper column

rue *f.* street; **coin** (*m.*) **de rue** street corner; **rue piétonne** pedestrian-only street

ruine *f.* ruin; decay; collapse; **en ruines** in ruins

rural(e) *adj.* rural

russe *adj.* Russian; *m.* Russian (*language*); **Russe** Russian (*person*)

Russie *f.* Russia

rythme *m.* rhythm

sable *m.* sand; **château** (*m.*) **de sable** sand castle

sablonneux/sablonneuse *adj.* sandy

sac *m.* sack; bag; handbag; **sac à dos** backpack; **sac de couchage** sleeping bag; **sac (de) poubelle** garbage bag

sacré(e) *adj.* sacred, holy

sacrifier to sacrifice

saignant(e) *adj.* rare (*meat*); bleeding

sain(e) *adj.* healthy

saint(e) *adj.* holy

Saint-Jacques: coquilles (*f. pl.*) **Saint-Jacques** scallops (*served in their shells*)

Saint-Sylvestre *f.* New Year's Eve

Saint-Valentin *f.* Valentine's Day

se saisir de to seize, grab

saison *f.* season; **hors saison** off-season

salade *f.* salad; lettuce; **salade niçoise** salad with tomatoes, tuna, and anchovies

salaire *m.* salary; paycheck; **Salaire minimum interprofessionnel de croissance** (SMIC) minimum wage increase; COLA

salarié(e) *m., f.* wage earner

sale *adj.* dirty

salé(e) *adj.* salted, salty

saler to salt

saleté *f.* dirtiness; dirt; excrement (*euphemism*)

salle *f.* room; auditorium; **salle d'attente** waiting room; **salle de bain(s)** bathroom; **salle de cinéma** movie theater; **salle de classe (de cours)** classroom; **salle d'entraînement** workout room; **salle à manger** dining room; **salle de séjour** living room

salon *m.* salon; drawing room; **salon de l'auto** auto show; **salon des jeux** betting, gambling area of casino

saluer to greet

Salut! *interj.* Hi!; 'Bye!

salutation *f.* greeting; closing (*letter*)

samedi *m.* Saturday

sanctuaire *m.* sanctuary

sandale *f.* sandal

sang *m.* blood

sans *prep.* without; **sans que** *conj.* without

santé *f.* health

sapin *m.* fir (*tree*)

sarrasin *m.* buckwheat

satisfaire (*like* **faire**) *irreg.* to satisfy

sauce *f.* sauce; gravy; salad dressing; **sauce à la crème** cream sauce; **sauce au fromage** cheese sauce; **sauce hollandaise** hollandaise sauce (*butter, eggs, lemon juice*)

saucisson *m.* hard sausage, salami

sauf *prep.* except

saumon *m.* salmon; **terrine** (*f.*) **de saumon** salmon terrine (*casserole*)

sauter to jump; **faire sauter des crêpes** to flip crepes

sauvage *adj.* wild

sauvegarder to safeguard, protect

sauver to save

sauvetage *m.* saving, rescue; **sauvetage des habitats** saving habitats

savoir (*p.p.* **su**) *irreg.* to know; to find out; **savoir** (+ *infinitive*) to know how (to do something)

savoir-faire *m.* ability, know-how; tact

savon *m.* soap

savoureux/savoureuse *adj.* tasty

scandale *m.* scandal

scandinave *adj.* Scandinavian

scénario *m.* scenario, script

scène *f.* stage; scenery; scene; **metteur/metteuse** (*m., f.*) **en scène** stage director; **mise** (*f.*) **en scène** setting, staging (*of a play*)

science *f.* science; **sciences humaines** social sciences; **sciences naturelles (sociales)** natural (social) sciences

scientifique *adj.* scientific; *m., f.* scientific researcher

scolaire *adj.* pertaining to schools, school, academic; **année** (*f.*) **scolaire** school year; **semaine** (*f.*) **scolaire** school week

se (s') *pron.* oneself; himself; herself; itself; themselves; to oneself, etc.; each other

S.D.F. (sans domicile fixe) *m. f. pl.* homeless (*people*)

séance *f.* meeting, session; **séance d'orientation** orientation meeting

sec/sèche *adj.* dry

sécession: guerre (*f.*) **de Sécession** American Civil War

sécher (je sèche) to dry; to avoid; **sécher un cours** to cut class, play hooky; **se sécher** to dry oneself

second(e) *adj.* second; **seconde** *f.* second (*unit of time*)

secondaire *adj.* secondary; **école** (*f.*) **secondaire** high school

secours *m.* help; **Au secours!** *interj.* Help!

secret/secrète *adj.* secret, private

secrétaire *m., f.* secretary

secteur *m.* sector

section *f.* section

sécurité *f.* security; safety; **ceinture** (*f.*) **de sécurité** safety belt; **Sécurité sociale** (SECU) *French social security system*

sédentaire *adj.* sedentary

séduisant(e) *adj.* attractive, seductive, appealing

seigle: pain (*m.*) **de seigle** rye bread

sein *m.* breast, bosom; **allaiter au sein** to breastfeed; **au sein de** at the heart of

seize sixteen

séjour *m.* stay, sojourn; **salle** (*f.*) **de séjour** living room

séjourner to spend time, stay

sel *m.* salt

selon *prep.* according to

semaine *f.* week; **la semaine dernière** last week; **la semaine prochaine** next week; **la semaine scolaire** school week

semblable (à) *adj.* like, similar (to)

sembler to seem; to appear; **ça me semble** it seems to me

semestre *m.* semester

séminaire *m.* seminary

Sénégal *m.* Senegal

sénégalais(e) *adj.* Senegalese; **Sénégalais(e)** *m., f.* Senegalese (*person*)

sens *m.* meaning; sense; way, direction; **dans les deux sens** in both directions

sensiblement *adv.* appreciably, noticeably

sentiment *m.* feeling

sentimental(e) *adj.* sentimental; mawkish

sentir (*like* **partir**) *irreg.* to feel; to smell; to smell of; **se sentir à l'aise** to feel at ease; **se sentir bien (mal)** to feel good (bad)

séparer to separate; **se séparer** to separate (*couple*)

sept seven

septembre September

série *f.* series

sérieux/sérieuse *adj.* serious

serre: effet (*m.*) **de serre** greenhouse effect

serrer to tighten; to grip; **se serrer la main** to shake hands

serveur/serveuse *m., f.* waiter/waitress

service *m.* service; service charge; favor; **service compris** tip included; **station-service** *f.* service station, filling station

serviette *f.* napkin, towel; briefcase

servir (*like* **partir**) *irreg.* to serve; to wait on; to be useful; **servir à** to be of use in, be used for; **servir de** to serve as, take the place of; **se servir de** to use

ses *adj. pl.* his; her; its; one's

seul(e) *adj.* alone; single; only; **tout(e) seul(e)** all alone

seulement *adv.* only

sève *f.* sap; **sève d'érable** maple tree sap

sévère *adj.* severe, stern, harsh

sexe *m.* sex

sexuel(le) *adj.* sexual

shampooing *m.* shampoo; **shampooing démêlant** conditioning shampoo

short *m. s.* shorts

si *adv.* so; so much; yes (*response to negative*); *conj.* if; whether; **même si** even if; **s'il vous (te) plaît** please

sida *m.* AIDS

siècle *m.* century

sien(ne) (le/la) *m., f. pron.* his/hers

sieste *f.* nap; **faire la sieste** to take a nap

sigle *m.* acronym, abbreviation

signaler to point out, draw one's attention to

signalisation *f.* system of road signs; **feu** (*m.*) **de signalisation** traffic light

signe *m.* sign, gesture; mark; **signe particulier** distinctive characteristic, sign, peculiarity

signer to sign

signet *m.* bookmark

signification *f.* meaning

signifier to mean

simplement *adv.* simply

simultanément *adv.* simultaneously

sincère *adj.* sincere

sinon *conj.* otherwise, if not

sirop *m.* syrup; **sirop d'érable** maple syrup

situé(e) *adj.* situated, located

se situer to be situated, located

ski *m.* skiing; **skis** *pl.* skis; **faire du ski** to ski; **ski alpin** downhill skiing; **ski nautique** waterskiing; **station** (*f.*) **de ski** ski resort

skier to ski

slip *m.* men's/women's briefs, underpants

Slovaquie *f.* Slovakia

SMIC (Salaire [*m.*] **minimum interprofessionnel de croissance)** minimum wage increase; COLA

smoking *m.* tuxedo

social(e) *adj.* social

société *f.* society; organization; firm

sociologie *f.* sociology

sœur *f.* sister; **belle-sœur** sister-in-law; **demi-sœur** half-sister; stepsister

soi (soi-même) *pron.* oneself

soie *f.* silk; **en soie** made of silk

soif *f.* thirst; **avoir soif** to be thirsty

se soigner to take care of oneself

soin *m.* care; **soins médicaux** medical care

soir *m.* evening; **à ce soir** farewell, until this evening; **demain (hier) soir** tomorrow (yesterday) evening; **du soir** in the evening

soirée *f.* party; evening **soirée d'adieu** farewell party

soixante sixty

soixante-dix seventy

sol *m.* soil; ground; floor; **sous-sol** *m.* basement, cellar

solaire *adj.* solar; **système** (*m.*) **solaire** solar system

solde: en solde on sale

soleil *m.* sun; **coucher** (*m.*) **de soleil** sunset; **il fait du soleil** it's sunny; **lunettes** (*f. pl.*) **de soleil** sunglasses

solidaire: être solidaire to show solidarity, stick together

solidarité *f.* solidarity; unity

solide *adj.* sturdy; *m.* solid

sommeil *m.* sleep; **avoir sommeil** to be sleepy

sommelier/sommelière *m., f.* wine steward

somnifère *m.* sleeping pill

son *adj., pron. m.* his/her, its; *m.* sound

sondage *m.* opinion poll

sonner to ring (*a bell*)

sorbet *m.* sorbet, sherbet

sorcier/sorcière *m., f.* sorcerer/witch
sorte *f.* sort, kind; manner
sortie *f.* going out; evening out; exit
sortir (like dormir) *irreg., intr.* to go out, come out; *trans.* to bring, take out
souci *m.* worry; **sans-souci** *adj.* carefree
soucieux/soucieuse *adj.* worried
soudain *adv.* suddenly
souffle *m.* breath of air
souffrir (like ouvrir) (de) *irreg.* to suffer (from)
souhaiter to desire, wish for
souk *m.* souk (*Arab market*)
soulager (nous soulageons) to ease, comfort, make feel better
souligner to underline
soupçonneux/soupçonneuse *adj.* suspicious
soupe *f.* soup
souper *m.* supper
soupirer to sigh
source *f.* spring; spa; source
sourcil *m.* eyebrow
sourire (like rire) *irreg.* to smile; *m.* smile
souris *f.* mouse
sous *prep.* under, beneath
sous-marin(e) *adj.* underwater; **sous-marin** *m.* submarine; **faire de la plongée sous-marine** to go scuba-diving
sous-sol *m.* basement, cellar
soutenir (like tenir) *irreg.* to sustain
souterrain(e) *adj.* underground
soutien *m.* support; **soutien-gorge** *m.* bra, brassiere
sous-titré(e) *adj.* subtitled
souvenir *m.* memory, remembrance, recollection; souvenir; **je ne me souviens pas** I don't remember; **se souvenir de (like venir)** *irreg.* to remember
souvent *adv.* often; **aussi souvent que possible** as often as possible
souverain(e) *adj.* sovereign
spécial(e) *adj.* special; **effets** (*m. pl.*) **spéciaux** special effects
spécialisé(e) *adj.* specialized
se spécialiser (en) to specialize (in)
spécialité *f.* speciality (*in cooking*); major (*subject*)
spectacle *m.* show, performance; spectacle; **arts** (*m. pl.*) **du spectacle** performing arts; **monter un spectacle** to put on (perform) a program
spectateur/spectatrice *m., f.* spectator; member of the audience
splendide *adj.* splendid, magnificent
spontané(e) *adj.* spontaneous
sport *m.* sport(s); **faire du sport** to do, participate in sports; **voiture** (*f.*) **de sport** sports car

sportif/sportive *adj.* athletic; sports-minded; *m., f.* athlete; sportsman, sportswoman
stabilité *f.* stability
stade *m.* stadium
stage *m.* training course; practicum, internship
station *f.* (*vacation*) resort; station; **station de métro** subway station; **station de ski** ski resort; **station-service** *f.* service station, filling station
stationnement (interdit) *m.* (no) parking
stationner to park
statistique *f. s.* statistic(s)
stéréo *adj., m., f.* stereo(phonic); **chaîne** (*f.*) **stéréo** stereo system
stéréotypé(e) *adj.* stereotyped
steward *m.* flight attendant
stimuler to stimulate
stratégie *f.* strategy
stressé(e) *adj.* stressed
strict(e) *adj.* strict; severe
studieux/studieuse *adj.* studious
style *m.* style; **style de vie** lifestyle
stylo *m.* pen, ballpoint
subjonctif *m., Gram.* subjunctive (*mood*)
subliminal(e) *adj.* subliminal
substantif *m., Gram.* noun
subtil(e) *adj.* subtle
succès *m.* success
succomber to succumb; to die
sucre *m.* sugar; **canne** (*f.*) **à sucre** sugar cane; **sucre d'érable** maple sugar
sucré(e) *adj.* sugared, sweetened
sud *m.* south; **Amérique** (*f.*) **du Sud** South America; **sud-est** *m.* Southeast; **sud-ouest** *m.* Southwest
sueur *f.* sweat, perspiration
suffire (like conduire) *irreg.* to suffice; **ça suffit** that's enough
suffisamment (de) *adv.* sufficiently, enough (of)
suffisant(e) *adj.* sufficient
suggérer (je suggère) to suggest
Suisse *f.* Switzerland; *m., f.* Swiss (*person*); **suisse** *adj.* Swiss
suite *f.* continuation; series; result; **tout de suite** immediately
suivant(e) *adj.* following
suivre (p.p. suivi) *irreg.* to follow; to take; **suivre les actualités** to keep up with the news; **suivre un cours** to take a class
sujet *m.* subject; topic; **au sujet de** concerning
superficie *f.* (surface) area
superficiel(le) *adj.* superficial
superflu(e) *adj.* superfluous
supérieur(e) *adj.* superior; upper
superlatif *m., Gram.* superlative
supermarché *m.* supermarket

supplément *m.* extra charge, fee, supplement
supplémentaire *adj.* additional, extra
supporter to tolerate, bear, stand
sur *prep.* on, on top of; upon; concerning; about
sûr(e) *adj.* sure; unerring, trustworthy; safe; **bien sûr** *interj.* yes, of course
surchargé(e) *adj.* overloaded, overworked
sûrement *adv.* certainly, surely
surf *m.* surfing; **surfer sur Internet** to surf the Internet
surface *f.* surface; **grande surface** shopping mall, superstore
surgelé(e) *adj.* frozen (*food*)
surmonter to surmount; overcome
surnom *m.* nickname
surnommé(e) *adj.* nicknamed
surpeuplé(e) *adj.* overpopulated
surpopulation *f.* overpopulation
surprenant(e) *adj.* surprising
surprendre (like prendre) *irreg.* to surprise
surpris(e) *adj.* surprised
surtout *adv.* above all, chiefly, especially
surveiller to watch over
survivre (like vivre) *irreg.* to survive
syllabe *f.* syllable
symbole *m.* symbol
symboliser to symbolize
sympathique (*fam. inv.* **sympa**) *adj.* nice, likeable
symphonie *f.* symphony
symphonique *adj.* symphonic
symptôme *m.* symptom
syndicat (*m.*) **d'initiative** (*local*) chamber of commerce, tourist office
systématiquement *adv.* systematically
système *m.* system; **système d'exploitation** operating system (*computer*); **système solaire** solar system

ta *adj., f. s.* your
tabac *m.* tobacco; tobacco shop; **café-tabac** *m.* café-tobacconist (*government-licensed*)
table *f.* table; **débarrasser la table** to clear the table; **mettre la table** to set the table; **se mettre à table** to sit down at the table; **table basse** coffee table; **table de nuit** bedside table
tableau *m.* picture; painting; chart; **tableau d'affichage** schedule display board; **tableau noir** blackboard, chalkboard
tâche *f.* task; **tâches ménagères** household tasks
taille *f.* size; waist; **de taille moyenne** average height
talon *m.* heel
tamponner to stamp

tant *adv.* so much; so many; **tant de** so many, so much; **tant... que** as much . . . as; **tant que** as long as; **tant pis** too bad

tante *f.* aunt

taper to type

tapis *m.* rug

taquiner to tease

tard *adv.* late; **dormir tard** to sleep late; **plus tard** later

tarif *m.* tariff; fare, price

tarte *f.* tart; pie; **tarte aux pommes** apple tart

tartine *f. slice of bread with butter and topping*

tas *m.* pile, heap

tasse *f.* cup

taux *m.* level; rate, statistic

taxi *m.* taxi; **chauffeur** *(m.)* **de taxi** cab driver

te (t') *pron.* you; to you

technicien(ne) *m., f.* technician

technique *adj.* technical

technologie *f.* technology

technologique *adj.* technological

teinture *f.* dye; color, tint

tel(le) *adj.* such; **tel(le) que** such as, like

télécarte *f.* phone calling card

télécharger (nous téléchargeons) to download

télécommande *f.* channel changer, remote

télégramme *m.* telegram

télégraphe *m.* telegraph

téléphone *m.* telephone; **téléphone mobile (portable)** cellular phone; **numéro** *(m.)* **de téléphone** telephone number; **parler au téléphone** to talk on the phone

téléphoner (à) to phone, telephone; **se téléphoner** to call one another

téléphonique *adj.* telephonic, by phone; **annuaire** *(m.)* **téléphonique** phone book; **cabine** *(f.)* **téléphonique** phone booth; **répondeur** *(m.)* **téléphonique** telephone answering machine

téléspectateur/téléspectatrice *m., f.* television viewer

téléviseur *m.* television set

télévision *(fam.* **télé)** *f.* television

tellement *adv.* so; so much

témoignage *m.* testimony, account; evidence; **faux témoignage** perjury

témoin *m.* witness

tempe *f.* temple *(head)*

tempérament *m.* temperament; constitution

température *f.* temperature

tempéré(e) *adj.* temperate *(climate)*

tempête *f.* tempest, storm; **lampe-tempête** *f.* hurricane lamp

temporaire *adj.* temporary

temps *m.* time; weather; *Gram.* tense; **depuis combien de temps** since when, how long; **de temps en temps** from time to time; **emploi** *(m.)* **du temps** schedule; **en même temps** at the same time; **gagner (perdre) du temps** to save (waste) time; **passe-temps** *m.* pastime, diversion; **perte** *(f.)* **de temps** waste of time; **quel temps fait-il?** what's the weather like?; **temps libre** leisure time; **tout le temps** always, the whole time

tendance *f.* tendency; trend; **avoir tendance à** to have a tendency to

tendinite *f.* tendinitis

tendre *adj.* tender, sensitive; soft

tendresse *f.* tenderness, affection

tenir *(p.p.* **tenu)** *irreg.* to hold; to keep; **tenir à** to care about; to be attached to; **tiens-moi au courant** keep me informed (up to date)

tennis *m.* tennis; *pl.* tennis shoes, athletic shoes, **court** *(m.)* **de tennis** tennis court

tentation *f.* temptation

tente *f.* tent

tenter (de) to tempt; to try, attempt (to)

terme *m.* term

terminaison *f.* ending *(of a word)*

terminé(e) *adj.* finished, terminated

terminer to end; to finish

terminus *m.* last stop, terminus *(subway, bus, train)*

terrain *m.* ground; land; **faire du vélo** *(m.)* **tout-terrain** to go mountain-biking; **glissement** *(m.)* **de terrain** landslide

terrasse *f.* terrace, patio

terre *f.* land; earth; the planet Earth; **pomme** *(f.)* **de terre** potato; **par terre** on the ground; **terre cuite** earthenware, pottery

Terre-Neuve *f.* Newfoundland

terrine *f.* terrine *(casserole)*

territoire *m.* territory; **aménagement** *(m.)* **du territoire** national and regional development

terroir *m.* soil

tes *adj., m., f., pl.* your

tester to test

tête *f.* head; mind; *fam.* face; **avoir mal à la tête** to have a headache; **faire la tête** to sulk; to make faces; **faire une drôle de tête** to pull a funny (wry) face; **mal** *(m.)* **de tête** headache

texte *m.* text; passage

Thaïlande *f.* Thailand

thé *m.* tea

théâtre *m.* theater; **pièce** *(f.)* **de théâtre** *(theatrical)* play

thème *m.* theme

théorie *f.* theory

thérapie *f.* therapy

tien(ne) (le/la) *m., f. pron., fam.* yours; **les tiens** *m. pl.* close friends, relatives

tiens! *interj.* well, well! *(expression of surprise)*

tiers *adj.* third; *m.* one-third

tigre *m.* tiger

timbre(-poste) *m.* (postage) stamp

timide *adj.* shy

tiret *m.* hyphen; dash; blank *(line)*

tisane *f.* herb tea

tissu *m.* material, fabric, cloth

titre *m.* title; degree

toast *m.* piece of toast

toi *pron.,* you; **toi-même** yourself

toile *f.* cloth; web; screen

toilette *f.* lavatory; grooming

toit *m.* roof

tomate *f.* tomato; **jus** *(m.)* **de tomate** tomato juice

tomber to fall; **laisser tomber** to drop; **tomber amoureux/amoureuse (de)** to fall in love (with); **tomber dans l'escalier** to fall down the stairs; **tomber en panne** to have a *(mechanical)* breakdown; **tomber malade** to become ill

ton *adj., m. s.,* your

tondre to mow; **tondre le gazon** to mow the lawn

tonne *f.* ton

topographie *f.* topography

toque *f.* (de cuisinier) chef's hat

tort *m.* wrong; **avoir tort** to be wrong

tortue *(f.)* **de mer** (sea) turtle

tôt *adv.* early; **plus tôt** earlier

total(e) *adj.* total

touche *f.* key *(on a keyboard)*

toucher (à) to touch; to affect; **toucher sa paie** to get paid; *m.* (sense of) touch

toujours *adv.* always; still; **pas toujours** not always

tour *f.* tower; *m.* turn; tour; trick; **à ton tour** in turn, your turn; **faire un tour du monde** to go around the world; **Tour de France** *annual bicycle race*

tourisme *m.* tourism

touriste *m., f.* tourist

touristique *adj.* tourist

tournage *m.* film shooting

tourner to turn; **tourner un film** to make, shoot a movie

tournoi *m.* tournament

Toussaint *f.* All Saints' Day (November 1)

tousser to cough

tout(e) *(pl.* **tous, toutes)** *adj., pron.* all; whole, the whole of; every; each; any; **tout** *adv.* wholly, entirely, quite, very, all; **ne... pas du tout** not at all; **tous ensemble** all together; **tous les ans** every year; **tous/toutes les deux** both (of them); **tous les jours** every day; **tous les trois mois** every three months; **tout à coup** suddenly; **tout à fait** completely, entirely; **tout de suite** immediately; **tout droit** straight ahead; **toute la journée** all day long; **toutes les deux semaines** every other week; **tout le monde** everyone; **tout le temps** all the time; **tout près** very near; **tout(e) seul(e)** all alone; **un peu de tout** a little bit of everything

toux *f.* cough

toxique *adj.* toxic; **déchets** (*m. pl.*) **toxiques** toxic waste; **échappements** (*m. pl.*) **toxiques** toxic exhaust; **émission** (*f.*) **toxique** toxic emission

trace *f.* trace; **garder une trace** to keep a record, trail

traditionaliste *adj.* traditionalistic

traditionnel(le) *adj.* traditional

traduire (*like* **conduire**) *irreg.* to translate

trafiquant(e) *m., f.* trafficker

tragédie *f.* tragedy

tragique *adj.* tragic

train *m.* train; **en (par le) train** by train; **être en train de** + *infinitive* to be in the process of; **Train à grande vitesse (T.G.V.)** *French high-speed train*

traite *f.* trade, traffic (*commerce*)

traité *m.* treaty; treatise

traitement *m.* treatment; **prescrire un traitement** to prescribe a treatment

traiter to treat; **traiter une maladie** to treat an illness

traître/traîtresse *m., f.* traitor

tranche *f.* slice (*of fruit, etc.*); block, slab

tranquille *adj.* tranquil, quiet, calm

tranquillité *f.* quietness; tranquility

transférer (je transfère) to transfer

transformateur *m.* transformer

transformer to transform; to change

transmettre (*like* **mettre**) *irreg.* to transmit, pass on

transpiration *f.* perspiration, sweat

transport *m.* transportation; **moyen** (*m.*) **de transport** means of transportation; **transports** (*pl.*) **en commun** public transportation

travail (*pl.* **travaux**) *m.* work; project; job; employment; **fête** (*f.*) **du Travail** Labor Day (*first of May*); **travaux** (*pl.*) **ménagers** housework

travailler to work; **travailler dur** to work hard

traversée *f.* crossing

traverser to cross

treize thirteen

tréma *m.* dieresis

trente thirty

très *adv.* very; most; very much; **très bien, merci** very well, thank you

trésor *m.* treasure

tribu *f.* tribe

tribunal *m.* court

tricot *m.* knit; knitting

trier to sort; **trier les déchets** to sort waste products

trimestre *m.* trimester; (*academic*) quarter

triomphal(e) *adj.* trumphal

triomphe *m.* triumph

triste *adj.* sad

troisième *adj.* third; **personne** (*f.*) **du troisième âge** senior citizen

se tromper to be wrong; to be mistaken

trompette *f.* trumpet

trop (de) *adv.* too much (of), too many (of)

tropical(e) *adj.* tropical

trottoir *m.* sidewalk

trou *m.* hole

troupe *f.* troop

trouver to find; to deem; to like; **se trouver** to be; to be located

truc *m., fam.* thing; gadget; trick

tu *pron.* you (*fam.*)

tuer to kill

tuile (*f.*) roof tile

tulipe *f.* tulip

Tunisie *f.* Tunisia

tunisien(ne) *adj.* Tunisian; **Tunisien(ne)** Tunisian (*person*)

turbot (*m.*) **à l'oseille** turbot (*type of fish*) with sorrel

type *m.* type; *fam.* guy

typique *adj.* typical

un(e) *art., num., pron.* a/an; one; **l'un(e) l'autre** one another; **un peu** a little

uni(e) *adj.* united; close; **États-Unis** *m. pl.* United States

uniforme *m.* uniform

union *f.* union; marriage; **union libre** living together, common-law marriage

unique *adj.* only, sole

unir to unite

unité *f.* unity

univers *m.* universe

universel(le) *adj.* universal

universitaire *adj.* of or belonging to the university; **cité** (*f.*) **universitaire** student residence complex

urbain(e) *adj.* urban, city

urbanisation *f.* urbanization

urgence *f.* emergency; **cas** (*m.*) **d'urgence** emergency; **d'urgence** *adv.* urgently; **numéro** (*m.*) **d'urgence** emergency number

usage *m.* use

utile *adj.* useful

utilisateur/utilisatrice *m., f.* user

utilisation *f.* use

utiliser to use, utilize

vacances *f. pl.* vacation; **colonie** (*f.*) **de vacances** vacation camp; **grandes vacances** summer vacation; **partir (aller) en vacances** to leave on vacation

vacancier/vacancière *m., f.* vacationer

vaccin *m.* vaccine

vacciner to vaccinate

vairon *m.* minnow

vaisselle *f. s.* dishes; **faire la vaisselle** to wash, do the dishes; **lave-vaisselle** *m.* (automatic) dishwasher

val *m.* valley

valable *adj.* valid, good

Valentin: Saint-Valentin *f.* Valentine's Day

valeur *f.* value; worth

valide *adj.* valid

valider to authenticate; to ratify

valise *f.* suitcase; **faire les valises** to pack (*luggage*)

vallée *f.* valley

valoir (*p.p.* **valu**) *irreg.* to be worth; **il vaut mieux** it is better

vanille *f.* vanilla

vaniteux/vaniteuse *adj.* vain, conceited

vapeur *f.* steam; **cuire à la vapeur** to steam (*in cooking*)

varier to vary; to change

variété *f.* variety; **variétés** *pl.* variety show

vaste *adj.* vast, wide

veau *m.* veal; calf; **escalope** (*f.*) **de veau** veal cutlet

vedette *f.* star, celebrity (*male or female*)

végétarien(ne) *m., f., adj.* vegetarian

véhicule *m.* vehicle

véhiculer to transport

veille *f.* the day (evening) before; eve

veine *f.* vein

vélo *m., fam.* bike; **faire du vélo tout-terrain** to go mountain-biking

velours *m.* velvet, velours

vendeur/vendeuse *m., f.* salesperson

vendre to sell; **se vendre** to be sold

vendredi *m.* Friday

venir (*p.p.* **venu**) *irreg.* to come; **venir de** + *infinitive* to have just (*done something*)

Venise Venice

vent *m.* wind; **faire du vent (il fait du vent)** to be windy (it's windy)

vente *f.* sale; selling

ventilateur *m.* (**électrique**) (electric) fan

ventre *m.* belly, stomach

verbe *m.* verb

verdir to turn green

verglas *m.* sleet, frost; patch of ice

vérifier to verify; **vérifier le niveau d'huile** to check the oil (*motor*)

véritable *adj.* true; real

verlan *m. type of slang*

verre *m.* glass; **prendre un verre** to have a drink; **verres de contact** contact lenses; **verre à vin** wineglass

vers *prep.* toward(s), to; about

versant *m.* side, slope (*of mountain*)

verser to pour (in); to dispense

vert(e) *adj.* green; **vert** *m.* environmentalist, "green"; ***haricots** (*m. pl.*) **verts** green beans

vertige *m.* vertigo, dizziness; **avoir le vertige** to be dizzy

veste *f.* sport coat, suit coat

vestiges *m. pl.* remains, vestiges

vêtement *m.* garment; *pl.* clothes, clothing

vétérinaire *m., f.* veterinarian

veuf/veuve *m.* widower; *f.* widow

vexer to vex, annoy

viande *f.* meat; **viande hachée** ground meat

vibreur *m.* vibrator

vice-président(e) *m., f.* vice-president

victime *f.* victim (*male or female*)

victoire *f.* victory, win

vide *adj.* empty

vidéo *adj. inv.* video; *f.*, video(cassette); **jeu** (*m.*) **vidéo** video game

vider to empty; **vider les ordures** to empty the garbage

vie *f.* life; **espérance** (*f.*) **de vie** life expectancy; **gagner sa vie** to earn one's living; **mener une vie sédentaire** to lead a sedentary life

vieillir to grow old

vieillissement *m.* aging

vierge *f.* Virgin

vieux (vieil, vieille) *adj.* old; **vieux garçon** *m.* bachelor

vif/vive *adj.* lively, bright; **cuire à feu vif** to cook on high heat; **sur le vif** from/in real life

vigne: pied (*m.*) **de vigne** vine

vigueur *f.* vigor; strength

villa *f.* bungalow; single-family house; villa

ville *f.* city; **centre-ville** *m.* downtown; **en ville** in town, downtown; **plan** (*m.*) **de la ville** city map

vin *m.* wine; **cave** (*f.*) **à vins** winery; **coq** (*m.*) **au vin** *chicken cooked in (red) wine;* **marchand** (*m.*) **de vins** wine seller; **verre** (*m.*) **à vin** wineglass

vinaigre *m.* vinegar

vingt twenty

vingtième *adj.* twentieth

viol *m.* rape

violent(e) *adj.* violent

violer to violate, break; to rape

violet(te) *adj.* purple, violet; *m.* violet (*color*)

violon *m.* violin; **jouer du violon** to play the violin

Virginie *f.* Virginia; **Virginie-Occidentale** West Virginia

virgule *f.* comma

virtuel(le) *adj.* virtual

virus *m.* virus; **virus informatique** computer virus

visage *m.* face, visage; **se laver le visage** to wash one's face

vis-à-vis (de) *prep.* opposite, facing

visite *f.* visit; **rendre visite à** to visit (*people*)

visiter to visit (*a place*)

visiteur/visiteuse *m., f.* visitor

visualiser to visualize

visuel(le) *adj.* visual

vitamine *f.* vitamin

vite *adv.* quickly, fast, rapidly

vitesse *f.* speed; **changer de vitesse** to change gears; **dépasser la limite de vitesse** to exceed the speed limit; **levier** (*m.*) **de vitesse** gear shift (*lever*)

vitre *f.* pane of glass; car window

vitrine *f.* display window, store window; **faire les vitrines** *fam.* to window-shop

vivant(e) *adj.* living; alive; **bon vivant** *m.* bon vivant, who enjoys life

vivre (*p.p.* **vécu**) *irreg.* to live; **facile (difficile) à vivre** easy (difficult) to get along with

vocabulaire *m.* vocabulary

vœux *m. pl.* wishes, good wishes; **carte** (*f.*) **de vœux** greeting card

voie *f.* way, road; course; lane; railroad track; **par voie de** by means of

voilà *prep., adv.* there, there now, there is, there are, that is

voile *f.* sail; **faire de la planche à voile** to go windsurfing (sailboarding); **faire de la voile** to sail

voir (*p.p.* **vu**) *irreg.* to see; **aller voir** to go visit; **se voir** to imagine oneself, see oneself (one another)

voisin(e) *m., f.* neighbor

voiture *f.* car, auto

voix *f.* voice; **à haute voix** out loud, aloud

vol *m.* flight

volaille *f.* poultry

volant *m.* steering wheel

volcan *m.* volcano

volcanique *adj.* volcanic

voler *intr.* to fly

volet *m.* (*window*) shutter

volley-ball (*fam.* **volley**) *m.* volleyball

volontaire *adj.* voluntary; **interruption** (*f.*) **volontaire de grossesse (IVG)** abortion

volonté *f.* wish, will

vomissement *m.* vomiting

voter to vote

votre *adj. s.* your

vôtre (le/la) *m., f. pron.* yours

vouloir (*p.p.* **voulu**) *irreg.* to wish, want; **vouloir dire** to mean; **je veux bien** I'm willing

vous *pron.* you; yourself; to you; **chez vous** where you live; **s'il vous plaît** please; **vous-même** yourself

voyage *m.* trip; journey; **agence** (*f.*) **de voyages** travel agency; **agent** (*m.*) **de voyages** travel agent; **chèque** (*m.*) **de voyage** traveler's check; **partir en voyage** to leave on a trip; **préparatifs** (*m. pl.*) **de voyage** travel preparations; **voyage de noces** honeymoon, wedding trip

voyager (nous voyageons) to travel

voyageur/voyageuse *m., f.* traveler

voyant(e) *m., f.* fortune teller

voyelle *f.* vowel

vrai(e) *adj.* true, real; **c'est vrai?** is that right (correct)?

vraiment *adv.* truly, really

vue *f.* view; panorama; sight; **point** (*m.*) **de vue** point of view

wagon *m.* train car

y (*loc. pron.*) there

y: il y a (*inv.*) there is, there are; ago; **il n'y a pas de** there isn't, there aren't; **qu'est-ce qu'il y a dans... ?** what's in . . . ?; **y a-t-il... ?** is (are) there . . . ?; **j'y pense** I'm thinking about it

yaourt *m.* yogurt

yeux (*m. pl.* of **œil**) eyes

zéro *m.* zero

zone *f.* zone; **stationner dans une zone interdite** to park in a no-parking zone

zut *interj., fam.* darn

Index

Any abbreviations used in this index are identical to those used in the end vocabulary. Cultural topics and Vocabulary are listed at the end as separate categories.

About the Authors

Tracy D. Terrell, late of the University of California, San Diego, received his Ph.D. in Spanish Linguistics from the University of Texas at Austin. His extensive research publications are in the area of Spanish dialectology, with particular focus on the sociolinguistics of Caribbean Spanish. Professor Terrell's publications on second language acquisition and on the Natural Approach are widely known in the United States.

Mary B. Rogers holds her undergraduate and graduate degrees in French from Vanderbilt University. She teaches French and second language pedagogy at Friends University (Kansas) and works in teacher training. Professor Rogers has been a certified tester for the ACTFL Oral Proficiency Interview and has given numerous workshops and presentations on language teaching. She is a coauthor of *Bravo!,* a Natural Approach program for teaching Spanish in secondary and middle schools.

Betsy J. Kerr is an Associate Professor of French at the University of Minnesota, Minneapolis. She received her Ph.D. in French linguistics from Indiana University and has published in the areas of French syntax and pragmatics, specializing in the analysis of spoken French discourse. At the University of Minnesota, Professor Kerr (formerly Barnes) teaches all levels of French language and basic courses in French linguistics. She also served for many years as director of the Lower Division French Program.

Born and raised in Marseille, **Guy Spielmann** (Ph.D., Vanderbilt University) is Associate Professor of French at Georgetown University and Associate Director of the French School, Middlebury College. He has done research, lectured and published extensively on second language acquisition and performing arts in Early Modern Europe. He has also done pioneering work in the scholarly and pedagogical use of information technology. Visit *La Page de Guy* at www.georgetown.edu/spielmann